D1133252

MEDIEVAL ENGLISH

PLATE I

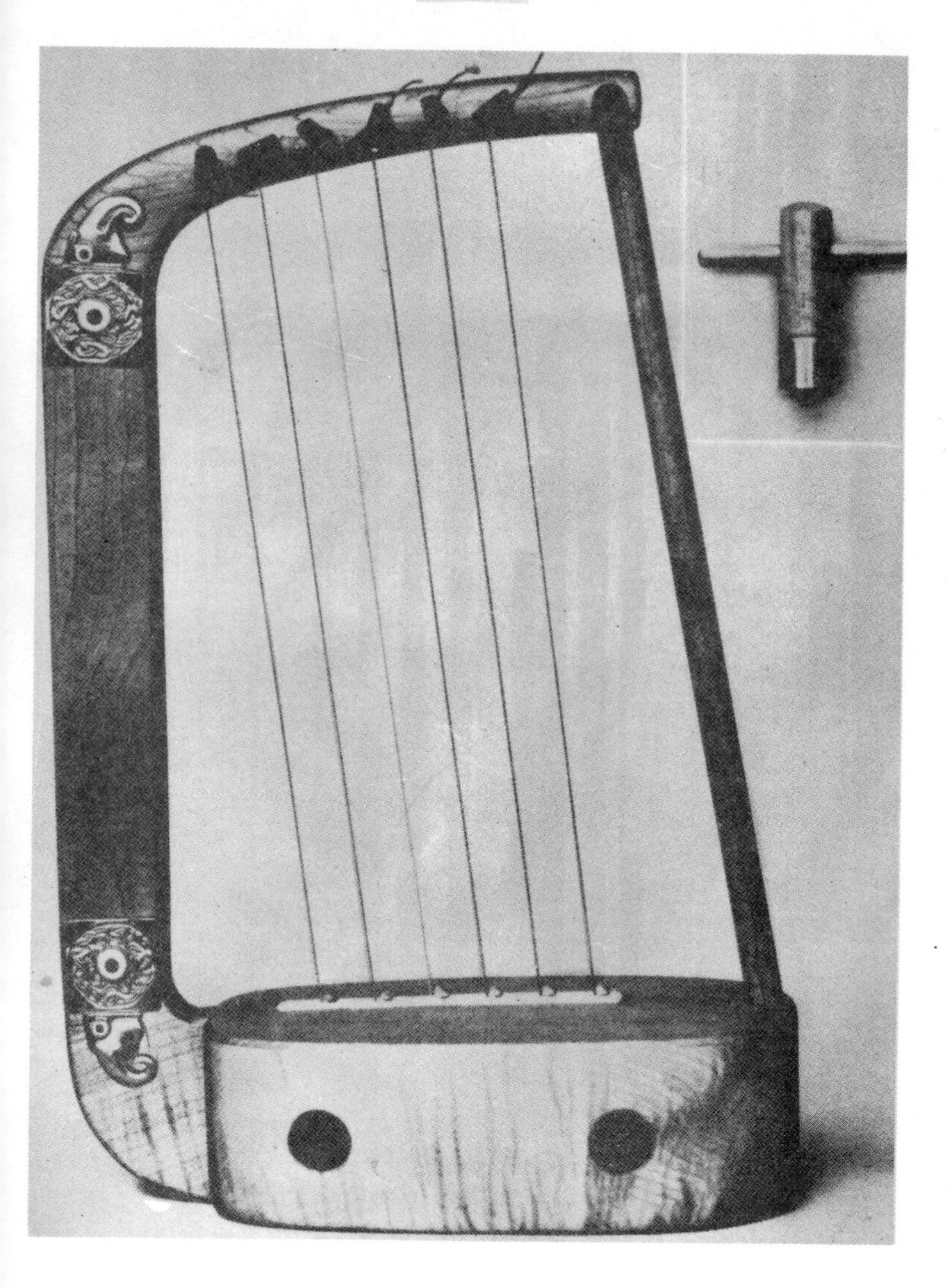

THE SUTTON HOO HARP

cf. p. XXVI

ROLF KAISER

MEDIEVAL ENGLISH

AN OLD ENGLISH AND MIDDLE ENGLISH ANTHOLOGY

★

BERLIN W.

MARKOBRUNNER STR. 9

Republished 1977
SCHOLARLY PRESS, INC.
19722 E. Nine Mile Rd., St. Clair Shores, Michigan 48080

Published by

ROLF KAISER

MARKOBRUNNER STR. 21 · BERLIN-WILMERSDORF

First Edition ("Ae. und me. Anthologie") 1954
Second Edition (Reprint) 1955
Third Edition (revised and greatly enlarged) 1958

Library of Congress Catalog Card Number: 72-16952
ISBN 0-403-01336-4

He that stelys this booke
Shulbe hanged on a crooke;
He that this booke stelle wolde
Sone be his herte colde:
That it mow so be
Seith amen, for cherite!

Royal MS. 18. A. XVII, fol. 199

PRINTED IN BERLIN WEST

TO

PROFESSOR EILERT EKWALL

THIS ANTHOLOGY IS CORDIALLY DEDICATED

FROM A LETTER TO A FRIEND:

My dear —,

As you so kindly pointed out in your last letter I have recently been very silent about my intended publication, in spite of all your interest. Unfortunately you are quite right; I have in fact had little spare time because of my work, and could only overcome many of the difficulties by the frequent use of our old slogan "Press on ..." Now that this volume is happily finished, I am very glad to answer some of your questions, especially your question why I am so keen on publishing a book of this kind. Of course, I can tell you only a little about the origin and aims of the book; quid sit futurum cras fuge quaerere ...

You will not expect me to examine all the pros and cons of Medieval English philology, nor in particular to argue about the value of such a philological museum for our students. Certainly, doubts are voiced now and again, and not only by undergraduates. But, of course, such fuzzy scepticism is not so up-to-date or even revolutionary, as these 'heretics' sometimes seem to suppose. I should like to remind you of those wise words of Max Foerster, who as early as 1919 was criticizing such misleading tendencies (Anglia 42): "Historisch entstandenes, wie kultur und sprache, läßt sich zwar von allen möglichen gesichtspunkten aus betrachten, aber völlig begreifen doch nur im lichte geschichtlicher entwicklung. Alles menschliche in seiner historischen bedingtheit verstehen zu können, das schien und scheint mir aber das höchste ziel wahrhaft humaner bildung zu sein." I do not think that we should be less metaphysically inclined than those rude forefathers of ours in King Edwin's hall and that, besides concerning ourselves with the "Whither" of that little sparrow (which appears to be rather disquieting, particularly in the "Brave New World" of "1984"), we should be no less interested in the question of "Whence". Then, indeed, if we try to understand our ancestors living in those "dark ages", if we want to share in the weal and woe of their daily life and comprehend their mental world, if, in truth, we intend to build our knowledge of the present upon the laughter and tears of the past: is it not the highest privilege of the philologist to study the medium through which those generations of human beings have tried day by day to express their ideas and realise their talents, i. e. their language, whose heritage still to-day so often forms our way of thinking? And again, should we not study sympathetically those monuments which our forefathers left behind as a legacy of their intellectual achievements, clearer and much more varied than the tracery-work of the sublime cathedrals before which every passer-by pauses in respectful admiration?

> *For out of olde feldes, as men seyth,*
> *Cometh al this newe corn from yer to yere,*
> *And out of olde bokes, in good feyth,*
> *Cometh al this newe science that men lere.*

Should not Chaucer's words apply to the English philologist also?

The lack of a convenient Medieval English Reader in the hands of our post-war students has been so often lamented, that I need not comment on this unhappy fact, so long an obstacle in the way of those seeking the treasures of the past. Moreover, I do not propose to enter here into the question whether perhaps every generation requires a new Reader of its own because of changing academic methods and values. But I will not deny I have sometimes felt a vague hope that such a new handbook might be useful in a small way in reviving interest in medieval English studies. King Alfreds words recalling the times "ær ðæm ðe hit eall forherȝod wære ond forbærned" may well contain an admonition to us.

Thus the idea of such a two-volume anthology (I: texts; II: glossary, &c.) gradually took shape. And frankly I admit that already from that point to the first proofs the path was beset with many difficulties. For, apart from all the demands of scholarship, I had to bear in mind that my task was first and foremost to produce a book which our students could afford to buy. Knowing the economic circumstances of my pupils as well as the current price of books it seemed to be a somewhat forlorn enterprise to bridge the gulf between the two; and though I gratefully acknowledge the interest of publishers in such a book, the exceptional cost of printing medieval texts made matters worse. However, I think that a Reader which the student can use only in public libraries, is not fulfilling its principal purpose.

I finally made up my mind to forgo the advantages of collaborating with a well-known publishing house and to have the book privately printed. In truth, not an easy decision, and I was quite aware it might be misunderstood. And, idealist though I may be, I was not so unpractical as to ignore that such an undertaking meant hard work, and even with considerable self-denial would be very difficult to realise on the modest means of a private lecturer, who, moreover, is not inclined to ask for a subsidy from any "Big Brother". And, of course, when the book went to press all my careful calculations soon proved to be illusory, and further sacrifices had to be made. This is not the place to record the details; habeant sua fata libelli. But surely you will understand my pleasure in seeing this volume completed. And as I have just reread those medieval passages on the deadly sin of the covetous man, I am especially glad that I can offer it at a price which I suppose even my severest reviewers will call "reasonable". You see, my optimism is incorrigible.

If I venture to dedicate such an unpretentious book to a great scholar I feel bound to add a word of apology and explanation. A little story, not quite unknown to you: it happened not so long ago, some years after the end of the war; you were there at the time. We were post-war-prisoners-of-war, "living" in pretty hard conditions. Digging for coal hundreds of feet underground; and burying our comrades. We were not allowed to write or receive post from home. Then, one evening, I was summoned to the guard-room. Sometimes a dangerous order. But that night I was told that there was post for me. A parcel. The sender? Sweden, Professor Eilert Ekwall. The parcel contained, as far as I could make out while it was being examined at some length, food and academic papers. The papers, of course, I never received. The gifts which were actually handed over to me, were for both of us incredible luxuries. However, this was not the reason why we were so deeply touched by that parcel: Who can imagine our delight in receiving this token of kindness from someone in another world, which to us had long seemed lost. I then made up my mind that if ever a kind fate allowed me to see this other world again, my first book would be gratefully dedicated to Eilert Ekwall, our friend in need.

And so I am going to launch this anthology. Whether it has been worth while, whether the selected texts may form a useful basis for medieval English studies, whether perhaps this book has even succeeded in going beyond the sometimes rather limited cultural range of previous collections, all this the reader and the critic have to decide. And in view of the manner of publication and distribution which I have chosen I shall know the verdict before long. But as to your particular question whether it is worth the editor's while in these hectic days to write such a book, I can already answer: Yes. Working on this anthology has been, in spite of everything, really a delightful task. To such a degree that I am tempted to adapt a word of Dr. Johnson's friend Oliver Edwards: I have tried too in my time to be a philologist; but I don't know how, cheerfulness was always breaking in. This cheerfulness in the sense of »das fröhliche Herz« of Immanuel Kant — may it for ever guide the student. "And gladly wolde he lerne and gladly teche."

Berlin-Wilmersdorf,
Markobrunner Str. 21 *Rolf Kaiser*

POSTSCRIPT FOR THE THIRD EDITION.

Three printings of a publication of this kind in such a short time: I must not speak of a "success", as this might be mistaken, but I cannot refrain from seeing in such a friendly reception of my modest opus the most generous reward I could hope for. And to the long list of my prefatory acknowledgements I should be happy to add here the expression of my thanks to numerous and indulgent reviewers, undeserved though their appreciation may be, and to all my scholarly correspondents, no less magnanimous in their praise, their range extending from the memorable names of F. Holthausen and F. Klaeber to groups of interested American students, from the genius of T. S. Eliot to an unknown friend at Wellington, New Zealand, timidly asking for certain explanations.

Would it seem selfish to call this ample echo „world-wide"? Anyhow, as you know, I am far from pretending that all my geese are swans. But you will understand why I have now put this book into English for this and subsequent editions, thus responding also to suggestions from a number of foreign reviewers, in particular in France and Scandinavia. And you will also understand that my pleasure in this reception and, at the same time, the practical necessity of presenting this volume in a final shape, made me add many new pieces — without omitting any of the previous texts — thus enlarging the contents by about a quarter. The additions comprise texts now completed or considerably augmented, e. g. the Dream of the Rood, Body and Soul, Hales' Love Ron, Judith, Riddles, Piers Plowman, Middle English lyrics, Handlyng Synne, etc. But for the most part they are new titles, which contribute further material to all periods and subjects, from the Leiden Riddle to the Paston Letters, from charters, homilies, and legends to chronicles and the Maiden of the Moor. I am very glad to say that in some of these titles my intentions coincided with suggestions of my reviewers and correspondents. A certain number of the newcomers have not been printed hitherto, and I was also able to increase the number of plates. I hope that all these supplements will, indeed, enrich the book, and will gain the approval of my friends and readers.

And thus, at long last:

"Goo, litil boke, God sende the gode passage!"

Christmas 1957.

R. K.

CONTENTS

LIST OF PLATES

PREFACE

This anthology is intended to provide our students of medieval English language and literature with a sufficiently comprehensive collection of texts. I hope that the range of interest will not have been too narrowly limited. Thus the work of compilation was not determined purely by linguistic demands, though I trust they have not been neglected, but was also designed to offer suitable material for more literary or cultural studies on this period, as e.g. the Old English elegies, Middle English lyrics, the continuity of prose in the Middle Ages, medieval social life as reflected in literature, Middle English romances, medieval religious writings and controversies, chronicles and political lyrics, the alliterative revival, the background of Chaucer's England, early English drama, problems of metre, of style, of the art of translation, etc. In the individual extracts from longer texts, which, of course, are essential for any anthology covering the period from Widsith to the earliest printed books, an attempt has been made to give an impression of content and form characteristic for the work as a whole.

Glancing through the book, the reader will come across many pieces indispensable for such a manual and therefore also to be found in previous collections. Beside these, however, I hope he will find among the coloured stones of this mosaic many — perhaps, in fact, a majority of pieces which are less familiar, even extracts from treatises on medieval medicine or from cookery-books. I have never been terrified by the unusual; otherwise the reader would not have this modest book in his hand. Moreover, as long as he does not try the recipes in practice, I do not think there will be any harm in such reading matter: some aspects of the medieval background, from the mortal sin of wrath to the multitude of skin diseases, will be better understood after one has read contemporary accounts of the vast meals with their mountains of spices; and perhaps one may even understand more easily that in literature, too, people sometimes displayed more robust tastes than our own age of packaged cereals.

Nevertheless, ample as the collected materials may seem, they cannot represent more than a very small selection of all this medieval wealth. I have used King Alfred's "Gaderode me þonne kicglas..." as a motto, and regret that it should have to serve, at the same time, as an epitaph for all the numerous specimens which had been carefully excerpted but which finally could not be included. Texts from Beowulf and Chaucer, on the other hand, have been deliberately excluded. For though I fully sympathize with the economic situation of my pupils, I refuse to imagine a serious student who does not have complete editions of both. In this case, extracts would only constitute unnecessary duplication. For the same reason, the Finnsburg Fragment, included in every Beowulf edition, has been left out.

The usual division into an Old English and a Middle English volume has been avoided in order to emphasize for the younger student the deeper unity in the development of English. Likewise I have dispensed in this volume with any kind of literary introductions. Instead, every text is accompanied by references to the most important bibliographical handbooks; the student should get into the habit of using these as soon as possible. The second volume may offer more help in this respect.

In the brief preambles to the various texts the manuscripts represented (with approximate date) and the standard editions are always quoted. Though I have, whenever possible, availed myself of the actual manuscripts, occasionally in the form of facsimiles, photostats, microfilms, etc., I think it my foremost duty to render my cordial thanks to previous editors. I do not believe I can do it better than in the words of the medieval philosopher reading the classical authors: We feel like dwarfs standing upon the shoulders of giants. — That I have been able to include also a number of texts hitherto not printed, is to a certain extent a salve for my philological conscience.

The punctuation and capitalization are modernized, but otherwise the manuscript is followed as closely as possible. Emendations, which are noticed in the footnotes, are used with reasonable restraint, in the spirit of Alfred's remark "Forðam ic ne dorste geðristlæcan þara awuht fela on gewrit settan, forðam me wæs uncuð, hwæt þæs ðam lician wolde ðe æfter us wæren." Even where such conjectures were highly probable, e. g. in Sir Orfeo, I thought it better to allow full scope for discussion in class and seminars. The apparatus, which aims to assist the reader without burdening him, will be supplemented in the second volume.

Perhaps I may be permitted a few remarks concerning the arrangement of the texts, no easy task in the case of a book now containing roughly 300 titles from about eight centuries. Neither a mere chronological order, placing e. g. the solemn Orm alongside some of the outspoken secular lyrics, nor a linguistic arrangement, e. g. according to dialectal evidence, placing Richard Rolle together with the Master of Wakefield or Margery Kempe with John Lydgate, seemed here to be satisfying solutions. And perhaps too much importance is sometimes attached to such questions of method. Consequently I have grouped the extracts according to form and subject and in approximate chronological order within the subject. I admit that, at a first glance, this arrangement looks as motley as the Middle Ages themselves or as the varied texts of the Thornton Manuscript. But perhaps a link between the groups may be detected: the emancipation of the imagination. — The index at the end of the volume will make it easy to find any given text.

The second volume will contain notes and a glossary. I know full well the value and the necessity of this work for our students, and therefore deeply regret that its date cannot yet be fixed because of very urgent personal reasons. But the materials are compiled, and I will do my best to publish them at some future date. Ultra posse nemo obligatur.

My grateful acknowledgements are due to the authorities of all the libraries and institutions who assisted me by placing at my disposal parts of their treasures in manuscripts and books, in particular to the British Museum, to the Bodleian Library, and to many other libraries at Oxford and Cambridge; to the University Library at Göttingen, especially for permission to print the Thomas Castelford Manuscript; to the Cambridge University Press; to the Oxford University Press, and to Mr. C. Batey, Printer to the University, for his readiness in providing me with microfilms of manuscripts.

I should like to repeat here the expression of my thanks to Professor W. Hübner, Berlin, and to Professor B. v. Lindheim, Berlin, not only for valuable suggestions but also for the goodwill they have always shown to me and my academic work. To Professor L. L. Schücking, München, I am much obliged for his kind permission to reprint the plate from Ælfric's manuscript. I owe a particular debt of gratitude to my friends and colleagues Dr. W. N. Brown, Berlin, and Mr. W. E. Yuill, M. A., Sheffield, for their help in putting the book into English for the third and further editions; and to Mr. J. A. Stedman, Walberswick, and Mr. P. L. Girling, Southwold, for providing me with the fine drawing illustrating the Walberswick covenant.

Though my compositor and galley-proof printer modestly asked me not to name him in the acknowledgements, I cannot refrain here from expressing my thanks for his untiring readiness to respond to all my wishes and corrections. After all, every letter of the texts is hand-set, and — as I have been smilingly informed — there are above 55 000 letters in the single sheet of sixteen pages of this highly compressed print, that means far more than double the normal contents for a book of that size. And I am able to confirm these words: I shall always think of those Saturday afternoons when we both used to stand type-setting at the letter-cases in his workshop, he so interested in the elements of early English and myself a keen but unworthy apprentice of the "black art". (Consequently — some of the pages being my personal contribution of "this bit of fiat in my soul" — some of the misprints will be my faults. A fairly medieval scheme of production, anyway.)

My wife assisted in the proof-reading as well as in all the other joys and sorrows of my publishing venture.

Finally I must not forget all my students, whose fresh and vital interest in reading some of the texts often encouraged my hopes for this publication. I had meant to offer a "Good luck for your studies!" to them and to all future students who will use this anthology; but in search of a suitable quotation I felt unable to ignore the closing admonition of the author of Ancrene Riwle: "O þisse boc redeð eueriche deie hwon ȝe beoð eise, eueriche deie lesse oðer more! Uor ich hopie þet hit schal beon ou, ȝif ȝe hit redeð ofte, swuðe biheue þuruh godes grace. And elles ich heuede vuele bitowen muchel of mine hwule. God hit wot, me were leouere uorto don me touward Rome þen uorto biginnen hit eft forto donne!" I think, he wrote it with a smile.

Markobrunner Str. 21
Berlin-Wilmersdorf.

R. K.

Gaderode me þonne kigclas, and stuþansceaftas, and lohsceaftas, and hylfa to ælcum þara tola þe ic mid wircan cuðe, and bohtimbru and bolttimbru to ælcum þara weorca þe ic wyrcan cuðe, þa wlitegostan treowo be þam dele ðe ic aberan meihte. Ne com ic naþer mid anre byrðene ham, þe me ne lyste ealne þane wude ham brengan, gif ic hyne ealne aberan meihte. On ælcum treowo ic geseah hwæthwugu þæs þe ic æt ham beþorfte. Forþam ic lære ælcne ðara þe maga si, and manigne wæn hæbbe, þæt he menige to þam ilcan wuda þar ic ðas stuðansceaftas cearf, fetige hym þar ma, and gefeðrige hys wænas mid fegrum gerdum, þat he mage windan manigne smicerne wah, and manig ænlic hus settan and fegerne tun timbrian þara, and þær murge and softe mid mæge on eardian ægðer ge wintras ge sumeras, swa swa ic nu ne gyt ne dyde.

ALFRED, Augustinus

Ye knowe ek, that in forme of speche is chaunge
Withinne a thousand yeer, and wordes tho
That hadden pris, now wonder nyce and straunge
Us thinketh hem; and yit thei spake hem so.

CHAUCER, Troilus

SE HÆLEND CRIST

syþþan he to þisum life com and mann
wearþ geweaxen, þa ða he wæs þrittig
wintra eald cn þære menniscnesse,
þa began he wundra to wyrcenne
and geceas þa twelf leorningcnihtas
þa þe we apostolas hataþ. Þa wæron
mid him æfre syððan and he hym tæhte
ealne þone wisdom þe on halgum
bocum stent and þurh hy ealne cristen-
dom astealde. Þa cwædon hy to þam
hælende: 'Leof, tæce us hu we magon
us gebiddan.' Þa andwyrde se hælend
and þus cwæð: 'Gebiddaþ eow mid þysum
wordum to minum fæder and to eowrum
fæder, gode ælmihtigum:

PATER NOSTER QUI ES IN CELIS

ÐU URE FÆDER

þe eart on heofenu(m) seo þin nama
gehalgod. Cume ðin rice. Seo ðin wylla on eorðan swa swa on heofenum. Syle us
to-dæg urne dæghwamlican hlaf. And forgyf us ure gyltas, swa swa we forgyfað ðam
þe wið us agyltaþ. And ne læd þu na us on costnunge; ac alys us fram yfele. Sy hit swa!'

FROM AELFRIC'S PATER NOSTER HOMILY

Bodleian, Hatton 113

1. - 6. RUDIMENTS

This introductory section containing a few simpler texts is intended to assist the beginner. Vowel-length is here indicated by a horizontal line above the letter, and some of the more difficult words are glossed in the footnotes. In the first two specimens (and in the Old English version of No.10, the Gospel of the Nativity), moreover, palatal k and palatal fricative g are printed č and ʒ respectively. (A rudimentary study of Old English palaeography — indispensable for the neophyte — will be facilitated by the plates.)

1. THE CREATION

From Aelfric's Sermo de Initio Creaturae, below

Alle Geschöpfe Himmel und Engel Sonne und Mond Sterne und Erde alle Tiere
Ealle ʒesčeafta, heofonas and englas, sunnan and mōnan, steorran and eorðan, ealle nȳtenu

und Vögel (die) See und alle Fische (Gott) erschuf und erwirkte Gott in sechs Tagen und an dem
and fugelas, sǣ and ealle fixas god ʒesčeōp and ʒeworhte on six dagum; and on ðām

siebenten Tage (er) beendete er sein Werk und verhielt da und heiligte den siebenten Tag
seofoðan dæʒe hē ʒeendode his weorc, and ʒeswāc ðā and ʒehālgode þone seofoðan dæʒ, 3

weil er an dem Tage sein Werk beendete (b. hatte) und er besah da alle seine Werke die er
forðan ðe hē on ðām dæʒe his weorc ʒeendode. And hē behēold þā ealle his weorc ðe hē

erschuf (e. hatte) und sie waren alle sehr gut(e) alle Dinge (er) erschuf er ohne jeglichen Werkstoff
ʒeworhte; and hīe wǣron ealle swīðe gōde. Ealle ðing hē ʒeworhte būton ǣlcum antimbre.

er sprach (es) werde Licht und alsbald war Licht geworden er sprach danach (es) werde
Hē cwæð: ‘ʒeweorðe lēoht!’ And ðǣrrihte wæs lēoht ʒeworden. Hē cwæð eft: ‘ʒeweorðe 6

(der) Himmel und alsbald war (der) Himmel erschaffen so wie er mit seiner Weisheit und mit seinem
heofon!’ And þǣrrihte wæs heofon ʒeworht, swā swā hē mid his wīsdōme and mid his

Willen es einrichtete er sprach wiederum und hieß die Erde daß sie sollte hervorbringen lebendige
willan hit ʒedihte. Hē cwæð eft, and hēt ðā eorðan þæt hēo sčeolde forðlǣdan cwicu

Tiere und (er) da erschuf er von der Erde alle Haustierarten und Wildtierarten alle (die) die auf
nȳtenu. And hē ðā ʒesčeōp of ðǣre eorðan eall nȳtencynn and dēorcynn, ealle ðā ðe on 9

vier Füßen gehen ganz wie (auch) er danach von Wasser (er) erschuf Fische und Vögel und (er) gab
fēower fōtum gāð, ealswā eft of wætere hē ʒesčeōp fixas and fugelas, and sealde

den Fischen Schwimmvermögen und den Vögeln Flugvermögen aber er (weder) gab weder (k)einem (Land-)Tier
ðām fixum sund and ðām fugelum flihr; ac hē ne sealde nānum nȳtene

noch (k)einem Fisch (k)eine Seele sondern ihr Blut ist ihr Leben und so -bald (wie) sie (sind)
ne nānum fisče nāne sāwle, ac heora blōd is heora līf, and swā hraðe swā hīe bēoð 12

tot sind so sind sie mit allem verendet deshalb ist der Mensch besser wenn er in Gutem gedeiht
dēade, swā bēoð hīe mid ealle ʒeendode. Forðȳ is sē man betera, ʒif hē gōde ʒeðīhð,

als alle die Tiere sind denn sie alle werden zu nichts und der Mensch ist ewig in
þonne ealle ðā nȳtenu sindon; forðan ðe hīe ealle ʒewurðað tō nāhte, and sē man is ēče on

einem Teile das ist in der Seele sie (nicht) endet nimmer
ānum dǣle, þæt is on ðǣre sāwle: hēo ne ʒeendað nǣfre. 15

All creatures, heavens and angels, sun and moon, stars and earth, all beasts and birds, the sea and all fishes God created and wrought in six days; and on the seventh day he ended his work, and ceased, and hallowed the seventh day, because on that day he ended his work. And he beheld then all his works that he had wrought, and they were all exceedingly good. All things he wrought without any matter. He said, "Let there be light," and instantly there was light. He said again, "Let there be heaven," and instantly heaven was made, as he with his wisdom and his will had appointed it. He said again, and bade the earth bring forth living cattle, and he then created of earth all the race of cattle, and the brute race, all those which go on four feet; in like manner of water he created fishes and birds, and gave the power of swimming to the fishes, and flight to the birds; but he gave no soul to any beast, nor to any fish; but their blood is their life, and as soon as they are dead they are totally ended. Therefore is man better, if he grow up in good, than all the beasts are; because they will all come to naught, and man is in one part eternal, that is in the soul; that will never end.

2. THE FALL OF MAN

From the Old English Pentateuch. MS. Laud 509; ed. S.J. Crawford, EETS. 160, below.

Sēo næddre[1] wæs ȝēapre[2] þonne ealle þā ōðre nȳtenu, þe god ȝeworhte ofer eorðan. And sēo næddre cwæð tō þām wīfe: 'Hwȳ forbēad[3] god ēow, þæt ȝē ne ǣton[4] of ǣlcum trēowe[5] binnan paradisum?' Þæt wīf andwyrde: 'Of þǣra trēowa wæstme[6], þe synd on paradisum, wē etað; ac of þæs trēowes wæstme, þe is on middan neorxnawange[7], god bebēad ūs, þæt wē ne ǣton, ne wē þæt trēow ne hrepodon[8], þȳ lǣs wē swulton[9].' Ðā cwæð sēo næddre eft tō þām wīfe: 'Ne bēo ȝē nāteshwōn[10] dēade, þēah þe ȝē of þām trēowe eton. Ac god wāt sōðlīċe[11] þæt ēowre ēagan bēoð ȝeopenode[12] on swā hwylcum dæȝe, swā ȝē etað of þām trēowe, and ȝē bēoð þonne englum ȝelīċe[13], witende ǣȝðer ȝe gōd ȝe yfel.'

Ðā ȝeseah[14] þæt wīf þæt þæt trēow wæs gōd tō etanne, be þām þe hire þūhte[15], and wlitiȝ[16] on ēagum and lustbǣre[17] on ȝesihðe[18]; and ȝenam[19] þā of þæs trēowes wæstme, and ȝeǣt, and sealde[20] hire were[21]. Hē ǣt þā. And heora bēȝra[22] ēagan wurdon[23] ȝeopenode. Hīe oncnēowon[24] þā, þæt hīe nacode wǣron; and siwodon[25] him fīclēaf[26], and worhton him wǣdbrēc[27].

3. POPE GREGORY AND THE ENGLISH SLAVES

From Aelfric's Homilies. MS. Cambr. Univ. Gg. 3.28; ed. B. Thorpe, below.

Ðā gelamp[1] hit æt sumum sǣle[2], swā swā gīet for-oft dēð, þæt Englisce cȳpmenn brōhton heora ware tō Rōmānabyrig; and Grēgōrius ēode be ðǣre strǣte tō ðām Engliscum mannum heora ðing scēawigende[3]. Þā geseah hē betwux ðām warum cȳpe-cnihtas[4] gesette, þā wǣron hwītes līchaman and fægeres andwlitan[5] menn and æðellīce gefeaxode[6].

Grēgōrius ðā behēold þǣra cnapena wlite, and āxode[7] of hwilcere þēode[8] hī gebrōhte wǣron. Þā sǣde him man, þæt hī of Brytene ēalande[9] wǣron, and þæt ðǣre ðēode mennisc[10] swā wlitig wǣre. Eft ðā Grēgōrius āxode[7], hwæðer þæs landes folc crīsten wǣre ðe hǣðen; him man sǣde þæt hī hǣðene wǣron. Grēgōrius ðā of innweardre heortan langsume siccetunge[11] tēah and cwæð: 'Wālā-wā, þæt swā fægeres hīwes[12] menn sindon ðām sweartan dēofle underðēodde!' Eft hē āxode hū ðǣre ðēode nama wǣre þe hī of cōmon. Him wæs geandwyrd, þæt hī Angle genemnede wǣron. Þā cwæð hē: 'Rihtlīce hī sind Angle gehātene, forðan ðe hī engla wlite habbað; and swilcum gedafenað[13] þæt hī on heofonum engla gefēran[14] bēon.' Gīet ðā Grēgōrius āxode[7] hū ðǣre scīre nama wǣre þe ðā cnapan of ālǣdde wǣron. Him man sǣde, þæt ðā scīrmen wǣron Dēre gehātene. Grēgōrius andwyrde: 'Wel hī sind Dēre gehātene, forðan ðe hī sind fram graman generede[15] and tō Crīstes mildheortnesse gecȳgde[16].'

Grēgōrius ðā sōna ēode tō ðām pāpan þæs apostolican setles and hine bæd, þæt hē Angelcynne sume lārēowas[17] āsende, ðe hī tō Crīste gebīegdon[18]; and cwæð, þæt hē sylf gearo[19] wǣre þæt weorc tō gefremmanne mid godes fultume[20], gif hit ðām pāpan swā gelīcode. Þā ne mihte sē pāpa þæt geðafian[21], þēah ðe hē eall wolde, forðan ðe ðā Rōmāniscan ceastergewaran noldon geðafian, þæt swā getogen[22] mann and swā geðungen[23] lārēow þā burh eallunge forlēte.

2) [1] *f. - snake* [2] ȝēap *- cunning, deceitful* [3] *s.2 - forbid* [4] *s.5 - eat* [5] *n. - tree* [6] *m., n. - fruit* [7] *m. - paradise* [8] *w.2 - touch* [9] *s.3 - die* [10] *not at all* [11] *truly, indeed* [12] *w.2 - open* [13] *equal, similar* [14] *s.5 - see* [15] *w.1 - seem* [16] *beautiful* [17] *pleasant* [18] *f. - sight* [19] *s.4 - take* [20] *w.1 - give* [21] *man, husband* [22] bēȝen *- both* [23] *s.3 - become, happen* [24] *s.8 - know, perceive* [25] *w.2 - sew, link, put together* [26] *n. - fig-leaf* [27] *f.pl. - trousers. garments (cf. Geneva Bible, A.D.1560:* breeches, *hence "Breeches Bible"; Authorized Version, 1611:* aprons*)*

3) [1] *s.3 - happen* [2] *m. - time, opportunity* [3] *w.2 - see, look at, behold* [4] *m. - slave* [5] *m. - face* [6] feax *n. - hair* [7] axode] befran *MS.* [8] *f. - people, nation* [9] Breotone ealanda *Bede transl.*] Englalande *MS.* [10] *n. - race, men* [11] *f. - sighing* [12] *n. - shape* [13] *w.2 - be fitting* [14] *m. - companion* [15] *w.1 - save, protect* [16] *w.1 - call* [17] *m. - teacher* [18] *w.1 - turn, convert* [19] *ready* [20] *m. - help* [21] *w.2 - permit, consent* [22] *s.2 - draw, educate, instruct* [23] *capable, excellent*

4.

A COLLOQUY

From Aelfric's Colloquium (with Old English interlinear gloss), below.

Ēalā, cild, hū ēow līcaþ þēos spǣc? — Wel hēo līcaþ ūs, ēalā lārēow, ac þearle
O pueri, quomodo vobis placet ista locutio? — Bene quidem placet nobis, o magister, sed valde

dēoplīce sprycst and ofer mæþe ūre þū forþtȳhst sprǣce. Ac sprec ūs æfter ūrum
profunde loqueris et ultra aetatem nostram protrahis sermonem. Sed loquere nobis iuxta nostrum

andgytc, þæt wē magon understandan þā þing þe þū specst. — 3
intellectum, ut possimus intelligere quae loqueris. —

Canst þū ǣnig þing? — Hunta ic eom. — Hwæs? — Cynges. — Hwilce wildēor swȳþost
Scis tu aliquid? — Venator sum. — Cuius? — Regis. — Quales feras maxime

gefēhst þū? — Ic gefō heortas and bāras and rān and rǣgan and hwīlum haran. — Wǣre
capis? — Capio cervos et apros et dammas et capreos et aliquando lepores. — Fu-

þū tōdæg on huntnoþe? — Ic næs, forþām Sunnandæg ys; ac gyrstendæg ic wæs on 6
isti hodie in venatione? — Non fui, quia dominicus dies est; sed heri fui in

huntunge. — Hwæt gelæhtest þū? — Twēgen heortas and ǣnne bār. — Hū gefēnge þū hīe?
venatione. — Quid cepisti? — Duos cervos et unum aprum. — Quomodo cepisti eos?

— Heortas ic gefēng on nettum and bār ic ofslōh. — Hū wǣre þū dyrstig ofstikian bār? —
— Cervos cepi in retibus et aprum iugulavi. — Quomodo fuisti ausus iugulare aprum? —

Hundas bedrifon hyne tō mē, and ic þǣr tōgēanes standende fǣrlīce ofstikode hyne. — 9
Canes perduxerunt eum ad me, et ego econtra stans subito iugulavi eum. —

Swȳþe þrȳste þū wǣre þā. — Ne sceal hunta forhtfull wesan, forþām mislīce wildēor
Valde audax fuisti tunc. — Non debet venator formidolosus esse, quia varie bestie

wuniað on wudum. — Hwæt dēst þū be þīnre huntunge? — Ic sylle cynge swā hwæt swā
morantur in silvis. — Quid facis de tua venatione? — Ego do regi quidquid

ic gefō, forþām ic eom hunta hys. — Hwæt sylþ hē þē? — Hē scrȳt mē wel and fētt and 12
capio, quia sum venator eius. — Quid dat ipse tibi? — Vestit me bene et pascit, et

hwīlum sylþ mē hors oþþe bēah, þæt þē lustlīcor cræft mīnne ic begange. —
aliquando dat mihi equum aut armillam, ut libentius artem meam exerceam. —

Hwæt ytst þū on dæg? — Gȳt flǣscmettum ic brūce, forðām cild ic eom under gyrda
Quid manducas in die? — Adhuc carnibus vescor, quia puer sum sub virga

drohtniende. — Hwæt māre ytst þū? — Wyrta and ǣgra, fisc and cȳse, buteran and bēana 15
degens. — Quid plus manducas? — Holera et ova, pisces et caseum, butirum et fabas

and ealle clǣne þing ic ete mid micelre þancunge. — Swȳþe waxgeorn eart þū þonne þū
et omnia munda manduco cum gratiarum actione. — Valde edax es cum

ealle þing etst þe þē tōforan. — Ic ne eom swā micel swelgere þæt ic ealle cynn metta
omnia manducas que tibi apponuntur. — Non sum tam vorax ut omnia genera ciborum

on ānre gereordinge etan mæge. — And hwæt drincst þū? — Ealu, gif ic hæbbe, oþþe wæter 18
in una refectione edere possim. — Et quid bibis? — Cervisam, si habeo, vel aquam

gif ic næbbe ealu. — Ne drincst þū wīn? — Ic ne eom swā spēdig þæt ic mæge bicgean mē
si non habeo cervisam. — Nonne bibis vinum? — Non sum tam dives ut possim emere mihi

wīn; and wīn nys drenc cilda ne dysigra, ac ealdra and wīsra. — Hwǣr slǣpst?
vinum; et vinum non est potus puerorum sive stultorum, sed senum et sapientium. — Ubi dormis?

— On slǣpern mid gebrōþrum. — Hwā āwecþ þē tō ūhtsange? — Hwīlum ic gehȳre cnyll 21
— In dormitorio cum fratribus. — Quis excitat te ad nocturnos? — Aliquando audio signum

and ic ārīse; hwīlum lārēow mīn āwecþ mē stiþlīce mid gyrde. —
et surgo; aliquando magister meus excitat me duriter cum virga. —

5. SOME ANNALS

From the Anglo-Saxon Chronicle, below.

994. Hēr on þissum gēare cōm Anlāf and Swegen tō Lundenbyrig on Nativitas sancte Marīe mid fēower and hundnigontigum scipum. And hī þā on þā burh fæstlīce feohtende wǣron, and ēac hī mid fȳre ontendan[1] woldon. Ac sēo hālige godes mōdor on ðām dæge hire mildheortnesse þǣre burhware gecȳðde, and hī āhredde[2] wið heora fēondum. And hī þanon fērdon and wrohton þæt mǣste yfel þe ǣfre ǣnig here dōn mihte on bærnette and hergunge and on manslihtum ǣgðer be ðām sǣriman[3] on Ēast-Seaxum and on Centlande and on Sūð-Seaxum and on Hamtūnscīre[4]. And æt nȳxtan nāmon him hors and ridon swā wīde swā hī woldon, and unāsecgendlīce yfel wircende wǣron.

1003. On þām ilcan gēare ēode sē here up intō Wiltūnscīre. Ðā gegaderode[5] man swīðe micle fierde[6] of Wiltūnscīre and of Hamtūnscīre[4], and swīðe ānrǣdlīce[7] wið þæs heres weard wǣron. Ðā sceolde sē ealdorman Ælfrīc lǣdan þā fierde; ac hē tēah þā forð his ealdan wrencas[8]: Sōna swā hī wǣron swā gehende[9], þæt ǣgðer here on ōþer hāwode[10], þā gebrǣd[11] hē hine sēocne[12] and ongan hē hine brecan tō spīwanne, and cwæð þæt hē gesȳclod[13] wǣre, and swā þēah þæt folc becierde[14] þæt hē lǣdan sceolde, swā hit gecweden is: 'Ðonne sē heretoga wācað[15], þonne bið eall sē here swīðe gehindrod.' Ðā Swegen geseah þæt hī ānrǣde nǣron and ealle tōfōron[16], lǣdde hē his here þā intō Wiltūne; and hī þā burh gehergodon and forbærndon; and ēode him þā tō Searbyrig, and þanon eft tō sǣ fērde, þǣr hē wiste his ȳð-hengestas[17].

1011. Hēr on þissum gēare sende sē cyning and his witan[18] tō ðām here, and gierndon[19] friðes; and him gafol[20] and metsunga[21] behēton wið þām þe hī heora hergunga gescwicon[22]. Hī hæfdon þā ofergān: Ēast-Engla ·i, and Ēast-Seaxe ·ii, and Middel-Seaxe ·iii, and Oxena-fordscīre ·iiii, and Grantabrycgescīre ·v, and Heortfordscīre ·vi, and Buccingahamscīre[4] ·vii, and Bedanfordscīre ·viii, and healfe Huntadūnscīre ·ix, and micel on Hamtūnscīre[4] ·x, and be sūðan Temese ealle Centingas, and Sūð-Seaxe, and Hæstingas, and Sūðrig, and Bearuc-scīre, and micel on Wiltūnscīre. Ealle þās ungesǣlða[23] ūs gelumpon þurh unrǣdes, þæt man nolde him tō tīman gafol bēodan; ac þonne hī mǣst tō yfele gedōn hæfdon, þonne nam man grið[24] and frið wið hī. And nāðelǣs for eallum þissum griðe and friðe and gafole hī fērdon ǣghwider folcmǣlum[25], and hergodon and ūre earme folc rǣpton[26] and slōgon[27].

And on þissum gēare betwyx Nativitas sancte Marīe and sancte Michaeles mæssan hī ymbesǣton Cantwaraburh, and hī þǣr in tō cōmon þurh wrencas; forþon Ælmǣr becyrde[28] Cantwaraburh, þe sē arcebisceop Ælfeah ǣr generede his līfe. And hī þǣr þā genāmon þone arcebisceop Ælfeah, and Ælfweard þæs cynges gerēfan, and Lēofwine abbod, and Godwine bisceop; and Ælmǣr abbod hī lēton āweg. And hī þǣr genāmon inne ealle þā gehādodan menn and weras and wīf, þæt wæs unāsecgendlīc ǣnigum menn hū mycel þæs folces wæs. And on þǣre byrig siððan wǣron swā lange swā hī woldon. And þā hī hæfdon þā burh ealle āsmēade[29], wendon him þā tō scipum and lǣddon þone arcebisceop mid him. Wæs ðā rǣp-ling[30], sē þe ǣr wæs Angelcynnes hēafod and crīstendōmes! Þǣr man mihte þā gesēon earmðe[31] þǣr man ǣr geseah blisse on þǣre earman byrig, þanon ūs cōm ǣrest crīstendōm and blisse for gode and for worulde! And hī hæfdon þone arcebisceop mid him swā lange oð þone tīman þe hī hine gemartyrodon.

---

[1] *w.1 - kindle, inflame* [2] *w.1 - save* [3] *m. - coast* [4] *cf. Ekwall DEPN.* [5] *w.2 - gather* [6] *f. - army* [7] *unanimous* [8] *m. - trick* [9] *near* [10] *w.2 - gaze, look* [11] *s.3 - move, pretend, deceive* [12] sēoc - *ill* [13] *w.2 - sicken* [14] *w.1 - turn, betray* [15] *w.2 - become weak* [16] *s.6 - disperse* [17] *m. - ship, wave-horse* [18] *m. - sage, councillor* [19] *w.1 - desire* [20] *n. - tribute* [21] *f. - provisioning* [22] *s.1 - depart, desert, withdraw* [23] *f. - misfortune* [24] *n. - peace, truce* [25] floccmǣlum - *troopwise* [26] *w.1 - bind, enslave* [27] *s.6 - strike, slay, kill* [28] *see*[14] [29] *w.1 - investigate, scrutinise* [30] *m. - prisoner* [31] iermþu *f. - misery, poverty*

6. GENESIS XXVII, 1-24

[Printed here as a tribute of acknowledgement for J. Zupitza's famous "Übungsbuch" and other previous Readers.]

Ðā Īsaac ealdode and his ēagan þȳstrodon[1] þæt hē ne mihte nān þing gesēon, þā clypode[2] hē Ēsau his yldran sunu and cwæð tō him: "Þū gesihst þæt ic ealdige, and ic nāt hwænne mīne dagas āgāne bēoþ. Nim þīn gesceot[3], þīnne cocur[4] and þīnne bogan and gang ūt! And þonne þū ǣnig þing begite, þæs þe þū wēne þæt mē lȳcige, bring mē þæt ic ete and ic þē blētsige[5], ǣr þām þe ic swelte." 5

Ðā Rebecca þæt gehīrde and Ēsau ūt āgān wæs, þā cwæð hēo tō Iācobe, hire suna: "Ic gehīrde þæt þīn fæder cwæð tō Ēsauwe þīnum brēþer: Bring mē of þīnum huntoþe[6], þæt ic blētsige þē beforan drihtne ǣr ic swelte. Sunu mīn, hlyste[7] mīnre lāre: Far tō ðǣre heorde and bring mē twā þā betstan tyccenu[8], þæt ic macige mete þīnum fæder þǣrof, and hē ytt lustlīce. Þonne þū þā in bringst, hē ytt and blētsaþ þē ǣr hē swelte." Ðā cwæð hē tō hire: "Þū wāst þæt Ēsau mīn brōður ys rūh and ic eom smēþe. Gif mīn fæder mē handlaþ and mē gecnǣwð, ic ondrǣde þæt hē wēne þæt ic hine wylle beswīcan[9], and þæt hē wirige[10] mē, næs nā blētsige." Ðā cwæð sēo mōdor tō him: "Sunu mīn, sig sēo wirignys ofer mē! Dō swā ic þē secge: Far and bring þā þing þe ic þē bēad!" 10 15

Hē fērde þā, and brōhte and sealde hit hys mēder; and hēo hit gearwode[11], swā hēo wiste þæt his fæder līcode. And hēo scrȳdde[12] Iācob mid þām dēorwurþustan rēafe þe hēo æt hām mid hire hæfde, and befēold[13] his handa mid þǣra tyccena fellum, and his swuran[14], þǣr hē nacod wæs, hēo befēold. And hēo sealde him þone mete, þe hēo sēaþ[15], and hlāf; and hē brōhte þæt his fæder and cwæð: "Fæder mīn." Hē andswarode and cwæð: "Hwæt eart þū, sunu mīn?" And Iācob cwæð: "Ic eom Ēsau þīn frumcenneda sunu; ic dyde swā þū mē bebude; ārīs upp, and site, and et of mīnum huntoþe, þæt þū mē blētsige!" 20 25

Eft Īsaac cwæð tō his suna: "Sunu mīn, hū mihtest þū hit swā hrædlīce[16] findan?" Þā andswarode hē and cwæð: "Hit wæs godes willa þæt mē hrædlīce ongēan cōm þæt ic wolde." And Īsaac cwæð: "Gā hider nēar, þæt ic æthrīne[17] þīn, sunu mīn, and fandige[18], hwæðer þū sig mīn sunu Ēsau, þē nē sig." Hē ēode tō þām fæder, and Īsaac cwæð þā þā hē hyne gegrāpod[19] hæfde: "Witodlīce sēo stemn ys Iācobes stefn[20] and þā handa synd Ēsauwes handa." And hē ne gecnēow hine, for þām þā rūwan handa wǣron swilce þæs yldran brōþur. Hē hyne blētsode þā and cwæð: "Eart þū Ēsau, mīn sunu?" And hē cwæð: "Iā, lēof, ic hit eom." 30 35

---

[1] *w. 2 - darken, grow dim* [2] *w. 2 - call* [3] *n. - arrow, missile weapons* [4] *m. - quiver* [5] *cf. Sievers-Brunner § 138,2* [6] *m. - hunting, game* [7] *w.1 - listen, obey* [8] *n. - kid* [9] *s.1 - deceive, betray* [10] *w.1 - curse, outlaw* [11] *w.2 - make ready* [12] *w.1 - clothe, dress* [13] befealdan *s. 8 - cover, surround* [14] *m. - neck* [15] *s.2 - cook, boil* [16] *quickly, soon* [17] *s.1 - touch* [18] *w.2 - find out, test* [19] *w.2 - handle, feel* [20] stemn, stefn *f. - voice*

7. - 10. PARALLELS

Further comparative texts: cf. Psalm XXIII, Aelfric's Sermo de Initio Creaturae, The Marriage in Cana (Old English Gospels, Kentish Sermon, Orrmulum, Wyclif), etc., below.

7. THE LORD'S PRAYER

1) LATIN (Eadfrith of Lindisfarne[1])

Pater noster qui es in caelis, sanctificetur nomen tuum, aduenlat regnum tuum, fiat uoluntas tua sicut in caelo et in terra; panem nostrum supersubstantiale da nobis hodie, et demitte nobis debita nostra sicut nos demittimus debitoribus nostris; et ne inducas nos in temtationem, sed libera nos a malo.

2) GOTHIC (Ulfilas, A.D. 311-381)

Atta unsar þu in himinam, weihnai namo þein, qimai þiudinassus þeins, wairþai wilja þeins, swe in himina jah ana airþai; hlaif unsarana þana sinteinan gif uns himma daga, jah aflet uns þatei skulans sijaima, swaswe jah weis afletam þaim skulam unsaraim; jah ni briggais uns in fraistubnjai, ak lausei uns af þamma ubilin; unte þeina ist þiudangardi jah mahts jah wulþus in aiwins, amen.

3) OLD HIGH GERMAN (Tatian Translation, circa 830 A.D.)

Fater unser thu thar bist in himile, si giheilagot thin namo, queme thin rihhi, si thin uuillo so her in himile ist so si her in erdu; unsar brot tagalihhaz gib uns hiutu, inti furlaz uns unsara sculdi, so uuir furlazemes unsaren sculdigon; inti ni gileitest unsih in costunga, uzouh arlosi unsih fon ubile.

4) OLD ENGLISH, Lindisfarne Gloss (Northumbrian, circa 950 A.D.)

Fader urer ðu arð ł ðu bist in heofnum ł in heofnas, sie gehalgad noma ðin, to-cymeð ric ðin; sie willo ðin suæ is in heofne ond in eorðo; hlaf userne ofer wistlic sel us todæg ond forgef us scylda usra suæ uoe forgefon scyldgum usum; ond ne inlæd usih in costunge, ah gefrig usich from yfle.

5) OLD ENGLISH, Rushworth Gloss (Mercian, circa 960-980)

Fæder ure þu þe in heofunum earð, beo gehalgad þin noma; cume to þin rice; weorþe þin willa swa swa on heofune swilce on eorþe; hlaf userne ł ure dæghwæmlicu ł instondenlice sęl us to dæge; ond forlet us ure scylde swa swa we ec forleten þæm þe scyldigat wið us; ond ne gelaet us gelaede in constungae, ah gelese us of yfle.

6) OLD ENGLISH, West Saxon (Aelfric's Homilies, circa 991/2 A.D.)
cf. plate, above.

7) OLD ENGLISH, West Saxon (Gospels, MS. CCCC. 140; circa 1000 A.D.)

Fæder ure þu þe eart on heofonum, si þin nama gehalgod; to-becume þin rice; gewurþe þin willa on eorðan swa swa on heofonum; urne gedæghwamlican hlaf syle us to dæg; and forgyf us ure gyltas, swa swa we forgyfað urum gyltendum; and ne gelæd þu us on costnunge, ac alys us of yfele, soþlice.

8) MIDDLE ENGLISH (Wycliffite, late XIV century[2]; MS. CCCC. 296.)

Oure fadir þat art in heuenes, halwid be þi name; þi reume or kyngdom come to þe. Be þi wille don in herþe as it is doun in heuene. ȝeue to vs to-day oure eche dayes bred. And forȝeue to vs oure dettis, þat is oure synnys, as we forȝeuen tu oure dettouris, þat is to men þat han synned in vs. And lede vs not in-to temptacion, but delyuere vs from euyl. Amen, so be it.

---

[1] *VIII century; actually the Latin base of No. 4*   [2] *from a tract or the Pater Noster*

A Methode.

đe lords prer, bi-ľiſ, and ten kom-maund-ments.

Our fađr huič art in hẹvn hal-lu-éd bị đei nạm. Đei king-dum kum. Đei uil bị dun in erþ, aʒ it iʒ in hẹvn. Giv-uʒ điʒ-dẹ, our dẹ-li bred. And for-giv-uʒ our tres-pas-ses, aʒ uị for-giv đem, đat tres-pas a-gẹnst us. And lẹd uʒ not in-tu tem-tạ-si-on. But de-livr-us from ivl. so bị it.

JOHN HART'S PHONETIC TRANSCRIPTION OF THE LORD'S PRAYER

From A Methode . . . &c., London 1570

9) EARLY NEW ENGLISH (William Tyndale, A.D. 1534)

O oure father which arte in heven, halowed be thy name. Let thy kyngdome come. Thy wyll be fulfilled, as well in erth, as it ys in heven. Geve vs thisdaye oure dayly breede. And forgeve vs oure treaspases, even as we forgeve oure trespacers.[1] And leade vs not into temptacion; but delyver vs from evell. For thyne is the kyngedome and the power, and the glorye for ever. Amen.

10) JOHN HART'S PHONETIC TRANSCRIPTION (A.D. 1570)

cf. plate, above.

11) THE AUTHORIZED VERSION (A.D. 1611)

Our father which art in heauen, hallowed be thy name. Thy kyngdome come. Thy will be done in earth, as it is in heauen. Giue vs this day our daily bread. And forgiue vs our debts, as we forgiue our debters. And lead vs not into temptation, but deliuer vs from euill. For thine is the kyngdome, and the power, and the glory, for euer. Amen.

12) OLD SAXON, ("Heliand", IX century)

Fadar usa firiho barno,
the is an them hohon himila rikea,
geuuihid si thin namo uuordo gehuuilico;
cuma thin craftag riki;
uuerða thin uuilleo oðar thesa uuerold alla
so sama an erðo so thar uppa ist
an them hohon himilrikea;
gef us dago gehuuilikes rad, drohtin the godo,
thina helaga helpa endi alat us, heðenes uuard,
managoro mensculdio, al so uue oðrum mannum doan;
ne lat us farledean leða uuihti
so forð an iro uuilleon, so uui uuirðige sind,
ac help us uuiðar allun uðilon dadiun.

13) OLD ENGLISH, (Exeter Book)

(Hali)g fæder, þu þe on heofonum eardast,
geweorðad wuldres dreame. Sy þinum weorcum halgad
noma niþþa bearnum; þu eart nergend wera.
Cyme þin rice wide, ond þin rædfæst willa
aræred under rodores hrofe, eac þon on rumre foldan;
syle us to dæge domfæstne blæd,
hlaf userne, helpend wera,
þone singalan, soðfæst meotod;
Ne læt usic costunga cnyssan to swiðe,
ac þu us freodom gief, folca waldend,
from yfla gehwam, a to widan feore.

14) MIDDLE ENGLISH (circa 1250 A.D., MS. Cotton Cleopatra B. VI)

Ure fadir, þat hart in heuene.
Halged be þi name, with giftis seuene
Samin cume þi kingdom,
Þi wille in herþe als in heuene be don;
Vre bred þat lastes ai
Gyue it hus þis hilke dai,
And vre mis-dedis þu forgyue hus,
Als we forgyue þaim þat misdon hus;
And leod us in-tol na fandinge,
Bot frels us fra alle iuele þinge. Amen.

[1] *Edition of 1525:* . . . them which trespas vs. Leede vs . . .

8. GENESIS I, 1-18

a) VULGATE

ed. E. Nestle, 1923.

1) In principio creavit deus caelum et terram.
2) Terra autem erat inanis et vacua, et tenebrae erant super faciem abyssi; et spiritus dei ferebatur super aquas.

3) Dixitque deus: Fiat lux. Et facta est lux.
4) Et vidit deus lucem quod esset bona; et divisit lucem et tenebris.
5) Appelavitque lucem diem, et tenebras noctem; factumque est vespere et mane, dies unus.
6) Dixit quoque deus: Fiat firmamentum in medio aquarum; et dividat aquas ab aquis.
7) Et fecit deus firmamentum, divisitque aquas, quae erant sub firmamento, ab his, quae erant super firmamentum. Et factum est ita.
8) Vocavitque deus firmamentum caelum; et factum est vespere et mane, dies secundus.
9) Dixit vero deus: Congregentur aquae, quae sub caelo sunt, in locum unum; et appareat arida. Et factum est ita.
10) Et vocavit deus aridam terram, congregationesque aquarum appelavit maria. Et vidit deus quod esset bonum.
11) Et ait: Germinet terra herbam virentem, et facientem semen, et lignum pomiferum faciens fructum iuxta genus suum, cuius semen in semetipso sit super terram. Et factum est ita.
12) Et protulit terra herbam virentem, et facientem semen iuxta genus suum, lignumque faciens fructum, et habens unumquodque sementem secundum speciem suam. Et vidit deus quod esset bonum.
13) Et factum est vespere et mane, dies tertius.
14) Dixit autem deus: Fiant luminaria in firmamento caeli, et dividant diem ac noctem, et sint in signa et tempora, et dies et annos,
15) ut luceant in firmamento caeli, et illuminent terram. Et factum est ita.

16) Fecitque deus duo luminaria magna: luminare maius, ut praeesset diei; et luminare minus, ut praeesset nocti; et stellas.
17) Et posuit eas in firmamento caeli, ut lucerent super terram,
18) et praeessent diei ac nocti, et dividerent lucem ac tenebras. Et vidit deus quod esset bonum.

b) OLD ENGLISH

AELFRIC'S WEST SAXON TRANSLATION
ed. S.J.Crawford, EETS. 160, below.

1) On angynne gesceōp god heofonan and eorðan.
2) Sēo eorðe sōðlīce wæs īdel and ǣmti, and þēostra wǣron ofer þǣre nȳwelnysse brādnysse; and godes gāst wæs geferod ofer wæteru.
3) God cwæð ðā: Gewurðe lēoht! And lēoht wearð geworht.
4) God geseah ðā ðæt hit gōd wæs; and hē tōdǣlde þæt lēoht fram ðām ðȳstrum,
5) and hēt ðæt lēoht dæg and þā ðȳstru niht. Ðā wæs geworden ǣfen and merigen ān dæg.
6) God cwæð ðā eft: Gewurðe nū fæstnys tōmiddes ðām wæterum and tōtwǣme ðā wæteru fram ðām wæterum!
7) And god geworhte ðā fæstnysse, and tōtwǣmde ðā wæteru, ðā wǣron under ðǣre fæstnysse, fram ðām ðe wǣron bufan ðǣre fæstnysse. Hit wæs ðā swā gedōn.
8) And god hēt ðā fæstnysse heofonan; and wæs ðā geworden ǣfen and mergen ōðer dæg.
9) God ðā sōðlīce cwæð: Bēon gegaderode ðā wæteru ðe synd under ðǣre heofonan and ætēowige drīgnys! Hit wæs ðā swā gedōn.
10) And god gecȳgde ðā drīgnysse eorðan and ðǣra wætera gegaderunga hē hēt sǣ. God geseah ðā ðæt hit gōd wæs.
11) And hē cwæð: Sprytte sēo eorðe grōwende gærs and sǣd wyrcende and æppelbǣre trēow wæstm wyrcende æfter his cynne, ðæs sǣd sȳ on him sylfum ofer eorðan! Hit wæs ðā swā gedōn.
12) And sēo eorðe forðtēah grōwende wyrta and sǣd berende be hyre cynne and trēow wæstm wyrcende and gehwilc sǣd hæbbende æfter his hīwe. God geseah ðā ðæt hit gōd wæs.
13) And wæs geworden ǣfen and mergen sē ðridda dæg.
14) God cwæð ðā sōðlīce: Bēo nū lēoht on ðǣre heofenan fæstnysse, and tōdǣlon dæg and nihte, and bēon tō tācnum and tō tīdum and tō dagum and tō gēarum,
15) and hī scīnon on ðǣre heofenan fæstnysse and ālīhton ðā eorðan! Hit wæs ðā swā geworden.
16) And god geworhte twā micele lēoht, þæt māre lēoht tō ðæs dæges līhtinge, and ðæt lǣsse lēoht tō ðǣre nihte līhtinge; and steorran hē geworhte,
17) and gesette hī on ðǣre heofenan, ðæt hī scinon ofer eorðan,
18) and gȳmdon ðæs dæges and ðǣre nihte and tōdǣldon lēoht and ðȳstro. God geseah ðā þæt hit gōd wæs.

---

3 wæarð *MS.* 11 syluum *MS.*

(GENESIS I, 1-18)

c) MIDDLE HIGH GERMAN

MENTEL'S PRINT (A.D.1466. FROM AN OLDER MS).
ed. W.Kurrelmeyer, 1907; F.Tschirch, 1955.

1) An dem anegang geschieff got den himel vnd die erde,
2) wann die erde was eytel vnd lere, vnd vinster waren auff dem antlútze des abgrundes, vnd der geist gotz ward getragen auff die wasser.
3) Vnd got der sprach: liecht werde gemacht. Vnd das liecht ward gemacht.
4) Vnd got der sache daz liecht das es ward gůt; vnd er teilt das liecht von der vinster,
5) vnd das licht hieß er den tag vnd die vinster die nacht. Vnd es wart gemacht abent vnd der morgen ein tag.
6) Vnd got der sprach: Vestenkeit werd gemacht in mitz der wasser; vnd teilt die wasser von den wassern.
7) Vnd got macht die vestenkeit vnd teilte die wasser die do waren vnder der vestenkeit von den die do waren ob der vestenkeit, vnd es ward getan also.
8) Vnd got der rief die vestenkeit den himel; vnd es ward gemacht abent vnd morgen der ander tage.
9) Wann got der sprach: Die wasser die do sint vnder dem himel die werdent gesamet an ein stat vnd die dirre derschein. Vnd es ward getan also.
10) Vnd got der rieff die durre die erde; vnd die sammenung des wassers hieß er das mere. Vnd got der sach das es was gůt,
11) vnd sprach: Die erde keim grúns kraut vnd mache samen; vnd das ŏphelbaumin holtze mach wůcher nach seim geschlecht, des same sey in im selbs auf der erde. Vnd es ward getan also.
12) Vnd die erde fúrbracht grúns kraut vnd bringent den samen nach irem geschlecht; vnd das holtz mache den wůcher vnd ein yeglichs het samen nach seinem bilde. Vnd got der sach das es was gůt;
13) vnd es ward gemacht abent vnd der morgen der drittetag.
14) Wann got der sprach: Liecht werdent gemacht in der vestenkeit des himels, vnd teilent den tag vnd die nachte; vnd sind in zeichene vnd in zeite vnd in iare,
15) das sy leichtent in der vestenkeit des himels, vnd entleichten die erde. Vnd es wart getan also.
16) Vnd got der macht zwey michel liecht: das merer zů leichten das es vor were dem tage vnd das mynner zů leichten das es vor were der nacht, vnd sternen,
17) vnd saczte sy in die vestenkeit des himels, das sy leichtent auff die erde,
18) vnd vorweren dem tag vnd der nacht vnd teilten das liecht vnd die vinster. Vnd got der sach das es was gůt.

1 beschuff *Varr. 1470-80*

d) THE AUTHORIZED VERSION

A.D. 1611
ed. W.A.Wright, 1909.

1) In the beginning God created the Heauen and the Earth.
2) And the earth was without forme, and voyd, and darknesse was vpon the face of the deepe; and the Spirit of God mooued vpon the face of the waters.
3) And God said, Let there be light: and there was light.
4) And God saw the light, that it was good: and God diuided the light from the darkenesse.
5) And God called the light, Day, and the darknesse he called Night: and the euening and the morning were the first day.
6) And God said, Let there be a firmament in the midst of the waters: and let it diuide the waters from the waters.
7) And God made the firmament; and diuided the waters, which were vnder the firmament, from the waters, which were aboue the firmament: and it was so.
8) And God called the firmament, Heauen: and the euening and the morning were the second day.
9) And God said, Let the waters vnder the heauen be gathered together vnto one place, and let the dry land appeare: and it was so.
10) And God called the drie land, Earth, and the gathering together of the waters called hee, Seas: and God saw that it was good.
11) And God said, Let the Earth bring foorth grasse, the herbe yeelding seed, and the fruit tree, yeelding fruit after his kinde, whose seed is in it selfe, vpon the earth: and it was so.
12) And the earth brought foorth grasse, and herbe yeelding seed after his kinde, and the tree yeelding fruit, whose seed was in it selfe, after his kinde: and God saw that it was good.
13) And the euening and the morning were the third day.
14) And God said, Let there bee lights in the firmament of the heauen, to diuide the day from the night: and let them be for signes and for seasons, and for dayes and yeeres.
15) And let them be for lights in the firmament of the heauen, to giue light vpon the earth: and it was so.
16) And God made two great lights: the greater light to rule the day, and the lesser light to rule the night: he made the starres also.
17) And god set them in the firmament of the heauen, to giue light vpon the earth:
18) And to rule ouer the day, and ouer the night, and to diuide the light from the darkenesse: and God saw that it was good.

9. BOETHIUS III PR. 8

a) LATIN TEXT

edd.: K. Büchner, 1947; E. Gothein, 1949.

Nihil igitur dubium est, quin hae ad beatitudinem viae devia quaedam sint, nec perducere quemquam eo valeant, ad quod 5 se perducturas esse promittunt. Quantis vero implicitae malis sint, brevissime monstrabo. Quid enim? Pecuniamne congregare conaberis? Sed eripies 10 habenti.

Dignitatibus fulgere velis? Danti supplicabis et, qui praeire ceteros 15 honore cupis, poscendi humilitate vilesces.

20

Potentiamne desideras? Subiectorum insidiis obnoxius periculis 25 subiacebis.

Gloriam petas? Sed per aspera quaeque distractus securus esse desistis.

30

Voluptariam vitam degas? Sed quis non spernat atque abiciat vilissimae fragilissimaeque rei, corporis, servum?

35

Iam vero, qui bona prae se corporis 40 ferunt, quam exigua, quam fragili possessione nituntur? Num enim elephantos mole, tauros robore superare poteritis, num tigres velocitate praeibitis?

45

50

55

b) KING ALFRED

MS. C (suppl. B and J), ed. W. J. Sedgefield, below.

Forðæm nis nan tweo þæt þes andwearda wela myrð and let þa men þe bioð atehte to þam soðum gesælðum; and he nænne ne mæg gebringan þær he him gehet, þæt is æt þæm hehstan goode. Ac ic þe mæg mid feaum wordum gesecgan hu manegra yfela þa welan sint gefylde. Hwæt þu þonne mæne mid þære gidsunge þæs feos, nu þu hit nahu elles begitan ne miht buton þu hit forstele oððe gereafige, oððe abeþecige, and þær þær hit þe wexð, þonne wanað hit oþrum? Ðu woldest nu bion foremære on weorðscipe; ac gif þu þæt habban wilt, þonne scealt ðu oleccan swiðe earmlice and swiþe eadmodlice þæm ðe þe to þæm gefulteman mæge. Gif þu þe wilt don manegra beteran and weorðrân, þonne scealt þu þe lætan anes wyrsan. Hu ne is þæt þonne sum dæl yrmða þæt mon swa werelice scyle culpian to þæm þe him gifan scyle.

Anwaldes ðu wilnast? Ac þu hine næfre orsorgne ne begitst for ælðeodegum and git ma for ðinum agnum monnum and mægum.

Gilpes þu girnst? Ac þu hine ne meaht habban orsorgne, forþam ðu scealt habban simle hwæthweg wiðerweardes and ungetæses.

Þu woldest nu brucan ungemetlicre wrænnesse? Ac ðe willað þonne forsion goode godes þeowas, forðæmþe þin werie flæsc hafað þin anwald, nales þu his. Hu mæg mon earmlicor gebæron þonne mon hine underðiede his weregan flæsce, and nelle his gesceadwisan saule?

Hwæþer ge nu sien maran on eowrum lichoman þonne elpend, oððe strengran þonne leo oððe fear, oððe swiftran þonne tigris?

Þeah ðu nu wære mara þonne elpend and strengra þonne leo oððe fear and swiftra ðonne tigris þæt deor, and þeah þu wære eallra manna fægrost on wlite, and þonne woldest geornlice æfter wisdome spyrian oððæt þu fullice riht ongeate, þonne meahtes ðu sweotole ongiton ðæt ealle þa mægno and þa cræftas þe we ær ymb spræcon ne sint to metanne wið þære sawle cræfta ænne. Hwæt nu, wisdom is an anlepe cræft þære sawle, and þeah we witon ealle þæt he is betera ðonne ealle þa oðre cræftas þe we ær ymbe spræcon.

(BOETHIUS III PR. 8)

c) **CHAUCER**
ed. F. N. Robinson

Now is it no doute thanne that thise weyes ne ben a maner mysledynges to blisfulnesse, ne that they ne mowen nat leden folk thider 5 as thei byheten to leden hem.

But with how grete harmes thise forseide weyes ben enlaced, I schal schewe the shortly.
10 Forwhy yif thou enforcest the to assemble moneye, thow must byreven hym his moneye that hath it.

15 And yif thow wolt schynen with dignytees, thow must bysechen and supplyen hem that yyven tho dignytees; and yif thow coveytest be honour to gon byfore othere folk, 20 thow schalt defoule thiself thurw humblesse of axynge.

25 Yif thou desirest power, thow schalt, be awaytes of thy subgetis, anoyously ben cast undir by manye periles. Axestow glorye? Thow shalt so bien distract by aspere thynges 30 that thow schalt forgon sykernesse. And yif thow wolt leden thi lif in delyces, every wyght schal despysen the and forleeten the, as thow that art thral to thyng that is right foul 35 and brutyl, that is to seyn, servaunt to thi body.

Now is it thanne wel yseyn, how 40 litil and how brotel possessioun thei coveyten that putten the goodes of the body aboven hir owene resoun. For maystow surmounten thise olifauntes in gretnesse or weighte of 45 body? Or maistow ben strengere than the bole? Maystow ben swyftere than the tigre?

50

d) **QUEEN ELIZABETH**
ed. C. Pemberton, EETS. 113

Doubte then ther is none, but that these to blesse be crooked steps, nor thither can any man bring, whither they promise leade him.

How wrapt they be in euills, shortly I can shew you.

For what, wilt thou snatch monny? Thou must take it from the hauer.

Woldst thou shyne with dignities? Thou wilt pray the giuer; and thou that desyrst to aduaunce others in honour, with lowlynes of request art dasht.

Dost thou desyre powre? To subjectes ambusshes thou shalt lye in danger.
Dost thou seeke glory? Thou leauest to be sure, that art drawen by so sharp wayes.
Pleasurable lyfe dost thou desyre? But who wold not despise and throwe away the bodyes bondage so frayle and vile?

But now, such as cares for bodyes strength, on how frayle and meane a possession doo they trust!

Can you in force exceede the Elephantes waight, or bulls strength? Shall you forego the Tigres swiftnes?

	a) LATIN TEXT	b) KING ALFRED
60	Respicite caeli spatium, firmitudinem, celeritatem et aliquando desinite vilia mirari. Quod quidem caelum non his potius est quam sua qua regitur ratione mirandum.	Behealdað nu þa widgielnesse and fæstnesse and þa hrædfernesse þisses heofenes; ðonne magon ge ongitan þæt he is ealles nauht wið his sceppend to metanne and wið his wealdend. Ac hwi ne læte ge eow þonne aþreotan þæt ge ne wundrigen and ne herigen þætte unnyttre is, þæt is þes eorðlica wela? Swa swa se heofon is betera and healicra and fægerra þonne eall his innung buton monnum anum, swa is þæs monnes lichoma betera and deorwyrðra þonne ealle his æhta. Ac humicele þincð þe þonne sio sawl betere and deorwyrðre þonne se lichoma? Ælc gesceaft is to arianne be hire andefne, and symle sio hehste swiðost; forðæm is se godcunda anwald to arianne and to wyndrianne and to weorðianne ofer ealla oðra gesceafta.
80	Formae vero nitor ut rapidus est, ut velox et vernalium florum mutabilitate fugacior!	Se wlite þæs lichoman is swiðe flionde and swiðe tedre and swiðe anlic eorðan blostmum.
85	Quodsi, ut Aristoteles ait, Lyncei oculis homines uterentur, ut eorum visus obstantia penetraret, nonne introspectis visceribus illud Alcibiadis superficie pulcherrimum corpus turpissimum videretur.	Ðeah nu hwa sie swa fæger swa swa Alcibiadis se æþelincg wæs, gif hwa bið swa scearpsiene þæt he mæge hine þurhsion, swa swa Aristotelis se uðwita sæde þæt an dior wære ðe meahte ælc wuht þurhsion ge treowu ge furðum stanas, þæt dior we hatað lox, gif þonne hwa wære swa scearpsiene þæt he mihte þone cniht þurhsion þe we ær ymbe spræcon, þonne ne ðuhte he him no innon swa fæger swa he utan þuhte.
95	Igitur te pulchrum videri non tua natura, sed oculorum spectantium reddit infirmitas.	Þeah þu nu hwæm fæger ðince, ne bið hit no þy hræðor swa; ac sio ungesceadwisnes hiora eagena hi myrð þæt hi ne magon ongiton þæt hi ðe sceawiað utan, næs innan.
100	Sed aestimate quam vultis nimio corporis bona, dum sciatis hoc, quodcumque miramini, triduanae febris igniculo posse dissolvi.	Ac geþencað nu swiðe geornlice, and gesceadwislice smeagð, hwelc þæs flæslican good sien, and þa gesælða þe ge nu ungemetlice wilniað; þonne magan ge sweotole ongeotan þæt þæs lichoman fæger and his strengo þa magon beon afyrred mid þreora daga fefre.
105–115	Ex quibus omnibus illud redigere in summam licet, quod haec, quae nec praestare, quae pollicentur, bona possunt nec omnium bonorum congregatione perfecta sunt, ea nec ad beatitudinem quasi quidam calles ferunt nec beatos ipsa perficiunt.	Forðæm ic þe recce eall þæt ic þe ær reahte forðæm ic ðe wolde openlice gereccan on ðæm ende þisses capitulan þætte eall þas andweardan good ne magon gelæstan hiora lufiendum þæt hi him gehatað; þæt is þæt hehste good þæt hi him gehatað. Þeah hi nu gegaderien ealle þas andweardan good, nabbað hi no ðy hraþor fulfremed good on ðæm, ne hi ne magon gedon hiora lufiendas swa welige swa swa hi woldon.

	c) CHAUCER	d) QUEEN ELIZABETH
60	Byhoold the spaces and the stablenesse and the swyft cours of the hevene, and stynt somtyme to wondren on foule thynges. The whiche hevene certes nys nat rather for thise thynges to ben wondrys upon, than for the resoun by which it is governed.	Looke thou on heauens compasse, stabilitie and speede, and leave to wonder at that is base. A marveil in reason it were that Skye it selfe were better than he by whom it is guided.
65		
70		
75		
80	But the schynynge of thi forme, that is to seyn, the beute of thi body, how swyftly passynge is it, and how transitorie! Certes, it es more flyttynge than the mutabilite of floures of the somer sesoun.	Whose forme is so much the fayrer as it is caryed with soudain and speedy change of Springes floures?
85, 90	For so as Aristotle telleth, that if that men hadden eyghen of a beeste that highte lynx, so that the lokynge of folk myghte percen thurw the thynges that withstonden it, whoso lokide thanne in the entrayles of the body of Alcibiades, that was ful fair in the superfice withoute, it schulde seme ryght foul.	Yf, as Aristotle sayes, men could vse Linxes eyes to peirce throw that they sawe, wold they not whan bowells all were seene, suppose that that fayre body whose covering Alcibiades spake of, should fowlest seeme?
95	And forthi yif thow semest fair, thy nature ne maketh nat that, but the deceyvaunce of the feblesse of the eighen that loken.	Wherfore not thy nature but weaknes of vewars sight makes the seeme fayre.
100	But preise the goodes of the body as mochil as evere the lyst, so that thow knowe algatis that, whatso it be, that is to seyn, of the godes of the body, which that thou wondrist uppon, mai ben destroied or dissolvid by the heete of a fevere of thre dayes.	Esteeme how much you will of bodyes goodes, when this you knowe, whatso you wonder, a fyre of a Tercian may dissolue.
105, 110	Of alle whiche forseide thynges y mai reducen this schortly in a somme: that thise worldly goodes, whiche that ne mowen nat yeven that they byheeten, ne ben nat parfite by the congregacioun of alle goodis; that they ne ben nat weyes ne pathes that bryngen men to blisfulnesse, ne maken men to ben blisful.	Of which all, this in somme you may gather, that these which neyther can performe that they promise be good, nor when they are alltogither can be perfecte, these nether can add strength to bliss, nor make them blest that haue them.

10. THE NATIVITY OF CHRIST
ACCORDING TO LUKE II

a) VULGATE.

Factum est autem in diebus illis, exiit edictum a Caesare Augusto ut describeretur universus orbis. Haec descriptio prima, facta est a praeside Syriae Cyrino; et ibant omnes ut profiterentur singuli in suam civitatem.

Ascendit autem et Ioseph a Galilaea de civitate Nazareth in Iudaeam 5 in civitatem David, quae vocatur Bethlehem, eo quod esset de domo et familia David, ut profiteretur cum Maria desponsata sibi uxore praegnante.

Factum est autem, cum essent ibi, impleti sunt dies ut pareret. Et peperit filium suum primogenitum, et pannis eum involvit, et reclinavit eum in praesepio, quia non erat eis locus in diversorio.

10 Et pastores erant in regione eadem vigilantes, et custodientes vigilias noctis super gregem suum. Et ecce angelus Domini stetit iuxta illos, et claritas Dei circumfulsit illos, et timuerunt timore magno. Et dixit illis angelus: "Nolite timere! Ecce enim evangelizo vobis gaudium magnum, quod erit omni populo, quia natus est vobis hodie Salvator, qui est Christus 15 Dominus in civitate David. Et hoc vobis signum: Invenietis infantem pannis involutum, et positum in praesepio."

Et subito facta est cum angelo multitudo militiae caelestis laudantium Deum, et dicentium: "Gloria in altissimis Deo, et in terra pax hominibus bonae voluntatis!"

20 Et factum est, ut discesserunt ab eis angeli in caelum, pastores loquebantur ad invicem: "Transeamus usque Bethlehem, et videamus hoc verbum, quod factum est, quod Dominus ostendit nobis." Et venerunt festinantes; et invenerunt Mariam, et Ioseph, et infantem positum in praesepio. Videntes autem cognoverunt de verbo, quod dictum erat illis de 25 puero hoc. Et omnes, qui audierunt, mirati sunt, et de his, quae dicta erant a pastoribus ad ipsos.

Maria autem conservabat omnia verba haec, conferens in corde suo.

Et reversi sunt pastores glorificantes, et laudantes Deum in omnibus, quae audierant, et viderant sicut dictum est ad illos.

b) GOTHIC.

Warþ þan in dagans jainans, urrann gagrefts fram kaisara Agustau, gameljan allana midjungard. Soh þan gilstrameleins frumista warþ at (wisandin kindina Swriais) raginondin Saurim Kwreinaiau; jah iddjedun allai, ei melidai weseina, ƕarjizuh in seinai baurg.

5 Urrann þan jah Iosef us Galeilaia, us baurg Nazaraiþ, in Iudaian, in baurg Daweidis sei haitada Beþlahaim, duþe ei was us garda fadreinais Daweidis, anameljan miþ Mariin sei in fragiftim was imma qeins, wisandein inkilþon.

Warþ þan, miþþanei þo wesun jainar, usfullnodedun dagos du bairan 10 izai. Jah gabar sunu seinana þana frumabaur, jah biwand ina jah galagida ina in uzetin, unte ni was im rumis in stada þamma.

Jah hairdjos wesun in þamma samin landa, þairhwakandans jah witandans wahtwom nahts ufaro hairdai seinai. Iþ aggilus fraujins anaqam ins jah wulþus fraujins biskain ins, jah ohtedun agisa mikilamma. Jah qaþ du im 15 sa aggilus: "Ni ogeiþ, unte sai, spillo izwis faheid mikila, sei wairþiþ allai managein, þatei gabaurans ist izwis himma daga nasjands, saei ist Xristus frauja, in baurg Daweidis. Jah þata izwis taikns: Bigitid barn biwundan jah galagid in uzetin."

Jah anaks warþ miþ þamma aggilau managei harjis himinakundis 20 hazjandane guþ jah qiþandane: "Wulþus in hauhistjam, guda jah ana airþai gawairþi in mannam godis wiljins!"

Jah warþ, biþe galiþun fairra im in himin þai aggiljus, jah þai mans þai hairdjos qeþun du sis misso: "Þairhgaggaima ju und Beþlahaim jah saiƕaima waurd þata waurþano, þatei frauja gakannida unsis." Jah qemun 25 sniumjandans jah bigetun Marian jah Iosef jah þata barn ligando in uzetin. Gasaiƕandans þan gakannidedun bi þata waurd þatei rodiþ was du im bi þata barn. Jah allai þai gahausjandans sildaleikidedun bi þo rodidona fram þaim hairdjam du im.

Iþ Maria alla gafastaida þo waurda, þagkjandei in hairtin seinamma.

30 Jah gawandidedun sik þai hairdjos mikiljandans jah hazjandans guþ in allaize þizeei gahausidedun jah gaseƕun swaswe rodiþ was du im.

c) **OLD ENGLISH**

WEST SAXON TRANSLATION

MS. CCCC. 140, below.

Sōþlīče on þām dagum wæs ʒeworden ʒebod fram þām cāsere Augusto, þæt eall ymbe-hwyrft wǣre tōmearcod. Þēos tōmearcodnes wæs ǣrest ʒeworden fram þām dēman Syriʒe Cirīno. And ealle hiʒ ēodon and syndriʒe fērdon on hyra čeastre.

Ðā fērde Iōsēp fram Galilēa of þǣre čeastre Nāzareth on Iūdēisče čeastre Dāuīdes, sēo is ʒenemned Bethleem, for þām þe hē wæs of Dāuīdes hūse and hīrede, þæt hē fērde mid 5 Marīan þe him beweddod wæs, and wæs ʒeēacnod.

Sōþlīče wæs ʒeworden þā hī þār wǣron, hire dagas wǣron ʒefyllede þæt hēo cende; and hēo cende hyre frumcennedan sunu, and hine mid čildclāþum bewand, and hine on binne ālēde, for þām þe hiʒ næfdon rūm on cumena hūse.

And hyrdas wǣron on þām ylcan rīče waciende, and nihtwæččan healdende ofer heora 10 heorda. Þā stōd drihtnes engel wiþ hiʒ, and godes beorhtnes him ymbesčān, and hī him myčelum eʒe ādrēdon. And sē engel him tō cwæð: 'Nelle ʒē ēow ādrǣdan! Sōþlīče, nū ic ēow bodie myčelne ʒefēan, sē bið eallum folce; for þam to-dæʒ eow ys hælend acenned, se is drihten Crīst on Dāuīdes čeastre. And þis tācen ēow byð: ʒē ʒemētað ān čild hræʒlum bewunden and on binne ālēd.' 15

And þā wæs fǣringa ʒeworden mid þām engle myčelnes heofonlīčes werodes god heriendra and þus cweþendra: 'Gode sȳ wuldor on hēahnesse, and on eorðan sybb mannum gōdes willan!'

And hit wæs ʒeworden þā ðā englas tō heofene fērdon, þā hyrdas him betwēonan sprǣcon, and cwǣdon: 'Uton faran tō Bethleem, and ʒesēon þæt word þe ʒeworden is, þæt drihten 20 ūs ætīewde.' And hiʒ efstende cōmon, and ʒemētton Marīan and Iōsēp, and þæt čild on binne ālēd. Þā hī þæt ʒesāwon, þā oncnēowon hiʒ be þām worde þe him ʒesǣd wæs be þām čilde. And ealle þā ðe ʒehīerdon wundrodon be þām þe him þā hyrdas sǣdon.

Marīa ʒehēold ealle þās word on hyre heortan smēagende.

Ðā ʒewendon hām þā hyrdas, god wuldriende and heriende on eallum þām ðe hī ʒehīerdon 25 and ʒesāwon, swā tō him ʒecweden wæs.

d) **MIDDLE ENGLISH**

WYCLIF-PURVEY

MS.: BM., Old Royal Library 1 C. 8 (probably before 1420); ed. Forshall and Madden, Oxford 1850.

And it was don in þo daies, a maundement wente out fro þe emperour (August), þat al þe world schulde be discryued. Þis firste discryuyng was maad of Cyryn, justice of Sirie; and alle men wenten to make professioun, ech into his owne citee.

And Ioseph wente vp fro Galilee fro þe citee Nazareth into Judee 5 into a citee of David, þat is clepid Bethleem, for þat he was of þe hous and of þe meyne of David, þat he schulde knouleche with Marie, his wijf, þat was wedded to hym and was greet with child.

And it was don, while þei weren þere, þe daies weren fulfillid, þat sche schulde bere child. And sche bare hire firstborun sone, and wlappide 10 hym in clothis and leide hym in a cratche, for þer was no place to hym in no chaumbir.

And scheepherdis weren in þe same cuntre, wakynge and kepynge þe watchis of þe nyȝt on her flok. And lo! þe aungel of þe Lord stood bisidis

15 heme and þe cleernesse of god schinede aboute hem; and þei dredden with greet drede. And þe aungel seide to hem: "Nyle ȝe dredel For lo, y prech to ȝou a greet joye, þat schal be to al puple; for a savyoure is borun today to ȝou, þat is Christ, þe lord, in þe citee of David. And þis is a tokene to ȝou: Ȝe schulen fynde a ȝong child wlappid in clothis and leid in a 20 cratche."

And sudenli þer was maad with þe aungel a multitude of heuenli knyȝthod, heriynge God and seiynge: "Glorie be in þe hiȝeste thingis to god, and in erthe pees be to men of good wille."

And it was don, as þe aungelis passiden awei fro hem into heuene, 25 þe scheephirdis spaken togider and seiden: "Go we ouer to Bethleem, and se we þis word þat is maad, which þe lord haþ maad and schewide to vs." And þei hiȝynge camen and founden Marie and Ioseph, and þe ȝong child leid in a cratche. And þei seynge knewen of þe word þat was seid to hem of þis child. And alle men þat herden wondriden, and of these thingis þat 30 weren seid to hem of þe scheephirdis.

But Marie kepte alle þese wordis, berynge togider in hir herte.

And þe scheepherdis turneden aȝen, glorifyinge and heriynge god in alle thingis þat þei hadden herd and seyn, as it was seid to hem.

e) **EARLY NEW ENGLISH**

WILLIAM TYNDALE 1534

And it chaunced in thoose dayes that ther went oute a commaundment from Auguste the Emperour, that all the woorlde shuld be taxed. And this taxynge was the fyrst and executed when Syrenius was leftenaunt in Syria. And every man went vnto his awne citie to be taxed.

5 And Ioseph also ascended from Galile, oute of a cite called Nazareth, into Iurie: vnto the cite of David which is called Bethleem, because he was of the housse and linage of David, to be taxed with Mary his spoused wyfe which was with chylde.

And it fortuned whyll they were there, her tyme was come that she 10 shuld be delyvered. And she brought forth her fyrst begotten sonne, and wrapped him in swadlynge cloothes, and layed him in a manger, because ther was no roume for them within the ynne.

And ther were in the same region shepherdes abydinge in the felde and watching their flocke by nyght. And loo: the angell of the lorde stode 15 harde by them, and the brightnes of the lorde shone rounde aboute them, and they were soore afrayed. But the angell sayd vnto them: "Be not afrayed. For beholde, I bringe you tydinges of greate ioye that shal come to all the people; for vnto you is borne this daye in the cite of David a saveoure which is Christ the lorde. And take this for a signe: ye (s)hall fynde the 20 chylde swadled and layed in a manger."

And streight waye ther was with the angell a multitude of hevenly sowdiers, laudynge God and sayinge: "Glory to God an hye, and peace on the erth, and vnto men reioysynge."

And it fortuned, assone as the angels were gone awaye from them in 25 to heven, the shepherdes sayd one to another: "Let vs goo even vnto Bethleem, and se this thynge that is hapened which the Lorde hath shewed vnto vs." And they cam with haste, and founde Mary and Ioseph and the babe layde in a manger. And when they had sene it, they publisshed a brode the sayinge which was tolde them of that chylde. And all that 30 hearde it, wondred at those thinges which were tolde them of the shepherdes.

But Mary kept all thoose sayinges, and pondered them in hyr hert.

And the shepherdes retourned, praysinge and laudinge God for all that they had herde and sene, evyn as it was told vnto them.

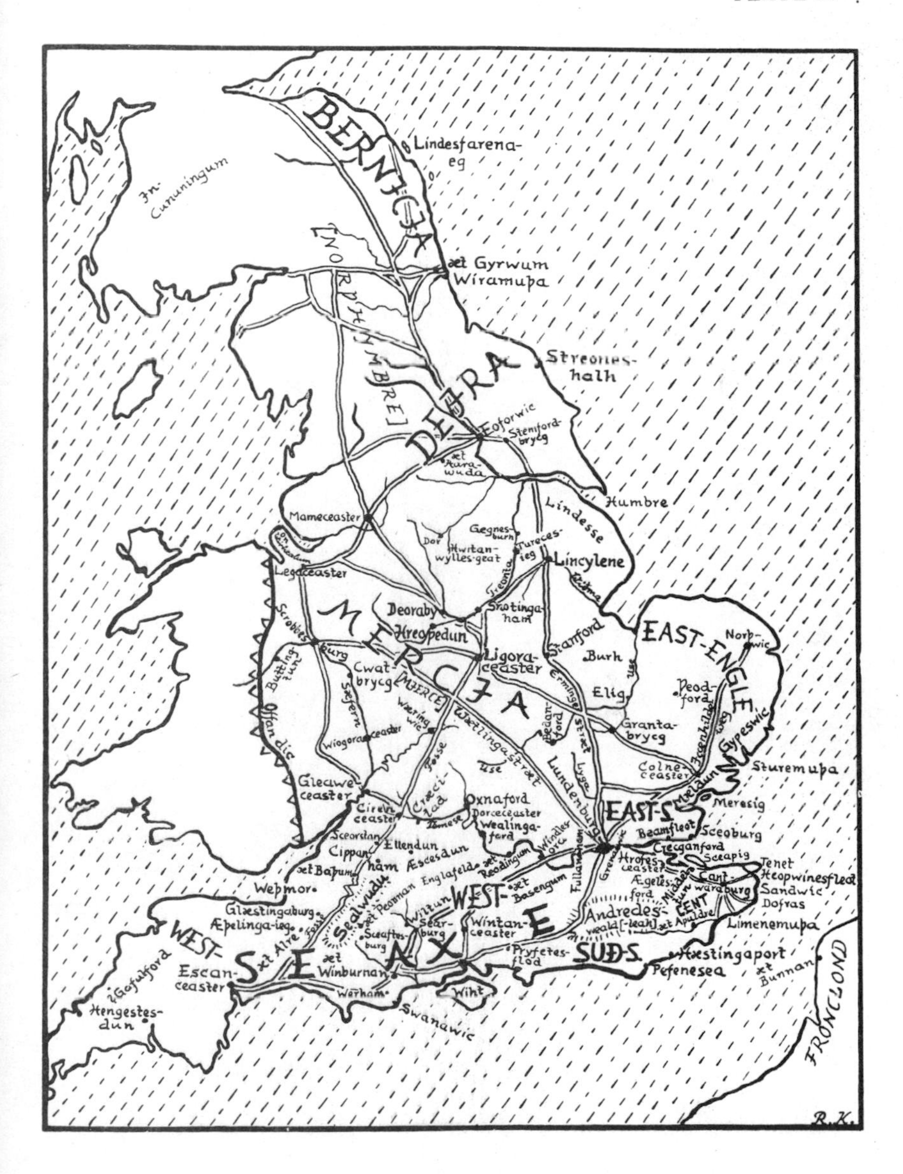

ANGLO-SAXON ENGLAND

11. THE ANGLO-SAXON CHRONICLE I

(OLD ENGLISH ANNALS)

MSS.: A = Cambridge, Corpus Christi Coll. 173, Parker MS.; — A. D. 1070, ? Winchester; (here for the annals 455-900, 942, 975). *D* = BM., Cotton Tiberius B IV; — A. D. 1079, "The Worcester Chronicle"; (1065-1066, cf. A.-S. Chronicle II, below). *E* = Bodleian Library, Laud 636; — A. D. 1154, "The Peterborough Chronicle"; (beg. - 449, 937 - 1035; 1070 - 1154, cf. A.-S. Chronicle II, below). — *Facsimiles:* R. Flower - H. Smith, The Parker Chronicle and Laws, EETS. 208, Oxford 1941; D. Whitelock, The Peterborough Chronicle, London 1954 (EE. MSS. in Facs. IV). — *edd.*: B. Thorpe, Rolls Series, London 1861; Ch. Plummer - J. Earle; Two of the Saxon Chronicles Parallel, &c., Oxford 1892-99; A. H. Smith, The Parker Chronicle 832-900, London 1935; E. Classen - F.E.Harmer, [MS. D], Manchester 1926. Modern rendering: G. N. Garmonsway, London 1955 [Evm. Lb. 624]; MS. E: H.A. Rositzke, The Peterborough Chronicle, New York 1951. — HB. 792-99; We. III,1; Ke. 3443-50; Ba. 88-89; RO. 247-50; cf. Garmonsway, op. cit., pp. XLV-XLVIII.

The First Entries.[1]

Brittene igland is ehta hund mila lang and twa hund brad; and her sind on þis iglande fif geþeode: Englisc, and Brittisc and Wilsc, and Scyttisc, and Pyhtisc, and Boc-Leden. Erest weron bugend þises landes Brittes; þa coman of Armenia, and gesætan suðewearde Bryttene ærost. Þa gelamp hit þæt Pyhtas coman suþan of Scithian mid langum scipum na manegum, and þa coman ærost on Norþ-Ybernian up, and þær bædon Scottas þæt hi ðer moston wunian. Ac hi noldan heom lyfan, forðan hi [cwædon þæt hi ne mihton ealle ætgædere gewunian þær. And þa][2] cwædon þa Scottas: 'We eow magon þeah-hwaðere ræd gelæron: We witan oþer egland her be easton; þer ge magon eardian gif ge willað. And gif hwa eow wiðstent, we eow fultumiað þæt ge hit magon gegangan.' Ða ferdon þa Pihtas, and geferdon þis land norþanweard; and suþanweard hit hefdon Brittas, swa we ær cwedon. And þa Pyhtas heom abædon wif æt Scottum on þa gerad þæt hi gecuron heora kynecinn aa on þa wif healfa; þæt hi heoldon swa lange syððan. And þa gelamp hit imbe geara rina þæt Scotta sum-dæl gewat of Ybernian on Brittene, and þes landes sum-dæl geeodon; and wes heora heratoga Reoda gehaten, from þam heo sind genemnode Dæl-Reodi.

Sixtigum wintrum ær þam þe Crist were acenned, Gaius Iulius Romana kasere mid hund ehtatigum scipum gesohte Brytene. — And se kasere geeode wel manega hehburh mid mycelum gewinne, and eft gewat into Galwalum.

Anno 1. Octauianus rixade ·lvi· wintra, and on þam ·xlii· geare his rices Crist wæs acenned.

2. Ða tungel-witegan of eastdæle coman to þan þæt hi Crist wurþoden. And þa cild on Bethleem ofslagene wæron for ehtnesse fram Herode. And he swealt ofsticod fram him sylfum, and Archelaus his sune feng to rice.

11. Fram frymðe middaneardes oþ þis gear wæron agan ·v· þusend wintra and ·cc· wintra. —

The Germanic Invasions.

443. Her sendon Brytwalas ofer sæ to Rome, and heom fultumes bædon wið Peohtas. Ac hi þær nefdon nænne, forþan ðe hi feordodan wið Ætlan Huna cininge. And þa sendon hi to Anglum, and Angelcynnes æðelingas þes ilcan bædon.

449. — Her Martianus and Ualentinus onfengon rice, and rixadon ·vii· winter. And on heora[3] dagum gelaðode Wyrtgeorn Angelcin hider; and hi þa coman on þrim ceolum hider to Brytene on þam stede Heopwinesfleot. Se cyning Wyrtgeorn gef heom land on suðan eastan ðissum lande, wiððan þe hi sceoldon feohton wið Pyhtas. Heo þa fuhton wið Pyhtas, and heofdon sige swa hwer swa heo comon. Hy ða sendon to Angle, heton sendon mara fultum, and heton heom secgan Brytwalana nahtscipe and þes

[1] *Beg. - A.D. 449 from E* [2] [. . .] *D. omitted E* [3] þeora *MS.*

landes cysta. Hy ðа sona sendon hider mare weored þam oðrum to fultume. Ða comon þa men of þrim megðum Germanie: Of Ald-Seaxum, of Anglum, of Iotum. Of Iotum comon Cantwara and Wihtwara, þæt is seo megð, þe nu eardaþ on Wiht, and þæt cyn on West-Sexum, þe man nu git hæt Iutna-
45 cynn. Of Eald-Seaxum coman East-Seaxa, and Suð-Sexa, and West-Sexa. Of Angle comon, se a syððan stod westig betwix Iutum and Seaxum, East-Angla, Middel-Angla, Mearca, and ealla Norþhymbra. Heora heretogan wæron twegen gebroðra, Hengest and Horsa, þæt wæron Wihtgilses suna. Wihtgils wæs Witting[1] Witta Wecting, Wecta Wodning; fram þan Wodne awoc eall
50 ure cynnecynn, and Suðanhymbra eac.

455[2]. Her Hengest ond Horsa fuhton wiþ Wyrtgeorne þam cyninge in þære stowe þe is gecueden Agælesþrep; ond his broþur Horsan man ofslog. Ond æfter þam Hengest feng to rice ond Æsc his sunu. —

473. Her Hengest ond Æsc gefuhton wiþ Walas, ond genamon unari-
55 medlico herereaf. Ond þa Walas flugon þa Englan swa[3] fyr.

477. Her cuom Ælle on Bretenlond ond his ·iii· suna, Cymen, ond Wlencing, ond Cissa, mid ·iii· scipum on þa stowe þe is nemned Cymenes-ora. Ond þær ofslogon monige Wealas, ond sume on fleame bedrifon on þone wudu þe is genemned Andredesleage. —

60 491. Her Ælle ond Cissa ymbsæton Andredescester, ond ofslogon alle þa þe þærinne eardedon; ne wearþ þær forþon an Bret to lafe.

495. Her cuomon twegen aldormen on Bretene, Cerdic ond Cynric his sunu, mid ·v· scipum in þone stede þe is gecueden Cerdices-ora; ond þy ilcan dæge gefuhtun wiþ Walum. —

Cynewulf and Cyneheard; Osric and Wigfrith.

65 755. Her Cynewulf benam Sigebryht his rices ond West-Seaxna wiotan for unryhtum dædum, buton Hamtunscire; ond he hæfde þa oþ he ofslog þone aldormon þe him lengest wunode. Ond hiene þa Cynewulf on Andred adræfde, ond he þær wunade, oþþæt hiene an swan ofstang æt Pryfetes-flodan; ond he wræc þone aldormon Cumbran. Ond se Cynewulf oft miclum
70 gefeohtum feaht uuiþ Bretwalum.

Ond ymb ·xxxi· wintra þæs þe he rice hæfde, he wolde adræfan anne æþeling, se wæs Cyneheard haten; ond se Cyneheard wæs þæs Sigebryhtes broþur. Ond þa geascode he þone cyning lytle werode on wifcyþþe on Merantune, ond hine þær berad, ond þone bur utan beeode, ær hine þa
75 men onfunden þe mid þam kyninge wærun. Ond þa ongeat se cyning þæt, ond he on þa duru eode, ond þa unheanlice hine werede, oþ he on þone æþeling locude. Ond þa ut ræsde on hine, ond hine miclum gewundode; ond hie alle on þone cyning wærun feohtende, oþþæt hie hine ofslægenne hæfdon. Ond þa on þæs wifes gebærum onfundon þæs cyninges þegnas þa
80 unstilnesse, ond þa þider urnon swa hwelc swa þonne gearo wearþ ond radost. Ond hiera se æþeling gehwelcum feoh ond feorh gebead. Ond hiera nænig hit geþicgean nolde; ac hie simle feohtende wæran, oþ hie alle lægon butan anum Bryttiscum gisle, ond se swiþe gewundad wæs.

Þa on morgenne gehierdun þæt þæs cyninges þegnas, þe him beæftan
85 wærun, þæt se cyning ofslægen wæs. Þa ridon hie þider, ond his aldormon Osric, ond Wiferþ his þegn, ond þa men þe he beæftan him læfde ær, ond þone æþeling on þære byrig metton, þær se cyning ofslægen læg; ond þa gatu him to belocen hæfdon, ond þa þær to eodon. Ond þa gebead he him hiera agenne dom feos ond londes, gif hie him þæs rices uþon; ond him
90 cyðde[4] þæt hiera mægas him mid wæron, þa þe him from noldon. Ond þa cuædon hie þæt him nænig mæg leofra nære þonne hiera hlaford, and hie næfre his banan folgian noldon. Ond þa budon hie hiera mægum þæt hie gesunde from eodon. Ond hie cuædon þæt tæt ilce hiera geferum

[1] witting witting *MS.* [2] *A.D. 455-900 from A* [3] swa swa *Parr.* [4] cyðde *Par.*] cyðdon *A*

geboden wære, þe ær mid þam cyninge wærun. Þa cuædon hie þæt hie hie þæs ne onmunden 'þon ma þe eowre geferan þe mid þam cyninge of- 95
slægene wærun'. Ond hie þa ymb þa gatu feohtende wæron, oþþæt hie þærinne fulgon, ond þone æþeling ofslogon ond þa men þe him mid wærun, alle butan anum, se wæs þæs aldormonnes godsunu; ond he his feorh generede, ond þeah he wæs oft gewundad.

The Earliest Danish Raids. King Egbert. 100

787. Her nom Beorhtric cyning Offan dohtor Eadburge. Ond on his dagum cuomon ærest ·iii· scipu. Ond þa se gerefa þærto rad, ond hie wolde drifan to þæs cyninges tune, þy he nyste hwæt hie wæron; ond hiene mon ofslog. Þæt wæron þa ærestan scipu Deniscra monna þe Angelcynnes lond gesohton. — 105

823. Her wæs Wala gefeoht ond Defna æt Gafulforda. Ond þy ilcan geare gefeaht Ecgbryht cyning ond Beornwulf cyning on Ellendune, ond Ecgbryht sige nam; ond þær wæs micel wæl geslægen. Þa sende he Æþlwulf his sunu of þære fierde, ond Ealhstan his bisceop, ond Wulfheard his aldormon, to Cent micle werede. Ond hie Baldred þone cyning norþ ofer 110
Temese adrifon; ond Cantware him to cirdon, ond Suþrige, ond Suþ-Seaxe, ond East-Seaxe, þy hie from his mægum ær mid unryhte anidde wærun. Ond þy ilcan geare East-Engla cyning ond seo þeod gesohte Ecgbryht cyning him to friþe ond to mundboran for Miercna ege. Ond þy geare slogon East-Engle Beornwulf Miercna cyning. — 115

827. Her se[1] mona aþistrode on middeswintres-mæsseniht. Ond þy ilcan geare geeode Ecgbryht cyning Miercna rice ond al þæt be suþan Humbre wæs. — Ond se Ecgbryht lædde fierd to Dore wiþ Norþanhymbre; ond hie him þær eaþmedo budon ond geþuærnesse, ond hie on þam tohwurfon.

828. — Þy ilcan geare lædde Ecgbryht cyning fierd on Norþ-Walas, 120
ond he hie to eaþmodre hersumnesse gedyde. —

835. Her cuom micel sciphere on West-Walas; ond hie to anum gecierdon, ond wiþ Ecgbryht West-Seaxna cyning winnende wæron. Þa he þæt hierde, ond mid fierde ferde; ond him wiþfeaht æt Hengestdune, ond þær geflïemde ge þa Walas ge þa Deniscan. 125

836. Her Ecgbryht cyning forþferde, — ond feng Æþelwulf Ecgbrehting to Wesseaxna rice, ond he salde his suna Æþelstane Cantwara rice, ond East-Seaxna, ond Suþrigea, ond Suþ-Seaxna. —

King Aethelwulf.

851. Her Ceorl aldormon gefeaht wiþ hæþene men mid Defenascire 130
æt Wicganbeorge, ond þær micel wæl geslogon ond sige namon. Ond þy ilcan geare Æþelstan cyning ond Ealchere dux micelne here ofslogon æt Sondwic on Cent, ond ·ix· scipu gefengun, ond þa oþre gefliemdon. Ond hæþne men ærest ofer winter sæton. Ond þy ilcan geare cuom feorðe healf hund scipa on Temesemuþan, ond bræcon Contwaraburg ond Lundenburg, 135
ond gefliemdon Beorhtwulf Miercna cyning mid his fierde, ond foron þa suþ ofer Temese on Suþrige. Ond him gefeaht wiþ Æþelwulf cyning ond Æþelbald his sunu æt Aclea mid West-Seaxna fierde; ond þær þæt mæste wæl geslogon on hæþnum herige þe we secgan hierdon oþ þisne ondweardan dæg, ond þær sige namon. 140

853. Her bæd Burgred Miercna cyning ond his wiotan Æþelwulf cyning þæt he him gefultumade þæt him Norþ-Walas gehiersumade. He þa swa dyde, ond mid fierde for ofer Mierce on Norþ-Walas, ond hie him alle gehiersume dydon. Ond þy ilcan geare sende Æþelwulf cyning Ælfred his sunu to Rome. Þa was domne Leo papa on Rome; ond he hine to cyninge 145
gehalgode, ond hiene him to biscepsuna nam. — Ond þæs ofer Eastron geaf Æþelwulf cyning his dohtor Burgrede cyninge of Wesseaxum on Merce.

[1] se *Var.*] *not in A*

855. Her hæþne men ærest on Sceapige ofer winter sætun. Ond þy ilcan geare gebocude Æþelwulf cyning teoþan dæl his londes ofer al his rice
150 gode to lofe ond him selfum to ecere hælo. Ond þy ilcan geare ferde to Rome mid micelre weorþnesse ond þær was ·xii· monaþ wuniende. Ond þa him hamweard for, ond him þa Carl Francna cyning his dohtor geaf him to cuene; ond æfter þam to his leodum cuom, ond hie þæs gefægene wærun. Ond ymb ·ii· gear þæs ðe he of[1] Francum com, he gefor; ond his lic liþ æt
155 Wintanceastre, ond he ricsode nigonteoþe healf gear. Ond se Æþelwulf wæs Ecgbrehting, Ecgbryht Ealhmunding, Ealhmund Eafing, Eafa Eopping, Eoppa Ingilding; Ingild wæs Ines broþur West-Seaxna cyninges, þæs þe eft ferde to sancte Petre ond þær eft his feorh gesealde; ond hie wæron Cenredes suna, Cenred wæs Ceolwalding, Ceolwald Cuþaing, Cuþa Cuþwining, Cuþwine
160 Ceaulining, Ceawlin Cynricing, Cynric Cerdicing, Cerdic Elesing, Elesa Esling, Esla Giwising, Giwis Wiging, Wig Freawining, Freawine Friþogaring, Friþogar Bronding, Brond Bældæging, Bældæg Wodening, Woden Friþowalding, Friþuwald Freawining, Frealaf Friþuwulfing, Friþuwulf Finning, Fin Godwulfing, Godwulf Geating, Geat Tætwaing, Tætwa Beawing, Beaw Sceld-
165 waing, Sceldwea Heremoding, Heremod Itermoning, Itermon Hraþraing, se wæs geboren in þære earce; Noe, Lamach, Matusalem, Enoh, Iared, Maleel, Camon, Enos, Sed, Adam primus homo et pater noster est Christus. Amen.—

866. Her feng Æþered Æþelbryhtes broþur to Wesseaxna rice. Ond þy ilcan geare cuom micel here on Angelcynnes lond, ond wintersetl namon
170 on East-Englum, ond þær gehorsude wurdon, ond hie wiþ[2] him friþ namon.—

870. Her rad se here ofer Mierce innan East-Engle ond wintersetl namon æt Þeodforda. Ond þy wintre Eadmund cyning him wiþ feaht, ond þa Deniscan sige namon, ond þone cyning ofslogon ond þæt lond all geeodon.—

King Alfred.

175 871. Her cuom se here to Readingum on West-Seaxe; ond þæs ymb ·iii· niht ridon ·ii· eorlas up. Þa gemette hie Æþelwulf aldorman on Englafelda, ond him þær wiþ gefeaht ond sige nam. Þæs ymb ·iiii· niht Æþered cyning ond Ælfred his broþur þær micle fierd to Readingum gelæddon, ond wiþ þone here gefuhton. Ond þær wæs micel wæl geslægen on gehwæþre hond,
180 ond Æþelwulf aldormon wearþ ofslægen, ond þa Deniscan ahton wælstowe gewald. Ond þæs ymb ·iiii· niht gefeaht Æþered cyning ond Ælfred his broþur wiþ alne þone here on Æscesdune; ond hie wærun on twæm gefylcum, on oþrum wæs Bachsecg ond Halfdene þa hæþnan cyningas, ond on oþrum wæron þa eorlas. Ond þa gefeaht se cyning Æþered wiþ þara cyninga getruman —
185 ond Ælfred his broþur wiþ þara eorla getruman. — Ond þa hergas begen gefliemde, ond fela þusenda ofslægenra, ond onfeohtende wæron oþ niht. Ond þæs ymb ·xiiii· niht gefeaht Æþered cyning ond Ælfred his broður wiþ þone here æt Basengum, ond þær þa Deniscan sige namon. — Ond þæs ofer Eastron gefor Æþered cyning, ond he ricsode ·v· gear, ond his lic liþ æt
190 Winburnan.

Þa feng Ælfred Æþelwulfing his broþur to Wesseaxna rice; ond þæs ymb anne monaþ gefeaht Ælfred cyning wiþ alne þone here lytle werede æt Wiltune, ond hine longe on dæg gefliemde, ond þa Deniscan ahton wælstowe gewald. Ond þæs geares wurdon ·viiii· folcgefeoht gefohten wiþ þone here
195 on þy cynerice be suþan Temese. — Ond þæs geares wærun ofslægene ·viiii· eorlas ond an cyning. Ond þy geare namon West-Seaxe friþ wiþ þone here.

873. Her for se here on Norþhymbre, ond he nam wintersetl on Lindesse æt Turecesiege; ond þa namon Mierce friþ wiþ þone here.

874. Her for se here from Lindesse to Hreopedune, ond þær wintersetl
200 nam; ond þone cyning Burgræd ofer sæ adræfdon ymb ·xxii· wintra þæs þe he rice hæfde; ond þæt lond all geeodon. —

[1] of *Varr.*] on *A* [2] wiþ *Var.*] *not in A*

875. Her — for Godrum ond Oscytel ond Anwynd þa ·iii· cyningas of Hreopedune to Grantebrycge mid micle here, ond sæton þær an gear. Ond þy sumera for Ælfred cyning ut on sæ mid sciphere, ond gefeaht wiþ ·vii· sciphlæstas, ond hiera an gefeng, ond þa oþru gefliemde. 205

876. Her hiene bestæl se here into Werham Wesseaxna fierde ond wiþ þone here se cyning friþ nam; ond him þa aþas sworon on þam halgan beage, þe hie ær nanre þeode noldon, þæt hie hrædlice of his rice foren; ond hie þa under þam hie nihtes bestælon þære fierde, se gehorsoda here, into Escanceaster. Ond þy geare Healfdene Norþanhymbra lond gedælde; 210 ond ergende wæron ond hiera tilgende.

877. Her cuom se here into Escanceastre from Werham; ond se sciphere sigelede west ymbutan. Ond þa mette hie micel yst on sæ; ond þær forwearþ ·cxx· scipa æt Swanawic. Ond se cyning Ælfred æfter þam gehorsudan here mid fierde rad oþ Exanceaster, ond hie hindan ofridan ne 215 meahte, ær hie on þam fæstene wæron, þær him mon to ne meahte. Ond hie him þær foregislas saldon, swa fela swa he habban wolde, and micle aþas sworon, and þa godne friþ heoldon. Ond þa on hærfeste gefor se here on Miercna lond, ond hit gedældon sum, ond sum Ceolwulfe saldon.

878. Her hiene bestæl se here on midne winter ofer Tuelftan-niht to 220 Cippanhamme, ond geridon Wesseaxna lond ond gesæton micel þæs folces ond ofer sæ adræfdon, ond þæs oþres þone mæstan dæl hie geridon ond him to gecirdon buton þam cyninge Ælfrede. Ond he lytle werede unieþelice æfter wudum for ond on morfæstenum. Ond þæs ilcan wintra wæs Inwæres broþur ond Healfdenes on West-Seaxum on Defenascire mid ·xxiii· scipum, ond 225 hiene mon þær ofslog, ond ·dccc· monna mid him ond ·xl· monna his heres. Ond þæs on Eastron worhte Ælfred cyning lytle werede geweorc æt Æþelingaeigge, ond of þam geweorce was winnende wiþ þone here·ond Sumursætna se dæl se þær niehst wæs. Þa on þære seofoðan wiecan ofer Eastron he gerad to Ecgbryhtesstane be eastan Sealwyda; ond him to comon þær 230 ongen Sumorsæte alle, ond Wilsætan ond Hamtunscir se dæl se hiere behinon sæ was, ond his gefægene wærun. Ond he for ymb ane niht of þam wicum to Iglea, ond þæs ymb ane to Eþandune, ond þær gefeaht wiþ alne þone here, ond hiene gefliemde; ond him æfter rad oþ þæt geweorc, ond þær sæt ·xiiii· niht. Ond þa salde se here him foregislas ond micle aþas, þæt hie of his 235 rice uuoldon, ond him eac geheton þæt hiera kyning fulwihte onfon wolde, ond hie þæt gelæston swa. Ond þæs ymb ·iii· wiecan com se cyning to him Godrum þritiga sum þara monna þe in þam here weorþuste wæron, æt Alre, ond þæt is wiþ Æþelinggaeige. Ond his se cyning þær onfeng æt fulwihte, ond his crismlising was æt Weþmor. Ond he was ·xii· niht mid þam cyninge, 240 ond he hine miclum ond his geferan mid feo weorðude.

879. Her for se here to Cirenceastre of Cippanhamme. Ond þy geare gegadrode an hloþ wicenga ond gesæt æt Fullanhamme be Temese. —

880. Her for se here of Cirenceastre on East-Engle, ond gesæt þæt lond ond gedælde. Ond þy ilcan geare for se here ofer sæ, þe ær on Fullan- 245 homme sæt, on Fronclond to Gend, ond sæt þær an gear. —

885. — Þy ilcan geare sende Ælfred cyning sciphere on East-Engle. Sona swa hie comon on Sturemuþan[1], þa metton hie ·xvi· scipu wicenga; ond wiþ ða gefuhton, ond þa scipo alle geræhton, ond þa men ofslogon. Þa hie þa hamweard wendon mid þære herehyþe, þa metton hie micelne scip- 250 here wicenga; ond þa wiþ þa gefuhton þy ilcan dæge, ond þa Deniscan ahton sige. — Ond þy ilcan geare se here on East-Englum bræc friþ wiþ Ælfred cyning.

886. Her for se here eft west, þe ær east gelende, ond þa up on Sigene; ond þær wintersetl namon. Þy ilcan geare gesette Ælfred cyning Lundenburg, 255

[1] stufe muþan *MS.*

ond him all Angelcyn to cirde, þæt buton Deniscra monna hæftniede was; ond he þa befæste þa burg Æþerede aldormen to haldonne.

887. Her for se here up þurh þa brycge æt Paris ond þa up andlang Sigene oþ Mæterne. —

260 890. Her — Godrum se norþerna cyning forþferde, þæs fulluhtnama wæs Æþelstan; se wæs Ælfredes cyninges godsunu, ond he bude on East-Englum, ond þæt lond ærest gesæt. —

892.[1] Her on þysum geare for se micla here, þe we gefyrn ymbe spræcon, eft of þæm eastrice westweard to Bunnan. Ond þær wurdon gescip-
265 ode swa þæt hie asettan him on anne siþ ofer mid horsum mid ealle, ond þa comon up on Limenemuþan mid ·ccl· hunde scipa. Se muþa is on easte weardre Cent. — On þa ea hi tugon up hiora scipu oþ þone weald, ·iiii· mila fram þæm muþan uteweardum, ond þær abræcon an geweorc. — Þa sona æfter þæm com Hæsten mid ·lxxx· scipa up on Temesemuðan, ond worhte
270 him geweorc æt Middeltune, ond se oþer here æt Apuldre.

893. On þys geare, þæt wæs ymb twelf monað þæs þe hie on þæm eastrice geweorc geworht hæfdon, Norþhymbre ond East-Engle hæfdon Ælfrede cyninge aþas geseald, ond East-Engle foregisla ·vi· Ond þeh ofer þa treowa, swa oft swa þa oþre hergas mid ealle herige utforon, þonne foron hie, oþþe
275 mid, oþþe on heora healfe on[2]. Þa gegaderade Ælfred cyning his fierd, ond for þæt he gewicode betwuh þæm twam hergum, þær þær he niehst rymet hæfde for wudufæstenne ond for wæterfæstenne, swa þæt he mehte ægþerne geræcan, gif hie ænigne feld secan wolden. — Hæfde se cyning his fierd on tu tonumen, swa þæt hie wæron simle healfe æt ham, healfe ute, butan þæm
280 monnum þe þa burga healdan scolden. — Þa gegaderedon þa þe in Norþhymbrum bugeað ond on East-Englum sum hund scipa, ond foron suð ymbutan, ond sum feowertig scipa norþ ymbutan; ond ymbsæton an geweorc on Defnascire be þære norþsæ. Ond þa þe suð ymbutan foron, ymbsæton Exancester. Þa se cyng þæt hierde, þa wende he hine west wið Exanceastres mid ealre
285 þære fierde, buton swiþe gewaldenum dæle easteweardes þæs folces. Þa foron forð oþþe hie comon to Lundenbyrg; ond þa mid þæm burgwarum ond þæm fultume þe him westan com, foron east to Beamfleote. Wæs Hæsten þa þær cumen mid his herge, þe ær æt Middeltune sæt; ond eac se micla here wæs þa þær to cumen, þe ær on Limenemuþan sæt, æt Apuldre. Hæfde Hæsten
290 ær geworht þæt geweorc æt Beamfleote, ond wæs þa ut afaren on hergaþ, ond wæs se micla here æt ham. Þa foron hie to, ond gefliemdon þone here, ond þæt geweorc abræcon, ond genamon eal þæt þær binnan wæs, ge on feo ge on wifum ge eac on bearnum, ond brohton eall into Lundenbyrig. Ond þa scipu eall oþþe tobræcon, oþþe forbærndon, oþþe to Lundenbyrig brohton oþþe
295 to Hrofesceastre. Ond Hæstenes wif ond his suna twegen mon brohte to þæm cyninge, ond he hi him eft ageaf, forþæm þe hiora wæs oþer his godsunu oþer Æðeredes ealdormonnes. —

895. On þy ylcan gere worhte se foresprecena here geweorc be Lygan, ·xx· mila bufan Lundenbyrig. Þa þæs on sumera foron micel dæl þara burg-
300 wara ond eac swa oþres folces, þæt hie gedydon æt þara Deniscana geweorce, ond þær wurdon gefliemde ond sume feower cyninges þegnas ofslægene. Þa þæs on hærfeste þa wicode se cyng on neaweste þære byrig, þa hwile þe hie hira corn gerypon, þæt þa Deniscan him ne mehton þæs ripes forwiernan. Þa sume dæge rad se cyng up be þære eæ, ond gehawade, hwær mon mehte
305 þa ea forwyrcan, þæt hie ne mehton þa scipu utbrengan. Ond hie þa swa dydon; worhton ða tu geweorc on twa healfe þære eas. Þa hie þa þæt geweorc furþum ongunnen hæfdon ond þær to gewicod hæfdon, þa onget se here þæt hie ne mehton þa scypu utbrengan. Þa forleton hie hie, ond eodon

[1] ***The first hand of the Parker MS. finishes (A.D. 891) near the foot of folio 16a. But the rest of this annal was added on folio 16b by the second scribe, who omitted to cross out the numerals 892 already entered (which he · correctly · repeats for the following annal). A later scribe proceeded to add 1 to this (second) 892, making the year 892 into 893, and so on with each annal to A.D. 929.*** [2] on] ? an; ond *Var.*

ofer land þæt hie gedydon æt Cwatbrycge be Sæfern, ond þær gewerc worhton.
Þa rad seo fird west æfter þæm herige, ond þa men of Lundenbyrig gefe- 310
tedon þa scipu, ond þa ealle þe hie alædan ne mehton tobræcon, ond þa þe
þær stælwyrðe wæron binnan Lundenbyrig gebrohton. Ond þa Deniscan hæfdon
hira wif befæst innan East-Engle, ær hie ut of þæm geweorce foron. Þa sæton
hie þone winter æt Cwatbrycge. Þæt wæs ymb þreo ger þæs þe hie on Li-
menemuðan comon hider ofer sæ. 315

896. Ða þæs on sumera on ðysum gere tofor se here, sum on East-
Engle, sum on Norðhymbre, ond þa þe feohlease wæron him þær scipu be-
geton ond suð ofer sæ foron to Sigene. Næfde se here, godes þonces, Angel-
cyn ealles forswiðe gebrocod. Ac hie wæron micle swiþor gebrocede on
þæm þrim gearum mid ceapes cwilde ond monna, ealles swiþost mid þæm 320
þæt manige þara selestena cynges þena, þe þær on londe wæron, forðferdon
on þæm þrim gearum. — Þy ilcan geare drehton þa hergas on East-Englum
ond on Norðhymbrum West-Seaxna lond swiðe be þæm suðstæðe mid stæl-
hergum, ealraswiþust mid ðæm æscum þe hie fela geara ær timbredon. Þa
het Ælfred cyng timbran langscipu ongen ða æscas; þa wæron fulneah tu swa 325
lange swa þa oðru. Sume hæfdon ·lx· ara, sume ma. Þa wæron ægðer ge
swiftran ge unwealtran, ge eac hieran þonne þa oðru. Næron nawðer ne on
Fresisc gescæpene ne on Denisc, bute swa him selfum ðuhte þæt hie nytwyr-
ðoste beon meahten. Þa æt sumum cirre þæs ilcan geares comon þær sex
scipu to Wiht, ond þær mycel yfel gedydon ægðer ge on Defenum ge welhwær 330
be ðæm særiman. Þa het se cyng faran mid nigonum to þara niwena scipa
ond forforon him þone muðan foran on uter-mere. Þa foron hie mid þrim
scipum ut ongen hie, ond þreo stodon æt ufeweardum þæm muðan on drygum;
wæron þa men uppe on londe of agane. Þa gefengon hie þara þreora scipa
tu æt ðæm muðan uteweardum, ond þa men ofslogon; ond þæt an oðwand; 335
on þæm wæron eac þa men ofslægene buton fifum. Þa comon forðy onweg
ðe ðara oþerra scipu asæton; þa wurdon eac swiðe uneðelice aseten: þreo
asæton on ða healfe þæs deopes ðe ða Deniscan scipu aseten wæron, ond þa
oðru eall on oþre healfe, þæt hira ne mehte nan to oðrum. Ac ða þæt wæter
wæs ahebbad fela furlanga from þæm scipum, þa eodan ða Deniscan from þæm 340
þrim scipum to þæm oðrum þrim þe on hira healfe beebbade wæron, ond hie
þa þær gefuhton. Þær wearð ofslægen Lucumon cynges gerefa, ond Wulfheard
Friesa, ond Æbbe Friesa, ond Æðelhere Friesa, ond Æðelferð cynges geneat,
ond ealra monna Fresiscra ond Engliscra ·lxii· ond þara Deniscena ·cxx·
Þa com þæm Deniscum scipum þeh ær flod to, ær þa cristnan mehten hira 345
ut ascufan, ond hie forðy ut oðreowon. Þa wæron hie to þæm gesargode, þæt
hie ne mehton Suð-Seaxna lond utan berowan, ac hira þær tu sæ on lond
wearp. Ond þa men mon lædde to Winteceastre to þæm cynge, ond he hie
ðær ahon het. Ond þa men comon on East-Engle, þe on þæm anum scipe
wæron, swiðe forwundode. Þy ilcan sumera forwearð nolæs þonne ·xx· scipa 350
mid monnum mid ealle be þæm suðriman. —

900. Her gefor Ælfred Aþulfing, syx nihtum ær Ealra-haligra mæssan.
Se wæs cyning ofer eall Ongelcyn butan þæm dæle þe under Dena onwalde
wæs, ond he heold þæt rice oþrum healfum læs þe ·xxx· wintra. Ond þa
feng Eadweard his sunu to rice. — 355

Brunanburh and Maldon. King Aethelred and Swein.

937.[1] Her Æðelstan cyning lædde fyrde to Brunanbyrig.

---

[1] ***Annals 937 to 1035 from E. Parker MS. for 937: cf. the poem BRUNANBURH, below. For further specimens of poems from the later Chronicle cf. THE DEATH OF PRINCE ALFRED, THE DEATH OF KING EDWARD, (Chron. II), &c., below, and THE CAPTURE OF THE FIVE BOROUGHS:***

A 942. Her Eadmund cyning, Engla þeoden,
mæcgea mundbora, Myrce geeode,
dyre dædfruma, swa Dor scadeþ,
Hwitanwylles-geat ond Humbra ea,
brada brimstream; burga fife,
Ligoraceaster ond Lincylene
ond Snotingaham, swylce Stanford eac
ond Deoraby. Dæne wæran æror
under Norðmannum nyde gebegde

991. Her wæs Gypeswic gehergod; and æfter þam swiðe raðe wæs Brihtnoð ealdorman ofslægen æt Mældune. And on þam geare man gerædde
360 þæt man geald ærest gafol Deniscan mannum for þam mycclan brogan þe hi worhtan be þam særiman; þæt wæs ærest ·x· þusend punda. Þæne ræd gerædde Siric arcebisceop. —

1008. Her bebead se cyng þæt man sceolde ofer eall Angelcynn scipu feastlice wircean, þæt is þonne of þrym hund hidum and of ·x· hidon ænne
365 scegð, and of ·viii· hidum helm and byrnan.

1009. Her on þissum geare gewurdon þa scipu gearwe þe we ær ymbe spræcon. And heora wæs swa feala swa næfre ær þes ðe us bec secgað, on Angelcynne ne gewurdon on nanes cynges dæg. And hi man þa ealle togædere ferode to Sandwic; and þær sceoldan licgan, and þisne eard healdan wið ælcne
370 uthere. Ac we gyt næfdon þa geselða ne þone wurðscipe þæt seo scipfyrd nytt wære ðisum earde þe ma þe heo oftor ær wæs. Ða gewearð hit on þisum ilcan timan oððe litle ær þet Brihtric Eadrices broðor ealdormannes forwregde Wulfnoð cild þone Suðseaxscian to þam cyning. And he þa ut gewende, and him þa to aspeon þet he heafde ·xx· scipa; and he þa hergode æghwer be
375 ðam suðriman, and ælc yfel wrohton. Þa cydde man into þære scipfyrde þet hi mann eaðe befaran mihte gif man ymbe beon wolde. Ða genam se Brihtric him to hundeahtatig scipa, and þohte þæt he him myceles wordes wircean sceolde þæt he Wulfnoð cuconne oððe deadne begytan sceolde. Ac þa hi þyderweard wæron, þa com him swilc wind ongean swilce nan mann ær ne
380 gemunde, and þa scipo ða ealle tobeot and toþræsc and on land wearp; and côm se Wulfnoð sona, and ða scipo forbærnde. Ða þis cuð wæs to ðam oðrum scipon, þær se cyng wæs, hu ða oðre geferdon, wæs þa swilc hit eall rædleas wære; and ferde se cyng him ham and þa ealdormenn and þa heahwitan, and forleton þa scipo þus leohtlice. And þet folc þa þe on ðam scipe wæron
385 færcodon ða scipo eft to Lundene, and leton ealles ðeodscipes geswincg þus leohtlice forwurðan. And næs se ege na betera þe eall Angelcynn tohopode. Þa ðeos scipfyrd ðus geendod wæs, þa com sona æfter Hlammessan se ungemetlica unfriðhere to Sandwic, and sona wendon heora fore to Cantwarbyrig, and þa burh raðe geeodon gif hi þe raðor to him friðes to ne
390 girndon. And ealle East-Centingas wið þone here frið genamon, and him gesealdon ·iii· þusend punda. —

1013. — On þam ilcan geare toforan þam monðe Augustus com Swegen cyning mid his flotan to Sandwic, and wende swyðe raðe abutan East-Englum into Humbranmuðan and swa uppweard andlang Trentan þet he com to Gegnes-
395 burh. — Syððan he undergeat þet eall folc him to gebogen wæs, þa bead he þæt man sceolde his here metian and horsian. And he þa gewende syððan suðweard mid fulre fyrde, and betæhte his scipa and þa gislas Cnute his sunu. And syððan he com ofer Wæclingastræte, hi wrohton þæt mæste yfel þe ænig here don mihte. Wende þa to Oxnaforda, and seo burhwaru sona abeah and
400 gislode; and þanon to Winceastre, and þæt ilce dydon. — Þa he eall þus

---

10* on hæþenra hæfteclommum
lange þrage, oþ hie alysde eft
for his weorþscipe wiggendra hleo,
afera Eadweardes, Eadmund cyning.

THE DEATH OF EDGAR:

A 975. Her geendode eorðan dreamas
15* Eadgar, Engla cyning, ceas him oðer leoht,
wlitig ond wynsum, ond þis wace forlet,
lif þis læne. Nemnað leoda bearn,
men on moldan, þæne monað gehwær
in ðisse eðeltyrf, þa þe ær wæran
20* on rimcræfte rihte getogene,
Iulius monoð, þær se geonga gewat
on þone eahteðan dæg Eadgar of life,
beorna beahgyfa. Feng his bearn syððan
to cynerice, cild unweaxen,
eorla ealdor, þam wæs Eadweard nama. — 25*
Ða wæs on Myrceon, mine gefræge,
wide ond welhwær waldendes lof
afylled on foldan. Fela wearð todræfed
gleawra godes ðeowa, þæt wæs gnornung micel
þam þe on breostum wæg byrnende lufan 30*
metodes on mode. Þa wæs mærða fruma
to swiðe forsewen, sigora waldend,
rodera rædend, þa man his riht tobræc.
Ond þa wearð eac adræfed deormod hæleð,
Oslac, of earde ofer yða gewealc 35*
ofer ganotes bæð, gamolfeax hæleð,
wis ond wordsnotor, ofer wætera geðring,
ofer hwæles eðel, hama bereafod. —

gefaren heafde, wende þa norðweard to his scipon. And eall þeodscipe hine heafde for fullne cyning. — Ða ne duhte naðor þisse þeoda ne suðan ne norðan, þa wæs se cyng sume hwile mid þam flotan þe on Temese wæron. And seo hlafdige wende þa ofer sæ[1] to hire broðor Ricarde, and Ælsige abbot of Burh mid hire. And se cyng sende Ælfun bisceop mid þam æþelinge Eadwearde and Ælfrede ofer se, þæt he hi bewitan sceolde. And se cyng gewende þa fram þam flotan to ðam middan wintra to Wihtlande, and wæs þær þa tid. And æfter þære tide gewende þa ofer sæ to Ricarde; and wæs þær mid him oð ðone byre þe Swegen dead wearð. — 405

1014. Her on þissum geare Swegen geendode his dagas to Candelmæssan, ·iii· no' Febr'. And se flota eall gecuron Cnut to cyninge. Ða geræddan þa witan ealle, ge hadode ge læwede, þæt man æfter þam cyninge Æðelrede sende; and cwædon þæt him nan leofre hlaford nære þonne heora gecynde hlaford, gif he hi rihtlicor healdan wolde þonne he ær dyde. Ða sende se cyng his sunu Eadward mid his ærendracan hider, and het gretan ealne his leodscipe, and cwæð þæt he heom hold hlaford beon wolde, and ælc þæra þinga betan þe hi ealle ascunedon, and ælc þæra þinga forgifan beon sceolde þe him[2] gedon oððe gecweðen wære, wið þam þe hi ealle anrædlice buton swicdome to him gecyrdon. And man þa fullne freondscipe gefæstnode mid worde and mid wædde on ægðere healfe, and æfre ælcne Deniscne[3] cyning utlagede of Englalande gecwædon. Ða com Æðelred cyning innan þam lenctene ham to his agenre ðeode; and he glædlice fram heom eallum onfangen wæs. And þa syððon Swegen dead wæs, sætt Cnut mid his here on Gegnesburh oð ða Eastron, and geweard him and þam folce on Lindesige anes þæt hi hine horsian sceoldan and syððan ealle ætgædere faran and hergian. Ða com se cyning Æðelred mid fulre fyrde þider, ær hi gearwe wæron, to Lindesige. And mann þa hergode and bærnde and sloh eall þet mancynn þæt man aræcan mihte. Se Cnut gewende him ut mid his flotan, and wearð þet earme folc þus beswican þurh hine; and wænde þa suðweard oð þæt he com to Sandwic. And let þær up þa gislas, þe his fæder gesealde wæron, and cearf of heora handa and heora nosa. And buton eallum þisum yfelum se cyning het gyldan þam here þe on Grenewic læg ·xxi· þusend punda. And on þissum geare on sancte Michæles mæsseæfan com þet mycele sæflod geond wide þisne eard, and ærn swa feor up, swa næfre ær ne dyde, and adrencte feala tuna and manncynnes unarimædlice geteall. — 410 415 420 425 430 435

Edmund Ironside and King Cnut.

1016. Her on þissum geare com Cnut cyning mid his here ·clx· scipa and Eadric ealdormann mid him ofer Temese into Myrcan æt Cræcilade, and wendon þa to Wæringscire innon þære middewintres tide, and hergodon and bærndon and slogon eall þæt hi to comon. Ða ongan se æðeling Eadmund to gadrienne fyrde. Þa seo fyrd gesomnod wæs, þa ne onhagode him, buton se cyng þære wære and hi hæfdon þære burhware fultum of Lundene; geswicon þa þære fyrding, and færde ælc mann him ham. — And se æþeling Ædmund wende to Lundene to his fæder. And þa æfter Eastron wende se cyng Cnut mid eallum his scipum to Lundene weard. Ða gelamp hit þet se cyng Æðelred forðferde, ær ða scipu comon. He geendode his dagas on sanctus Georgius[4] mæssedæge æfter mycclum geswince and earfoðnissum his lifes. And þa æfter his ende ealle þa witan þe on Lundene wæron and se burhwaru gecuron Eadmund to cynge. And his rice he heardlice werode þa hwile þe his tima wæs. 440 445

Þa comon þa scipo to Grenawic to þam gandagum, and binnon lytlum fæce wendon to Lundene, and dulfon þa ane mycele dic on ða suðhealfe, and drogon heora scipa on westhealfe þære brycge. And bedicodon syððon þa burh uton þæt nan mann ne mihte ne inn ne ut; and oft rædlice on ða burh fuhton, ac hi heom heardlice wiðstodon. Þa wæs Eadmund cyng ær þam gewend ut, 450

[1] seo [2] hi [3] denisce [4] georius

455 and gerad þa West-Seaxan. And him beah eall folc to. And raðe æfter þam he gefeaht wið þone here æt Peonnan wið Gillinga, and oðer gefeoht he gefeaht æfter middan sumera æt Sceorstane. And þær mycel wæll feoll on ægðre healfe. And þa heres him sylfe to eodon on ðam gefeohte. And Eadric ealdorman and Ælmær Deorlingc wæron þam here on fultume ongean Eadmund cyng.
460 And þa gegaderode he ·iii· siðe fyrde and ferde to Lundene. And þa burhware ahredde and þone here aflymde to scipon. And þa wæs ymbe twa niht þæt se cyning gewende ofer æt Brentforda; and þa wið þone here gefeaht, and hine aflymde. And þær adranc mycel Ænglisces folces on heora agenre gymeleaste, þa ðe ferdon beforan þære fyrde and fang woldon fon. And se cyning wende
465 æfter þam to West-Seaxan, and his fyrde gesomnode. Ða gewende se here sona to Lundene; and þa burh utone besæton, and hire stranglice wiðfeaht ge be wætere ge be lande. Ac se ælmihtiga god hi ahredde. —

Ða æfter þisum gefeohte wende Cnut cing upp mid his here to Gleaweceastrescire, þær he geherde secgan þet se cyng wæs Eadmund. Ða gerædde
470 Eadric ealdormann and þa witan þe ðær wæron þæt þa cyningas seht namon heom betweonan and hi gislas sealdon heom betweonan. And þa cyningas comon togædere æt Olanige, and heora freondscipe þær gefæstnodon ge mid wedde ge mid aðe, and þæt gyld setton wið þone here. And hi towurfon þa mid þisum sehte, and feng Eadmund cing to West-Seaxan, and Cnut to Myrcean. —
475 Ða to sanctus Andreas mæssan forðferde se cyng Eadmund; and is byrged mid his ealdan fæder Eadgare on Glæstingabyrig. —

1017. Her on þisum geare feng Cnut cyning to eall Angelcynnes rice; and hit todæld on fower: him sylfum West-Seaxan, and Þurcylle East-Englan, and Eadrice Myrcean, and Yrice Norþhymbran. And on þisum geare wæs
480 Eadric ealdormann ofslagen. — And Cnut cyng aflymde ut Ædwig æðeling and Eadwig ceorla cyng. And þa toforan kl' Aug' het se cyng feccan him Æðelredes lafe þes oðres cynges him to cwene, Ricardes dohtor.

1018. On þisum geare wæs þæt gafol gelæst ofer eall Angelcynn. Þæt wæs ealles ·lxxii· þusend punda, buton þam þe seo burhwaru on Lundene
485 guldon, ·xi· þusend punda. And se here ferde þa sum to Denmearcon, and ·xl· scipo belaf mid þam cyninge Cnute. And Dene and Engle wurdon sammæle æt Oxnaforda [to Eadgares lage].[1] —

1019. Her gewende Cnut cyng to Denmearcon, and þær wunode ealne winter.
490 1020. Her com Cnut cyng to Englalande. And þa on Eastron wæs mycel gemot on Cyrnceastre. —

1021. Her on þysum geare Cnut cyng to Martinus mæssan geutlagode Þurkil eorl. —

1028. Her for Cnut cyng of Englalande mid fiftig scipum to Norwegum,
495 and adraf Olaf cyning of þam lande, and geahnode him þet land.

1029. Her com Cnut cyng eft ham to Englalande. —

1030. Her com Olaf cyng eft into Norwegum. And þet folc gegaderode him togeanes, and him wið gefuhton; and he wearð þær ofslagen.

1031. Her for Cnut cyng to Rome. And þy ilcan geare he for to
500 Scotlande; and Scotta cyng him tobeah, Mælcolm, and twegen oðre cyningas. Mælbæþe and Iehmarc. Rodbertus comes obiit in peregrinatione; et successit rex Willelmus in puerili ætate. —

1035. Her forðferde Cnut cyng æt Sceaftesbyrig. And he is bebyrged on Winceastre on ealdan mynstre. And he wæs cyng ofer eall Englaland
505 swyðe neh ·xx· wintra. —

---

[1] [ ] *D, not in E*

12. OLD ENGLISH LAWS

FROM THE COLLECTION OF KING ALFRED

MS.: Cambridge, Corpus Christi Coll. 173; X/XI centuries. — *ed.*: F. Liebermann, Die Gesetze der Angelsachsen, Halle 1903. — HB. 212-222, 742, 803, 843-844, 929-936; Ke. 3435-42; 3535-42; Ba. 96-97; RO. 251-252.

Dryhten wæs sprecende ðas wôrd to Moyse, and þus cwæð: 'Ic eom dryhten, ðin god. Ic ðe utgelædde of Egipta londe and of hiora ðeowdome. Ne lufa ðu fremde godas ofer me. Ne minne noman ne cig ðu on idelnesse; forðon þe ðu ne bist unscyldig wið me, gif ðu on idelnesse cigst minne noman. Gemyne þæt ðu gehalgige þone ræstedæg; wyrceað eow ·vi· dagas and on þam siofoðan restað eow. — Ne tæl ðu ðinne dryhten, ne ðone hlaford þæs folces ne werge þu. Þine teoðan sceattas and þine frumripan gongendes and weaxendes agif þu gode. —

Leases monnes word ne rec ðu no þæs to gehieranne, ne his domas ne geðafa ðu, ne nane gewitnesse æfter him ne saga ðu. Ne wend ðu ðe no on þæs folces unræd and unryht gewill on hiora spræce and geclysp ofer ðin ryht, and þæs unwisestan lare ne him ne geðafa.

Dem ðu swiðe emne! Ne dem ðu oðerne dom þam welegan, oðerne ðam earman; ne oðerne þam liofran, and oðerne þam laðran ne dem ðu.

Onscuna ðu a leasunga. Soðfæstne man and unscyldigne ne acwele ðu þone næfre. Ne onfoh ðu næfre medsceattum, forðon hie ablendað ful oft wisra monna geðoht, and hiora word onwendað. Þam elðeodegan and utan cumenan ne læt ðu no uncuðlice wið hine, ne mid nanum unryhtum þu hine ne drece. —'

Þis sindan ða domas, þe se ælmihtiga god self sprecende wæs to Moyse and him bebead to healdanne; and siððan se ancenneda dryhtnes sunu, ure god, þæt is hælend Crist, on middangeard cwom, he cwæð ðæt he ne come no ðas bebodu to brecanne ne to forbeodanne, ac mid eallum godum to ecanne; and mildheortnesse and eaðmodnesse he lærde.

Ða æfter his ðrowunge, ær þam þe his apostolas tofarene wæron geond ealle eorðan to læranne, and þa giet ða hie ætgædere wæron, monega hæðena ðeoda hie to gode gecerdon. Þa hie ealle ætsomne wæron, hie sendan ærendwrecan to Antiohhia and to Syrie, Cristes æ to læranne. — 'Ða apostolas and þa eldran broðor hælo eow wyscað. And we eow cyðað, þæt we geascodon, þæt ure geferan sume mid urum wordum to eow comon and eow hefigran wisan budon to healdanne þonne we him budon, and eow to swiðe gedwealdon mid ðam manigfealdum gebodum, and eowra sawla ma forhwerfdon þonne hie geryhton. — Þæm halgan gaste wæs geðuht and us, þæt we nane byrðenne on eow settan noldon ofer þæt ðe eow nedðearf wæs to healdanne; þæt is þonne, þæt ge forberen, þæt ge deofolgeld ne weorðien. — And þæt ge willen, þæt oðre men eow ne don, ne doð ge ðæt oþrum monnum.'

I. Be ðon ðæt mon ne scyle oðrum deman buton swa he wille, ðæt him mon deme: Of þissum anum dome mon mæg geðencean, þæt he æghwelcne on ryht gedemeð; ne ðearf he nanra domboca oþerra. Geðence he þæt he nanum men ne deme þæt he nolde ðæt he him demde, gif he ðone dom ofer hine sohte.

Siððan ðæt þa gelamp, þæt monega ðeoda Cristes geleafan onfengon, þa wurdon monega seonoðas geond ealne middangeard gegaderode, and eac swa geond Angelcyn, siððan hie Cristes geleafan onfengon, halegra biscepa and eac oðerra geðungenra witena; hie ða gesetton, for ðære mildheortnesse þe Crist lærde, æt mæstra hwelcre misdæde þætte ða weoruldhlafordas moston mid hiora leafan buton synne æt þam forman gylte þære fiohbote onfon, þe hie ða gesettan; buton æt hlafordsearwe hie nane mildheortnesse ne dorston gecweðan, forþam ðe god ælmihtig þam nane ne gedemde þe hine oferhogdon, ne Crist, godes sunu, þam nane ne gedemde þe hine to deaðe sealde; and he bebead þone hlaford lufian swa hine. Hie ða on monegum senoðum monegra meniscra misdæda bote gesetton, and on monega senoðbec hie writan, hwær anne dom hwær oþerne.

Ic ða Ælfred cyning þas togædere gegaderode and awritan het, monege þara þe ure foregengan heoldon, ða ðe me licodon; and manege þara, þe me ne licodon, ic awearp mid minra witena geðeahte, and on oðre wisan bebead to healdanne. Forðam ic ne dorste geðristlæcan þara minra awuht fela on gewrit settan, forðam me wæs uncuð, hwæt þæs ðam lician wolde ðe æfter us wæren. Ac ða ðe ic gemette awðer oððe on Ines dæge, mines mæges, oððe on Offan, Mercna cyninges, oððe on Æþelbryhtes, þe ærest fulluhte onfeng on Angelcynne, þa ðe me ryhtoste ðuhton, ic þa heron gegaderode, and þa oðre forlet. Ic ða Ælfred Westseaxna cyning eallum minum witum þas geeowde, and hie ða cwædon, þæt him þæt licode eallum to healdanne.

II. Be aðum and be weddum: Æt ærestan we lærað, þæt mæst ðearf is, þæt æghwelc mon his að and his wed wærlice healde. Gif hwa to hwæðrum þissa genied sie on woh, oððe to hlafordsearwe oððe to ængum unryhtum fultume, þæt is þonne ryhtre to aleoganne þonne to gelæstanne.

Gif he þonne þæs weddige, þe him riht sie to gelæstanne, and þæt aleoge, selle mid eaðmedum his wæpn and his æhta his freondum to gehealdanne and beo feowertig nihta on carcerne on cyninges tune; ðrowige ðær swa biscep him scrife; and his mægas hine feden, gif he self mete næbbe. Gif he mægas næbbe oððe þone mete næbbe, fede cyninges gerefa hine. Gif hine mon togenedan scyle, and he elles nylle, gif hine mon gebinde, þolige his wæpna and his ierfes. — Gif he ut oðfleo ær þam fierste, and hine mon gefo, sie he feowertig nihta on carcerne, swa he ær sceolde. Gif he losige, sie he afliemed, and sie amænsumod of eallum Cristes ciricum. —

III. Be circena socnum: Gif hwa þara mynsterhama hwelcne for hwelcere scylde gesece, þe cyninges feorm to belimpe, oððe oðerne frione hiered þe arwyrðe sie, age he þreora nihta fierst him to gebeorganne, buton he ðingian wille. Gif hine mon on þam fierste geyflige mid slege oððe mid bende oððe þurh wunde, bete þara æghwelc mid ryhte ðeodscipe, ge mid were ge mid wite. —

V. Be hlafordsearwe: Gif hwa ymb cyninges feorh sierwe ðurh hine oððe ðurh wreccena feormunge oððe his manna, sie he his feores scyldig and ealles þæs þe he age. Gif he hine selfne triowan wille, do þæt be cyninges wergelde. Swa we eac settað be eallum hadum, ge ceorle ge eorle: Se ðe ymb his hlafordes fiorh sierwe, sie he wið ðone his feores scyldig and ealles ðæs ðe he age, oððe be his hlafordes were hine getriowe.

VI. Be circena friðe: Eac we settað æghwelcere cirican, ðe biscep gehalgode, ðis frið: Gif hie fahmon geierne oððe geærne, þæt hine seofan nihtum nan mon ut ne teo. Gif hit þonne hwa do, ðonne sie he scyldig cyninges mundbyrde and þære cirican friðes. —

XIIII. Be dumbera monna dædum: Gif mon sie dumb oððe deaf geboren, þæt he ne mæge synna onsecggan ne geandettan, bete se fæder his misdæda. —

XXXII. Be cierlisces monnes byndellan: Gif mon cierliscne mon gebinde unsynnigne, gebete mid ·x· scill'. Gif hine mon beswinge, mid ·xx· scill' gebete. Gif he hine on hengenne alecgge, mid ·xxx· scill' gebete. — Gif he ðone beard ofascire, mid ·xx· scill' gebete. Gif he hine gebinde and þonne to preoste bescire, mid ·lx· scill' gebete. —

XXXV. Be ðon ðe mon beforan ealdormen on gemote gefeohte: Gif mon beforan cyninges ealdormen on gemote gefeohte, bete wer and wite, swa hit ryht sie, and beforan þam ·cxx· scill' ðam ealdormen to wite. —

XXXVI. Be cierlisces monnes fletgefeohte: Gif hwa on cierlisces monnes flette gefeohte, mid syx scill' gebete ðam ceorle. — Gif syxhyndum [þis] gelimpe, ðriefealdlice arise be ðære cierliscan bote, twelfhyndum men twyfealdlice be þæs syxhyndan bote. Cyninges burgbryce bið ·cxx· scill', ærcebiscepes hundnigontig scill', oðres biscepes and ealdormonnes ·lx· scill', twelfhyndes monnes ·xxx· scill', syxhyndes monnes ·xv· scill'; ceorles edorbryce ·v· scill'. Gif ðisses hwæt gelimpe, ðenden fyrd ute sie, oððe in lenctenfæsten, hit sie twybote. — 110

XXXVII. Be boclandum: Se mon se ðe bocland hæbbe and him his mægas læfden, þonne setton we, þæt he hit ne moste sellan of his mægburge, gif þær bið gewrit oððe gewitnes, ðæt hit ðara manna forbod wære þe hit on fruman gestrindon and þara þe hit him sealdon, þæt he swa ne mote. — 115

XXXVIIII. Be mæssedaga freolse: Eallum frioum monnum ðas dagas sien forgifene, butan þeowum monnum and esnewyrhtan: ·xii· dagas on Gehhol, and ðone dæg þe Crist ðone deofol oferswiðde, and sanctus Gregorius gemynddæg, and ·vii· dagas to Eastron and ·vii· ofer, and an dæg æt sancte Petres tide and sancte Paules, and on hærfeste ða fullan wican ær sancta Marian mæssan, and æt Eallra-haligra weorðunge anne dæg; and ·iiii· Wodnesdagas on ·iiii· ymbrenwicum ðeowum monnum eallum sien forgifen, þam þe him leofost sie to sellanne æghwæt ðæs ðe him ænig mon for godes noman geselle oððe hie on ænegum hiora hwilsticcum geearnian mægen. 120

XL. Be heafodwunde: Heafodwunde to bote, gif ða ban beoð butu þyrel, ·xxx· scill' geselle him mon. Gif ðæt uterre ban bið þyrel, geselle ·xv· scill' to bote. — 125

XLII. Be earslege: Gif him mon aslea oþer eare of, geselle ·xxx· scill' to bote. Gif se hlyst oðstande, þæt he ne mæge gehieran, geselle him mon ·lx· scill' to bote. 130

XLIII. Be monnes eagwunde and oðerra missenlicra lima: Gif mon men eage ofaslea, geselle him mon ·lx· scill' and ·vi· scill' and ·vi· pæningas and þriddan dæl pæninges to bote. Gif hit in ðam heafde sie, and he noht geseon ne mæge mid, stande ðriddan dæl þære bote inne. — Gif mon oðrum ðone toð onforan heafde ofaslea, gebete þæt mid ·viii· scill'. Gif hit sie se wongtoð, geselle ·iiii· scill' to bote. — 135

XLVII.[1] *Be Sunnandæges weorcum:* Gif ðeowmon wyrce on Sunnandæg be his hlafordes hæse, sie he frioh, and se hlaford geselle ·xxx· scill' to wite. Gif þonne se ðeowa butan his gewitnesse wyrce, þolie his hyde. Gif ðonne se frigea ðy dæge wyrce butan his hlafordes hæse, ðolie his freotes. 140

XLVIII. Be ciricsceattum: Ciricsceattas sin agifene be sancte Martines mæssan; gif hwa þæt ne gelæste, sie he scyldig ·lx· scill' and be ·xii· fealdum agife þone ciricsceat. —

LI. Be stale: Gif hwa stalie, swa his wif nyte and his bearn, geselle ·lx· scill' to wite. Gif he ðonne stalie on gewitnesse ealles his hiredes, gongen hie ealle on ðeowot; ·x· wintre cniht mæg bion ðiefðe gewita. — 145

LIII. Be ðam wrecendan, ær him ryhtes bidde: Gif hwa wrace do, ærðon he him ryhtes bidde, þæt he him onnime agife, and forgielde and gebete mid ·xxx· scill'.

LIIII. Be reaflace: Gif hwa binnan þam gemærum ures rices reaflac and niednæme do, agife he ðone reaflac and geselle ·lx· scill' to wite. 150

LV. Be ðam monnum ðe hiora gelondan bebycgað: Gif hwa his agenne geleod bebycgge, ðeowne oððe frigne, ðeah he scyldig sie, ofer sæ, forgielde hine his were.

LVI. Be gefongenum ðeofum: Gif ðeof sie gefongen, swelte he deaðe, oððe his lif be his were man aliese. — Ðeofas we hatað oð ·vii· men; from ·vii· hloð oð ·xxxv·; siððan bið here. — 155

LVIII. Be hloðe: Se ðe hloþe betygen sie, geswicne se hine be ·cxx· hida oððe swa bete. —

---

[1] *XLVII &c adopted by King Alfred from the laws of King Ine (688-695).*

160 *LXIIII. Be feorran cumenum men butan wege gemetton:* Gif feorcund mon oððe fremde butan wege geond wudu gonge and ne hrieme ne horn blawe, for ðeof he bið to profianne; oððe to sleanne oððe to aliesanne. —

LXXXII. Be ðon ðe ryhtgesamhiwan bearn hæbben and ðonne se wer gewite: Gif ceorl and his wif bearn hæbben gemæne, and fere se ceorl forð,
165 hæbbe sio modor hire bearn and fede; agife hire mon ·vi· scill' to fostre, cu on sumera, oxan on wintra; healden þa mægas þone frumstol, oð ðæt hit gewintred sie.

LXXXIII. Be unalefedum fære from his hlaforde: Gif hwa fare unaliefed fram his hlaforde oððe on oðre scire hine bestele, and hine mon geahsige, fare
170 þær he ær wæs and geselle his hlaforde ·lx· scill'. —

CXIIII. Be twyhyndum were: Æt twyhyndum were mon sceal sellan to monbote ·xxx· scill', æt ·vi· hyndum ·lxxx· scill', æt ·xii· hyndum ·cxx· scill'. Æt ·x· hidum to fostre: ·x· fata hunies, ·ccc· hlafa, ·xii· ambra Wilisc ealað, ·xxx· hluttres, tu eald hriðeru oððe ·x· weðeras, ·x· gees, ·xx·
175 henna, ·x· cesas, amber fulne buteran, ·v· leaxas, ·xx· pundwæga foðres and hundteontig æla. —

CXVIII. Be ðon ðe ðeowwealh frione mon ofslea: Gif ðeowwealh Engliscne monnan ofslihð, þonne sceal se ðe hine ah weorpan hine to honda hlaforde and mægum oððe ·lx· scill' gesellan wið his feore. —

13. OLD ENGLISH TREATIES AND ROYAL WRITS

MSS.: ***I-II*** **Cambridge, Corpus Christi Coll. 383; c. 1125. (*I:* Redaction A.D. 886.) *III:* York Cath. 521; m. XI century. - *ed.:* F. Liebermann, Die Gesetze der Angelsachsen, Halle 1903. - Bibliogr. cf. OE Laws (above).**

I. The Treaty between Alfred and Guthrum. [1]

Ðis is ðæt frið, ðæt Ælfred cyninc and Gyðrum cyning and ealles Angelcynnes witan and eal seo ðeod ðe on East-Englum beoð ealle gecweden habbað and mid aðum gefeostnod for hy sylfe and for heora gingran, ge for
5 geborene ge for ungeborene, ðe godes miltse reccen oððe ure.

Ærest ymb ure landgemæra: Up on Temese, and ðonne up on Ligan, and andlang Ligan oð hire æwylm, ðonne on gerihte to Bedanforda, ðonne up on Usan oð Wætlingastræt.

Ðæt is ðonne: Gif man ofslægen weorðe, ealle we lætað efen dyrne,
10 Engliscne and Deniscne, to ·viii· healfmearcum asodenes goldes, buton ðam ceorle ðe on gafollande sit and heora liesengum, ða syndan eac efen dyre: ægðer to ·cc· scill'. And gif man cyninges ðegn beteo manslihtes, gif he hine ladian dyrre, do he þæt mid ·xii· cininges ðegnum; gif man ðone man betyhð, ðe bið læssa maga ðone se cyninges ðegn, ladige he hine mid ·xi·
15 his gelicena and mid anum cyninges ðægne. —

And þæt ælc man wite his getyman be mannum and be horsum and be oxum.

And ealle we cwædon on ðam dæge ðe mon ða aðas swor, þæt ne ðeowe ne freo ne moton in ðone here faran butan leafe, ne heora nan ðe ma
20 to us. Gif ðonne gebyrige, þæt for neode heora hwylc wið ure bige habban wille oððe we wið heora mid yrfe and mid æhtum, ðæt is to þafianne on ða wisan, þæt man gislas sylle friðe to wedde and to swutulunge, þæt man wite, ðæt man clæne bæc hæbbe.

II. The Treaty between AEthelred Unræd and the "Here" of A.D. 991. [2]

25 Ðis synd ða friðmal and ða forword, ðe Æthelred cyng and ealle his witan wið ðone here gedon habbað, ðe Anlaf and Iustin and Guðmund Stegitan sunu mid wæron.

[1] *cf. A.-S. Chronicle, annals 878, 886, 890.* [2] *cf. A.-S. Chronicle, annal 991.*

Ðæt ærost, þæt woroldfrið stande betweox Æthelrede cynge and eallum his leodscipe and eallum ðam here, ðe se cyng þæt feoh sealde, æfter ðam formalan, ðe Sigeric arcebiscop and Æðelwerd ealdormann and Ælfric ealdorman worhton, ða hu[1] abædon æt ðam cynge, þæt hy mostan ðam læppan frið gebicgean, ðe hy under cynge hand ofer hæfdon. 30

And gif ænig sciphere on Englaland hergie, þæt we habban heora ealra fultum; and we him sculon mete findon, ða hwile ðe hy mid us beoð. And ælc ðæra landa ðe ænigne friðige ðæra ðe Ænglaland hergie, beo hit utlah wið us and wið ealne here. 35

And ælc ceapscip frið hæbbe, ðe binnan muðan cuman, ðeh hit unfriðscyp sy, gyf hit undrifen bið. And ðeh hit gedriuen beo and hit ætfleo to hwilcre friðbyrig, and ða menn up ætberstan into ðære byrig, ðonne habban þa men frið and þæt hy him mid bringað. 40

And ælc agenra friðmanna frið hæbbe, ge on lande ge on wætere, ge binnan muðan ge butan. Gyf Æðelredes cynges friðman cume on unfriðland, and se here ðærto cume, hæbbe frið his scip and ealle his æhta. Gyf he his scip upp getogen hæbbe oððon hulc geworhtne oððon geteld geslagen, þæt he ðær frið hæbbe and ealle his æhta. — 45

Gyf Ænglisc man Deniscne ofsleo, frigman frigne, gylde hine mid ·xxv· pundum, oððon man ðone handdædan agyfe; and do se Denisca ðone Engliscan ealswa, gif hine ofslea. Gyf Englisc man Deniscne ðræl ofslea, gylde hine mid punde, and se Denisca Engliscne ealswa, gif he hine ofslea. Gyf eahta men beon ofslagene, ðonne is ðæt friðbrec, binnan byrig oððon buton. Binnan eahta mannum bete man þæt fullum were. — Æt eallum slyht and æt ealre ðære hergunge and æt eallum ðam hearmum, ðe ær ðam gedon wære, ær ðæt frið geset wære, man eall onweig læte, and nan man þæt ne rece ne bote ne bidde. And þæt naðor ne hy ne we ne underfon oðres wealh ne oðres ðeof ne oðres gefan. — And gif heora menn slean ure eahta, ðonne beoð hy utlage ge wið hy ge wið us and ne beo nanre bote weorðe. 50 55

Twa and twentig ðusend punda goldes and seolfres man gesealde ðam here of Ænglalande wið friðe.

III. A Writ of King Cnut. A.D. 1020.[2]

Cnut cyning gret his arcebiscopas and his leodbiscopas and Þurcyl eorl and ealle his eorlas and ealne his þeodcype, twelfhynde and twyhynde, gehadode and læwede, on Englalande freondlice. And ic cyðe eow, þæt ic wylle beon hold hlaford and unswicende to godes gerihtum and to rihtre woroldlage. 60

Ic nam me to gemynde þa gewritu and þa word, þe se arcebiscop Lyfing me fram þam papan brohte of Rome, þæt ic scolde æghwær godes lof upp aræran and unriht alecgan and full frið wyrcean be ðære mihte, þe me god syllan wolde. 65

Nu ne wandode ic na minum sceattum, þa hwile þe eow unfrið on handa stod; nu ic mid godes fultume þæt totwæmde mid minum scattum. Þa cydde man me, þæt us mara hearm to fundode, þonne us wel licode; and þa for ic me sylf mid þam mannum þe me mid foron into Denmearcon, þe eow mæst hearm of com; and þæt hæbbe mid godes fultume forene forfangen, þæt eow næfre heonon forð þanon nan unfrið to ne cymð, þa hwile þe ge me rihtlice healdað and min lif byð. Nu ðancige ic gode ælmihtigum his fultumes and his mildheortnesse, þæt ic þa myclan hearmas, þe us to fundedon, swa gelogod hæbbe, þæt we ne þurfon þanon nenes hearmes us asittan, ac us to fullan fultume and to ahreddingge, gyf us neod byð. Nu wylle ic, þæt we ealle eadmodlice gode ælmihtigum þancian þære mildheortnesse, þe he us to fultume gedon hæfð. 70 75

Nu bidde ic mine arcebiscopas and ealle mine leodbiscopas, þæt hy ealle neodfulle beon ymbe godes gerihta, ælc on his ende, þe heom betæht is; and eac minum ealdormannum ic beode, þæt hy fylstan þam biscopum to godes gerihtum and to minum kynescype and to ealles folces þearfe. 80

[1] hu] hi *Var.* [2] *cf. A.-S. Chronicle, annals 1016/20.*

Gif hwa swa dyrstig sy, gehadod oððe læwede, Denisc oððe Englisc, þæt ongean godes lage ga and ongean minne cynescype oððe ongean woroldriht,
85 and nelle betan and geswican æfter minra biscopa tæcinge, þonne bidde ic Þurcyl eorl and eac beode, þæt he ðæne unrihtwisan to rihte gebige, gyf he mæge. Gyf he ne mæge, þonne wille ic, mid uncer begra cræfte þæt he hine on earde adwæsce oððe ut of earde adræfe, sy he betera sy he wyrsa.

And eac ic beode eallum minum geretum, be minum freondscype and be
90 eallum þam þe hi agon and be heora agenum life, þæt hy æghwær min folc rihtlice healdan and rihte domas deman be ðæra scira biscopa gewitnesse and swylce mildheortnesse þæron don, swylce þære scire biscope riht þince and þe[1] man acuman mæge. And gyf hwa þeof friðige oððe forena forlicge, sy he emscyldig wið me þam ðe þeof scolde, buton he hine mid fulre lade wið me
95 geclænsian mæge.

And ic wylle, þæt eal þeodscype, gehadode and læwede, fæstlice Eadgares lage healde, þe ealle men habbað gecoren and to-gesworen on Oxenaforda, for ðam ðe ealle biscopas secgað, þæt hit swyþe deop [beo] wið god to betanne, þæt man aðas oððe wedd tobrece. And eac hy us furðor lærað,
100 þæt we sceolon eallan magene and eallon myhton þone ecan mildan god inlice secan, lufian, and weorðian, and ælc unriht ascunian, ðæt synd mægslagan, and morðslagan, and mansworan, and wiccean, and wælcyrian, and æwbrecan, and syblegeru. And eac we beodað on godes ælmihtiges naman and on ealra his haligra, þæt nan man swa dyrstig ne sy, þæt on gehadodre nunnan oððe on
105 mynecenan gewifige; and gyf hit hwa gedon hæbbe, beo he utlah wið god and amansumod fram eallum cristendome and wið þone cyning scyldig ealles þæs þe he age, buton he ðe raðor geswice and þe deopplicor gebete wið god.

And gyt we furðor maniað, þæt man Sunnandæges freols mid eallum mægene healde and weorðige fram Sæternesdæges none oð Monandæges lyhtinge,
110 and nan man swa dyrstig ne sy, þæt he aðor oððe cypinge wyrce oððe ænig mot gesæce on[2] þam halgan dæge; and ealle men, earme and eadige, heora cyrcan secean, and for heora synnum þingian, and ælc beboden fæstan geornlice healdan, and þa halgan georne weorðian, þe us mæssepreostas beodan sceolan, þæt we magan and moton ealle samod þurh þæs ecean godes mildheortnesse
115 and his halgena þingrædene to heofena rices myrhðe becuman and mid him wunian, þe leofað and rihxað a butan ende. Amen.

14. RECTITUDINES SINGULARUM PERSONARUM

MS.: **Cambridge, Corpus Christi Coll. 383; c. 1125, ? London. — *ed.:* F. Liebermann, Die Gesetze der Angelsachsen, Halle 1903. — Bibliogr. cf. OE Laws (above).**

Þegenes lagu: Þegenlagu is, þæt he sy his bocrihtes wyrðe and þæt he ðreo ðinc of his lande do: Fyrdfæreld and burhbote and brycgeweorc. Eac of manegum landum mare landriht arist to cyniges gebanne, swilce is deorhege to cyniges hame and scorp to friðscipe and sæweard and heafodweard and fyrdweard, ælmesfeoh and cyricseat and mænige oðere mistlice ðingc.
5

Geneates riht: Geneatriht is mistlic be ðam ðe on lande stænt: On sumon he sceal landgafol syllan and gærsswyn on geare, and ridan and auerian and lade lædan, wyrcan and hlaford feormian, ripan and mawan, deorhege heawan and sæte haldan, bytlian and burh hegegian, nigefaran to tune feccan,
10 cyricsceat syllan and ælmesfeoh, heafodwearde healdan and horswearde, ærendian fyr swa nyr, swa hwyder swa him mon to tæcð.

Kotsetlan riht: Kotesetlan riht be ðam ðe on lande stent: On sumon he sceal ælce Mondæge ofer geares fyrst his laforde wyrcan and[3] ·iii·dagas ælcre wucan on hærfest. Ne þearf he landgafol syllan. Him gebyriað ·v·
15 æceres to habbanne; mare, gyf hit on lande ðeaw sy; and to lytel hit bið, beo hit a læsse; forðan his weorc sceal beon oftræde. Sylle his heorðpænig

[1] se *MS.* [2] on *not in MS.* [3] oðð *MS.*

on halgan Đunresdæg, ealswa ælcan frigean men gebyreð, and werige his hlafordes inland, gif him man beode, æt sæwearde and æt cyniges deorhege and æt swilcan ðingan, swilc his mæð sy, and sylle his cyricsceat to Martinus mæssan.

Gebures gerihte: Geburgerihta syn mislice: Gehwar hy syn hefige, gehwar eac medeme. On sumen lande is, þæt he sceal wyrcan to wicweorce ·ii·dagas swilc weorc, swilc him man tæcð, ofer geares fyrst ælcre wucan, and on hærfest ·iii· dagas to wicweorce and of Candelmæsse oð Eastran ·iii·; gif he aferað, ne ðearf he wyrcan ða hwile ðe his hors ute bið. He sceal syllan on Michaeles mæssedæig ·x· gafolp', and on Martinus mæssedæg ·xxiiii· systra beres and ·ii· henfugelas, on Eastran an geong sceap oððe ·ii· p'. And he sceal licgan of Martinus mæssan oð Eastran æt hlafordes falde, swa oft swa him to begæð. And of ðam timan, ðe man ærest ereð, oð Martinus mæssan he sceal ælcre wucan erian ·i· æcer and ræcan sylf þæt sæd on hlafordes berne; toeacan ðam ·iii· æceras to bene and ·ii· to gærsyrðe; gyf he maran gærses beðyrfe, ðonne earnige ðæs, swa him man ðafige; his gauolyrðe ·iii· æceras erige, and sawe of his aganum berne. And sylle his heorðpænig. And twegen and twegen fedan ænne headorhund. And ælc gebur sylle ·vi· hlafas ðam inswane, ðonne he his heorde to mæstene drife. On ðam sylfum lande ðe ðeos ræden on stænt, geburc gebyreð, þæt him man to landsetene sylle ·ii· oxan and ·i· cu and ·vi· sceap and ·vii· æceras gesawene on his gyrde landes. Forðige ofer þæt gear ealle gerihtu, ðe him to gebyrigean, and sylle him man tol to his weorce and andlaman to his huse. Đonne him forðsið gebyrige, gyme his hlaford ðæs he læfe.

Đeos landlagu stænt on suman lande; gehwar hit is, swa ic ær cwæð, hefigre, gehwar eac leohtre; forðam ealle landsida ne syn gelice. On sumen landa gebur sceal syllan huniggafol, on suman metegafol, on suman ealugafol. Hede se ðe scire healde, þæt he wite a, hwæt ealdlandræden sy and hwæt ðeode ðeaw.

Be ðam ðe beon bewitað: Beoceorle gebyreð, gif he gafolheorde healt, þæt he sylle ðæt on lande geræd beo. Mid us is geræd, þæt he sylle ·v· sustras huniges to gafole; on suman landum gebyreð mare gafolræden. Eac he sceal hwiltidum geara beon on manegum weorcum to hlafordes willan. — And fela ðinga swa gerad man sceal don; eal ic nu atellan ne mæig. —

Landlaga syn mistlice, swa ic ær beforan sæde. Ne sette we na ðas gerihtu ofer ealle ðeoda, ðe we ær beforan ymbe spræcon; ac we cyðað, hwæt ðeaw is ðær ðær us cuð is. Gif we selre geleorniað, þæt we willað georne lufian and healdon, be ðære ðede ðeawe, ðe we ðænne onwuniað. Forðam laga sceal on leode luflice leornian, lof se ðe on lande sylf nele leosan. —

Be gesceadwisan gerefan[1]: Se scadwis[2] gerefa sceal ægðær witan ge hlafordes landriht ge folces gerihtu, be ðam ðe hit of ealddagum witan geræddan, and ælcre tilðan timan, ðe to tune belimpð; forðam on manegum landum tilð bið redre ðonne on oðrum: Ge yrðe tima hrædra, ge mæda rædran, ge winterdun eac swa, ge gehwilc oðer tilð. Hede se ðe scire healde, þæt he friðige and forðige ælce be ðam ðe hit selest sy, and be ðam he eac mot, ðe hine weder wisað. He sceal snotorlice smeagean and georne ðurhsmugan ealle ða ðing, ðe hlaforde magan to ræde.

Gyf he wel aginnan wile, ne mæig he sleac beon ne to oferhydig; ac he mot ægðer witan ge læsse ge mare, ge betere ge mætre ðæs ðe to tune belimpð, ge on tune ge on dune, ge on wuda ge on wætere, ge on felda ge on falde, ge inne ge ute. Forðam to soðe ic secge: Oferhogie he oððe forgyme ða ðing to beganne and to bewitanne, ðe to scipene oððe to odene belimpað, sona hit wyrð on berne, þæt to ðam belimpað. Ac ic lære, þæt he do swa ic ær cwæð: Gyme ægðer ge ðæs selran, ge þæs sæmran, þæt naðor ne misfare, gyf he wealdan mæge, ne corn ne sceaf, ne flæsc ne flotsmeru, ne cyse ne cyslyb, ne nan ðera ðinga ðe æfre to note mæge. Swa sceal god scyrman his hlafordes healdan; do ymbe his agen, swa swa he wylle.

[1] *Probably an individual text joined in this MS. to the Rectitudines.* [2] Se sc.] ? Gescadwis

15. THE WILL OF WYNFLAED

MS.: BM., Harley Chart. VIII, 38; XI century. (Orig.: c. 950.) — *ed.*: D. Whitelock, Anglo-Saxon Wills, Cambridge 1930; J. M. Kemble, Codex Diplomaticus Aevi Saxonici, London 1839. — Bibliogr. cf. OE Laws (above).

Wynflæd cyð hu hio wile ymbe þæt hio hæfð ofer hyre dæg:
Hio becwiþ into cyrcan hyre ofring . . .u[1] and hyre beteran ofringsceat and hyre rode; and into beodern hiwun twa selefrene cuppan; and hyre to saulsceatte ælcon godes þeowe mancos goldes, and butan þam Ceoldryþe 5 ·i· mancus and Oðelbryhte and Else and Æþel . . . þe[1]; and an pund to Wiltune þam hiwum, and Fugele anne mancus.

And hio becwið Æðelflæde hyre dehter hyre agrafenan beah and hyre mentelpreon and þæt land æt Ebbelesburnan and þa boc on ece yrfe to ateonne swa hyre leofosð sy; and hio an hyre þara manna and þæs yrfes 10 and ealles þæs þe þær þenne on bið butan þæt man scel for hyre saulle þærof don ægþer ge an mannon ge an yrfe. And æt Ceorlatune hio hyre an ealswa þere manna and þæs yrfes butan þam freotmannon, and þæt man finde of þam yrfe æt Ceorlatune healfes[2] pundes wyrþne saulsceat to Mylenburnan, and healfes pundes wyrþne saulscet fram Cinnuc to Gyfle.

15 And Eadmære þæt land æt Colleshylle and æt Inggeneshamme, and hio an him eac þæs landes æt Faccancumbe þe hyre morgengyfu wes his dæg, and ofer his dæg, gyf Æþelflæd leng lybbe þonne he, þonne fo hio to þam lande æt Faccancumbe, and ofer hyre dæg ga hit eft an Eadwoldes hand. And gif god wille þæt Eadwold weorþe to þam gewexen an his 20 fæder dæge þæt he land healdan mæge, þene bid ic Eadmær þæt he him læte þara twega landa oþer to oþþe æt Colleshylle oð æt Eadburggebyrig, and ofer his dæg buta. —

And freoge man Wulfware; folgyge þam þe hyre leofost sy[3]. — And freoge man Wulfflæde on þæt gerad þæt hio folgige Æþelflæde and Eadgyfe. 25 And hio becwið Eadgyfe ane crencestran and ane semestran[4], oþer hatte Edgyfu oþer hatte Æþelyfu. And freoge man Gerburge and Miscin and Hi . . . [5] and Burhulfes dohtur æt Cinnuc and Ælfsige and his wif and his yldran dohtor and Ceolstanes wif; and æt Ceorlatune freoge man Pifus and Edwyn. — And gif þær hwylc witeþeow-man sy butan þyson þe hio ge- 30 þeowede, hio gelyfð to hyre bearnon þæt hi hine willon lyhtan for hyre saulle.

And Ælfwolde hyre twegen wesendhornas and an hors and hyre reade geteld. And hio becwyð Eadmære ane hlidfæsþe cuppan, oþre Æðelflæde; and bit þæt hi findon betweox him twa smicere scencingcuppan into beodern 35 for hi, oþþe hyre ahgene ieredan cuppan geiccon hy sy . . [1] an anon punde. Þonne wolde hio þæt man dyde innon ægþere cuppan healf pund penega. And agyfe man Eadwolde his agene ·ii· sylefrenan[6] cuppan. And hio be-cwið him hyre goldfagan treowenan cuppan, þæt he ice his beah mid þam golde; oþþe hi mon æt him gehweorfe mid ·xvi· mancussum reades[7] goldes, swa 40 micel þær is to gedong. And hio becwiþ him twa mydrecan and þæran-innan an bedreaf eal þæt to anum bedde gebyreð. —

And be þan lande æt Cinnuc hit agon þa hiwan æt Sceaftesbyrig ofer hyre dæg, and hio ah þæt yrfe and þa men. Þenne an hio þan hywum þara gebura þe on þam gafollande sittað, and þera þeowra manna hio an hyre 45 syna dehter Eadgyfe, and þæs yrfes butan þam saulsceatte þe man to Gifle syllan sceal; and hio wile þæt man læte on þan lande standan ·vi· oxsan and ·iiij· cy mid feower cealfon. And of þam þeowan mannan æt Cinnuc hio becwið Eadwolde Ceolstan, Etstanes sunu, and Æffan sunu, and Burh-wynne, Mærtin, and Hisfig; and hio becwiþ Eadgyfe þærangean Ælfsige þene 50 coc, and Ælfware, Burgan dohtor, and Herestan and his wif, and Ecelm and his wif and hiora cild, and Cynestan, and Wynsige, and Byrhtrices sunu, and Edwynne, and Buneles sunu, and Ælfferes[8] dohtor.

---

[1] *a few letters missing in MS.* [2] *hole in MS.*, healfes *suppl. Kemble* [3] leofo . . . *MS.*, *em. Whitelock* [4] sem . . . n *MS.*] *em. Kemble* [5] *hole in MS.* [6] sylerenan *MS.* [7] reades reades *MS.* [8] Ælfferer *MS.*

And hio becwið Æðelflæde[1], Elhhelmmes dehter, Ælfferes dohtor þa geonran, and hyre twilibrocenan cyrtel, and oþerne linnenne oþþe linnenweb. And Eadgyfe twa mydrecan, and þæraninnan hyre betsþe bedwahrift and linnenne ruwan and eal þæt bedref þe þærto gebyreð, and[2] hyre betstan dunnan tunecan, and hyre beteran mentel, and hyre twa treowenan gesplottude cuppan, and hyre ealdan gewiredan preon, is an ·vi· mancussum; and sylle man hyre ·iiij· mancussas, — and an lang healwahrift and oþer sceort, and þrio sethrægl. And hio an Ceoldryþe hyre blacena tunecena, swa þer hyre leofre beo, and hyre betsð haliryft and hyre betsþan bindan; and Æþelflæde[3] þisse hwitan hyre cincdaðenan cyrtel and cuffian and bindan, and finde Æðelflæd syþþan an hyre nunscrude loce hwæt hio betsð mæge Wulfflæde and Æþelgife and ice mid golde, þæt hyra ægþer hyru hæbbe ·lx· penenga wyrþ; and Ceolwynne and Edburge þæt sy ·xxx· penega wyrþ. And þær synt twa micle mydercan and an hræglcysð, and an lytulu towmyderce and eac twa ealde mydercan; þenne an hio Æþelflæde on ælcum þingum þe þær unbecweden bið, on bocum and an swilcum lytlum, and hio gelyfð þæt hio wille hyre saulle geþencan. And þær synt eac wahriftu sum þe hyre wyrðe bið, and þa læstan hio mæg syllan hyre wimmannon. And hio becwið Cynelufe hyre dæl þera wildera horsa þe mid Eadmæres synt. -

16. THE WILL OF BADANOTH

MS.: BM., Cotton Augustus II, 42; IX century. – *ed.*: H. Sweet, EETS. 83. — Bibliography cf. OE Laws (above).

Ic Badanoð Beotting cyðo ond writan hato hu min willa is ðet min ærfelond fere ðe ic et Æðeluulfe cyninge begæt ond gebohte mid fullum friodome on æce ærfe æfter minum dege ond minra ærfewearda, ðet is, mines wifes ond minra bearna. Ic wille ærist me siolfne gode allmehtgum forgeofan to ðere stowe æt Cristes-cirican, ond min bearn ðer liffest gedoan, ond wiib ond cild ðæm hlaforde ond higum ond ðære stowe befestan ober minne dei to friðe ond to mundbyrde ond to hlaforddome on ðæm ðingum ðe him ðearf sie. Ond hie brucen londes hiora dei, ond higon gefeormien to minre tide swæ hie soelest ðurhtion megen; ond higon us mid heora godcundum godum swe gemynen swæ us arlic ond him ælmeslic sie.

Ond ðonne ofer hiora dei, wifes ond cilda, ic bebeode on godes noman ðæt mon agefe ðæt lond inn higum to heora beode him to brucanne on ece ærfe, swæ him liofast sie. Ond ic biddo higon for godes lufe ðæt se monn se higon londes unnen to brucanne ða ilcan wisan leste on swæsendum to minre tide, ond ða godcundan lean minre saule mid gerece swe hit mine ærfenuman ær onstellen.

Ðonne is min willa ðæt ðissa gewriota sien twa gelice: Oðer habben higon mid boecum, oðer mine ærfeweardas heora dei. ·Ðonne is ðes londes ðe ic higum selle ·xvi· gioc ærðelondes ond medwe, all on æce ærfe to brucanne ge minne dei, ge æfter swæ to ationne swæ me mest red ond liofast sie.

Ceolnoð arc' episc' ðiss writo ond festnie mid Cristes rodetacne. Alchhere dux ðiss writo ond ðeafie. Bægmund prb' ab' ðiss writo ond ðeafie. Hysenoð pr' ðiss writo ond ðeafie. Wigmund. Badenoð. Osmund. Suiðberht. Dyddel. Cichus. Sigemund. Eðelwulf. Tile. Cyneberht. Eðelred. Badanoð.

---

[1] Æðelf . . . *MS., em. Whitelock* [2] *after* and *gap in MS., perhaps erasure* [3] and Æþelf *suppl. Kemble for hole in MS.*

17. THE WILL OF THE AETHELING AETHELSTAN

MS.: BM., Stowe Chart. 37; XI century. (Orig.; c. 1015). — **ed.:** D. Whitelock, Anglo-Saxon Wills, Cambridge 1930; J. M. Kemble, Codex Diplomaticus Aevi Saxonici, London 1839. — Ba. 97, etc., cf. OE Laws (above).

On godes ælmihtiges naman. Ic, Æþe[l]stan æþeling, geswutelige on
þysum gewrite, hu ic mine are and mine æhta geunnen hæbbe gode to lofe
and minre saule to alysednysse and mines fæder Æþelredes cynges, þe ic hit
æt geearnode.

5 Þæt is ærest þæt ic geann þæt man gefreoge ælcne witefæstne mann þe
ic on spræce ahte. And ic geann in mid me þær ic me reste, Criste and sancte
Petre, þæs landes æt Eadburgebyrig, þe ic gebohte æt minan fæder mid twam
hund mancosan goldes be gewihte and mid ·v· pundan seolfres. And þæt
land æt Merelafan, þe ic gebohte æt minum fæder mid þridde healf hund
10 mancosan goldes be gewihte, and þæt land æt Mordune, þæt min fæder me
to let, ic gean into þære stowe for uncer begra saule, and ic hine þæs bidde
for godes lufan and for sancta Marian and for sancte Petres þæt hit standan
mote, and þæs swurdes mid þam sylfrenan hiltan, þe Wulfric worhte, and
þone gyldenan fetels, and þæne beh þe Wulfric worhte, and þone drencehorn
15 þe ic ær æt þam hirede gebohte on ealdan mynstre.

And ic wille þæt man nime þæt feoh þe Aþelwoldes laf me ah to gyldene
þe ic for hyre are gesceoten hæbbe, and betæce Ælfsige bisceope into ealdan
mynstre for mine saule; þæt synd ·xii· pund be getale. And ic geann into
Cristes cyrican on Cantwarabyrig þæs landes æt Holungaburnan and þæs þe
20 þærto hyrð, buton þære anre sulunge þe ic Siferðe geunnen hæbbe, and þæs
landes æt Garwaldintune. And ic ann þæs landes æt Hryðerafelda into nunnan
mynstre sancta Marian-þances and ænne sylfrene mele on fif pundon; and into
niwan mynstre ænne sylfrene hwer on fif pundon, on þære halgan þrynnesse
naman þe seo stow is forehalig. And ic geann to Sceaftenesbyrig to þære
25 halgan rode and to sancte Eadwearde þara ·vi· punda þe ic Eadmunde minon
breðer gewissod hæbbe.

And ic geann minon fæder Æþelræde cynge þæs landes æt Cealhtune
buton þam ehta hidan þe ic Ælmære minon cnihte geunnen hæbbe; and þæs
landes æt Norðtune; and þæs landes æt Mollintune; and þæs seolferhiltan
30 swurdes þe Ulfcytel ahte; and þære byrnan þe mid Morcere is; and þæs horses
þe Þurbrand me geaf; and þæs hwitan horses þe Leofwine me geaf.

And ic geann Eadmunde minon breðer þæs swurdes þe Offa cyng ahte;
and þæs swurdes mid þam pyttedan hiltan; and anes brandes and ænne seol-
forhammenne blædhorn; and þara landa þe ic ahte on East-Englan; and þæs
35 landes æt Peacesdele. And ic wylle þæt mon gelæste ælce geare ane dæg-
feorme þam hirede into Elig of þysse are on sancte Æþeldryðe mæssedæg,
and gesylle þær to mynstre an hund penega, and gefede þær on þone dæg
·c· þearfena; and sy æfre seo ælmesse gelæst gearhwamlice, age land se þe
age, þa hwile þe cristendom stande. And gif þa nellað þa ælmessan geforð-
40 ian þe þa land habbað, gange seo ar into sancte Æþeldryðe.

And ic geann Eadwige minon breðer anes seolforhiltes swurdes. And ic
geann Ælfsige bisceope þære gyldenan rode þe is mid Eadrice Wynflæde suna,
and anne blacne stedan. And ic geann Ælmære þæs landes æt Hamelandene
þe he ær ahte; and ic bidde minne fæder fur godes ælmihtiges lufan and fur
45 minon þæt he þæs geunne þe ic him geunnen hæbbe. And ic geann Godwine
Wulfnoðes suna þæs landes æt Cumtune þe his fæder ær ahte. And ic geann
Ælfswyðe minre fostermeder for hire myclon geearnungon þæs landes æt
Westune þe ic gebohte æt minon fæder mid þridde healf hund mancusan goldes
be gewihte. And ic gean Ælfwine minon mæssepreoste þæs landes æt Heorul-
50 festune and þæs malswurdes þe Wiðer ahte, and mines horses mid minon
gerædon. And ic geann Ælmære minon discþene þara ehta hida æt Cateringa-
tune and anes fagan stedan and þæs sceardan swurdes and mines targan.
And ic geann Siferðe þæs landes æt Hocganclife and anes swurdes and anes
horses and mines bohscyldes. —

18. THE OLD ENGLISH TRANSLATION OF

BEDE, HISTORIA ECCLESIASTICA GENTIS ANGLORUM

MSS.: *T*=Bodl. Library, Tanner 10; X century; Ker 351; *(here for lines 341-589)*. *O*=Oxford, Corpus Christi Coll. 279; X/XI centuries; Ker 354; *(ll. 161-341)*. *Ca*=Cambridge, Univ.K.k.3.18; XI century; Ker 23; *(ll. 1-161, 590-633)*. *Variant readings*: *C*= BM., Cotton Otho B. XI; X century; Ker 180, 1. *B* = Cambridge, Corpus Chrisri Coll. 41; XI century; Ker 32, 1. — *edd.*: Th. Miller, EETS. 95, 96, 110, 111; J. Schipper, Bbl. d. ags. Prosa 4, Leipzig 1879, — For Cædmon's Hymn *(ll. 401-409 and note)* cf. O. Arngart, The Leningrad Bede, (facsimile), Copenhagen 1952. - HB. 729-32; Ke. 3360-74; Ba. I,86, V, [illegible]; RO. 241; cf. Everyman Lbr.479, p.XII.

I, 1. ***Introduction.***

Breoton is garsecges ealond, ðæt wæs iu geara Albion haten; is geseted betwyh norðdæle and westdæle, Germanie and Gallie and Hispanie þam mæstum dælum Europe myccle fæce ongegen. Þæt is norð ehta hund mila lang, and tu hund mila brad. Hit hafað fram suðdæle þa mægþe ongean þe mon hateþ Gallia Bellica. Hit is welig þis ealond on wæstmum and on treowum misenlicra cynna. And hit is gescræpe[1] on læswe sceapa and neata, and on sumum stowum wingeardas growaþ. Swylce eac þeos eorðe is berende missenlicra fugela and sæwihta, and fiscwyllum wæterum and wyllgespryngum, and her beoð oft fangene seolas and hronas and mereswyn; and her beoð oft numene missenlicra cynna weolcscylle and muscule, and on þam beoð oft gemette þa betstan meregrotan ælces hiwes. And her beoð swyþe genihtsume weolocas of þam bið geweorht se weolocreada tælhg, þone ne mæg sunne blæcan ne ne regn[2] wyrdan; ac swa he bið yldra, swa he fægerra bið.

Hit hafað eac þis land sealtseaðas; and hit hafaþ hat wæter and hat baðo ælcere yldo and hade þurh todælede stowe gescræpe. Swylce hit is eac berende on wecga orum ares and isernes, leades and seolfres. Her bið eac gemeted gagates: Se stan bið blæc gym; gif mon hine on fyr deð, þonne fleoð þær neddran onweg.

Wæs þis ealond eac geo gewurðad mid þam æðelestum ceastrum, anes wana þrittigum, ða þe wæron mid weallum and torrum and geatum and þam trumestum locum getimbrade, butan oðrum læssan unrim ceastra. And forðan þe ðis ealond under þam sylfum norðdæle middangeardes nyhst ligeð, and leohte nihte on sumera hafað, swa þæt oft on middre nihte geflit cymeð þam behealdendum, hwæðer hit si þe æfenglommung ðe on morgen deagung, is on ðon sweotol, ðæt þis ealond hafað mycele lengran dagas on sumera, and swa eac nihta on wintra, þonne þa suðdælas middangeardes.

Ðis ealond nu on andweardnysse æfter rime fif Moyses boca, ðam seo godcunde æ awriten is, fif ðeoda gereordum ænne wisdom þære hean soþfæstnysse and þære soðan heanesse smeað and andetteað; þæt is on Angolcynnes gereorde, and Brytta, and Scotta, and Peohta, and Ledenwara. Þæt an is, þæt Leden, on smeaunge gewrita eallum þam oðrum gemæne.

On fruman ærest wæron þysses ealondes bigengan Bryttas ane, fram þam hit naman onfeng. Is þæt sæd, ðæt hi comon fram Armoricano þære mægeðe on Breotone, and þa suðdælas þyses ealondes him gesæton and geahnodon. Þa gelamp æfter þon þætte Peahte ðeod com of Scyððia-lande on scipum and ða ymbærndon eall Breotone gemæro, þæt hi comon on Scotland upp, and þær gemetton Sceotta þeode, and him bædon setles and eardungstowe on heora lande betwyh him. Andswearedon Scottas, þæt heora land ne wære to þæs mycel, þæt hi mihton twa þeode gehabban. Ac cwædon: 'We magon eow sellan halwende geþeahte, hwæt ge don magon. We witan heonan noht feor oðer ealond eastrihte, þæt we magon oft leohtum dagum geseon. Gif ge þæt secan wyllaþ, þonne magon ge þær eardungstowe habban; oððe gif hwylc eow wiðstondeð, þonne gefultumiað we eow.' Ða ferdon Peohtas in Breotone, and ongunnon eardigan þa norðdælas þyses ealondes, and Bryttas, swa we

[1] gescræwe [2] *C, not in Ca*

ær cwædon, þa suðdælas. Mid þy Peohtas wif næfdon, bædon him fram Scottum. Ða geþafedon hi ðære arednesse, and him wif sealdon, þæt ðær seo wise on tweon cyme, þæt hi ðonne ma of þam wifcynne him cyning curan þonne of þam wæpnedcynne. Þæt get to dæg is mid Peohtum healden.

50 Ða, forþgongenre tide, æfter Bryttum and Peohtum, þridde cynn Scotta Breotone onfeng on Pehta dæle, þa wæron cumene of Hibernia, Scotta ealonde, mid heora heretogan, Reada hatte; oþþa mid freondscipe oþþa mid gefeohte him sylfum betwih hi seðel and eardungstowe geahnodon, þa hi nu get habbað. Þæt cynn nu geond to dæg Dalreadingas wæron hatene. —

I, 11-16. Britain in the Fifth Century.

Ða wæs ymb feower hund wintra and seofone æfter drihtnes menniscnysse, feng to rice Honorius casere, se wæs feorða eac feowertigum fram Agusto þam casere, twam gearum ær Romaburh abrocen and forhergad wære. Seo hergung wæs þurh Alaricum Gotena cyning geworden. — Of þære tide
60 Romane blunnon[1] ricsian on Breotone. Hæfdon hi Breotona rice feower hund wintra and þæs fiftan hundseofontig, ðæs þe Gaius, oðre naman Iulius, se casere þæt ylce ealond gesohte. And ceastre and torras and stræta and brycge on heora rice geworhte wæron, þa we to dæg sceawian magon. Eardedon[2] Bryttas binnan þam dice to suðdæle, þe we gemynegodon þæt Severus se
65 casere het þwyrs ofer þæt ealond gedician.

Þa ongunnan twa ðeoda, Pyhtas norðan and Scottas westan, hi onwinnan and heora æhta niman and hergian; and hi fela geara yrmdon and hyndon. Ða on þære unstilnysse onsendon hi ærendwrecan to Rome mid gewritum, and wependre bene him fultumes bædon. And him gehetan eaðmode hyrnysse and
70 singale underþeodnysse, gif hi him gefultumadon þæt hi mihton heora fynd oferwinnan. Ða onsendan hi him mycelne here to fultume. And sona þæs ðe hi on þis ealond comon, þa compedon hi wið heora feondum, and him mycel wæl ongeslogan, and of heora gemærum adrifon and aflymdon. And lærdon þæt hi fæsten worhtan him to gebeorge wið heora feondum; and swa mid mycele sige
75 ham foran. Ða þæt ða ongeaton þa ærran gewinnan þæt se Romanisca here wæs onweg gewiten, ða coman hi sona mid sciphere on heora landgemæro and slogan eall and cwealdan þæt hi gemetton; and swa swa ripe yrð fortreddon and fornamon, and hi ealle foryrmdon. —

Aetius wæs haten mære man, se wæs iu ær heah ealdorman, and þa wæs
80 þriddan siðe consul and cyning on Rome. To þysum ða þearfendan lafe Brytta sendon ærendgewrit; wæs se fruma þus awriten: 'Ettio ðriga cyninge. Her is Brytta gnornung[3] and geomerung.' And on forðgeonge þæs ærendgewrites þus hi heora yrmðo arehton: 'Us drifað þa ællreordan to sæ; wiðscufeð us seo sæ to þam ællreordum; betwih him twam we þus tweofealdne deað þrowiað, oððe
85 sticode beoð, oððe on sæ adruncene!' Ðeah ðe hi þas ðing sædon, ne mihton hi nænigne fultum æt him begitan, forþon on ða ylcan tid he wæs abysgad mid hefigum gefeohtum wið Blædlan and Atillan, Huna cyningum. —

Þa gesomnedon hi gemot, and þeahtedon and ræddon, hwæt him to donne wære and hwær him wære fultum to secanne to gewearnienne and to wiðscu-
90 fanne swa reðre hergunge and swa gelomlicre þara norðþeoda. And þæt þa gelicode him eallum mid heora cyninge, Wyrtgeorn wæs haten, þæt hi Seaxna þeode ofer þam sælicum dælum him on fultum gecygdon and gelaðedon. Þæt cuð is þæt þæt mid drihtnes mihte gestihtad wæs, þæt yfell wræc come ofer ða wiþcorenan, swa on þam ende þara wisena sweotolice ætywed is.

95 Ða wæs ymb feower hund wintra and nigon and feowertig fram ures drihtnes menniscnysse, þæt Martianus casere rice onfeng and ·vii· gear hæfde.— Ða Angelþeod and Seaxna wæs gelaðod fram þam foresprecenan cyninge, and on Breotone com on þrim myclum scypum; and on eastdæle þyses ealondes eardungstowe onfeng þurh ðæs ylcan cyninges bebod, þe hi hider gelaðode,

[1] blunnun [2] eardædon [3] *B*] geong yrmð *Ca*

þæt hi sceoldan for heora eðle compian and feohtan. And hi sona compedon wið heora gewinnan, þe hi oft ær norðan onhergedon; and Seaxan þa sige geslogan. 100

Þa sendan hi ham ærenddracan, and heton secgan þysses landes wæstmbærnysse and Brytta yrgþo. And hi þa sona hider sendon maran sciphere strengran wihgena; and wæs unoferswiþendlic weorud, þa hi togædere geþeodde wæron. And him Bryttas sealdan and geafan eardungstowe betwih him, þæt hi for sibbe and for hælo heora eðles campodon and wunnon wið heora feondum, and hi him andlyfne and are forgeafon[1] for heora gewinne. 105

Comon hi of þrim folcum ðam strangestan Germanie, þæt is[2] of Seaxum and of Angle and of Geatum. Of Geata fruman syndon Cantware and Wihtsætan; þæt is seo ðeod, þe Wiht þæt ealond oneardað. Of Seaxum, þæt is of ðam lande þe mon hateð Ealdseaxan, coman Eastseaxan and Suðseaxan and Westseaxan. And of Engle coman Eastengle and Middelengle and Myrce and eall Norðhembra cynn; is þæt land ðe Angulus is nemned, betwyh Geatum and Seaxum; is sæd of ðære tide þe hi ðanon gewiton oð to dæge, þæt hit weste wunige. Wæron ða ærest heora latteowas and heretogan twegen gebroðra Hengest and Horsa. Hi wæron Wihtgylses suna, þæs fæder wæs Witta haten[3], þæs fæder wæs Wihta haten, and þæs Wihta fæder wæs Woden nemned, of ðæs strynde monigra mægða cyningcynn fruman lædde. 110 115

Ne wæs ða ylding to þon, þæt hi heapmælum coman maran weorod of þam ðeodum, þe we ær gemynegodon. And þæt folc, ðe hider com, ongan weaxan and myclian to þan swiðe, þæt hi wæron on myclum ege þam sylfan landbigengan, ðe hi ær hider laðedon and cygdon. 120

Æfter þissum hi ða geweredon to sumre tide wið Pehtum, þa hi ær ðurh gefeoht feor adrifan; and þa wæron Seaxan secende intingan and towyrde heora gedales wið Bryttas. Cyððon him openlice and sædon, butan hi him maran andlyfne sealdon, þæt hi woldan him sylfe niman and hergian, þær hi hit findan mihton. And sona ða beotunge dædum gefyldon; bærndon and hergedon and slogan fram eastsæ oð westsæ; and him nænig wiðstod. Ne wæs ungelic wræce þam ðe iu Chaldeas bærndon Hierusaleme weallas, and ða cynelican getimbro mid fyre fornaman for ðæs godes folces synnum. Swa þonne her fram þære arleasan ðeode, hwæðere rihte godes dome, neh ceastra gehwylce and land wæs forhergiende. Hruran[4] and feollan cynelico getimbro and anlipie; and gehwær sacerdas and mæssepreostas betwih wibedum wæron slægene and cwylmde; biscopas mid folcum buton ænigre are sceawunge ætgædere mid iserne and lige fornumene wæron. And ne wæs ænig se ðe bebyrignysse sealde þam ðe swa hreowlice acwealde wæron, and monige ðære earman lafe on westenum fanggene wæron and heapmælum sticode. Sume for hungre heora feondum on hand eodan, and ecne þeowdom geheton, wið-ðon þe him mon andlyfne forgeaf; sume ofer sæ sorgiende gewiton; sume forhtiende on eðle gebidan, and þearfendum life on wuda and on[5] westene and on hean clifum sorgiende mode symle wunedon. 125 130 135 140

And þa æfter ðon þe se here wæs ham hweorfende and hi hæfdon ut amærde and tostencte þa bigengan þysses ealondes, ða ongunnon hi sticcemælum mod and mægen niman, and forðeodan of þam diglum stowum þe hi ær on behydde wæron, and ealre anmodre geðafunge heofonrices fultumes him wæron biddende, þæt hi oð forwyrd æghwær fordiligade ne wæron. Wæs on ða tid heora heretoga and latteow Ambrosius haten, oðre naman Aurelianus; se wæs god man and gemetfæst, Romanisces cynnes man. On þyses mannes tid mod and mægen Bryttas onfengon; and he hi to gefeohte forð gecygde and him sige gehet; and hi eac on þam gefeohte þurh godes fultum sige onfengon. And þa of ðære tide hwilum Bryttas, hwilum eft Seaxan sige geslogan, oð ðæt ger ymbsetes þære Beadonescan dune, þa hi mycel wæll on Angelcynne geslogan, ymb feower and feowertig wintra Angelcynnes cyme on Breotone. 145 150

[1] forgeafen [2] *not in MSS.* [3] þæs fæder wæs Witta haten *B*] *not in Ca*
[4] hrusan [5] and on *Var.*] *not in Ca*

I, 25. St. Augustine. 597.

Ða wæs gestrangod Agustinus mid trymnysse þæs eadigan fæder Gregorius mid ðam Cristes þeowum, ða þe mid him wæron, and hwearf eft on þæt weorc godes word to læranne, and com on Breotone. Ða wæs on þa tid Æðelbyrht cyning haten on Centrice and mihtig, se hæfde rice oð gemæro
160 Humbre streames, se tosceadeð suðfolc Angelþeode and norðfolc. Þonne is on easteweardre Cent mycel ealand[1] Tenet, þæt is syx hund hida micel æfter Angelcynnes æhte; þæt ealond tosceadeð Wantsumo stream fram þam togeþeoddan lande, se is þreora furlanga brad and on twam stowum is oferfernes, and æghwæðer ende lið on sæ. On þyssum ealande com upp se godes þeow
165 Agustinus and his geferan; wæs he feowertiga sum. Noman hie[2] eac swylce him wealhstodas of Franclande mid, swa him sanctus Gregorius bebead. And he þa sende to Æþelbyrhte ærenddracan, and onbead þæt he of Rome come and þæt betste ærende lædde. And se ðe him hyrsum beon wolde, buton tweon he gehet ecne gefean on heofonum, and toweard rice butan ende mid
170 þone soðan god and þone lifigendan. Ða he þa se cyning þas word gehyrde, þa het he hi bidan on þam ealande, þe hi upp comon, and him þider hiora þearfe forgyfan, oð þæt[3] he gesawe hwæt he him don wolde. Swylce eac ær þan becom hlisa to him þære cristenan æfæstnesse, forðon he cristen wif hæfde, him gegyfen of Francena cyningcynne, Berhte wæs haten. Þæt wif he
175 onfeng fram hyre yldrum þære arednesse, þæt hio his leafnesse hæfde, þæt heo þone þeaw þæs cristenan geleafan and hyre æfæstnesse ungewemmedne healdan moste, mid þy biscope, þone þe hi hyre to fultome þæs geleafan sealdon, þæs nama wæs Leodheard.

Ða wæs æfter monegum dagum, þæt se cyning com to þam ealonde,
180 and het him ute setl gewyrcean, and het Agustinum mid his geferum þider to his spræce cuman. Warnode he him þy-læs hie on hwylc hus to him ineodan; breac ealdre healsunge, gif hie hwylcne drycræft hæfdon, þæt hi hine oferswiþan and beswican sceolden. Ac hi nalæs mid deofulcræfte, ac mid godcunde mægene gewelgade coman. Bæron Cristes rode tacen, sylfrene Cristes
185 mæl mid him, and anlicnesse drihtnes hælendes on brede afægde and awritene, and wæron haligra naman rimende, and gebedo singende, somod for hiora sylfra ecre hælo and þara þe hi to comon to drihtne þingodon. Þa het se cyning hie sittan, and hie swa dydon. And hi sona him lifes word ætgædere mid eallum his geferum, þe þær æt wæron, bodedon and lærdon. Þa and-
190 swarade se cyning, and þus cwæð: "Fægere word þis syndon and gehat, þa ge brohton and us secgað; ac forðon hi niwe syndon and uncuðe, ne magon we nu gen þæt þafigean, þæt we forlætan þa wisan, þe we langre tide mid ealle Angelþeode heoldon. Ac forðon þe ge hider feorran ellðeodige coman, and þæs þe me geðuht and gesawen is þa þing þa þe ge geseoð and betest ge-
195 lyfdon[4] þæt ge eac swylce willan don us þa gemænsumian, ne wyllað we forðam eow hefige beon. Ac we willað eowic fremsumlice on gæstliðnesse[5] onfon, and eow andlyfene syllan, and eowre þearfe forgyfan. Ne we eow beweriað, þæt ge ealle þa þe ge magan þurh eowre lare to eowres geleafan æfæstnesse geðeode and gecyrre." Þa sealde se cyninc him wununesse and stowe on
200 Cantwarabyrig, seo wæs ealles his rices ealdorburh, and swa swa he gehet, him andlifene and heora woruldþearfe forgeaf[6], and eac swylce lyfnesse sealde, þæt hie mostan Cristes geleafan bodian and læran. —

III, 3. St. Aidan. 635.

Þa se ylca cyning Oswald, sona þæs þe he rice onfeng, lufade and
205 wilnode þæt eall seo þeod, þe he fore wæs, mid þa gyfe þæs cristenan geleafan gelæred wære, þæs geleafan and cyþnesse he swiðost onfeng on sigegefeohtum ellreordra cynna. Þa sende he to Scotta ealdormannum ærend-

[1] *Here begins O* [2] hi *Ca*] he *O* [3] oð þæt *TB*] and þæt *OCa*
[4] is ond gesewen þa þing ða ðe soþ ond betst gelefdon *T* [5] gestl — [6] *T]* forgyfan *O*

dracan, betwyh þa[1] he langre tide wrecca wæs, and fram þam he fulwihtes geryno onfeng mid his þegnum, þe mid hine wæron; bæd hi þæt hi him bisceop onsenden, þæs lare and þenuncge Angelþeode, þe he rehte, þæs drihtenlican geleafan gyfe leornade and þam geryne onfeng fulwihte bæþes. And hi hine lustlice tiþedon, and him bisceop sendon, Aidan wæs haten, micelre monþwærnesse and ærfæstnesse and gemetfæstnesse mon; and he hæfde godes ellenwodnesse and his lufan micle.

Þa he þa se bisceop to þam cynincge com, þa sealde he him stowe and bisceopsetl on Lindesfearona-ea, þær he sylfa bæd and wilnade. And he se cyning his monungum eaðmodlice and lustlice on eallum þingum hyrsum wæs, and he Cristes cyricean on his rice geornlice timbrade and rærde. And oft fægere wæfersyne gelamp, þæt se bysceop godcunde lare lærde, se þe Englisc fullice ne cuþe, þæt he se cyning sylfa, se þe Scyttysc fullice geleornad hæfde, his ealdormannum and his þegnum þære heofonlican lare wæs walhstod geworden. Of þære tide monige coman dæghwamlice of Scotta lande on Breotone; and on þam mægþum Angelþeode, þe Oswald ofercyning wæs, mid micelre willsumnesse Cristes geleafan bodedon and lærdon; and þa þe sacerdhades wæron, him fulwihte þenedon. Þa wæron eac cyricean timbrede on monegum stowum, and þider gefeonde coman Angelcynnes folc godes word to gehyrånne, þe hi bodedon and lærdon. And se cyning him gef and sealde æhte and land mynster to timbrianne. And Scottas lærdon geonge and ealde on regollicne þeodscype, forþon þe þæt munecas wæron, þa þe hider coman to læranne. Wæs eac munuc se ylca bysceop Aidan; wæs he sended of þam ealande and of þam mynstre þe Hii is nemned. Ðæt mynster on eallum Norðscottum and eallum Peohta mynstrum mycelre tide ealdordom and heannesse onfeng. Ac hwæþere hit Peohtas sealdan and geafon Scotta munucum, forþon þe hi ær þurh heora lare Cristes geleafan onfengon. —

II, 12-14. The Conversion of Edwin.

— He Eadwine ana þær ute gewunade, sæt swiþe unrot on stane beforan þære healle, and ongon mid monegum hætum his geþohta swenced beon. — Mid ðy he ða lange swigendum nearonessum[2] his modes and mid ðy blindan fyre soden wæs, ða geseah he semninga on middre niht mon wið his gangan uncuþes andwlitan and uncuþes gegyrlan. Þa he þa to him com, þa wæs he forht geworden. Þa eode he to him, grette hine and frægn, for hwon he on þære tide, þe oþre men slepon and reston, ana swa unrot on stane wæccende sæte. Ða frægn he hine, hwæt þæs to him belumpe, hwæðer he wacode þe slepe, and hwæþer he þe ute þe inne wære. Þa andswarode he and cwæþ him to: "Ne tala þu me, þæt ic ne cunne þone intingan þinre unrotnesse and þinre wacone and anlipnesse þines utsetles. Ac ic cuðlice wat, ge hwæt þu eart, ge for hwon þu gnornast, and hwylc toweard yfel þu þe on nehnesse[3] forhtast. Ac gesege me hwylce mede ðu wille syllan ðam men, gif hwylc sy þæt þe fram þyssum nearonessum alyse." — Þa ne ylde he Eadwine owiht, ac sona gehet, þæt he wolde on eallum þingum him gehyrsum beon and his lare lustlice onfon, se þe hine fram swa monegum yrmðum and teonum generede and to heannesse cynrices forð gelædde. Ða he þa þysse andsware onfeng, se þe mid hine spræc, þa instæpe sette he mid þa swiðran hand him on þæt heafod, and þus cwæþ: "Þonne þis tacon þyslic þe tocume, þonne gemyne þu þisse tide and uncres gespreces, and ne yld þu þæt þu þa þing gefylle, þe þu me nu gehete." — And swa he Eadwine æfter þam godgesprece, þe he ær onfeng, nalæs þæt an þæt he him þa sætunge þa gewearonode þæs unholdan cyninges, ac swylce eac æfter his slege him on ðæs rices wuldur æfterfylgde.

Mid þy he þa Paulinus se bisceop godes word bodade and lærde, and se cyning ylde þa gyt to gelyfanne, and þurh sume tide — gelimplicum ana sæt,

[1] þa *O*, þa ðe *T*, ðam *B*, ðe *Ca* [2] *C*] nearowum *O* [3] ehtnesse [*corr. f.* nehnesse] *O*, neahnysse *B*, nihtnesse *T*

260 and geornlice mid hine sylfne smeade and þohte, hwæt him selost to donne
wære, and hwylc æfæstnes him to healdanne wære, ða wæs sume dæge se
godes-wer ingangende to him, þær he ana sæt, and sette his þa swiþran hand him
on þæt heafod, and hine ascode, hwæþer he þæt tacon ongytan mihte. Þa on-
cneow he hit sona sweotole, and wæs swiðe forht geworden, and him to fotum
265 feoll. And hine se godes-man up ahof, and him cuþlice to spræc, and þus cwæþ:
"Hwæt, ðu nu hafast þurh godes gyfe þinra feonda hand beswicene, þa þu þe
ondrede, and þu þurh his sylene and gyfe þam rice onfenge þe[1] þu wilnadest. Ac
gemyne nu þæt — þu gehete, þæt ðu onfo his geleafan, and his beboda healde,
se þe þec fram hwilendlicum earfeþum generede and eac on are hwilendlices
270 rices ahof. And gif þu forð his willan hyrsum beon wilt, þone he þurh me þe
bodað and læreð, he þonne þe eac from tintregum genereþ ecra yfela, and þe
dælnimende gedeð mid hine þæs ecan rices in heofonum."

Þa se cyning þa þas word gehyrde, þa andswarode[2] he him and cwæð,
þæt he æghwæþer ge wolde ge sceolde þam geleafan onfon, þe he lærde. Cwæð
275 hwæþere þæt he wolde mid his freondum and mid his ealdormonnum[3] and mid
his wytum gesprec and geþeaht habban, þæt gif hi mid hine þæt geþafian woldan,
þæt hi ealle ætsomne on lifes willan Criste gehalgade wæran. Þa dyde se cyning
swa swa he cwæþ, and se bisceop þæt geþafade. Ða hæfde he gesprec and ge-
þeaht mid his witum and syndriglice wæs fram him eallum frignende, hwylc him
280 þuhte and gesawen wære þeos niwe lar and þære godcundnesse bigong, þe þær
læred wæs.

Him þa andswarode his ealdorbisceop, Cefi wæs haten: "Geseoh þu,
cyning, hwelc þeos lar sie, þe us nu bodad is. Ic ðe soðlice andette, þæt ic cuð-
lice geleornad hæbbe, þæt eallinga nawiht mægenes ne nyttnesse hafað sio
285 æfæstnes, þe we oð ðis hæfdon and beeodon. Forðon nænig þinra þegna neod-
licor ne gelustfullicor hine underþeodde to ura goda bigange þonne ic; and
noht þon læs monige syndon, þa þe maran gefe and fremsumnesse æt þe onfengon
þonne ic, and on eallum þingum maran gesynto hæfdon. Hwæt, ic wat, gif ure
godo ænige mihte hæfdon, þonne woldan hie me ma fultumian, forþon ic him
290 geornlicor þeodde and hyrde. Forþon me þynceð wislic, gif þu geseo þa þing
beteran and strangran, ðe us niwan bodad syndon, þæt we þam onfon."

Þæs wordum oþer ðæs cyninges wita and ealdormann geþafunge sealde,
and to þære spræce feng, and þus cwæð: "Þyslic me is gesewen, þu cyning, ðis
andwearde lif manna on eorðan to wiðmetenesse ðære tide, þe us uncuð is,
295 swa lic, swa ðu æt swæsendum sitte mid þinum ealdormannum and þegnum on
wintertide, and sie fyr onæled, and þin heall gewyrmed, and hit rine and sniwe
and styrme ute. Cume þonne[4] an spearwa, and hrædlice þæt hus ðurhfleo,
cume[4] þurh oþre duru in, þurh oþre ut gewite. Hwæt, he on þa tid, þe he inne
bið, ne bið hrinen[5] mid þy storme ðæs wintres. Ac þæt bið an eagan-bryhtm
300 and þæt læsste fæc, ac he sona of wintra on þone winter eft cymeð. Swa þonne
þis monna lif to medmiclum fæce ætyweð: Hwæt þær foregange, oððe hwæt þær
eftfylge, we ne cunnun. Forþon gif þeos niwe lar owiht cuðlicre and gerisen-
licre brenge, heo ðæs weorþe is þæt we þære fylgen." Ðeossum wordum gelicum
oðre aldormen and þæs cyninges geþeahteras spræcan.

305 Þa gen to-ætyhte Cæfi and cwæþ, þæt he wolde Paulinus ðone bisceop
geornlicor gehyran be þam gode sprecende, þam þe he bodade. Þa het se cyning
swa don. Þa he þa his word gehyrde, þa clypode he and þus cwæð: "Geare ic
þet ongeat, þæt ðæt nowiht wæs, þæt we beeodan; forþon swa micle swa ic
geornlicor on þam bigange þæt sylfe soð sohte, swa ic hit læs mette. Nu þonne
310 ic openlice ondette, þæt on þysse lare þæt sylfe soð scineð, þæt us mæg þa gyfe
syllan, ecre eadignesse and eces lifes hælo. Forþon ic þonne nu lære, cyning,
þæt þæt templ and þa wigbede, þa þe we butan wæstmum ænigre nyttnesse
halgedon, þæt we þa hraþe forleosen and fyre forbærnen." Ono hwæt, he ða se
cyning openlice andette þam bysceope and him eallum, þæt he wolde fæstlice

[1] þe *TBCa]* þa *O* [2] andswarede [3] and-ealdorm. *TBCa] not in O* [4] *not in MS.* [5] *B]* hrined *O*

þam deofulgyldum wiðsacan, and Cristes geleafan onfon. Mid ðy þe he þa se cyning fram þam foresprecenan bisceope sohte and ascade hiora halignesse, þe hi ær beeodan, hwa þa wigbed and þa heargas þara deofolgylda mid hiora hegum, þe hi ymbsette wæron, hi ærest aidlian and toweorpan sceolde, þa andswarade he: "Efne ic. Hwa mæg þa nu ðe[1] ic lange mid dysinesse beeode, to bysene oþra manna gerisenlicor toweorpan, þonne ic sylfa þurh þa snyttro, þe ic fram þam soþan gode onfeng?" And he þa sona fram him awearp þa idlan dysinesse, þe he ær beeode, and þone cyning bæd, þæt he him wæpen sealde and stodhors, þæt he mihte on cuman and þæt deofolgyld toweorpan. Forþon þam bisceope hiora halignesse ne wæs alyfed, þæt he moste wæpen wegan, ne ælcor butan on myran ridan. Þa sealde se cyning him sweord, þæt he hine mid begyrde, and nam him spere on hand, and hleop on þæs cyninges stedan, and to þam deofolgyldum ferde. Þa þæt folc hine þa geseah swa gescyrpedne, þa wendon hi, þæt he tela ne wiste, ac þæt he wedde. Sona þæs þe he gelyhte to þam hearge, þa sceat he mid his spere, þæt hit sticade fæste on þam hearge, and wæs swiþe gefeonde þære ongytenesse þæs soþan godes biganges. And he þa het his geferan toworpan ealne þone hearh and þa getimbro and forbærnan. Is seo stow gyt ætywed giu ðara deofolgylda noht feor east fram Eoferwicccastre begeondan Deorwentan þære ea, and gen to dæge is nemned Godmundingaham, þær se bisceop þurh þæs soþan godes onbryrdnesse towearp and fordyde þa wigbed, þe he sylf ær gehalgode. 315 320 325 330 335

Ða onfeng Eadwine cyning mid eallum þam æþelingum his þeode and mid micle folce Cristes geleafan and fulwihte bæþe þy endlyftan geare his rices. Wæs he gefullad fram Pauline þam bisceope his lareowe on Eoforwicceastre þy halgestan Easterdæge on sancte Petres cyrican þæs apostoles, þa he þær hræde geweorce of treowe cyricean getimbrede. — 340

IV, 23-24. ***Hild and the Story of Cædmon.***

Wæs ymb syx hund wintra ond hundeahtatig from þære drihtenlecan menniscnesse, þætte seo æfeste Cristes þeowe Hild abbudisse þæs mynstres, þe is cweden Streoneshealh, swa swa we beforan sægdon, æfter monegum heofonlecum dædum, þe heo on eorðan dyde, to onfonne þæs heofonlecan lifes mede, ond heo of eorðan alæded leorde þy fifteogeþan dæge kalendarum Decembrium, mid þy heo hæfde syx ond syxtig wintra. Þæm wintrum todældum efenlice dæle, þreo ond þritig þæm ærestum heo æðelice gefylde in weoruldhade drohtiende; ond efn fela þa ætterfylgendan in munuclife heo æðelicor drihtne gehalgode. Wæs heo eac swylce æðele in woruldgebyrdum, þæt heo wæs þæs cyninges Eadwines neafan dohtor, se wæs Hereric haten. Mid þy cyninge he to bodunge ond to lare þæs eadgan gemynde Paulinus þæs ærestan biscopes Norþanhymbra Cristes geleafan ond geryno onfeng. — Heo wæs geworden abbudisse in þæm mynstre þe is geceged Heoroteae. Þæt mynster wæs geworden ond getimbred noht micle ær from Hegiu þære æfestan[2] Cristes þeowe, seo ærest wiifa is sægd in Norðanhymbra mægðe þæt heo munuchade ond haligryfte onfenge þurh halgunge Aidanes þæs biscopes. — 345 350 355

Mid þy heo þa feola geara þissum mynstre in regollices lifes lare swiðe geornful fore[3] wæs, ða gelomp, þæt heo onfeng mynster to timbrenne ond to endebyrdienne in stowe, seo is geceged Strineshalg; ond heo þæt weorc, þe hire þa to geðeoded wæs, unaswundenlice gefylde. Forþon þa seolfan, þe ær þæt mynster heoldon ond rehton, heo mid þeodscipum regollices lifes insette ond trymede. Ond heo eac swylce þær soðfæstnesse ond arfæstnesse ond clænnesse ond oðerra gastlicra mægena gehæld ond swiþost sibbe ond godes lufan geornlice lærde, þætte in bisene þære frymþelecan ciricean nænig þær welig wæs ne nænig wædla; ac eallum wæron eal gemæno ond noht agnes ængum gesegen wæs. Wæs heo swa micelre snytro ond wisdomes, þætte nales þæt an þætte þa mættran men ymb heora nydþearfnisse wæron, ac eac swylce cyningas ond eal- 360 365

[1] eo *before* ðe *partly erased MS.*, hwa mæg þa nu eað þe ic longe *T*
[2] ærestan *TOBCa* [religiosa] [3] *O, not in T*

dormen oft from hire geþeaht ond wisdom sohton, ond hine þær georne
370 gemetton. —

In ðeosse abbudissan mynstre wæs sum broðor syndriglice mid godcundre gife gemæred ond geweorðad; forþon he gewunade gerisenlice leoð wyrcan, þa ðe to æfestnisse ond to arfestnisse belumpon[1], swa ðætte swa hwæt swa he of godcundum stafum þurh boceras geleornode, þæt he æfter medmiclum fæce in
375 scopgereorde mid þa mæstan swetnisse ond inbryrdnisse geglengde[2] ond in Engliscgereorde wel geworht forþ brohte. Ond for his leoþsongum monigra monna mod oft to worulde forhogdnisse ond to geþeodnisse þæs heofonlican lifes onbærnde wæron. Ond eac swelce monige oðre æfter him in Ongelþeode ongunnon æfeste leoð wyrcan; ac nænig hwæðre him ðæt gelice don meahte.
380 Forþon he nales from monnum ne þurh mon gelæred wæs, þæt he þone leoðcræft leornade; ac he wæs godcundlice gefultumod[3] ond þurh godes gife þone songcræft onfeng. Ond he forðon næfre noht leasunge, ne idles leoþes wyrcan meahte, ac efne þa an þa ðe to æfestnesse belumpon ond his þa æfestan tungan gedafenode[4] singan.

385 Wæs he, se mon, in weoruldhade geseted oð þa tide þe he wæs gelyfedre[5] yldo[5], ond næfre nænig leoð geleornade. Ond he forþon oft in gebeorscipe, þonne þær wæs blisse intinga gedemed, þæt heo ealle sceolden[6] þurh endebyrdnesse be hearpan singan, þonne he geseah þa hearpan him nealecan, þonne aras he for[7] scome from þæm symble ond ham eode to his huse. Þa he þæt þa sumre
390 tide dyde, þæt he forlet þæt hus þæs gebeorscipes ond ut wæs gongende to neata scipene, þara heord him wæs þære neahte beboden, þa he ða þær in gelimplice tide his leomu on reste gesette ond onslepte, þa stod him sum mon æt þurh swefn, ond hine halette ond grette, ond hine be his noman nemnde: "Cedmon, sing me hwæthwugu!" Þa ondswarode[8] he ond cwæð: "Ne con ic noht
395 singan, ond ic forþon of þeossum gebeorscipe ut eode ond hider gewat, forþon ic naht singan ne cuðe." Eft he cwæð, se ðe wið hine sprecende wæs: "Hwæðre þu meaht singan." Þa cwæð he: "Hwæt sceal ic singan?" Cwæð he: "Sing me frumsceaft!"

Þa he ða þas andsware onfeng, þa ongon he sona singan, in herenesse godes
400 scyppendes, þa fers ond þa word þe he næfre gehyrde, þara[9] endebyrdnes[9] þis is:

Nu[10] sculon herigean[11] heofonrices weard,
meotodes[12] meahte[13] ond his modgeþanc,
weorc[14] wuldorfæder,[15] swa he wundra[16] gehwæs,[17]
ece drihten, or[18] onstealde.[19]
405 He ærest[20] sceop[21] eorðan bearnum
heofon to hrofe,[22] halig scyppend;
þa middangeard moncynnes weard,
ece drihten, æfter teode
firum foldan, frea ælmihtig.

Northumbrian version from MS. Cambridge Univ. Kk. V. 16; (about 737):

Nu scylun hergan hefaenricaes uard,
metudæs maecti end his modgidanc,
uerc uuldurfadur, sue he uundra gihuaes,
eci dryctin, or astelidæ.
He aerist scop aelda barnum
heben til hrofe, haleg scepen;
tha middungeard moncynnæs uard,
eci dryctin, æfter tiadæ
firum foldu, frea allmectig.

Variant readings from MSS. Leningrad, Staatsbibl., Lat. Q. V. I, 18; VIII ct. [= L]; and Dijon, Bibl. Municip. 574; XII ct., Citeaux [= D]: Nu pue D, herga LD, pueard D; mehti L, mechti D; and LD; modgithanc L, modgedeanc D; puerc D; pundra D; drichtin D; astalde D; scoop D; ældu L, eordu D; bearnum D; hefen L, efen D; to LD; hrofæ L; halig LD; sceppend LD; middingard L; moncinnes D; peard D; drintinc D; on foldu D; allmehtig L, allmechtig D. —

---

[1] belumpen [2] geglængde [3] gefultumed [4] gedeofanade [5] gelyfdre ylde [6] *O]* sealde *T* [7] for for [8] ondswarede [9] þære endebyrdnesse [10] Nu we *OB Ca* [11] herigan sculon *B* [12] metodes *COB Ca* [13] mihte *COB Ca* [14] weoroda *C*, wera *O Ca* [15] wuldorgodes *B* [16] wuldres *Ca* [17] fela *B* [18] oord *O*, ord *B Ca* [19] astealde *B* [20] æres *Ca* [21] gesceop O, gescop *Ca* [22] rofe *Ca*

Þa aras he from þæm slæpe, ond eal þa þe he slæpende song, fæste in gemynde 410
hæfde; ond þæm wordum sona monig word in þæt ilce gemet gode[1] wyrðes
songes[1] to-geþeodde. Þa com he on morgenne to þæm tungerefan, þe his eal-
dormon wæs, sægde him hwylce gife he onfeng. Ond he hine sona to þære
abbudissan gelædde, ond hire þæt[2] cyðde ond sægde. Þa heht heo gesomnian
ealle þa gelæredestan men ond þa leorneras, ond him ondweardum het secgan 415
þæt swefn ond þæt leoð singan, þætte[3] ealra heora dome gecoren wære hwæt
oððe hwonon þæt cumen wære. Þa wæs him eallum gesegen, swa swa hit wæs,
þæt him wære from drihtne sylfum heofonlic gifu forgifen. Þa rehton heo him
ond sægdon sum halig spell ond godcundre lare word. Bebudon him þa, gif he
meahte, þæt he in swinsunge leoþsonges þæt gehwyrfde. Þa he ða hæfde þa 420
wisan onfongene[4], þa eode he ham to his huse, ond cwom eft on morgenne, ond
þy betstan leoðe geglenged him asong, ond ageaf þæt him beboden wæs.

Ða ongan seo abbudisse clyppan ond lufigean þa godes gife in þæm men,
ond heo hine þa monade ond lærde þæt he woruldhad forlete[5] ond munuchad
onfenge. Ond he þæt wel þafode. Ond heo hine in þæt mynster onfeng mid his 425
godum, ond hine geþeodde to gesomnunge þara godes þeowa, ond heht hine
læran þæt getæl þæs halgan stæres ond spelles. Ond he eal þa he in gehyrnesse
geleornian meahte, mid hine gemyndgade, ond swa swa clæne neten eodorcende
in þæt sweteste leoð gehwerfde. Ond his song ond his leoð wæron swa wyn-
sumu to gehyranne, þætte seolfan þa his lareowas æt his muðe wreoton ond leor- 430
nodon. Song he ærest be middangeardes gesceape, ond bi fruman moncynnes,
ond eal þæt stær Genesis, þæt is seo æreste Moyses booc; ond eft bi utgonge
Israhela folces of Ægypta londe, ond bi ingonge þæs gehatlandes; ond bi oðrum
monegum spellum þæs halgan gewrites canones boca; ond bi Cristes mennisc-
nesse, ond bi his þrowunge, ond bi his upastignesse in heofonas; ond bi þæs 435
halgan gastes cyme, ond þara apostola lare; ond eft bi þæm dæge[6] þæs toweal-
dan domes, ond bi fyrhtu þæs tintreglican wiites, ond bi swetnesse þæs heofon-
lecan rices, he monig leoð geworhte. Ond swelce eac oðer monig be þæm god-
cundan fremsumnessum ond domum he geworhte. In eallum þæm he geornlice
gemde þæt he men atuge from synna lufan ond mandæda, ond to lufan ond to 440
geornfulnesse awehte godra dæda; forþon he wæs se mon swiþe æfest ond
regollecum þeodscipum eaðmodlice underþeoded, ond wið þæm þa ðe in oðre
wisan don woldon, he wæs mid welme micelre ellenwodnisse onbærned. Ond
he forðon fægre ende[7] his lif betynde ond geendade. —

Þ, 12. A Visit to the Other-World; (Dryhthelm's story).

Ðyssum[8] tidum gemyndelic wundar ond ealdum wundrum geliic in Breo-
tene wæs geworden. Forðon ðe to awehtnesse lifgendra monna of sawle deaðe
sum mon wes sum fæc dead, ond eft to life lichoman aras, ond monig ðing
gemyndewyrðe segde, þa he geseah, þara sume we her hredlice areccan ond
aasecgan ond aawritan willað: 450

UUes sum hioscipes fæder ond higina aldor in ðeodlonde Norðanhymbra,
ðet is geceged In-Cununingum; liifde he æfestlice his liif mid his heorde.
Ða wearð he licumlicre untrumnesse gehrinen ond gestonden, ond seo deg-
hwemlice weox, oððet he to ðem ytemestan dege gelæded wes, ond in fore-
wearde neaht forðferde. Ah in dagunge he eft acuicode ond semninga up-heh 455
asæt. Ond ealle þa ðe æt his lichoman woepende sæton, mid unmæte ege
geslægene weron ond utflugon butan his wiif an, ðe hine swiðust lufade. Sio
an hinne aawunade, þeh ðe hio swiðe forht were ond beofiende. Ða frefrede
he hio ond cueð: "Ne welle þu ðe ondredan, forðon þe ic soðlice from deaðe
aaras ond eam eft forlæten mid monnum liifgan, nales hweðre þy liife þe ic 460
ær liifde, ah swiðe ungelice of ðisse tiide me is to lifigenne." Ond ða sona

[1] g. w. s. *COB Ca*] godes wordes songes *T* [2] *COB Ca*] þa *T* [3] *COB Ca*] þæt *T*
[4] onfongne [5] *COB Ca*] anforlete *T* [6] ege *COB Ca* [de terrore futuri iudicii] [7] ænde
[8] Ðassum

aaras ond eode to ðære cirican þes tunes ond oð lutterne dæg in gebede stod. Ond sona æfter ðon ealle his æahte in þreo todælde: enne dæl he his wiife sealde, oðerne his bearnum, þone þriddan þe him gelomp he instepe þearrfum
465 gedelde. Ond æfter medmiclum fæce all weoruldþing forleorte ond to Mailros ðem mynstre cuoom, þet is of ðem mestan dæle mid ymbebegnesse Tuede streames betyned. Ond he þer godes þiohade ond scare onfeng. —

Sægde he þys gemete ðætte he geseah ond cueð: "Leohte gesihðe ond onsione ond berhte gegerelan wes, se ðe me lædde. Eodon[1] wiit suigiende,
470 þes ðe me ðuhte ond gesegn wes, ongen norðeast rodor, swa sunnan upgong bið æt middum sumere. Mid ðy wit ða hwiile eodan, bicuomon wit to sumere dene, sio wæs micelre brædo ond deopnesse[2] ond ungeendadre[3] længe; wes unc on ða wynstran healfe geseted. Oðer dæl wæs wallendum lægum full suiðe egesfullice oðer wes nohte þon læs unaarefnedlice[4] cele hægles ond
475 snawes full[5]. Wes gehweðer manna saula full, þa wrixendlice on tua healfe gesegene weeran, swa swa mid unmætnesse miceles stormes worpene beon. Þonne hio þæt mægn þere unmetan hæto[6] aarefnan ne mehtan, þonne stældan heo eft earmlice in middel þæs unmætan ciles. Ond mid þy heo ðær nænige reste gemetan mihtan, þonne stældon heo eft in middan þæs byrnendan fyres
480 ond ðæs unadwæscedlican[7] leges. Mid þy heo ða þæs ungesælgan wrixles feor ond wide, swa ic geseon mihte[8], butan fyrstmearce ænigre ræste mid þa unriman mængo sweartra gasta þreste wæron, þa ongan ic þencan ond wende, þæt þæt[9] hel wære, be ðam tintregum unaræfnendlicum ic oft sæcgan herde. Þa ondswarede he minum geðohte se min latteow, se ðe me foreeode, ond
485 þus cwæð: 'Nis ðis seo hel, swa ðu talast[10] ond wenest.'

Mid þy ic ða wæs mid þisse ongryslican wæferseone swiðe gefyrhted ond gebreged, þa lædde he me styccemælum forð on fyrran[11] lond. Þa geseah ic sæmninga beforan unc onginnan ðeostrian ða stowe ond miclum þeostrum all gefylled. Mid ðy wit ða in ða þeostro ineodon ond heo styccemælum swa
490 micel ond swa ðicce[12] wæron, þæt ic noht geseon meahte, nemne þæt seo ansien scan ond þa hrægl leohte[13] wæron þæs[14] ðe mæc lædde. Ond mid ðy wit ða forðgongende wæron under ðæm scuan þære ðeostran nihte, ða æteowdan sæmninga beforan unc monige heapas sweartra lega, ða wæron up-astigende swa swa of miclum seaðe, ond eft wæron fallende ond gewitende in ðone
495 ilcan seað. Mid ðy ic ða ðyder gelæded wæs, ða ne wiste ic sæmninga, hwær min latteow becom; ond he mec forlet in middum þæm þeostrum on ðære ongrislican gesihðe. Ond mid ðy þa ilcan heapas þara fyra butan blinne hwilum upp-astigon in heanesse, hwilum niðergewiton in ða niolnesse ðæs seaðes, geseah ic ond sceawade: Ealle ða heanesse þara upastigendra lega fulle
500 wæron monna gasta, þa on onlicnesse up-astigendra yselena mid rece, hwilum in heanesse beoð up-worpene, hwilum eft togenum ðara fyra þrosmum[15] wæron eft aslidene in neolnesse ond in grund. Swelce eac unaræfnedlic[16] fullness wæs mid þæs fyres þrosme upp-awallende, ond ealle ða stowe ðara þiostra gefylde. Mid ðy ic ða longe þær forht stod, ond me wæs uncuð, hwæt ic dyde oþþe
505 hwider ic eode oþþe hwelc ende me come, ða geherde ic sæmninga micelne swæg me on bæcling unmætes wopes ond earmlices, swelce eac micel gehled ond ceahetunge swa swa ungelæredes folces ond biosmriendes[17] gehæftum heora feondum. Þa he ða se sweg me near wæs ond to me becom, þa geseah ic mænigo þara werigra[18] gasta ·v· manna saula gnorniende[19] ond heofende teon
510 ond lædan on midde þa þeostra, ond heo on ðon swiðe blissedon ond ceahhetton. Þara manna sum wæs, þæs ðe ic gewiton meahte, bescoren preost, sum wes læwde, sum wæs wifmon. Tugon heo ða wergan gastas ond niðer mid geweotan in midde ða nioinesse[20] ðæs byrnendan leges. Mid ðy heo ða fir gewiten wæron, ond ic ðone wop þara manna ond þone hleahtor þara diofla sweoto-

[1] eode *COB Ca* [2] deopnese [3] ungeaendrade [4] -refndlice [5] *OB Ca, not in T* [6] hætton [7] *OB Ca*] -cedan *T* [8] *OB Ca*] swa geseon meahton *T* [prout aspicere poteram] [9] *OB Ca*] hit *T* [10] talest [11] fyran [12] ðicco [13] leoht [14] se [15] ðearsmum [16] -lice [17] biosriende [18] werga [19] grornende [20] neowelnesse *Var.*

lice geheran ne meahte, hwæðre ic ðone sweg ða gena gemengedne in earum hæfde. Betwioh ðas þing ða upp-comon sume ðara þiostra gasta of ðere niolnesse ond of ðære witestowe, ond mec utan ymbsaldon. Hæfdon heo fyrene eagan, ond full fyr of heora muðe ond of heora nasum wæron ut-blawende; ond fyrene tangan him on handa hæfdon, ond mæc nerwdon, ond me tobeotodon[1], þæt heo mec mid þam gegripan woldon, ond in ða forwyrd sendan. Ond þeah ðe heo mec swa bregdan ond fyrhton, ne dorston heo mec hwæðre ongehrinan. 515 520

Mid ðy ic ða wæs æghwonan mid ðam feondum ymbsald ond mid ða blindnesse þara ðeostra utan betyned, ða ahof ic mine eagan upp ond locade hider ond geond, hwæðer me ænig fultum toweard wære, ðæt ic gehæled beon meahte. Þa æteowde me æfter þæm wege, þe ic ær com on, betwioh ða þeostra swa beorht[2] scinendes steorran[3]. Ond ðæt leoht wæs weaxende mare ond mare, ond hraðe to me wæs efstende. Ond sona ðæs ðe hit me nealehte, ða wæron tostencte ond onwæg flugon ealle ða awergdan gastas, ða ðe me ær mid heora tangan tobeotodan. Wæs ðæt se min latteow, se ðe mec ær[4] lædde. Þa cerde he ða sona on ða swiðran hond, ond mec ongon lædan suðeast on ðon rodor[5], swa swa on wintre sunne upp gongeð. 525 530

Þa wære[6] wit sona of ðam þeostrum abrogdene, ond he mec lædde, in fægernesse smoltes leohtes. Mid ðy he mec ða in openum leohte lædde, þa geseah ic beforan unc þone mæstan weall, þæs længo on twa healfe ne his heanesse ænig ende gesewen[7] wæs. Þa ongan ic wundrian, for hwon wit to þam walle eodan, mid ðy ic on him nænige duru ne eahþyrl ne uppastignesse ahwonan[8] on ænge halfe geseon meahte. Mid ðy wit ða becoman to ðam walle, þa sona instæpe, ne wat ic hwelcre endebyrdnesse, wæron wit on his heanesse on ðam walle ufonweardum. Ond þa geseah ic ðær þone rumestan feld ond þone fægerestan; ond se wæs eall swetnesse anre ful growendra blostmena. Ond seo wundrigende swetnes[9] þæs miclan swæcces[10] sona ealle ða fullnessa þæs fullan ofnes ond þæs þeostran, þe mec ær ðurhsweg,[11] onwæg aflemde. Ond swa micel leoht ond beorhtnes ealle þa stowe geondscan, þæt he ealles dæges beorhtnisse oþþe ðære middæglican sunnan sciman wæs beorhtre gesewen. Wæron on ðissum felda unrime gesomnunge hwitra manna ond fægra ond monig seðel gefeondra wæroda ond blissigendra[12]. Mid ðy he mec ða lædde betwih midde ða þreatas þara gesæligra weroda[13], þa ongan ic þencan ond me huru þuhte, þæt þæt[14] wære heofona rice, be ðam ic oft ær[4] sæcgan herde. Þa ondswarode he minum geðohte ond cwæð: 'Nis ðis,' cwæð he, 'heofona rice, swa swa ðu talast[15] ond wenest.' 535 540 545 550

Mid ðy wit ða wæron forðgongende ond oferferdon þas wunenesse þara eadigra gasta, þa geseah ic beforan unc micle maran gefe leohtes ond beorhtnesse þonne ic ær geseah, in ðære ic eac swylce þa swetestan stæfne geherde godes lof singendra. Swylce eac of ðære stowe swa micel swetnes wundorlices stænces wæs onsended, þæt sio swætnis, þe ic ær byrigde[16] ond me micel þuhte, in ða witgemetnisse þæs æfteran leohtes ond beorhtnesse wæs lytel ond medmicel gesæwen. Swa[17] eac swelce þæt leoht ond seo biorhtnes þæs blostmiendan feldes wæs medmicel gesewen in ðære stowe wynsumnesse. Mid ðy ic unc wende inngongende[18] bion, þa somninga se min latteow gestod ond butan eldenne[19] wæs eft his gong cerrende. Ond mec eft lædde ðy selfan wæge, ðe wit ær coman. —" 555 560

Ða ðing ond eac oðre[20], ðe se dryhtnes-wer geseah, nales eallum monnum æhwer suongrum ond heora liifes ungemendum sæcgan wolde; ah ðæm anum, ða ðe oþþe for ege tinterigo afyrhte wæron, oþþe mid hyhte þara ecra gefeana ond eadignesse lustfulledon, þæm he wolde mid arfæstnesse lufan ða þing cyðan ond sæcgan. — 565

[1] -tedon [2] beorhtnes *OB Ca* [3] *OB Ca*] scinende steorra *T* [fulgor stellae micantis] [4] *OB Ca*] *not in T* [5] roðor [6] wæron *Var.* [7] gewen [8] onhw. [9] -nesse [10] swicces [11] þuhte sweg [12] blissigende [13] woruda [14] þær [quod hoc] [15] talest [16] bregde [17] swylce [18] -genge [19] ylding *Var.* [20] oðero

Onfæng he se godes-mon in ðæm ilcan mynstre digle[1] stowe wunenesse, þæt he ðær meahte freolslice in singalum gebedum his sceppende heran ond
570 ðeowigan. Ond forðon seo seolfe stow on ofer ðæs streames wæs geseted, wæs his gewuna for ðære miclan lufan his lichoman clænsunge, þæt he gelomlice inn ðone stream eode ond ðær in sealmsonge ond in gebedum stod ond fæste awunode, hwilum oð midde[2] sidan, hwilum oð ðone sweoran. Ond hiene in ðæm streame sæncte ond defde, swa longe swa he gesegen wæs,
575 þæt he aræfnan meahte. Ond þonne he ðonan gongende wæs to londe, næfre he ða his wætan hrægl[3] ond þa cealdan forlætan wolde, oþþæt hio eft of his seolfes lichoman gewearmedon[4] ond adrugedon. Mid ðy þe in midwintres tide, ymb hiene flowendum þæm sticcum halfbrocenra iisa, ða he seolfa oft gebræc ond gescende, þæt he stowe hæfde in ðæm streame to standenne oþþe hiene
580 to bisæncenne, cwædon him men to, þa þe[5] þæt gesawon: 'Hwæt, þæt is wundor, broðor Dryhthelm, — wæs ðæt þæs weres nama, — þæt ðu swa micle reðnesse celes ænge rihte[6] aræfnan meaht.' Ondswarode he bilwitlice, forðon þe he wæs bilwitre gleawnisse ond gemetfæstre gecynde mon, ond cwæð: 'Caldran ic geseah.' Ond mid ðy heo cwædon: 'Þæt is wundor, þæt
585 ðu swa ræðe forhæfdnisse ond swa hearde habban wilt,' onswarode he him: 'Heardran ond hræðþran ic geseah.' Ond he swa oð þone dæg his gecignesse[7] of middangearde mid ungeswencedlice luste heofonlicra goda þone ealdan lichoman his betwihn dæghwæmlice fæsteno swæncte ond temede. Ond he monegum mannum ge in wordum ge on his lifes bisene on hælo wæs.

V, 23. ***Autobiographical Notes.***

— Ðis is nu on andweardnesse se[8] steall ealre Breotone ymb tu hund wintra and fif and hundeahtatig Angelcynnes cymes on Breotone ealond. And ymb seofon hund wintra and an and þrittig fram þære drihtenlican menniscnesse, on þæs drihtnes þam ecan rice gefeoð ealle eorðe. And efenblissiende
595 Breotone on his geleafan and monige ealond blissiað and andettað gemynde his halignesse.

Ðas þing be stære Angelþeodes cyricean on Breotone, swa swa of iu manna gewritum oððe of ealdra[9] gesægena oððe of minre sylfre cyððe ic gewitan mihte, mid drihtnes fultume gedyde ic Beda Cristes þeow and
600 mæssepreost ðæs mynstres þara eadigra apostola Petrus and Paulus, þæt is æt Wiramuðan and[8] on Gyrwum. Wæs ic acenned on sundorlande þæs ylcan mynstres. Mid þy ic wæs seofon wintre, ða wæs ic mid gymenne minra maga seald to fedanne and to læranne þam arwurðan abbude Benedicte and Ceolfriðe æfter þon. And syððan ealle tid mines lifes on ðæs ylcan mynstres eard-
605 unge ic wæs donde; and ealle geornnesse ic sealde to leornianne and to smeagianne halige gewrito. And betwyh gehald regollices þeodscipes and þa dæghwamlican gymenne to singanne on cyricean me symble swete and wynsum wæs, þæt ic oððe[10] leornode[10] oððe lærde oððe write. And þa ðy nigonteoðan geare mines lifes, þæt ic deaconhade onfeng, and þy ðrittigoðan
610 geare mæssepreosthade, and æghwæðerne þurh ðenunge þæs arwurðan biscopes Iohannes ðurh hæse and bebod Ceolferðes þæs abbudes. Of þære tide ðæs þe ic mæssepreosthade onfeng oð nigon and fiftig wintra minre yldo ic þas bec[11] for minre nydþearfe and minra freonda of geweorcum arwurðra fædera wrat and sette, ge eac swylce to mægwlite andgytes and gastlicra gerece-
615 nessa ic to-ætycte:

Ærest on fruman Genesis oð Isaaces gebyrd and aworpennesse Ismaheles ic sette feower bec. — On godspelle Marce feower bec. On godspelle Luce syx bec. — Be þam syx yldum worulde ane boc. Be rihte bissexte ane boc. — Lifes boc[12] and þrowunge sancte Anastase martyr, seo wæs yfele
620 of Grecisce on Leden gehwyrfed and gyt wyrs fram sumum ungetyddum ge-

[1] dehle [2] midden [3] hræl [4] gewermedon [5] *not in T* [6] rehte [7] *O Ca*] gecænenisse *T* [8] *B, not in Ca* [9] ealra [10] oððe leornode *not in Ca* [11] boc [12] bec

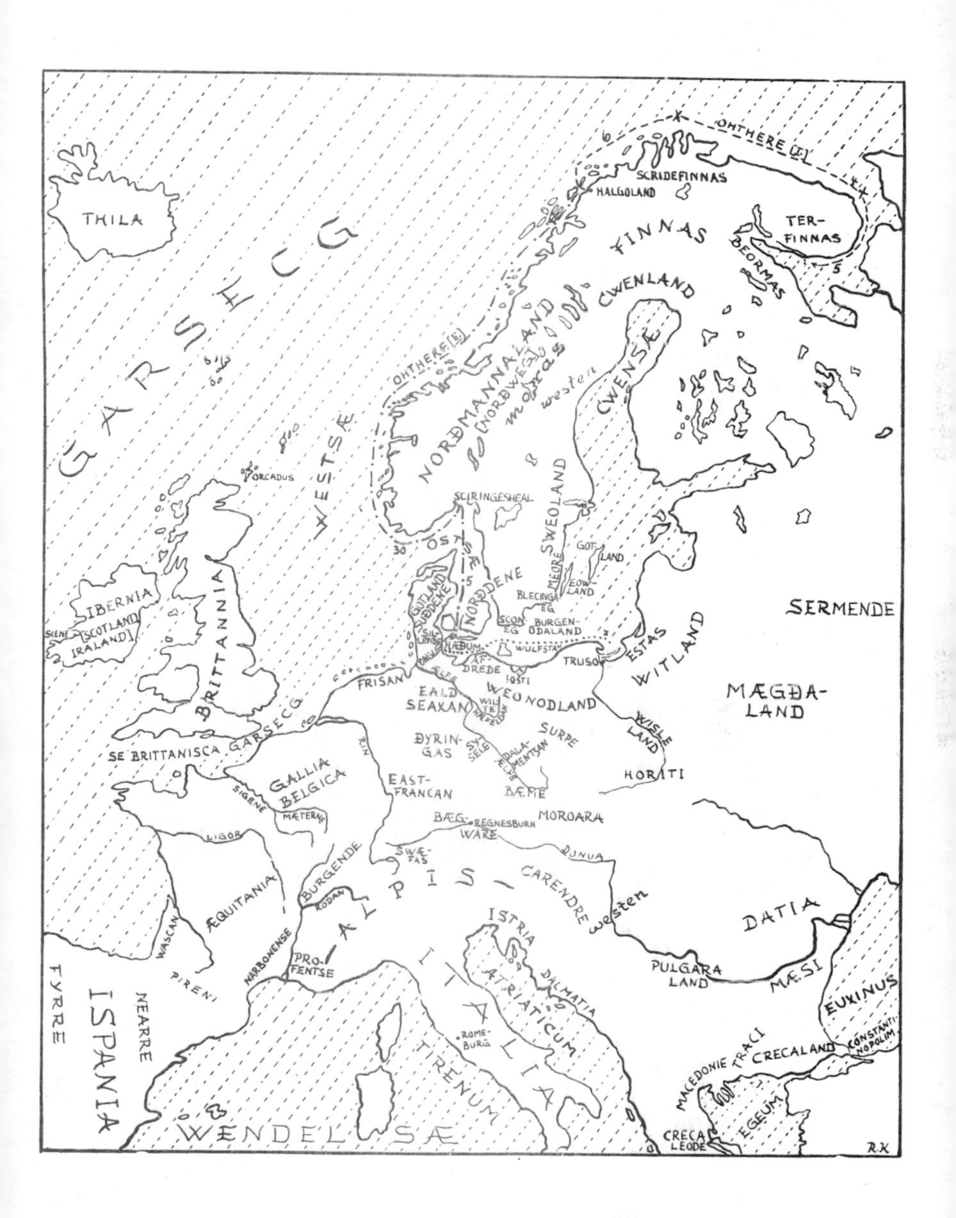

KING ALFRED'S EUROPE

cf. Orosius, pp. 51 ff.

rihted, swa swa ic mihte, ic to andgyte geryhte[1]. Ðæs halgan fæder lif and munuces somod and biscopes sancte Cuðberhtes ærest eroico metro and æfter fæce gerærde worde ic awrat. — Þæt cyriclice stær ures ealondes and þeode ic on fif bec gesette. — Ymenbec missenlice metre. Boc epigramatum eroico metre. Be gecynde wisana and be tidum syndrie bec. Eft be tidum ane 625 mycele boc. Boc de orthografia mid stæfræwe[2] endebyrdnesse[3] tosceadene. Boc de metrica arte, and oðre to þysse geðeodde bi scematibus and tropus boc, be gesetnessum and gemetum spræccynna, þam þæt halige gewrit se canon awriten is.

And nu ic þe bidde, dugoþa hælend, þæt ðu me milde forgife swetlice 630 drincan þa word ðines wisdomes, þæt ðu eac fremsumlice forgife, þæt ic æt nyhstan to ðe þam willan ealles wisdomes becuman mote and symble ætywan beforan þinum ansyne. —

19. KING ALFRED. GREGORIUS

CURA PASTORALIS

MS.: Bodl. Libr., Hatton 20; IX ct. *Var.*: BM., Cotton Tib. B XI; IX ct. — *ed.:* H. Sweet, EETS. 45/50. — HB. 718-21, 738-41; Ke. 3349-76; Ba. 85-86; RO. 240.

Preface. [Ðeos boc sceal to Wiogora-ceastre.]

Ælfred kyning hateð gretan Wærferð biscep his wordum luflice ond freondlice. Ond ðe cyðan hate ðæt me com swiðe oft on gemynd, hwelce wiotan iu wæron giond Angelcynn, ægðer ge godcundra hada ge woruldcundra; ond hu gesæliglica tida ða wæron giond Angelcynn; ond hu ða kyningas ðe 5 ðone onwald hæfdon ðæs folces [on ðam dagum] gode ond his ærendwrecum hersumedon; ond hie[4] ægðer ge hiora sibbe ge hiora siodo ge hiora onweald innanbordes gehioldon, ond eac ut hiora eðel gerymdon, ond hu him ða speow ægðer ge mid wige ge mid wisdome. Ond eac ða godcundan hadas hu giorne hie wæron ægðer ge ymb lare ge ymb liornunga, ge ymb ealle ða ðiowotdomas 10 ðe hie gode don scoldon; ond hu man utanbordes wisdom ond lare hieder on lond sohte, ond hu we hie nu sceoldon ute begietan gif we hie habban sceoldon. Swæ clæne hio wæs oðfeallenu on Angelcynne, ðæt swiðe feawa wæron behionan Humbre ðe hiora ðeninga cuðen understondan on Englisc oððe furðum an ærendgewrit of Lædene on Englisc areccean; ond ic wene ðætte 15 noht monige begiondan Humbre næren. Swæ feawa hiora wæron ðæt ic furðum anne anlepne ne mæg geðencean be suðan Temese, ða ða ic to rice feng. Gode ælmihtegum sie ðonc ðætte we nu ænigne onstal habbað lareowa; ond forðon ic ðe bebiode ðæt ðu do swæ ic geliefe ðæt ðu wille, ðæt ðu ðe ðissa woruldðinga to ðæm geæmetige swæ ðu oftost mæge, ðæt ðu ðone wisdom 20 ðe ðe god sealde ðær ðær ðu hiene befæstan mæge, befæste. Geðenc hwelc witu us ða becomon for ðisse worulde, ða ða we hit nohwæðer ne selfe ne lufodon ne eac oðrum monnum ne lefdon: Ðone naman anne we lufodon[5] ðætte we cristne wæren, ond swiðe feawe ða ðeawas.

Ða ic ða ðis eall gemunde, ða gemunde ic eac hu ic geseah, ær ðæm 25 ðe hit eall forhergod wære ond forbærned, hu ða ciricean giond eall Angelcynn stodon maðma ond boca gefyldæ ond eac micel menigeo godes ðiowa; ond ða swiðe lytle fiorme ðara boca wiston, forðæm ðe hie hiora nanwuht ongiotan ne meahton, forðæm ðe hie næron on hiora agen geðiode awritene. Swelce hie cwæden: 'Ure ieldran, ða ðe ðas stowa ær hioldon, hie lufodon wisdom 30 ond ðurh ðone hie begeaton welan ond us læfdon. Her mon mæg giet gesion hiora swæð. Ac we him ne cunnon æfterspyrigean; ond forðæm we habbað nu ægðer forlæten ge ðone welan ge ðone wisdom, forðæm ðe we noldon to ðæm spore mid ure mode onlutan.' Ða ic ða ðis eall gemunde, ða wundrade ic swiðe swiðe ðara godena wiotona ðe giu wæron giond Angelcynn, ond ða 35 bec eallæ be fullan geliornod hæfdon, ðæt hie hiora ða nænne dæl noldon

---

[1] *C*] gehrehte *Ca* [2] *CB*] stæfenroph *Ca* [3] endebrydnesse [4] hu hie *Var.* [5] hæfdon *Var.*

on hiora agen geðiode wendan. Ac ic ða sona eft me selfum andwyrde ond
cwæð: 'Hie ne wendon ðætte æfre menn sceolden swæ reccelease weorðan
ond sio lar swæ oðfeallan; for ðære wilnunga hie hit forleton, ond woldon
40 ðæt her ðy mara wisdom on londe wære ðy we ma geðeoda cuðon.'

Ða gemunde ic hu sio æ wæs ærest on Ebreisc-geðiode funden, ond
eft, ða hie Creacas geliornodon, ða wendon hie hie on hiora agen geðiode
ealle, ond eac ealle oðre bec; ond eft Lædenware swæ same, siððan hie hie
geliornodon, hie hie wendon ealla ðurh wise wealhstodas on hiora agen
45 geðiode. Ond eac ealla oðræ cristnæ ðioda sumne dæl hiora on hiora agen
geðiode wendon. For ðy me ðyncð betre, gif iow swæ ðyncð, ðæt we eac
sumæ bec, ða ðe niedbeðearfosta sien eallum monnum to wiotonne, ðæt we
ða on ðæt geðiode wenden ðe we ealle gecnawan mægen, ond gedon, swæ
we swiðe eaðe magon mid godes fultume, gif we ða stilnesse habbað, ðætte
50 eall sio gioguð ðe nu is on Angelcynne friora monna, ðara ðe ða speda hæbben
ðæt hie ðæm befeolan mægen, sien to liornunga oðfæste, ða hwile ðe hie to
nanre oðerre note ne mægen, oð ðone first ðe hie wel cunnen Englisc gewrit
arædan. Lære mon siððan furður on Lædengeðiode ða ðe mon furðor læran
wille ond to hieran hade don wille.

55 Ða ic ða gemunde hu sio lar Lædengeðiodes ær ðissum afeallen wæs
giond Angelcynn ond ðeah monige cuðon Englisc gewrit arædan, ða ongan
ic ongemang oðrum mislicum ond manigfealdum bisgum ðisses kynerices ða
boc wendan on Englisc ðe is genemned on Læden 'pastoralis' ond on Englisc
'hierdeboc', hwilum word be worde, hwilum andgit of andgiete, swæ swæ ic
60 hie geliornode æt Plegmunde minum ærcebiscepe ond æt Assere minum bis-
cepe ond æt Grimbolde minum mæsseprioste ond æt Iohanne minum mæsse-
preoste. Siððan ic hie ða geliornod hæfde, swæ swæ ic hie forstod ond swæ
ic hie andgitfullicost areccan meahte, ic hie on Englisc awende. Ond to
ælcum biscepstole on minum rice wille ane onsendan; ond on ælcre bið an
65 æstel, se bið on fiftegum mancessa. Ond ic bebiode on godes naman ðæt
nan mon ðone æstel from ðære bec ne do, ne ða boc from ðæm mynstre, uncuð
hu longe ðær swæ gelærede biscepas sien, swæ swæ nu, gode ðonc, welhwær
siendon; for ðy ic wolde ðætte hie ealneg æt ðære stowe wæren, buton se
biscep hie mid him habban wille oððe hio hwær to læne sie oððe hwa oðre
70 bi write.

Þis ærendgewrit Agustinus
ofer sealtne sæ suðan brohte
iegbuendum, swa hit ær fore
adihtode dryhtnes cempa,
75 Rome papa. Ryhtspell monig
Gregorius gleawmod gindwod
ðurh sefan snyttro, searoðonca hord.
Forðæm he moncynnes mæst gestriende
rodra wearde, Romwara betest,
80 monna modwelegost, mærðum gefrægost.
Siððan min on Englisc Ælfred kyning
awende worda gehwelc, ond me his writerum
sende suð ond norð, heht him swelcra ma
brengan bi ðære bisene, ðæt he his biscepum
85 sendan meahte, forðæm hi his sume ðorfton,
ða ðe Lædenspræce læste cuðon.

LXIII. Ðætte ða untruman mod mon ne scyle ellenga to healice læran.

Þæm lareowe is to wietanne ðæt he huru nanum men mare ne beode
ðonne he acuman mæge, ðy-læs se rap his modes weorðe to swiðe
90 aðened oð he forberste. Forðæm sio hea lar is betere manegum monnum to
helanne, ond feawum to secgganne. Be ðæm cwæð sio soðfæstnes ðurh hi
selfe, ðæt is Crist; he cwæð: 'Hwa wenstu ðæt sie to ðæm getreow ond to
ðæm wis brytnere ðæt hine god gesette ofer his hired, to ðæm ðæt he him
to tide gemetlice gedæle ðone hwæte?' Ðurh ða gemetgunge ðæs hwætes is
95 getacnod gemetlico word, ðy-læs hira mon ma geote on ðæt undiope mod
ðonne hit behabban mæge, ðæt hit ðonne oferflowe. Be ðæm cwæð sanctus
Paulus: 'Ic ne mæg no to eow sprecan swa swa to gæstlicum, ac swa swa
to flæsclicum; forðæm ge sint giet cilderu on eowrum geleafan, ðy ic sceal
sellan eow giet mioloc drincan, nalles flæsc etan.' Forðæm wæs eac ðætte
100 Moyses behelede ða ofermætan biorhto his ondwlitan beforan ðæm folce, ða
he com from ðære dieglan spræce dryhtnes, forðæm ðe he ða giet nolde hi

læran ða diegelnesse ðære halgan æ, ne hi ða giet ne meahton hi ongietan. Forðæm wæs eac beboden ðurh Moyses, gif hwa adulfe pytt ond ðonne forgiemeleasode ðæt he hyne betynde ond ðær ðonne befeolle on oððe oxa oððe esol, ðæt he hine scolde forgieldan. Swa eac swa hwa swa becymð to 105 ðæm hiehstan wisdome, ond ðonne ne forhilð ða diogolnesse ðæs godcundan wisdomes ðæm dysegum, he bið scyldig geteald, gif he gebrengð auðer oððe clænne oððe unclænne on ormodnesse.

Be ðæm cwæð dryhten to ðæm eadgan Iobe: 'Hwa sealde kokke wisdom?' Ðæt getacnað ðætte æghwelc ðæra halgena lareowa ðe nu lærað on 110 ðære ðisternesse ðisses middangeardes habbað onlicnesse ðæm kokkum, ðe on ðistrum niehtum crawað. Ðonne græt se lareow swa swa kok on niht, ðonne he cwið: 'Nu us is tima ðæt we onwæcnen of slæpe.' Ond eft, ðonne he cwið: 'Onwæcnað, ge ryhtwisan, ond ne syngiað ma.' Ðæs cocces ðeaw is ðæt he micle hludor singð on uhtan ðonne on dægred. Ac ðonne hit 115 nealæcð dæge, ðonne singð he smælor ond smicror. Swa sceal ælc gesceadwis lareow opene lare ond swutole ðæm ðiestrum modum bodian, ond nane-wuht ðære dieglan ond ðære diopan lare ðonne giet cyðan. Ac siððan he gesion ðætte ða ðiestran mod ðæra dysegena monna auht nealæcen ðæm leohte ðære soðfæstnesse, ðonne sculon hi him eowian diogolran ond diopran 120 lara of halgum bocum.

LXIV. Be ðæm weorcum ðæs lareowes ond be his wordum.

Hit is nu ðearf ðæt we for lufum eft cierren betwuxn oðrum spræcum to ðæm ðe we ær spræcon. Ðæt is ðætte ælc lareow swiðor lære mid his weorcum ðonne mid his wordum. Hwæt, se kok ðe we ær ymb spræcon, 125 ær ðæm ðe he crawan wille, hefð up his fiðru, ond wecð hine selfne, ðæt he wacie on ðære geornfulnesse godra weorca. ðy-læs he oðre awecce mid his wordum, ond himself aslawige godra weorca. Ac hu? Denige[1] ærest hine selfne, oð he wacige, ond ahrisige siððan oðre to geornfulnesse godra weorca; ðaccige hine selfne mid ðæm fiðrum his geðohta. Ðæt is ðæt he behealde 130 ðurh ða wæccan his smeaunga ærest hwæt on him selfum unnyttes sie, ond ðreage ærest hine selfne ðearlwislice on his geðohte, ond siððan mid his lare geedniwige oðerra monna lif. Ærest he sceal wrecan on him selfum his agnu yfelu ond ða hreowsian, ond siððan oðerra monna cyðan ond wrecan. Ærest hi sculon eowian on hiora agnum weorcum eall ðæt hi eft læran 135 willað mid hiora wordum, swa ðætte ða weorc clipien ær, ær ða word.

20. KING ALFRED. OROSIUS

HISTORIARUM ADVERSUM PAGANOS LIBRI SEPTEM

MSS.: *L* = BM., Additional 47 967, olim Lauderdale MS.; 1st half X century; *facsimile:* A. Campbell, E.E.MSS. in Facs. III, 1953; Ker 133. *For a gap in L: ll. 73-222 from C*=BM., Cotton Tiberius B I; 1st half XI century; Ker 191. — *ed.*: H. Sweet, EETS. 79. — HB. 718-21, 743-45; Ke. 3349-76; Ba. I, 85-87; RO. 240.

Europe. The Voyages of Ohthere and Wulfstan. *

Nu hæbbe we scortlice gesæd ymbe Asia londgemæro; nu wille we ymbe Europe londgemære areccean swa micel swa we hit fyrmest witon. From þære ie Danais west oþ Rin þa ea, seo wilð of þæm beorge þe mon Alpis hætt, and irnð þonne norþryhte on þæs garsecges earm þe þæt lond uton ymblið 5 þe mon Bryttania hætt; and eft suþ oð Donua þa ea, þære æwielme is neah Rines ofre þære ie, and is siþþan east irnende wið norþan Creca lond ut on þone Wendelsæ; and norþ oþ þone garsecg þe mon Cwensæ hæt: Binnan þæm sindon monega þeoda, ac hit mon hæt eall Germania.

Þonne wið norþan Donua æwielme and be eastan Rine sindon East- 10 Francan[2]; and be suþan him sindon Swæfas, on oþre healfe þære ie Donua.

---

[1] ac hudenige *Sweet, Holthausen, and all previous edd., em. Meritt*
* *cf. Kemp Malone, King Alfred's North, Speculum V, 1930; and On King Alfred's Geographical Treatise, Speculum VIII, 1933* [2] east francna *L*

And be suþan him and be eastan sindon Bægware, se dæl þe mon Regnesburg hætt. And ryhte be eastan him sindon Bæme, and eastnorþ sindon Þyringas[1]; and be norþan him sindon Eald-Seaxan, and be norþanwestan him
15 sindon Frisan. Be westan Eald-Seaxum is Ælfe muþa þære ie and Frisland; and þonan westnorð is þæt lond þe mon Ongle hæt, and Sillende and sumne dæl Dene. And be norþan him is Afdrede and eastnorþ Wilte, þe mon Hæfeldan hætt; and be eastan him is Wineda lond, þe mon hætt Sysyle, and eastsuþ, ofer sum dæl, Maroara. And hie Maroara habbað be westan him Þyringas
20 and Behemas and Begware healfe; and be suþan him on oþre healfe Donua þære ie is þæt land Carendre suþ oþ þa beorgas þe mon Alpis hæt. To þæm ilcan beorgan licgað Begwara landgemæro and Swæfa. Þonne be eastan Carendran londe, begeondan þæm westenne, is Pulgara land; and be eastan þæm is Creca land. And be eastan Maroara londe is Wisle lond; and be
25 eastan þæm sint Datia, þa þe iu wæron Gotan. Be norþaneastan Maroara sindon Dalamentsan, and be eastan Dalamentsan sindon Horigti[2]; and be norþan Dalamentsan sindon Surpe, and be westan him Sysyle. Be norþan Horoti[3] is Mægþa land; and be norþan Mægþa londe Sermende oþ þa beorgas Riffen.

30 Be westan Suþ-Denum is þæs garsecges earm þe liþ ymbutan þæt land Brettania, and be norþan him is þæs sæs earm þe mon hæt Ostsæ; and be eastan him and be norþan sindon Norð-Dene, ægþer ge on þæm maran landum ge on þæm iglandum; and be eastan him sindon Afdrede; and be suþan him is Ælfe muþa þære ie and Eald-Seaxna sum dæl. Norð-Dene
35 habbað be norþan him þone ilcan sæs earm þe mon hæt Ostsæ, and be eastan him sindon Osti þa leode, and Afdrede[4] be suþan. Osti habbað be norþan him þone ilcan sæs earm and Winedas and Burgendan; and be suþan him sindon Hæfeldan. Burgendan habbað þone ilcan[5] sæs earm be westan him, and Sweon be norþan; and be eastan him sint Sermende, and be suþan him
40 Surfe. Sweon habbað be suþan him þone sæs earm Osti, and be eastan him Sermende; and be norþan him ofer þa westenne is Cwenland; and be westannorþan him sindon Scridefinnas[6], and be westan Norþmenn.

Ohthere sæde his hlaforde, Ælfrede cyninge, þæt he ealra Norðmonna norþmest bude. He cwæð þæt he bude on þæm lande norþweardum wiþ þa
45 Westsæ. He sæde þeah þæt[7] þæt land sie swiþe lang norþ þonan; ac hit is eal weste, buton on feawum stowum styccemælum wiciað Finnas, on huntoþe on wintra and on sumera on fiscaþe be þære sæ.

He sæde þæt he æt sumum cirre wolde fandian hu longe þæt land norþryhte læge, oþþe hwæðer ænig mon be norðan þæm westenne bude. Þa
50 for he norþryhte be þæm lande; let him ealne weg þæt weste land on ðæt steorbord and þa widsæ on ðæt bæcbord þrie dagas. Þa wæs he swa feor norþ swa þa hwælhuntan firrest faraþ. Þa for he þa giet norþryhte swa feor swa he meahte on þæm oþrum þrim dagum gesiglan. Þa beag þæt land þær eastryhte, oþþe seo sæ in on ðæt lond, he nysse hwæðer; buton he wisse
55 ðæt he ðær bad westan-windes and hwon norþan, and siglde ða east be lande swa swa he meahte on feower dagum gesiglan. Þa sceolde he ðær bidan ryhtnorþan-windes, for ðæm þæt land beag þær suþryhte, oþþe seo sæ in on ðæt land, he nysse hwæþer. Þa siglde he þonan suðryhte be lande swa swa he mehte on fif dagum gesiglan. Ða læg þær an micel ea up in on þæt land.
60 Þa cirdon hie up in on ða ea, for þæm hie ne dorston forþ bi þære ea siglan for unfriþe; for þæm ðæt land wæs eall gebun on oþre healfe þære ea[8]. Ne mette he ær nan gebun land, siþþan he from his agnum ham for. Ac him wæs ealne weg weste land on þæt steorbord, butan fiscerum and fugelerum and huntum, and þæt wæron eall Finnas. And him wæs a widsæ on ðæt
65 bæcbord. Þa Beormas hæfdon swiþe wel gebud hira land; ac hie ne dorston

[1] þyringa *L* [2] horithi *C* [3] horiti *C* [4] afrede *L*, afdræde *C* [5] *C*] *not in L* [6] scridefinne *L* [7] *C*] *not in L* [8] *C*] eas *L*

þær on cuman. Ac þara Terfinna land wæs eal weste, buton ðær[1] huntan gewicodon, oþþe fisceras oþþe fugeleras[2].

Fela spella him sædon þa Beormas ægþer ge of hiera agnum lande ge of þæm landum þe ymb hie utan wæron; ac he nyste hwæt þæs soþes wæs, for þæm he hit self ne geseah. Þa Finnas, him þuhte, and þa Beormas spræcon neah an geþeode. Swiþost he for ðider, toeacan þæs landes sceawunge, for þæm horschwælum, for ðæm hie habbað swiþe æþele ban on hiora toþum, þa teð hie brohton sume þæm cyninge, and hiora hyd bið[3] swiðe god to sciprapum. Se hwæl bið micle læssa þonne oðre hwalas; ne bið he lengra ðonne syfan elna lang. Ac on his agnum lande is se betsta hwælhuntað; þa beoð eahta and feowertiges elna lange, and þa mæstan fiftiges elna lange. Þara he sæde þæt he syxa sum ofsloge syxtig on twam dagum. 70 75

He wæs swyðe spedig man on þæm æhtum þe heora speda on beoð, þæt is, on wildrum. He hæfde þa gyt, ða he þone cyningc sohte, tamra deora unbebohtra syx hund. Þa deor hi hatað 'hranas'; þara wæron syx stælhranas; þa beoð swyðe dyre mid Finnum, for ðæm hy foð þa wildan hranas mid. He wæs mid þæm fyrstum mannum on þæm lande: næfde he þeah ma ðonne twentig hryðera and twentig sceapa and twentig swyna; and þæt lytle þæt he erede, he erede mid horsan. Ac hyra ar is mæst on þæm gafole þe ða Finnas him gyldað. Þæt gafol bið on deora fellum and on fugela feðerum and hwales bane and on þæm sciprapum, þe beoð of hwæles hyde geworht and of seoles. Æghwilc gylt be hys gebyrdum. Se byrdesta sceall gyldan fiftyne mearðes fell and fif hranes and an beran fel and tyn ambra feðra, and berenne kyrtel oððe yterenne, and twegen sciprapas; ægþer sy syxtig elna lang, oþer sy of hwæles hyde geworht oþer of sioles. 80 85 90

He sæde ðæt Norðmanna land wære swyþe lang and swyðe smæl. Eal þæt his man aþer oððe ettan oððe erian mæg þæt lið wið ða sæ; and þæt is þeah on sumum stowum swyðe cludig; and licgað wilde moras wið eastan and wið upp on emnlange þæm bynum lande. On þæm morum eardiað Finnas. And þæt byne land is easteweard bradost and symle swa norðor swa smælre. Eastewerd hit mæg bion syxtig mila brad, oþþe hwene brædre and middeweard þritig oððe bradre; and norðeweard, he cwæð, þær hit smalost wære, þæt hit mihte beon þreora mila brad to þæm more; and se mor syðþan, on sumum stowum, swa brad swa man mæg on twam wucum oferferan, and on sumum stow swa brad swa man mæg on syx dagum oferferan. 95 100

Ðonne is toemnes þæm lande suðeweardum, on oðre healfe þæs mores, Sweoland, oþ þæt land norðeweard; and toemnes þæm lande norðeweardum Cwena land. Þa Cwenas hergiað hwilum on ða Norðmen ofer ðone mor, hwilum þa Norðmen on hy; and þær sint swiðe micle meras fersce geond þa moras; and berað þa Cwenas hyra scypu ofer land on ða meras and þanon hergiað on ða Norðmen; hy habbað swyðe lytle scypa and swyðe leohte. 105

Ohthere sæde þæt sio scir hatte Halgoland þe he on bude. He cwæð þæt nan man ne bude be norðan him. Þonne is an port on suðeweardum þæm lande, þone[4] man hæt Sciringesheal. Þyder he cwæð þæt man mihte geseglian on anum monðe, gyf man on niht wicode, and ælce dæge hæfde ambyrne wind; and ealle ða hwile he sceal seglian be lande. And on þæt steorbord him bið ærest Iraland and þonne ða igland þe synd betux Iralande and þissum lande; þonne is þis land, oð he cymð to Scirincgesheale and ealne weg on þæt bæcbord Norðweg. Wið suðan þone Sciringesheal fylð swyðe mycel sæ up in on ðæt lond; seo is bradre þonne ænig man ofer seon mæge; and is Gotland on oðre healfe ongean and siððan Sillende. Seo sæ lið mænig hund mila up in on þæt land. 110 115

And of Sciringesheale he cwæð þæt he seglode on fif dagan to þæm porte þe mon hæt æt Hæþum; se stent betuh Winedum and Seaxum and

[1] *C*] *not in L* [2] *C*] fugelas *L* [3] — 222 *from C* [*gap in L*] [4] þonne

120 Angle, and hyrð in on Dene. Ða he þiderweard seglode fram Sciringesheale, þa wæs him on þæt bæcbord Denamearc and on þæt steorbord widsæ þry dagas; and þa, twegen dagas ær he to Hæþum come, him wæs on þæt steorbord Gotland and Sillende, and iglanda fela. On þæm landum eardodon Engle, ær hi hider on land coman. And hym wæs ða twegen dagas on ðæt 125 bæcbord þa igland þe in Denemearce hyrað.

Wulfstan sæde þæt he gefore of Hæðum, þæt he wære on Truso on syfan dagum and nihtum, þæt þæt scip wæs ealne weg yrnende under segle. Weonodland him wæs on steorbord, and on bæcbord him wæs Langaland and Læland and Falster and Sconeg; and þas land eall hyrað to Denemearcan. 130 And þonne Burgenda land wæs us on bæcbord, and þa habbað him sylfe[1] cyning. Þonne æfter Burgenda lande wæron us þas land, þa synd hatene ærest Blecinga-eg and Meore and Eowland and Gotland on bæcbord; and þas land hyrað to Sweon. And Weonodland wæs us ealne weg on steorbord oð Wislemuðan. Seo Wisle is swyðe mycel ea, and hio tolið Witland and 135 Weonodland; and þæt Witland belimpeð to Estum; and seo Wisle lið ut of Weonodlande and lið in Estmere; and se Estmere is huru fiftene mila brad. Þonne cymeð Ilfing eastan in Estmere of ðæm mere ðe Truso standeð in staðe, and cumað ut samod in Estmere, Ilfing eastan of Estlande[2] and Wisle suðan of Winodlande. And þonne benimð Wisle Ilfing hire naman and ligeð of þæm 140 mere west and norð on sæ; for ðy hit man hæt Wislemuða.

Þæt Estland[2] is swyðe mycel, and þær bið swyðe manig burh, and on ælcere byrig bið cyningc. And þær bið swyðe mycel hunig and fiscnað; and se cyning and þa ricostan men drincað myran meolc, and þa unspedigan and þa þeowan drincað medo. Þær bið swyðe mycel gewinn betweonan him. And 145 ne bið ðær nænig ealo gebrowen mid Estum, ac þær bið medo genoh. And þær is mid Estum ðeaw, þonne þær bið man dead, þæt he lið inne unforbærned mid his magum and freondum monað ge hwilum twegen; and þa kyningas and þa oðre heahðungene men, swa micle lencg swa hi maran speda habbað, hwilum healf gear þæt hi beoð unforbærned, and licgað bufan eorðan 150 on hyra husum. And ealle þa hwile þe þæt lic bið inne, þær sceal beon gedrync and plega, oð ðone dæg þe hi hine forbærnað. Þonne þy ylcan dæge þe[3] hi hine to þæm ade beran wyllað, þonne todælað hi his feoh, þæt þær to lafe bið æfter þæm gedrynce and þæm plegan, on fif oððe syx, hwylum on ma, swa swa þæs feos andefn bið. Alecgað hit ðonne forhwæga on anre mile 155 þone mæstan dæl fram þæm tune, þonne oðerne, ðonne þæne þriddan, oþ þe hyt eall aled bið on þære anre mile; and sceall beon se læsta dæl nyhst þæm tune ðe se deada man on lið. Ðonne sceolon beon gesamnode ealle ða menn ðe swyftoste hors habbað on þæm lande, for hwæga on fif milum oððe on syx milum fram þæm feo. Þonne ærnað hy ealle toweard þæm feo; ðonne 160 cymeð se man se þæt swiftoste[4] hors hafað to þæm ærestan dæle and to þæm mæstan, and swa ælc æfter oðrum, oþ hit bið eall genumen; and se nimð þone læstan dæl se nyhst þæm tune þæt feoh geærneð. And þonne rideð ælc hys weges mid ðan feo, and hyt motan habban eall; and for ðy þær beoð þa swiftan hors ungefohge dyre. And þonne hys gestreon beoð 165 þus eall aspended, þonne byrð man hine ut, and forbærneð mid his wæpnum and hrægle. And swiðost ealle hys speda hy forspendað mid þan langan legere þæs deadan mannes inne, and þæs þe hy be þæm wegum alecgað, þe ða fremdan to ærnað and nimað. And þæt is mid Estum þeaw þæt þær sceal ælces geðeodes man beon forbærned; and gyf þar man an ban findeð unfor- 170 bærned, hi hit sceolan miclum gebetan. And þær is mid Estum[5] an mægð þæt hi magon cyle gewyrcan; and þy þær licgað ða deadan men swa lange and ne fuliað, þæt hy wyrcað þone cyle him[6] on. And þeah man asette twegen fætels full ealað oððe wæteres, hy gedoð þæt ægþer[7] bið oferfroren, sam hit sy sumor sam winter.

[1] sylf [2] eastl- [3] *not in MS.* [4] swifte [5] eastum [6] hine [7] oþer

Nu wille we secgan be suðan Donua þære ea ymbe Creca land, hu hit liþ. Wyð eastan Constantinopolim Creca byrig is se sæ Proponditis. And be norðan Constantinopolim Creca byrig scyt se sæearm up of þæm sæ westrihte þe man hæt Euxinus; and be westannorðan þære byrig Donua muða þære ea scyt suðeast ut on ðone sæ Euxinus; and on suðhealfe and on westhealfe þæs muðan sindon Mæsi, Creca leode; and be westan þære byrig sindon Traci; and be eastan þære byrig Macedonie. And be suþan þære byrig, on suðhealfe þæs sæs earmes þe man hæt Egeum, sindon Athena and Corintus þa land. And be westan suðan Corinton is Achie þæt land æt þæm Wendelsæ. Þas land syndon Creca leode. And be westan Achie, andlang þæs Wendelsæs, is Dalmatia þæt land, on norðhealfe þæs sæs; and be norðan Dalmatia sindon Pulgare and Istria. And be suðan Istria is se Wendelsæ þe man hæt Atriaticum, and be westan þa beorgas þe man hæt Alpis; and be norðan þæt westen þæt is betux Carendan and Pulgarum[1]. 175 180 185

Þonne is Italia land west-norðlang and east-suðlang, and hit belið Wendelsæ ymb eal utan, buton westannorðan. Æt þæm ende hit belicgað ða beorgas þe man hæt Alpis: Þa onginnað westane fram þæm Wendelsæ in Narbonense þære ðeode, and endiað eft east in Dalmatia þæm lande æt þæm sæ. 190

Þa land þe man hæt Gallia Belgica[2], be eastan þæm is sio ea þe man hæt Rin, and be suðan þa beorgas þe man hæt Alpis, and be westansuðan se garsecg þe man hæt Brittanisca, and be norðan on oðre healfe þæs garsegges earme is Brittannia þæt land. Be westan Ligore is Aequitania land, and be suþan Æquitania is þæs landes sum dæl Narbonense, and be westansuðan Ispania land, and be westan garsegc. Be suðan Narbonense is se Wendelsæ, þær þær Rodan seo ea utscyt; and be eastan him Profentsæ; and be westan him[3] ofer ða westenu seo us nearre Ispania; and be westan him and norðan Equitania, and Wascan be norðan. Profentse hæfð be norðan hyre þa beorgas þe man Alpis hæt; and be suðan hyre is Wendelsæ; and be norðan hyre and eastan synd Burgende; and Wascan be westan. 195 200

Ispania land is þryscyte, and eall mid fleote utan ymbhæfd, ge eac binnan ymbhæfd ofer ða land ægþer ge of þæm garsecge ge of ðam Wendelsæ. An ðæra garena lið suðwest ongean þæt igland þe Gades hatte, and oþer east ongean þæt land Narbonense, and se ðridda norðwest ongean Brigantia Gallia burh, and ongean Scotland, ofer ðone sæs earm, on geryhte ongean þæne muðan þe mon hæt Scene. Seo us fyrre Ispania, hyre is be westan garsecg, and be norðan Wendelsæ, be suðan and be eastan seo us nearre Ispania; be norðan þære synt Equitania, and be norðaneastan is se weald Pireni, and be eastan Narbonense and be suðan Wenðelsæ. 205 210

Brittannia þæt igland hit is norðeastlang; and hit is eahta hund mila lang and twa hund mila brad. Þonne is be suðan him on oðre healfe þæs sæs earmes Gallia Belgica[2]; and on westhealfe on oþre healfe þæs sæs earmes is Ibernia þæt igland; and on norðhealfe Orcadus þæt igland. Igbernia, þæt we Scotland hatað, hit is on ælce healfe ymbfangen mid garsecge; and for ðon þe sio sunne þær gæð near on setl þonne on oðrum lande, þær syndon lyðran wedera þonne on Brettannia. Þonne be westannorðan Ibernia is þæt ytemeste land þæt man hæt Thila, and hit is feawum mannum cuð for ðære oferfyrre. Nu hæbbe we gesæd ymbe ealle Europe landgemæro hu hi tolicgað. Nu wille we ymbe Affrica secgan, hu ða landgemæro tolicgað. — 215 220

The Trojan War.

Ær þæm þe Romeburg getimbred wære feower hunde[4] and xxxgum wintra, geweарð þætte Alexander, Priamises sunu þæs cyninges of Troiana þære byrig, genom þæs cyninges wif Monelaus, of Læcedemonia, Creca byrig, Elena. Ymb hie wearð þæt mære gewinn and þa miclan gefeoht Creca and 225

[1] fulgarum [2] bellica [3] him profentsæ [4] hunde wintran *C*

Troiana, swa þætte Crecas hæfdon ·m· scipa þara miclana dulmana, and him betweonum gesworan þæt hie næfre noldon on cyþþe cuman ær hie hiora
230 teonan gewræcen. And hi ða ·x· gear ymbe þa burg sittende wæron and feohtende. Hwa is þætte ariman mæge hwæt þær moncynnes forwearð on ægðere hand, þæt Omarus[1] se scop sweotelicost sægde! For þon nis me þæs þearf, cwæð Orosius, to secgenne, for þon hit longsum is, and eac monegum cuð. Þeah swa hwelcne mon swa lyste þæt witan, ræde on his
235 bocum hwelce ungetina[2] and hwelce tibernessa hie dreogende wæron ægðer ge on monslihtum ge on hungre ge on scipgebroce ge on mislicre forscapunge, swa mon on spellum sægð. Þa folc him betweonum ful ·x· winter þa gewin wraciende[3] wæron. Geþence þonne þara tida and nu þissa, hwæþre him bet licien[4]!

240 Þa sona of þæm gefeohte wæs oþer æfterfylgende. Eneas mid his firde for of þæm Troianiscan gefeohte in Italiam. Þæt mæg mon eac on bocum sceawigean, hu monega gewin and hu monega gefeoht he ðær dreogende wæs. —

The Foundation of Rome.

Ymb feower hunde wintra and ymb feowertig þæs þe Troia Creca burg
245 awested wæs, wearð Romeburg getimbred from twam gebroðrum, Remuse and Romuluse. And raðe æfter ðan[5] Romulus hiora anginn geunclænsade mid his broðor slege, and eac siþþan mid his hiwunge and his geferena, hwelce bisena he ðær stellende wæs, mid þæm þe hie bædon Sabini þa burgware þætte hi him geuðen hiora dohtra him to wifum to habbanne, and hie him
250 þara bena forwierndon. Hi swa-þeah heora unðances mid swicdome hie begeaton, mid þæm þe hie bædon þæt hie him fylstan mosten ðæt hie hiera godum þe ieð blotan mehten. Ða hie him þæs getygðedon, þa hæfdon hi him to wifum, and heora fæderum eft agiefan noldon. Ymb þæt wearð þæt mæste gewinn monig gear, oð hie fornæh mid ealle forslægene and forwordene
255 wæron on ægþere healfe, þæt hie mid nanum þinge ne mehton gesemede weorþan, ær þara Romana wif mid heora cildum iernende wæron gemong ðæm gefeohtum, and heora fæderum wæron to fotum feallende, and biddende þæt hie for þara cilda lufan þæs gewinnes sumne ende gedyden. Swa weorðlice and swa mildelice wæs Romeburg on fruman gehalgod, mid broðor blode,
260 and mid sweora, and mid Romuluses eame Numetores, þone he eac ofslog, ða he cyning wæs, and him self siþþan to ðæm rice feng! Þuss gebletsade Romulus Romana rice on fruman: Mid his broðor blode þone weall, and mid þara sweora blode þa ciricean, and mid his eames blode þæt rice! Ond siþþan his agenne sweor to deaðe beswac, þa he hiene to him aspon, and
265 him gehet ðæt he his rice wið hiene dælan wolde, and hiene under ðæm ofslog.

Caesar in Britain.

Æfter þæm þe Romeburg getimbred wæs ·vi·hunde wintra and ·lxvii·, Romane gesealdon Gaiuse Iuliuse seofon legan to þon þæt he sceolde fif
270 winter winnan on Gallie. Æfter þæm þe he hie oferwunnen hæfde, he for on Bretanie þæt iglond, and wið þa Brettas gefeaht, and gefliemed wearð on þæm londe þe mon hæt Centlond. Raþe þæs he gefeaht eft wiþ þa Brettas on Centlonde, and hie wurdon gefliemede. Heora þridde gefeoht wæs neah þære ie þe mon hæt Temes, neh þæm forda þe mon hæt Welenga-
275 ford. Æfter þæm gefeohte him eode on hond se cyning and þa burgware þe wæron on Cirenceastre, and siþþan ealle þe on þæm iglonde wæron.

---

[1] omerus *C* [2] ungetima *C* [3] wrecende *C* [4] hw. h. b. l.] hwæðran *L*, hwæþer hine bet lycian *C* [5] *C*] *not in L*

21. KING ALFRED, BOETHIUS

'DE CONSOLATIONE PHILOSOPHIAE'

MSS: *C* = BM., Cotton Otho A VI; 1st h. X ct. [damaged in 1731]. *B* = Bodl. 180; b. XII ct. *J* = Bodl. Junius 12: Junius' copy of *B* with variant readings from *C* and a Metra transcript of *C* (*then unimpaired*). — *ed.*: W. I. Sedgefield, Oxford 1899. [Metra: G. P. Krapp, ASPR. V.] — HB. 502-03, 718-21, 733-37; Ke. 3349-76; Ba. 85, 87; RO 242.

Preface.[1]

Ælfred kuning wæs wealhstod ðisse bec and hie of Boclædene on Englisc wende, swa hio nu is gedon. Hwilum he sette word be worde, hwilum andgit of andgite, swa swa he hit þa sweotolost and andgitfullicast gereccan mihte for þam mistlicum and mannigfealdum weoruldbisgum[2] þe hine oft ægðer ge on mode ge on lichoman bisgodon. Ða bisgu us sint swiþe earfoþrime þe on his dagum on þa ricu becoman þe he underfangen hæfde, and þeah ða þas boc hæfde[3] geleornode and of Lædene to Engliscum spelle gewende, and geworhte hi eft to leoðe, swa swa heo nu gedon is; and nu bit and for godes naman he halsað ælcne þara þe þas boc rædan lyste, þæt he for hine gebidde and him ne wite gif he hit rihtlicor ongite þonne he mihte; forþam þe ælc mon sceal be his andgites mæðe and be his æmettan sprecan þæt he sprecð and don þæt þæt he deþ.

Introduction.

I.-III. [I, 1-2.] On ðære tide ðe Gotan of Sciððiu mægðe wið Romana rice gewin up ahofon, and mid[4] heora cyningum, Rædgota and Eallerica wæron hatne, Romane burig abræcon, and eall Italia rice þæt is betwux þam muntum and Sicilia þam ealonde in anwald gerehton, and þa æfter þam foresprecenan cyningum Þeodric feng to þam ilcan rice. Se Ðeodric wæs Amulinga; he was cristen, þeah he on þam arrianiscan gedwolan þurhwunode. He gehet Romanum his freondscipe, swa þæt hi mostan heora ealdrihta wyrðe beon. Ac he þa gehat swiðe yfele gelæste[5], and swiðe wraðe geendode mid manegum mane. Þæt wæs to eacan oðrum unarimedum yflum þæt he Iohannes þone papan het ofslean. Þa wæs sum consul, þæt we heretoha hatað, Boetius wæs gehaten; se wæs in boccræftum and on woruldþeawum se rihtwisesta. Se þa ongeat þa manigfealdan yfel þe se cyning Ðeodric wið þam cristenandome and wið þam Romaniscum witum dyde. He þa gemunde þara eðnessa and þara ealdrihta þe hi under þam caserum hæfdon heora ealdhlafordum. Þa ongan he smeagan and leornigan on him selfum hu he þæt rice þam unrihtwisan cyninge aferran mihte, and on ryhtgeleaffulra and on rihtwisra anwealde gebringan. Sende þa digellice ærendgewritu to þam kasere to Constentinopolim, þær is Creca heahburg and heora cynestol, forþam se kasere wæs heora ealdhlafordcynnes; bædon hine þæt he him to heora cristendome and to heora ealdrihtum gefultumede. Þa þæt ongeat se wælhreowa cyning Ðeodric, þa het he hine gebringan on carcerne and þærinne belucan. Þa hit ða gelomp þæt se arwyrða wæs on swa micelre nearanesse becom, þa wæs he swa micle swiðor on his mode gedrefed swa his mod ær swiðor to þam woruldsælþum gewunod wæs; and he þa nanre frofre beinnan þam carcerne ne gemunde; ac he gefeoll niwol ofdune on þa flor, and hine astrehte swiðe unrot, and ormod hine selfne ongan wepan and þus singend cwæð:

Ða lioð þe ic wrecca geo lustbærlice song ic sceal nu heofiende singan, and mid swiþe[6] ungeradum wordum gesettan, þeah ic geo hwilum gecoplice funde; ac ic nu wepende and gisciende ofgeradra worda misfo. Me ablendan þas ungetreowan woruldsælþa, and me þa forletan swa blindne on þis dimme hol and me þa bereafodon ælcere lustbærnesse: þa ða ic him æfre betst truwode, þa wendon hi me heora bæc to, and me mid ealle from gewitan. To hwon sceoldan la mine friend seggan þæt ic gesælig mon wære? Hu mæg se beon gesælig se þe on þam gesælþum þurhwunian[7] ne mot?

---

[1] 1 – 71 *from B* [2] *J]* wordum and bisgum *B* [3] hæfe [4] mið [5] gelæst [6] swi [7] þuhwunian

Þa ic þa þis leoð, cwæð Boetius, geomriende asungen hæfde, þa com
þær gan in to me heofencund Wisdom, and þæt min murnende mod mid his
50 wordum gegrette, and þus cwæð: 'Hu ne eart ðu se mon þe on minre scole
wære afed and gelæred? Ac hwonon wurde þu mid þissum woruldsorgum
þus swiðe geswenced, buton ic wat þæt þu hæfst þara wæpna to hraðe forgiten
þe ic þe ær sealde?' Ða clipode se Wisdom and cwæð: 'Gewitaþ nu,
awirgede woruldsorga, of mines þegenes mode, forþam ge sind þa mæstan
55 sceaþan. Lætaþ hine eft hweorfan to minum larum.' Ða eode se Wisdom
near, cwæð Boetius, minum hreowsiendum geþohte, and hit swa niowul þa
hwæthwega up arærde; adrigde þa mines[1] modes eagan, and hit fran bliþum
wordum hwæðer hit oncneowe his fostermodor. Mid þam þe ða þæt Mod
wið his[2] bewende, þa gecneow hit swiðe sweotele his agne modor; þæt wæs
60 se Wisdom ðe hit lange ær tyde and lærde. Ac hit ongeat his lare swiðe
totorenne and swiðe tobrocene mid dysigra hondum, and hine þa fran hu þæt
gewurde. Ða andwyrde se Wisdom him and sæde þæt his gingran hæfdon
hine swa totorenne, þær þær hi teohhodon þæt hi hine eallne habban sceoldon;
ac hi gegaderiað monifeald[3] dysig on ðære fortruwunga and on þam gilpe,
65 butan heora hwelc eft to hyre bote gecirre.

Ða ongan se Wisdom hreowsian for þæs Modes tydernesse, and ongan
þa giddian and þus cwæð: 'Eala, on hu grundleasum seaðe þæt mod drigð,
þonne hit bestyrmað þisse worulde ungeþwærnessa[4]. Gif hit þonne forget
his ahgen leoht, þæt is ece gefea, and ðringð on þa fremdan þistro þæt
70 sind woruldsorga, swa swa ðis Mod nu deð, nu hit nauht elles nat butan
gnornunga.'

The King and his Tools.

XVII.[5] *[II, 7.]* Ða se Wisdom ða þis leoð asungen hæfde, ða gesugode
he; and þa andswarode þæt Mod and þus cwæð: 'Eala, Gesceadwisnes, hwæt,
75 þu [wast þæt me næfre seo gitsung and seo gemægð þisses eorðlican anwealdes
forwel ne licode, ne ic ealles forswiðe ne girnde þisses eorðlican
rices, buton tola ic wilnode þeah and andweorces to þam weorce þe me
beboden was to wyrcanne; þæt was þæt ic unfracodlice and gerisenlice
mihte steoran and reccan þone] anwald þe me [befæst wæs. Hwæt, þu]
80 wast þæt nan [mon ne mæg] nænne cræft cyðan [ne nænne anweald] reccan
ne stioran butan tolum and andweorce. [Þæt bið ælces] cræftes andweorc
[þæt mon] þone cræft buton wyrcan [ne mæg. Þæt] bið þonne cyninges
[andweorc[6] and] his tol mid to ricsianne, þæt he hæbbe his lond fullmonnad;
he sceal habban gebedmen and fyrdmen and weorcmen. Hwæt, þu wast
85 þætte butan þissan tolan nan cyning his cræft ne mæg cyðan. Þæt is eac his
ondweorc, [þæt he habban sceal to ðæm tolum þam þrim geferscipum biwiste.
Þæt is þonne heora biwist: land to bugianne, and gifta, and wæpnu, and
mete, and ealo, and claþas, and gehwæt þæs ðe þa þre geferscipas behofiað.
Ne mæg he butan þisum þas tol gehealdan, ne buton þisum tolum nan þara
90 þinga wyrcan þe him beboden is to wyrcenne. Forþy ic wilnode andweorces
þone anweald mid to reccenne, þæt mine cræftas and anweald ne wurden[7]
forgitene and forholene. Forþam ælc cræft and ælc anweald bið sona forealdod
and] forsugod, gif he bið [buton wisdome]; forðæm ne mæg [non mon
nænne] cræft bringan [buton wisdome]; forðæm þe swa [hwæt swa þurh
95 dysig] gedon bið, [ne mæg hit mon] næfre to [cræfte gerecan. Þæt is] nu
hraðost to [secganne, þæt ic wilnode] weorðfullice to libbanne þa hwile þe
ic lifde, and [æfter minum] life þæm monnum [to læfanne] þe æfter me
[wæren, min[8] gemyndig] on godum weorcum.'

---

[1] *J*] minenes *B* [2] *J*] *not in B* [3] monifeal [4] ungeþhærnessa [5] *XVII & XXXIX from C, (suppl. B in brackets)* [6] andweorc *J*] weorc and weorc *B* [7] wurden- forholene *J*] wurde forgiten and forholen *B* [8] *J*] *not in B*

The Wheel.

XXXIX. [IV, 6.] Sumu þing þonne on þisse weorulde sint underðied þære wyrde, sume hire nanwuht underðied ne sint; ac sio wyrd and eall ða þing þe hire underðied sint, sint underðied ðæm godcundan foreþonce. Be ðæm ic ðe mæg sum bispell secgan: 100

Swa swa on wænes eaxe hwearfiað þa hweol and sio eax stint stille and byrð þeah ealne þone wæn, [and] welt ealles þæs færeltes, þæt hweol hwerfð ymbutan and sio nafu next þære eaxe sio færð micle fæstlicor and orsorglicor þonne ða [felgan don], swelce sio eax sie þæt hehste [god þe we] nemnað god, and [þa selestan men] faren nehste gode, swa swa sio nafu færð neahst þære eaxe, and þa midmestan swa swa ða spacan[1]; forðæm þe ælces spacan bið oðer ende fæst on ðære nafe, oðer on þære felge. Swa bið þæm midlestan monnum: oðre hwile he smeað on his mode ymb þis eorðlice (lif), oðre hwile ymb ðæt godcundlice, swilce he locie mid oðre eagan to heofonum, mid oðre to eorþan. Swa swa þa spacan sticiað oðer ende on þære felge oþer on þære nafe, middeweard se spaca bið ægðrum emnneah, ðeah oðer ende bio fæst on þære nafe, oðer on þære felge; swa bioð þa midmestan men onmiddan þam spacan, and þa betran near þære nafe, and þa mætran near ðæm felgum; bioð þeah fæste on ðære nafe, and se nafa on ðære eaxe. Hwæt, þa felga þeah hongiað on þæm spacan, þeah hi eallunga wealowigen on þære eorðan; swa doð þa mætestan [men] on þæm midmestum,[2] and þa midmestan on þæm betstan, and þa betstan [on gode]. Þeah þa mætestan ealle hiora lufe wenden to ðisse weorulde, [hi ne magon] þæron wunigan, ne to nauhte ne weorðað, gif hi be nanum dæle ne beoð gefæstnode to gode; þon ma þe þæs hweoles felga magon bion on ðæm færelte, gif hi ne bioð fæste on þæm spacum, and þa spacan on þære eaxe. Þa felga bioð fyrrest ðære eaxe; forðæm hi farað ungeredelicost. Sio nafu færð neaxst þære eaxe; forðy hio færð gesundlicost. Swa doð ða selestan men; swa hi hiora lufe near gode lætað, [and swiðor þas eorðlicon þing forsioð,] swa hi beoð orsorgran, and læs reccað hu sio wyrd wandrige, oððe hwæt hio[3] brenge. Swa swa sio nafu bið symle swa gesund, hnæppen þa felga on þæt ðe hi hnæppen, and þeah bið sio nafu hwæthwugu todæled from þære eaxe. Be þy þu meaht ongitan þæt se[4] wæn bið micle leng gesund þe læs bið todæled from þære eaxe; swa bioð þa men eallra orsorgestæ ægðer ge þisses andweardan lifes earfoða[5]; ge þæs toweardan, þa þe fæste bioð on gode; ac swa hi swiður bioð asyndrede from gode, swa hi swiður bioð gedrefde and geswencte, ægþer ge on mode ge on lichoman. 105 110 115 120 125 130

Swylc is þæt þæt we wyrd hatað be þæm godcundan foreþonce, swylce [sio] smeaung and sio gesceadwisnes is to metanne wið þone gearowitan, and swylce þas lænan þing bioð to metanne wið ða ecan, and swilce þæt hweol bið to metanne wið ða eaxe; forðæm sio eax welt ealles þæs wænes. Swa deð se godcunda foreðonc. He astereð þone rodor and þa tunglu, and þa eorðan gedeð stille, and gemetgað þa feower gesceafta; þæt is wæter and eorðe and fyr and lyft. Ða he geðwærað and wlitegað, hwilum eft unwlitegað, and on oðrum hiwe gebrengð, and eft geedniwað, and tidreð ælc tudor, and hi[t] eft gehyt and gehelt þonne hit forealdod bið and forsearod, and eft geewð and geedniwað þonne þonne [he wile]. Sume uðwiotan þeah secgað þæt sio wyrd[6] wealde[7] ægðer ge gesælða ge ungesælða ælces monnes. Ic þonne secge, swa swa ealle cristene men secgað, þæt sio godcunde foretiohhung his walde, næs sio wyrd. And ic wat þæt hio demð eall þing swiðe rihte, þeah ungesceadwisum men [swa] ne þince. Hi wenað þæt þara ælc sie god [þe hiora willan] fulgæð; nis hit nan wundor, forðæm hi beoð ablende mid ðæm þiostrum heora scylda. Ac se godcunda foreþonc hit understent eall swiðe rihte, þeah us þince for urum dysige þæt hit on 135 140 145 150

[1] *B*] span *C* [2] midmestam *C* [3] *B*] hi *C* [4] *B*] þe *C* [5] earfoðe *C* [6] *B*] wyrð *C* [7] *B*] wold *C*

woh fare. Forðæm we ne cunnon þæt riht understandan. He demð þeah eall
swiðe rihte, þeah us hwilum swa ne ðince.

Ubi sunt

XIX.[1] *[II, 7]* Ða se Wisdom þa þis spel areaht hæfde, ða ongan he
155 gyddian and ðus singende cwæð:

Swa hwa swa wilnige to habbene þone idelan hlisan and þone unnytan
gilp, behealde he on feower healfe his hu widgille þæs heofones hwealfa
bið, and hu neara þære eorðan stede is, þeah heo us rum þince. Þonne
mæg hine scamigan þære brædinge his hlisan, forþam he hine ne mæg furðum
160 tobrædan ofer þa nearwan eorðan ane. Æala, ofermodan, hwi ge wilnigen
þæt ge underlutan mid eowrum swiran þæt deaðlice geoc, oððe hwi ge seon
on swa idelan geswince þæt ge woldon eowerne hlisan tobrædan ofer swa
manega þeoda? Þeah hit nu gebyrige þæt ða utemestan ðioda eowerne naman
up ahebban, and on manig þeodisc eow herigen, and þeah hwa wexe mid
165 micelre æþelcundnesse his gebyrda, and þeo on eallum welum and on eallum
wlencum, ne se deaþ þeah swelces ne recð. Ac he forsiehð þa æþelo, and
þone rican gelice and þone heanan ofswelgð[2], and swa geemnet þa rican and
þa heanan. Hwæt synt nu þæs foremeran and þæs wisan goldsmiðes ban
Welondes? Forþi ic cwæð þæs wisan forþy þam cræftegan ne mæg næfre his
170 cræft losigan, ne hine mon ne mæg þonne eð on him geniman ðe mon mæg
þa sunnan awendan of hiere stede. Hwær synt nu þæs Welondes ban, oððe
hwa wat nu hwær hi wæron? Oððe hwær is nu se foremæra and se aræda Rom-
wara heretoga, se wæs haten Brutus, oðre naman Cassius? Oððe se wisa
and fæstræda Cato, se wæs eac Romana heretoga, se wæs openlice uðwita.
175 Hu ne wæran þas gefyrn forðgewitene, and nan mon nat hwær hi nu sint.
Hwæt is heora nu to lafe, butan se lytla hlisa and se nama mid feaum
stafum awriten? And þæt git wyrse is, þæt we witon manige foremære and
gemyndwyrþe weras forðgewitene þe swiðe feawa manna a ongit. Ac manige
licggað deade mid ealle forgitene, þæt se hlisa hie furðum cuþe ne gedeð.
180 Þeah ge nu wenen and wilnian þæt ge lange libban scylan her on worulde,
hwæt bið eow þonne þy bet? Hu ne cymð se deað þeah, þeah he late cume,
and adeð eow of ðisse woruIde? And hwæt forstent eow þonne se gilp,
huru þam þe se æfterra deað gegripð and on ecnesse gehæfð?

METRA

Metrum X = Prose XIX (above).[3]

Gif nu hæleða hwone hlisan lyste,
185 unnytne gelp agan wille,
þonne ic hine wolde wordum biddan
þæt he hine æghwonon utan ymbeþohte,
sweotole ymbsawe suð east and west,
hu widgil sint wolcnum ymbutan
190 heofones hwealfe. Higesnotrum
mæg eaðe ðincan þæt þeos eorðe sie
eall for ðæt oðer unigmet lytel,
þeah hio unwisum widgel þince,
on stede stronglic, steorleasum men,
195 þeah mæg þone wisan on gewitlocan
þære gitsunge gelpes scamian,
ðonne hine þæs hlisan heardost lysteð,
and he þeah ne mæg þone tobredan
ofer ðas nearowan, nænige ðinga,
200 eorðan sceatas; is ðæt unnet gelp.
Eala, ofermodan, hwi eow a lyste
mid eowrum swiran selfra willum
þæt swære gioc symle underlutan?
Hwy ge ymb ðæt unnet ealnig swincen,
205 þæt ge þone hlisan habban tiliað
ofer ðioda ma þonne eow þearf sie?
Þeah eow nu gesæle þæt eow suð oððe norð
þa ytmestan eorðbuende
on monig ðiodisc miclum herien,
210 ðeah hwa æðele sie eorlgebyrdum,
welum geweorðad, and on wlencum ðio,
duguðum diore, deað þæs ne scrifeð,
þonne him rum forlæt rodora waldend;
ac he þone welegan wædlum gelice
215 efnmærne gedeð, ælces þinges.
Hwær sint nu þæs wisan Welandes ban
þæs goldsmiðes, þe wæs geo mærost?
Forþy ic cwæð þæs wisan Welandes ban,
forðy ængum ne mæg eorðbuendra
220 se cræft losian þe him Crist onlænð.
Ne mæg mon æfre þy eð ænne wræccan
his cræftes beniman, þe mon oncerran mæg
sunnan onswifan, and ðisne swiftan rodor
of his rihtryne rinca ænig.
225 Hwa wat nu þæs wisan Welandes ban,
on hwelcum hi hlæwa hrusan þeccen?
Hwær is nu se rica Romana wita
and se aroda, þe we ymb sprecað,

[1] *MS. B* [2] ofswelfð [3] *All Metra from C; suppl. J*

hiora heretoga, se gehaten wæs
230 mid þæm burgwarum Brutus nemned?
Hwær is eac se wisa and se weorðgeorna
and se fæstræda folces hyrde,
se wæs uðwita ælces ðinges
cene and cræftig, þæm wæs Caton nama?
235 Hi wæron gefyrn forðgewitene,
nat nænig mon hwær hi nu sindon.
Hwæt is hiora here buton se hlisa an,
55 se is eac to lytel swelcra lariowa,
forðæm þa magorincas maran wyrðe
240 wæron on woruIde. Ac hit is wyrse nu
þæt geond þas eorþan æghwær sindon
hiora gelican hwon ymbspræce,
sume openlice ealle forgitene,
þæt hi se hlisa hiwcuðe ne mæg
245 foremære weras forð gebrengan.
Þeah ge nu wenen and wilnigen
þæt ge lange tid libban moten,
hwæt iow æfre þy bet bio oððe þince?
Forðæm þe nane forlet, þeah hit lang ðince,
250 deað æfter dogorrime, þonne he hæfð drihtnes leafe.
Hwæt þonne hæbbe hæleþa ænig
guma æt þæm gilpe, gif hine gegripan mot
se eca deað æfter þissum worulde?

XVI. [III,5] Self-control.

Se þe wille anwald agon, ðonne sceal he ærest tilian
255 þæt he his selfes on sefan age
anwald innan, þy læs he æfre sie
his unþeawum eall underðyded;
ado of his mode mislicra fela
þara ymbhogona þe him unnet sie;
260 læte sume hwile siofunga ana[1]
ermða sinra[2]; þeah him eall sie
þes middangeard swa swa merestreamas
utan belicgað on æht gifen,
efne swa wide swa swa westmest nu
265 an iglond ligð ut on garsecg,
þær nængu bið niht on sumera
ne wuhte þon ma on wintra dæg
toteled tidum, þæt is Tile haten:
Þeah nu anra hwa ealles wealde
270 þæs iglandes, and eac þonan
oð Indeas eastewearde,
þeah he nu þæt eall agan mote,
hwy bið his anwald auhte ðy mara,
gif he siððan nah his selfes geweald
275 ingeðances, and hine corneste
wel ne bewarenað wordum and dædum
wið ða unþeawas þe we ymb sprecað?

XVII. [III,6] Nobility.

Hwæt[3], eorðwaran ealle hæfden,
foldbuende, fruman gelicne;
280 hi of anum twæm ealle comon,
were and wife, on woruld innan,
and hi eac nu get ealle gelice
on woruld cumað, wlance and heane.
Nis þæt nan wundor, forðæm witan ealle
285 þæt an god is ealra gesceafta,
frea moncynnes, fæder and scippend.
Se ðære sunnan leoht seleð of heofonum
monan and þyssum[4] mærum steorrum.
Se milda metod[5] gesceop men on eorðan,
290 and gesamnade sawle to lice
æt fruman ærest, folc under wolcnum
emnæðele gesceop æghwilcne mon.

---
[1] and [2] þinra [3] Ðæt J] C *dam.* [4] þys [5] Se milda metod] se *MS. (em. Krapp)*

Hwy ge þonne æfre ofer oðre men
ofermodigen buton andweorce,
295 nu ge unæðelne nænigne[1] metað?
Hwy ge eow for æþelum up ahebben nu?
On þæm mode bið monna gehwilcum
þa rihtæþelo þe ic ðe recce ymb,
nales on ðæm flæsce foldbuendra.
300 Ac nu æghwilc mon þe mid ealle bið
his unþeawum underðieded,
he forlæt ærest lifes frumsceaft
and his agene æþelo swa selfe,
and eac þone fæder þe hine æt fruman gesceop.
305 Forðæm hine anæþelað ælmihtig god,
þæt he unæþele a forð þanan
wyrð on weorulde, to wuldre ne cymð.

XXVIII. [IV, 5] The Wonder.

Hwa is on eorðan nu unlærdra
þe ne wundrige wolcna færeldes,
310 rodres swifto, ryne tungla[2],
hu hy ælce dæge utan ymbhwerfað[3]
eallne middangeard? Hwa is moncynnes
þæt ne wundrie ymb þas wlitegan tungl,
hu hy sume habbað swiðe micle
315 scyrtran ymbehwerft, sume scriðað leng
utan ymb eall ðis? An þara tungla
woruldmen hatað wænes þisla;
þa habbað scyrtran scriðe and færelt,
ymbhwerft læssan, ðonne oðru tungl,
320 forðæm hi þære eaxe utan ymbhweorfað
þone norðende, nean ymbcerrað;
on ðære ilcan eaxe hwerfeð
eall ruma rodor, recene scriðeð,
suðheald swifeð, swift untiorig.
325 Hwa is on weorulde þæt ne wafige,
buton þa ane þe hit ær wisson,
þætte mænig tungul maran ymbhwyrft
hafað on heofonum, sume hwile eft
læsse gelīðað, þa þe lacað ymb eaxe ende,
330 oððe micle mare geferað þa hire middre[4] ymbe
þearle þrægað[5]? Þara is gehaten
Saturnus sum, se hæfð ymb þritig
wintergerimes weoruld ymbcirred.
Boetes eac beorhte scineð,
335 oðer steorra; cymeð efne swa same
on þone ilcan stede eft ymb þritig
geargerimes, ðær he gio ða wæs.
Hwa is weoruldmonna þæt ne wafige
hu sume steorran oð ða sæ farað
340 under merestreamas, þæs ðe monnum ðincð?
Swa eac sume wenað þæt sio sunne do,
ac se wena nis wuhte þe soðra.
Ne bið hio on æfen ne on ærmorgen
merestreame þe near ðe on midne dæg,
345 and þeah monnum þyncð þæt hio on mere gange,

[1] ænigne [2] tunglo [3] ymbhwerfeð [4] mid ore [5] þrægeð

under sæswife, þonne hio on setl glideð.
Hwa is on weorulde þæt ne wundrige
fulles monan, þonne he færinga
wyrð under wolcnum wlites bereafad,
350 beþeaht mid þiostrum? Hwa þegna ne mæge
eac wafian ælces stiorran,
hwy hi ne scinen scirum wederum
beforan ðære sunnan swa hi symle doð
middelnihtum wið þone monan foran,
355 hadrum heofone? Hwæt, nu hæleða fela
swelces and swelces swiðe wundrað,
and ne wundriað þætte wuhta gehwilc,
men and netenu, micelne habbað
and unnetne andan betweoh him,
360 swiðe singalne. Is þæt sellic þincg,
þæt hi ne wundriað hu hit on wolcnum oft
þearle þunrað, þragmælum eft
anforlæteð, and eac swa same
yð wið lande ealneg winneð,
365 wind[1] wið wæge. Hwa wundrað þæs,
oððe oþres eft, hwi þæt is mæge
weorðan of wætere; wlitetorht[2] scineð
sunna swegle hat; sona gecerreð
ismere ænlic on his agen gecynd,
370 weorðeð to wætre. Ne þincð þæt wundor micel
monna ænegum þæt he mægge gesion
dogora gehwilce, ac ðæt dysie folc
þæs hit seldnor gesihð swiðor wundrað,
þeah hit wisra gehwæm wundor ðince
375 on his modsefan micle læsse;
unstaðolfæste ealneg wenað
þæt þæt ealdgesceaft æfre ne wære
þæt hi seldon gesioð; ac swiþor giet
weoruldmen wenað þæt hit weas come,
380 niwan gesælde, gif hiora nængum hwylc
ær ne oðeowde; is þæt earmlic þinc.
Ac gif hiora ænig æfre weorðeð
to ðon firwetgeorn þæt he fela onginð
leornian lista, and him lifes weard
385 of mode abrit þæt micle dysig
ðæt hit oferwrigen mid wunode lange,
þonne ic wat[3] geare þæt hi ne wundriað
mæniges þinges þe monnum nu
wæfðo[4] and wunder welhwær þynceð.

XXXI. [V,5] Man and Beast.

390 Hwæt, þu meaht ongitan, gif his ðe geman lyst,
þætte mislice manega wuhta
geond eorðan farað ungelice;
habbað blioh and fær, bu ungelice,
and mægwlitas manegra cynna
395 cuð and uncuð. Creopað and snicað,
eall lichoma eorðan getenge.
Nabbað hi æt fiðrum fultum, ne magon hi mid fotum gangan,
eorðan brucan, swa him eaden wæs.

[1] J] winð C [2] wlitetorh [3] wæt [4] wærðo

Sume fotum twam foldan peððað,
400 sume fierfete, sume fleogende
windað under wolcnum. Bið ðeah wuhta gehwylc
onhnigen to hrusan, hnipað ofdune,
on weoruld wliteð, wilnað to eorðan,
sume nedþearfe, sume neodfræce.
405 Man ana gæð metodes gesceafta
mid his andwlitan up on gerihte.
Mid ðy is getacnod þæt his treowa sceal,
and his modgeþonc, ma up þonne niðer
habban to heofonum, þy læs he his hige wende
410 niðer swa ðær nyten. Nis[1] þæt gedafenlic
þæt se modsefa monna æniges
niðerheald wese, and þæt neb upweard.

22. KING ALFRED.
PREFACE TO ST. AUGUSTINE'S SOLILOQUIES

MS.: BM. Cotton Vitellius A XV; late X/early XI century. - *edd.:* W. Endter, Bbl. d. ags. Prosa 11, Hamburg 1922; H.L. Hargrove, Yale Studies XIII, 1902. - HB. 718-28; Ke. 3349-76; Ba. 85-88; RO. 243.

Gaderode me þonne kigclas°, and stuþansceaftas, and lohsceaftas, and hylfa to ælcum þara tola þe ic mid wircan cuðe, and bohtimbru and bolttimbru to ælcum þara weorca þe ic wyrcan cuðe, þa wlitegostan treowo be þam dele ðe ic aberan meihte. Ne com ic naþer[2] mid anre byrðene ham, þe me
5 ne lyste ealne þane wude ham brengan, gif ic hyne ealne aberan meihte. On ælcum treowo ic geseah hwæthwugu þæs þe ic æt ham beþorfte. Forþam ic lære ælcne ðara þe maga si, and manigne wæn hæbbe, þæt he menige to þam ilcan wuda þar ic ðas stuðansceaftas cearf, fetige hym þar ma, and gefeðrige hys wænas mid fegrum gerdum, þat he mage windan manigne smicerne
10 wah, and manig ænlic hus settan and fegerne tun timbrian þara, and þær murge and softe mid mæge on eardian ægðer ge wintras ge sumeras, swa swa ic nu ne gyt ne dyde. Ac se þe me lærde, þam se wudu licode, se mæg gedon þæt ic softor eardian [mage] ægðer ge on þisum lænan stoclife be þis wæge ða while þe ic on þisse weorulde beo, ge eac on þam ecan[3] hame ðe he us
15 gehaten hefð þurh sanctus Augustinus and sanctus Gregorius and sanctus Ieronimus, and þurh manege oððre halie fædras; swa ic gelyfe eac þæt he gedo for heora ealra earnunge ægðer ge þisne weig gelimpfulran gedo þonne he ær þissum wes, ge huru[4] mines modes eagan to þam ongelihte þæt ic mage rihtne weig aredian to þam ecan hame, and to þam ecan are, and to
20 þare ecan reste, þe us gehaten is þurh þa halgan fæderas. Sie swa!

Nis hit nan wundor þeah man swilc ontimber gewirce eac on þare utlade and eac on þære bytlinge; ac ælcne man lyst, siððan he ænig cotlyf on his hlafordes læne myd his fultume getimbred hæfð, þæt he hine mote hwilum þaron gerestan, and huntigan, and fuglian, and fiscian, and his on
25 gehwilce wisan to þere lænan tilian, ægþær ge on se ge on lande, oð þone fyrst þe he bocland and æce yrfe þurh his hlafordes miltse geearnige. Swa gedo se wilega gifola[5], se ðe egðer wilt ge þissa lænena stoclife ge þara ecena hama. Se ðe ægþer gescop and ægþeres wilt, forgife me þæt me to ægðrum onhagige, ge her nytwyrðe[6] to beonne, ge huru þider to cumane.

30 Agustinus, Cartaina bisceop, worhte twa bec be his agnum ingeþance. Þa bec sint gehatene 'soliloquiorum', þæt is, be hys modes[7] smeaunge and tweounga; hu hys gesceadwisnes answarode hys mode, þonne þæt mod ymbe hwæt tweonode, oþþe hit hwæs wilnode to witanne þæs þe hit ær for sweotole ongytan ne meahte.

---

1 is

2 naþr 3 hecan 4 hure 5 gidfola 6 nytwyrde 7 modis

THE LINDISFARNE MANUSCRIPT

British Museum, Cotton Nero D IV; cf. pp. XXVI and 66 ff.

23. ST. ANDREW

MSS.: *B* = Titusville, Collection of W.H. Scheide, "Blickling Homilies"; 2nd half X century. (*C*=CCCC. 198; early XI century.) — *edd.*: R. Morris, EETS. 58, 63, 73; C: C.W. Goodwin, Cambridge, 1851.— HB. 752-54, 777-81; Ke. 3343, 3414-15; Ba. 92; RO. 243-45; Ker 382 and 48.

Her segð þæt æfter þam þe drihten hælend Crist to heofonum astah, þæt þa apostoli wæron ætsomne; and hie sendon hlot him betweonum, hwider hyra gehwylc faran scolde to læranne. Segþ þæt se eadiga Matheus gehleat to Marmadonia þære ceastre; segð þonne þæt þa men þe on þære ceastre wæron þæt hi hlaf ne æton, ne wæter ne druncon, ac æton manna lichaman 5 and heora blod druncon. And æghwylc man þe on þære ceastre com ælþeodisc, segð þæt hie hine sona genamon and his eagan ut-astungon; and hie him sealdon attor drincan þæt mid myclen lybcræfte wæs geblanden; and mid þy þe hie þone drenc druncon, hraþe heora heorte[1] wæs tolesed and heora mod onwended. — 10

Þa drihten hælend Crist cwæð to ðæm halgan Andrea his apostole, mid þy þe he wæs in Achaia þæm lande and þær lærde his discipuli, he cwæð: 'Gang on Mermedonia ceastre, and alæde þonon Matheum þinne broþor of þæm carcerne, forþon þe nu git þry dagas to lafe syndon, þæt hie hine willað acwellan and him to mete don.' Se halga Andreas him and- 15 swarede, and he cwæð: 'Min drihten hælende Crist, hu mæg ic hit on þrim dagum gefaran? Ac ma wen is þæt þu onsende þinne engel, se hit mæg hrædlicor geferan; forðon, min drihten, þu wast þæt ic eom flæsclic man, and ic hit ne mæg hrædlice[2] þider geferan, forðon þe, min drihten, se siþfæt is þyder to lang, and þone weg ic ne con.' Drihten Crist him to cwæð: 20 'Andreas, gehyre me, forþon þe ic þe geworhte, and ic þinne siþfæt gestaðelode and getrymede. Gang nu to ðæs sæs waroðe mid þinum discipulum; and þu þær gemetst scip on þæm waroðe; and astig on þæt mid þinum discipulum.' And mid þy þe he þis cwæð, drihten hælend ða git wæs sprecende and cwæð: 'Sib mid þe and mid eallum þinum discipulum!' And he 25 astag on heofenas.

Tunc sanctus Andreas surgens mane abiit ad mare cum discipulis suis, et uidit nauiculam in litore, et intra naue sedentes tres uiros.

Se halga Andreas þa aras on morgen, and he eode to þære sæ mid his discipulum; and he geseah scip on þæm warþe and þry weras on þæm 30 sittende; and he wæs gefeonde myclum gefean, and him to cwæþ: 'Broþor, hwyder wille ge feran mid þys medmyclum scipe?' Drihten hælende Crist wæs on þæm scipe swa se steorreþra, and his twegen englas mid him þa wæron gehwyrfde on manna onsyne. Drihten Crist him þa to cwæð: 'On Mermedonia ceastre.' Se halga Andreas him andswerede and cwæð: 'Broðor, 35 onfoh us mid eow on þæt scip, and gelædaþ us on þa ceastre!' Drihten him to cwæð: 'Ealle men fleoþ of þære ceastre; to hwam wille ge þyder faran?' Se halga Andreas him andswerede, he cwæþ: 'Medmycel ærende we þyder habbað, and us is þearf þæt we hit þeh gefyllon.' Drihten hælende Crist him to cwæð: 'Astigað on þis scip to us, and syllaþ us eowerne fersceat!' Se halga Andreas him andswerede: 'Gehyraþ, gebroþor, ne habbað we fersceat; ah we syndon discipuli drihtnes hælendes Cristes þa he geceas, and þis bebod he us sealde and he cwæð: "Þonne ge faran godspel to lærenne, þonne næbbe ge mid eow hlaf, ne feoh, ne twyfeald hrægl." Gif þu þonne wille mildheortnesse us don, sæge us þæt hrædlice. Gif þu þonne nelle, gecyþe us swa þeah þone weg!' Drihten him to cwæð: 'Gif þis gebod eow wære geseald fram eowrum drihtne, astigað hider mid gefean on min scip.'

1-10 *MS. C* [1] heorta [2] hrædlicor

Se halga Andreas þa astag on þæt scip mid his discipulum, and he gesæt be þæm steorreþran þæs scipes, þæt wæs drihten hælend Crist. Drihten
50 hælend Crist him to cwæð: 'Ic geseo þæt þas broþor synd geswencede of ðisse sæwe hreonesse; axa hie hweþer hie woldon to eorþan astigan, and þin þær onbidan, oþþæt þu gefylle þine þegnunge to þære þe þu sended eart, and ðu þonne eft hwyrfest to him.' Se halga Andreas him to cwæð: 'Min bearn, willaþ ge astigan on eorðan and min þær onbidan?' His discipuli him
55 andswaredon and cwædon: 'Gif we gewitaþ fram þe, þonne beo we fremde from eallum þæm godum þe þu us gegearwodest; ac we beoþ mid þe swa hwyder swa þu færest.'

Drihten hælend him to cwæþ to þæm: 'Gif þu sy soþlice his discipul se is cweden Crist, sprec to þinum discipulum be þæm mægenum þe þin
60 lareow dyde, þætte sy geblissad heora heorte, and hie syn ofergytende þisse sæwe ege.' Se halga Andreas þa cwæð to his discipulum: 'Sumre tide mid þy þe we wæron mid urum drihtne, we astigon mid him on scip, and he æteowde us swa he slæpende wære to costianne, ond dyde swiþe hreonesse ðære sæwe, fram þæm winde wæs geworden, swa þæt þa sylfan yþa wæron
65 ahafene ofer þæt scip; we us þa swiþe ondredon and cegdon to him drihtne hælendum Criste, and he þa aras and bebead þæm winde þæt he gestilde; ða wæs geworden mycel smyltnes on þære sæ; and hi hine ondredon ealle þa þe his weorc gesawon. Nu þonne, min bearn, ne ondrædaþ ge eow, forþon þe ure god us ne forlæteþ.' Ond þus cweþende se halga Andreas asette his
70 heafod ofer ænne his discipula and he onslep. —

24. OLD ENGLISH GOSPELS

IN THREE VERSIONS

L = **Lindisfarne interlinear gloss.** — *MS.*: BM., Cotton Nero D IV; Xth century. *Glossator: Aldred.*

R = **Rushworth interlinear gloss.** — *MS.*: Bodleian Lb., Auct. D II.19; 2nd half of the Xth century (after *L*). *Glossators*: *Farman* (R 1: Matthew — Mark II, 15) and *Owun* (R 2: Mark II, 16 —John).

C = **West Saxon translation.** *MS.*:Cambridge, Corpus Christi Coll. 140; early XIth century. (*Marginal note*: Ego Ælfricus scripsi hunc librum in monasterio Baðþonio.)

edd.: W. W. Skeat, The Holy Gospels in Anglo-Saxon, Northumbrian, and Old Mercian Versions, &c., Cambridge 1871-87. (*L*: cf. E. G. Millar, The Lindisfarne Gospels, London 1923/4. *C*: J. W. Brown, Oxford 1893 - Boston 1904.) — HB. 813-21; Ke. 3496-3521; Ba. 95; RO. 250.

St. Matthew XII, 1-14. The Sabbath Day.

Latin text from L: 1. In illo tempore abiit Iesus sabbato per sata; discipuli autem eius esurientes, coeperunt uellere spicas, et manducare. 2. Pharisaei autem uidentes dixerunt ei: 'Ecce discipuli tui faciunt quod non licet eis facere sabbatis.' 3. At ille dixit eis: 'Non legistis quid fecerit Dauid,
5 quando esuriit et qui cum eo erant, 4. quomodo intrauit in domum dei, et panes propositionis comedit, quos non licebat ei edere, neque his, qui cum eo erant, nisi solis sacerdotibus? 5. Aut non legistis in lege quia sabbatis sacerdotes in templo sabbatum uiolant, et sine crimine sunt? 6. Dico autem uobis, quia templo maior est hic. 7. Si autem sciretis, quid est 'misericor-
10 diam uolo et non sacrificium', nunquam condemnassetis innocentes. 8. Dominus est enim filius hominis etiam sabbati.'

9. Et cum inde transisset, uenit in synagogam eorum. 10. Et ecce homo manum habens aridam, et interrogabant eum dicentes, si licet sabbatis curare, ut accusarent eum. 11. Ipse autem dixit illis: 'Quis erit ex uobis
15 homo, qui habeat ouem unam, et si ceciderit haec sabbatis in foueam nonne tenebit et leuabit eam? 12. Quanto magis melior est homo oue! Itaque

licet sabbatis bene facere.' 13. Tunc ait homini: 'Extende manum tuam!' Et extendit, et restituta est sanitati sicut altera. 14. Exeuntes autem Pharisaei consilium faciebant aduersus eum, quomodo eum perderent.

L 1. In ðæm tid geeade hælend in Sunnadæg ðerh ðone weg; ðegnas uutedlice his hia hyncerdon, ongunnun genioma ða ehera ond geetta. 2. [Pharisaei] uutedlice gesegon. cuedon him: 'Heonu, ðegnas ðine doas þæt nis gelefed him to doanne ł to wyrcanne in Sunnadagum,' 3. Soð he cuoeð him: 'Ne leornade ge huæt dyde (Dauid), ðonne hine gehyngerde ond ða ðe mið him weron, 4. huu inneade in hus godes ond hlafas getemeseda ł foresetne gebrec ða neron gelefed him to gebrucanne ne ðæm ða ðe mið him weron buta anum mesapreostum? 5. ł ne leornade ge in æ forðon Sunnadagum measapreostas in tempel Sunnadæg hia widlas ond buta hehsynne sint? 6. Ic cuoeðo uutedlice iuh forðon from tempel mara is ðes ł ðis. 7. Gif uutedlice ge wiston huæt is 'miltheortnisse ic willo ond nis husul', næfre geteldon ge ða unsuinnigo. 8. Drihten is forðon sunu monnes gee ł soðlic to Sunnadæ ł to Seternesdæg.' 20 L 25 30

9. Ond mið ðy ðona ofer gecade, cuom in somnungum hiora. 10. Ond heonu, monn hond hæfde dryi ł forscriuncen ond gefraignades hine cuoede, gif is gelefed on Sabbatum geme ł gelecnia þætte he gefræpgedon ł geteldon hin. 11. He soðlice cueð ðæm: 'Hua bið from iuh monn se ðe hæfde ł hæfis scip an ond gif gefallas ðius ł ða on Sabbatum in seað ah-ne haldas ł ah-ne welle gehalda ond gehebbes ða ilco? 12. Mara woen-is betra ł sella is monn from scip ł ðon scip! Forðon is gelefed in Sabbatum wel doa.' 13. Ða cueð to menn: 'Geðen ł gespræd hond ðin!' Ond geðenede ond geedniuad wæs to hælo suæ ðiu oðra ł oðer hond. 14. Ðona geadon uutedlice (Pharisaei) geðæhtung hia gedydon wið him huu hine mæhtes to lose gedoa. 35 40

R 1. In þa tid eode se hęlend þurh acras on ræstedæge; leorneras þa his hyngrede, ongunnon hriopan æchir ond eton. 2. Farissæis þa gesægon, cwedun to him: 'Henu, discipulas þine doaþ on restedagum þæt nis alefed heom to doanne.' 3. He þa cweð to heom: 'Ah ge hreordeþ hwæt dyde Dauid þa hine hyngrede ond þa þe mid him weron, 4. hu he eode in hus gode ond hlaf forðsetenisse et þa þe ne wæs gelæfed ł ne byrede him to etanne ne þæm þe mid him wæron nymþe anum sacerdum? 5. Oþþ ne reordaþ in ae þæt on restedægum sacerdes in templ þa ræstedæge wemmaþ ond butan hehsynne syndon? 6. Ic sæcge þonne eow þæt templ mara is her. 7. Þær ge þonne wiston hwæt þæt is 'mildheortnisse ic wille ond no asægdnisse', næfre ge niðrade þa unsceþðende. 8. Drihten is forþon ge ec gerestedæges sunu monnes.' R 45 50

9. Ond þa he þonan geliorde cuom in somnunge heora. 10. Ond mon wæs ðær honda hæbbende adrugade, ond hie frugan ł ahsadun hine cweþende, mot monn on restedagum hælon, þæt hie cwæmdon ł acuste hine. 11. He þa cwæþ to heom: 'Hwilc bið eower monn se þe hæbbe scep an ond gif fealleþ þæt in seaþ ł pytt on restedægum, ah he ne genimeþ hine ond ahefeþ? 12. Hu miccle mæ ł swiðor bettra is monn þonne scep! Forþon is alefed on restedagum god to doanne.' 13. Þa cwæþ he to þæm menn: 'Aþene hondæ þine!' Ond he aþenede honda his, ond agefen wæs þem hælo swa siu oþeru. 14. Ond utgangende þa Fariseas geþehtunge dydun wið hine hu hie hine ofslean sculdon. 55 60

C 1. Se hælynd for on restedæge ofyr æcyras; soðlice hys leorningcnihtas hingryde, and hig ongunnun pluccian þa ear and ætan. 2. Soþlice þa ða sundorhalgan þæt gesawon, hi cwædon to him: 'Nu þine leorningcnihtas doð þæt him alyfyd nys restedagun to donne.' 3. And he cwæð to him: 'Ne rædde ge hwæt Dauid dyde þa hyne hingrede and þa ðe mid hym wærun, 4. hu he ineode on godes hus and æt þa offring-hlafas, þe nærun him alyfede 65 C 70 to etynne ne þam þe mid him wærun, butun þam sacerdum anum? 5. Oððe ne rædde ge on þære æ, þæt þa sacerdas on restedagum on þam temple gewemmað þone restedæg and synt butan leahtre? 6. Ic secge soðlice eow þæt þes ys mærra þonne þæt templ. 7. Gyf ge soðlice wistun hwæt is 'Ic wylle mildheortnesse and na onsægdnysse', ne genyþrude ge æfre unscyldige. 8. Soðlice mannes sunu ys eac restedæges hlafurd.'

9. Ða se hælend þanum for, he com into hyra gesomnunge. 10. Þa wæs þær an man se hæfde forscruncene hand, and hi ahsudon hyne þus cweðende 'Ys hyt alyfed to hælenne on restedagum', þæt hi wrehton hyne. 11. He sæde him soðlice: 'Hwylc man ys of eow, þe hæbbe an sceap, and gyf þæt afylð restedagum on pytt, hu ne nymð he þæt, and hefð hyt upp? 12. Witodlice micle ma mann ys sceape betera, witodlice ys alyfed on restedagum wel to donne.' 13. Ða cwæð he to þam menn: 'Aþene þine hand!' And he hi aþenede, and heo wæs hal geworden swa seo oþer. 14. Ða sundorhalgan eodun þa ut soðlice, and worhton geþeaht ongen hyne, hu hi hyne forspildon.

St. John II, 1-11. The Marriage in Cana.

Latin text from L: 1. Et die altero nubtiae factae sunt in Canna Galilaeae et erat mater Iesu ibi. 2. Uocatus est autem ibi et Iesus et discipuli eius ad nubtias. 3. Et deficiente uino dicit mater Iesu ad eum: 'Uinum non habent.' 4. Et dicit ei Iesus: 'Quid tibi et mihi est, mulier; nondum uenit hora mea.' 5. Dicit mater eius ministris: 'Quodcunque dixerit uobis, facite.' 6. Erant autem ibi lapidae hydriæ sex positae secundum purificationem Iudaeorum capientes singuli metretas binas uel ternas. 7. Dicit eis Iesus: 'Implete hydreas aqua!' Et impleuerunt eas usque ad summum. 8. Et dicit eis Iesus: 'Haurite nunc, et ferte archetriclino!' Et tulerunt. 9. Ut autem gustauit archetriclinus aquam uinum factum et non sciebat unde esset, ministri autem sciebant qui haurierant aquam, uocat sponsum archetriclinus 10. et dicit ei: 'Omnis homo primum bonum uinum ponit et cum inebriati fuerint, tunc id quod deterius est. Tu servasti bonum uinum usque athuc.' 11. Hoc fecit initium signorum Iesus in Cana Galilaeae et manifestauit gloriam suam et crediderunt in eum discipuli eius.

L **1. Ond doeg oðero hæmdo ɫ færmo geuordeno ueron in ðær byrig geliornesses, ond uæs ðiu moder ond ðe hælend ðer. 2. Geceiged uæs uutudlice ðer ɫ ðider æc se hælend ond ðegnas his to ðæm farmum ɫ hæmdum. 3. Ond mið ðy gescyrte ɫ gesceortade þæt uin cuoeð moder hælendes to him: 'Uin nabbað.' 4. Ond cueð to him se hælend: 'Huæd ðe ond me is, la wif; ne ða get[1] cuom tid min.' 5. Cuæð moder his ðæm embehtmonnum ɫ ðæm birilum: 'Suæ huæd he gecueðas to iuh, doað ɫ uircað.' 6. Woeron uutudlice ðer stænino fatto ɫ bydno sex gesettedo æfter clænsunge Iudana niomende ɫ genomon syndrige sestras tuoege ɫ ðrea. 7. Cuæð to ðæm se hælend: 'Gefylleð gie ða fatto of uætre!' Ond gefyldon ða ilca uið to briorde up[2]. 8. Ond cuæð him to se hælend: 'Birleð ɫ dæleð nu ɫ sona ond brengeð ðæm aldormen!' Ond gebrohtun. 9. Þætte ɫ mið ðy uutudlice ingeberigde ɫ ingebarg se aldormon þæt uæter to uine geuorden ond ne wiste huona were, ða embehtmenn[3] uutudlice geuiston ða ðe birladon þæt uæter, ceigeð ðone brydguma se aldormonn, ond cuoeð to him: 'Aelc mon ðone forma ɫ ærist þæt god uin setteð ond mið ðy indrungno biðon ðonne[4] þæt ðætte wurresta bið ɫ is; ðu gehealde þæt god uin uið to ðises ɫ uið nu ɫ nið ða-geana.' 11. Ðis uorhte frumma ðara uundra se hælend in ðær byrig, ond ædeaude uuldor ɫ gefea his, ond gelefdon on hine ðegnas his.** **L**

R **1. Ond dæge ðirda hæmdo ɫ feorme awordne werun in ðær byrig; ond wæs ðio moder ond ðe hælend ðer. 2. Giceged wæs wutudlice ond ðe** **R**

---

[1] get ɫ *MS.* [2] up ɫ *MS.* [3] -menn ɫ *MS.* [4] ðonne ɫ *MS.*

hælend ond ðegnas his to ðæm feormum. 3. Ond mið ðy giscyrte þæt win cwæð ðio moder ðæs hælendes to him: 'Winn ne habbað.' 4. Ond cwæð him ðe hælend: 'Hwæt me ond ðe is, wif; ne ða gett com tide min.' 5. Cwæð moder his ðæm embihtmonnum: 'Swa hwæt gecweoðas to iow doað ⁊ wyrceð þæt.' Werun wutudlice stænene fato sexo gisette æfter clænsunge Iudeana nimende ⁊ ginom syndrige sestras twoege ⁊ ðria. 7. Cwæð him ðe hælend: 'Gifyllað ge ða fato ðas of wætre.' Ond gifuldun ða[1] ilco oð to[2] briorde upp. 8. Ond cwæð him ðe hælend: 'Biriligað nu ond brengað ðæm aldormen.' Ond to-gibrohtun. 9. Þæt wutudlice inberigde ðe aldormon ðæt wæter to wine giworden ond ne wiste hwona were, ða embihtmen wutudlice gewistun ða ðe biriladun[3] þæt wæter, gicegað ðone brydguma ðe aldormonn 10. ond cwæð him: 'Eghwelc mon ðe forma ⁊ ærist ðæt gode win seteð ond mið ðy indruncne bioðon menn ðonne ⁊ ðæt ðætte wyrest bið; ðu soðlice giheolde ðæt gode winn wið to ðisse ⁊ wið nu.' 11. Ðis worhte fruma ðara wundra ðe hælend in ðær byrig, ond æteowde wuldor his ond gilefdun in hine ðegnas his.

C 1. On þam þriddan dæge wæron gyfta gewordene on Chanaa Galileæ; and þæs hælendes modor wæs þær. 2. Soþlice se hælend and his leorningcnihtas wæron gelaðode to þam gyfton. 3. And þa þæt win geteorude, þa cwæð þæs hælendes modor to him: 'Hi nabbað win.' 4. Þa cwæþ se hælend to hyre: 'La, wif, hwæt is me and þe; gyt min tima ne com.' 5. Ða cwæð þæs hælendes modor to þam þenum: 'Doð swa hwæt swa he eow secge.' 6. Þær wæron soðlice aset six stænene wæterfatu æfter Iudea geclænsunge; ælc wæs on twegra sestra gemete oððe on þreora. 7. Ða bead se hælend þæt hig þa fatu mid wætere gefyldon. And hig gefyldon þa oþ þone brerd. 8. Ða cwæþ se hælend: 'Hladaþ nu and berað þære drihte ealdre.' And hi namon. 9. Ða se drihte ealdor þæs wines onbyrigde þe of þam wætere geworden wæs, he nyste hwanon hyt com; þa þenas soðlice wiston þe þæt wæter hlodon. Se drihte ealdor clypode þone brydguman 10. and cwæð to him: 'Ælc man sylþ ærest god win, and þonne hig druncene beoð þæt þe wyrse byð; ðu geheolde þæt gode win oð þis.' 11. Ðis wæs þæt forme tacn þe se hælend worhte on Chanaa Galileæ, and geswutelode his wuldor; and his leorningcnihtas gelyfdon on hine.

The Glossators.

L *Aldred at the end of St. John:* Eadfrið biscob Lindisfearnensis æcclesiæ he ðis boc aurat æt fruma gode ond sancte Cuðberhte ond allum ðæm halgum gimænelice ða ðe in eolonde sint. Ond Eðiluald Lindisfearneolondinga biscob hit uta giðryde ond gibelde sua he uel cuðæ. Ond Billfrið se oncræ he gismioðade ða gihrino ða ðe utan on sint ond hit gihrinade mið golde ond mið gimmum æc mið suulfre ofergylded faconleas feh. Ond [ic] Aldred presbyter indignus et miserrimus mið godes fultummæ ond sancti Cuðberhtes hit ofergloesade on Englisc, ond hine gihamadi mið ðæm ðriim dælum: Matheus dæl gode ond sancte Cuðberhti; Marcus dæl ðæm biscobe; ond Lucas dæl ðæm hiorode ond æhtu ora seulfres mið to inlade; ond sancti Iohannis dæl for hine seolfne ond feouer ora seulfres mið gode ond sancti Cuðberhti þætte he hæbbe ondfong ðerh godes milsæ on heofnum seel ond sibb on eorðo forðgeong ond giðyngo uisdom ond snyttro ðerh sancti Cuðberhtes earnunga. Eadfrið, Oeðiluald, Billfrið, Aldred hoc euangeliarium deo et Cuðberhto construxerunt vel ornauerunt.

R *Farman at the end of St. Matthew:* Farman presbyter þas boc þus gloesede, dimittet ei dominus omnia peccata sua si fieri potest apud deum.

Owun near the end of St. John: Ðe min bruche gibidde fore Owun ðe ðas boc gloesde Færmen ðæm preoste æt Harawuda hæfe nu boc awritne; bruca mið willa, symle mið soðum gileafa; sibb is eghwæm leofost.

[1] gifyldun d ða *MS.* [2] to to *MS.* [3] biriladun ⁊ wæs *MS.*

25. PSALM XXIII

IN FIVE OE AND ME VERSIONS

HB. 891-906; Ke. 3554-63, 4838-43, We. VIII, 13/17; Ba. 95-96, 189.

Latin text from A: 1. Dominus regit me et nihil mihi deerit; 2. in loco pascuae ibi me collocauit; super aquam refectionis educauit me; 3. animam meam conuertit; deduxit me super semitam iustitiae propter nomen suum.

4. Nam etsi ambulem in medio umbrae mortis, non timebo mala, 5 quoniam tu mecum es; uirga tua et baculus tuus ipsa me consolata sunt. 5. Parasti in conspectu meo mensam, aduersus eos qui tribulant me. Inpinguasti in oleo caput meum, et poculum tuum inebrians quam praeclarum est.

6. Et misericordia tua subsequitur me omnibus diebus uitae meae, ut 10 inhabitem in domo domini in longitudinem dierum.

A. *Vespasian. Interlinear Gloss of the IXth Century.*

MS.: BM., Cotton Vespasian A 1; IX century. — *ed.:* H. Sweet, Oldest Engl.Texts, EETS. 83.

1. Dryhten receð me, ond nowiht me wonu bið; 2. in stowe leswe ðer mec gesteaðelade; ofer weter gereo[r]dnisse aledde mec; 3. sawle mine gecerde; gelædde me ofer stige rehtwisnisse fore noman his.

4. Weotudlice ond ðæh ðe ic gonge in midle scuan deaðes, ne ondredu 15 ic yfel, forðon ðu mid me erð; gerd ðin ond cryc ðin hie me froefrende werun. 5. Ðu gearwades in gesihðe minre biod wið him ða swencað mec. Ðu faettades in ele heafud min, ond drync ðinne indrencende swide freaberht is.

6. Ond mil[d]heortniss ðin efterfylgeð mec allum degum lifes mines, ðæt ic ineardie in huse dryhtnes in lengu dega.

B. *Paris Psalter. WS Prose of the XIth Century.*

MS.: Paris, Bibliotheque Nationale, Latin 8824; XI century. — *ed.:* J. W. Bright - R.L.Ramsey, Bell. Lett. Ser. 1907.

20 Dauid sang þysne twa and twenteogeþan sealm, þa he witegode be Israela folces freodome, hu hy sceoldon beon alæd of Babilonia þeowdome, and hu hi sceoldon gode þancian þæra ara þe hi be wege hæfdon hamweardes; and eac be his agenre gehwyrftnesse of his wræcsiðe. And ælc þæra ðe hine singð, he þancað gode his alysnesse of his earfoðum. And swa dydon 25 þa apostolas and eall þæt cristenefolc Cristes æriste[s]. And eac þanciað cristene men on þyson sealme heora alysnesse of heora scyldum æfter fulluhte.

1. Drihten me ræt, ne byð me nanes godes wan; 2. and he me geset on swyðe good feohland; and fedde me be wætera staðum; 3. and min mod 30 gehwyrfde of unrotnesse on gefean; he me gelædde ofer þa wegas rihtwisnesse for his naman.

4. Þeah ic nu gange on midde þa sceade deaðes, ne ondræde ic me nan yfel, for þam þu byst mid me, drihten; þin gyrd and þin stæf me afrefredon, þæt is þin þreaung and eft þin frefrung. 5. Þu gegearwodest beforan 35 me swiðe bradne beod wið þara willan þe me hatedon. Þu gesmyredest me mid ele min heafod; drihten, hu mære þin folc nu is, ælce dæge hit symblað.

6. And folgie me nu þin mildheortnes ealle dagas mines lifes, þæt ic mæge wunian on þinum huse swiþe lange tiid oð lange ylde.

C. *Eadwine. Interlinear Gloss of the XIIth Century.*

MS.: Cambridge, Trinity Coll. R. 17. 1; XII ct. — *ed.*: F. Harsley, EETS. 92.

1. Drihten me gerecht, and nawuht me wane bið; 2. on þæıæ stowe fosternoðes ðer he me gestæþelede; ofer weteræs gereordunge he gefedde me; 3. sæwle mine he gecyrde; he ledde me ofer siðfet oððe stige rihtwisnesse for his nomæn. 40

4. Witotlice and gef ic gange on myddæn deæþes sceaduwe, ne ondræde ic yfæle, forþæn þu myd me bist oððe ært; þin gierd and stef þin hy me frefredon. 5. Þu geærwodest beod on minre gesihþe ongean þa þe eærfoþigæþ oððe swencton me; þu onbryddæs oððe mestest min heæfod on ele, and þin dryncefæt drungniende hu bryht oððe mere is. 45

6. And þin mildheortnesse me efterfylgend eællum dægum mines lifes, þet ic eærdige on drihtnes huse on langnesse minræ dægæ. 50

D. *ME. Prose Translation of the XIVth Century.*

MSS.: BM., Addit. 17376; c. 1340-50.[Dublin, Trinity Coll. A 4. 4; c. 1400.] — *ed.*: K. Bülbring, EETS. 97.

1. Our lord gouerneþ me, and noþyng shal defailen to me; 2. in þe stede of pasture he sett me þer; he norissed me vp water of fyllyng; 3. he turned my soule fram þe fende; he lad me vp þe bistiȝes of riȝtfulnes for his name.

4. For ȝif þat ich haue gon amiddes of þe shadowe of deþ, y shal nouȝt douten iuels, for þou art wyþ me; þy discipline and þyn amendyng conforted me. 5. Þou madest radi grace in my siȝt oȝayns hem þat trublen me; þou makest fatt myn heued wyþ mercy, and my drynk makand drunken ys ful clere. 55

6. And þy merci shal folwen me alle daies of mi lif, and þat ich wonne in þe hous of our lord in lengþe of daies. 60

E. *ME. Metrical Translation of the XIVth Century [Surtees-Psalter].*

MS.: BM., Cotton Vespasian D VII; c. 1350. — *edd.*: C. Horstmann, Yorkshire Writers, 1895/96. [Surtees Soc. 1843/47].

1. Lauerd me steres, noght wante sal me;
2. In stede of fode þare me louked he.
He fed me ouer watre ofe fode;
3. Mi saule he tornes in to gode. 65
He led me ouer sties of rightwisenes,
For his name, swa hali es.
4. For and ife I ga in mid schadw ofe dede,
For þou with me erte iuel sal I noght drede;
Þi ȝherde and þi stafe ofe mighte 70
Þai ere me roned dai and nighte.
5. Þou graiþed in mi sighte borde to be,
Ogaines þas þat droued me.
Þou fatted in oli mi heued ȝhite,
And mi drinke dronkenand whilc schire es ite! 75
6. And filigh me sal þi mercy
Alle daies ofe mi life forþi;
And þat I wone in hous ofe lauerd isse
In lenghte of daies al with blisse.

---

71 roned] ronynge *Var.* 73 droued] drouen *Var.* 78/79 And þat I wun with mikel strengh/In louerdes hous in daies lengh *Var.*

26. DURHAM RITUAL

INTERLINEAR GLOSS

MS.: Durham, Cath. Lb. A IV. 19; X ct. — *edd.:* J. Stevenson, Surtees Soc. 10, 1839. A. H. Thompson - U. Lindelöf, Surtees Soc. 140, 1927. — HB. 908-912; Ke. 3315, 3479; Ba. 35.

Adam.

Octo pondera de quibus factus est Adam: pondus limi, inde factus est caro; pondus ignis, inde rubeus est sanguis et calidus; pondus salis, inde sunt salsae lacrimae; pondus roris, unde factus est sudor; pondus floris, inde est uarietas oculorum; pondus nubis, inde est instabilitas 5 mentium; pondus uenti, inde est anhela frigida; pondus gratiae, id est sensus hominis.

Æhto pundo of ðæm auorden is Adam: pund lames of ðon auorden is flæsc; pund fyres of ðon read is blod ond hat; pund saltes of ðon sindon salto tehero; pund deaues of ðon auorden is suat; pund blostmes of ðon 10 is fagung egena; pund uolcnes of ðon is unstydfullnisse ⁊ unstaðolfæstnisse ðohta; pund uindes of ðon is oroð cald; pund gefe of ðon is ðoht monnes.

Við egna sare sinc ðis:

Benedicere et sanctificare digneris, omnipotens aeterne deus, hanc creaturam N. aquarum, quam benedicimus in tuo sancto nomine, et filii tui 15 Iesu Christi, et spiritus sancti, ut sit ad remedium aduersus insidias diaboli, et prestet sanitatem dolorem patienti. Sana, domine, oculos hominis istius cui benedicimus hanc creaturam occulorum, sicut sanasti oculos Tobie sancti, et sicut aperuisti oculos duorum cecorum clamantium tibi in euangelio et dicentium: 'Misereri nostri, fili Dauid'; et misertus es illis et aperti sunt 20 oculi eorum.

Gibloedsia ond gihalgia ðu gimoeduma, allmehtig ece god, ðas giscæft n. uætro þæt ue bloedsiað on ðinum halgum nome, ond bearnes ðines hælendes Cristes, ond gastes halges þætte sie to lecedome uið onsetto dioules ond giwunne hælo uoerc ðolende. Gihæl, drihtin, ego monnes ðisses 25 ðaem ue gibloedsað ðas giscæft egna, suæ ðu gihældest ego Tobies halges, ond suæ ðu untyndest ego tuoegra blinda clioppendra ðe on godspelle ond cuoeðendra: 'Milsa usra, sunu Dauides'; ond gimilsade ðæm ond untyndo uoeron ego hiora.

27. HU SE MAN SCEAL SWERIE

MS.: **Rochester Cath., Textus de Ecclesia Roffensi per Ernulphum Episc. etc.; about 1125. — *ed.*: F. Liebermann, Die Gesetze der Angelsachsen, Halle 1903. — Bibliogr. *see* OE Laws (above), cf. K. Malone *in* A Lit. Hist. of England (ed.A.C. Baugh), London 1952.**

Hu se man sceal swerie: On ðone drihten þe ðes haligdom is fore halig ic wille beon N. hold and getriwe, and eal lufian ðæt he lufað, and eal ascunian ðæt he ascunað, æfter godes rihte and æfter woroldgerysnum, and næfre willes ne gewealdes, wordes ne weorces owiht don ðæs him laðre bið, wið 5 þam ðe he me healde, swa ic earnian wille, and eall þæt læste, þæt uncer formæl wæs, þa ic to him gebeah and his willan geceas.

28. HIT BECWAETH AND BECWAEL

MS.: Rochester Cath., Textus de Ecclesia Roffensi per Ernulphum Episc. etc.; about 1125. — *ed.:* F. Liebermann, Die Gesetze der Angelsachsen, Halle 1903. — Bibliogr. *see* OE Laws (above), cf. K. Malone *in* A Lit. Hist. of England (ed.A.C. Baugh), London 1952.

I. Hit becwæð and becwæl se ðe hit ahte mid fullan folcrihte, swa swa hit is yldran mid feo and mid feor[m]e[1] rihte begeatan and letan and læfdan ðam to gewealde ðe hy wel uðan.
II. And swa ic hit hæbbe swa hit se sealde, ðe to syllanne ahte, unbryde and unforboden. 5
III. And ic agnian wylle to agenre æhte ðæt ðæt ic hæbbe and næfre ðe myntan ne plot ne ploh, ne turf ne toft, ne furh ne fotmæl, ne land ne læse, ne fersc ne mersc, ne ruh ne rum wudes ne feldes, landes ne strandes, wealtes ne wæteres;
IV. butan ðæt læste ða hwile ðe ic libbe; forðam nis æni man[2] 10 on life ðe æfre gehyrde ðæt man cwydde oððon crafode hine on hundrede oððon ahwar on gemote on ceapstowe oþþe on cyricware ða hwile þe he lifde unsac he wæs on life; beo on legere swa swa he mote!
V. Do swa ic lære: Beo ðe be þinum, and læt me be minum! 15 Ne gyrne ic ðines, ne læðes ne landes, ne sace ne socne; ne ðu mines ne ðærft[3], ne mynte ic ðe nan ðing.

29. BE WIFMANNES BEWEDDUNGE

MS., ed., &c.: cf. HIT BECWÆTH, *(above).*

Gif man mædan oððe wif weddian wille, and hit swa hire and freondan gelicige, ðonne is riht, ðæt se brydguma æfter godes rihte and æfter woroldgerysnum ærest behate and on wedde sylle ðam, ðe hire forsprecan synd, þæt he on ða wisan hire geornige, ðet he hy æfter godes rihte healdan wille, swa wær his wif sceal; and aborgian his frind ðæt. 5

Æfter ðam is to witanne, hwam ðæt fosterlean gebyrige; weddige se brydguma eft þæs; and hit aborgian his frynd. Ðonne syððan cyþe se brydguma, hwæs he hire geunge, wið þam ðet heo his willan geceose, and hwæs he hire geunge, gif heo læng sy ðonne he. Gif hit swa geforword bið, þonne is riht, ðæt heo sy healfes yrfes wyrðe and ealles, gif hy cild gemæne 10 habban, bute heo eft wær ceose. Trymme he eal mid wedde þæt þæt he behate; and aborgian frynd þæt.

Gif hy þonne ælces þinges sammæle beon, ðonne fon magas to and weddian heora magan to wife and to rihtlife ðam ðe hire girnde; and fo to þam borge se ðe ðæs weddes waldend sy. Gif hy man ðonne ut of lande 15 lædan wille on oðres þegnes land, ðonne bið hire ræd, ðæt frynd ða forword habban, ðæt hire man nan woh to ne do, and gif heo gylt gewyrce, ðæt hy moton beon bote nyhst gif heo næfð, of hwam heo bete.

Æt þam giftan sceal mæssepreost beon mid rihte, se sceal mid godes bletsunge heora gesomnunge gederian an ealre gesundfulnesse. Wel is eac 20 to warnianne, ðæt man wite, ðæt hy ðurh mægsibbe to gelænge ne beon, ðe læs ðe man eft twæme, ðæt man ær awoh tosomne gedydan.

30. AGAINST SORCERERS AND SOOTHSAYERS

From the Old English Laws, Textus Roffensi, above.

Gif wiccan oððe wigleras, mansworan oððe morðwyrhtan oððe fule, afylede, æbære horewenan ahwar on lande wurðan agytene, ðonne fyse hi man of earde and clænsie þa ðeode oððe on earde forfare hy mid ealle buton hig geswican and þe deoppor gebetan.

---

[1] feore *MS.* [2] nis æni man] nise tinan *MS.* [3] ðearft *Var.*

31. A CHARM FOR UNFRUITFUL LAND

MS.: BM., Cotton Caligula A VII; early XI century. — *edd.*: Grein-Wülker, BAP. I; E.V.K. Dobbie, ASPR. VI; F. Grendon, A.-S. Charms, N.Y. 1930. — HB. 528-31; Ke. 3796; Ba.98; RO.170.

Her ys seo bot, hu ðu meaht þine æceras betan gif hi nellaþ wel wexan oþþe þær hwilc ungedefe þing on gedon bið on dry oððe on lyblace. Genim þonne on niht, ær hyt dagige, feower tyrf on feower healfa þæs landes, and gemearca hu hy ær stodon. Nim þonne ele and hunig and beorman, and
5 ælces feos meolc þe on þæm lande sy, and ælces treowcynnes dæl þe on þæm lande sy gewexen, butan heardan beaman, and ælcre namcuþre wyrte dæl, butan glappan anon, and do þonne haligwæter ðær-on, and drype þonne þriwa on þone staðol þara turfa, and cweþe ðonne ðas word: *'Crescite*, wexe, *et multiplicamini*, and gemænigfealda, *et replete*, and gefylle, *terre*, þas eorðan.
10 *In nomine patris et filii et spiritus sancti sitis benedicti.'* And *pater noster* swa oft swa þæt oðer. And bere siþþan ða turf to circean, and mæssepreost asinge feower mæssan ofer þan turfon, and wende man þæt grene to ðan weofode, and siþþan gebringe man þa turf þær hi ær wæron ær sunnan setlgange. And hæbbe him gæworht of cwicbeame feower Cristes mælo and
15 awrite on ælcon ende 'Matheus' and 'Marcus', 'Lucas' and 'Iohannes'. Lege þæt Cristes mæl on þone pyt neoþeweardne, cweðe ðonne: *'Crux Matheus, crux Marcus, crux Lucas, crux sanctus Iohannes.'* Nim ðonne þa turf and sete ðær ufon on and cweþe ðonne nigon siþon þas word: *'Crescite'*, and swa oft *pater noster;* and wende þe þonne eastweard, and onlut nigon siðon
20 eadmodlice, and cweð þonne þas word:

Eastweard ic stande, arena ic me bidde,
bidde ic þone mæran domine, bidde ðone miclan drihten,
bidde ic ðone haligan heofonrices weard,
eorðan ic bidde and upheofon
25 and ða soþan sancta Marian
and heofones meaht and heahreced,
þæt ic mote þis gealdor mid gife drihtnes
toðum ontynan þurh trumne geþanc,
aweccan þas wæstmas us to woruldnytte,
30 gefyllan[1] þas foldan mid fæste geleafan,
wlitigigan þas wancgturf, swa se witega cwæð
þæt se hæfde are on eorþrice, se þe ælmyssan
dælde domlice drihtnes þances.

Wende þe þonne ·iii· sunganges, astrece þe þonne on andlang and arim
35 þær letanias and cweð þonne: 'Sanctus, sanctus, sanctus oþ ende.' Sing þonne *'benedicite'* aþenedon earmon and *'magnificat'* and *'pater noster'* ·iii·, and bebeod hit Criste and sancta Marian and þære halgan rode to lofe and to weorþinga and þam to are[2] þe þæt land age and eallon þam þe him underðeodde synt. Ðonne þæt eall sie gedon, þonne nime man uncuþ sæd æt
40 ælmesmannum and selle him twa swylc, swylce man æt him nime, and gegaderie ealle his sulhgeteogo togædere; borige þonne on þam beame stor and finol and gehalgode sapan and gehalgod sealt. Nim þonne þæt sæd, sete on þæs sules bodig, cweð þonne:

Erce, Erce, Erce, eorþan modor,
45 geunne þe se alwalda, ece drihten,
æcera wexendra and wridendra,
eacniendra and elniendra,
sceafta hehra[3], scirra wæstma,
and þæra[4] bradan berewæstma,
50 and þæra[4] hwitan hwætewæstma,
and ealra eorþan wæstma.

---

[1] gefylle [2] þam are (to a. þ. em. *Dobbie*) [3] hen se *MS.*, herse *Schlutter* [4] þære

Geunne him ece drihten
and his halige, þe on heofonum[1] synt,
þæt hys yrþ si gefriþod wið ealra feonda gehwæne,
and heo si geborgen wið ealra bealwa gehwylc, 55
þara lyblaca geond land sawen.
Nu ic bidde ðone waldend, se ðe ðas woruld gesceop,
þæt ne sy nan to þæs cwidol wif ne to þæs cræftig man
þæt awendan ne mæge word þus gecwedene.

Þonne man þa sulh forð drife and þa forman furh onsceote, cweð þonne: 60
Hal wes þu, folde, fira modor!
Beo þu growende on godes fæþme,
fodre gefylled firum to nytte.

Nim þonne ælces cynnes melo and abacæ man innewerdre handa bradnæ hlaf and gecned hine mid meolce and mid haligwætere and lecge under þa forman furh. Cweþe þonne: 65
Ful æcer fodres fira cinne,
beorhtblowende, þu gebletsod weorþ
þæs haligan noman þe ðas heofon gesceop
and ðas eorþan þe we on lifiaþ; 70
se god, se þas grundas geworhte, geunne us growende gife,
þæt us corna gehwylc cume to nytte.

Cweð þonne ·iii· *'crescite, in nomine patris, sitis benedicti'*. *Amen* and *pater noster* þriwa.

32. MAXIMS

1-67: *Exeter Book.* 68-80: *MS.* Cotton Tib. B. I, 1st h. XI ct.: *ed.* E. v. Kirk Dobbie ASPR. VI. — HB. 596-600; Ba. 83; RO. 170.

Forst sceal freosan, fyr wudu meltan,
eorþe growan, is brycgian,
wæter helm wegan, wundrum lucan
eorþan ciþas. An sceal inbindan
5 forstes fetre felameahtig god.
Winter sceal geweorþan, weder eft cuman,
sumor swegle hat, sund unstille.
Deop deada wæg dyrne bið lengest;
holen sceal inæled, yrfe gedæled
10 deades monnes. Dom biþ selast.
Cyning sceal mid ceape cwene gebicgan,
bunum ond beagum; bu sceolon ærest
geofum god wesan. Guð sceal in eorle,
wig geweaxan, ond wif geþeon
15 leof mid hyre leodum, leohtmod wesan,
rune healdan, rumheort beon
mearum ond maþmum, meodorædenne
for gesiðmægen symle æghwær
eodor æþelinga ærest gegretan,
20 forman fulle to frean hond
ricene geræcan, ond him ræd witan
boldagendum bæm ætsomne.

Scip sceal genægled, scyld gebunden,
leoht linden bord, leof wilcuma
25 Frysan wife, þonne flota stondeð;
biþ his ceol cumen ond hyre ceorl to ham,
agen ætgeofa, ond heo hine in laðaþ,

---

[1] eofonum 15 lof 19 æþelinge

wæsceð his warig hrægl, ond him syleþ wæde niwe,
liþ him on londe þæs his lufu bædeð.
30 Wif sceal wiþ wer wære gehealdan, oft hi mon wommum belihð;
fela bið fæsthydigra, fela bið fyrwetgeornra,
freoð hy fremde monnan, þonne se oþer feor gewiteþ.
Lida biþ longe on siþe; a mon sceal seþeah leofes wenan,
gebidan þæs he gebædan ne mæg. Hwonne him eft gebyre weorðe,
35 ham cymeð, gif he hal leofað, nefne him holm gestyreð,
mere hafað mundum mægðegsan wyn.
Ceapeadig mon cyningwic þonne
leodon cypeþ, þonne liþan cymeð;
wuda ond wætres nyttað, þonne him biþ wic alyfed,
40 mete bygeþ, gif he maran þearf, ærþon he to meþe weorþe.
Seoc se biþ þe to seldan ieteð; þeah hine mon on sunnan læde,
ne mæg he be þy wedre wesan, þeah hit sy wearm on sumera,
ofercumen biþ he, ær he acwele, gif he nat hwa hine cwicne fede.
Mægen mon sceal mid mete fedan, morþor under eorþan befeolan,
45 hinder under hrusan, þe hit forhelan þenceð;
ne biþ þæt gedefe deaþ, þonne hit gedyrned weorþeð.
Hean sceal gehnigan, hadl gesigan,
ryht rogian. Ræd biþ nyttost,
yfel unnyttost, þæt unlæd nimeð.
50 God bið genge, ond wiþ god lenge.
Hyge sceal gehealden, hond gewealden,
seo sceal in eagan, snyttro in breostum,
þær bið þæs monnes modgeþoncas.
Muþa gehwylc mete þearf, mæl sceolon tidum gongan.
55 Gold geriseþ on guman sweorde,
sellic sigesceorp, sinc on cwene,
god scop gumum, garniþ werum,
wig towiþre wicfreoþa healdan.
Scyld sceal cempan, sceaft reafere,
60 sceal bryde beag, bec leornere,
husl halgum men, hæþnum synne.
Woden worhte weos, wuldor alwalda,
rume roderas; þæt is rice god,
sylf soðcyning, sawla nergend,
65 se us eal forgeaf þæt we on lifgaþ
ond eft æt þam ende eallum wealdeð
monna cynne. Þæt is meotud sylfa. —
Cyning sceal rice healdan. Ceastra beoð feorran gesyne,
orðanc enta geweorc, þa þe on þysse eorðan syndon,
70 wrætlic weallstana geweorc. Wind byð on lyfte swiftust. —
Þeof sceal gangan þystrum wederum. Þyrs sceal on fenne gewunian
ana innan lande. Ides sceal dyrne cræfte [43]
fæmne hire freond gesecean, gif heo nelle on folce geþeon
þæt hi man beagum gebicge. Brim sceal sealte weallan. —
75 Is seo forðgesceaft [61]
digol and dyrne; drihten ana wat,
nergende fæder. Næni eft cymeð
hider under hrofas, þe þæt her for soð
mannum secge hwylc sy meotodes gesceaft,
80 sigefolca gesetu, þær he sylfa wunað.

30 behlið 31 fyrwet geonra 39 alyfeð 47 adl

33. RIDDLES

Exeter Book. — HB. 575-578; Ke. 3564-68; Ba. 72-73: RO. 195.

[I.] Hwylc is hæleþa þæs horsc ond þæs hygecræftig
þæt þæt mæge asecgan, hwa mec on sið wræce,
þonne ic astige strong, stundum reþe,
þrymful þunie, þragum wræce
5 fere geond foldan, folcsalo bærne, 5
ræced reafige? Recas stigað
haswe ofer hrofum, hlin bið on eorþan,
wælcwealm wera. Þonne ic wudu hrere,
bearwas bledhwate, beamas fylle
10 holme gehrefed, heahum meahtum 10
wrecan on waþe wide sended,
hæbbe me on hrycge þæt ær hadas wreah
foldbuendra, flæsc ond gæstas
somod on sunde. Saga hwa mec þecce,
15 oþþe hu ic hatte þe þa hlæst bere. 15

[III. 17-35] Hwilum ic sceal ufan yþa wregan
streamas styrgan ond to staþe þywan
flintgrægne flod. Famig winneð
wæg wið wealle, wonn ariseð
5 dun ofer dype; hyre deorc on last, 20
eare geblonden, oþer fereð
þæt hy gemittað mearclonde neah
hea hlincas. Þær bið hlud wudu
brimgiesta breahtm, bidað stille
10 stealc stanhleoþu streamgewinnes, 25
hopgehnastes, þonne heah geþring
on cleofu crydeþ. Þær bið ceole wen
sliþre sæcce, gif hine sæ byreð
on þa grimman tid, gæsta fulne,
15 þæt he scyle rice birofen weorþan, 30
feore bifohten fæmig ridan
yþa hrycgum. Þær bið egsa sum
ældum geywed þara þe ic hyran sceal
strong on stiðweg. Hwa gestilleð þæt? —

[VII.] Hrægl min swigað, þonne ic hrusan trede, 35
oþþe þa wic buge, oþþe wado drefe.
Hwilum mec ahebbað ofer hæleþa byht
hyrste mine, ond þeos hea lyft,
5 ond mec þonne wide wolcna strengu
ofer folc byreð. Frætwe mine 40
swogað hlude ond swinsiað,
torhte singað, þonne ic getenge ne beom
flode ond foldan, ferende gæst.

[IX.] Mec on þissum dagum deadne ofgeafun
fæder ond modor; ne wæs me feorh þa gen, 45
ealdor in innan. Þa mec an ongon,
welhold mege, wedum þeccan,
5 heold ond freoþode, hleosceorpe wrah

Solutions to the Riddles: I. Storm on Land; III. 17-35 Storm at Sea; VII. Wild Swan; IX. Cuckoo; XXVI. Book (perhaps Bible Codex); XXVIII. "John Barleycorn", ? Wine-cask, Some Kind of stringed Instrument; XLVII. Book-worm.

I. 10 heanum III. 1 ufan sceal *Holthausen* 2 streamas *not in MS.* þywan] þyran 18 hyran *MS.]* yppan *Grein*, æfnan *Trautmann*, ? yrgan IX. 1 ofgeatum 3 an] *not in MS.* 4 weccan

swa arlice swa hire agen bearn,
oþþæt ic under sceate, swa min gesceapu wæron, 50
ungesibbum wearð eacen gæste.
Mec seo friþe mæg fedde siþþan,
10 oþþæt ic aweox, widdor meahte
siþas asettan. Heo hæfde swæsra þy læs
suna ond dohtra, þy heo swa dyde. 55

[XXVI.] Mec feonda sum feore besnyþede,
woruldstrenga binom, wætte siþþan,
dyfde on wætre, dyde eft þonan,
sette on sunnan, þær ic swiþe beleas
5 herum þam þe ic hæfde. Heard mec siþþan 60
snað seaxses ecg, sindrum begrunden;
fingras feoldan, ond mec fugles wyn
geond speddropum spyrede geneahhe
ofer brunne brerd, beamtelge swealg,
10 streames dæle, stop eft on mec, 65
siþade sweartlast. Mec siþþan wrah
hæleð hleobordum, hyde beþenede,
gierede mec mid golde; forþon me gliwedon
wrætlic weorc smiþa, wire bifongen.
15 Nu þa gereno ond se reada telg 70
ond þa wuldorgesteald wide mære
dryhtfolca helm, nales dol wite.
Gif min bearn wera brucan willað,
hy beoð þy gesundran ond þy sigefæstran,
20 heortum þy hwætran ond þy hygebliþran, 75
ferþe þy frodran, habbaþ freonda þy ma,
swæsra ond gesibbra, soþra ond godra,
tilra ond getreowra, þa hyra tyr ond ead
estum ycað ond hy arstafum
25 lissum bilecgað ond hi lufan fæþmum 80
fæste clyppað. Frige hwæt ic hatte,
niþum to nytte. Nama min is mære,
hæleþum gifre ond halig sylf.

[XXVIII.] Biþ foldan dæl fægre gegierwed
mid þy heardestan ond mid þy scearpestan 85
ond mid þy grymmestan gumena gestreona.
Corfen, sworfen, cyrred, þyrred,
5 bunden, wunden, blæced, wæced,
frætwed, geatwed, feorran læded
to durum dryhta, dream bið in innan 90
cwicra wihta, clengeð lengeð
þara þe ær lifgende longe hwile
10 wilna bruceð, ond no wiðspriceð.
Ond þonne æfter deaþe deman onginneð,
meldan mislice. Micel is to hycganne 95
wisfæstum menn, hwæt seo wiht sy.

[XLVII.] Moððe word fræt. Me þæt þuhte
wrætlicu wyrd, þa ic þæt wundor gefrægn,
þæt se wyrm forswealg wera gied sumes,
þeof in þystro þrymfæstne cwide 100
5 ond þæs strangan staþol: stælgiest ne wæs
wihte þy gleawra, þe he þam wordum swealg.

IX 6 swa arl.] snearlice

XXVI. 6 ecge *MS.* 8 geondsprengde speddropum *emm. Grein, Sweet, Mackie;* geondspedde dropum *em. Trautmann* 12 hyþe *MS.* XXVIII. 12 hycgan *Sievers*

34. Widsith

Exeter Book. — *edd.*: K. Malone, 1935; R. W. Chambers, 1912; F. Holthausen, Beowulf, 8. 1948; & o. — HB. 661-667; Ke. 3572-73; Ba. 69-70; RO. 187.

Widsið maðolade, wordhord onleac,
se þe monna mæst mægþa ofer eorþan,
folca geondferde; oft he on flette geþah
mynelicne maþþum. Him from Myrgingum
5 æþele onwocon. He mid Ealhhilde,
fælre freoþuwebban, forman siþe
Hreðcyninges ham gesohte
eastan of Ongle, Eormanrices,
wraþes wærlogan. Ongon þa worn sprecan:
10 "Fela ic monna gefrægn mægþum wealdan.
Sceal þeodna gehwylc þeawum lifgan,
eorl æfter oþrum eðle rædan,
se þe his þeodenstol geþeon wile.
Þara wæs Hwala hwile selast,
15 ond Alexandreas ealra ricost
monna cynnes, ond he mæst geþah
Þara þe ic ofer foldan gefrægen hæbbe.
Ætla weold Hunum, Eormanric Gotum,
Becca Baningum, Burgendum Gifica.
20 Casere weold Creacum ond Cælic Finnum,
Hagena Holmrygum ond Heoden Glommum.
Witta weold Swæfum, Wada Hælsingum,
Meaca Myrgingum, Mearchealf Hundingum.
Þeodric weold Froncum, Þyle Rondingum,
25 Breoca Brondingum, Billing Wernum.
Oswine weold Eowum ond Ytum Gefwulf,
Fin Folcwalding Fresna cynne.
Sigehere lengest Sæ-Denum weold,
Hnæf Hocingum, Helm Wulfingum,
30 Wald Woingum, Wod Þyringum,
Sæferð Sycgum, Sweom Ongendþeow,
Sceafthere Ymbrum, Sceafa Longbeardum,
Hun Hætwerum ond Holen Wrosnum.
Hringweald wæs haten Herefarena cyning.
35 Offa weold Ongle, Alewih Denum;
se wæs þara manna modgast ealra,
nohwæþre he ofer Offan eorlscype fremede,
ac Offa geslog ærest monna
cnihtwesende cynerica mæst.
40 Nænig efeneald him eorlscipe maran
on orette; ane sweorde
merce gemærde wið Myrgingum
bi Fifeldore; heoldon forð siþþan
Engle ond Swæfe, swa hit Offa geslog.

---

2 monna *not in MS.* mægþa] mærþa 3 on *not in MS.* 4 hine 11 þeoda 14 wala
21 holm rycum henden 23 Mearcweald *Holth.*

45 Hroþwulf ond Hroðgar heoldon lengest
sibbe ætsomne suhtorfædran,
siþþan hy forwræcon Wicinga cynn
ond Ingeldes ord forbigdan,
forheowan æt Heorote Heaðobeardna þrym.
50 Swa ic geondferde fela fremdra londa
geond ginne grund. Godes ond yfles
þær ic cunnade cnosle bidæled,
freomægum feor folgade wide.
Forþon ic mæg singan ond secgan spell,
55 mænan fore mengo in meoduhealle
hu me cynegode cystum dohten.
Ic wæs mid Hunum ond mid Hreðgotum,
mid Sweom ond mid Geatum ond mid Suþ-Denum.
Mid Wenlum ic wæs ond mid Wærnum ond mid Wicingum.
60 Mid Gefþum ic wæs ond mid Winedum ond mid Gefflegum.
Mid Englum ic wæs ond mid Swæfum ond mid Ænenum.
Mid Seaxum ic wæs ond mid Sycgum ond mid Sweordwerum.
Mid Hronum ic wæs ond mid Deanum ond mid Heaþoreamum.
Mid Þyringum ic wæs ond mid Þrowendum
65 ond mid Burgendum, þær ic beag geþah;
me þær Guðhere forgeaf glædlicne maþþum
songes to leane. Næs þæt sæne cyning!
Mid Froncum ic wæs ond mid Frysum ond mid Frumtingum.
Mid Rugum ic wæs ond mid Glommum ond mid Rumwalum.
70 Swylce ic wæs on Eatule mid Ælfwine,
se hæfde moncynnes, mine gefræge,
leohteste hond lofes to wyrcenne,
heortan unhneaweste hringa gedales,
beorhtra beaga, bearn Eadwines.
75 Mid Sercingum ic wæs ond mid Seringum;
mid Creacum ic wæs ond mid Finnum ond mid Casere,
se þe winburga geweald ahte,
wiolena ond wilna, ond Wala rices.
Mid Scottum ic wæs ond mid Peohtum ond mid Scridefinnum;
80 mid Lidwicingum ic wæs ond mid Leonum ond mid Longbeardum,
mid Hæðnum ond mid Hæreþum ond mid Hundingum.
Mid Israhelum ic wæs ond mid Exsyringum,
mid Ebreum ond mid Indeum ond mid Egyptum.
Mid Moidum ic wæs ond mid Persum ond mid Myrgingum,
85 ond Mofdingum ond ongend Myrgingum,
ond mid Amothingum. Mid East-Þyringum ic wæs
ond mid Eolum ond mid Istum ond Idumingum.
Ond ic wæs mid Eormanrice ealle þrage,
þær me Gotena cyning gode dohte;
90 se me beag forgeaf, burgwarena fruma,
on þam siex hund wæs smætes goldes,
gescyred sceatta scillingrime;
þone ic Eadgilse on æht sealde,

65 geþeah 78 wiolane 81 hæðnum hæleþum 82 Assyringum *Müllenhoff* 83 Iudeum *Grein*
86 Amoringum East-Syringum *Holth.*

minum hleodryhtne, þa ic to ham bicwom,
95 leofum to leane, þæs þe he me lond forgeaf,
mines fæder eþel, frea Myrginga.
Ond me þa Ealhhild oþerne forgeaf,
dryhtcwen duguþe, dohtor Eadwines.
Hyre lof lengde geond londa fela,
100 þonne ic be songe secgan sceolde
hwær ic under swegle selast wisse
goldhrodene cwen giefe bryttian.
Ðonne wit Scilling sciran reorde
for uncrum sigedryhtne song ahofan,
105 hlude bi hearpan hleoþor swinsade,
þonne monige men, modum wlonce,
wordum sprecan, þa þe wel cuþan,
þæt hi næfre song sellan ne hyrdon.
Ðonan ic ealne geondhwearf eþel Gotena,
110 sohte ic a gesiþa þa selestan;
þæt wæs innweorud Earmanrices.
Heðcan sohte ic ond Beadecan ond Herelingas,
Emercan sohte ic ond Fridlan ond Eastgotan,
frodne ond godne fæder Unwenes.
115 Seccan sohte ic ond Beccan, Seafolan ond Þeodric,
Heaþoric ond Sifecan, Hliþe ond Incgenþeow.
Eadwine sohte ic ond Elsan, Ægelmund ond Hungar,
ond þa wloncan gedryht Wiþmyrginga.
Wulfhere sohte ic ond Wyrmhere; ful oft þær wig ne alæg,
120 þonne Hræda here heardum sweordum
ymb Wistlawudu wergan sceoldon
ealdne eþelstol Ætlan leodum.
Rædhere sohte ic ond Rondhere, Rumstan ond Gislhere,
Wiþergield ond Freoþeric, Wudgan ond Haman;
125 ne wæran þæt gesiþa þa sæmestan,
þeah þe ic hy anihst nemnan sceolde.
Ful oft of þam heape hwinende fleag
giellende gar on grome þeode;
wræccan þær weoldan wundnan golde
130 werum ond wifum, Wudga ond Hama.
Swa ic þæt symle onfond on þære feringe,
þæt se biþ leofast londbuendum
se þe him god syleð gumena rice
to gehealdenne, þenden he her leofað."
135 Swa scriþende gesceapum hweorfað
gleomen gumena geond grunda fela,
þearfe secgað, þoncword sprecaþ,
simle suð oþþe norð sumne gemetað
gydda gleawne, geofum unhneawne,
140 se þe fore duguþe wile dom aræran,
eorlscipe æfnan, oþþæt eal scæceð,
leoht ond lif somod; lof se gewyrceð,
hafað under heofonum heahfæstne dom.

---

101 swegl 103 Ðonne] don 110 gesiþa] siþa 118 Wig-Myrginga *Holth.*

35. DEOR

Exeter Book. — *edd.*: K. Malone, 1933; F. Holthausen, Beowulf, 8. 1948; F. Klaeber, Beowulf, 3. 1951; & o. — HB. 579-580a; Ba. 68-69; RO. 192.

Welund him be wurman wræces cunnade,
anhydig eorl earfoþa dreag,
hæfde him to gesiþþe sorge ond longaþ,
wintercealde wræce; wean oft onfond
5 siþþan hine Niðhad on nede legde,
swoncre seonobende on syllan monn:
Þæs ofereode, þisses swa mæg!

Beadohilde ne wæs hyre broþra deaþ
on sefan swa sar swa hyre sylfre þing,
10 þæt heo gearolice ongieten hæfde,
þæt heo eacen wæs; æfre ne meahte
þriste geþencan, hu ymb þæt sceolde:
Þæs ofereode, þisses swa mæg!

We þæt Mæðhilde monge gefrugnon;
15 wurdon grundlease Geates frige,
þæt hi seo sorglufu slæp ealle binom:
Þæs ofereode, þisses swa mæg!

Ðeodric ahte þritig wintra
Mæringa burg; þæt wæs monegum cuþ:
20 Þæs ofereode, þisses swa mæg!

We geascodan Eormanrices
wylfenne geþoht; ahte wide folc
Gotena rices; þæt wæs grim cyning.
Sæt secg monig sorgum gebunden,
25 wean on wenan, wyscte geneahhe
þæt þæs cynerices ofercumen wære:
Þæs ofereode, þisses swa mæg!

Siteð sorgcearig sælum bidæled,
on sefan sweorceð; sylfum þinceð
30 þæt sy endeleas earfoða dæl.
Mæg þonne geþencan þæt geond þas woruld
witig dryhten wendeþ geneahhe;
eorle monegum are gesceawað,
wislicne blæd, sumum weana dæl.
35 Þæt ic bi me sylfum secgan wille,
þæt ic hwile wæs Heodeninga scop,
dryhtne dyre; me wæs Deor noma.
Ahte ic fela wintra folgað tilne,
holdne hlaford, oþþæt Heorrenda nu,
40 leoðcræftig monn londryht geþah,
þæt me eorla hleo ær gesealde:
Þæs ofereode, þisses swa mæg!

1 wurman] wimman *Grein*, warnum *Wülker*, wearnum *Sedgefield*, wornum *Rieger*, wurnan *Koegel*, wifmyne *Rieger*, Wurmum *Tupper*, & o. 14 mæð Hilde *Grein*, & o., be Mæðhilde *Rieger* monge] mod *Klaeber* 15 hi] him *Thorpe*, & o., hine *Holth.*

bið nædle scearpran se genyþeð to ærest ealra on þam eorð
scræfe he þa tungan toteohð ond þa toþas þurh smyhð ond to
ætwelan oþrum gerymeð ond þa eagan þurhiteð ufon on þ(æt)
heafod wyrmum to wiste þon(ne) biþ þæt wlige [illegible] lic acolad þæt
he longe ær werede mid wædum bið þon(ne) wyrma gifl æt
on eorþan þæt mæg æghwylcum men to gemyndum mod snot
terra :7

WElund him be wurman wræces cunnade
anhydig eorl earfoþa dreag hæfde him to gesiþþe
sorge ond longaþ wintercealde wræce wean oft onfond
siþþan hine niðhad on nede legde swoncre seono bende
on syllan monn þæs ofereode þisses swa mæg: :7
Beadohilde ne wæs hyre broþra deaþ on sefan swa sar
swa hyre sylfre þing þæt heo gearolice ongieten hæfde þ(æt)
heo eacen wæs æfre ne meahte þriste geþencan hu ymb
þ(æt) sceolde· þæs ofereode þisses swa mæg :7
We þæt mæð hilde monge gefrugnon wurdon grundlea
se geates frige þæt hi seo sorg lufu slæp ealle binom·
þæs ofereode þisses swa mæg· :7
ÐEodric ahte þritig wintra mæringa burg þæt wæs
monegum cuþ· þæs ofereode þisses swa mæg :- :7
We geascodan eormanrices wylfenne geþoht ahte wide·

FROM THE EXETER BOOK

fol. 100a; cf. Deor, p. 82

36. The Wanderer

Exeter Book — HB. p. 91; Ke. 3571; Ba. 70; RO. 184.

Oft him anhaga are gebideð,
metudes miltse, þeah þe he modcearig
geond lagulade longe sceolde
hreran mid hondum hrimcealde sæ,
5 wadan wræclastas; wyrd bið ful aræd.
Swa cwæð eardstapa earfeþa gemyndig,
wraþra wælsleahta, winemæga hryre:
'Oft ic sceolde ana uhtna gehwylce
mine ceare cwiþan; nis nu cwicra nan,
10 þe ic him modsefan minne durre
sweotule asecgan. Ic to soðe wat
þæt bið in eorle indryhten þeaw,
þæt he his ferðlocan fæste binde,
healde his hordcofan, hycge swa he wille.
15 Ne mæg werigmod wyrde wiðstondan
ne se hreo hyge helpe gefremman;
forðon domgeorne dreorigne oft
in hyra breostcofan bindað fæste.
Swa ic modsefan minne sceolde
20 oft earmcearig eðle bidæled,
freomægum feor feterum sælan,
siþþan geara iu goldwine minne
hrusan heolstre biwrah, ond ic hean þonan
wod wintercearig ofer waþema gebind,
25 sohte sele dreorig sinces bryttan,
hwær ic feor oþþe neah findan meahte
þone þe in meoduhealle min mine wisse
oþþe mec freondleasne frefran wolde,
weman mid wynnum. Wat se þe cunnað,
30 hu sliþen bið sorg to geferan
þam þe him lyt hafað leofra geholena:
Warað hine wræclast, nales wunden gold,
ferðloca freorig, nalæs foldan blæd;
gemon he selesecgas ond sincþege,
35 hu hine on geoguðe his goldwine
wenede to wiste. Wyn eal gedreas!
Forþon wat se þe sceal his winedryhtnes
leofes larcwidum longe forþolian,
ðonne sorg ond slæp somod ætgædre
40 earmne anhogan oft gebindað;
þinceð him on mode þæt he his mondryhten
clyppe ond cysse, ond on cneo lecge
honda ond heafod, swa he hwilum ær
in geardagum giefstolas breac.
45 Ðonne onwæcneð eft wineleas guma,
gesihð him biforan fealwe wegas,
baþian brimfuglas, brædan feþra,
hreosan hrim ond snaw, hagle gemenged.

---

14 healdne 22 mine 24 waþena 27 min] *not in MS.* 28 freond lease 29 wenian *Mackie*

Þonne beoð þy hefigran heortan benne
50 sare æfter swæsne; sorg bið geniwad,
þonne maga gemynd mod geondhweorfeð;
greteð gliwstafum, georne geondsceawað
secga geseldan; swimmað eft onweg.
Fleotendra ferð no þær fela bringeð
55 cuðra cwidegiedda; cearo bið geniwad
þam þe sendan sceal swiþe geneahhe
ofer waþema gebind werigne sefan.
Forþon ic geþencan ne mæg geond þas woruld
for hwan modsefa min ne gesweorce,
60 þonne ic eorla lif eal geondþence,
hu hi færlice flet ofgeafon,
modge maguþegnas. Swa þes middangeard
ealra dogra gehwam dreoseð ond fealleþ;
forþon ne mæg weorþan wis wer, ær he age
65 wintra dæl in woruldrice. Wita sceal geþyldig,
ne sceal no to hatheort ne to hrædwyrde,
ne to wac wiga ne to wanhydig,
ne to forht ne to fægen ne to feohgifre,
ne næfre gielpes to georn, ær he geare cunne:
70 Beorn sceal gebidan, þonne he beot spriceð,
oþ þæt collenferð cunne gearwe
hwider hreþra gehygd hweorfan wille.
Ongietan sceal gleaw hæle hu gæstlic bið,
þonne ealre þisse worulde wela weste stondeð
75 swa nu missenlice geond þisne middangeard
winde biwaune weallas stondaþ,
hrime bihrorene, hryðge þa ederas.
Woriað þa winsalo, waldend licgað
dreame bidrorene; duguð eal gecrong
80 wlonc bi wealle: Sume wig fornom,
ferede in forðwege; sumne fugel oþbær
ofer heanne holm; sumne se hara wulf
deaðe gedælde; sumne dreorighleor
in eorðscræfe eorl gehydde;
85 yþde swa þisne eardgeard ælda scyppend,
oþ þæt burgwara breahtma lease
eald enta geweorc idlu stodon.
Se þonne þisne wealsteal wise geþohte,
ond þis deorce lif deope geondþenceð,
90 frod in ferðe, feor oft gemon
wælsleahta worn, ond þas word acwið:
'Hwær cwom mearg? Hwær cwom mago? Hwær cwom maþþumgyfa?
Hwær cwom symbla gesetu? Hwær sindon seledreamas?
Eala beorht bune, eala byrnwiga!
95 Eala þeodnes þrym! Hu seo þrag gewat,
genap under nihthelm, swa heo no wære!
Stondeð nu on laste leofre duguþe
weal wundrum heah, wyrmlicum fah;
eorlas fornoman asca þryþe,
100 wæpen wælgifru, wyrd seo mære,
ond þas stanhleoþu stormas cnyssað,
hrið hreosende hrusan bindeð,
wintres woma, þonne won cymeð,
nipeð nihtscua, norþan onsendeð
105 hreo hæglfare hæleþum on andan.

53 oft 59 mod sefan minne 64 wearþan 74 ealle 89 deornce 102 hruse

Eall is earfoðlic eorþan rice,
onwendeð wyrda gesceaft weoruld under heofonum;
Her bið feoh læne; her bið freond læne;
her bið mon læne; her bið mæg læne;
110 eal þis eorþan gesteal idel weorþeð!'
Swa cwæð snottor on mode, gesæt him sundor æt rune.
Til biþ se þe his treowe gehealdeþ; ne sceal næfre his torn to rycene
beorn of his breostum acyþan, nemþe he ær þa bote cunne,
eorl mid elne gefremman. Wel bið þam þe him are seceð,
115 frofre to fæder on heofonum, þær us eal seo fæstnung stondeð.

37. THE SEAFARER

Exeter Book — HB. 641-45; Ba. 70-71; RO. 185.

Mæg ic be me sylfum soðgied wrecan
siþas secgan, hu ic geswincdagum
earfoðhwile oft þrowade
bitre breostceare gebiden hæbbe,
5 gecunnad in ceole cearselda fela,
atol yþa gewealc. Þær mec oft bigeat
nearo nihtwaco æt nacan stefnan,
þonne he be clifum cnossað. Calde geþrungen
wæron mine fet, forste gebunden,
10 caldum clommum, þær þa ceare seofedun
hat ymb heortan, hungor innan slat
merewerges mod. Þæt se mon ne wat
þe him on foldan fægrost limpeð,
hu ic earmcearig iscealdne sæ
15 winter wunade wræccan lastum
winemægum bidroren
bihongen hrimgicelum, hægl scurum fleag.
Þær ic ne gehyrde butan hlimman sæ,
iscaldne wæg, hwilum ylfete song;
20 dyde ic me to gomene ganetes hleoþor
ond huilpan sweg fore hleahtor wera,
mæw singende fore medodrince.
Stormas þær stanclifu beotan þær him stearn oncwæð
isigfeþera, ful oft þæt earn bigeal
25 urigfeþra; ne ænig hleomæga
feasceaftig ferð frefran meahte.
Forþon him gelyfeð lyt se þe ah lifes wyn
gebiden in burgum, bealosiþa hwon,
wlonc ond wingal, hu ic werig oft
30 in brimlade bidan sceolde.
Nap nihtscua, norþan sniwde,
hrim hrusan bond; hægl feol on eorþan
corna caldast. Forþon cnyssað nu
heortan geþohtas, þæt ic hean streamas,
35 sealtyþa gelac sylf cunnige.
Monað modes lust mæla gehwylce
ferð to feran, þæt ic feor heonan
elþeodigra eard gesece.

---

11 hate *Mackie* 16 wynnum biloren *spl. Ettmüller* 25 ne ænig] nænig
26 frefran] feran

Forþon nis þæs modwlonc mon ofer eorþan,
40 ne his gifena þæs god, ne in geoguþe to þæs hwæt,
ne in his dædum to þæs deor, ne him his dryhten to þæs hold,
þæt he a his sæfore sorge næbbe,
to hwon hine dryhten gedon wille.
Ne biþ him to hearpan hyge, ne to hringþege,
45 ne to wife wyn, ne to worulde hyht,
ne ymbe owiht elles nefne ymb yða gewealc,
ac a hafað longunge se þe on lagu fundað.
Bearwas blostmum nimað, byrig fægriað,
wongas wlitigað, woruld onetteð;
50 ealle þa gemoniað modes fusne
sefan to siþe þam þe swa þenceð
on flodwegas feor gewitan.
Swylce geac monað geomran reorde
singeð sumeres weard, sorge beodeð
55 bitter in breosthord. Þæt se beorn ne wat,
esteadig secg, hwæt þa sume dreogað
þe þa wræclastas widost lecgað.
Forþon nu min hyge hweorfeð ofer hreþerlocan
min modsefa mid mereflode
60 ofer hwæles eþel hweorfeð wide
eorþan sceatas, cymeð eft to me
gifre ond grædig; gielleð anfloga
hweteð on hwælweg hreþer unwearnum
ofer holma gelagu. Forþon me hatran sind
65 dryhtnes dreamas þonne þis deade lif,
læne on londe; ic gelyfe no
þæt him eorðwelan ece stondað.
Simle þreora sum þinga gehwylce,
ær his tid aga, to tweon weorþeð:
70 Adl oþþe yldo oþþe ecghete
fægum fromweardum feorh oðþringeð.
Forþon bið þæt eorla gehwam æftercweþendra
lof lifgendra lastworda betst,
þæt he gewyrce, ær he onweg scyle,
75 fremum on foldan wið feonda niþ,
deorum dædum deofle togeanes,
þæt hine ælda bearn æfter hergen,
ond his lof siþþan lifge mid englum
awa to ealdre, ecan lifes blæd,
80 dream mid dugeþum. Dagas sind gewitene
ealle onmedlan eorþan rices!
Næron nu cyningas ne caseras
ne goldgiefan, swylce iu wæron,
þonne hi mæst mid him mærþa gefremedon
85 ond on dryhtlicestum dome lifdon.
Gedroren is þeos duguð eal, dreamas sind gewitene,
wuniað þa wacran ond þas woruld healdaþ,
brucað þurh bisgo. Blæd is gehnæged,
eorþan indryhto ealdað ond searað,
90 swa nu monna gehwylc geond middangeard;
yldo him on fareð, onsyn blacað,
gomelfeax gnornað, wat his iuwine,
æþelinga bearn, eorþan forgiefene.

52 gewitað 56 eft eadig 63 wæl weg 67 stondeð 69 tide ge *MS.* tid aga *Grein,* tidege *Schücking,* tiddæge *Klaeber,* tiddege *Mackie* 72 bið *spl. Holthausen* 75 fremman 79 blæð 82 næron] ne aron *Grein*

Ne mæg him þonne se flæschoma   þonne him þæt feorg losað
95 ne swete forswelgan,   ne sar gefelan,
ne hond onhreran,   ne mid hyge þencan.
Þeah he græf wille   golde stregan
broþor his geborenum   byrgan be deadum
maþmum mislicum,   þæt hine mid wille,
100 ne mæg þære sawle   þe biþ synna ful
gold to geoce   for godes egsan,
þonne he hit ær hydeð,   þenden he her leofað.
Micel biþ se meotudes egsa   forþon hi seo molde oncyrreð;
se gestaþelade   stiþe grundas,
105 eorþan sceatas   ond uprodor.
Dol biþ se þe him his dryhten ne ondrædeþ;   cymeð him se deað unþinged;
Eadig bið se þe eaþmod leofaþ,   cymeð him seo ar of heofonum;
meotod him þæt mod gestaþelað,   forþon he in his meahte gelyfeð.
Stieran mon sceal strongum mode   ond þæt on staþelum healdan
110 ond gewis werum   wisum clæne.
Scyle monna gehwylc   mid gemete healdan
wiþ leofne ond wið laþne   bealo,
þeah þe he hine wille fyres   fulne
oþþe on bæle   forbærnedne
115 his geworhte wine.   Wyrd biþ swiþre,
meotud meahtigra   þonne ænges monnes gehygd.
Uton we hycgan   hwær we ham agen,
ond þonne geþencan   hu we þider cumen,
ond we þonne eac tilien,   þæt we to moten
120 in þa ecan   eadignesse,
þær is lif gelong   in lufan dryhtnes,
hyht in heofonum.   Þæs sy þam halgan þonc
þæt he usic geweorþade,   wuldres ealdor,
ece dryhten,   in ealle tid.   Amen.

38. WULF AND EADWACER

Exeter Book. — HB. 412-13; Ba. 72;
RO. 194.

Leodum is minum   swylce him mon lac gife;
willað hy hine aþecgan,   gif he on þreat cymeð?
Ungelic is us.
Wulf is on iege,   ic on oþerre.
5 Fæst is þæt eglond,   fenne biworpen.
Sindon wælreowe   weras þær on ige;
willað hy hine aþecgan,   gif he on þreat cymeð?
Ungelice is us.
Wulfes ic mines widlastum   wenum dogode;
10 þonne hit wæs renig weder   ond ic reotugu sæt,
þonne mec se beaducafa   bogum bilegde,
wæs me wyn to þon,   wæs me hwæþre eac lað.
Wulf, min Wulf,   wena me þine
seoce gedydon,   þine seldcymas,
15 murnende mod,   nales meteliste.
Gehyrest þu, Eadwacer?   Uncerne earne hwelp
bireð Wulf to wuda.
Þæt mon eaþe tosliteð   þætte næfre gesomnad wæs,
uncer giedd geador.

---

99 him ne *Grein, Mackie*   109 mon] mod *MS.*   112/113 ***no gap in the MS.*** (leofne lufan ... þeah þe hine fyres fulne wille *em. Holthausen*)   115 swire   117 hwær se

38. 16 earne] eargne *Mackie*, earone *Sieper*, earmne *Holthausen*   18 gesomnad] geæmnad *Holthausen*   19 giedd] gæd *Herzfeld*

39. VAINGLORY

(BY MANNA MODE · THE SPIRIT OF MEN)

Exeter Book. - HB. p. 61; Ba. 82; RO. 187; Ker 346.

Hwæt, me frod wita   on fyrndagum
sægde, snottor ar,   sundorwundra fela!
Wordhord onwreah   witgan larum
beorn boca gleaw,   bodan ærcwide,
5 þæt ic soðlice   siþþan meahte
ongitan bi þam gealdre   godes agen bearn,
wilgest on wicum,   ond þone wacran swa some,
scyldum bescyredne,   on gescead witan.
Þæt mæg æghwylc mon   eaþe geþencan,
10 se þe hine ne læteð   on þas lænan tid
amyrran his gemyndum   modes gælsan
ond on his dægrime   druncen to rice,
þonne monige beoð   mæþelhegendra,
wlonce wigsmiþas   winburgum in,
15 sittaþ æt symble,   soðgied wrecað,
wordum wrixlað,   witan fundiaþ
hwylc æscstede   inne in ræcede
mid werum wunige,   þonne win hweteð
beornes breostsefan.   Breahtem stigeð,
20 cirm on corþre,   cwide scralletaþ
missenlice.   Swa beoþ modsefan
dalum gedæled,   sindon dryhtguman
ungelice.   Sum on oferhygdo
þrymme þringeð,   þrinteð him in innan
25 ungemedemad mod;   sindan to monige þæt!
Bið þæt æfþonca   eal gefylled
feondes fligepilum,   facensearwum;
breodað he ond bælceð,   boð his sylfes
swiþor micle   þonne se sella mon,
30 þenceð þæt his wise   welhwam þince
eal unforcuþ.   Biþ þæs oþer swice,
þonne he þæs facnes   fintan sceawað.
Wrenceþ he ond blenceþ,   worn geþenceþ,
hinderhoca,   hygegar leteð,
35 scurum sceoteþ.   He þa scylde ne wat
fæhþe gefremede,   feoþ his betran
eorl fore æfstum,   læteð inwitflan
brecan þone burgweal,   þe him bebead meotud
þæt he þæt wigsteal   wergan sceolde,
40 siteþ symbelwlonc,   searwum læteð
wine gewæged   word ut faran,
þræfte þringan   þrymme gebyrmed,
æfæstum onæled,   oferhygda ful,
niþum nearowrencum.   Nu þu cunnan meaht,
45 gif þu þyslicne   þegn gimittest
wunian in wicum,   wite þe be þissum
feawum forðspellum   þæt þæt biþ feondes bearn
flæsce bifongen,   hafað fræte lif,
grundfusne gæst   gode orfeormne,
50 wuldorcyninge. —

---

3 onwearh *MS.*] *em. Grein*, onwrah *Sedgefield*   8 witon *MS.*   10 ne *not in MS., suppl. Cosijn, Dobbie*   12 drucen *MS.*   13 mæþel hergendra *MS.*] *emm. Grein, Dobbie*   24 þryme þringe *MS.*] *em. Ettmüller*   36 feoh *MS.*] *em. Dobbie*, feohþ *Ettmüller*   39 scealde *MS.*

40. THE WIFE'S LAMENT

Exeter Book. — HB. 668-70; Ba. 71; RO. 196.

Ic þis giedd wrece bi me ful geomorre,
minre sylfre sið; ic þæt secgan mæg,
hwæt ic yrmþa gebad, siþþan ic up [a]weox,
niwes oþþe ealdes, no ma þonne nu.
5 A ic wite wonn minra wræcsiþa:
Ærest min hlaford gewat heonan of leodum
ofer yþa gelac; hæfde ic uhtceare,
hwær min leodfruma londes wære.
Ða ic me feran gewat folgað secan,
10 wineleas wræcca, for minre weaþearfe.
Ongunnon þæt þæs monnes magas hycgan
þurh dyrne geþoht þæt hy todælden unc,
þæt wit gewidost in woruldrice
lifdon laðlicost ond mec longade.
15 Het mec hlaford min herheard niman;
ahte ic leofra lyt on þissum londstede,
holdra freonda. Forþon is min hyge geomor,
ða ic me ful gemæcne monnan funde,
heardsæligne, hygegeomorne,
20 mod miþendne, morþor hycgendne.
Bliþe gebæro ful oft wit beotedan
þæt unc ne gedælde, nemne deað ana,
owiht elles. Eft is þæt onhworfen,
is nu swa hit no wære
25 freondscipe uncer. Sceal ic feor ge neah
mines fela-leofan fæhðu dreogan.
Heht mec mon wunian on wuda bearwe
under actreo in þam eorðscræfe.
Eald is þes eorðsele, eal ic eom oflongad;
30 sindon dena dimme, duna uphea,
bitre burgtunas, brerum beweaxne,
wic wynna leas. Ful oft mec her wraþe begeat
fromsiþ frean. Frynd sind on eorþan,
leofe lifgende, leger weardiað,
35 þonne ic on uhtan ana gonge
under actreo geond þas eorðscrafu.
Þær ic sittan mot sumorlangne dæg,
þær ic wepan mæg mine wræcsiþas,
earfoþa fela, forþon ic æfre ne mæg
40 þære modceare minre gerestan,
ne ealles þæs longaþes þe mec on þissum life begeat.
A scyle geong mon wesan geomormod,
heard heortan geþoht, swylce habban sceal
bliþe gebæro, eac þon breostceare,
45 sinsorgna gedreag; sy æt him sylfum gelong
eal his worulde wyn, sy ful wide fah
feorres folclondes, þæt min freond siteð
under stanhliþe storme behrimed,
wine werigmod, wætre beflowen
50 on dreorsele. Dreogeð se min wine
micle modceare; he gemon to oft
wynlicran wic. Wa bið þam þe sceal
of langoþe leofes abidan.

---

15 her heard 20 hycgende 24 *no gap in MS.* is nu [geworden *Schücking*, togangen *Holthausen*, ? genæted] 25 seal 37 sittam

41. THE HUSBAND'S MESSAGE

Exeter Book. – HB. 605-607; Ba. 71; RO. 200.

Nu ic onsundran þe secgan wille [1]
[ymb þisum] treocyn[ne] ic tudre aweox;
. . . . . eom nu her cumen [?8]
on ceolþele; ond nu cunnan scealt
5 hu þu ymb modlufan mines frean
on hyge hycge. Ic gehatan dear
þæt þu þær tirfæste treowe findest.
Hwæt, þec þonne biddan het, se þisne beam agrof,
þæt þu sinchroden sylf gemunde
10 on gewitlocan wordbeotunga
þe git on ærdagum oft gespræcon
þenden git moston on meoduburgum
eard weardigan, an lond bugan,
freondscype fremman. Hine fæhþo adraf
15 of sigeþeode; heht nu sylfa þe
lustum læran, þæt þu lagu drefde,
siþþan þu gehyrde on hliþes oran
galan geomorne geac on bearwe.
Ne læt þu þec siþþan siþes getwæfan,
20 lade gelettan lifgendne monn.
Ongin mere secan, mæwes eþel,
onsite sænacan, þæt þu suð heonan
ofer merelade monnan findest,
þær se þeoden is þin on wenum.
25 Ne mæg him worulde willa gelimpan
mara on gemyndum, þæs þe he me sægde,
þonne inc geunne alwaldend god
[þæt git] ætsomne siþþan motan
secgum ond gesiþum s[inc gedælan].
30 . . . . . Nu se mon hafaþ [?43]
wean oferwunnen; nis him wilna gad
ne meara ne maþma ne meododreama,
ænges ofer eorþan eorlgestreona,
þeodnes dohtor, gif he þin beneah,
35 ofer eald gebeot incer twega.
Gecyre ic ætsomne ·ᛋ· ᚱ ·geador
·ᛠ·ᚹ· ond ·ᛞ· aþe benemnan,
þæt he þa wære ond þa winetreowe
be him lifgendum læstan wolde,
40 þe git on ærdagum oft gespræconn.

---

16 læram *Schücking* 25 gelimpan *not in MS.* 29b *MS. gap*] sinc brytnian *Grein*, sinc gedælan *Kluge*,

42. The Ruin

Exeter Book. — HB. 635; Ba. 71; RO.202.

Wrætlic is þes wealstan, wyrde gebræcon; [1]
burgstede burston, brosnað enta geweorc.
Hrofas sind gehrorene, hreorge torras,
hrungeat berofen, hrim on lime,
5 scearde scurbeorge scorene, gedrorene,
ældo undereotone. Eorðgrap hafað
waldend wyrhtan forweorone, geleorone,
heardgripe hrusan, oþ hund cnea
werþeoda gewitan. Oft þæs wag gebad
10 ræghar ond readfah rice æfter oþrum,
ofstonden under stormum; steap geap gedreas. —
Beorht wæron burgræced, burnsele monige, [21]
heah horngestreon, heresweg micel,
meodoheall monig mondreama full,
15 oþþæt þæt onwende wyrd seo swiþe.
Crungon walo wide, cwoman woldagas,
swylt eall fornom secgrofra wera;
wurdon hyra wigsteal westen staþolas,
brosnade burgsteall. Betend crungon
20 hergas to hrusan. Forþon þas hofu dreorgiað,
ond þæs teaforgeapa tigelum sceadeð
hrostbeages hrof. Hryre wong gecrong
gebrocen to beorgum, þær iu beorn monig
glædmod ond goldbeorht gleoma gefrætwed,
25 wlonc ond wingal wighyrstum scan;
seah on sinc, on sylfor, on searogimmas,
on ead, on æht, on eorcanstan,
on þas beorhtan burg bradan rices.
Stanhofu stodan, stream hate wearp
30 widan wylme; weal eall befeng
beorhtan bosme, þær þa baþu wæron,
hat on hreþre. Þæt wæs hyðelic. —

43. The Fortunes of Men

Exeter Book. — HB. p. 62; Ba. 82; RO. 188.

Ful oft þæt gegongeð mid godes meahtum,
þætte wer ond wif in woruld cennað
bearn mid gebyrdum ond mid bleom gyrwað,
tennaþ ond tætaþ, oþþæt seo tid cymeð,
5 gegæð gearrimum, þæt þa geongan leomu,
liffæstan leoþu, geloden weorþað.
Fergað swa ond feþað fæder ond modor,
giefað ond gierwaþ; god ana wat,
hwæt him weaxendum winter bringað.
10 Sumum þæt gegongeð on geoguðfeore,
þæt se endestæf earfeðmæcgum
wealic weorþeð. Sceal hine wulf etan,
har hæðstapa; hinsiþ þonne
modor bimurneð. Ne bið swylc monnes geweald.
15 Sumne sceal hungor ahiþan; sumne sceal hreoh fordrifan.

---

42. 4 hrungeat] hrim geat torras *MS.* hrungeat *Grein*, hringgeat *Kluge* 14 b mon-] · ᛗ · *rune MS.* 17 secg rof *MS.* *em. Holthausen* 22 hrost beages hrof 24 gefræt weð

Sumne sceal gar agetan, sumne guð abreotan.
Sum sceal leomena leas lifes neotan,
folmum ætfeohtan, sum on feðe lef,
seonobennum seoc, sar cwanian,
20 murnan meotudgesceaft mode gebysgad.
Sum sceal on holte of hean beame
fiþerleas feallan, bið on flihte seþeah,
laceð on lyfte, oþþæt lengre ne bið
westem wudubeames. Þonne he on wyrtruman
25 sigeð sworcenferð, sawle bireafod,
fealleþ on foldan, feorð bið on siþe.
Sum sceal on feþe on feorwegas
nyde gongan ond his nest beran,
tredan uriglast elþeodigra
30 frecne foldan; ah he feormendra
lyt lifgendra. Lað biþ æghwær
fore his wonsceaftum wineleas hælé.
Sum sceal on geapum galgan ridan,
seomian æt swylte, oþþæt sawlhord,
35 bancofa blodig, abrocen weorþeð.
Þær him hrefn nimeþ heafodsyne,
sliteð salwigpad sawelleasne;
noþer he þy facne mæg folmum biwergan,
laþum lyftsceaþan, bið his lif scæcen,
40 ond he feleleas feores orwena,
blac on beame bideð wyrde,
bewegen wælmiste. Bið him werig noma.
Sumne on bæle sceal brond aswencan,
fretan frecne lig fægne monnan;
45 þær him lifgedal lungre weorðeð
read reþe gled; reoteð meowle,
seo hyre bearn gesihð brondas þeccan.
Sumum meces ecg on meodubence,
yrrum ealowosan ealdor oþþringeð,
50 were winsadum, bið ær his worda to hræd.
Sum sceal on beore þurh byreles hond
meodugal mæcga, þonne he gemet ne con
gemearcian his muþe mode sine,
ac sceal ful earmlice ealdre linnan,
55 dreogan dryhtenbealo, dreamum biscyred,
ond hine to sylfcwale secgas nemnað,
mænað mid muþe meodugales gedrinc.
Sum sceal on geoguþe mid godes meahtum
his earfoðsiþ ealne forspildan,
60 ond on yldo eft eadig weorþan
wunian wyndagum ond welan þicgan,
maþmas ond meoduful mægburge on,
þæs þe ænig fira mæge forð gehealdan.
Swa missenlice meahtig dryhten
65 geond eorþan sceat eallum dæleð,
scyreþ ond scrifeð ond gesceapo healdeð:
Sumum eadwelan, sumum earfeþa dæl,
sumum geogoþe glæd, sumum guþe blæd,
gewealdenne wigplegan, sumum wyrp oþþe scyte,
70 torhtlicne tiir, sumum tæfle cræft,

21 beane 43 sum brondas þencan *MS., em. Kock*; brond aþecgan *Sedgefield* 44 lig] lif
63 forh

bleobordes gebregd. Sume boceras
weorþað wisfæste; sumum wundorgiefe
þurh goldsmiþe gearwad weorþeð.
Ful oft he gehyrdeð ond gehyrsteð wel,
75 brytencyninges beorn, ond he him brad syleð
lond to leane. He hit on lust þigeð.
Sum sceal on heape hæleþum cweman,
blissian æt beore bencsittendum;
þær biþ drincendra dream se micla.
80 Sum sceal mid hearpan æt his hlafordes
fotum sittan, feoh þicgan,
ond a snellice snere wræstan,
lætan scralletan sceacol, se þe hleapeð,
nægl neomegende; biþ him neod micel.
85 Sum sceal wildne fugel wloncne atemian,
heafoc on honda, oþþæt seo heoroswealwe
wynsum weorþeð; dcþ he wyrplas on,
fedeþ swa on feterum fiþrum dealne,
lepeþ lyftswiftne lytlum gieflum,
90 oþþæt se wælisca wædum ond dædum
his ætgiefan eaðmod weorþeð
ond to hagostealdes honda gelæred.
Swa wrætlice weoroda nergend
geond middangeard monna cræftas
95 sceop ond scyrede ond gesceapo terede
æghwylcum on eorþan eormencynnes.
Forþon him nu ealles þonc æghwa secge,
þæs þe he fore his miltsum monnum scrifeð.

44. A PRAYER

Exeter Book. — ['Resignation' Krapp-Dobbie]. — **Ba. 80; RO. 198.**

Age mec se ælmihta god, [1]
helpe min se halga dryhten! Þu gesceope heofon ond eorþan
ond wundor eall, min wundorcyning,
þe þær on sindon, ece dryhten,
5 micel ond manigfeald. Ic þe, mære god,
mine sawle bebeode ond mines sylfes lic,
ond min word ond min weorc, witig dryhten,
ond eal min leoþo, leohtes hyrde,
ond þa manigfealdan mine geþohtas.
10 Getacna me, tungla hyrde,
þær selast sy sawle minre
to gemearcenne meotudes willan,
þæt ic þe geþeo þinga gehwylce,
ond on me sylfum, soðfæst cyning
15 ræd arære. Regnþeof ne læt
on sceade sceþþan, þeah þe ic scyppendum
wuldorcyninge waccor hyrde,
ricum dryhtne, þonne min ræd wære.
Forgif me to lisse, lifgende god,
20 bitre bealodæde. Ic þa bote gemon,
cyninga wuldor, cume to gif ic mot. —

---

73 weorþað *em. Dobbie* 83 sceacol] gearo *MS., em. Mackie;* sc. se þe] sceardfeðer *Sedgefield* 84 neome cende 93 weoroda nergend] weorod anes god *MS., em. Cosijn;* weoroda god *Ettmüller* *31.* 4 þe *not in MS.*

þe sie ealles þonc [67b]
meorda ond miltsa, þara þu me sealdest.
No ðæs earninga ænige wæron mid;
25 hwæþre ic me ealles þæs ellen wylle
habban ond hlyhhan ond me hyhtan to,
frætwian mec on ferðweg ond fundian
sylf to þam siþe þe ic asettan sceal,
gæst gearwian, ond me þæt eal for gode þolian
30 bliþe mode, nu ic gebunden eom
fæste in minum ferþe. Huru me frea witeþ
sume þara synna þe ic me sylf ne conn
ongietan gleawlice. Gode ic hæbbe
abolgen brego moncynnes; forþon ic þus bittre wearð
35 gewitnad for[e] þisse worulde, swa min gewyrhto wæron
micle fore monnum, þæt ic martirdom
deopne adreoge. Ne eom ic dema gleaw,
wis fore weorude; forþon ic þas word spræce
fus on ferþe, swa me on frymðe gelomp
40 yrmþu ofer eorþan þæt ic a þolade
geara gehwylce, gode ealles þonc,
modearfoþa ma þonne on oþrum
fyrhto in folce. Forþon ic afysed eom
earm of minum eþle; ne mæg þæs anhoga
45 leodwynna leas leng drohtian,
wineleas wræcca, is him wrað meotud,
gnornað on his geoguþe,
ond him ælce mæle men fullestað,
ycaþ his yrmþu, ond he þæt eal þolað,
50 sarcwide secga, ond him bið a sefa geomor,
mod morgenseoc. Ic bi me tylgust
secge þis sarspel ond ymb siþ spræce
longunge fus, ond on lagu þence.
Nat min . . . .
55 hwy ic gebycge bat on sæwe,
fleot on faroðe; nah ic fela goldes
ne huru þæs freondes, þe me gefylste
to þam siðfate, nu ic me sylf ne mæg
fore minum wonæhtum willan adreogan.
60 Wudu mot him weaxan, wyrde bidan,
tanum lædan. Ic for tæle ne mæg
ænigne moncynnes mode gelufian
eorl on eþle. Eala, dryhten min,
meahtig mundbora, þæt ic eom mode seoc
65 bittre abolgen. Is seo bot æt þe
gelong æfter life. Ic on leohte ne mæg
butan earfoþum ænge þinga
feasceaft hæle foldan gewunian;
þonne ic me to fremþum freode hæfde,
70 cyðþu gecweme, me wæs a cearu symle
lufena to leane, swa ic alifde nu.
Giet biþ þæt selast, þonne mon him sylf ne mæg
wyrd onwendan, þæt he þonne wel þolige.

---

26 for *MS. dam.* ? fore mingie wyrhto 28 doma *Schücking* 39 fullestað] efulsiað *em. Klaeber* 45 ***no gap in MS.*** ; nat min sefa sare geswenced *spl. Grein*, nat min sefa sarum gebysgad *spl. Mackie* 55 seoc *MS. dam.* 57 life *MS. dam.* 59 gewunian *MS. dam.* 61 gecwe[me] *MS. dam.* , *spl. Mackie* 63 selast *not in MS., spl. Holthausen*

45. THE DREAM OF THE ROOD

Vercelli Book. — HB. 553-58; Ke. 3455-64; Ba. 78; RO. 221.

[*cf.* A. S. Cook, The Dream of the Rood, Oxford 1905; B. Dickins - A. S. C. Ross, The Dream of the Rood, London 1934; H. Bütow, Das ae. Traumgesicht vom Kreuz, Heidelberg 1935.]

Hwæt! Ic swefna cyst secgan wylle,
hwæt me gemætte to midre nihte,
syðþan reordberend reste wunedon:
Þuhte me þæt ic gesawe syllicre treow
5 on lyft lædan, leohte bewunden,
beama beorhtost. Eall þæt beacen wæs
begoten mid golde. Gimmas stodon
fægere æt foldan sceatum, swylce þær fife wæron
uppe on þam eaxlegespanne. Beheoldon þær engel dryhtnes ealle,
10 fægere þurh forðgesceaft. Ne wæs ðær huru fracodes gealga,
ac hine þær beheoldon halige gastas,
men ofer moldan, ond eall þeos mære gesceaft.
Syllic wæs se sigebeam, ond ic synnum fah,
forwunded mid wommum. Geseah ic wuldres treow,
15 wædum geweorðode, wynnum scinan,
gegyred mid golde; gimmas hæfdon
bewrigene weorðlice wealdendes treow.
Hwæðre ic þurh þæt gold ongytan meahte
earmra ærgewin, þæt hit ærest ongan
20 swætan on þa swiðran healfe. Eall ic wæs mid sorgum gedrefed,
forht ic wæs for þære fægran gesyhðe. Geseah ic þæt fuse beacen
wendan wædum ond bleom; hwilum hit wæs mid wætan bestemed,
beswyled mid swates gange, hwilum mid since gegyrwed.
Hwæðre ic þær licgende lange hwile
25 beheold hreowcearig hælendes treow,
oððæt ic gehyrde þæt hit hleoðrode.
Ongan þa word sprecan wudu selesta:
'Þæt wæs geara iu, ic þæt gyta geman,
þæt ic wæs aheawen holtes on ende,
30 astyred of stefne minum. Genaman me ðær strange feondas,
geworhton him þær to wæfersyne, heton me heora wergas hebban.
Bæron me ðær beornas on eaxlum, oððæt hie me on beorg asetton,
gefæstnodon me þær feondas genoge. Geseah ic þa frean mancynnes
efstan elne mycle þæt he me wolde on gestigan.
35 Þær ic þa ne dorste ofer dryhtnes word
bugan oððe berstan, þa ic bifian geseah
eorðan sceatas. Ealle ic mihte
feondas gefyllan, hwæðre ic fæste stod.
Ongyrede hine þa geong hæleð, þæt wæs god ælmihtig,
40 strang ond stiðmod. Gestah he on gealgan heanne,
modig on manigra gesyhðe, þa he wolde mancyn lysan.
Bifode ic, þa me se beorn ymbclypte. Ne dorste ic hwæðre bugan to eorðan,
feallan to foldan sceatum, ac ic sceolde fæste standan.
Rod wæs ic aræred. Ahof ic ricne cyning,
45 heofona hlaford, hyldan me ne dorste.
Þurhdrifan hi me mid deorcan næglum. On me syndon þa dolg gesiene,

---

2 hwæt] hæt 9 englas *Cook*, engeldryhte *Dickins* ealle *not Sievers, Dickins*
15 geweorðod *Sweet* 17 bewrigen *Kemble* wealdes *MS.*, *em. Sievers* 20 surgum 23 besyled *Sweet*

opene inwidhlemmas. Ne dorste ic hira ænigum sceððan.
Bysmeredon hie unc butu ætgædere. Eall ic wæs mid blode bestemed,
begoten of þæs guman sidan, siððan he hæfde his gast onsended.

50 Feala ic on þam beorge gebiden hæbbe
wraðra wyrda. Geseah ic weruda god
þearle þenian. Þystro hæfdon
bewrigen mid wolcnum wealdendes hræw,
scirne sciman, sceadu forðeode,
55 wann under wolcnum. Weop eal gesceaft,
cwiðdon cyninges fyll. Crist wæs on rode.

Hwæðere þær fuse feorran cwoman
to þam æðelinge. Ic þæt eall beheold.
Sare ic wæs mid sorgum gedrefed, hnag ic hwæðre þam secgum to handa,
60 eaðmod elne mycle. Genamon hie þær ælmihtigne god,
ahofon hine of ðam hefian wite. Forleton me þa hilderincas
standan steame bedrifenne; eall ic wæs mid strælum forwundod.
Aledon hie ðær limwerigne, gestodon him æt his lices heafdum,
beheoldon hie ðær heofenes dryhten, ond he hine ðær hwile reste,
65 meðe æfter ðam miclan gewinne. Ongunnon him þa moldern wyrcan
beornas on banan gesyhðe; curfon hie ðæt of beorhtan stane,
gesetton hie ðæron sigora wealdend. Ongunnon him þa sorhleoð galan
earme on þa æfentide, þa hie woldon eft siðian,
meðe fram þam mæran þeodne. Reste he ðær mæte weorode.

70 Hwæðere we ðær greotende gode hwile
stodon on staðole, syððan stefn up gewat
hilderinca. Hræw colode,
fæger feorgbold. Þa us man fyllan ongan
ealle to eorðan. Þæt wæs egeslic wyrd!
75 Bedealf us man on deopan seaþe. Hwæðre me þær dryhtnes þegnas,

---

46. THE RUTHWELL CROSS

[*cf.* A. S. Cook, The Dream of the Rood, Oxford 1905; B. Dickins - A. S. C. Ross, The Dream of the Rood, London 1934; H. Bütow, Das ae. Traumgesicht vom Kreuz, Heidelberg 1935.]

[39] [On]geredæ hinæ god almehttig,
þa he walde on galgu gistiga,
[m]odig f[ore allæ] men;
[b]ug[a ic ne dorstæ] —
[44] [ahof] ic riicnæ kyningc,
heafunæs hlafard, hælda ic ne dorstæ;
bismærædu ungket men ba ætgad[re;]
ic [wæs] miþ blodæ [b]istemi[d]
bi[goten of his sidan].
[56] Crist wæs on rodi.
Hweþræ þer fusæ fearran cwomu
æþþilæ til anum. Ic þæt al bi[heald.]
S[are] ic w[æ]s mi[þ] so[r]gum gidroe[fi]d, h[n]ag [— —]
[62] miþ strelum giwundad
alegdun hiæ hinæ limwoerignæ,
gistoddu[m] him [æt his l]icæs [hea]f[du]m;
[bih]ea[l]du[n h]i[æ] þe[r heafunæs hlafard. —]

---

47 nænigum 54 forð eode 59 sorgum *not in MS. cf. Ruthwell* 66 banena *Cook*
70 reotende *MS.* geotende *Cook*, greotende *Grein* 71 stefn *not in MS.*, syððan] stefn *Sweet*

freondas gefrunon,
ond gyredon me golde ond seolfre.
Nu ðu miht gehyran, hæleð min se leofa,
þæt ic bealuwara weorc gebiden hæbbe,
80 sarra sorga. Is nu sæl cumen
þæt me weorðiað wide ond side
menn ofer moldan, ond eall þeos mære gesceaft,
gebiddaþ him to þyssum beacne. On me bearn godes
þrowode hwile. Forþan ic þrymfæst nu
85 hlifige under heofenum, ond ic hælan mæg
æghwylcne anra, þara þe him bið egesa to me.
Iu ic wæs geworden wita heardost,
leodum laðost, ærþan ic him lifes weg
rihtne gerymde, reordberendum.
90 Hwæt, me þa geweorðode wuldres ealdor
ofer holtwudu, heofonrices weard,
swylce swa he his modor eac, Marian sylfe,
ælmihtig god for ealle menn
geweorðode ofer eall wifa cynn.
95 Nu ic þe hate, hæleð min se leofa,
þæt ðu þas gesyhðe secge mannum;
onwreoh wordum þæt hit is wuldres beam,
se ðe ælmihtig god on þrowode
for mancynnes manegum synnum
100 ond Adomes ealdgewyrhtum.
Deað he þær byrigde, hwæðere eft dryhten aras
mid his miclan mihte mannum to helpe.
He ða on heofenas astag. Hider eft fundaþ
on þysne middangeard mancynn secan
105 on domdæge dryhten sylfa,
ælmihtig god, ond his englas mid,
þæt he þonne wile deman, se ah domes geweald,
anra gehwylcum swa he him ærur her
on þyssum lænum life geearnaþ.
110 Ne mæg þær ænig unforht wesan
for þam worde þe se wealdend cwyð.
Frineð he for þære mænige hwær se man sie,
se ðe for dryhtnes naman deaðes wolde
biteres onbyrigan, swa he ær on ðam beame dyde.
115 Ac hie þonne forhtiað, ond fea þencaþ
hwæt hie to Criste cweðan onginnen.
Ne þearf ðær þonne ænig anforht wesan
þe him ær in breostum bereð beacna selest,
ac ðurh ða rode sceal rice gesecan
120 of eorðwege æghwylc sawl,
seo þe mid wealdende wunian þenceð.'
Gebæd ic me þa to þan beame bliðe mode,
elne mycle, þær ic ana wæs
mæte werede. Wæs modsefa
125 afysed on forðwege, feala ealra gebad
langunghwila. Is me nu lifes hyht
þæt ic þone sigebeam secan mote
ana oftor þonne ealle men,
well weorþian. Me is willa to ðam
130 mycel on mode, ond min mundbyrd is

76b [hie me þa of foldan ahofon] *spl. Grein, Cook* 77a ond *not in MS.* 79 bealuwa *Cook, Klaeber* 91 holmwudu 117 unforht

geriht to þære rode. Nah ic ricra feala
freonda on foldan; ac hie forð heonon
gewiton of worulde dreamum, sohton him wuldres cyning,
lifiaþ nu on heofenum mid heahfædere,
135 wuniaþ on wuldre. Ond ic wene me
daga gehwylce hwænne me dryhtnes rod,
þe ic her on eorðan ær sceawode,
on þysson lænan life gefetige,
ond me þonne gebringe þær is blis mycel.
140 dream on heofonum, þær is dryhtnes folc
geseted to symle, þær is singal blis.
Ond he þonne asette þær ic syþþan mot
wunian on wuldre, well mid þam halgum
dreames brucan. Si me dryhten freond,
145 se ðe her on eorþan ær þrowode
on þam gealgtreowe for guman synnum;
he us onlysde, ond us lif forgeaf,
heofonlicne ham. Hiht wæs geniwad
mid bledum ond mid blisse, þam þe þær bryne þolodan.
150 Se sunu wæs sigorfæst on þam siðfate,
mihtig ond spedig. Þa he mid manigeo com,
gasta weorode on godes rice,
anwealda ælmihtig, englum to blisse,
ond eallum ðam halgum þam þe on heofonum ær
155 wunedon on wuldre, þa heora wealdend cwom,
ælmihtig god, þær his eðel wæs.

47. ANDREAS

Vercelli Book — HB. 542-48; Ke. 3451-77; Ba. 77. RO. 218.

Hwæt! We gefrunan on fyrndagum [1]
twelfe under tunglum tireadige hæleð,
þeodnes þegnas. No hira þrym alæg
camprædenne þonne cumbol hneotan,
5 syððan hie gedældon, swa him dryhten sylf,
heofona heahcyning, hlyt getæhte.
Þæt wæron mære men ofer eorðan,
frome folctogan ond fyrdhwate,
rofe rincas, þonne rond ond hand
10 on herefelda helm ealgodon,
on meotudwange. Wæs hira Matheus sum,
se mid Iudeum ongan godspell ærest
wordum writan wundorcræfte.
Þam halig god hlyt geteode
15 ut on þæt igland þær ænig þa git
ellþeodigra eðles ne mihte
blædes brucan. Oft him bonena hand
on herefelda hearde gesceode.
Eal wæs þæt mearcland morðre bewunden,
20 feondes facne, folcstede gumena,
hæleða eðel. Næs þær hlafes wist
werum on þam wonge, ne wæteres drync
to bruconne, ah hie blod ond fel,
fira flæschoman, feorrancumenra,
25 ðegon geond þa þeode. Swelc wæs þeaw hira

4 cam rædenne

þæt hie æghwylcne ellðeodigra
dydan him to mose meteþearfendum,
þara þe þæt ealand utan sohte. —

Þa wæs gemyndig, se ðe middangeard [161]
30 gestaðelode strangum mihtum,
hu he in ellþeodigum yrmðum wunode,
belocen leoðubendum, þe oft his lufan adreg
for Ebreum ond Israhelum;
swylce he Iudea galdorcræftum
35 wiðstod stranglice. Þa sio stefn gewearð
gehered of heofenum, þær se halga wer
in Achaia, Andreas, wæs,
leode lærde on lifes weg.
Þa him cirebaldum cininga wuldor,
40 meotud mancynnes, modhord onleac,
weoruda drihten, ond þus wordum cwæð:
'Ðu scealt feran ond frið lædan,
siðe gesecan, þær sylfætan
eard weardigað, eðel healdaþ
45 morðorcræftum. Swa is þære menigo þeaw
þæt hie uncuðra ængum ne willað
on þam folcstede feores geunnan
syþþan manfulle on Mermedonia
onfindaþ feasceaftne. Þær sceall feorhgedal,
50 earmlic ylda cwealm, æfter wyrþan.
Ðær ic seomian wat þinne sigebroðor
mid þam burgwarum bendum fæstne.
Nu bið fore þreo niht þæt he on þære þeode sceal
fore hæðenra handgewinne
55 þurh gares gripe gast onsendan,
ellorfusne, butan ðu ær cyme.'
Ædre him Andreas agef andsware:
'Hu mæg ic, dryhten min, ofer deop gelad
fore gefremman on feorne weg
60 swa hrædlice, heofona scyppend,
wuldres waldend, swa ðu worde becwist?
Ðæt mæg engel þin eað geferan,
halig of heofenum con him holma begang,
sealte sæstreamas ond swanrade,
65 waroðfaruða gewinn ond wæterbrogan,
wegas ofer widland. Ne synt me winas cuðe,
eorlas elþeodige; ne þær æniges wat
hæleða gehygdo, ne me herestræta
ofer cald wæter cuðe sindon.'
70 Him ða ondswarude ece dryhten:
'Eala, Andreas, þæt ðu a woldest
þæs siðfætes sæne weorþan!
Nis þæt uneaðe eallwealdan gode
to gefremmanne on foldwege,
75 ðæt sio ceaster hider on þas cneorisse
under swegles gang aseted wyrðe,
breogostol breme, mid þam burgwarum,
gif hit worde becwið wuldres agend.

32 of *MS.*, *em. Krapp* 63 halig *not in MS.*, *spl. v. d. Warth* 64 sæ stearmas

Ne meaht ðu þæs siðfætes   sæne weorðan,
80 ne on gewitte to wac,   gif ðu wel þencest
wið þinne waldend   wære gehealdan,
treowe tacen.   Beo ðu on tid gearu!
Ne mæg þæs ærendes   ylding wyrðan.
Ðu scealt þa fore geferan   ond þin feorh beran
85 in gramra gripe,   ðær þe guðgewinn
þurh hæðenra   hildewoman,
beorna beaducræft,   geboden wyrðeð.
Scealtu æninga   mid ærdæge,
emne to morgene,   æt meres ende
90 ceol gestigan   ond on cald wæter
brecan ofer bæðweg.   Hafa bletsunge
ofer middangeard   mine, þær ðu fere!'

Gewat him þa se halga   healdend ond wealdend,
upengla fruma,   eðel secan,
95 middangeardes weard,   þone mæran ham,
þær soðfæstra   sawla moton
æfter lices hryre   lifes brucan.

Þa wæs ærende   æðelum cempan
aboden in burgum;   ne wæs him bleað hyge,
100 ah he wæs anræd   ellenweorces,
heard ond higerof,   nalas hildlata,
gearo, guðe fram,   to godes campe.
Gewat him þa on uhtan   mid ærdæge
ofer sandhleoðu   to sæs faruðe,
105 þriste on geþance,   ond his þegnas mid,
gangan on greote.   Garsecg hlynede,
beoton brimstreamas.   Se beorn wæs on hyhte,
syðþan he on waruðe   widfæðme scip
modig gemette.   Þa com morgentorht
110 beacna beorhtost   ofer breomo sneowan,
halig of heolstre.   Heofoncandel blac
ofer lagoflodas.   He ðær lidweardas,
þrymlice þry   þegnas gemette,
modiglice menn,   on merebate
115 sittan siðfrome,   swylce hie ofer sæ comon.
Þæt wæs drihten sylf,   dugeða wealdend,
ece ælmihtig,   mid his englum twam.
Wæron hie on gescirplan   scipferendum,
eorlas onlice   ealiðendum,
120 þonne hie on flodes fæðm   ofer feorne weg
on cald wæter   ceolum lacað.

Hie ða gegrette,   se ðe on greote stod,
fus on faroðe,   fægn reordade:
'Hwanon comon ge   ceolum liðan,
125 macræftige menn,   on mereþissan,
ane ægflotan?   Hwanon eagorstream
ofer yða gewealc   eowic brohte?'
Him ða ondswarode   ælmihti god,
swa þæt ne wiste,   se ðe þæs wordes bad,
130 hwæt se manna wæs   meðelhegendra,
þe he þær on waroðe   wiðþingode:
'We of Marmedonia   mægðe syndon
feorran geferede;   us mid flode bær

---

87 wyrdeð   **113 gemette** *not in MS. spl. Sievers,* **geseah** *Grimm*
123 fægn] frægn *MS., cf. prose, above.*

on hranrade heahstefn naca,
135 snellic sæmearh, snude bewunden,
oðþæt we þissa leoda land gesohton,
wære bewrecene, swa us wind fordraf.'

Him þa Andreas eaðmod oncwæð:
'Wolde ic þe biddan, þeh ic þe beaga lyt,
140 sincweorðunga, syllan meahte,
þæt ðu us gebrohte brante ceole,
hea hornscipe, ofer hwæles eðel
on þære mægðe. Bið ðe meorð wið god,
þæt ðu us on lade liðe weorðe.'
145 Eft him ondswarode æðelinga helm
of yðlide, engla scippend:
'Ne magon þær gewunian widferende,
ne þær elþeodige eardes brucað,
ah in þære ceastre cwealm þrowiað,
150 þa ðe feorran þyder feorh gelædaþ;
ond þu wilnast nu ofer widne mere
þæt ðu on þa fægðe þine feore spilde?'
Him þa Andreas agef ondsware:
'Usic lust hweteð on þa leodmearce,
155 mycel modes hiht, to þære mæran byrig
þeoden leofesta, gif ðu us þine wilt
on merefaroðe miltse gecyðan.'

Him ondswarode engla þeoden,
neregend fira, of nacan stefne:
160 'We ðe estlice mid us willað
ferigan freolice ofer fisces bæð
efne to þam lande, þær þe lust myneð
to gesecanne, syððan ge eowre
gafulrædenne agifen habbað,
165 sceattas gescrifene, swa eow scipweardas,
aras, ofer yðbord unnan willað.'
Him þa ofstlice Andreas wið,
wineþearfende, wordum mælde:
'Næbbe ic fæted gold ne feohgestreon,
170 welan ne wiste ne wira gespann,
landes ne locenra beaga, þæt ic þe mæge lust ahwettan,
willan in worulde, swa ðu worde becwist.'
Him þa beorna breogo, þær he on bolcan sæt,
ofer waroða geweorp wiðþingode:
175 'Hu gewearð þe þæs, wine leofesta,
ðæt ðu sæbeorgas secan woldes,
merestreama gemet, maðmum bedæled,
ofer cald cleofu ceoles neosan?
Nafast þe to frofre on faroðstræte
180 hlafes wiste ne hlutterne
drync to dugoðe. Is se drohtað strang
þam þe lagolade lange cunnaþ.'

Ða him Andreas ðurh ondsware,
wis on gewitte, wordhord onleac:

136 þiss 156 ðu us] ðus 171 landes—beaga *cf. Beow.* 2995 177 bedæleð

185 'Ne gedafenað þe, nu þe dryhten geaf
welan ond wiste ond woruldspede,
ðæt ðu ondsware mid oferhygdum,
sece sarcwide. Selre bið æghwam
þæt he eaðmedum ellorfusne
190 oncnawe cuðlice, swa þæt Crist bebead,
þeoden þrymfæst. We his þegnas synd
gecoren to cempum. He is cyning on riht,
wealdend ond wyrhta wuldorþrymmes,
an ece god eallra gesceafta,
195 swa he ealle befehð anes cræfte,
hefon ond eorðan, halgum mihtum,
sigora selost. He ðæt sylfa cwæð,
fæder folca gehwæs, ond us feran het
geond ginne grund gasta streonan:
200 'Farað nu geond ealle eorðan sceatas
emne swa wide swa wæter bebugeð,
oððe stedewangas stræte gelicgaþ.
Bodiað æfter burgum beorhtne geleafan
ofer foldan fæðm. Ic eow freoðo healde.
205 Ne ðurfan ge on þa fore frætwe lædan,
gold ne seolfor. Ic eow goda gehwæs
on eowerne agenne dom est ahwette.'
Nu ðu seolfa miht sið userne
gehyran hygeþancol. Ic sceal hraðe cunnan
210 hwæt ðu us to duguðum gedon wille.'
Him þa ondswarode ece dryhten:
'Gif ge syndon þegnas þæs þe þrym ahof
ofer middangeard, swa ge me secgaþ,
ond ge geheoldon þæt eow se halga bead,
215 þonne ic eow mid gefean ferian wille
ofer brimstreamas, swa ge benan sint.'

Þa in ceol stigon collenfyrhðe,
ellenrofe, æghwylcum wearð
on merefaroðe mod geblissod.
220 Ða ofer yða geswing Andreas ongann
mereliðendum miltsa biddan
wuldres aldor, ond þus wordum cwæð:
'Forgife þe dryhten domweorðunga,
willan in worulde ond in wuldre blæd,
225 meotud manncynnes, swa ðu me hafast
on þyssum siðfæte sybbe gecyðed!'
Gesæt him þa se halga helmwearde neah,
æðele be æðelum. Æfre ic ne hyrde
þon cymlicor ceol gehladenne
230 heahgestreonum. Hæleð in sæton,
þeodnas þrymfulle, þegnas wlitige.
Ða reordode rice þeoden,
ece ælmihtig, heht his engel gan,
mærne maguþegn, ond mete syllan,
235 frefran feasceafte ofer flodes wylm,
þæt hie þe eað mihton ofer yða geþring

---

191 his] is 202 stedewanga *Cosijn* 210 dugudum 227 holm wearde ***MS.***
235 fea sceaftne *MS., em. Grein*

drohtaþ adreogan. Þa gedrefed wearð,
onhrered hwælmere. Hornfisc plegode,
glad geond garsecg, ond se græga mæw
240 wælgifre wand. Wedercandel swearc,
windas weoxon, wægas grundon,
streamas styredon, strengas gurron,
wædo gewætte. Wæteregsa stod
þreata þryðum. Þegnas wurdon
245 acolmode. Ænig ne wende
þæt he lifgende land begete,
þara þe mid Andreas on eagorstream
ceol gesohte. Næs him cuð þa gyt
hwa þam sæflotan sund wisode.

250 Him þa se halga on holmwege
ofer argeblond, Andreas þa git,
þegn þeodenhold, þanc gesægde,
ricum ræsboran, þa he gereordod wæs:
'Ðe þissa swæsenda soðfæst meotud,
255 lifes leohtfruma, lean forgilde,
weoruda waldend, ond þe wist gife,
heofonlicne hlaf, swa ðu hyldo wið me
ofer firigendstream freode gecyðdest.
Nu synt geþreade þegnas mine,
260 geonge guðrincas. Garsecg hlymmeð,
geofon geotende. Grund is onhrered,
deope gedrefed, duguð is geswenced,
modigra mægen myclum gebysgod.'

Him of helman oncwæð hæleða scyppend:
265 'Læt nu geferian flotan userne,
lid to lande ofer lagufæsten,
ond þonne gebidan beornas þine,
aras on earde, hwænne ðu eft cyme.'
Edre him þa eorlas agefan ondsware,
270 þegnas þrohthearde, þafigan ne woldon
ðæt hie forleton æt lides stefnan
leofne lareow ond him land curon:
'Hwider hweorfað we hlafordlease,
geomormode, gode orfeorme,
275 synnum wunde, gif we swicað þe?
We bioð laðe on landa gehwam,
folcum fracoðe, þonne fira bearn,
ellenrofe, æht besittaþ,
hwylc hira selost symle gelæste
280 hlaforde æt hilde, þonne hand ond rond
on beaduwange billum forgrunden
æt niðplegan nearu þrowedon.'

Þa reordade rice þeoden,
wærfæst cining, word stunde ahof:
285 'Gif ðu þegn sie þrymsittendes,
wuldorcyninges, swa ðu worde becwist,
rece þa gerynu, hu he reordberend

---

261 geofon] heofon 262 dugud 264 helman] holme *MS.*, *em.* *Krapp* 281 fore grunden

lærde under lyfte. Lang is þes siðfæt
ofer fealuwne flod; frefra þine
290 mæcgas on mode. Mycel is nu gena
lad ofer lagustream, land swiðe feorr
to gesecanne. Sund is geblonden,
grund wið greote. God eaðe mæg
heaðoliðendum helpe gefremman.' —

48. CHRIST

Exeter Book. — HB. 532-540, 549-552; Ke. 3452-72; Ba. 75-76;
RO. 180

Mary and Joseph.

M.: 'Eala, Ioseph min, Iacobes bearn, [I, 164]
mæg Dauides, mæran cyninges,
nu þu freode scealt fæste gedælan,
alætan lufan mine?' *J.*: 'Ic lungre eam
5 deope gedrefed, dome bereafod,
forðon ic worn for þe worde hæbbe
sidra sorga ond sarcwida,
hearmes gehyred, ond me hosp sprecað,
tornworda fela. Ic tearas sceal
10 geotan geomormod. God eaþe mæg
gehælan hygesorge heortan minre,
afrefran feasceaftne. Eala, fæmne geong,
mægð Maria!' *M.*: 'Hwæt bemurnest ðu,
cleopast cearigende? Ne ic culpan in þe,
15 incan ænigne, æfre onfunde,
womma geworhtra, ond þu þa word spricest
swa þu sylfa sie synna gehwylcre
firena gefylled.' *J.*: 'Ic to fela hæbbe
þæs byrdscypes bealwa onfongen.
20 Hu mæg ic ladigan laþan spræce,
oþþe ondsware ænige findan
wraþum towiþere? Is þæt wide cuð
þæt ic of þam torhtan temple dryhtnes
onfeng freolice fæmnan clæne,
25 womma lease, ond nu gehwyrfed is
þurh nathwylces. Me nawþer deag,
secge ne swige. Gif ic soð sprece,
þonne sceal Dauides dohtor sweltan,
stanum astyrfed. Gen strengre is
30 þæt ic morþor hele; scyle manswara,
laþ leoda gehwam lifgan siþþan,
fracoð in folcum.' Þa seo fæmne onwrah
ryhtgeryno, ond þus reordade:
'Soð ic secge þurh sunu meotudes,
35 gæsta geocend, þæt ic gen ne conn
þurh gemæcscipe monnes ower,
ænges on eorðan, ac me eaden wearð,

292 sand *MS.*, em. *Grein*

geongre in geardum, þæt me Gabrihel,
heofones heagengel, hælo gebodade.
40 Sægde soðlice þæt me swegles gæst
leoman onlyhte, sceolde ic lifes þrym
geberan, beorhtne sunu, bearn eacen godes,
torhtes tirfruman. Nu ic his tempel eam
gefremed butan facne, in me frofre gæst
45 geeardode. Nu þu ealle forlæt
sare sorgceare! Saga ecne þonc
mærum meotodes sunu þæt ic his modor gewearð,
fæmne forð seþeah, ond þu fæder cweden
woruldcund bi wene; sceolde witedom
50 in him sylfum beon soðe gefylled.'

Cynewulf's ***Warning of Doomsday.***

Scyle gumena gehwylc [II,820]
on his geardagum georne biþencan
þæt us milde bicwom meahta waldend
æt ærestan þurh þæs engles word.
55 Bið nu eorneste þonne eft cymeð,
reðe ond ryhtwis. Rodor bið onhrered,
ond þas miclan gemetu middangeardes
beofiað þonne. Beorht cyning leanað
þæs þe hy on eorþan eargum dædum
60 lifdon leahtrum fa. Þæs hi longe sculon
ferðwerige onfon in fyrbaðe,
wælmum biwrecene, wraþlic ondlean,
þonne mægna cyning on gemot cymeð,
þrymma mæste. Þeodegsa bið
65 hlud gehyred bi heofonwoman,
cwaniendra cirm, cerge reotað
fore onsyne eces deman,
þa þe hyra weorcum wace truwiað.
Ðær biþ oðywed egsa mara
70 þonne from frumgesceape gefrægen wurde
æfre on eorðan. Þær bið æghwylcum
synwyrcendra on þa snudan tid
leofra micle þonne eall þeos læne gesceaft,
þær he hine sylfne on þam sigeþreate
75 behydan mæge, þonne herga fruma,
æþelinga ord, eallum demeð,
leofum ge laðum, lean æfter ryhte,
þeoda gehwylcre. Is us þearf micel
þæt we gæstes wlite ær þam gryrebrogan
80 on þas gæsnan tid georne biþencen.
Nu is þon gelicost swa we on laguflode
ofer cald wæter ceolum liðan
geond sidne sæ, sundhengestum,
flodwudu fergen. Is þæt frecne stream
85 yða ofermæta þe we her on lacað
geond þas wacan woruld, windge holmas
ofer deop gelad. Wæs se drohtað strong
ærþon we to londe geliden hæfdon
ofer hreone hrycg. Þa us help bicwom,
90 þæt us to hælo hyþe gelædde,

43 tirfruma 58 beofiað] be heofiað

godes gæstsunu, ond us giefe sealde
þæt we oncnawan magun ofer ceoles bord
hwær we sælan sceolon sundhengestas,
ealde yðmearas, ancrum fæste.
95 Utan us to þære hyðe hyht staþelian,
ða us gerymde rodera waldend,
halge on heahþu, þa he heofonum astag.

49. THE PHOENIX

Exeter Book. — HB. 569-70; Ke. 3451-3477; Ba. 77-78. RO. 182.

The Happy Land.

Hæbbe ic gefrugnen þætte is feor heonan
eastdælum on æþelast londa
firum gefræge. Nis se foldan sceat
ofer middangeard mongum gefere
5 folcagendra, ac he afyrred is
þurh meotudes meaht manfremmendum.
Wlitig is se wong eall, wynnum geblissad
mid þam fægrestum foldan stencum.
Ænlic is þæt iglond, æþele se wyrhta,
10 modig, meahtum spedig, se þa moldan gesette.
Ðær bið oft open eadgum togeanes
onhliden hleoþra wyn, heofonrices duru.
Þæt is wynsum wong, wealdas grene,
rume under roderum. Ne mæg þær ren ne snaw,
15 ne forstes fnæst, ne fyres blæst,
ne hægles hryre, ne hrimes dryre,
ne sunnan hætu, ne sincaldu,
ne wearm weder, ne winterscur
wihte gewyrdan, ac se wong seomað
20 eadig ond onsund. Is þæt æþele lond
blostmum geblowen. Beorgas þær ne muntas
steape ne stondað, ne stanclifu
heah hlifiað, swa her mid us,
ne dene ne dalu ne dunscrafu,
25 hlæwas ne hlincas, ne þær hleonað oo
unsmeþes wiht, ac se æþela feld
wridað under wolcnum wynnum geblowen.
Is þæt torhte lond twelfum herra,
folde fæðmrimes, swa us gefreogum gleawe
30 witgan þurh wisdom on gewritum cyþað,
þonne ænig þara beorga þe her beorhte mid us
hea hlifiað under heofontunglum.
Smylte is se sigewong; sunbearo lixeð,
wuduholt wynlic. Wæstmas ne dreosað,
35 beorhte blede, ac þa beamas a
grene stondað, swa him god bibead.
Wintres ond sumeres wudu bið gelice
bledum gehongen; næfre brosniað
leaf under lyfte, ne him lig sceþeð
40 æfre to ealdre, ærþon edwenden
worulde geweorðe. Swa iu wætres þrym
ealne middangeard mereflod þeahte,
eorþan ymbhwyrft, þa se æþela wong

---

15 fnæft

æghwæs onsund, wið yðfare
45 gehealden stod hreora wæga,
eadig, unwemme, þurh est godes;
bideð swa geblowen oð bæles cyme,
dryhtnes domes, þonne deaðræced,
hæleþa heolstorcofan, onhliden weorþað.
50 Nis þær on þam londe laðgeniðla,
ne wop ne wracu, weatacen nan,
yldu ne yrmðu, ne se enga deað,
ne lifes lyre, ne laþes cyme,
ne synn ne sacu, ne sarwracu,
55 ne wædle gewin, ne welan onsyn,
ne sorg ne slæp, ne swar leger,
ne wintergeweorp, ne wedra gebregd
hreoh under heofonum, ne se hearda forst
caldum cylegicelum, cnyseð ænigne. —
60 Sindon þa bearwas bledum gehongne
wlitigum wæstmum. Þær no waniað o
halge under heofonum holtes frætwe,
ne feallað þær on foldan fealwe blostman,
wudubeama wlite, ac þær wrætlice
65 on þam treowum symle telgan gehladene,
ofett edniwe in ealle tid.
On þam græswonge grene stondaþ
gehroden hyhtlice haliges meahtum
beorhtast bearwa. No gebrocen weorþeð
70 holt on hiwe. Þær se halga stenc
wunaþ geond wynlond. Þæt onwended ne bið
æfre to ealdre, ærþon endige
frod fyrngeweorc, se hit on frymþe gescop. —
Hafað us alyfed lucis auctor [667]
75 þæt we motun her merueri
goddædum begietan gaudia in celo,
þær we motun maxima regna
secan ond gesittan sedibus altis,
lifgan in lisse lucis et pacis,
80 agan eardinga alma letitiæ,
brucan blæddaga blandem et mitem,
geseon sigora frean sine fine,
ond him lof singan laude perenne,
eadge mid englum. Alleluia.

50. THE WHALE

Exeter Book. — HB. 571-574; Ke. 3553; Ba. 78; RO. 191.

Nu ic fitte gen ymb fisca cynn
wille woðcræfte wordum cyþan
þurh modgemynd bi þam miclan hwale.
Se bið unwillum oft gemeted
5 frecne ond ferðgrim fareðlacendum,
niþþa gehwylcum. Þam is noma cenned,
fyrnstreama geflotan, Fastitocalon.
Is þæs hiw gelic hreofum stane,
swylce worie bi wædes ofre,
10 sondbeorgum ymbseald, særyrica mæst,
swa þæt wenaþ wægliþende

59 cnysed 60 gehomgene 61 wuniað 77 motum

þæt hy on ealond sum eagum wliten;
ond þonne gehydað heahstefn scipu
to þam unlonde oncyrrapum,
15 setlaþ sæmearas sundes æt ende;
ond þonne in þæt eglond up gewitað
collenferþe. Ceolas stondað
bi staþe fæste, streame biwunden.
Đonne gewiciað werigferðe
20 faroð lacende, frecnes ne wenað.
On þam ealonde æled weccað,
heah fyr ælað. Hæleþ beoþ on wynnum;
reonigmode ræste geliste.
Þonne gefeleð facnes cræftig
25 þæt him þa ferend on fæste wuniaþ,
wic weardiað wedres on luste,
ðonne semninga on sealtne wæg
mid þa nowe niþer gewiteþ
garsecges gæst, grund geseceð;
30 ond þonne in deaðsele drence bifæsteð
scipu mid scealcum. Swa bið scinna þeaw,
deofla wise, þæt hi drohtende
þurh dyrne meaht duguðe beswicað
ond on teosu tyhtaþ tilra dæda,
35 wemað on willan þæt hy wraþe secen,
frofre to feondum, oþþæt hy fæste ðær
æt þam wærlogan wic geceosað.
Þonne þæt gecnaweð of cwicsusle
flah feond gemah, þætte fira gehwylc
40 hæleþa cynnes on his hringe biþ
fæste gefeged, he him feorgbona
þurh sliþen searo siþþan weorþeð
wloncum ond heanum þe his willan her
firenum fremmað. Mid þam he færinga,
45 heoloþhelme biþeaht, helle seceð,
goda geasne grundleasne wylm
under mistglome, swa se micla hwæl
se þe bisenceð sæliþende,
eorlas ond yðmearas. He hafað oþre gecynd
50 wæterþisa wlonc wrætlicran gien:
Þonne hine on holme hungor bysgað
ond þone aglæcan ætes lysteþ,
ðonne se mereweard muð ontyneð,
wide weleras; cymeð wynsum stenc
55 of his innoþe, þætte oþre þurh þone
sæfisca cynn beswicen weorðaþ.
Swimmað sundhwate, þær se sweta stenc
ut gewiteð; hi þær in farað
unware weorude, oþþæt se wida ceafl
60 gefylled bið. Þonne færinga
ymbe þa herehuþe hlemmeð togædre
grimme goman. Swa biþ gumena gehwam
se þe oftost his unwærlice
on þas lænan tid lif bisceawað,
65 læteð hine beswican þurh swetne stenc
leasne willan, þæt he biþ leahtrum fah

---

28 nowe] noþe *MS.*, *em. Meritt* 58 gewitað

wið wuldorcyning. Him se awyrgda ongean
æfter hinsiþe helle ontyneð,
þam þe leaslice lices wynne
70 ofer ferhðgereaht fremedon on unræd.
Þonne se fæcna in þam fæstenne
gebroht hafað, bealwes cræftig,
æt þam edwylme þa þe him on cleofiað
gyltum gehrodene ond ær georne his
75 in hira lifdagum larum hyrdon,
þonne he þa grimman goman bihlemmeð
æfter feorhcwale fæste togædre
helle hlinduru. Nagon hwyrft ne swice
utsiþ æfre, þa þær in cumað,
80 þon ma þe þa fiscas faraðlacende
of þæs hwæles fenge hweorfan motan.
Forþon is eallinga
dryhtna dryhtne ond a deoflum wiðsace
wordum ond weorcum þæt we wuldorcyning
85 geseon moton. Uton a sibbe to him
on þas hwilnan tid hælu secan,
þæt we mid swa leofne in lofe motan
to widan feore wuldres neotan.

51. CYNEWULF, ELENE

Vercelli Book. — (*edd.*: F. Holthausen, Heidelberg 3. 1914; A. S. Cook, New Haven 1919.) — HB. 532-541, 559-561; Ke. 3451-3477; Ba. 75-76; RO. 221.

In hoc signo vinces.

Þa wearð on slæpe sylfum ætywed [69]
þam casere, þær he on corðre swæf,
sigerofum gesegen swefnes woma. —
Geseah he frætwum beorht [88b]
5 wlitig wuldres treo ofer wolcna hrof,
golde geglenged, gimmas lixtan.
Wæs se blaca beam bocstafum awriten,
beorhte ond leohte: 'Mid þys beacne ðu
on þam frecnan fære feond oferswiðesð,
10 geletest lað werod.' Þa þæt leoht gewat,
up siðode, ond se ar somed,
on clænra gemang. Cyning wæs þy bliðra
ond þe sorgleasra, secga aldor,
on fyrhðsefan, þurh þa fægeran gesyhð.
15 Heht þa onlice æðelinga hleo,
beorna beaggifa, swa he þæt beacen geseah,
heria hildfruma, þæt him on heofonum ær
geiewed wearð, ofstum myclum,
Constantinus, Cristes rode,
20 tireadig cyning, tacen gewyrcan.
Heht þa on uhtan mid ærdæge
wigend wreccan, ond wæpenþræce
hebban heorucumbul, ond þæt halige treo
him beforan ferian on feonda gemang,
25 beran beacen godes. Byman sungon
hlude for hergum. Hrefn weorces gefeah,

---

70 ferht gereaht *MS., em. Mackie* 82 ***no gap in the MS.;*** ofost selast/þæt we wuldorcyninge wel gecweman *spl. Grein* *51.* 5 wliti 6 gelenged 22 ond to wæp. ***Holthausen***

urigfeðra, earn sið beheold,
wælhreowra wig. Wulf sang ahof,
holtes gehleða. Hildegesa stod.
30 Þær wæs borda gebrec ond beorna geþrec,
heard handgeswing ond herga gring,
syððan heo earhfære ærest metton.
On þæt fæge folc flana scuras,
garas ofer geolorand on gramra gemang,
35 hetend heorugrimme, hildenædran,
þurh fingra geweald forð onsendan.
Stopon stiðhidige, stundum wræcon,
bræcon bordhreðan, bil in dufan,
þrungon þræchearde. Þa wæs þuf hafen,
40 segn for sweotum, sigeleoð galen.
Gylden grima, garas lixtan
on herefelda. Hæðene grungon,
feollon friðelease. Flugon instæpes
Huna leode, swa þæt halige treo
45 aræran heht Romwara cyning,
heaðofremmende. Wurdon heardingas
wide towrecene. Sume wig fornam.
Sume unsofte aldor generedon
on þam heresiðe. Sume healfcwice
50 flugon on fæsten ond feore burgon
æfter stanclifum, stede weardedon
ymb Danubie. Sume drenc fornam
on lagostreame lifes æt ende. —
Þa wæs gesyne þæt sige forgeaf
55 Constantino cyning ælmihtig
æt þam dægweorce, domweorðunga,
rice under roderum, þurh his rode treo. —

Runic Passage.

Þus ic frod ond fus þurh þæt fæcne hus [1236]
wordcræftum wæf ond wundrum læs,
60 þragum þreodude ond geþanc reodode
nihtes nearwe. Nysse ic gearwe
be ðære rode riht ær me rumran geþeaht
þurh ða mæran miht on modes þeaht
wisdom onwreah. Ic wæs weorcum fah,
65 synnum asæled, sorgum gewæled,
bitrum gebunden, bisgum beþrungen,
ær me lare onlag þurh leohtne had
gamelum to geoce, gife unscynde
mægencyning amæt ond on gemynd begeat,
70 torht ontynde, tidum gerymde,
bancofan onband, breostlocan onwand,
leoðucræft onleac. Þæs ic lustum breac,
willum in worlde. Ic þæs wuldres treowes
oft, nales æne, hæfde ingemynd
75 ær ic þæt wundor onwrigen hæfde
ymb þone beorhtan beam, swa ic on bocum fand,
wyrda gangum, on gewritum cyðan

31 cring *Holthausen* 35 heora grimme 40 sweotum] sweotolum *MS., em. Thorpe* 42 hera felda crungon *Holthausen* 59 word cræft 60 reodode] reordode *Grimm*, hreodode *Cook* 62 rode] *not in MS. spl. Grein*; rune *Holthausen* ærme 63 mæht *Holthausen* 64 onwrah *Grimm* 66 bitre *Sievers* 68 unsc.] unsece *Holthausen* 69 begæt *Sievers*

be ðam sigebeacne. A wæs secg oð ðæt
cnyssed cearwelmum, ᚳ drusende — *C*
80 þeah he in medohealle maðmas þege,
æplede gold. ᚣ gnornode, — *Y*
ᚾ gefera, nearusorge dreah, — *N*
enge rune, þær him ᛖ fore — *E*
milpaðas mæt, modig þrægde
85 wirum gewlenced. ᚹ is geswiðrad, — *W*
gomen æfter gearum; geogoð is gecyrred,
ald onmedla. ᚢ wæs geara — *U*
geogoðhades glæm. Nu synt geardagas
æfter fyrstmearce forð gewitene,
90 lifwynne geliden, swa ᛚ toglideð, — *L*
flodas gefysde. ᚠ æghwam bið — *F*
læne under lyfte; landes frætwe
gewitaþ under wolcnum winde gelicost,
þonne he for hæleðum hlud astigeð,
95 wæðeð be wolcnum, wedende fæeð,
ond eft semninga swige gewyrðeð,
in nedcleofan nearwe geheaðrod
þream forþrycced. —

FROM THE
52. RUNIC POEM

MS.: Cotton Otho B. X, destroyed in 1731; printed by G. Hickes in his Thesaurus, Oxford 1705. — *edd.:* E. van Kirk Dobbie, ASPR. VI; B. Dickins, Runic and Heroic Poems etc., Cambridge 1915. — HB. 636; Ke. 2348-54; Ba. 85; RO. 215.

ᚠ [feoh] byþ frofur fira gehwylcum. — [1]
Sceal ðeah manna gehwylc miclun hyt dælan
gif he wile for drihtne domes hleotan.

ᚢ [ur] byþ anmod and oferhyrned,
5 felafrecne deor, feohteþ mid hornum,
mære morstapa; þæt is modig wuht.

ᚳ [cen] byþ cwicera gehwam cuþ on fyre, — [16]
blac and beorhtlic, byrneþ oftust
ðær hi æþelingas inne restaþ.

10 ᚹ [wyn]ne bruceþ ðe can weana lyt, — [22]
sares and sorge, and him sylfa hæfþ
blæd and blysse and eac byrga geniht.

ᚾ [nyd] byþ nearu on breostan, weorþeþ hi ðeah oft niþa bearnum
to helpe and to hæle gehwæþre, gif hi his hlystaþ æror.

15 ᛖ [eoh] byþ for eorlum æþelinga wyn, — [55]
hors hofum wlanc, ðær him hæleþ ymbe,
welege on wicgum, wrixlaþ spræce,
and biþ unstyllum æfre frofur.

ᛚ [lagu] byþ leodum langsum geþuht, — [63]
20 gif hi sculun neþan on nacan tealtum,
and hi sæyþa swyþe bregaþ,
and se brimhengest bridles ne gymeð.

ᚣ [yr] byþ æþelinga and eorla gehwæs — [84]
wyn and wyrþmynd, byþ on wicge fæger,
25 fæstlic on færelde, fyrdgeatewa sum. —

---

78 secg] sæcc 79 *C* = ? cen, cene 81 *Y* = ? yr, yrre, yrming, yrmþu, yfel 87 *U* = ? ure
52. 10 [wen] *Hickes* 11 forge *Hickes* 15 [eh] *Hickes* 16 hæleþe ymb *Hickes* 20 neþun *Hickes*
22 gymeð] gym *Hickes*

53. SOUL AND BODY

Vercelli Book. — HB. 646-650b; Ba. 79., RO. 220.

Huru, ðæs behofað hæleða æghwylc
þæt he his sawle sið sylfa geþence,
hu þæt bið deoplic þonne se deað cymeð,
asyndreð þa sybbe þe ær samod wæron,
5 lic ond sawle. Lang bið syððan
þæt se gast nimeð æt gode sylfum
swa wite swa wuldor, swa him on worulde ær
efne þæt eorðfæt ær geworhte.
Sceal se gast cuman geohðum hremig,
10 symble ymbe seofon niht sawle findan
þone lichoman þe hie ær lange wæg,
þreo hund wintra, butan ær þeodcyning,
ælmihtig god, ende worulde
wyrcan wille, weoruda dryhten.
15 Cleopað þonne swa cearful cealdan reorde,
spreceð grimlice se gast to þam duste:
'Hwæt, druh ðu dreorega, to hwan drehtest ðu me,
eorðan fulnes eal forwisnad,
lames gelicnes! Lyt ðu gemundest
20 to hwan þinre sawle þing siðþan wurde,
syððan of lichoman læded wære!
Hwæt, wite ðu me, weriga! Hwæt, ðu huru wyrma gyfl
lyt geþohtest, þa ðu lustgryrum eallum
ful geeodest, hu ðu on eorðan scealt
25 wyrmum to wiste! Hwæt, ðu on worulde ær
lyt geþohtest hu þis is þus lang hider!
Hwæt, þe la engel ufan of roderum
sawle onsende þurh his sylfes hand,
meotod ælmihtig, of his mægenþrymme,
30 ond þe gebohte blode þy halgan,
ond þu me mid þy heardan hungre gebunde
ond gehæftnedest helle witum!
Eardode ic þe on innan. Ne meahte ic ðe of cuman,
flæsce befangen, ond me fyrenlustas
35 þine geþrungon. Þæt me þuhte ful oft
þæt hit wære ·xxx· þusend wintra
to þinum deaðdæge. A ic uncres gedales onbad
earfoðlice. Nis nu huru se ende to god!
Wære þu þe wiste wlanc ond wines sæd,
40 þrymful þunedest, ond ic ofþyrsted wæs
godes lichoman, gastes drynces.
Forðan þu ne hogodest her on life,
syððan ic ðe on worulde wunian sceolde,
þæt ðu wære þurh flæsc ond þurh fyrenlustas
45 strange gestryned ond gestaðolod þurh me,
ond ic wæs gast on ðe fram gode sended.
Næfre ðu me wið swa heardum helle witum
ne generedest þurh þinra nieda lust.
Scealt ðu minra gesynta sceame þrowian
50 on ðam myclan dæge þonne eall manna cynn
se ancenneda ealle gesamnað.

---

2 sið sið 22a ðuðu 24 geodest 33b No ic þe of meahte *Ex.* [=*Exeter B. Version S.B II cf. plate*] 36 wær 38 goð [huru *not Ex.*] 40 ic *spl. Grein* fr.*Ex.* 45 gestryned] gestyred *Ex.* **47 mid** 48 nieda] meda (neoda *Ex.*) 49 minra gescenta *Ex.* 50 eall *not Ex.* 51 acenneda

Ne eart ðu þon leofra nænigum lifigendra
men to gemæccan, ne meder ne fæder
ne nænigum gesybban, þonne se swearta hrefen,
55 syððan ic ana of ðe ut siðode
þurh þæs sylfes hand þe ic ær onsended wæs.
Ne magon þe nu heonon adon hyrsta þa readan
ne gold ne seolfor ne þinra goda nan,
ne þinre bryde beag ne þin boldwela,
60 ne nan þara goda þe ðu iu ahtest,
ac her sceolon onbidan ban bereafod,
besliten synum, ond þe þin sawl sceal
minum unwillum oft gesecan,
wemman þe mid wordum, swa ðu worhtest to me.
65 Eart ðu nu dumb ond deaf, ne synt þine dreamas awiht.
Sceal ic ðe nihtes swa þeah nede geneccan,
synnum gesargod, ond eft sona fram þe
hweorfan on hancred, þonne halige men
lifiendum gode lofsang doð,
70 secan þa hamas þe ðu me her scrife,
ond þa arleasan eardungstowe,
ond þe sculon her moldwyrmas manige ceowan,
slitan sarlice swearte wihta,
gifre ond grædige. Ne synt þine æhta awihte
75 þe ðu her on moldan mannum eowdest.
Forðan þe wære selre swiðe mycle
þonne þe wæron ealle eorðan speda,
butan þu hie gedælde dryhtne sylfum,
þær ðu wurde æt frymðe fugel oððe fisc on sæ,
80 oððe on eorðan neat ætes tilode,
feldgangende feoh butan snyttro,
oððe on westenne wildra deora
þæt wyrreste, þær swa god wolde,
ge þeah ðu wære wyrma cynna
85 þæt grimmeste, þær swa god wolde,
þonne ðu æfre on moldan man gewurde
oððe æfre fulwihte onfon sceolde.
Þonne ðu for unc bæm andwyrdan scealt
on ðam miclan dæge, þonne mannum beoð
90 wunda onwrigene, þa ðe on worulde ær
fyrenfulle men fyrn geworhton,
ðonne wyle dryhten sylf dæda gehyran
hæleða gehwylces, heofena scippend,
æt ealra manna gehwæs muðes reorde
95 wunde wiðerlean. Ac hwæt wylt ðu þær
on þam domdæge dryhtne secgan?
Þonne ne bið nan na to þæs lytel lið on lime aweaxen,
þæt ðu ne scyle for anra gehwylcum onsundrum
riht agildan, þonne reðe bið
100 dryhten æt þam dome. Ac hwæt do wyt unc?
Sculon wit þonne eft ætsomne siððan brucan
swylcra yrmða, swa ðu unc her ær scrife!'

57 mæg [magon *Ex.*] þa *Ex.*] þy *MS.* 59 gold wela 62 synum] seonwum *Ex.* 63 unwillu 69 gode lifgendum *Ex.* 70 her] ær *Ex.* 72 her *om. Ex.* 73 seonowum beslitan *Ex.* 74 æhta] geahþe *Ex.* 79 frymðe] frumsceafte *Ex.* 82 wildra *Ex.*] wild *MS.* 82, (83 *om.*), 85, 84, 86 *Ex.* 84 wyrm *MS.*; wyrmcynna þæt wyrreste /85 þonne þu æfre &c. *Ex.* (*Verc.* 86) 88 bæm] bu *Ex.* 93 *om. Ex.* 97 nan na] nænig *Ex.* 98 for æghwylc anra onsundran *Ex.* *Betw.* 100/101 þonne he unc hafað geedbyrded oþre siþe *Ex.*

Fyrnað þus þæt flæschord, sceall þonne feran onweg,
secan hellegrund, nallæs heofondreamas,
105 dædum gedrefed. Ligeð dust þær hit wæs,
ne mæg him ondsware ænige gehatan,
geomrum gaste, geoce oððe frofre.
Bið þæt heafod tohliden, handa toliðode,
geaglas toginene, goman toslitene,
110 sina beoð asocene, swyra becowen,
fingras tohrorene.
Rib reafiað reðe wyrmas,
beoð hira tungan totogenne on tyn healfa
hungregum to frofre; forþan hie ne magon huxlicum
115 wordum wrixlian wið þone werian gast.
Gifer hatte se wyrm, þe þa eaglas beoð
nædle scearpran. Se genydde to
ærest eallra on þam eorðscræfe,
þæt he þa tungan totyhð ond þa teð þurhsmyhð
120 ond þa eagan þurhteteð ufan on þæt heafod
ond to ætwelan oðrum gerymeð,
wyrmum to wiste, þonne þæt werie
lic acolod bið þæt he lange ær
werede mid wædum. Bið þonne wyrma gifel,
125 æt on eorþan. Þæt mæg æghwylcum
men to gemynde, modsnotra gehwam!

Ðonne bið hyhtlicre þæt sio halige sawl
færeð to ðam flæsce, frofre bewunden.
Bið þæt ærende eadiglicre
130 funden on ferhðe. Mid gefean seceð
lustum þæt lamfæt þæt hie ær lange wæg.
Þonne þa gastas gode word sprecað,
snottre, sigefæste, ond þus soðlice
þone lichoman lustum gretaþ:
135 'Wine leofesta, þeah ðe wyrmas gyt
gifre gretaþ, nu is þin gast cumen,
fægere gefrætewod, of mines fæder rice,
arum bewunden. Eala, min dryhten,
þær ic þe moste mid me lædan,
140 þæt wyt englas ealle gesawon,
heofona wuldor, swylc swa ðu me ær her scrife!
Fæstest ðu on foldan ond gefyldest me
godes lichoman, gastes drynces.
Wære ðu on wædle, sealdest me wilna geniht.
145 Forðan ðu ne þearft sceamian, þonne sceadene beoþ
þa synfullan ond þa soðfæstan
on þam mæran dæge, þæs ðu me geafe,
ne ðe hreowan þearf her on life
ealles swa mycles swa ðu me sealdest
150 on gemotstede manna ond engla.

Bygdest ðu þe for hæleðum ond ahofe me on ecne dream.
Forþan me a langaþ, leofost manna,
on minum hige hearde, þæs þe ic þe on þyssum hynðum wat
wyrmum to wiste, ac þæt wolde god,
155 þæt þu æfre þus laðlic legerbed cure.
Wolde ic þe ðonne secgan þæt ðu ne sorgode,

103 liget *Betw.* 106/7 ne þær edringe ænge gehatan *Ex.* 109 geaglas] geaflas *Ex.* (& 116) 111 *om. Ex.*, fet tociofene *suppl. Grein Betw.* 112/3 drincaþ hloþum hra, heolfres þurstge *Ex.* 117 to] to me *MS.* 119 toþas *Ex.* 121 *foll.* 120 *Ex.* eagan] eaxan *Ex.* 122 þonne bið þæt w. *Ex.* 123 bið *not in Ex.* he *Ex.*] *om. MS.* 125 æt *Ex.*] *om. MS.* 126 modsnottera *the end of Ex.* 132 sprecat *MS.* 135 þeah ðe] ah ðæ *MS.*, *em. Kemble* 138 earum *MS.*

forðan wyt bioð gegæderode æt godes dome.
Moton wyt þonne ætsomne syþan brucan
ond unc on heofonum heahþungene beon.
160 Ne þurfon wyt beon cearie æt cyme dryhtnes,
ne þære andsware yfele habban
sorge in hreðre, ac wyt sylfe magon
æt ðam dome þær dædum agilpan,
hwylce earnunga uncre wæron.
165 Wat ic þæt þu wære on woruldrice
geþungen þrymlice þysses . . .'

54. CHRIST AND SATAN

Junius MS. — HB. 512-514; Ke. 3418-3429; Ba. 76; RO. 210.

The Fallen Angels.

Cleopað ðonne se alda ut of helle, [34]
wriceð wordcwedas weregan reorde,
eisegan stefne: 'Hwær com engla ðrym,
þe we on heofnum habban sceoldan?
5 Þis is ðeostræ ham, ðearle gebunden
fæstum fyrclommum. Flor is on welme
attre onæled. Nis nu ende feor
þæt we sceolun ætsomne susel þrowian,
wean and wergu, nalles wuldres blæd
10 habban in heofnum, hehselda wyn. —'
Ða him andsweradan atole gastas, [51]
swarte and synfulle, susle begnornende:
'Þu us gelærdæst ðurh lyge ðinne
þæt we helende heran ne scealdon.
15 Ðuhte þe anum þæt ðu ahtest alles gewald,
heofnes and eorþan, wære halig god,
scypend seolfa. Nu earttu sceaðana sum,
in fyrlocan feste gebunden.
Wendes ðu ðurh wuldor ðæt þu woruld ahtest,
20 alra onwald, and we englas mid ðec.
Atol is þin onseon. Habbað we alle swa
for ðinum leasungum lyðre gefered.
Segdest us to soðe þæt ðin sunu wære
meotod moncynnes; hafustu nu mare susel.'
25 Swa firenfulle facnum wordum
heora aldorðægn on reordadon,
on cearum cwidum. Crist heo afirde,
dreamum bedelde. Hæfdan dryhtnes liht
for oferhygdum ufan forleton. —
30 Þa gyt feola cwiðde firna herde, [159]
atol æglæca, ut of helle,
witum werig. Word spearcum fleah
attre gelicost, þonne he ut þorhdraf:
'Eala, drihtenes þrym! Eala, duguða helm!
35 Eala, meotodes miht! Eala, middaneard!
Eala, dæg leohta! Eala, dream godes!
Eala, engla þreat! Eala upheofen!
Eala, þæt ic eam ealles leas ecan dreames,
þæt ic mid handum ne mæg heofon geræcan,

---

162 reðre *MS.*
1 cleopad 4 þe] þa þe 9 wergu] wergum *MS., em. Clubb,* wergun *Grein* wulres 12 begrorenne 17 sceaðana sum] earm sceaða [na sum eras.] *MS., em. Clubb* 26 on] un

40 ne mid eagum ne mot   up locian,
ne huru mid earum ne sceal   æfre geheran
þære byrhtestan   beman stefne!
Ðæs ic wolde of selde   sunu meotodes,
drihten adrifan,   and agan me þæs dreames gewald,
45 wuldres and wynne,   me þær wyrse gelamp
þonne ic to hihte   agan moste.
Nu ic eom asceaden   fram þære sciran driht,
alæded fram leohte   in þone laðan ham. — '
Hwearf þa to helle   þa he gehened wæs, [189]
50 godes andsaca;   dydon his gingran swa,
gifre and grædige,   þa hig god bedraf
in þæt hate hof   þam is hel nama.
Forþan sceal gehycgan   hæleða æghwylc
þæt he ne abælige   bearn waldendes.
55 Læte him to bysne   hu þa blacan feond
for oferhygdum   ealle forwurdon. —
Eala hwæt! Se awyrgda   wraðe geþohte [315]
þæt he heofencyninge   heran ne wolde,
fæder frefergendum.   Flor attre weol,
60 hat under hæftum;   hreopan deofla,
wide geond windsele   wean cwanedon,
man and morður.   Wæs seo menego þær
swylce onæled.   Wæs þæt eall full strong,
þonne wæs heora aldor,   þe ðær ærest com
65 forð on feþan,   fæste gebunden
fyre and lige.   Þæt wæs fæstlic þreat;
ec sceoldon his þegnas   þær gewunian
atolan eðles,   nalles up þanon
geheran in heofonum   haligne dream,
70 þær heo oft fægerne   folgað hæfdon
uppe mid englum.   Wæron þa alles þæs
goda lease,   ah nymþe gryndes ad
wunian ne moten   and þone werigan sele
þær is wom and wop   wide gehered,
75 and gristbitungc   and gnornungc mecga.
Nabbað he to hyhte   nymþe cyle and fyr,
wean and witu   and wyrma þreat,
dracan and næddran   and þone dimman ham.
Forðon mihte geheran,   se ðe æt hylle wæs
80 twelf milum neh,   þæt ðær wæs toða geheaw,
hlude and geomre.   Godes andsacan
hweorfan geond helle   hate onæled
ufan and utan,   him wæs æghwær wa,
witum werige,   wuldres bescyrede,
85 dreamum bedælde.   Heofon deop gehygd,
þa heo on heofonum   ham staðelodon,
þæt hie woldon benæman   nergendne Crist
rodera rices,   ah he on riht geheold
hired heofona   and þæt halige seld. —

---

46 agan] habban *Holthausen* 60 hreowan 61 wea 62 seo] þær *MS.* *em. Thorpe,* þære *Grein* 72 ad] *spl. Clubb*, bealu *Grein* 73 ne *spl. Thorpe* 75 gristbitunge and gnornunge *MS., em. Cosijn* 76 he] we *MS., em. Clubb*, hie *Grein*

55. GENESIS

Junius Manuscript. — (*Spec. edd.*: *A:* F. Holthausen, Heidelberg, 1914. *B:* B.J. Timmer, Oxford 1948; F. Klaeber, Heidelberg 2. 1931.) — HB. 373, 520-27; Ke. 3417-33; Ba. 73; RO. 207.

The Fallen Angels.

Us is riht micel ðæt we rodera weard, [A.1]
wereda wuldorcining, wordum herigen,
modum lufien. He is mægna sped,
heafod ealra heahgesceafta,
5 frea ælmihtig. Næs him fruma æfre,
or geworden, ne nu ende cymþ
ecean drihtnes, ac he bið a rice
ofer heofenstolas. Heagum þrymmum
soðfæst and swiðfeorm sweglbosmas heold,
10 þa wæron gesette wide and side
þurh geweald godes wuldres bearnum,
gasta weardum. Hæfdon gleam and dream,
and heora ordfruman, engla þreatas,
beorhte blisse. Wæs heora blæd micel.
15 Þegnas þrymfæste þeoden heredon,
sægdon lustum lof, heora liffrean
demdon, drihtenes dugeþum wæron
swiðe gesælige. Synna ne cuþon,
firena fremman, ac hie on friðe lifdon
20 ece mid heora aldor. Elles ne ongunnon
ræran on roderum nymþe riht and soþ,
ærðon engla weard for oferhygde
dwæl on gedwilde. Noldan dreogan leng
heora selfra ræd, ac hie of siblufan
25 godes ahwurfon. Hæfdon gielp micel
þæt hie wið drihtne dælan meahton
wuldorfæstan wic werodes þrymme,
sid and swegltorht. Him þær sar gelamp,
æfst and oferhygd, and þæs engles mod
30 þe þonne unræd ongan ærest fremman,
wefan and weccean, þa he worde cwæð,
niþes ofþyrsted, þæt he on norðdæle
ham and heahsetl heofena rices
agan wolde. Þa wearð yrre god
35 and þam werode wrað þe he ær wurðode
wlite and wuldre. Sceop þam werlogan
wræclicne ham weorce to leane,
helleheafas, hearde niðas.
Heht þæt witehus wræcna bidan,
40 deop, dreama leas, drihten ure,
gasta weardas, þa he hit geare wiste,
synnihte beseald, susle geinnod,
geondfolen fyre and færcyle,
rece and reade lege. Heht þa geond þæt rædlease hof
45 weaxan witebrogan. Hæfdon hie wrohtgeteme
grimme wið god gesomnod; him þæs grim lean becom. —

---

9 swið ferom *MS.*, *em. Bouterwek* 10 side ond wide *Holthausen* 22 wearð *Zupitza* 23 dwæl] dæl *MS.*, *em. Grein* (22 wearð, 23 dæl *Holthausen*)

Satan's Address to his 'Comitatus'.

Þa spræc se ofermoda cyning, þe ær wæs engla scynost, [B.338]
hwitost on heofne and his hearran leof,
drihtne dyre, oð hie to dole wurdon,
50 þæt him for galscipe god sylfa wearð
mihtig on mode yrre. Wearp hine on þæt morðer innan,
niðer on þæt niobedd, and sceop him naman siððan,
cwæð se hehsta hatan sceolde
Satan siððan, het hine þære sweartan helle
55 grundes gyman, nalles wið god winnan.
Satan maðelode, sorgiende spræc,
se ðe helle forð healdan sceolde,
gieman þæs grundes; wæs ær godes engel,
hwit on heofne, oð hine his hyge forspeon
60 and his ofermetto ealra swiðost,
þæt he ne wolde wereda drihtnes
word wurðian. Weoll him on innan
hyge ymb his heortan, hat wæs him utan
wraðlic wite. He þa worde cwæð:
65 'Is þæs ænga styde ungelic swiðe
þam oðrum ham þe we ær cuðon,
hean on heofonrice, þe me min hearra onlag,
þeah we hine for þam alwaldan agan ne moston,
romigan ures rices. Næfð he þeah riht gedon
70 þæt he us hæfð befælled fyre to botme,
helle þære hatan, heofonrice benumen;
hafað hit gemearcod mid moncynne
to gesettanne. Þæt me is sorga mæst,
þæt Adam sceal, þe wæs of eorðan geworht,
75 minne stronglican stol behealdan,
wesan him on wynne, and we þis wite þolien,
hearm on þisse helle. Wa la, ahte ic minra handa geweald
and moste ane tid ute weorðan,
wesan ane winterstunde, þonne ic mid þys werode . . .
80 Ac licgað me ymbe irenbenda,
rideð racentan sal. Ic eom rices leas;
habbað me swa hearde helle clommas
fæste befangen. Her is fyr micel,
ufan and neoðone. Ic a ne geseah
85 laðran landscipe. Lig ne aswamað,
hat ofer helle. Me habbað hringa gespong,
sliðhearda sal siðes amyrred,
afyrred me min feðe; fet synt gebundene,
handa gehæfte. Synt þissa heldora
90 wegas forworhte, swa ic mid wihte ne mæg
of þissum lioðobendum. Licgað me ymbe
heardes irenes hate geslægene
grindlas greate. Mid þy me god hafað
gehæfted be þam healse; swa ic wat he minne hige cuðe.
95 And þæt wiste eac weroda drihten,
þæt sceolde unc Adame yfele gewurðan
ymb þæt heofonrice, þær ic ahte minra handa geweald.
Ac ðoliaþ we nu þrea on helle, þæt syndon þystro and hæto,
grimme, grundlease. Hafað us god sylfa
100 forswapen on þas sweartan mistas; swa he us ne mæg ænige synne gest
þæt we him on þam lande lað gefremedon, he hæfð us þeah þæs
leohtes bescyrede,

---

66 ham *not in MS., spl. Klaeber* 79/80 ***no gap in the MS.; Sievers and Klaeber assume a lo***
the MS. after **werode** 91 ymbe] ymbutan *corr. in MS. [s. 80]*

beworpen on ealra wita mæste. Ne magon we þæs wrace gefremman,
geleanian him mid laðes wihte þæt he us hafað þæs leohtes bescyrede.
He hæfð nu gemearcod anne middangeard, þær he hæfð mon geworhtne
105 æfter his onlicnesse. Mid þam he wile eft gesettan
heofona rice mid hluttrum saulum. We þæs sculon hycgan georne,
þæt we on Adame, gif we æfre mægen,
and on his eafrum swa some, andan gebetan,
onwendan him þær willan sines, gif we hit mægen wihte aþencan.
110 Ne gelyfe ic me nu þæs leohtes furðor þæs þe he him þenceð lange niotan,
þæs eades mid his engla cræfte. Ne magon we þæt on aldre gewinnan,
þæt we mihtiges godes mod onwæcen. Uton oðwendan hit nu monna bearnum,
þæt heofonrice, nu we hit habban ne moton, gedon þæt hie his hyldo forlæten,
þæt hie þæt onwendon þæt he mid his worde bebead. Þonne weorð he him wrað on mode,
115 ahwet hie from his hyldo. Þonne sculon hie þas helle secan
and þas grimman grundas. Þonne moton we hie us to giongrum habban,
fira bearn on þissum fæstum clomme. Onginnað nu ymb þa fyrde þencean!
Gif ic ænegum þægne þeodenmadmas
geara forgeafe, þenden we on þan godan rice
120 gesælige sæton and hæfdon ure setla geweald,
þonne he me na on leofran tid leanum ne meahte
mine gife gyldan, gif his gien wolde
minra þegna hwilc geþafa wurðan,
þæt he up heonon ute mihte
125 cuman þurh þas clustro, and hæfde cræft mid him
þæt he mid feðerhoman fleogan meahte,
windan on wolcne, þær geworht stondað
Adam and Eue on eorðrice
mid welan bewunden, and we synd aworpene hider
130 on þas deopan dalo. Nu hie drihtne synt
wurðran micle, and moton him þone welan agan
þe we on heofonrice habban sceoldon,
rice mid rihte; is se ræd gescyred
monna cynne. Þæt me is on minum mode swa sar,
135 on minum hyge hreoweð, þæt hie heofonrice
agan to aldre. Gif hit eower ænig mæge
gewendan mid wihte þæt hie word godes
lare forlæten, sona hie him þe laðran beoð.
Gif hie brecað his gebodscipe, þonne he him abolgen wurðeþ;
140 siððan bið him se wela onwended and wyrð him wite gegarwod,
sum heard hearmscearu. Hycgað his ealle,
hu ge hi beswicen! Siððan ic me sefte mæg
restan on þyssum racentum, gif him þæt rice losað.
Se þe þæt gelæsteð, him bið lean gearo
145 æfter to aldre, þæs we her inne magon
on þyssum fyre forð fremena gewinnan.
Sittan læte ic hine wið me sylfne, swa hwa swa þæt secgan cymeð
on þas hatan helle, þæt hie heofoncyninges
unwurðlice wordum and dædum
150 lare . . . . .'

---

142 softe *Grein* *Between* 150/151 *circa two leaves lost in MS.* 150 (lare forleton and wurdon lað gode *spl. Klaeber*)

The Fall of Man.

Angan hine þa gyrwan godes andsaca,
fus on frætwum, hæfde fæcne hyge,
hæleðhelm on heafod asette and þone full hearde geband,
spenn mid spangum; wiste him spræca fela,
155 wora worda. Wand him up þanon,
hwearf him þurh þa helldora, hæfde hyge strangne,
leolc on lyfte laþwendemod,
swang þæt fyr on twa feondes cræfte;
wolde dearnunga drihtnes geongran
160 mid mandædum men beswican,
forlædan and forlæran, þæt hie wurdon lað gode. —
Wearp hine þa on wyrmes lic and wand him þa ymbutan [491]
þone deaðes beam þurh deofles cræft,
genam þær þæs ofætes and wende hine eft þanon
165 þær he wiste handgeweorc heofoncyninges.
Ongon hine þa frinan forman worde
se laða mid ligenum: 'Langað þe awuht,
Adam, up to gode? Ic eom on his ærende hider
feorran gefered; ne þæt nu fyrn ne wæs
170 þæt ic wið hine sylfne sæt. Þa het he me on þysne sið faran,
het þæt þu þisses ofætes æte, cwæð þæt þin abal and cræft
and þin modsefa mara wurde,
and þin lichoma leohtra micle,
þin gesceapu scenran, cwæð þæt þe æniges sceattes ðearf
175 ne wurde on worulde. Nu þu willan hæfst,
hyldo geworhte heofoncyninges,
to þance geþenod þinum hearran,
hæfst þe wið drihten dyrne geworhtne. Ic gehyrde hine þine dæd and word
lofian on his leohte and ymb þin lif sprecan.
180 Swa þu læstan scealt þæt on þis land hider
his bodan bringað. Brade synd on worulde
grene geardas, and god siteð
on þam hehstan heofna rice,
ufan alwalda. Nele þa earfeðu
185 sylfa habban þæt he on þysne sið fare,
gumena drihten, ac he his gingran sent
to þinre spræce. Nu he þe mid spellum het
listas læran. Læste þu georne
his ambyhto, nim þe þis ofæt on hand,
190 bit his and byrge. Þe weorð on þinum breostum rum,
wæstm þy wlitegra. Þe sende waldend god,
þin hearra, þas helpe of heofonrice.'
Adam maðelode, þær he on eorðan stod,
selfsceafte guma: 'Þonne ic sigedrihten,
195 mihtigne god, mæðlan gehyrde
strangre stemne, and me her stondan het,
his bebodu healdan, and me þas bryd forgeaf,
wlitesciene wif, and me warnian het
þæt ic on þone deaðes beam bedroren ne wurde,
200 beswicen to swiðe, he cwæð þæt þa sweartan helle
healdan sceolde se ðe bi his heortan wuht
laðes gelæde. Nat þeah þu mid ligenum fare

154 speonn *corr. in MS.* 174 sceates 177 hearan 180 þis] his *Klaeber* 190 byrige *MS.*

þurh dyrne geþanc þe þu drihtnes eart
boda of heofnum. Hwæt, ic þinra bysna ne mæg,
205 worda ne wisna wuht oncnawan,
siðes ne sagona. Ic wat hwæt he me self bebead,
nergend user, þa ic hine nehst geseah;
he het me his word weorðian and wel healdan,
læstan his lare. Þu gelic ne bist
210 ænegum his engla þe ic ær geseah,
ne þu me oðiewdest ænig tacen
þe he me þurh treowe to onsende,
min hearra þurh hyldo. Þy ic þe hyran ne cann,
ac þu meaht þe forð faran. Ic hæbbe me fæstne geleafan
215 up to þam ælmihtegan gode þe me mid his earmum worhte,
her mid handum sinum. He mæg me of his hean rice
geofian mid goda gehwilcum, þeah he his gingran ne sende.'

Wende hine wraðmod þær he þæt wif geseah
on eorðrice Euan stondan,
220 sceone gesceapene, cwæð þæt sceaðena mæst
eallum heora eaforum æfter siððan
wurde on worulde: 'Ic wat, inc waldend god
abolgen wyrð, swa ic him þisne bodscipe
selfa secge, þonne ic of þys siðe cume
225 ofer langne weg, þæt git ne læstan wel
hwilc ærende swa he easten hider
on þysne sið sendeð. Nu sceal he sylf faran
to incre andsware; ne mæg his ærende
his boda beodan; þy ic wat þæt he inc abolgen wyrð,
230 mihtig on mode. Gif þu þeah minum wilt,
wif willende, wordum hyran,
þu meaht his þonne rume ræd geþencan.
Gehyge on þinum breostum þæt þu inc bam twam meaht
wite bewarigan, swa ic þe wisie:
235 Æt þisses ofetes! Þonne wurðað þin eagan swa leoht
þæt þu meaht swa wide ofer woruld ealle
geseon siððan, and selfes stol
herran þines, and habban his hyldo forð.
Meaht þu Adame eft gestyran,
240 gif þu his willan hæfst and he þinum wordum getrywð.
Gif þu him to soðe sægst hwylce þu selfa hæfst
bisne on breostum, þæs þu gebod godes
lare læstes, he þone laðan strið,
yfel andwyrde an forlæteð
245 on breostcofan, swa wit him bu tu
an sped sprecað. Span þu hine georne
þæt he þine lare læste, þy læs gyt lað gode,
incrum waldende, weorðan þyrfen!
Gif þu þæt angin fremest, idesa seo betste,
250 forhele ic incrum herran þæt me hearmes swa fela
Adam gespræc, eargra worda.
Tyhð me untryowða, cwyð þæt ic seo teonum georn,
gramum ambyhtsecg, nales godes engel.
Ac ic cann ealle swa geare engla gebyrdo,
255 heah heofona gehlidu; wæs seo hwil þæs lang
þæt ic geornlice gode þegnode

---

235 **æt]** **et** ***em. Klaeber***

þurh holdne hyge, herran minum,
drihtne selfum; ne eom ic deofle gelic.'
Lædde hie swa mid ligenum and mid listum speon
260 idese on þæt unriht, oðþæt hire on innan ongan
weallan wyrmes geþeaht, hæfde hire wacran hige
metod gemearcod, þæt heo hire mod ongan
lætan æfter þam larum; forþon heo æt þam laðan onfeng
ofer drihtnes word deaðes beames
265 weorcsumne wæstm. Ne wearð wyrse dæd
monnum gemearcod! Þæt is micel wundor
þæt hit ece god æfre wolde
þeoden þolian, þæt wurde þegn swa monig
forlædd be þam lygenum þe for þam larum com.
270 Heo þa þæs ofætes æt, alwaldan bræc
word and willan. —
Þa heo to hire hearran spræc: [654b]
'Adam, frea min, þis ofet is swa swete,
bliðe on breostum, and þes boda sciene,
275 godes engel god; ic on his gearwan geseo
þæt he is ærendsecg uncres hearran,
hefoncyninges. His hyldo is unc betere
to gewinnanne þonne his wiðermedo.
Gif þu him heodæg wuht hearmes gespræce,
280 he forgifð hit þeah, gif wit him geongordom
læstan willað. Hwæt scal þe swa laðlic strið
wið þines hearran bodan? Unc is his hyldo þearf.
He mæg unc ærendian to þam alwaldan,
heofoncyninge. Ic mæg heonon geseon
285 hwær he sylf siteð, þæt is suð and east,
welan bewunden, se ðas woruld gesceop;
geseo ic him his englas ymbe hweorfan
mid feðerhaman, ealra folca mæst,
wereda wynsumast. Hwa meahte me swelc gewit gifan,
290 gif hit gegnunga god ne onsende,
heofones waldend? Gehyran mæg ic rume
and swa wide geseon on woruld ealle
ofer þas sidan gesceaft, ic mæg swegles gamen
gehyran on heofnum. Wearð me on hige leohte
295 utan and innan, siðþan ic þæs ofætes onbat.
Nu hæbbe ic his her on handa, herra se goda;
gife ic hit þe georne. Ic gelyfe þæt hit from gode come,
broht from his bysene, þæs me þes boda sægde
wærum wordum. Hit nis wuhte gelic
300 elles on eorðan, buton swa þes ar sægeð,
þæt hit gegnunga from gode come.' —
Heo spræc ða to Adame idesa sceonost [704]
ful þiclice, oð þam þegne ongan
his hige hweorfan, þæt he þam gehate getruwode
305 þe him þæt wif wordum sægde.
Heo dyde hit þeah þurh holdne hyge, nyste þæt þær hearma swa fela,
fyrenearfeða, fylgean sceolde
monna cynne, þæs heo on mod genam
þæt heo þæs laðan bodan larum hyrde,
310 ac wende þæt heo hyldo heofoncyninges
worhte mid þam wordum þe heo þam were swelce

274 blið 305 wif] wif weðum *spl. Klaeber*

tacen oðiewde and treowe gehet,
oðþæt Adame innan breostum
his hyge hwyrfde and his heorte ongann
315 wendan to hire willan. He æt þam wife onfeng
helle and hinnsið, þeah hit nære haten swa,
ac hit ofetes noman agan sceolde;
hit wæs þeah deaðes swefn and deofles gespon,
hell and hinnsið and hæleða forlor,
320 menniscra morð, þæt hie to mete dædon,
ofet unfæle. Swa hit him on innan com,
hran æt heortan, hloh þa and plegode
boda bitre gehugod. —
Sorgedon ba twa, [765b]
325 Adam and Eue, and him oft betuh
gnornword gengdon; godes him ondredon,
heora herran hete, heofoncyninges nið
swiðe onsæton; selfe forstodon
his word onwended. Þæt wif gnornode,
330 hof hreowigmod, hæfde hyldo godes,
lare forlæten, þa heo þæt leoht geseah
ellor scriðan þæt hire þurh untreowa
tacen iewde se him þone teonan geræd,
þæt hie helle nið habban sceoldon,
335 hynða unrim; forþam him higesorga
burnon on breostum. Hwilum to gebede feollon
sinhiwan somed, and sigedrihten
godne gretton and god nemdon,
heofones waldend, and hine bædon
340 þæt hie his hearmsceare habban mosten,
georne fulgangan, þa hie godes hæfdon
bodscipe abrocen. Bare hie gesawon
heora lichaman; næfdon on þam lande þa giet
sælða gesetena, ne hie sorge wiht
345 weorces wiston, ac hie wel meahton
libban on þam lande, gif hie wolden lare godes
forweard fremman. Þa hie fela spræcon
sorhworda somed, sinhiwan twa.
Adam gemælde and to Euan spræc:
350 'Hwæt, þu Eue, hæfst yfele gemearcod
uncer sylfra sið. Gesyhst þu nu þa sweartan helle
grædige and gifre? Nu þu hie grimman meaht
heonane gehyran. Nis heofonrice
gelic þam lige, ac þis is landa betst,
355 þæt wit þurh uncres hearran þanc habban moston,
þær þu þam ne hierde þe unc þisne hearm geræd,
þæt wit waldendes word forbræcon,
heofoncyninges. Nu wit hreowige magon
sorgian for þis siðe. Forþon he unc self bebead
360 þæt wit unc wite warian sceolden,
hearma mæstne. Nu slit me hunger and þurst
bitre on breostum, þæs wit begra ær
wæron orsorge on ealle tid.
Hu sculon wit nu libban oððe on þys lande wesan,
365 gif her wind cymð, westan oððe eastan,
suðan oððe norðan? Gesweorc up færeð,

330 hof] heof *Grein* 365 cymeð *Klaeber*

cymeð hægles scur   hefone getenge,
færeð forst on gemang,   se byð fyrnum ceald.
Hwilum of heofnum   hate scineð,
370 blicð þeos beorhte sunne,   and wit her baru standað,
unwered wædo.   Nys unc wuht beforan
to scursceade,   ne sceattes wiht
to mete gemearcod,   ac unc is mihtig god,
waldend wraðmod.   To hwon sculon wit weorðan nu?
375 Nu me mæg hreowan   þæt ic bæd heofnes god,
waldend þone godan,   þæt he þe her worhte to me
of liðum minum,   nu þu me forlæred hæfst
on mines herran hete.   Swa me nu hreowan mæg
æfre to aldre   þæt ic þe minum eagum geseah.'
380 Ða spræc Eue eft,   idesa scienost,
wifa wlitegost;   hie wæs geweorc godes,
þeah heo þa on deofles cræft   bedroren wurde:
'Þu meaht hit me witan,   wine min Adam,
wordum þinum;   hit þe þeah wyrs ne mæg
385 on þinum hyge hreowan   þonne hit me æt heortan deð.'
Hire þa Adam   andswarode:
'Gif ic waldendes   willan cuðe,
hwæt ic his to hearmsceare   habban sceolde,
ne gesawe þu no sniomor,   þeah me on sæ wadan
390 hete heofones god   heonone nu þa,
on flod faran,   nære he firnum ðæs deop,
merestream þæs micel,   þæt his o min mod getweode,
ac ic to þam grunde genge,   gif ic godes meahte
willan gewyrcean.   Nis me on worulde niod
395 æniges þegnscipes,   nu ic mines þeodnes hafa
hyldo forworhte,   þæt ic hie habban ne mæg.
Ac wit þus baru ne magon   bu tu ætsomne
wesan to wuhte.   Uton gan on þysne weald innan,
on þisse holtes hleo.'   Hwurfon hie ba twa,
400 togengdon gnorngende   on þone grenan weald,
sæton onsundran,   bidan selfes gesceapu
heofoncyninges,   þa hie þa habban ne moston
þe him ær forgeaf   ælmihtig god.
Þa hie heora lichoman   leafum beþeahton,
405 weredon mid ðy wealde,   wæda ne hæfdon;
ac hie on gebed feollon   bu tu ætsomne
morgena gehwilce,   bædon mihtigne
þæt hie ne forgeate   god ælmihtig,
and him gewisade   waldend se goda,
410 hu hie on þam leohte forð   libban sceolden.

Þa com feran   frea ælmihtig
ofer midne dæg,   mære þeoden,
on neorxnawang   neode sine;
wolde neosian   nergend user,
415 bilwit fæder,   hwæt his bearn dyde.
Wiste forworhte   þam he ær wlite sealde.
Gewitan him þa gangan   geomermode
under beamsceade   blæde bereafod,
hyddon hie on heolstre,   þa hie halig word
420 drihtnes gehyrdon,   and ondredon him. —

---

371 wæde *Ettmüller*, wædon *Klaeber*   372 sceattes] scaftas *Holthausen*, sceates *Trautmann*
385 þinu   410 *here ends Genesis B [851].*

56. EXODUS

Junius Manuscript. — (Spec. edd.: **E. B. Irving, Yale and Oxford 1953; F. A. Blackburn, BLS, Boston 1907.*)* — HB. 516-519; Ke. 3417-33; Ba. 73-75; RO. 208; Ker 334.**

Introduction.

Hwæt! We feor and neah gefrigen habbað [1]
ofer middangeard Moyses domas,
wræclico wordriht, wera cneorissum,
in uprodor eadigra gehwam
5 æfter bealusiðe bote lifes,
lifigendra gehwam langsumne ræd,
hæleðum secgan. Gehyre se ðe wille!
Þone on westenne weroda drihten,
soðfæst cyning, mid his sylfes miht
10 gewyrðode, and him wundra fela,
ece alwalda, in æht forgeaf.
He wæs leof gode, leoda aldor,
horsc and hreðergleaw, herges wisa,
freom folctoga. Faraones cyn,
15 godes andsacan, gyrdwite band,
þær him gesealde sigora waldend,
modgum magoræswan, his maga feorh,
onwist eðles, Abrahames sunum.
Heah wæs þæt handlean and him hold frea,
20 gesealde wæpna geweald wið wraðra gryre. —

Pharao's Host.

Þa him eorla mod ortrywe wearð [154]
siððan hie gesawon of suðwegum
fyrd Faraonis forð ongangan,
oferholt wegan, eored lixan,
25 þufas þunian, þeod mearc tredan.
Garas trymedon, guð hwearfode,
blicon bordhreoðan, byman sungon on wæl.
Hreopon herefugolas, hilde grædige,
deawigfeðere ofer drihtneum,
30 wonn wælceasega. Wulfas sungon
atol æfenleoð ætes on wenan,
carleasan deor, cwyldrof beodan
on laðra last leodmægnes fyl.
Hreopon mearcweardas middum nihtum,
35 fleah fæge gast, folc wæs gehæged.
Hwilum of þam werode wlance þegnas
mæton milpaðas meara bogum.
Him þær segncyning wið þone segn foran,
manna þengel, mearcþreate rad;
40 guðweard gumena grimhelm gespeon,
cyning cinberge, cumbol lixton,
wiges on wenum, wælhlencan sceoc,
het his hereciste healdan georne
fæst fyrdgetrum. Freond onsegon
45 laðum eagan landmanna cyme.
Ymb hine wægon wigend unforhte.

---

1 habað 8 werode 15 andsaca 25 *following in MS. after* sungon (27), *emm. Grein, Sedgefield* 27/28 on hwæl hwreopon *MS,; for the em.* wæl=hwæl *cf.* 42; *Dobbie assumes a loss in the MS. after* on hwæl; *Holthausen, Kluge omm.* on hwæl; On hwæl (=hweol)..... herefugolas/ hilde grædige hræfen gol *suppl. Grein* 33 ful 42 hwæl hlencan *MS.* 44 syrd getrum onsigon *MS.*

hare heorowulfas hilde gretton,
þurstige þræcwiges, þeodenholde.
Hæfde him alesen leoda dugeðe
50 tireadigra twa þusendo,
þæt wæron cyningas and cneowmagas,
on þæt eade riht, æðelum deore.
Forðon anra gehwilc ut alædde
wæpnedcynnes, wigan æghwilcne
55 þara þe he on ðam fyrste findan mihte.
Wæron ingemen ealle ætgædere,
cyningas on corðre. Cuð oft gebad
horn on heape to hwæs hægstealdmen,
guðþreat gumena, gearwe bæron.
60 Swa þær eorp werod ecan læddon,
lað æfter laðum, leodmægnes worn,
þusendmælum; þider wæron fuse.
Hæfdon hie gemynted to þam mægenheapum
to þam ærdæge Israhela cynn
65 billum abreotan on hyra broðorgyld.
Forþon wæs in wicum wop up ahafen,
atol æfenleoð, egesan stodon,
weredon wælnet, þa se woma cwom.
Flugon frecne spel, feond wæs anmod,
70 werud wæs wigblac, oðþæt wlance forsceaf
mihtig engel, se ða menigeo beheold,
þæt þær gelaðe mid him leng ne mihton
geseon tosomne; sið wæs gedæled.

Moses.

Hæfde nydfara nihtlangne fyrst,
75 þeah ðe him on healfa gehwam hettend seomedon,
mægen oððe merestream; nahton maran hwyrft.
Wæron orwenan eðelrihtes,
sæton æfter beorgum in blacum reafum,
wean on wenum; wæccende bad
80 eall seo sibgedriht somod ætgædere
maran mægenes, oð Moyses bebead
eorlas on uhttid ærnum bemum
folc somnigean, frecan arisan,
habban heora hlencan, hycgan on ellen,
85 beran beorht searo, beacnum cigean
sweot sande near. Snelle gemundon
weardas wigleoð, werod wæs gefysed,
brudon ofer burgum, byman gehyrdon,
flotan feldhusum, fyrd wæs on ofste. —
90 Ahleop þa for hæleðum hildecalla, [252]
bald beohata, bord up ahof,
heht þa folctogan fyrde gestillan,
þenden modiges meðel monige gehyrdon.
Wolde reordigean rices hyrde
95 ofer hereciste halgan stefne,
werodes wisa wurðmyndum spræc:
'Ne beoð ge þy forhtran, þeah þe Faraon brohte
sweordwigendra side hergas,

---

47 heora wulfas 52 ealde *Kluge* þæs eades *Bright*
57 gebead *Grein* 60 eacan *Bright* 82 benum 88 beorgum *Grein* 91 beohata] bodhata *Bouterwek*, beothata *Ettmüller*, beahhata *Blackburn*

eorla unrim! Him eallum wile
100 mihtig drihten þurh mine hand
to dæge þissum dædlean gyfan,
þæt hie lifigende leng ne moton
ægnian mid yrmðum Israhela cyn. —
Hwæt! Ge nu eagum to on lociað, [278]
105 folca leofost, færwundra sum,
hu ic sylfa sloh and þeos swiðre hand
grene tacne garsecges deop.
Yð up færeð, ofstum wyrceð
wæter wealfæsten. Wegas syndon dryge,
110 haswe herestræta, holm gerymed,
ealde staðolas, þa ic ær ne gefrægn
ofer middangeard men geferan,
fage feldas, þa forð heonon
in ece tid yðe þeahton,
115 sælde sægrundas. Suðwind fornam
bæðweges blæst, brim is areafod,
sand sæcir spaw. Ic wat soð gere
þæt eow mihtig god miltse gecyðde,
eorlas ærglade. Ofest is selost
120 þæt ge of feonda fæðme weorðen,
nu se agend up arærde
reade streamas in randgebeorh.
Syndon þa foreweallas fægre gestepte,
wrætlicu wægfaru, oð wolcna hrof.'
125 Æfter þam wordum werod eall aras,
modigra mægen. Mere stille bad.
Hofon herecyste hwite linde,
segnas on sande. Sæweall astah,
uplang gestod wið Israhelum
130 andægne fyrst. —

The Drowning of the Egyptians.

Folc wæs afæred, flodegsa becwom [447]
gastas geomre, geofon deaðe hweop.
Wæron beorhhliðu blode bestemed,
holm heolfre spaw, hream wæs on yðum,
135 wæter wæpna ful wælmist astah.
Wæron Egypte eft oncyrde,
flugon forhtigende, fær ongeton,
woldon herebleaðe hamas findan,
gylp wearð gnornra. Him ongen genap
140 atol yða gewealc, ne ðær ænig becwom
herges to hame, ac behindan beleac
wyrd mid wæge. Þær ær wegas lagon,
mere modgode, mægen wæs adrenced.
Streamas stodon, storm up gewat
145 heah to heofonum, herewopa mæst.
Laðe cyrmdon, lyft up geswearc,
fægum stæfnum, flod blod gewod.
Randbyrig wæron rofene, rodor swipode
meredeaða mæst, modige swulton,

107 tacne] tane *Dietrich a. o.*
109 wæter and wealfæsten 114 tid] ***not in MS.,spl. Holthausen***; in ecnysse *Kluge*, in ece ***Grein*** 116 brim] bring 117 spaw] span *MS.*, *em. Grein, Krapp* (*cf.* 134)

150 cyningas on corðre, cyre swiðrode
sæs æt ende. Wigbord scinon
heah ofer hæleðum, holmweall astah,
merestream modig. Mægen wæs on cwealme
fæste gefeterod, forðganges weg
155 searwum asæled, sand basnodon,
witodre fyrde, hwonne waðema stream,
sincalda sæ, sealtum yðum
æflastum gewuna ece staðulas,
nacud nydboda, neosan come,
160 fah feðegast, se ðe feondum geneop.
Wæs seo hæwene lyft heolfre geblanden,
brim berstende blodegesan hweop,
sæmanna sið, oðþæt soð metod
þurh Moyses hand modge rymde,
165 wide wæðde, wælfæðmum sweop.
Flod famgode, fæge crungon,
lagu land gefeol, lyft wæs onhrered,
wicon weallfæsten, wægas burston,
multon meretorras, þa se mihtiga sloh
170 mid halige hand, heofonrices weard,
on werbeamas. Wlance ðeode
ne mihton forhabban helpendra pað,
merestreames mod, ac he manegum gesceod
gyllende gryre. Garsecg wedde,
175 up ateah, on sleap. Egesan stodon,
weollon wælbenna. Witrod gefeol
heah of heofonum handweorc godes,
famigbosma flodwearde sloh,
unhleowan wæg, alde mece,
180 þæt ðy deaðdrepe drihte swæfon,
synfullra sweot. Sawlum lunnon
fæste befarene, flodblac here,
siððan hie on bugon brun yppinge,
modewæga mæst. Mægen eall gedreas
185 ða gedrencte wæron dugoð Egypta,
Faraon mid his folcum. He onfond hraðe,
siððan grund gestah godes andsaca,
þæt wæs mihtigra mereflodes weard;
wolde heorufæðmum hilde gesceadan,
190 yrre and egesfull. Egyptum wearð
þæs dægweorces deop lean gesceod,
forðam þæs heriges ham eft ne com
ealles ungrundes ænig to lafe,
þætte sið heora secgan moste,
195 bodigean æfter burgum bealospella mæst,
hordwearda hryre, hæleða cwenum,
ac þa mægenþreatas meredeað geswealh,
spelbodan eac. Se ðe sped ahte,
ageat gylp wera. Hie wið god wunnon! —

---

150 cyre] cyrm *Cosijn* 151 sæs] wæges *Grein* 154 weg] nep 155 **æsæled basnodon]** barenodon ***MS.***, ***em.*** ***Klaeber*** 156 fyrde] wyrde ***Klaeber*** 164 mod gerymde 171 on] ***not in MS.***, ***spl.*** *Sedgefield*; on wægstreamas ***Bright***, werbeama sweot ***Holthausen***, werge-beornas *Grein-Köhler*, engel werbeamas ***Blackburn*** 172 hwelpendra ***Bright***, helwarena ***Holthausen*** 176 wit rod ***MS.***] wite-rod ***Bouterwek***, wit-rod ***Dietrich***, wig-trod *Grein*, wigrad ***Bright***, wigrod *Sedgefield*, wiþertrod *Sisam* 183 on bogum ***MS.*** brune *Dietrich* 185 ða gedrencte wæron] ða þegedrecte *MS.* ***em. Thorpe*** 186 on feond 187 grund] ***not in MS.*** ***spl.*** *Grein* 189 huru fæðmum 194 heoro 198 eac] ***not in MS.***, ***spl.*** ***Blackburn***; spilde spelbodan *Grein*

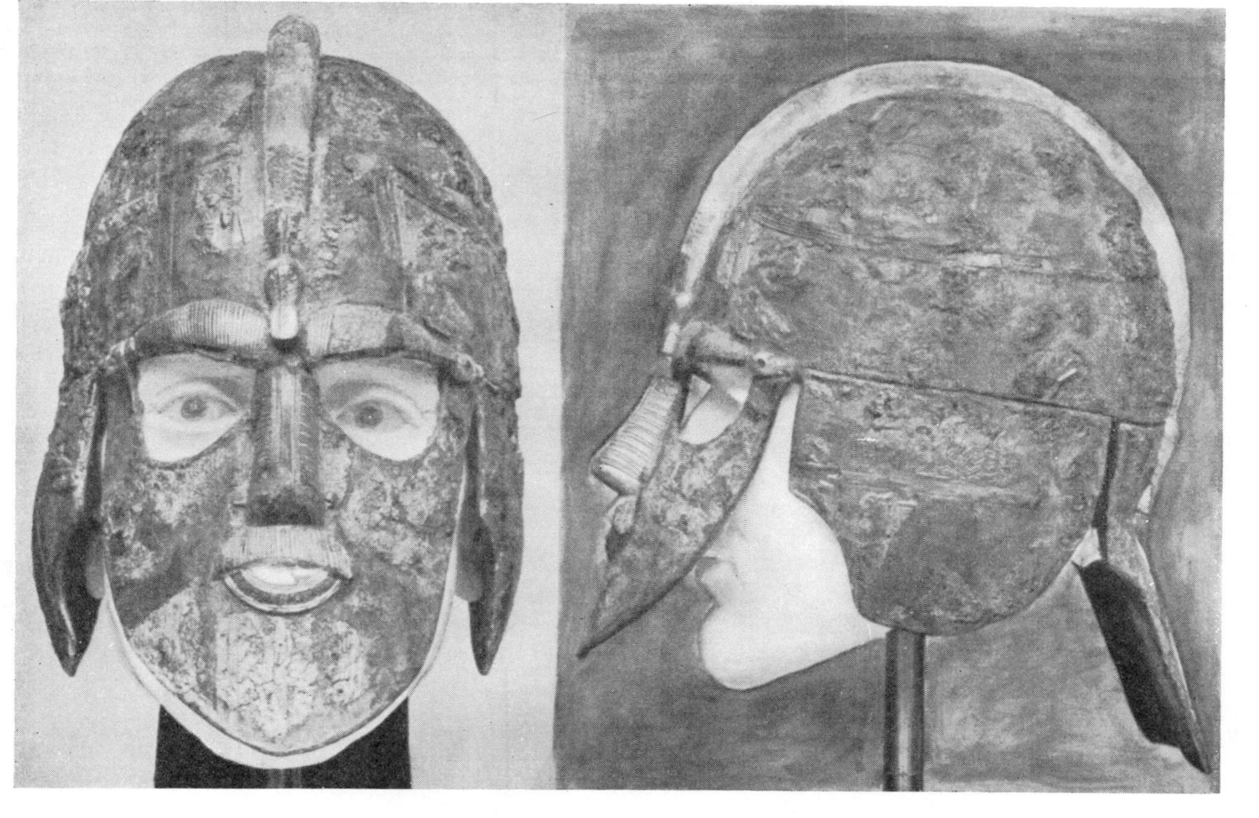

PLATE VIII. VISORED IRON HELMET, WITH GILT- AND TINNED-BRONZE AND SILVER EMBELLISHMENTS

(From the Sutton Hoo ship-burial, cf. p. XXVI)

57. JUDITH

MS.: BM., Cotton Vitellius A. XV; late X/ early XI centuries. — *edd.*: E.V.K. Dobbie, ASPR. IV, N.Y. 1953; B.J. Timmer. London 1952; A.S. Cook, Boston 1907. — HB. 609-11; Ke. 3526-31; Ba. 78-79; RO. 165; Ker 216.

Gefrægen ic ða Holofernus [7b]
winhatan wyrcean georne, and eallum wundrum þrymlic
girwan up swæsendo; to ðam het se gumena baldor
ealle ða yldestan ðegnas. Hie ðæt ofstum miclum
5 ræfndon rondwiggende, comon to ðam rican þeodne
feran folces ræswan. Þæt wæs þy feorðan dogore
þæs ðe Iudith hyne gleaw on geðonce,
ides ælfscinu, ærest gesohte.
Hie ða to ðam symle sittan eodon,
10 wlance to wingedrince, ealle his weagesiðas,
bealde byrnwiggende. Þær wæron bollan steape
boren æfter bencum gelome, swylce eac bunan and orcas
fulle fletsittendum. Hie þæt fæge þegon
rofe rondwiggende, þeah ðæs se rica ne wende,
15 egesful eorla dryhten. Ða wearð Holofernus,
goldwine gumena, on gytesalum;
hloh and hlydde, hlynede and dynede,
þæt mihten fira bearn feorran gehyran,
hu se stiðmoda styrmde and gylede,
20 modig and medugal manode geneahhe
bencsittende þæt hi gebærdon wel.
Swa se inwidda ofer ealne dæg
dryhtguman sine drencte mid wine,
swiðmod sinces brytta, oðþæt hie on swiman lagon,
25 oferdrencte his duguðe ealle, swylce hie wæron deaðe geslegene,
agotene goda gehwylces. Swa het se gumena baldor
fylgan fletsittendum, oðþæt fira bearnum
nealæhte niht seo þystre. Het ða niða geblonden
þa eadigan mægð ofstum fetigan
30 to his bedreste beagum gehlæste,
hringum gehrodene. Hie hraðe fremedon,
anbyhtscealcas, swa him heora ealdor bebead,
byrnwigena brego; bearhtme stopon
to ðam gysterne, þær hie Iudithe
35 fundon ferhðgleawe, and ða fromlice
lindwiggende lædan ongunnon
þa torhtan mægð to træfe þam hean,
þær se rica hyne reste on symbel,
nihtes inne, nergende lað
40 Holofernus. Þær wæs eallgylden
fleohnet fæger ymbe þæs folctogan
bed ahongen, þæt se bealofulla
mihte wlitan þurh, wigena baldor,
on æghwylcne þe ðærinne com
45 hæleða bearna, and on hyne nænig
monna cynnes, nymðe se modiga hwæne
niðe rofra him þe near hete
rinca to rune gegangan. Hie ða on reste gebrohton
snude ða snoteran idese; eodon ða stercedferhðe
50 hæleð heora hearran cyðan þæt wæs seo halige meowle
gebroht on his burgetelde. Þa wearð se brema on mode
bliðe, burga ealdor, þohte ða beorhtan idese
mid widle and mid womme besmitan; ne wolde þæt wuldres dema

2 win hatan 5 -wiggend 6 dogor *Cook* 11 -wiggend 26 þaldor *MS.* 27 fyllan *Cook*
29 eadgan *Cook* 34 iudithðe 41 and ymbe 46 modga *Cook* 50 halge *Cook*

R. Kaiser

geðafian, þrymmes hyrde, ac he him þæs ðinges gestyrde,
55 dryhten dugeða waldend. —
Þa wearð hyre rume on mode, (97)
haligre hyht geniwod; genam ða þone hæðenan mannan
fæste be feaxe sinum, teah hyne folmum wið hyre weard
bysmerlice, and þone bealofullan
60 listum alede, laðne mannan,
swa heo ðæs unlædan eaðost mihte,
wel gewealdan. Sloh ða wundenlocc
þone feondsceaðan fagum mece
heteþoncolne, þæt heo healfne forcearf
65 þone sweoran him, þæt he on swiman læg,
druncen and dolhwund. Næs ða dead þa gyt,
ealles orsawle; sloh ða eornoste
ides ellenrof oþre siðe
þone hæðenan hund, þæt him þæt heafod wand
70 forð on ða flore; læg se fula leap
gesne beæftan, gæst ellor hwearf
under neowelne næs, and ðær genyðerad wæs,
susle gesæled syððan æfre,
wyrmum bewunden, witum gebunden,
75 hearde gehæfted in hellebryne. —

Þa wearð snelra werod snude gegearewod,
cenra to campe; stopon cynerofe (200)
secgas and gesiðas, bæron sigeþufas,
foron to gefeohte forð on gerihte,
80 hæleð under helmum of ðære haligan byrig
on ðæt dægred sylf; dynedan scildas,
hlude hlummon. Þæs se hlanca gefeah
wulf in walde, and se wanna hrefn,
wælgifre fugel; wistan begen
85 þæt him ða þeodguman þohton tilian
fylle on fægum; ac him fleah on last
earn ætes georn, urigfeðera;
salowigpada sang hildeleoð,
hyrnednebba. Stopon heaðorincas,
90 beornas to beadowe bordum beðeahte,
hwealfum lindum, þa ðe hwile ær
elðeodigra edwit þoledon,
hæðenra hosp. Him þæt hearde wearð
æt ðam æscplegan eallum forgolden
95 Assyrium, syððan Ebreas
under guðfanum gegan hæfdon
to ðam fyrdwicum. Hie ða fromlice
leton forð fleogan flana scuras,
hildenædran of hornbogan,
100 strælas stedehearde. Styrmdon hlude
grame guðfrecan, garas sendon
in heardra gemang. Hæleð wæron yrre
landbuende laðum cynne;
stopon styrnmode, stercedferhðe
105 wrehton unsofte ealdgeniðlan
medowerige. Mundum brugdon
scealcas of sceaðum scirmæled swyrd. —

57, 69 hæðnan *em. Cook* 68 oþre] . . re *MS.* 78 sigeþufas] þufas *MS., em. Ettmüller and later edd.* 80 halgan *em. Cook* 84 westan *MS., emm. Cook, Dobbie*

58. THE LEIDEN RIDDLE

WITH ALDHELM'S 'DE LORICA AND EXETER RIDDLE XXXV

MS.: Leiden, University Library, Voss. Q. 106; IX century. — *ed.*: A.H. SMITH, Three Northumbrian Poems, London 1933; E. V. K. Dobbie, ASPR. VI. — HB. 5758; Ke. 3564-8; Ba. 72-73; RO. 211. — Aldhelmi opera, ed. R. Ehwald, Berlin 1919; J.H. Pitman, New Haven 1925.

Mec se ueta uong,   uundrum freorig,
ob his innaðae   aerest cændæ.
Ni uaat ic mec biuorthæ   uullan fliusum,
herum ðerh hehcraeft,   hygiðonc(um min).
5 Uundnae me ni biað ueflæ,   ni ic uarp hafæ,
ni ðerih ðreatun giðraec   ðret me hlimmith,
ne me hrutendu   hrisil scelfath,
ni mec ouana   aam sceal cnyssa.
Uyrmas mec ni auefun   uyrdi craeftum,
10 ða ði geolu godueb   geatum fraetuath.
Uil mec huethrae suae ðeh   uidæ ofaer eorðu
hatan mith heliðum   hyhtlic giuæde;
ni anoegun ic me aerigfaerae   egsan brogum,
ðeh ði numen siæ   niudlicae ob cocrum.

Aldhelm.

Roscida me genuit gelido de viscere tellus;
non sum setigero lanarum vellere facta,
licia nulla trahunt nec garrula fila resultant
nec crocea Seres texunt lanugine vermes
nec radiis carpor duro nec pectine pulsor;
et tamen en vestis vulgi sermone vocabor.
Spicula non vereor longis exempta faretris.

RIDDLE XXXV of the EXETER BOOK.

Mec se wæta wong,   wundrum freorig,
of his innaþe   ærist cende.
Ne wat ic mec beworhtne   wulle flysum,
hærum þurh heahcræft,   hygeþoncum min.
5e Wundene me ne beoð wefle,   ne ic wearp hafu,
ne þurh þreata geþræcu   þræd me ne hlimmeð,
ne æt me hrutende   hrisil scriþeð,
ne mec ohwonan   sceal am cnyssan.
Wyrmas mec ne awæfan   wyrda cræftum,
10e þa þe geolo godwebb   geatwum frætwað.
Wile mec mon hwæþre seþeah   wide ofer eorþan
hatan for hæleþum   hyhtlic gewæde.
Saga soðcwidum,   searoþoncum gleaw,
wordum wisfæst,   hwæt þis gewæde sy.

---

2 cændæ] d *illegible* 3 Ni] *not in MS.* 6 ðret] ðrĉ *MS.* 10 geolu *Smith, Dobbie*] goelu *Dietrich, Sweet, Schlutter* 12 giuæde] -e *no longer visible* 13 anoegu *em. Trautmann,* anoegnu *Schlutter,* ni anoegu na ic *em. Tupper, Sedgefield* 14 *very obscure in MS.* ðeh ði niman flanas fracadlicae ob c. *suggests Sweet,* numen *restores Smith*

8e amas *MS.* *14e* gewæde] ge wædu *MS.*

59. BEDE'S DEATH SONG

NORTHUMBRIAN AND WESTSAXON

MSS.: I. St. Gallen, Stiftsbibliothek 254; IX cent. *II.* Bodleiana, Digby 211; XII cent. *edd.:* H. Sweet, EETS. 87; R. Brotanek, Texte und Untersuchungen etc., Halle 1913; E. v. Kirk Dobbie, ASPR. VI. — HB. 452; Ba; 80; RO. 158.

I. Fore thaem neidfaerae naenig uuiurthit
thoncsnotturra, than him tharf sie
to ymbhycggannae aer his hiniongae
huaet his gastae godaes aeththa yflaes
5 aefter deothdaege doemid uueorthae.

II. For þam nedfere næni wyrþeþ
þances snotera, þonne him þearf sy
to gehicgenne ær his heonengange
hwæt his gaste godes oþþe yfeles
10 æfter deaþe heonon demed weorþe.

60. KENTISH HYMN

MS.: BM., Cotton Vespasian D. VI; X century. — *edd.:* M. Grein - R. Wülker, BAP. II; E. van Kirk Dobbie, ASPR. VI. — Ba. 81.

Wuton wuldrian weorada dryhten
halgan hlioðorcwidum, hiofenrices weard,
lufian liofwendum, lifęs agend,
and him simle sio sigefęst wuldor
5 uppe mid ænglum, and on eorðan sibb
gumena gehwilcum goodes willan.
We ðe heriað halgum stefnum
and þe blætsiað, bilewit fęder,
and ðe þanciað, þioda walden,
10 ðines weorðlican wuldordreames
and ðinra miclan mægena gerena,
ðe ðu, god dryhten, gastes mæhtum
hafest on gewealdum hiofen and eorðan,
an ece fęder, ælmehtig god.
15 Ðu eart cyninga cyningc cwicera gehwilces,
ðu eart sigefest sunu and soð hęlend
ofer ealle gescęft angla and manna.
Ðu, dryhten god, on dreamum wunast
on ðære upplican æðelan ceastre,
20 frea folca gehwæs, swa ðu æt fruman wære
efeneadig bearn agenum fæder.
Ðu eart heofenlic lioht and ðæt halige lamb,
ðe ðu manscilde middangeardes
for þinre arfęstnesse ealle towurpe,
25 fiond geflæmdest, follc generedes,
blode gebohtest bearn Israela,
ða ðu ahofe ðurh ðæt halige triow
ðinre ðrowunga ðriostre senna,
þæt ðu on hæahsetle heafena rices
30 sitest sigehræmig on ða swiðran hand
ðinum godfæder, gasta gemyndig.
Mildsa nu, meahtig, manna cynne,
and of leahtrum ales ðine ða liofan gescęft,

---

59. 1 thaem] th'e *MS.* *60.* 5 ænlum 8 bilewitne 11 ðinra] ðare 12 miehtum *Wülker* 23 ðu] ðy

and us hale gedo, heleða sceppend,
35 niða nergend, for ðines naman are.
Ðu eart soðlice simle halig,
and ðu eart ana æce dryhten,
and ðu ana bist eallra dema
cwucra ge deadra, Crist nergende,
40 forðan ðu on ðrymme ricsast and on ðrinesse
and on annesse, ealles waldend,
hiofena heahcyninc, haliges gastes
fegere gefelled in fæder wuldre.

61. JUDGMENT DAY

['Be Domes Dæge']. — *MS.*: Cambridge, Corpus Christi Coll. 201; XI century. — *edd.*: J. R. Lumby, EETS. 65; E. v. Kirk Dobbie, ASPR. VI. — HB. 453-458; Ke. 3379; Ba. 79; RO. 204.

Hwæt! Ic ana sæt innan bearwe,
mid helme beþeht, holte tomiddes,
þær þa wæterburnan swegdon and urnon
on middan gehæge, eal swa ic secge.
5 Eac þær wynwyrta weoxon and bleowon
innon þam gemonge on ænlicum wonge;
and þa wudubeamas wagedon and swegdon
þurh winda gryre; wolcn wæs gehrered,
and min earme mod eal wæs gedrefed.
10 Þa ic færinga, forht and unrot,
þas unhyrlican fers onhefde mid sange,
eall swylce þu cwæde, synna gemunde,
lifes leahtra, and þa langan tid,
þæs dimman cyme deaðes on eorðan.
15 Ic ondræde me eac dom þone miclan
for mandædum minum on eorðan;
and þæt ece ic eac yrre ondræde me
and synfulra gehwam æt sylfum gode,
and hu mihtig frea eall manna cynn
20 todæleð and todemeð þurh his dihlan miht.
Ic gemunde eac mærðe drihtnes
and þara haligra on heofonan rice,
swylce earmsceapenra yfel and witu.
Ic gemunde þis mid me, and ic mearn swiðe;
25 and ic murcnigende cwæð, mode gedrefed:
'Nu ic eow æddran ealle bidde
þæt ge wylspringas wel ontynan,
hate of hleorum recene to tearum,
þænne ic synful slea swiðe mid fyste,
30 breost mine beate on gebedstowe,
and minne lichaman lecge on eorðan
and geearnade sar ealle ic gecige.
Ic bidde eow benum nu ða
þæt ge ne wandian wiht for tearum;
35 ac dreorige hleor dreccað mid wope
and sealtum dropum sona ofergeotaþ,
and geopeniað man ecum drihtne. —
Ne scealt þu forhyccan heaf and wopas [90]
and forgifnesse gearugne timan.
40 Gemyne eac on mode, hu micel is þæt wite,

60. 39 nergend *61.* 23 yfes 28 of] os

þe þara earmra byð for ærdædum,
oþþe hu egeslice and hu andrysne
heahþrymme cyningc her wile deman
anra gehwylcum be ærdædum,
45 oþþe hwylce forebeacn feran onginnað
and Cristes cyme cyþað on eorðan.
Eall eorðe bifað, eac swa þa duna
dreosað and hreosað,
and beorga hliðu bugað and myltað;
50 and se egeslica sweg ungerydre sæ
eall manna mod miclum gedrefeð.
Eal bið eac upheofon
sweart and gesworcen, swiðe geþuxsað
deorc and dimhiw, and dwolma sweart.
55 Þonne stedelease steorran hreosað,
and seo sunne forswyrcð sona on morgen,
ne se mona næfð nanre mihte wiht,
þæt he þære nihte genipu mæge flecgan.
Eac þonne cumað hider ufon of heofone
60 deað beacnigende, bregað þa earman. —
Þonne fela mægða, folca unrim, [159]
heora sinnigan breost swiðlice beatað
forhte mid fyste for fyrenlustum.
Þær beoð þearfan and þeodcyningas,
65 earm and eadig, ealle beoð afæred.
Þær hæfð ane lage earm and se welega,
forðon hi habbað ege ealle ætsomne.
Ðæt reðe flod ræscet fyre
and biterlice bærnð ða earman saula,
70 and heora heortan, horxlice wyrmas,
synscyldigra, ceorfað and slitað.
Ne mæg þær æni man be agnum gewyrhtum
gedyrstig wesan, deman gehende,
ac ealle þurhyrnð oga ætsomne,
75 breostgehyda and se bitera wop.
And þær stænt astifad, stane gelicast,
eal arleas heap yfeles on wenan.
Hwæt dest þu, la flæsc? Hwæt dreogest þu nu?
Hwæt miht þu on þa tid þearfe gewepan? —'

62. BRUNANBURH

ANGLO-SAXON CHRONICLE A. D. 937. — *MS.:* Cambridge, Corpus Christi Coll. 173 Parker *MS.* — *edd.:* Plummer-Earle, *above*; A. Campbell, London 1938; E. van Kirk Dobbie, ASPR. VI. — HB. 504-505; Ba. 89; RO. 171.

Her Æþelstan cyning, eorla dryhten,
beorna beahgifa, and his broþor eac
Eadmund æþeling, ealdorlangne tir
geslogon æt sæcce sweorda ecgum
5 ymbe Brunanburh; bordweal clufan,
heowan heaþolinde hamora lafan,
afaran Eadweardes; swa him geæþele wæs
from cneomægum, þæt hi æt campe oft
wiþ laþra gehwæne land ealgodon,

42 oþþe hit egeslic 49 hliðu] hlida 53 gewuxsað *Lumby* 58 fleman *Trautmann*
60 ðeaðbeacnigende tacn *Dobbie* 72 be agnum] bearnum *MS., em. Grein*

10 hord and hamas. Hettend crungun,
Sceotta leoda and scipflotan
fæge feollan; feld dænnede
secga swate, siðþan sunne up
on morgentid, mære tungol,
15 glad ofer grundas, godes condel beorht,
eces drihtnes, oð sio æþele gesceaft
sah to setle. Þær læg secg mænig
garum ageted guma norþerna,
ofer scild scoten, swilce Scittisc eac,
20 werig, wiges sæd. Wesseaxe forð
ondlongne dæg eorodcistum
on last legdun laþum þeodum,
heowan herefleman hindan þearle
mecum mylenscearpan. Myrce ne wyrndon
25 heardes hondplegan hæleþa nanum
þæra þe mid Anlafe ofer æra gebland
on lides bosme land gesohtun,
fæge to gefeohte. Fife lægun
on þam campstede cyningas giunge,
30 sweordum aswefede, swilce seofene eac
eorlas Anlafes, unrim heriges,
flotan and Sceotta. Þær geflemed wearð
Norðmanna bregu, nede gebeded,
to lides stefne litle weorode;
35 cread cnear on flot, cyning ut gewat,
on fealene flod, feorh generede.
Swilce þær eac se froda mid fleame com
on his cyþþe norð, Costontinus,
har hildering, hreman ne þorfte
40 mæca gemanan; he wæs his mæga sceard,
freonda gefylled on folcstede,
beslagen æt sæcce, and his sunu forlet
on wælstowe wundun forgrunden,
giungne æt guðe. Gelpan ne þorfte
45 beorn blandenfeax bilgeslehtes,
eald inwidda, ne Anlaf þy ma;
mid heora herelafum hlehhan ne þorftun
þæt heo beaduweorca beteran wurdun
on campstede cumbolgehnastes,
50 garmittinge, gumena gemotes,
wæpengewrixles, þæs hi on wælfelda
wiþ Eadweardes afaran plegodan.
Gewitan him þa Norþmen nægledcnearrum,
dreorig daraða laf, on Dinges mere
55 ofer deop wæter Difelin secan,
eft Yraland æwiscmode.
Swilce þa gebroþer begen ætsamne,
cyning and æþeling cyþþe sohton,
Wesseaxena land, wiges hremige.
60 Letan him behindan hræw bryttian
saluwigpadan, þone sweartan hræfn,

---

11 scotta leode *D* 13 secga swate *D*] secgas hwate *A* 25 heardes *D*] he eardes *A* 26 þæra þe *D*] þæ *A* 29 cyningas *D*] cyninges *A* 35 cnear on *D*] cnearen *A* 38 constantinus *D* 40 mæca] mæcan *A*, mecea *B*, in ecga *D* 49 cumbolgehnastes *D*] cul bod (oððe cum bel *corr.*) gehnades *A* 54 dyniges *D* 55 dyflig *D* 56 eft] and eft *corr.* *A* Yraland *D(BC)*] hira land *A*

hyrnednebban, and þane hasewanpadan
earn æftan hwit, æses brucan,
grædigne guðhafoc and þæt græge deor,
65 wulf on wealde. Ne wearð wæl mare
on þis eiglande æfre gieta
folces gefylled beforan þissum
sweordes ecgum, þæs þe us secgað bec,
ealde uðwitan, siþþan eastan hider
70 Engle and Seaxe up becoman,
ofer brad brimu Brytene sohtan,
wlance wigsmiþas Wealas ofercoman,
eorlas arhwate eard begeatan.

63. MALDON

[11/VIII/991]. — *MS.:* Cotton Otho A. XII, fragment, destroyed in 1731: copy: J. Elphinston, c. 1725, Bodleiana, Rawlinson B 203], printed in Th. Hearne. Johannis Glastoniensis Chronica, Oxford 1726. — *edd.:* W. J. Sedgefield, Boston 1904; E. V. Gordon, London 1937; E. v. Kirk Dobbie, ASPR. VI. — HB. 612-619; Ke. 3547; Ba. 88-89; RO. 212.

Đa þær Byrhtnoð ongan beornas trymian, [17]
rad and rædde, rincum tæhte
hu hi sceoldon standan and þone stede healdan,
and bæd þæt hyra randas rihte heoldon
5 fæste mid folman and ne forhtedon na.
Þa he hæfde þæt folc fægere getrymmed,
he lihte þa mid leodon þær him leofost wæs,
þær he his heorðwerod holdost wiste.
Þa stod on stæðe, stiðlice clypode
10 wicinga ar, wordum mælde,
se on beot abead brimliþendra
ærænde to þam eorle þær he on ofre stod:
'Me sendon to þe sæmen snelle.
Heton ðe secgan, þæt þu most sendan raðe
15 beagas wið gebeorge; and eow betere is
þæt ge þisne garræs mid gafole forgyldon,
þonne we swa hearde hilde dælon.
Ne þurfe we us spillan; gif ge spedaþ to þam,
we willað wið þam golde grið fæstnian.
20 Gyf þu þæt gerædest, þe her ricost eart,
þæt þu þine leoda lysan wille,
syllan sæmannum on hyra sylfra dom
feoh wið freode, and niman frið æt us,
we willaþ mid þam sceattum us to scype gangan,
25 on flot feran, and eow friþes healdan.'
Byrhtnoð maþelode, bord hafenode,
wand wacne æsc, wordum mælde,
yrre and anræd, ageaf him andsware:
'Gehyrst þu, sælida, hwæt þis folc segeð?
30 Hi willað eow to gafole garas syllan,
ættrynne ord and ealde swurd,
þa heregeatu þe eow æt hilde ne deah.
Brimmanna boda, abeod eft ongean,
sege þinum leodum miccle laþre spell,
35 þæt her stynt unforcuð eorl mid his werode,
þe wile ealgian eþel þysne,

66 æfre *D*] æfer *A* 72 Wealas *D*] weealles *A* *63*. 4 randan 17 þon 20 þat 29 hwæt segeð þis folc *Rieger* 36 ealgian] gealgean *MS.*

Æþelredes eard, ealdres mines,
folc and foldan; feallan sceolon
hæþene æt hilde. To heanlic me þinceð
40 þæt ge mid urum sceattum to scype gangon
unbefohtene; nu ge þus feor hider
on urne eard in becomon,
ne sceole ge swa softe sinc gegangan;
us sceal ord and ecg ær geseman,
45 grim guðplega, ær we gofol syllon.'
Het þa bord beran, beornas gangan,
þæt hi on þam easteðe ealle stodon.
Ne mihte þær for wætere werod to þam oðrum;
þær com flowende flod æfter ebban,
50 lucon lagustreamas; to lang hit him þuhte,
hwænne hi togædere garas beron.
Hi þær Pantan stream mid prasse bestodon,
Eastseaxena ord and se æschere;
ne mihte hyra ænig oþrum derian,
55 buton hwa þurh flanes flyht fyl gename.
Se flod ut gewat, þa flotan stodon gearowe,
wicinga fela, wiges georne.
Het þa hæleða hleo healdan þa bricge
wigan wigheardne, se wæs haten Wulfstan,
60 cafne mid his cynne, þæt wæs Ceolan sunu,
þe ðone forman man mid his francan ofsceat,
þe þær baldlicost on þa bricge stop.
Þær stodon mid Wulfstane wigan unforhte,
Ælfere and Maccus, modige twegen;
65 þa noldon æt þam forda fleam gewyrcan,
ac hi fæstlice wið ða fynd weredon,
þa while þe hi wæpna wealdan moston.

Þa hi þæt ongeaton, and georne gesawon
þæt hi þær bricgweardas bitere fundon,
70 ongunnon lytegian þa laðe gystas;
bædon þæt hi upgang agan moston,
ofer þone ford faran, feþan lædan.
Ða se eorl ongan for his ofermode
alyfan landes to fela laþere ðeode;
75 ongan ceallian þa ofer cald wæter
Byrhtelmes bearn; beornas gehlyston:
'Nu eow is gerymed, gað ricene to us,
guman to guþe; god ana wat
hwa þære wælstowe wealdan mote.'
80 Wodon þa wælwulfas, for wætere ne murnon,
wicinga werod, west ofer Pantan,
ofer scir wæter scyldas wegon,
lidmen to lande linde bæron.
Þær ongean gramum gearowe stodon
85 Byrhtnoð mid beornum. He mid bordum het
wyrcan þone wihagan, and þæt werod healdan
fæste wið feondum. Þa wæs feohte neh,
tir æt getohte; wæs seo tid cumen
þæt þær fæge men feallan sceoldon.
90 Þær wearð hream ahafen; hremmas wundon,

---

45 we] þe 59 se wæs Wulfstan haten *Rieger*, Wulfstan wæs haten *Holthausen* 70 luðe *Hearne* 71 upgangan 87 fohte

earn æses georn; wæs on eorþan cyrm.
Hi leton þa of folman feolhearde speru,
gegrundene garas fleogan;
bogan wæron bysige, bord ord onfeng.
95 Biter wæs se beaduræs, beornas feollon
on gehwæðere hand hyssas lagon.
Wund wearð Wulfmær, wælræste geceas,
Byrhtnoðes mæg; he mid billum wearð,
his swuster sunu, swiðe forheawen.
100 Þær wearð wicingum wiþerlean agyfen:
Gehyrde ic þæt Eadweard anne sloge
swiðe mid his swurde, swenges ne wyrnde,
þæt him æt fotum feoll fæge cempa;
þæs him his ðeoden þanc gesæde,
105 þam burþene, þa he byre hæfde.
Swa stemnetton stiðhicgende
hyssas æt hilde. Hogodon georne
hwa þær mid orde ærost mihte
on fægean men feorh gewinnan,
110 wigan mid wæpnum; wæl feol on eorðan.
Stodon stædefæste; stihte hi Byrhtnoð,
bæd þæt hyssa gehwylc hogode to wige,
þe on Denon wolde dom gefeohtan.

Wod þa wiges heard, wæpen up ahof,
115 bord to gebeorge, and wið þæs beornes stop;
eode swa anræd eorl to þam ceorle;
ægþer hyra oðrum yfeles hogode.
Sende ða se særinc suþerne gar,
þæt gewundod wearð wigena hlaford;
120 he sceaf þa mid ðam scylde, þæt se sceaft tobærst,
and þæt spere sprengde, 'þæt hit sprang ongean.
Gegremod wearð se guðrinc, he mid gare stang
wlancne wicing, þe him þa wunde forgeaf.
Frod wæs se fyrdrinc, he let his francan wadan
125 þurh ðæs hysses hals; hand wisode
þæt he on þam færsceaðan feorh geræhte.
Ða he oþerne ofstlice sceat,
þæt seo byrne tobærst; he wæs on breostum wund,
þurh ða hringlocan him æt heortan stod
130 ætterne ord. Se eorl wæs þe bliþra,
hloh þa modi man, sæde metode þanc
ðæs dægweorces þe him drihten forgeaf.
Forlet þa drenga sum daroð of handa,
fleogan of folman, þæt se to forð gewat
135 þurh ðone æþelan Æþelredes þegen.
Him be healfe stod hyse unweaxen,
cniht on gecampe, se full caflice
bræd of þam beorne blodigne gar,
Wulfstanes bearn, Wulfmær se geonga.
140 Forlet forheardne faran eft ongean;
ord in gewod, þæt se on eorþan læg,
þe his þeoden ær þearle geræhte.
Eode þa gesyrwed secg to þam eorle;
he wolde þæs beornes beagas gefecgan,
145 reaf and hringas and gerenod swurd.

---

93 grimme gegrundene *spl. Holthausen* 97 weard 100 wærd 107 hysas

Þa Byrhtnoð bræd bill of sceðe,
brad and bruneccg, and on þa byrnan sloh;
to raþe hine gelette lidmanna sum,
þa he þæs eorles earm amyrde;
150 feoll þa to foldan fealohilte swurd;
ne mihte he gehealdan heardne mece,
wæpnes wealdan. Þa gyt þæt word gecwæð
har hilderinc, hyssas bylde,
bæd gangan forð gode geferan;
155 ne mihte þa on fotum leng fæste gestandan;
he to heofenum wlat:
'Ic geþancie þe ðeoda waldend,
ealra þæra wynna þe ic on worulde gebad.
Nu ic ah, milde metod, mæste þearfe,
160 þæt þu minum gaste godes geunne,
þæt min sawul to ðe siðian mote,
on þin geweald, þeoden engla,
mid friþe ferian. Ic eom frymdi to þe,
þæt hi helsceaðan hynan ne moton.'
165 Ða hine heowon hæðene scealcas,
and begen þa beornas þe him big stodon,
Ælfnoð and Wulmær begen lagon,
ða onemn hyra frean feorh gesealdon.

Hi bugon þa fram beaduwe þe þær beon noldon.
170 Þær wurdon Oddan bearn ærest on fleame,
Godric fram guþe, and þone godan forlet,
þe him mænigne oft mear gesealde.
He gehleop þone eoh, þe ahte his hlaford,
on þam gerædum þe hit riht ne wæs,
175 and his broðru mid him, begen ærndon,
Godwine and Godwig; guþe ne gymdon,
ac wendon fram þam wige, and þone wudu sohton,
flugon on þæt fæsten, and hyra feore burgon,
and manna ma þonne hit ænig mæð wære,
180 gyf hi þa geearnunga ealle gemundon,
þe he him to duguþe gedon hæfde.
Swa him Offa on dæg ær asæde,
on þam meþelstede, þa he gemot hæfde,
þæt þær modiglice manega spræcon,
185 þe eft æt þearfe þolian noldon.
Þa wearð afeallen þæs folces ealdor,
Æþelredes eorl; ealle gesawon
heorðgeneatas þæt hyra heorra læg.
Þa ðær wendon forð wlance þegenas,
190 unearge men efston georne;
hi woldon þa ealle oðer twega,
lif forlætan oððe leofne gewrecan.

Swa hi bylde forð bearn Ælfrices,
wiga wintrum geong, wordum mælde,
195 Ælfwine þa cwæð, he on ellen spræc:
'Gemunan þa mæla, þe we oft æt meodo spræcon,
þonne we on bence beot ahofon,
hæleð on healle, ymbe heard gewinn;

155 ge stundan 156 ***no gap in MS.***; heard headurinc *spl. Grein*, hæleð gemælde *spl. Holthausen* 157 Ic geþancie] ge þance 170 wurdon] wearð *Dobbie* 175 ærdon 176 godrine; Godrinc *Sweet* 184 modelice 185 þearfe] þære; þære þearfe *Rieger* 192 for lætun 196 ge munu; gemunað *Grein*, gemunan *Dobbie*, gemunaþ þara m. *Gordon*

nu mæg cunnian hwa cene sy.
200 Ic wylle mine æþelo eallum gecyþan,
þæt ic wæs on Myrcon miccles cynnes.
Wæs min ealda fæder Ealhelm haten,
wis ealdorman, woruldgesælig.
Ne sceolon me on þære þeode þegenas ætwitan,
205 þæt ic of ðisse fyrde feran wille,
eard gesecan, nu min ealdor ligeð
forheawen æt hilde; me is þæt hearma mæst;
he wæs ægðer min mæg and min hlaford.'
Þa he forð eode, fæhðe gemunde,
210 þæt he mid orde anne geræhte
flotan on þam folce, þæt se on foldan læg
forwegen mid his wæpne. Ongan þa winas manian,
frynd and geferan, þæt hi forð eodon.
Offa gemælde, æscholt asceoc:
215 'Hwæt þu, Ælfwine, hafast ealle gemanode,
þegenas to þearfe. Nu ure þeoden lið,
eorl on eorðan, us is eallum þearf
þæt ure æghwylc oþerne bylde
wigan to wige, þa hwile þe he wæpen mæge
220 habban and healdan, heardne mece,
gar and god swurd. Us Godric hæfð,
earh Oddan bearn, ealle beswicene.
Wende þæs formoni man, þe he on meare rad,
on wlancan þam wicge, þæt wære hit ure hlaford;
225 forþan wearð her on felda folc totwæmed,
scyldburh tobrocen; abreoðe his angin,
þæt he her swa manigne man aflymde.'

Leofsunu gemælde, and his linde ahof,
bord to gebeorge, he þam beorne oncwæð:
230 'Ic þæt gehate, þæt ic heonon nelle
fleon fotes trym, ac wille furðor gan,
wrecan on gewinne minne winedrihten.
Ne þurfon me embe Sturmere stedefæste hælæð
wordum ætwitan, nu min wine gecranc,
235 þæt ic hlafordleas ham siðie,
wende fram wige; ac me sceal wæpen niman,
ord and iren.' He ful yrre wod,
feaht fæstlice, fleam he forhogode.

Dunnere þa cwæð, daroð acwehte,
240 unorne ceorl, ofer eall clypode,
bæd þæt beorna gehwylc Byrhtnoð wræce:
'Ne mæg na wandian se þe wrecan þenceð
frean on folce, ne for feore murnan.'
Þa hi forð eodon, feores hi ne rohton;
245 ongunnon þa hiredmen heardlice feohtan,
grame garberend, and god bædon
þæt hi moston gewrecan hyra winedrihten,
and on hyra feondum fyl gewyrcan.
Him se gysel ongan geornlice fylstan;
250 he wæs on Norðhymbron heardes cynnes,
Ecglafes bearn, him wæs Æscferð nama.
He ne wandode na æt þam wigplegan,
ac he fysde forð flan genehe;

---

208 ægder *MS.*; he wæs min ægðer mæg and hlaford *Holthausen*

hwilon he on bord sceat,   hwilon beorn tæsde;
255 æfre embe stunde   he sealde sume wunde,
þa hwile ðe he wæpna   wealdan moste.
Þa gyt on orde stod   Eadweard se langa,
gearo and geornful,   gylpwordum spræc,
þæt he nolde fleogan   fotmæl landes,
260 ofer bæc bugan,   þa his betera leg.
He bræc þone bordweall,   and wið þa beornas feaht,
oðþæt he his sincgyfan   on þam sæmannum
wurðlice wrec,   ær he on wæle læge.
Swa dyde Æþeric,   æþele gefera,
265 fus and forðgeorn,   feaht eornoste,
Sibyrhtes broðor   and swiðe mænig oþer
clufon cellod bord,   cene hi weredon;
bærst bordes lærig,   and seo byrne sang
gryreleoða sum.   Þa æt guðe sloh
270 Offa þone sælidan,   þæt he on eorðan feoll,
and ðær Gaddes mæg   grund gesohte;
raðe wearð æt hilde   Offa forheawen.
He hæfde ðeah geforþod   þæt he his frean gehet,
swa he beotode ær   wið his beahgifan,
275 þæt hi sceoldon begen   on burh ridan,
hale to hame,   oððe on here crincgan,
on wælstowe   wundum sweltan:
He læg ðegenlice   ðeodne gehende.

Ða wearð borda gebræc;   brimmen wodon,
280 guðe gegremode;   gar oft þurhwod
fæges feorhhus.   Forð þa eode Wistan,
Þurstanes sunu,   wið þas secgas feaht.
He wæs on geþrange   hyra þreora bana,
ær him Wigelines bearn   on þam wæle læge.
285 Þær wæs stið gemot;   stodon fæste
wigan on gewinne,   wigend cruncon,
wundum werige;   wæl feol on eorþan.
Oswold and Eadwold   ealle hwile,
begen þa gebroþru,   beornas trymedon,
290 hyra winemagas   wordon bædon
þæt hi þær æt ðearfe   þolian sceoldon,
unwaclice   wæpna neotan.

Byrhtwold maþelode,   bord hafenode,
se wæs eald geneat,   æsc acwehte,
295 he ful baldlice   beornas lærde:
'Hige sceal þe heardra,   heorte þe cenre,
mod sceal þe mare,   þe ure mægen lytlað.
Her lið ure ealdor   eall forheawen,
god on greote;   a mæg gnornian
300 se ðe nu fram þis wigplegan   wendan þenceð.
Ic eom frod feores;   fram ic ne wille,
ac ic me be healfe   minum hlaforde,
be swa leofan men,   licgan þence.' —

---

255 *em.* stealde   258 gearo *MS.*, gearc *Hearne*   272 hraðe *Gordon*   276 crintgan
284 Wigelmes *Gordon*

64. PRINCE ALFRED'S CAPTURE AND DEATH

Anglo-Saxon Chronicle, A. D. 1036. — *MS.*: BM., Cotton Tiberius B. I. — *edd.*: Plummer-Earle, op.cit. E. v. Kirk Dobbie, ASPR. VI. — HB. p. 54; Ba. 84; RO. 173.

Her com Ælfred, se unsceððiga æþeling, Æþelrædes sunu cinges, hider inn and wolde to his meder, þe on Wincestre sæt; ac hit him ne geþafode Godwine eorl, ne ec oþre men þe mycel mihton wealdan, forðan hit hleoðrode þa swiðe toward Haraldes, þeh hit unriht wære.

5 Ac Godwine hine þa gelette and hine on hæft sette,
and his geferan he todraf, and sume mislice ofsloh.
Sume hi man wið feo sealde, sume hreowlice acwealde,
sume hi man bende, sume hi man blende,
sume hamelode, sume hættode.
10 Ne wearð dreorlicre dæd gedon on þison earde,
syþþan Dene comon and her frið namon.
Nu is to gelyfenne to ðan leofan gode,
þæt hi blission bliðe mid Criste
þe wæron butan scylde swa earmlice acwealde.
15 Se æþeling lyfode þa gyt. Ælc yfel man him gehet,
oðþæt man gerædde þæt man hine lædde
to Eligbyrig swa gebundenne.
Sona swa he lende, on scype man hine blende,
and hine swa blindne brohte to ðam munecon,
20 and he þar wunode ða hwile þe he lyfode.
Syððan hine man byrigde, swa him wel gebyrede,
ful wurðlice, swa he wyrðe wæs,
æt þam westende, þam styple ful gehende
on þam suðportice. Seo saul is mid Criste.

65. THE RHYMING POEM

Exeter Book. — [*ed.*: F. Holthausen, ESt. 65, 1931.] — HB. 631-634; Ba. 84-85; RO. 190.

Me lifes onlah se þis leoht onwrah,
ond þæt torhte getah, tillice onwrah.
Glæd wæs ic gliwum, glenged hiwum,
blissa bleoum, blostma hiwum.
5 Secgas mec segon, symbel ne alegon,
feohgiefe gefegon; frætwed wægon
wicg ofer wongum wennan gongum,
lisse mid longum leoma gehongum.
Þa wæs wæstmum aweaht, world onspreht,
10 under roderum areaht, rædmægne oferþeaht.
Giestas gengdon, gerscype mengdon,
lisse lengdon, lustum glengdon.
Scrifen scrad glad þurh gescad in brad,
wæs on lagustreame lad, þær me leoþu ne biglad.
15 Hæfde ic heanne had, ne wæs me in healle gad,
þæt þær rof weord rad. Oft þær rinc gebad
þæt he in sele sæge sincgewæge,
þegnum geþyhte. Þenden wæs me mægen,

Further poems from the Anglo-Saxon Chronicle: ***THE CAPTURE OF THE FIVE BOROUGHS, THE DEATH OF EDGAR,*** ***BRUNANBURH***, ***above;*** ***THE DEATH OF KING EDWARD,*** ***below***

65. 2 geteoh 3 gleowum: neowum *Holthausen* 4 heowum *Holth.* 6 feorh giefe wægum 7 wic wrennan *Grein*, wrænan *Kluge* 8 getongum *MS.*, *em. Sievers* 9 aweht *Holth.* 13 Scriþende *Holth.* 14 leofu *Sedgefield* 18 geþege: ic wege *Holth.*, þunden wæs ic myhte *Grein*, me] ic *MS.* mægum *MS.*] on hyhte *Schücking*

horsce mec heredon, hilde generedon,
20 fægre feredon, feondon biweredon.
Swa mec hyhtgiefu heold, hygedryht befeold,
staþolæhtum steold, stepegongum weold
swylce eorþe ol, ahte ic ealdorstol,
galdorwordum gol. Gomen sibbe ne ofoll,
25 ac wæs gefest gear, gellende sner,
wuniendo wær wilbec bescær.
Scealcas wæron scearpe, scyl wæs hearpe,
hlude hlynede, hleoþor dynede,
sweglrad swinsade, swiþe ne minsade.
30 Burgsele beofode, beorht hlifade,
ellen eacnade, ead beacnade,
freaum frodade, fromum godade,
mod mægnade, mine fægnade,
treow telgade, tir welgade,
35 blæd blissade, [bleo glissade],
gold gearwade, gim hwearfade,
sinc searwade, sib nearwade.
From ic wæs in frætwum, freolic in geatwum;
wæs min dream dryhtlic, drohtað hyhtlic.
40 Foldan ic freoþode, folcum ic leoþode,
lif wæs min longe, leodum in gemonge,
tirum getonge, teala gehonge.
Nu min hreþer is hreoh, heofsiþum sceoh,
nydbysgum neah, gewiteð nihtes in fleah
45 se ær in dæge wæs deore. Scriþeð nu deop in feore
brondhord geblowen, breostum in forgrowen,
flyhtum toflowen. Flah is geblowen
miclum in gemynde; modes gecynde
greteð ungrynde grorn efenpynde,
50 bealofus byrneð, bittre toyrneð.
Werig winneð, widsið onginneð,
sar ne sinniþ, sorgum cinnið,
blæd his blinnið, blisse linnið,
listum linneð, lustum ne tinneð.
55 Dreamas swa her gedreosað, dryhtscype gehreosað,
lif her men forleosað, leahtras oft geceosað;
treowþrag is to trag, seo untrume genag,
steapum eatole misþah, ond eal stund genag.
Swa nu world wendeþ, wyrde sendeþ,
60 ond hetes henteð, hæleþe scendeð.
Wercyn gewiteð, wælgar sliteð,
flahmah fliteþ, flan mon hwiteð,
borgsorg biteð, bald ald þwiteþ,
wræcfæc wriþað, wraþ að smiteþ,
65 singryn sidað, searofearo glideþ,
gromtorn græfeþ, græft ræft hæfeð
searohwit solaþ, sumurhat colað,
foldwela fealleð, feondscipe wealleð,
eorðmægen aldaþ, ellen caldað. —

22 steald 24 gomel *MS.*, *em. Grein*; gomel s. ne ofcol *Holth.* 26 winbrec *Holth.* 30 bifade *Holth.* 31 beacn.] weacnade *Grein* 35 bleo glissade ***spl.*** *Ettmüller* 42 getenge : gehenge *Holth.* 43 heow siþum 45 dyre ***MS.***, *em. Schücking* in] ***not in MS.*** feor 49 oferpynde *Sievers* 52b sorg onginnið *Holth.* 53 linnað 57 genag] gemag *Holth.* 58 eatole] steaþole *Ettmüller* 60 scynded 61 wen cyn ***MS.***, *em. Holth.* 63 burg sorg 64 wraþað swiðaþ *Holth.* 65 singrynd sæcra fearo 66 grorntorn *Holth.* ræft hæfeð *Holth.*] hafað ***MS.*** 69 aldaþ : caldað *Holth.*] ealdaþ : colað *MS.*

66. A CHARM AGAINST A WEN

MS.: BM., Royal 4 A. XIV; late XI century. — *ed.*: E. V. K. Dobbie, ASPR. VI; F.Grendon, Anglo-Saxon Charms, NY. 1931. — HB. 528-; Ke. 3796; Ba. 98; RO. 170; F.P.Magoun, Archiv 171/1937.

Wenne, wenne, wenchichenne,
her ne scealt þu timbrien, ne nenne tun habben;
ac þu scealt north eonene to þan nihgan berhge,
þer þu hauest, ermig, enne broþer
5 He þe sceal legge leaf et heafde.
Under fot wolues, under ueþer earnes,
under earnes clea, a þu geweornie.
Clinge þu alswa col on heorþe,
scring þu alswa scerne awage,
10 and weorne alswa weter on anbre.
Swa litel þu gewurþe alswa linsetcorn,
and miccli lesse alswa anes handwurmes hupeban, and alswa litel þu gewurþe þet þu nawiht gewurþe.

67. DURHAM

MS.: *C* = Cambridge, Univ. Library, Ff. i. 27; XII century. (Var. H = MS. Cotton Vitellius D XX, XIII century, printed in Hickes' Thesaurus, 1705; MS. burned 1731.) — *ed.*: E.V.K. Dobbie, ASPR. VI. — Ba. 84; HB. 77, RO. 176. We. X, 25.

Is ðeos burch breome geond Breotenrice,
steppa gestaðolad stanas ymbutan
wundrum gewæxen. Weor ymbeornad,
ea yðum stronge, and ðer inne wunað
5 feola fisca kyn on floda gemonge.
And ðær gewexen is wudafæstern micel;
wuniad in ðem wycum wilda deor monige,
in deope dalum deora ungerim.
Is in ðere byri eac bearnum gecyðed
10 ðe arfesta eadig Cudberch
and ðes clene cyninges heafud,
Osuualdes, Engle leo, and Aidan biscop,
Eadberch and Eadfrið, æðele geferes.
Is ðer inne midd heom Æðelwold biscop
15 and breoma bocera Beda, and Boisil abbot,
ðe clene Cudberte on gecheðe
lerde lustum, and he his lara wel genom.
Eardiæð æt ðem eadige in in ðem minstre
unarimeda reliquia,
20 ðær monia wundrum gewurðað ðes ðe writ seggeð,
midd ðene drihnes wer domes bideð.

Charm:
6 wolues] uolmes *MS.*, *em. Grendon* 9 scerne *em. Dobbie*] scesne *MS.*, scearn *em. Grendon*

Durham:
Varr. from H (unless otherwise stated): 2 steopa; steape *em. Wülker* 3 ymbeornað 4 ean strong 5 fisca feola kinn gemong 6 ðere; is *om.* wuda festern 7 wuniað 8 deopa *H*, deopum *em. Wülker* 10 eadiga *em. Wülker* 11 clenan eac *Holthausen* cyniuges *C* heofud 12 Engla 13 Ædbercht Ædfrid 14 &ðelwold *C* 15 abbet 16 Cuðberchte gicheðe 17 his *H*] wis *C* 18 Eardiað 20 ðær *H*] ðe *C* monige *H* ðes *om.* writa 21 drihtnes

68. AELFRIC'S GRAMMAR

MS.: Oxford, St. John's Coll. 154; XI century. — *ed.*: J. Zupitza. Ælfrics Grammatik und Glossar, Berlin 1880. — HB. 679-713; Ke. 3326-48; Ba. 91-92; RO. 232.

Preface.

Ic Ælfric wolde þas lytlan boc awendan to Engliscum gereorde of ðam stæfcræfte, þe is gehaten 'grammatica', syððan ic ða twa bec awende on hundeahtatigum spellum, forðan ðe stæfcræft is seo cæg, ðe ðæra boca andgit unlicð; and ic þohte þæt ðeos boc mihte fremian iungum cildum to anginne þæs cræftes, oððæt hi to maran andgyte becumon. Ælcum men gebyrað, þe 5
ænigne godne cræft hæfð, þæt he ðone do nytne oðrum mannum and befæste þæt pund þe him god befæste sumum oðrum men, þæt godes feoh ne ætlicge and he beo lyðre þeowa gehaten and beo gebunden and geworpen into ðeostrum, swa swa þæt halige godspel segð; iungum mannum gedafenað þæt hi leornion sumne wisdom, and ðam ealdum gedafenað þæt hi tæcon sum 10
gerad heora iunglingum, forðan ðe ðurh lare byð se geleafa gehealden. And ælc man, ðe wisdom lufað, byð gesælig, and se ðe naðor nele ne leornian ne tæcan gif he mæg, þonne acolað his andgyt fram ðære halgan lare, and he gewit swa lytlum and lytlum fram gode. Hwanon sceolon cuman wise lareowas on godes folce, buton hi on iugoðe leornion? And hu mæg se 15
geleafa beon forðgenge, gif seo lar and ða lareowas ateoriað? Is nu forði godes þeowum and mynstermannum georne to warnigenne, þæt seo halige lar on urum dagum ne acolige oððe ateorige, swa swa hit wæs gedon on Angelcynne nu for anum feawum gearum, swa þæt nan Englisc preost ne cuðe dihtan oððe asmeagean anne pistol on Leden, oð þæt Dunstan arcebi- 20
sceop and Aðelwold bisceop eft þa lare on munuclifum arærdon. Ne cweðe ic na forði, þæt ðeos boc mæge micclum to lare fremian; ac heo byð swa ðeah sum angyn to ægðrum gereorde, gif heo hwam licað.

Ic bidde nu on godes naman, gyf hwa ðas boc awritan wylle, þæt he hi gerihte wel be ðære bysne; forðan ðe ic nah geweald, þeah hi hwa to 25
woge gebringe þurh lease writeras, and hit bið ðonne his pleoh, na min. Micel yfel deð se unwritere, gyf he nele his woh gerihtan.

Vox.

Secundum Donatum omnis vox aut articulata est aut confusa; articulata est, quae litteris conprehendi potest, confusa, quae scribi non potest.
Stemn is geslagen lyft gefredendlic on hlyste, swa micel swa on ðære heorcn- 30
unge is. Ic secge nu gewislicor, þæt ælc stemn byð geworden of ðæs muðes clypunge and of ðære lyfte cnyssunge. Se muð drifð ut ða clypunge and seo lyft byð geslagen mid ðære clypunge and gewyrð to stemne. Ælc stemn is oððe andgytfullic oððe gemenged. Andgytfullic stemn is þe mid andgyte bið geclypod, swa swa ys: 'arma uirumque cano', ic herige þa wæpnu and ðone 35
wer. Gemenged stemn is, þe bið butan andgyte, swylc swa is hryðera gehlow and horsa hnægung, hunda gebeorc, treowa brastlung et cetera.

Littera.

Littera is stæf on Englisc and is se læsta dæl on bocum and untodæledlic. We todælað þa boc to cwydum and syððan ða cwydas to dælum, eft ða dælas to stæfgefegum and syððan þa stæfgefegu to stafum. Þonne 40
beoð ða stafas untodæledlice; forðan ðe nan stæf ne byð naht, gif he gæð on twa. Ælc stæf hæfð þreo ðing: *nomen, figura, potestas;* þæt is nama and hiw and miht. Nama, hu he gehaten byð: *a,b,c.* Hiw, hu he gesceapen byð. Miht, hwæt he mæge betwux oðrum stafum. Soðlice on Ledenspræce synd þreo and twentig stafa: *a, b, c, d, e, f, g, h, i, k, l, m, n, o, p, q, r,* 45
s, t, u, x, y, z. Of ðam syndon fif *vocales*, þæt synd clypiendlice: *a, e, i, o, u.* Ðas fif stafas æteowiað heora naman þurh hi sylfe and butan ðam stafum ne mæg nan word beon awriten, and forði hi synd *quinque vocales* gehatene.

To ðisum is genumen se Grecisca *y* for intingan Greciscra namena, and se
50 ylca *y* is on Engliscum gewritum swiðe gewunelic. Ealle ða oðre stafas
syndon gehatene *consonantes*, þæt is samod swegende; forðan ðe hi swegaþ
mid ðam fif clypiendlicum. Ðonnę beoð gyt of þam samod swegendum sume
semivocales, þæt synd healfclypiende; sume syndon *mutae*, þæt synd dumbe.
Semivocales syndon seofan: *f, l, m, n, r, s, x*. Þas syndon healfclypiende
55 gecigede, forðan ðe hi nabbað fulle clypunge, swa swa ða quinque vocales.
And þa syx ongynnað of ðam stæfe *e*, and geendiað on him sylfum; *x* ana
ongynð of þam stæfe *i* æfter uðwitena tæcinge. Þa oðre nigon consonantes
synd gecwedene *mutae*, þæt synd dumbe. Hi ne synd na mid ealle dumbe,
ac hi habbað lytle clypunge. — *i* and *u* beoð awende to consonantes, gif hi
60 beoð togædere gesette oððe mid oðrum swegendlicum. Gyf ðu cwyst nu
'iudex', þonne byð se *i* consonans; gif ðu cwest 'uir', þonne bið se *u* consonans.
— Ðas twegen stafas habbað maran mihte, þonne we her secgan
wyllað. Eac we mihton be eallum þam oðrum stafum menigfealdlice sprecan,
gif hit on Englisc gedafenlic wære. —

Interiectio.

65 *Interiectio est pars orationis significans mentis affectum voce incondita; interiectio* is an dæl Ledenspræce getacniende þæs modes gewilnunge
mid ungesceapenre stemne. *Interiectio* mæg beon gecweden 'betwuxalegednys'
on Englisc, forþan ðe he lið betwux wordum and geopenað þæs modes
styrunge mid behyddre stemne. An þing he hæfð: *significatio*, þæt is ge-
70 tacnung, forðan ðe he getacnað hwilon ðæs modes blisse, hwilon sarnysse,
hwilon wundrunge and gehwæt. — Þes dæl interiectio hæfð wordes fremminge,
þeah ðe he færlice geclypod beo, and he hæfð swa fela stemna, swa he hæfð
getacnunga; and hi ne magon ealle beon on Englisc awende. 'Haha' and
'hehe' getacniað hlehter on Leden and on Englisc, forðan ðe hi beoð hliehende
75 geclypode. 'Uah' getacnað gebysmrunge, and 'racha' getacnað æbylignysse
oððe yrre. Uah and racha sind Ebreisce interiectiones; and ælc þeod hæfð
synderlice interiectiones, ac hi ne magon naht eaðe to oðrum gereorde beon
awende. — 'Afæstla' and 'hilahi' and 'wellawell' and ðyllice oðre sindon
Englisce interiectiones. —

'Ars grammatica'.

80 *Gramma* on Grecisc is *littera* on Leden and on Englisc stæf, and
grammatica is stæfcræft. — Se cræft is ealra boclicra cræfta ordfruma and
grundweall. *Grammaticus* is se ðe can ðone cræft grammatican befullan. —
Sume todal sindon *pedes*, þæt synd fet; and þæra fota is fela: Mid
ðam setton *poetae*, þæt sind gelærede sceopas, heora leoðcræft on bocum.
85 Sum todal is *accentus*, þæt is sweg, on hwilcum stæfgefege ælc word swegan
sceal. — Sum ðæra dæla is gehaten *nota*, þæt is mearcung. Þæra mearcunga
sind manega and mislice gesceapene ægðer ge on sangbocum ge on leoð-
cræfte ge on gehwylcum gesceade. Sceawige se ðe wylle. —
Sum þæra hatte *ethimologia*, þæt is namena ordfruma and gescead,
90 hwi hi swa gehatene sind. 'Rex', cyning, is gecweden 'a regendo', þæt is
fram recendome; forðan ðe se cyning sceal mid micelum wisdome his leode
wissian and bewerian mid cræfte. 'Homo', mann, is gecweden fram 'humo',
þæt is fram moldan; forþan ðe seo eorðe wæs þæs mannes antimber. And
swa gehwylce oðre. — Sume sind gecwedene *vitia*, þæt synd leahtras on
95 Ledenspræce on manegum wisum miswritene oððe miscwedene. Þam eallum
we sceolon wiðcweðan, gyf we cunnon þæt gescead. —
Sume ðæra is *prosa*, þæt is forðriht Leden buton leoðcræfte geglencged
and gelogod. Sume sind gehatenę *metra* on Grecisc, ðæt is on Leden
mensurae and on Englisc gemetu. Ða gemetu gebyriað to Ledenum leoð-
100 cræfte. Se cræft is swa ameten, þæt ðær ne mot beon furðon an stæf ofer
getel, ac beoð ealle þa fers geemnytte be anum getele, gif hit aht beon sceal.

---

97 gelenged

Sume synd gehatene *fabulae*, þæt synd idele spellunga. Fabulae synd þa saga þe menn secgað ongean gecynde, þæt ðe næfre ne geweard ne gewurðan ne mæg. Sum ðæra is gehaten *historia*, þæt is gerecednyss. Mid þære man awrit and gerehð þa ðing and þa dæda, þe wæron gedone on ealdum dagum and us dyrne wæron. Sy þeos boc ðus her geendod. 105

69. AELFRIC'S COLLOQUIUM

WITH OE INTERLINEAR GLOSS

MS.: BM., Cotton Tiberius A. III; XI cent.— *edd.:* W. H. Stevenson, Early Scholastic Colloquies, Oxford 1929; G. N. Garmonsway, London 2. 1947. — HB. 688-691; Ke. 3326-48; Ba.92; RO. 233.

'We cildra biddaþ þe, eala lareow, þæt þu tæce us sprecan *latialiter recte*, for þam ungelærede we syndon and gewæmmodlice we sprecaþ.' 'Hwæt wille ge sprecan?' 'Hwæt rece we hwæt we sprecan, buton hit riht spræc sy and behefe[1], næs idel oþþe fracod.' 'Wille [ge beon] beswungen[2] on leornunge?' 'Leofre ys us beon beswungen for lare þænne hit ne cunnan; 5 ac we witun þe bilewitne wesan and nellan onbelæden swincgla us, buton þu bi togenydd fram us.'

'Ic axie þe, hwæt sprycst þu? Hwæt hæfst þu weorkes?' 'Ic eom geanwyrde monuc, and ic sincge ælce dæg seofon tida mid gebroþrum, and ic eom bysgod [on rædinga] and on sange, ac þeahhwæþere ic wolde betwenan leornian sprecan on Leden gereorde.' 10

'Hwæt cunnon þas þine geferan?' 'Sume synt yrþlincgas, sume scephyrdas, sume oxanhyrdas, sume eac swylce huntan, sume fisceras, sume fugeleras, sume cypmenn, sume sceowyrhtan[3], sealteras, bæceras.'

'Hwæt sægest þu, yrþlingc? Hu begæst þu weorc þin?' 'Eala, leof 15 hlaford, þearle ic deorfe. Ic ga ut on dægræd þywende oxon to felda, and ic iugie hig to syl. Nys hit swa stearc winter þæt ic durre lutian æt ham for ege hlafordes mines, ac geiukodan oxan and gefæstnodon sceare and cultre mid[4] þære syl, ælce dæg ic sceal erian fulne æcer[5] oþþe mare.' 'Hæfst þu ænigne geferan?' 'Ic hæbbe sumne cnapan þywende oxan mid gadisene, 20 þe eac swilce nu has ys for cylde and hreame.' 'Hwæt mare dest þu on

'Nos pueri rogamus te, magister, ut doceas nos loqui latialiter recte, quia idiote sumus et corrupte loquimur.' 'Quid uultis loqui?' 'Quid curamus quid loquamur, nisi recta locutio sit et utilis, non anilis aut turpis.' 'UUltis flagellari in discendo?' 'Carius est nobis flagellari pro doctrina quam nescire; sed scimus te mansuetum esse et nolle inferre plagas nobis, [5/6] nisi cogaris a nobis.'

'Interrogo te, quid mihi loqueris? Quid habes operis?' 'Professus sum monachus, et psallam omni die septem sinaxes cum fratribus, et occupatus sum lectionibus et cantu, sed tamen uellem interim discere sermocinari latina lingua.' [10]

'Quid sciunt isti tui socii?' 'Alii sunt aratores, alii opiliones, quidam bubulci, quidam etiam uenatores, alii piscatores, alii aucupes, quidam mercatores, quidam sutores, quidam salinatores, quidam pistores, coci.

'Quid dicis tu, arator? Quomodo exerces opus tuum?' 'O, mi domine, [15] nimium laboro. Exeo diluculo minando boues ad campum, et iungo eos ad aratrum. Non est tam aspera hiems ut audeam latere domi pro timore domini mei, sed iunctis bobus et confirmato uomere et cultro aratro omni die debeo arare integrum agrum aut plus.'

'Habes aliquem socium?' 'Habeo quendam puerum minantem boues cum [20] stimulo, qui etiam modo raucus est pre frigore et clamatione.' 'Quid amplius

[1] behese [2] beswugen [3] scewyrhtan [4] mit [5] æþer

dæg?' 'Gewyslice, þænne mare ic do. Ic sceal fyllan binnan oxan mid hig, and wæterian hig, and scearn heora beran ut.' 'Hig, hig! Micel gedeorf ys hyt.' 'Ge, leof, micel gedeorf hit ys, forþam ic neom freoh.'

25 'Sceaphyrde, hæfst þu ænig gedeorf?' Gea, leof, ic hæbbe: On forewerdne morgen ic drife sceap mine to heora læse, and stande ofer hig on hæte and on cyle mid hundum, þe læs wulfas forswelgen hig. And ic agenlæde hig on heora loca, and melke hig tweowa[1] on dæg, and heora loca ic hæbbe on þærto and cyse and buteran ic do. And ic eom getrywe 30 hlaforde minon.' —

'Hwylcne cræft canst þu?' 'Ic eom fiscere.' 'Hwæt begytst[2] þu of þinum cræfte?' 'Bigleofan and scrud and feoh.' 'Hu gefehst þu fixas?' 'Ic astigie min scyp and wyrpe max mine on ea, and ancgil oððe æs ic wyrpe and spyrtan,[3] and swa hwæt swa hig gehæftað ic genime.' — 'Hwær cypst 35 þu fixas þine?' 'On ceastre.' 'Hwa bigþ hi?' 'Ceasterwara. Ic ne mæg swa fela[4] [gefon] swa ic mæg gesyllan.' 'Hwilce fixas gefehst þu?' 'Ælas and hacodas, mynas and æleputan, sceotan and lampredan, and swa hwylce[5] swa on wætere swymmaþ.' — 'Forhwi ne fixast þu on sæ? 'Hwilon ic do, ac seldon, forþam micel rewyt me ys to sæ.' —

40 'Hwæt sægst þu, mancgere?' 'Ic secge þæt behefe ic eom ge cingce[6] and ealdormannum and weligum and eallum folce[7].' 'And hu'? 'Ic astige min scyp mid hlæstum minum and rowe ofer sælice dælas and cype mine þingc and bicge þingc dyrwyrðe þa on þisum lande ne beoþ acennede, and ic hit togelæde eow hider mid micclan plihte ofer sæ, and hwylon for-45 lidenesse ic þolie mid lyre ealra þinga minra, uneaþe cwic ætberstende'. 'Hwylce þingc gelædst þu us?' Pællas and sidan, deorwyrþe gymmas and gold, selcuþe reaf and wyrtgemangc, win and ele, ylpesban and mæstlingc, ær and tin, swefel and glæs and þylces fela'. 'Wilt þu syllan þincg þine

---

facis in die?' 'Certe adhuc plus facio. Debeo implere presepia boum feno, et adaquare eos, et fimum eorum portare foras.' 'O, o! Magnus labor.' 'Etiam, magnus labor est, quia non sum liber.'

[25] 'Quid dicis tu, opilio? Habes tu aliquem laborem?' 'Etiam habeo· In primo mane mino oues meas ad pascua, et sto super eas in estu et frigore cum canibus, ne lupi deuorent eas. Et reduco eas ad caulas, et mulgeo eas bis in die, et caulas earum moueo insuper et caseum et butirum facio. Et [30] fidelis sum domino meo.' —

'Qualem artem scis tu?' 'Ego sum piscator.' 'Quid adquiris de tua arte?' 'Uictum et uestitum et pecuniam.' 'Quomodo capis pisces?' 'Ascendo nauem et pono retia mea in amne, et hamum proicio et sportas, et quicquid ceperint sumo.'— 'Ubi uendis pisces tuos?' 'In ciuitate.' [35] 'Quis emit illos?' 'Ciues. Non possum tot capere quot possum uendere.' 'Quales pisces capis?' 'Anguillas et lucios, menas et capitones, tructas[8] et murenas, et qualescumque in amne natant.' — 'Cur non piscaris in mari?' 'Aliquando facio, sed raro, quia magnum nauigium mihi est ad mare.' —

[40] 'Quid dicis tu, mercator?' 'Ego dico quod utilis sum et regi et ducibus et diuitibus et omni populo.' 'Et quomodo?' 'Ego ascendo nauem cum mercibus meis et nauigo ultra marinas partes, et uendo meas res et emo res pretiosas quae in hac terra non nascuntur et adduco uobis huc cum magno [45] periculo super mare, et aliquando naufragium patior cum iactura omnium rerum mearum, uix uiuus euadens.' 'Quales res adducis nobis?' 'Purpurum et sericum, pretiosas gemmas et aurum, uarias uestes et pigmenta, uinum et oleum, ebur et auricalcum, aes et stagnum, sulfur et uitrum et his similia.'

---

[1] treowa [2] begyst [3] swyrtan [4] fela swa ic mæg swa fela [5] wylce [6] cingc
[7] follce [8] tructos

her eal swa þu hi gebohtest þær?' 'Ic nelle. Hwæt þænne me fremode gedeorf min? Ac ic wille[1] heora cypan her luflicor þonne gebicge þær, 50 þæt sum gestreon me ic begyte, þanon ic me afede and min wif and minne sunu.'

Þu, sceowyrhta, hwæt wyrcst þu us nytwyrþnessæ?' 'Ys witodlice cræft min behefe þearle eow and neodþearf.' 'Hu?' 'Ic bicge hyda and fell, and gearkie hig mid cræfte minon, and wyrce of him gescy mistlices 55 cynnes, swyftleras and sceos, leþerhosa and butericas, bridelþwancgas and geræda, flaxan oððe pinnan and higdifatu, spurleþera[2] and hælftra, pusan and fætelsas. And nan eower nele oferwintran buton minon cræfte.' —

'Wisa, hwilc cræft þe [ys] geþuht betwux þas furþra wesan?' 'Me ys geþuht godes þeowdom betweoh þas cræftas ealdorscype healdan, swa swa hit 60 [ys] geræd on godspelle: Fyrmest seceað rice godes and rihtwisnesse hys, and þas þingc ealle beoþ togehyhte eow.' 'And hwilc þe [ys] geþuht betwux woruldcræftas[3] heoldan ealdordom?' 'Eorþtilþ, forþam se yrþling us ealle fett.'

Se smiþ secgð: 'Hwanon sylan scear oþþe culter, þe na gade hæfþ buton of cræfte minon? Hwanon fiscere ancgel, oþþe sceowyrhton æl, oþþe 65 seamere nædl? Nis hit of minon geweorce?' Se geþeahtend andsweraþ: 'Soþ witodlice sægst. Ac eallum us leofre ys wikian mid yrþlincge þonne mid þe, forþam se yrþling sylð us hlaf and drenc; þu, hwæt sylst us on smiþþan þinre buton isenne fyrspearcan[4] and swegincga beatendra slecgea and blawendra byliga?' Se treowwyrhta segð: 'Hwilc eower ne notaþ cræfte 70 minon, þonne hus and mistlice fata and scypa eow eallum ic wyrce?' Se golsmiþ andwyrt: 'Eala, trywwyrhta[5], forhwi swa sprycst þu, þonne ne furþon an þyrl *sine arte mea* þu ne miht don?' Se geþeahtend sægþ: 'Eala, geferan and gode wyrhtan, uton towurpon hwætlicor þas geflitu and sy sibb and geþwærnyss betweoh us, and framige anra[6] gehwylc[6] oþron on cræfte 75 hys, and geðwærian[7] symble mid þam yrþlinge, þær we bigleofan[8] us and

---

'Uis uendere res tuas hic sicut emisti illic?' 'Nolo. Quid tunc mihi proficit labor meus? Sed uolo uendere hic carius quam emi illic, ut aliquod [50] lucrum mihi adquiram, unde me pascam et uxorem et filios.'

'Tu, sutor, quid operaris nobis utilitatis?' 'Est quidem ars mea utilis ualde uobis et necessaria.' 'Quomodo?' 'Ego emo cutes et pelles, et preparo eas arte mea, et facio ex eis calciamenta diuersi generis, subtalares [55] et ficones, caligas et utres, frenos et falera, flascones et casidilia, calcaria et chamos, peras et marsupia; et nemo uestrum uult hiemare sine mea arte.' —

'Quid dicis tu, sapiens? Quae ars tibi uidetur inter istas prior esse?' 'Dico tibi mihi uidetur seruitium dei inter istas artes primatum tenere, sicut [60] legitur in euangelio: Primum querite regnum dei et iustitiam eius, et haec omnia adicientur uobis.' 'Et qualis tibi uidetur inter artes seculares retinere primatum?' 'Agricultura, quia arator nos omnes pascit.'

Ferrarius dicit: 'Unde aratori uomer aut culter, qui nec stimulum habet nisi ex arte mea? Unde piscatori hamus, aut sutori subula, siue sartori acus, [65] nonne ex meo opere?' Consiliarius respondit: 'Uerum quidem dicis, sed omnibus nobis carius est hospitari apud aratorem quam apud te, quia arator dat nobis panem et potum; tu, quid das nobis in officina tua nisi ferreas scintillas et sonitus tudentium malleorum et flantium follium?' Lignarius [70] dicit: 'Quis uestrum non utitur arte mea, cum domos et diuersa uasa et naues omnibus fabrico?' Ferrarius respondit: 'O, lignarie, cur sic loqueris, cum nec saltem unum foramen sine arte mea uales facere?' Consiliarius dicit; 'O, socii et boni operarii, dissoluamus citius has contentiones, et sit pax et concordia inter nos, et prosit unusquisque alteri arte sua, et conueniamus [75] semper apud aratorem, ubi uictum nobis et pabula equis nostris habe-

---

[1] wielle [2] swurleþera [3] cræftas woruld [4] fyrwearcan [5] trywwyrta [6] urum gehwylcum [7] gedwærian [8] bicleofan

foddor horsum urum habbaþ. And þis geþeaht ic sylie eallum wyrhtum, þæt anra gehwylc cræft his geornlice begange; forþam se þe cræft his forlæt, he byþ forlæten fram þam cræfte. Swa hwæðer þu sy, swa mæsseprest, swa
80 munuc, swa ceorl, swa kempa: Bega oþþe behwyrf þe sylfne on þisum, and beo þæt þu eart; forþam micel hynð[1] and sceamu hyt is menn nellan[2] wesan þæt þæt he ys and þæt þe he wesan sceal.' —

---

mus. Et hoc consilium do omnibus operariis, ut unusquisque artem suam diligenter exerceat, quia qui artem suam dimiserit, ipse dimittatur ab arte.
[80] Siue sis sacerdos, siue monachus, seu laicus, seu miles: Exerce temet ipsum in hoc, et esto quod es; quia magnum dampnum et uerecundia est homini nolle esse quod est et quod esse debet.' —

70. AELFRIC, DE TEMPORIBUS ANNI

MS.: Cambridge, Univ. Gg. 3. 28; X/XI century. - *ed.*: H. Henel, EETS. 213. — HB. 695-696; Ke. 3326-48; Ba. 91; RO. 231.

On Nature.

[I. 18] Soðlice seo sunne gæð be godes dihte betwux heofenan and eorðan, on dæg bufon eorðan and on niht under ðysse eorðan, eal swa feorr adune on nihtlicere tide under þære eorðan swa heo on dæg bufon upastihð. Æfre heo bið yrnende ymbe ðas eorðan, and eal swa leohte scinð under
5 ðære eorðan on nihtlicere tide swa swa heo on dæg deð bufon urum heafdum. On ða healfe ðe heo scinð þær bið dæg, and on ða healfe ðe heo ne scinð þær bið niht. Æfre bið on sumere sidan þære eorðan dæg, and æfre on sumere sidan niht.

[V. 1] Middangeard is gehaten eal þæt binnon þam firmamentum is.
10 Firmamentum is ðeos roderlice heofen mid manegum steorrum amet. Seo heofen and sæ and eorðe sind gehatene middangeard. Seo firmamentum tyrnð symle onbutan us under ðyssere eorðan and bufon; ac þær is ungerim fæc betwux hire and ðære eorðan. Feower and twentig tida beoð agane, þæt is an dæg and an niht, ærðan ðe heo beo æne ymbtyrnd; and ealle ða
15 steorran, þe hire on fæste sind, turniað onbutan mid hire.

Seo eorðe stent on ælemiddan ðurh godes mihte swa gefæstnod, þæt heo næfre ne bihð ufor ne neoðor þonne se ælmihtiga scyppend, ðe ealle ðing hylt buton geswince, hi gestaðelode. Ælc sæ þeah heo deop sy hæfð grund on ðære eorðan, and seo eorðe aberð ealle sæ and ðone micclan garsecg,
20 and ealle wylspringas and ean ðurh hire yrnað. Swa swa æddran licgað on þæs mannes lichaman, swa licgað ða wæteræddran geond þas eorðan. Næfð naðor ne sæ ne ea nænne stede buton on eorðan. —

[X. 4] Lyft is lichamlic gesceaft swiðe þynne; seo ofergæð ealne middaneard, and upastihð fornean oð þone monan. On ðam fleoð fugelas,
25 swa swa fixas swymmað on wætere. Ne mihte heora nan fleon, nære seo lyft ðe hi berð, ne nan man ne nyten næfð nane orðunge buton ðurh ða lyfte. —

[XIV. 1] Þunor cymð of hætan and of wætan. Seo lyft tyhð þone wætan to hire neoðan and ða hætan ufan; and ðonne hi gegaderode beoð seo hæte and se wæta binnon þære lyfte, þonne winnað hi him betwynan
30 mid egeslicum swege. And þæt fyr aberst ut ðurh ligette and derað wæstmum, gif he mare bið þonne se wæta. Gif se wæta bið mare ðonne þæt fyr, þonne fremað hit, swa hattre sumor swa mare ðunor and liget on geare. —

---

[1] hynd [2] nelle

71. Aelfric, Homilies and Legends

I-II. MS.: Cambridge, Univ. Gg. 3. 28; XI **century**. — *edd.:* B. Thorpe, The Homilies of the Anglo-Saxon Church, London 1844/46; H. Sweet, Selected Homilies of Ælfric, Oxford 2. 1896. — *III. MS.:* BM., Cotton Julius E. 7; XI cent. — *ed.:* W. W. Skeat, EETS. 76, 82, 94, 114. — HB. 679-713; Ke. 3326-48; Ba. 89-91; RO. 229-32.

Preface [I].

Ic Ælfric munuc and mæssepreost, swa þeah waccre þonne swilcum hadum gebyrige, wearð asend on Æþelredes dæge cyninges fram Ælfeage biscope, Aðelwoldes æftergengan, to sumum mynstre þe is Cernel gehaten, þurh Æðelmæres bene ðæs þegenes, his gebyrd and godnys sind gehwær cuþe. Þa bearn me on mode, ic truwige þurh godes gife, þæt ic ðas boc of 5 Ledenum gereorde to Engliscre spræce awende; na þurh gebylde mycelre lare, ac forþan þe ic geseah and gehyrde mycel gedwyld on manegum Engliscum bocum, þe ungelærede menn þurh heora bilewitnysse to micclum wisdome tealdon; and me ofhreow, þæt hi ne cuþon ne næfdon þa godspellican lare on heora gewritum, buton þam mannum anum ðe þæt Leden 10 cuðon, and buton þam bocum ðe Ælfred cyning snoterlice awende of Ledene on Englisc, þa synd to hæbbenne. For þisum antimbre ic gedyrstlæhte, on gode truwiende, þæt ic ðas gesetnysse undergann, and eac forðam þe menn behofiað godre lare swiðost on þisum timan þe is geendung þyssere worulde, and beoð fela frecednyssa on mancynne ærðan þe se ende becume. — 15

Nu bydde ic and halsige on godes naman, gif hwa þas boc awritan wylle, þæt he hi geornlice gerihte be þære bysene, þy læs þe we þurh gymelease writeras geleahtrode beon. Mycel yfel deð se ðe leas writ, buton he hit gerihte, swylce he gebringe þa soðan lare to leasum gedwylde; forþi sceal gehwa gerihtlæcan þæt þæt he ær to woge gebigde, gif he on godes 20 dome unscyldig beon wile.

[I, 14] On Free Will.

— We wyllað secgan eow sum bigspell: Ne mæg nan man hine sylfne to cynge gedon, ac þæt folc hæfð cyre to ceosenne þone to cyninge þe him sylfum licað. Ac siððan he to cyninge gehalgod bið, þonne hæfð he anweald ofer þæt folc, and hi ne magon his geoc of heora swuran asceacan. Swa 25 eac gehwilc man hæfð agenne cyre, ær ðam þe he syngige, hweðer he wille filian deofles willan oððe wiðsacan. Þonne gif he mid deofles weorcum hine sylfne bebint, ðonne ne mæg he mid his agenre mihte hine unbindan, buton se ælmihtiga god mid strangre handa his mildheortnysse hine unbinde. Agenes willan and agenre gymeleaste he bið gebunden, ac þurh godes mild- 30 heortnysse he bið unbunden, gif he ða alysednysse eft æt gode geearnað. —

[I, 34]. The Ark.

Ne sceole we beon ormode, þeah ðe on þyssere andweardan gelaðunge fela syndon yfele and feawa gode; forðan ðe Noes arc on yþum ðæs micclan flodes hæfde getacnunge þyssere gelaðunge, and he wæs on nyðeweardan wid, and on ufeweardan nearo. On ðære nyðemystan bytminge wunodon 35 þa reðan deor and creopende wurmas. On oþre fleringe wunodon fugelas and clæne nytenu. On þære ðriddan fleringe wunode Noe mid his wife, and his ðry suna mid heora þrim wifum. On ðære bytminge wæs se arc rum, þær ða reðan deor wunedon, and wiðufan genyrwed, þær ðæra manna wunung wæs. Forðan ðe seo halige gelaðung on flæsclicum mannum is 40 swiðe brad, and on gastlicum nearo. Heo tospræt hire bosm þær ðær þa reðan wuniað on nytenlicum ðeawum, and heo is genyrwed on þone ende þe þa gesceadwisan wuniað, on gastlicum ðeawum drohtnigende; forðan swa hi haligran beoð on þyssere andwerdan gelaðunge, swa heora læs bið. Micele ma is þæra manna þe lybbað be agenum lustum, ðonne þæra sy þe heora 45 lifes ðeawas æfter godes bebodum gerihtlæcað; þeah-hwæðere symle bið haligra manna getel geeacnod þurh arleasra manna wanunge. —

[I, 18] Rich and Poor.

— Gif rice wif and earm acennað togædere, gangon hi aweig, nast ðu hwæðer bið þæs rican wifes cild, hwæðer þæs earman. Eft, gif man openað
50 deaddra manna byrgynu, nast ðu hwæðer beoð þæs rican mannes ban, hwæðer þæs ðearfan. — Se rica and se þearfa sind him betwynan nydbehefe. Se welega is geworht for ðan ðearfan, and se ðearfa for þan welegan. Þam spedigum gedafenað þæt he spende and dæle; ðam wædlan gedafenað þæt he gebidde for ðane dælere. Se earma is se weg þe læt us to godes rice.
55 Mare sylð se ðearfa þam rican þonne he æt him nime. Se rica him sylð þone hlaf ðe bið to mec..e awend, and se ðearfa sylð þam rican þæt ece lif. Na he swa ðeah, ac Crist, se ðe þus cwæð: 'Þæt þæt ge doð anum ðearfan on minum naman, þæt ge doð me sylfum', se ðe leofað and rixað mid fæder and mid halgum gaste a butan ende. Amen.

[II, 15] On Transubstantiation.

60 — Nu smeadon gehwilce men oft and gyt gelome smeagað hu se hlaf, þe bið of corne gegearcod and ðurh fyres hætan abacen, mage beon awend to Cristes lichaman, oððe þæt win, ðe bið of manegum berium awrungen, weorðe awend þurh ænigre bletsunge to drihtnes blode. Nu secge we swilcum mannum, þæt sume ðing sind gecwedene be Criste þurh getacnunge,
65 sume ðurh gewissum ðinge. Soð þing is and gewiss þæt Crist wæs of mædene acenned, and silfwilles ðrowade deað and wæs bebyriged and on ðisum dæge of deaðe aras. He is gecweden hlaf þurh getacnunge, and lamb and leo and gehu elles. He is hlaf gehaten, forðan ðe he is ure lif and engla. He is lamb gecweden for his unscæððignysse; leo for ðære strencðe þe he ofer-
70 swiðde þone strangan deofol. Ac swa ðeah æfter soðum gecynde nis Crist naðor ne hlaf, ne lamb, ne leo. Hwi is ðonne þæt halige husel gecweden Cristes lichama oþþe his blod, gif hit nis soðlice þæt þæt hit gehaten is? Soðlice se hlaf and þæt win ðe beoð þurh sacerda mæssan gehalgode, oðer ðing hi æteowiað menniscum andgitum wiðutan and oðer ðing hi clypiað
75 wiðinnan geleaffullum modum. Wiðutan hi beoð gesewene hlaf and win, ægðer ge on hiwe ge on swæcce; ac hi beoð soðlice æfter þære halgunge Cristes lichama and his blod þurh gastlicere gerynu. — Micel is betwux þære ungesewenlican mihte þæs halgan husles and þam gesewenlican hiwe agenes gecyndes. Hit is on gecynde brosniendlic hlaf and brosniendlic win,
80 and is æfter mihte godcundes wordes soðlice Cristes lichama and his blod, na swa ðeah lichamlice ac gastlice. — Soðlice hit is, swa swa we ær cwædon, Cristes lichama and his blod na lichamlice ac gastlice. Ne sceole ge smeagan hu hit gedon sy, ac healdan on eowrum geleafan þæt hit swa gedon sy. —

[III, 32][1] St. Edmund.

85 Sum swyðe gelæred munuc com suþan ofer sæ fram sancte Benedictes stowe on Æþelredes cynincges dæge to Dunstane ærcebisceope þrim gearum ær he forðferde; and se munuc hatte Abbo. Þa wurdon hi æt spræce oþþæt Dunstan rehte be sancte Eadmunde, swa swa Eadmundes swurdbora hit rehte Æþelstane cynincge þa þa Dunstan iung man wæs and se swurdbora
90 wæs forealdod man. Þa gesette se munuc ealle þa gereccednysse on anre bec, and eft ða þa seo boc com to us binnan feawum gearum, þa awende we hit on Englisc, swa swa hit heræfter stent. Se munuc þa Abbo binnan twam gearum gewende ham to his mynstre, and wearð sona to abbode geset on þam ylcan mynstre.
95 Eadmund se eadiga East-Engla cynincg wæs snotor and wurðfull, and wurðode symble mid æþelum þeawum þone ælmihtigan god. He wæs eadmod and geþungen, and swa anræde þurhwunode, þæt he nolde abugan to bys-

[1] cf. A.-S. CHRONICLE A. D. 870

morfullum leahtrum, ne on naþre healfe he ne ahylde his þeawas, ac wæs
symble gemyndig þære soþan lare. Gif[1] þu eart to heafodmen geset, ne ahefe
þu ðe, ac beo betwux mannum swa swa an man of him. He wæs cystig 100
wædlum and wydewum swa swa fæder, and mid wel-willendnysse gewissode
his folc symle to rihtwisnysse, and þam reþum styrde, and gesæliglice leofode on soþan geleafan.

Hit gelamp ða æt nextan þæt þa Deniscan leode ferdon mid sciphere
hergiende and sleande wide geond land, swa swa heora gewuna is. On þam 105
flotan wæron þa fyrmestan heafodmen Hinguar and Hubba, geanlæhte þurh
deofol; and hi on Norðhymbralande gelendon mid æscum, and aweston þæt
land, and þa leoda ofslogon. Þa gewende Hinguar east mid his scipum and
Hubba belaf on Norðhymbralande gewunnenum sige mid wælhreownysse.
Hinguar þa becom to East-Englum rowende on þam geare þe Ælfred æðel- 110
incg an and twentig geare wæs, se þe West-Sexena cynincg siþþan wearð
mære. And se foresæda Hinguar færlice swa swa wulf on lande bestalcode,
and þa leode sloh, weras and wif, and þa ungewittigan cild, and to bysmore
tucode þa bilewitan cristenan. He sende ða sona syððan to þam cyninge
beotlic ærende þæt he abugan sceolde to his manrædene, gif he rohte his 115
feores. Se ærendraca com þa to Eadmunde cynincge, and Hinguares ærende
him ardlice abead: 'Hinguar ure cyning cene and sigefæst on sæ and on
lande hæfð fela þeoda gewyld, and com nu mid fyrde færlice her to lande,
þæt he her wintersetl mid his werode hæbbe. Nu het he þe dælan þine
digelan goldhordas and þinra yldrena gestreon ardlice wið hine, and þu beo 120
his underkyning, gif ðu cucu beon wylt; forðan þe ðu næfst þa mihte þæt þu
mage him wiðstandan.'

Hwæt, þa Eadmund clypode ænne bisceop þe him þa gehendost wæs,
and wið hine smeade hu he þam reþan Hinguare andwyrdan sceolde. Þa
forhtode se bisceop for þam færlican gelimpe and for þæs cynincges life, 125
and cwæþ þæt him ræd þuhte þæt he to þam gebuge þe him bead Hinguar.
Þa suwode se cynincg and beseah to þære eorþan, and cwæþ þa æt nextan
cynelice him to: 'Eala, þu bisceop, to bysmore synd getawode þas earman
landleoda, and me nu leofre wære þæt ic on feohte feolle wið þam þe min
folc moste heora eardes brucan.' And se bisceop cwæþ: 'Eala, þu leofa 130
cyning, þin folc lið ofslagen, and þu næfst þone fultum þæt þu feohtan mæge,
and þas flotmen cumað, and þe cucenne gebindað, butan þu mid fleame þinum
feore gebeorge oððe þu þe swa gebeorge þæt þu buge to him.' Þa cwæþ
Eadmund cyning, swa swa he ful cene wæs: 'Þæs ic gewilnige and gewisce
mid mode þæt ic ana ne belife æfter minum leofum þegnum, þe on heora 135
bedde wurdon mid bearnum and wifum færlice ofslægene fram þysum flotmannum. Næs me næfre gewunelic þæt ic worhte fleames, ac ic wolde
swiðor sweltan, gif ic þorfte, for minum agenum earde, and se ælmihtiga god
wat þæt ic nelle abugan fram his biggengum æfre, ne fram his soþan lufe,
swelte ic, lybbe ic.' Æfter þysum wordum he gewende to þam ærendracan 140
þe Hinguar him to sende, and sæde him unforht: 'Witodlice þu wære wyrðe
sleges nu; ac ic nelle afylan on þinum fulum blode mine clænan handa, forðan þe ic Criste folgie þe us swa gebysnode, and ic bliðelice wille beon ofslagen þurh eow, gif hit swa god foresceawað. Far nu swiþe hraðe, and sege
þinum reþan hlaforde: Ne abihð næfre Eadmund Hingware on life, hæþenum 145
heretogan, buton he to hælende Criste ærest mid geleafan on þysum lande
gebuge.'

Þa gewende se ærendraca ardlice aweg, and gemette be wæge þone
wælhreowan Hingwar mid eallre his fyrde fuse to Eadmunde, and sæde þam arleasan hu him geandwyrd wæs. Hingwar þa bebead mid bylde þam sciphere, 150
þæt hi þæs cynincges anes ealle cepan sceoldon, þe his hæse forseah, and
hine sona bindan. Hwæt, þa Eadmund cynincg, mid þam þe Hingwar com,

[1] gif Var.] not in MS.

stod innan his healle þæs hælendes gemyndig, and awearp his wæpna; wolde geæfenlæcan Cristes gebysnungum, þe forbead Petre mid wæpnum to winnene wið þa wælhreowan Iudeiscan.

Hwæt, þa arleasan þa Eadmund gebundon and gebysmrodon huxlice, and beoton mid saglum, and swa syððan læddon þone geleaffullan cyning to anum eorðfæstum treowe and tigdon hine þærto mid heardum bendum, and hine eft swuncgon langlice mid swipum; and he symble clypode betwux þam
160 swinglum mid soðan geleafan to hælende Criste; and þa hæþenan þa for his geleafan wurdon wodlice yrre, forþan þe he clypode Crist him to fultume. Hi scuton þa mid gafelucum swilce him to gamenes to, oð þæt he eall wæs besæt mid heora scotungum swilce igles byrsta, swa swa Sebastianus wæs. Þa geseah Hingwar se arlease flotman, þæt se æþela cyning nolde Criste
165 wiðsacan, ac mid anrædum geleafan hine æfre clypode, het hine þa beheafdian, and þa hæðenan swa dydon. Betwux þam þe he clypode to Criste þa git, þa tugon þa hæþenan þone halgan to slæge and mid anum swencge slogon him of þæt heafod; and his sawl siþode gesælig to Criste.

Þær wæs sum man gehende gehealden þurh god behyd þam hæþenum,
170 þe þis gehyrde eall and hit eft sæde, swa swa we hit secgað her.

Hwæt, ða se flothere ferde eft to scipe and behyddon þæt heafod þæs halgan Eadmundes on þam þiccum bremelum, þæt hit bebyrged ne wurde. Þa æfter fyrste syððan hi afarene wæron, com þæt landfolc to, þe þær to lafe wæs, þa þær heora hlafordes lic læg butan heafde, and wurdon swiðe sarige
175 for his slege on mode, and huru þæt hi næfdon þæt heafod to þam bodige.

Þa sæde se sceawere, þe hit ær geseah, þæt þa flotmen hæfdon þæt heafod mid him, and wæs him geðuht, swa swa hit wæs ful soð, þæt hi behyddon þæt heafod on þam holte forhwega. Hi eodon þa secende ealle endemes to þam wuda secende gehwær geond þyfelas and bremelas, gif hi
180 ahwær mihton gemeton þæt heafod. Wæs eac micel wundor, þæt an wulf wearð asend þurh godes wissunge to bewerigenne þæt heafod wið þa oþre deor ofer dæg and niht. Hi eodon þa secende and symle clypigende, swa swa hit gewunelic is þam ðe on wuda gað oft: 'Hwær eart þu nu, gefera?' And him andwyrde þæt heafod: 'Her, her, her!' And swa gelome clypode
185 andswarigende him eallum, swa oft swa heora ænig clypode, oþþæt hi ealle becomen þurh ða clypunga him to. Þa læg se græga wulf, þe bewiste þæt heafod, and mid his twam fotum hæfde þæt heafod beclypped, grædig and hungrig, and for gode ne dorste þæs heafdes abyrian, ac heold hit wið deor.

Þa wurdon hi ofwundrode þæs wulfes hyrdrædenne, and þæt halige
190 heafod ham feredon mid him, þancigende þam ælmihtigan ealra his wundra; ac se wulf folgode forð mid þam heafde, oþþæt hi to tune comon, swylce he tam wære, and gewende eft siþþan to wuda ongean. Þa landleoda þa siþþan ledon þæt heafod to þam halgan bodige and bebyrigdon hine, swa swa hi selost mihton on swylcere hrædinge, and cyrcan arærdan sona him
195 on uppon. Eft þa on fyrste æfter fela gearum, þa seo hergung geswac and sibb wearð forgifen þam geswenctan folce, þa fengon hi togædere and worhton ane cyrcan wurðlice þam halgan, forþan ðe gelome wundra wurdon æt his byrgene æt þam gebædhuse, þær he bebyrged wæs. Hi woldon þa ferian mid folclicum wurðmynte þone halgan lichaman and læcgan innan þære cyrcan. Þa
200 wæs micel wundor, þæt he wæs eall swa gehal, swylce he cucu wære mid clænum lichaman, and his swura wæs gehalod þe ær wæs forslagen; and wæs swylce an seolcen þræd embe his swuran ræd, mannum to sweotelunge hu he ofslagen wæs. Eac swilce þa wunda, þe þa wælhreowan hæþenan mid gelomum scotungum on his lice macodon, wæron gehælede þurh þone heofon-
205 lican god. And he liþ swa ansund oþ þisne andwerdan dæg, andbidigende æristes and þæs ecan wuldres. His lichama us cyð, þe lið unformolsnod, þæt he butan forligre her on worulde leofode, and mid clænum life to Criste siþode.

Sum wudewe wunode, Oswyn gehaten, æt þæs halgan byrgene on gebedum and fæstenum manega gear syððan; seo wolde efsian ælce geare þone sanct and his næglas ceorfan syferlice mid lufe, and on scryne healdan to haligdome on weofode. Þa wurðode þæt landfolc mid geleafan þone sanct, and Þeodred bisceop þearle mid gifum on golde and on seolfre [gegodode þæt mynster][1] þam sancte to wurðmynte. 210

Þa comon on sumne sæl ungesælige þeofas eahta on anre nihte to þam arwurðan halgan; woldon stelan þa maðmas, þe men þyder brohton, and cunnodon mid cræfte, hu hi in cumon mihton. Sum sloh mid slecge swiðe þa hæpsan, sum heora mid feolan feolode abutan, sum eac underdealf þa duru mid spade, sum heora mid hlæddre wolde unlucan þæt ægðyrl. Ac hi swuncon on idel, and earmlice ferdon, swa þæt se halga wer hi wundorlice geband, ælcne swa he stod strutigende mid tole, þæt heora nan ne mihte þæt morð gefremman ne hi þanon astyrian; ac stodon swa oð mergen. Men þa þæs wundrodon hu þa weargas hangodon, sum on hlæddre, sum leat to gedelfe; and ælc on his weorce wæs fæste gebunden. 215 220

Hi wurdon þa gebrohte to þam bisceope ealle, and he het hi hon on heagum gealgum ealle. Ac he næs na gemyndig hu se mildheorta god clypode þurh his witegan þas word þe her standað: Eos qui ducuntur ad mortem eruere ne cesses; þa þe man læt to deaðe, alys hi ut symble. And eac þa halgan canones gehadodum forbeodað ge bisceopum ge preostum to beonne embe þeofas, forþan þe hit ne gebyraþ þam, þe beoþ gecorene gode to þegnigenne, þæt hi geþwærlæcan sceolon on æniges mannes deaðe, gif hi beoð drihtnes þenas. Eft þa Þeodred bisceop sceawode his bec syððan, behreowsode mid geomerunge, þæt he swa reðne dom sette þam ungesæligum þeofum, and hit besargode æfre oð his lifes ende; and þa leode bæd georne, þæt hi him mid fæstan fullice þry dagas biddende þone ælmihtigan, þæt he him arian scolde. 225 230 235

On þam lande wæs sum man, Leofstan gehaten, rice for worulde and unwittig for gode, se rad to þam halgan mid riccetere swiðe and het him æteowian orhlice swiðe þone halgan sanct, hwæþer he gesund wære; ac swa hraðe swa he geseah þæs sanctes lichaman, þa awedde he sona and wælhreowlice grymetede and earmlice geendode yfelum deaðe. Þis is ðam gelic þe se geleaffulla papa Gregorius sæde on his gesetnysse be ðam halgan Laurentie ðe lið on Romebyrig, þæt menn woldon sceawian symle hu he lage, ge gode, ge yfele; ac god hi gestilde swa þæt þær swulton on þære sceawunge ane seofon menn ætgædere; þa geswicon þa oþre to sceawigenne þone martyr mid menniscum gedwylde. 240 245

Fela wundra we gehyrdon on folclicre spræce be þam halgan Eadmunde, þe we her nellaþ on gewrite settan; ac hi wat gehwa. On þyssum halgan is swutel and on swilcum oþrum, þæt god ælmihtig mæg þone man aræran eft on domes dæg andsundne of eorþan, se þe hylt Eadmunde halne his lichaman oð þone micclan dæg, þeah ðe he of moldan come. Wyrðe is seo stow for þam wurðfullan halgan þæt hi man wurþige and wel gelogige mid clænum godes þeowum to Cristes þeowdome, forþan þe se halga is mærra þonne men magon asmeagan. 250

Nis Angelcynn bedæled drihtnes halgena, þonne on Englalanda licgaþ swilce halgan, swylce þæs halga cyning is and Cuþberht se eadiga and sancte Æþeldryð on Elig and eac hire swustor ansunde on lichaman, geleafan to trymminge. Synd eac fela oðre on Angelcynne halgan þe fela wundra wyrcað, swa swa hit wide is cuð þam ælmihtigan to lofe, þe hi on gelyfdon. Crist geswutelaþ mannum þurh his mæran halgan þæt he is ælmihtig god, þe macað swilce wundra þeah þe þa earman Iudei hine eallunge wiðsocen, forþan þe hi synd awyrgede, swa swa hi wiscton him sylfum. Ne beoð nane wundra geworhte æt heora byrgenum, forðan þe hi ne gelyfað on þone lifigendan Crist; ac Crist geswutelað mannum, hwær se soða geleafa is, þonne he swylce wundra wyrcð þurh his halgan wide geond þas eorþan. Þæs him sy wuldor a mid his heofonlican fæder and þam halgan gaste, a buton ende. Amen. 255 260 265

[1] [ ] *Var., not in MS.*

72. AELFRIC, PREFACE TO GENESIS

MS: Bodleiana, Laud Misc. 509; XI cent. — *ed.*: S. J. Crawford, EETS. 160. — HB. 679-713; Ke. 3326-48; Ba. 90-91; RO. 234.

Ælfric munuc gret Æðelweard[1] ealdormann eadmodlice. Þu bæde me, leof, þæt ic sceolde ðe awendan of Lydene on Englisc þa boc Genesis; ða þuhte me hefigtime þe to tiþienne þæs. And þu cwæde þa þæt ic ne þorfte na mare awendan þære bec buton to Isaace Abrahames suna, forþam þe sum oðer man
5 þe hæfde awend fram Isaace þa boc oþ ende.

Nu þincð me, leof, þæt þæt weorc is swiðe pleolic me oððe ænigum men to underbeginnenne, forþan þe ic ondræde, gif sum dysig man þas boc ræt oððe rædan gehyrð, þæt he wille wenan þæt he mote lybban nu, on þære niwan æ, swa swa þa ealdan fæderas leofodon þa on þære tide, ærþan þe seo ealde æ
10 gesett wære, oþþe swa swa men leofodon under Moyses æ. Hwilon ic wiste þæt sum mæssepreost, se þe min magister wæs on þam timan, hæfde þa boc Genesis, and he cuðe be dæle Lyden understandan. Ða cwæð he be þam heahfædere Iacobe, þæt he hæfde feower wif, twa geswustra and heora twa þinena. Ful soð he sæde; ac he nyste, ne ic þa git, hu micel todal ys betweohx þære
15 ealdan æ and þære niwan. On anginne þisere worulde nam se broþer hys swuster to wife and hwilon eac se fæder tymde be his agenre dehter, and manega hæfdon ma wifa to folces eacan, and man ne mihte þa æt fruman wifian buton on his siblingum. Gyf hwa wyle nu swa lybban æfter Cristes tocyme, swa swa men leofodon ær Moises æ oþþe under Moises æ, ne byð se man na
20 cristen ne he furþon wyrðe ne byð þæt him ænig cristen man mid ete.

Ða ungelæredan preostas, gif hi hwæt litles understandað of þam Lydenbocum, þonne þincð[2] him sona þæt hi magon mære lareowas beon; ac hi ne cunnon swa þeah þæt gastlice andgit þærto, and hu seo ealde æ wæs getacnung toweardra þinga oþþe hu seo niwe gecyþnis æfter Cristes menniscnisse wæs
25 gefilłednys ealra þæra þinga þe seo ealde gecyðnis getacnode towearde be Criste and be hys gecorenum. Hi cweþaþ eac oft be Petre, hwi hi ne moton habban wif swa swa Petrus se apostol hæfde, and hi nellað gehiran ne witan þæt se eadiga Petrus leofede æfter Moises æ, oþþæt Crist þe on þam timan to mannum com and began to bodienne his halige godspel and geceas Petrum
30 ærest him to geferan. Þa forlet Petrus þærrihte his wif, and ealle þa twelf apostolas, þa þe wif hæfdon, forleton ægþer ge wif ge æhta and folgodon Cristes lare to þære niwan æ and clænnisse þe he silf þa arærde. Preostas sindon gesette to lareowum þam læwedum folce. Nu gedafnode him þæt hig cuþon þa ealdan æ gastlice understandan and hwæt Crist silf tæhte and his
35 apostolas on þære niwan gecyðnisse, þæt hig mihton þam folce wel wissian to godes geleafan and wel bisnian to godum weorcum.

We secgað eac foranto þæt seo boc is swiþe deop gastlice to understandenne; and we ne writaþ na mare buton þa nacedan gerecednisse, þonne þincð þam ungelæredum þæt eall þæt andgit beo belocen on þære anfealdan
40 gerecednisse, ac hit ys swiþe feor þam. —

Nu is seo foresæde boc on manegum stowum swiþe nearolice[3] gesett and þeah swiðe deoplice on þam gastlicum andgite. And heo is swa geendebyrd, swa swa god silf hig gedihte þam writere Moise. And we ne durron na mare awritan on Englisc þonne þæt Liden hæfþ, ne þa endebirdnisse
45 awendan, buton þam anum þæt þæt Leden and þæt Englisc nabbað na ane wisan on þære spræce fandunge. Æfre se þe awent oþþe se þe tæcþ of Ledene on Englisc, æfre he sceal gefadian hit swa þæt þæt Englisc hæbbe his agene wisan, elles hit biþ swiþe gedwolsum to rædenne þam þe þæs Ledenes wisan ne can.

50 Is eac to witanne þæt sume gedwolmen wæron þe woldon awurpan þa ealdan æ, and sume woldon habban þa ealdan[4] and awurpan þa niwan, swa

[1] Æðelwærd [2] þingð [3] nærolice [4] ealdan *Varr.*] *not in MS.*

swa þa Iudeiscan doð. Ac Crist sylf and his apostolas us tæhton ægþer to healdenne, þa ealdan gastlice and þa niwan soþlice mid weorcum. God gesceop us twa eagan and twa earan, twa nosþirlu and twegen weleras, twa handa and twegen fet; and he wolde eac habban twa gecyðnissa on þissere worulde geset, þa ealdan and þa niwan, forþam þe he deþ swa swa hine silfne gewyrð, and he nænne rædboran næfð ne nan man ne ðearf him cweðan to: 'Hwi dest þu swa?' We sceolon awendan urne willan to his gesetnissum, and we ne magon gebigean his gesetnissa to urum lustum. 55

Ic cweðe nu þæt ic ne dearr ne ic nelle nane boc æfter þissere of Ledene on Englisc awendan; and ic bidde þe, leof ealdorman, þæt þu me þæs na leng ne bidde, þi læs þe ic beo þe ungehirsum oþþe leas gif ic do. God þe sig milde a on ecnisse. 60

Ic bidde nu on godes naman, gif hwa þas boc awritan wylle, þæt he hig gerihte wel be þære bysne, forþan þe ic nah geweald, þeah þe hig hwa to woge bringe þurh lease writeras; and hit byð þonne his pleoh na min. Mycel yfel deð se unwritere, gif he nele hys woh gerihtan. 65

73. WULFSTAN, SERMO LUPI AD ANGLOS

QUANDO DANI MAXIME PERSECUTI SUNT EOS QUOD FUIT IN DIES AETHELREDI REGIS

MS.: *H* = Bodleiana, Hatton 113; XI century. [*Varr.*: *N* = Cotton Nero A 1; *Ca* = CCCC 201; *Cb* = CCCC 419; all XI century.] — *edd.*: A. Napier, Wulfstan, Berlin 1883; D. Whitelock, Sermo Lupi etc., London 1939. — HB. 922-927a; Ke. 3576-79; Ba. 92; KO. 259.

Leofan men, gecnawað þæt soð is: ðeos woruld is on ofste, and hit nealæcð þam ende; and ðy hit is on worulde a swa leng swa wyrse, and swa hit sceal nyde for folces synnan fram dæge to dæge ær Antecristes tocyme yfelian swyðe; and huru hit wyrð þænne egeslic and grimlic wide on worulde. 5

Leofan men, understandað eac georne þæt deofol þas þeode nu fela geara dwelode to swyðe, and þæt lytle getrywða wæron mid mannum, þeah hi wel spæcan. And unrihta to fela ricsode on lande; and næs a fela manna þe smeade ymbe þa bote swa georne swa man scolde, ac dæghwamlice man ihte yfel æfter oðrum, and unriht rærde and unlaga manege ealles to wide gynd ealle þas ðeode. And we eac for ðam habbað fela byrsta and bysmara gebiden. And gyf we ænige bote gebidan sculan, þonne mote we þæs to gode earnian bet þonne we ær ðison dydon; forðam mid miclan earnungan we geearnodon þa yrmða þe us on sittað, and mid swyðe miclan earnungan we þa bote motan æt gode geræcan, gyf hit sceal heonan forð godiende wurðan. La hwæt, we witan ful georne þæt to myclan bryce sceal mycel bot nyde, and to miclum bryne wæter unlytel, gif man þæt fyr sceal to ahte acwæncan. And mycel is nydþearf eac manna gehwylcum þæt he godes lage gyme heonan forð georne bet þonne he ær dyde and godes gerihta mid rihte gelæste. 10 15 20

On hæþenum þeodum ne dear man forhealdan lytel ne mycel þæs þe gelagod is to gedwolgoda weorðunge; and we forhealdað æghwær godes gerihta ealles to gelome. And ne dear man gewanian on hæðenum þeodum inne ne ute ænig þæra þinga þe gedwolgodan broht bið and to lacum betæht bið; and we habbað godes hus inne and ute clæne berypte. And eac syndan godes þeowas mæþe and munde gewelhwar bedælde; and sume men secgað þæt gedwolgoda[1] þenan ne dear man misbeodan on ænige wisan mid hæþenum leodum, swa swa man godes þeowum nu deð to wide, þær cristene scoldan godes lage healdan and godes þeowas griðian. 25

Ac soð is þæt ic secge, þearf is þære bote; forðam godes gerihta wanedan to lange innan þysan earde on æghwylcum ende, and folclaga wyr- 30

57. *Tit.*: . . . quod fuit anno millesimo XIIII ab incarnatione domini nostri Iesu Christi *N*
[1] *N*] gedwolgodan *H*

sedan ealles to swyðe syððan Eadgar geendode, and halignessa syndon to
griðlease wide, and godes hus syndon to clæne berypte ealdra gerihta and
innan bestrypte[1] ælcra gerisena[2]; and wydewan syndon wide fornydde on
35 unriht to ceorle and to mænige foryrmde and gehynede swyðe. And earme
men syndan sare beswicene and hreowlice besyrwde and ut of ðisan earde
wide gesealde swyðe unforworhte fremdum to gewealde, and cradolcild ge-
þeowode þurh wælhreowe unlaga for lytelre þyfðe wide gynd þas þeode,
and freoriht fornumene and ðrælriht generwde and ælmesriht gewanode and,
40 hrædest is to cweþenne, godes laga laðe and lara forsewene. And ðæs we
habbað ealle þurh godes yrre bysmor gelome, gecnawe se ðe cunne; and se
byrst wyrð gemæne, þeah man swa ne wene, ealre þisse þeode, butan god
gebeorge.

Forðam hit is on us eallum swutol and gesyne þæt we ær þysan oftor
45 bræcan þonne we bettan, and ðy is þisse þeode fela onsæge. Ne dohte hit
nu lange[3] inne ne ute, ac wæs here and hunger, bryne and blodgyte on
gewelhwylcon ende oft and gelome; and us stalu and cwalu, stric and steorfa,
orfcwealm and uncoðu, hol and hete, and rypera reaflac derede swyðe þearle,
and us ungylda swyðe gedrehton, and us unwedera foroft weoldan unwæstma.

50 Forðam on þisan earde wæs, swa hit þincan[4] mæg, nu fela geara
unrihta fela and tealte getrywða æghwær mid mannum. Ne bearh nu foroft
gesib gesibban þe ma þe fremdan, ne fæder his bearne, ne hwilum bearn
his agenum fæder, ne broðor oðrum. Ne ure ænig[5] his lif ne fadode swa
swa he scolde, ne gehadode regollice ne læwede lahlice, ac worhtan lust
55 us to lage ealles to gelome and naðor ne heoldan ne lare ne lage godes ne
manna swa swa we scoldan. Ne ænig wið oþerne getrywlice þohte swa
rihte swa he scolde, ac mæst ælc swicode and oðrum derede wordes and
dæde. And huru unrihtlice mæst ælc oþerne æftan heaweð mid scandlican
onscytan and mid wrohtlacan; do mare gyf he mæge.

60 Forðam her syn on lande ungetrywðe micle for gode and for worulde.
And eac her syn on earde on mistlice wisan hlafordswican manege. And
ealra mæst hlafordswice se bið on worulde þæt man his hlafordes saule be-
swice, and ful mycel hlafordswice eac bið on worulde þæt man his hlaford
of life forræde oððon of lande lifiendne[6] drife; and ægðer is geworden
65 innan þisan earde: Eadwerd man forrædde and syððan acwealde and æfter
þam forbærnde, and Æþelred man dræfde ut of his earde.[7] And godsibbas
and godbearn to fela man forspilde wide gynd þas þeode, toeacan oðran
ealles to manegan þe man unscyldige forfor ealles to wide. And ealles to
manege halige stowa wide forwurdan þurh þæt þe man sume men ær þam
70 gelogode, swa man na ne scolde, gif man on godes griðe mæðe witan wolde;
and cristenes folces to fela man gesealde ut of þisan[8] earde nu ealle hwile.
And eal þæt is gode lað, gelyfe se ðe wille!

And scandlic is to specenne, þæt geworden is to wide, and egeslic is
to witanne, þæt oft doð to manege þe dreogað þa yrmðe, þæt sceotað
75 togædere and ane cwenan gemænum ceape bicgað gemæne, and wið þa ane
fylðe adreogað an æfter anum and ælc æfter oðrum, hundum gelicost þe for
fylðe ne scrifað. And syððan wið weorðe syllað of lande fremdum to ge-
wealde godes gesceafte and his agenne ceap þe he deore gebohte. Eac we
witan georne hwær seo yrmð gewearð þæt fæder gesealde bearn wið weorðe
80 and bearn his modor, and broðor sealde oþerne fremdum to gewealde ut of
ðisse þeode. And eal þæt syndon micle and egeslice dæda, understande se
ðe wille!

And gyt hit is mare and eac mænigfealdre[9] þæt dereð þysse þeode.
Mænige syndan forsworene and swyðe forlogene; and wed synd tobrocene

---

[1] *NC*] berypte *H* [2] *NCb*] rysena *H* [3] *NC*] lance *H* [4] þincon *H* [5] nænig *NC*
[6] *N*] lifiendum *H* [7] and Æþelred — earde *Cb*] *not in H* [8] *NC*] þam *H* [9] *NC*] manige
fleardre *H*

oft and gelome. And þæt is gesyne on þisse þeode þæt us godes yrre hetelice on sit, gecnawe se ðe cunne!

And la, hu mæg mare scamu þurh godes yrre mannum gelimpan þonne us deð gelome for agenum gewyrhtum? Ðeah þræla hwylc hlaforde æthleape and of cristendome to wicinge weorðe, and hit æfter þam eft geweorðe þæt wæpngewrixl weorðe gemæne þegene and þræle; gyf þræl þæne þegen fullice afylle, licge ægylde ealre his mægðe; and gyf se þegen þæne þræl þe he ær ahte fullice afylle, gylde þegengylde. Ful earmlice laga and scandlice nydgyld þurh godes yrre us syn gemæne, understande se ðe cunne!

And fela ungelimpa gelimpð þysse þeode oft and gelome. Ne dohte hit nu lange inne ne ute, ac wæs here and hete on gewelhwilcum ende oft and gelome, and Engle nu lange eal sigelease and to swyðe geyrgde[1] þurh godes yrre, and flotmen swa strange þurh godes þafunge þæt oft on gefeohte an feseð tyne, and hwilum læs hwilum ma, eal for urum synnum. And oft tyne oððe twelfe, ælc æfter oðrum, scendað and tawiað[2] to bysmore þæs þegnes cwenan and hwilum his dohtor oððe nydmagan, þær he on locað, þe læt hine sylfne rancne and ricne and genoh godne, ær þæt gewurde. And oft þræl þæne þegen þe ær wæs his hlaford cnyt swyðe fæste and wyrcð him to þræle þurh godes yrre.

Wala ðære yrmðe and wala þære woruldscame þe nu habbað Engle eal þurh godes yrre! Oft twegen sæmen oððe þry hwilum drifað ða drafe cristenra manna fram sæ to sæ ut ðurh þas þeode gewylede togædere, us eallum to woruldscame, gyf we on eornost ænige cuðan, oððon we woldan ariht understandan. Ac ealne þæne bysmor þe we oft þoliað we gyldað mid weorðscype þam þe us scendað. We him gyldað singallice, and hy us hynað dæghwamlice. Hy hergiað and hy bernað, rypað and reafiað and to scipe lædað; and la, hwæt is ænig oðer on eallum þam gelimpum butan godes yrre ofer þas þeode swytol and[3] gesyne?

Nis eac nan wundor, þeah us mislimpe, forðam we witan ful georne þæt nu fela geara men na ne rohton foroft hwæt hy worhtan wordes oððe dæde. Ac wearð þes þeodscype, swa hit þincan mæg, swyðe forsyngod þurh mænigfealde synna and ðurh fela misdæda: ðurh morðdæda and ðurh mandæda, þurh gitsunga and ðurh gifernessa, þurh stala and þurh strudunga, þurh mansylena and ðurh hæþene[4] unsida, þurh swicdomas and ðurh searacræftas, þurh lahbrycas and ðurh æswicas, þurh mægræsas and ðurh manslihtas, þurh hadbrycas and ðurh æwbrycas, þurh sibblegeru and ðurh mistlice forligeru. And eac syndan wide, swa we ær cwædan, þurh aðbrycas and ðurh wedbrycas and ðurh mistlice leasunga forloren and forlogen ma þonne scolde, and freolsbricas and fæstenbricas wide geworhte oft and gelome. And eac her syn on earde apostatan abroðene and cyrichatan hetole and leodhatan grimme ealles to manege, and oferhogan wide godcundra rihtlaga and cristenra þeawa, and hocorwyrde dysige æghwær on þeode oftost on ða þing þe godes bodan beodað and swyðost on þa þing þe geornost to godes lage gebyriað mid rihte.

And þy is nu geworden wide and side to ful yfelan gewunan þæt menn swyðor scamað nu for goddædan þonne for misdædan, forðam to oft man mid hocere goddæda hyrweð and godfyrhte lehtreð ealles to swyðe, and swyðost man tæleð and mid olle gegreteð ealles to gelome þa ðe riht lufiað and godes ege habbað be ænigum dæle. And ðurh þæt þe man swa deð þæt man eal hyrweð þæt man scolde herian, and to forð laþeð[5] þæt man scolde lufian, þurh þæt man gebringeð ealles to manege on yfelan geðance and on undæde, swa þæt hy ne scamað na, þeah hy syngian swyðe, and wið god sylfne forwyrcan hi mid ealle. Ac for idelan onscytan hy scamað þæt hy betan heora misdæda, swa swa bec tæcan, gelice þam dwæsan þe

[1] NCa] geyrwde *H* [2] and tawiað *Ca*] *not in H* [3] and *NCa*] *not in H* [4] *NC*] hæþena *H*
[5] laðeð *Ca*] laþet *H*, laðet *NCb*, (laþað)

for heora prytan lewe nellað beorgan, ær hy na ne magan, þeah hy eall
140 willan.

Her syndan þurh synleawa, swa hit þincan mæg, sare gelewede to manege on earde. Her syndan, swa we ær sædon, mannslagan and mæg-slagan and sacerdbanan and mynsterhatan and hlafordswican and æbere apostatan. And her syndan manswaran and morðorwyrhtan. And her syndan
145 hadbrecan and æwbrecan, and ðurh siblegeru and ðurh mistlice forligeru forsyngode swyðe. And her syndan myltestran and bearnmyrðran and fule forlegene horingas manege. And her syndan wiccan and wælcerian. And her syndan ryperas and reaferas, and woruldstruderas and ðeofas and þeod-scaðan, and wedlogan, and wærlogan, and, hrædest is to cweþenne, mana
150 and misdæda ungerim ealra. And þæs us ne scamað na, ac þæs us scamað swyðe þæt we bote aginnan, swa swa bec tæcan, and þæt is gesyne on þisse earman forsyngodon þeode. Eala, mycel magan manege gyt hertoeacan eaþe beðencan þæs ðe an man ne mihte on hrædinge asmeagean, hu earmlice hit gefaren is nu ealle hwile wide gynd þas ðeode. And smeage huru georne
155 gehwa hine sylfne, and ðæs na ne latige ealles to lange. Ac la, on godes naman utan don swa us neod is, beorgan us sylfum swa we geornost magan, þe læs we ætgædere ealle forweorðan.

An þeodwita wæs on Brytta tidum, Gildas hatte, se awrat be heora misdædum hu hi mid heora synnan swa oferlice swyðe god gegræmedon þæt
160 he let æt nyhstan Engla here heora eard gewinnan, and Brytta dugeðe fordon mid ealle. And þæt wæs geworden, þæs þe he sæde, þurh gelæredra regol-bryce and ðurh læwedra lahbryce, þurh ricra reaflac and ðurh gitsunge woh-gestreona, ðurh leoda[1] unlaga and ðurh wohdomas, ðurh bisceopa asolcennesse and unsnotornesse and ðurh lyðre yrhðe godes bydela, þe soðes geswugedan
165 ealles to gelome, and clumedan mid ceaflum þær hy scoldan clypian, ðurh fulne eac folces gælsan and ðurh oferfylla and mænigfealde synna heora eard hy forworhton, and sylfe hi forwurdan.

Ac utan don swa us þearf is, warnian us be swilcan! And soð is þæt ic secge: wyrsan dæda we witan mid Englum sume gewordene þonne we
170 mid Bryttan ahwar gehyrdan; and ðy us is þearf micel þæt we us beþencan, and wið god sylfne þingian georne. And utan don swa us þearf is, gebugan to rihte, and be suman dæle unriht forlætan, and betan swyðe georne þæt we ær bræcan. And utan god lufian and godes lagum fyligean, and gelæstan swyðe georne þæt þæt we behetan þa we fulluht underfengan oððon þa ðe
175 æt fulluhte ure forespecan wæron! And utan word and weorc rihtlice fadian, and ure ingeðanc clænsian georne, and að and wedd wærlice healdan, and sume getrywða habban us betweonan butan uncræftan, and utan gelome understandan þone miclan dom þe we ealle to sculan, and beorgan[2] us georne wið þone weallendan bryne helle wites, and geearnian us þa mærða
180 and ða myrhða þe god hæfð gegearwod þam ðe his willan on worulde ge-wyrcað. God ure helpe! Amen!

74. THE CANUTE SONG

MS.: Cambridge, Trinity Coll. 1105; XII ct. ; in Thomas of Ely, Historia Eliensis, II, 20; *ed.*: R. M. Wilson, Early ME Literature, London 2. 1951; a. o. — BR. 2164; We. XIII, 1.

Merie sungen ðe munaches binnen Ely,
Ða Cnut ching reu ðer-by.
'Roweð, cnites, noer þe land,
And here we þes munaches sæng!'

---

[1] leode *HN* (*Pass.* not in *C*) [2] *NC*] beorhgan *H*

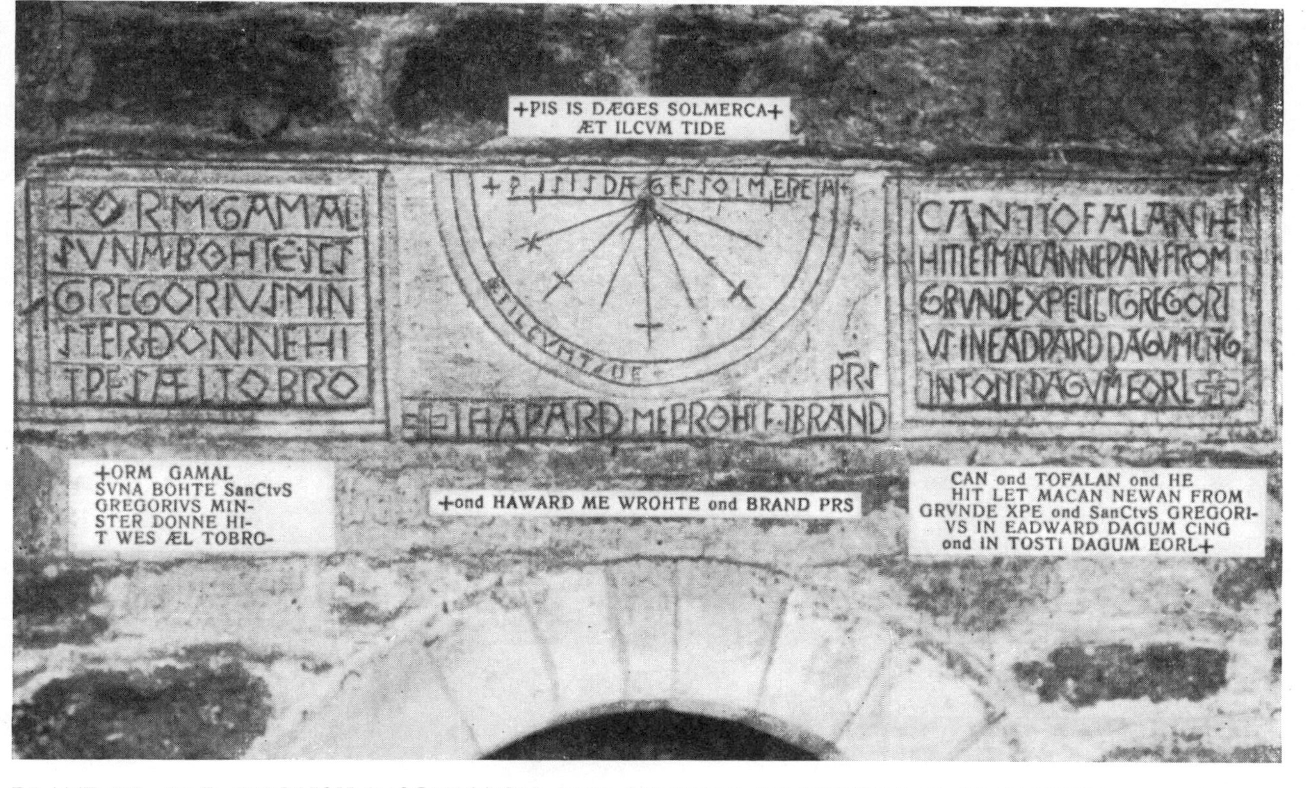

PLATE IX. OLD ENGLISH INSCRIPTION AND SUNDIAL AT KIRKDALE, YORKSHIRE, c. 1060 A.D.

Octaval system of time reckoning: the 24 hours divided into 8 equal periods = "tid" = crossed lines for 6 a. m., 9 a. m, noon, 3 p. m., 6 p. m. The intermediate lines denote half a "tid": 7.30 a. m. (marked by a cross: "dægmæl" = day + meal, day-time, dial), 10.30 a. m., &c.

175. ALEXANDER'S LETTER TO ARISTOTLE

MS.: BM., Cotton Vitellius A. XV; X /XI century. — ed.: St. Rypins, EETS. 161. — HB. 715-717; Ke. 3487; Ba. 94; RO. 237.

Alexander and Poros.

[Fol. 111b ff.] Sioðþan we þa þonon ferdon, þa wæs hit on seofon nihta fæce þæt we to þæm londe ond to þære stowe becwoman, þær Porrus se cyning mid his fyrde wicode; ond he swiðe [1] þæs londes fæstenum truwode þonne his gefeohte ond gewinne. Þa wilnade he þæt he me cuðe ond mine þegnas. Þa he þæs frægen ond axsode from þæm ferendum minra wic- 5 stowe, þa wæs þæt me gesæd þæt he wilnade me to cunenne ond min werod. Ða alede ic minne kynegyrylan ond me mid uncuþe hrægle ond mid lyþerlice gerelan me gegerede, swelce ic wære hwelc folclic mon ond me wære mete ond wines þearf. Þa ic wæs in þæm wicum Porres, swa ic ær sæde. Ða sona swa he me þær geahsode ond him mon sægde þæt þær 10 mon cymen wæs of Alexandres herewicum, þa het he me sona to him lædan.

Mid þy ic þa wæs to him gelæded, þa frægn he me ond ahsode, hwæt Alexander se cyning dyde ond hulic mon he wære ond in hwylcere yldo. Ða bysmrode ic hine mid minum ondswarum ond him sæde þæt he for- 15 ealdod wære ond to þæs eald wære þæt he ne mihte elcor gewearmigan buton æt fyre ond æt gledum. Þa wæs he sona swiðe glæd ond gefeonde þara minra ondswaro ond worda, forþon ic him sæde þæt he swa forealdod wære. Ond ða cwæð he eac: 'Hu mæg he la ænige gewinne wið me spowan swa forealdod mon, forþon ic eom me self geong ond hwæt!' Þa he ða georn- 20 licor me frægn be his þingum, ða sæde ic þæt ic his þinga feola ne cuþe ond hine seldon gesawe ðone cyning, forþon þe ic wære his þegnes mon ond his ceapes heorde ond wære his feohbigenga. Þa he ðas word gehyrde, ða sealde he me an gewrit ond ænne epistolan, ond me bæd þæt ic hine Alexandre þæm kyninge ageafe, ond me eac mede gehet, gif ic hit him agyfan 25 wolde; ond ic him gehet þæt ic swa don wolde swa he me bæd. Swa ic ða þonon gewiten wæs ond eft cwom to minum herewicum, þa ægþer ge ærðon þe ic þæt gewrit rædde ge eac æfter-þon [2] ic wæs swiðe mid hleahtre onstyred. Ðas þing ic for þon þe secge, magister, ond Olimphiade minre meder ond minum geswustrum þæt ge gehyrdon ond ongeaton þa oferhygd- 30 lican gedyrstignesse þæs elreordgan kyninges.

Hæfd ic þa þæs kyninges wic ond his fæstenu gesceawod þe he mid his fyrde in gefaren hæfde. Ða sona on morgne þæs ða eode Porrus se kyning me on hond mid ealle his ferde ond dugoþe, þa he hæfde ongieten þæt he wið me gewinnan ne meahte. Ond of þæm feondscipe þe us ær 35 betweonum wæs [3] he seoðþan wæs me freond ond eallum Greca herige ond min gefera ond gefylcea. Ond ic him ða eft his rice ageaf ond þa ðære unwendan are þæs rices þe he him seolfa næniges rices ne wende he [4] ða me eall his goldhord æteowde ond he þa ægþer ge mec ge eac eall min werod mid golde gewelgode. Ond Herculis gelicnisse ond Libri ðara twegea 40 goda he buta of golde gegeat ond geworhte ond hie butu asette in þæm eastdæle middangeardes. Ða wolde ic witan hwæþer ða gelicnissa wæron gegotene ealle swa he sæde. Het hie þa þurhborian. Þa [5] wæron hie buta of golde gegotene. Ða het ic eft þa ðyrelo þe hiora mon þurhcunnode mid golde forwyrcean ond afyllon ond het þa ðæm godum bæm onsægdnisse on- 45 secgan.

Þa ferdon we forð ond woldan ma wunderlicra þinga geseon ond sceawian ond mærlicra; ac þa ne gesawon we swa swa we þa geferdon noht elles buton þa westan feldas ond wudu ond duna be þæm garsecge. Ða

---

[1] *Lat.:* magis; *cf. Beow. 69-70* [2] æfter þon þæt [3] wæs þæt [4] þæt he [5] þe

50 wæron monnum ungeferde for wildeorum ond wyrmum. Þa ferde ic hwæþre be þæm sæ to þon þæt ic wolde cunnian meahte ic ealne middangeard ymbferan[1] swa garsecg beligeð; ac þa sægdon me þa londbigengan þæt se sæ wære to þon þiostre ond se garsecg eall þæt hine nænig mon mid scipe geferan ne meahte. Ond ic þa ða wynstran dælas Indie wolde geondferan,
55 þy læs me owiht in þæm londe beholen oððe bedegled wære. Ða wæs þæt lond eall swa we geferdon adrugad ond fen ond cannon ond hread wæteru. Ða cwom þær semninga sum deor of þæm fenne ond of ðæm fæstene; wæs þæm deore eall se hrycg acæglod swelce snoda, hæfde þæt deor seonowealt heafod swelce mona ond þæt deor hatte quasi caput luna, ond him wæron
60 þa breost gelice niccres breastum ond heardum toðum ond miclum hit wæs gegyred ond geteþed. Ond hit þa þæt deor ofsloh mine þegnas twegen. Ond we þa þæt deor nowþer ne mid spere gewundigan ne meahte ne[2] mid nænige wæpne; ac we hit uneaþe mid isernum hamerum ond slecgum gefyldon ond hit ofbeoton. Ða becwoman we syðþan to þæm wudum Indie
65 ond to þæm ytemestum gemærum þæs londes. —

76. APOLLONIUS AT PENTAPOLIM

MS.: Cambridge, Corpus Christi Coll. 201; XI century. - *ed.*: J. Zupitza, Archiv 97, 1896. — HB. 755-761; Ke. 3377-78; Ba. 94-95; RO. 244.

Æfter þisum hit gelamp binnon feawum monðum, þæt Stranguilio and Dionisiade, his wif, gelærdon Apollonium, ðæt he ferde on scipe to Pentapolim, þare Ciriniscan birig, and cwædon, þæt he mihte þar bediglad beon and þar wunian. And þæt folc hine þa mid unasecgendlicre wurðmynte to scipe gelæddon, and
5 Apollonius hi bæd ealle gretan and on scip astah. Mid þi þe hig ongunnon þa rowan and hi forðwerd wæron on heora weg, þa wearð ðare sæ smiltnesse awænd færinga betwux twam tidum, and wearð micel reownes aweht, swa þæt seo sæ cnyste þa heofonlican tungla and þæt gewealc þara yða hwaðerode mid windum. Þar to eacan coman eastnorðerne windas, and se angrislica suð-
10 westerna wind him ongean stod, and þæt scip eal tobærst. On ðissere egeslican reownesse Apollonius geferan ealle forwurdon to deaðe, and Apollonius ana becom mid sunde to Pentapolim, þam Ciriniscan lande, and þar up eode on ðam strande. Þa stod he nacod on þam strande and beheold þa sæ and cwæð: 'Eala þu sæ Neptune, manna bereafigend and unscæððigra beswicend, þu eart wæl-
15 reowra þonne Antiochus se cyngc. For minum þingum þu geheolde þas wælreownesse, þæt ic þurh ðe gewurde wædla and þearfa and þæt se wælreowesta cyngc me þy eaðe fordon mihte. Hwider mæg ic nu faran? Hwæs mæg ic biddan oððe hwa gifð þam uncuðan lifes fultum?'

Mid þi þe he þas þingc wæs sprecende to him silfum, þa færinga geseah
20 he sumne fiscere gan. To þam he beseah and þus sarlice cwæð: 'Gemiltsa me, þu ealda man, sy þæt þu sy. Gemildsa me nacodum forlidenum næs na of earmlicum birdum geborenum; and ðæs ðe ðu gearo forwite, hwam ðu gemiltsige: Ic eom Apollonius, se Tirisca ealdorman.' Ða sona swa se fiscere geseah, þæt se iunga man æt his fotum læg, he mid mildheortnesse hine up ahof and
25 lædde hine mid him to his huse and ða estas him beforan legde, þe he him to beodenne hæfde. Þa git he wolde be his mihte maran arfæstnesse him gecyðan, toslat þa his wæfels on twa and sealde Apollonige þone healfan dæl þus cwæðende: 'Nim, þæt ic þe to sillenne habbe, and ga into ðare ceastre. Wen is, þæt þu gemete sumne þe þe gemiltsige. Gif ðu ne finde nænne, þe þe gemilt-
30 sian wille, wænd þonne hider ongean, and genihtsumige unc bam mine litlan æhta, and far ðe on fiscnoð mid me. Þeah-hwæðre ic mynegie þe, gif ðu fultumiendum gode becymst to ðinum ærran wurðmynte, þæt þu ne forgite mine

[1] ybferan [2] we *em. Braun* 5 greton 16 gewurðe wælreownessa c. 17 eaðe 18 gif

þearfendlican gegirlan.' Ða cwæð Apollonius: 'Gif ic þe ne geþence, þonne me bet bið, ic wisce, þæt ic eft forlidennesse gefare and þinne gelican eft ne gemete.'

Æfter þisum wordum he eode on ðone weg, þe him getæht wæs, oððæt he becom to þare ceastre geate and ðar in eode. Mid þi þe he þohte, hwæne he byddan mihte lifes fultum, þa geseah he ænne nacodne cnapan geond þa stræte yrnan, se wæs mid ele gesmerod and mid scitan begird and bær iungra manna plegan on handa to ðam bæðstede belimpende and cliopode micelre stæfne and cwæð: 'Gehyre ge, ceasterwaran; gehyre ge, ælðeodige, frige and þeowe, æðele and unæðele! Se bæðstede is open.' Ða ða Apollonius þæt gehirde, he hine unscridde þam healfan scicelse, ðe he on hæfde, and eode into ðam þweale; and mid þi þe he beheold heora anra gehwilcne on heora weorce, he sohte his gelican, ac he ne mihte hine þar findan on ðam flocce.

Ða færinga com Arcestrates, ealre þare þeode cyningc, mid micelre mænio his manna and in eode on þæt bæð. Ða agan se cyngc plegan wið his geferan mid þoðere, and Apollonius hine gemægnde, swa swa god wolde, on ðæs cyninges plegan and yrnende þone ðoðor gelæhte and mid swiftre rædnesse geslegene ongean gesænde to ðam plegendan cynge. Eft he agean asænde. He rædlice sloh, swa he hine næfre feallan ne let. Se cyngc ða oncneow þæs iungan snelnesse, þæt he wiste, þæt he næfde his gelican on þam plegan. Þa cwæð he to his geferan: 'Gað eow heonon! Þes cniht, þæs þe me þincð, is min gelica.' Ða ða Apollonius gehyrde, þæt se cyning hyne herede, he arn rædlice and genealæhte to ðam cynge and mid gelæredre handa he swang þone top mid swa micelre swiftnesse, þæt se cyngc wæs geþuht, swilce he of ylde to iuguðe gewænd wære. And æfter þam on his cynesetle he him gecwemlice ðenode, and þa ða he ut eode of ðam bæðe, he hine lædde be þare handa and him þa siððan þanon gewænde þæs weges, ðe he ær com.

Ða cwæð se cyningc to his mannum, siððan Apollonius agan wæs: 'Ic swerige þurh ða gemænan hælo, þæt ic me næfre bet ne baðode þonne ic dide to dæg; nat ic, þurh hwilces iunges mannes þenunge.' Ða beseah he hine to anum his manna and cwæð: 'Ga and gewite, hwæt se iunga man sy, þe me to dæg swa wel gehirsumode!' Se man ða eode æfter Apollonio. Mid þi þe he geseah, þæt he wæs mid horhgum scicelse bewæfed, þa wænde he ongean to ðam cynge and cwæð: 'Se iunga man, þe þu æfter axsodest, is forliden man.' Ða cwæð se cyngc: 'Ðurh hwæt wast ðu þæt?' Se man him andswerode and cwæð: 'Þeah he hit silf forswige, his gegirla hine geswutelað.' Ða cwæð se cyngc: 'Ga rædlice and sege him þæt: Se cyngc bit ðe, þæt ðu cume to his gereorde.' Ða Apollonius þæt gehyrde, he þam gehyrsumode and eode forð mid þam men, oðþæt he becom to ðæs cynges healle. Ða eode se man in beforan to ðam cynge and cwæð: 'Se forlidena man is cumen, þe ðu æfter sændest; ac he ne mæg for scame in gan buton scrude.' Ða het se cyngc hine sona gescridan mid wurðfullan scrude and het hine in gan to ðam gereorde. Ða eode Apollonius in and gesæt, þar him getæht wæs, ongean ðone cyngc.

Ðar wearð ða seo þenung in geboren and æfter þam cynelic gebeorscipe, and Apollonius nan ðingc ne æt, ðeah ðe ealle oðre men æton and bliðe wæron, ac he beheold þæt gold and þæt seolfor and ða deorwurðan reaf and þa beodas and þa cynelican þenunga. Ða ða he þis eal mid sarnesse beheold, ða sæt sum eald and sum æfestig ealdorman be þam cynge. Mid þi þe he geseah, þæt Apollonius swa sarlice sæt and ealle þingc beheold and nan ðingc ne æt, ða cwæð he to ðam cynge: 'Ðu goda cyngc, efne þes man, þe þu swa wel wið gedest, he is swiðe æfestful for ðinum gode.' Ða cwæð se cyngc: 'Þe misþincð; soðlice, þes iunga man ne æfestigað on nanum ðingum, ðe he her gesihð; ac he cyð, þæt he hæfð fela forloren.' Ða beseah Arcestrates se cyngc bliðum andwlitan to

---

33 apollinius (& 42, 48, 77) 41 gehyran 53 þingð (& 83, 198) 56 cynge *MS., em. Zupitza*, þam cynge *Thorpe* 63 anum] an 72 forlidene 76 cynelice

Apollonio and cwæð: 'Ðu iunga man, beo bliðe mid us and gehiht on god, þæt þu mote silf to ðam selran becuman.'

Mid þi ðe se cyning þas word gecwæð, ða færinga þar eode in ðæs cynges iunge dohtor and cyste hyre fæder and ða ymbsittendan. Þa heo
90 becom to Apollonio, þa gewænde heo ongean to hire fæder and cwæð: 'Ðu goda cyningc and min se leofesta fæder, hwæt is þes iunga man, þe ongean ðe on swa wurðlicum setle sit mid sarlicum andwlitan? Nat ic, hwæt he besorgað.' Ða cwæð se cyningc: 'Leofe dohtor, þes iunga man is forliden, and he gecwemde me manna betst on ðam plegan; forðam ic hine gelaðode
95 to ðysum urum gebeorscipe. Nat ic, hwæt he is ne hwanon he is. Ac gif ðu wille witan, hwæt he sy, axsa hine, forðam þe gedafenað þæt þu wite.' Ða eode þæt mæden to Apollonio and mid forwandigendre spræce cwæð: 'Ðeah ðu stilli sy and unrot, þeah ic þine æðelborennesse on ðe geseo. Nu þonne, gif ðe to hefig ne þince, sege me þinne naman and þin gelymp arece
100 me!' Ða cwæð Apollonius: 'Gif ðu for neode axsast æfter minum naman, ic secge þe, ic hine forleas on sæ; gif ðu wilt mine æðelborennesse witan, wite ðu þæt ic hig forlet on Tharsum.' Ðæt mæden cwæð: 'Sege me gewislicor, þæt ic hit mæge understandan!' Apollonius þa soðlice hyre arehte ealle his gelymp and æt þare spræcan ende him feollon tearas of ðam
105 eagum.

Mid þy þe se cyngc þæt geseah, he bewænde hine ða to ðare dohtor and cwæð: 'Leofe dohtor, þu gesingodest. Mid þy þe þu woldest witan his naman and his gelimp, þu hafast nu geedniwod his ealde sar. Ac ic bidde þe þæt þu gife him, swa hwæt swa ðu wille.' Ða ða þæt mæden gehirde,
110 þæt hire wæs alyfed fram hire fæder þæt heo ær hyre silf gedon wolde, ða cwæð heo to Apollonio: 'Apolloni, soðlice, þu eart ure. Forlæt þine murcnunge! And nu ic mines fæder leafe habbe, ic gedo ðe weligne.' Apollonius hire þæs þancode, and se cyngc blissode on his dohtor welwillendnesse and hyre to cwæð: 'Leofe dohtor, hat feccan þine hearpan
115 and gecig ðe to þine frynd and afirsa fram þam iungan his sarnesse!' Ða eode heo ut and het feccan hire hearpan and sona swa heo hearpian ongan, heo mid winsumum sange gemægnde þare hearpan sweg. Ða ongunnon ealle þa men hi herian on hyre swegcræft, and Apollonius ana swigode. Ða cwæð se cyningc: 'Apolloni, nu ðu dest yfele, forðam þe ealle men heriað
120 mine dohtor on hyre swegcræfte, and þu ana hi swigende tælst.' Apollonius cwæð: 'Eala þu goda cyngc, gif ðu me gelifst, ic secge þæt ic ongite þæt soðlice þin dohtor gefeol on swegcræft; ac heo næfð hine na wel geleornod. Ac hat me nu sillan þa hearpan; þonne wast þu þæt þu nu git nast.' Arcestrates se cyning cwæð: 'Apolloni, ic oncnawe, soðlice, þæt þu eart
125 on eallum þingum wel gelæred.' Ða het se cyng sillan Apollonige þa hearpan. Apollonius þa ut eode and hine scridde and sette ænne cynehelm uppon his heafod and nam þa hearpan on his hand and in eode and swa stod, þæt se cyngc and ealle þa ymbsittendan wendon, þæt he nære Apollonius, ac þæt he wære Apollines, ðara hæðenra god. Ða wearð stilnes and swige geworden
130 innon ðare healle, and Apollonius his hearpenægl genam, and he þa hearpestrengas mid cræfte astirian ongan and þare hearpan sweg mid winsumum sange gemægnde. And se cyngc silf and ealle, þe þar andwearde wæron, micelre stæfne cliopodon and hine heredon. Æfter þisum forlet Apollonius þa hearpan and plegode and fela fægera þinga þar forð teah, þe þam folce
135 ungecnawen wæs and ungewunelic. And heom eallum þearle licode ælc þara þinga, ðe he forð teah.

Soðlice, mid þy þe þæs cynges dohtor geseah, þæt Apollonius on eallum godum cræftum swa wel wæs getogen, þa gefeol hyre mod on his lufe. Ða æfter þæs beorscipes geendunge, cwæð þæt mæden to ðam cynge:
140 'Leofa fæder, þu lyfdest me litle ær, þæt ic moste gifan Apollonio, swa hwæt

93 leofa (& 107, 114, 166) 100 namon 116 heapian

swa ic wolde of þinum goldhorde.' Arcestrates se cyng cwæð to hyre: 'Gif him swa hwæt swa ðu wille.' Heo ða sweoðe bliðe ut eode and cwæð: 'Lareow Apolloni, ic gife þe be mines fæder leafe twa hund punda goldes and feower hund punda gewihte seolfres and þone mæstan dæl deorwurðan reafes and twentig ðeowa manna.' And heo þa þus cwæð to ðam þeowum 145 mannum: 'Berað þas þingc mid eow, þe ic behet Apollonio, minum lareowe, and lecgað innon bure beforan minum freondum.' Þis wearð þa þus gedon æfter þare cwene hæse, and ealle þa men hire gife heredon, ðe hig gesawon. Ða, soðlice, geendode þe gebeorscipe, and þa men ealle arison and gretton þone cyngc and ða cwene and bædon hig gesunde beon and ham gewændon. 150 Eac swilce Apollonius cwæð: 'Ðu goda cyngc and earmra gemiltsigend and þu cwen lare lufigend, beon ge gesunde!' He beseah eac to ðam þeowum mannum, þe þæt mæden him forgifen hæfde, and heom cwæð to: 'Nimað þas þing mid eow, þe me seo cwen forgeaf, and gan we secan ure gesthus, þæt we magon us gerestan.' Ða adred þæt mæden, þæt heo næfre eft Apollonium 155 ne gesawe swa raðe, swa heo wolde, and eode þa to hire fæder and cwæð: 'Ðu goda cyningc, licað ðe wel, þæt Apollonius, þe þurh us to dæg gegodod is, þus heonon fare, and cuman yfele men and bereaflan hine?' Se cyngc cwæð: 'Wel þu cwæde. Hat him findan, hwar he hine mæge wurðlicost gerestan!' Ða dide þæt mæden, swa hyre beboden wæs, and Apollonius 160 onfeng þare wununge, ðe hym getæht wæs, and ðar in eode gode þancigende, ðe him ne forwyrnde cynelices wurðscipes and frofres.

Ac þæt mæden hæfde unstille niht mid þare lufe onæled þara worda and sanga, þe heo gehyrde æt Apollonige, and na leng heo ne gebad, ðonne hit dæg wæs, ac eode sona swa hit leoht wæs and gesæt beforan hire fæder 165 bedde. Ða cwæð se cyngc: 'Leofe dohtor, forhwi eart ðu þus ærwacol?' Ðæt mæden cwæð: 'Me awehton þa gecnerdnessa, þe ic girstandæg gehyrde. Nu bidde ic ðe forðam, þæt þu befæste me urum cuman Apollonige to lare.' Ða wearð se cyningc þearle geblissod and het feccan Apollonium and him to cwæð: 'Min dohtor girnð, þæt heo mote leornian æt ðe ða gesæligan 170 lare, ðe þu canst; and gif ðu wilt þisum þingum gehyrsum beon, ic swerige ðe þurh mines rices mægna, þæt swa hwæt swa ðu on sæ forlure, ic ðe þæt on lande gestaðelige.' Ða ða Apollonius þæt gehyrde, he onfengc þam mædenne to lare and hire tæhte swa wel, swa he silf geleornode.

Hyt gelamp ða æfter þisum binnon feawum tidum, þæt Arcestrates se 175 cyngc heold Apollonius hand on handa, and eodon swa ut on ðare ceastre stræte. Þa æt nyhstan comon ðar gan ongean hy þry gelærede weras and æþelborene, þa lange ær girndon þæs cyninges dohtor. Hi ða ealle þry togædere anre stæfne gretton þone cyngc. Ða smercode se cyng and heom to beseah and þus cwæð: 'Hwæt is þæt, þæt ge me anre stæfne gretton?' Ða 180 andswerode heora an and cwæð: 'We bædon gefirn þynre dohtor, and þu us oftrædlice mid elcunge geswænctest. Forðam we comon hider to dæg þus togædere: We syndon þyne ceastergewaran of æðelum gebyrdum geborene; nu bidde we þe, þæt þu geceose þe ænne of us þrym, hwilcne þu wille þe to aðume habban.' Ða cwæð se cyngc: 'Nabbe ge na godne timan aredodne. Min 185 dohtor is nu swiðe bisy ymbe hyre leornunga. Ac þe læs þe ic eow a leng slæce, awritað eowre naman on gewrite and hire morgengife. Ðonne asænde ic þa gewrita minre dohtor, þæt heo sylf geceose, hwilcne eowerne heo wille.' Ða didon ða cnihtas swa, and se cyngc nam ða gewrita and geinseglode hi mid his ringe and sealde Apollonio þus cweðende: 'Nim nu, lareow 190 Apolloni, swa hit þe ne mislicyge, and bryng þinum læringcmædene.'

Ða nam Apollonius þa gewrita and eode to ðare cynelican healle. Mid þam þe þæt mæden geseah Apollonium, þa cwæð heo: 'Lareow, hwi gæst ðu ana?' Apollonius cwæð: 'Hlæfdige, næs git yfel wif, nim ðas gewrita,

---

151 cwæðe

195 ðe þin fæder þe sænde, and ræd!' Ðæt mæden nam and rædde þara þreora cnihta naman ac heo ne funde na þone naman þaron, þe heo wolde. Ða heo þa gewrita oferræd hæfde, ða beseah heo to Apollonio and cwæð: 'Lareow, ne ofþincð hit ðe, gif ic þus wer geceose?' Apollonius cwæð: 'Na, ac ic blissige swiðor, ðæt þu miht ðurh ða lare, þe þu æt me underfenge, þe silf on
200 gewrite gecyðan, hwilcne heora þu wille. Min willa is, þæt þu ðe wer geceose, þar ðu silf wille.' Þæt mæden cwæð: 'Eala, lareow, gif ðu me lufodest, þu hit besorgodest.' Æfter þisum wordum heo mid modes anrædnesse awrat oðer gewrit, and þæt geinseglode and sealde Apollonio. Apollonius hit þa ut bær on ða stræte and sealde þam cynge. Ðæt gewrit wæs þus
205 gewriten: 'Þu goda cyngc and min se leofesta fæder, nu þin mildheortnesse me leafe sealde, þæt ic silf moste ceosan, hwilcne wer ic wolde, ic secge ðe to soðan, þone forlidenan man ic wille. And gif ðu wundrige, þæt swa scamfæst fæmne swa unforwandigendlice ðas word awrat, þonne wite þu, þæt ic hæbbe þurh weax aboden, ðe nane scame ne can, þæt ic silf ðe for
210 scame secgan ne mihte.'

Ða ða se cyningc hæfde þæt gewrit oferræd, þa niste he, hwilcne forlidene heo nemde; beseah ða to ðam þrim cnihtum and cwæð: 'Hwilc eower is forliden?' Ða cwæð heora an, se hatte Ardalius: 'Ic eom forliden.' Se oðer him andwirde and cwæð: 'Swiga ðu! Adl þe fornime, þæt þu ne beo
215 hal ne gesund! Mid me þu boccræft leornodest, and ðu næfre buton þare ceastre geate fram me ne come. Hwar gefore ðu forlidennesse?' Mid ði þe se cyngc ne mihte findan, hwilc heora forliden wære, he beseah to Apollonio and cwæð: 'Nim ðu, Apolloni, þis gewrit and ræd hit! Eaðe mæg gewurðan, þæt þu wite, þæt ic nat, ðu ðe þar andweard wære.' Ða nam Apollonius
220 þæt gewrit and rædde, and sona swa he ongeat, þæt he gelufod wæs fram ðam mædene, his andwlita eal areodode. Ða se cyngc þæt geseah, þa nam he Apollonies hand and hine hwon fram þam cnihtum gewænde and cwæð: 'Wast þu þone forlidenan man?' Apollonius cwæð: 'Ðu goda cyning, gif þin willa bið, ic hine wat.' Ða geseah se cyngc, þæt Apollonius mid rosan rude wæs
225 eal oferbræded, þa ongeat he þone cwyde and þus cwæð to him: 'Blissa, blissa, Apolloni, forðam þe min dohtor gewilnað þæs, ðe min willa is! Ne mæg, soðlice, on þillicon þingon nan þinc gewurðan buton godes willan.' Arcestrates beseah to ðam þrym cnihtum and cwæð: 'Soð is, þæt ic eow ær sæde, þæt ge ne comon on gedafenlicre tide mynre dohtor to biddanne;
230 ac þonne heo mæg hi fram hyre lare geæmtigan, þonne sænde ic eow word.' Ða gewændon hi ham mid þissere andsware. And Arcestrates se cyngc heold forð on Apollonius hand and hine lædde ham mid him, na swilce he cuma wære, ac swilce he his aðum wære. Ða æt nyxstan forlet se cyng Apollonius hand and eode ana into ðam bure, þar his dohtor inne wæs, and þus cwæð:
235 'Leofe dohtor, hwæne hafast þu ðe gecoren to gemæccan?' Ðæt mæden þa feol to hyre fæder fotum and cwæð: 'Ðu arfæsta fæder, gehyr þinre dohtor willan! Ic lufige þone forlidenan man, ðe wæs þurh ungelymp beswicen. Ac þi læs þe þe tweonige þare spræce, Apollonium ic wille, minne lareow, and gif þu me him ne silst, þu forlætst ðine dohtor.' Se cyng ða, soðlice, ne
240 mihte aræfnian his dohtor tearas, ac arærde hi up and hire to cwæð: 'Leofe dohtor, ne ondræt þu ðe æniges þinges; þu hafast gecoren þone wer, þe me wel licað.' —

Her endað ge wea ge wela Apollonius þæs Tiriscan; ræde, se þe
245 wille. And gif hi hwa ræde, ic bidde, þæt he þas awændednesse ne tæle, ac þæt he hele, swa hwæt swa þaron sy to tale.

CHARTER OF WILLIAM I TO THE CITY OF LONDON

Will'm kynȝ ȝret Will'm bisceop and Ȝosfreȝð portirefan and ealle þa burhwaru binnan Londone Frencisce and Enȝlisce freondlice: and ic kyðe eow þæt ic wylle þæt ȝet beon eallra þæra laȝa weorðe þe ȝyt wæran on Eadwerdes dæȝe kynȝes; and ic wylle þæt ælc cyld beo his fæder yrfnume æfter his fæder dæȝe; and ic nelle ȝeþolian þæt æniȝ man eow æniȝ wranȝ beode. God eow ȝehealde.

77. THE ANGLO-SAXON CHRONICLE II
(OLD ENGLISH ANNALS)

MSS., edd., Bbl.: above. — 1065-1066 from MS. D; 1070-1154 from MS. E.

The Norman Conquest.

1065. — Eadward cyng com to Westmynstre to þam middanwintre, and þet mynster þær let halgian þe he silf getimbrode, gode to lofe and sancte Petre and eallum godes halgum; and seo cyrichalgung wæs on Cildamæssædeg. And he forðferde on Twelftanæfen, and hine man bebyrigde on Twelftandæg on þam illcan minstre, swa hit heræfter sægð. 5

Her Eadward cing, Englene hlaford
sende soðfeste saule to Kriste,
on godes wera gast haligne.
He on weorolda her wunodæ þragæ
on kineþrymme creftig ræda. 10
·xxiiii· freolic wealdand
wintra rimes weolan britnode. —
Wæs a bliðemod bealeleas king,
þah he langa ær, landes bereafod,
wunode[1] wreclastum wide geond eorðan, 15
seoðþan Knut ofercom cynn Æðelredes,
and Deona weoldon deore rice
Englalandes; ·xxviii·
wintra gerimes weolan brytnodon.
Siððan forð becom, freolic in geatwum, 20
kinigc cystum god, clæne and milde,
Eadward se æðele, eðel bewarede,
land and leodan, oððæt lunger becom
deað se bytera, and swa deore genam
æðelne of eorðan; englas feredon 25
soðfeste sawle inne swegles leoht.
And se froda swa ðeah befæste þæt rice
heahðungena menn, Harolde sylfum,
æðelum eorle, se in ealne tid
herdæ holdelice herran synum 30
wordum and dædum, wihte ne agælde
þæs þe ðearfe wæs ðæs þeodkyngces.

And her wearð Harold eorl eac to cynge gehalgod; and he lytle stilnesse þæron gebad, þa hwile þe he rices weold.

1066. On þissum geare com Harold cyng of Eoferwic to Westmynstre 35 to þam Eastran þe wæron æfter þam middanwintre þe se cyng forðferde. — Þa wearð geond eall Englaland swylc tacen on heofenum gesewen swylce nan man ær ne geseah. Sume men cwedon þæt hit cometa se steorra wære, þone sume men hatað þone fæxedon steorran. — And sona þeræfter com Tostig eorl in fram begeonde sæ into Wiht mid swa miclum liðe, swa he 40 begitan mihte. And him man geald þær ægþær ge feoh ge metsunge. And Harold cyng his broþor gegædrade swa micelne sciphere and eac landhere, swa nan cyng her on lande ær ne dyde, for þam þe him wæs gecyðd þæt Wyllelm bastard wolde hider and ðis land gewinnen, eall swa hit syððan aeode. And þa wile com Tostig eorl into Humbran mid sixtigum scipum. 45 And Eadwine eorl com mid lan[d]ferde and adraf hine ut. And þa butsacarlas hine forsocan. And he for to Scotlande mid ·xii· snaccum, and hine gemette þær Harold cyng of Norwegon mid þreom hund scypum. And Tostig him to beah and his man wearð. And hi foron þa begen into Humbran oðþæt hi comon to Eoforwic. And heom þær wið fuhton Eadwine eorl and 50 Morkere eorl, his broðor. Ac þa Normen ahton sige.

[1] wunoda

Man cyðde þa Harolde, Engla cynge, þæt þis wæs þus gefaren. And þis gefeoht wæs on Uigilia sancti Mathei. Ða com Harold ure cyng on unwær on þa Normenn and hytte hi begeondan Eoforwic æt Stemfordbrygge[1]
55 mid micclan here Englisces folces; and þær wearð on dæg swiðe stranglic gefeoht on ba halfe. Þar wearð ofslægen Harold Harfagera, and Tosti eorl. And þa Normen þe þær to lafe wæron wurdon on fleame; and þa Engliscan hi hindan hetelice slogon, oðþæt hig sume to scype coman, sume adruncen, and sume eac forbærnde, and swa mislice forfarene þæt þær wæs lyt to
60 lafe. And Engle ahton wælstowe geweald. Se kyng þa geaf gryð Olafe, þæs Norna cynges suna, and heora biscope, and þan eorle of Orcanege, and eallon þan þe on þam scypum to lafe wæron. And hi foron þa upp to uran kyninge, and sworon aðas þæt hi æfre woldon fryð and freondscype into þisan lande haldan. And se cyng hi let ham faran[2] mid ·xxiiii· scypum. Þas twa
65 folcgefeoht wæron gefremmede binnan fif nihtan.

Ða com Wyllelm eorl of Normandige into Pefnesea on sancte Michaeles mæsseæfen. And sona þæs hi fere wæron, worhton castel æt Hæstingaport. Þis wearð þa Harolde cynge gecydd. And he gaderade þa mycelne here, and com him togenes æt þære haran apuldran. And Wyllelm him com
70 ongean on unwær, ær his folc gefylced wære. Ac se kyng þeah him swiðe heardlice wið feaht mid þam mannum þe him gelæstan woldon. And þær wearð micel wæl geslægen on ægðre healfe. Ðær wearð ofslægen Harold kyng, and Leofwine eorl his broðor, and Gyrð eorl his broðor, and fela godra manna. And þa Frencyscan ahton wælstowe geweald, eall swa heom
75 god uðe for folces synnon. Aldred arcebiscop and seo burhwaru on Lundene woldon habban þa Eadgar cild to kynge, eall swa him wel gecynde wæs. And Eadwine and Morkere him beheton þæt hi mid him feohtan woldon; ac swa hit æfre forðlicor beon sceolde, swa wearð hit fram dæge to dæge lætre and wyrre, eall swa hit æt þam ende eall geferde. Ðis gefeoht wæs gedon
80 on þone dæg Calesti pape. And Wyllelm eorl for eft ongean to Hæstingan and geanbidode þær, hwæðer man him to bugan wolde. Ac þa he ongeat þæt man him to cuman nolde, he for upp mid eallon his here þe him to lafe wæs and him syððan fram ofer sæ com, and hergade ealne þone ende þe he oferferde, oðþæt he com to Beorhhamstede. And þær him com ongean
85 Ealdred arcebiscop, and Eadgar cild, and Eadwine eorl, and Morkere eorl, and ealle þa betstan men of Lundene; and bugon þa for neode, þa mæst wæs to hearme gedon. And þæt wæs micel unræd þæt man æror swa ne dyde, þa hit god betan nolde for urum synnum. And gysledan and sworon him aðas. And he heom behet þæt he wolde heom hold hlaford beon; and
90 þeah onmang þisan hi hergedan eall þæt hi oferforon. Ða on midwintresdæg hine halgode to kynge Ealdred arcebiscop on Westmynstre. —

Peterborough, A.D. 1070.

1070. Her se eorl Walþeof griðede wið þone cyng. And þæs on lengten se cyng let hergian ealle þa mynstra þe on Englalande wæron. Þa on þam ilcan geare com Swegn cyng of Denmarcan into Humbran, and þæt
95 landfolc comen him ongean and griðedon wið hine; wændon þæt he sceolde þet land ofergan. Þa comen into Elig Cristien þe Densce biscop, and Osbearn eorl, and þa Densca huscarles mid heom. And þet Englisce folc of eall þa feonlandes comen to heom, wendon þæt hi sceoldon winnon eall þæt land. Þa herdon þa munecas of Burh sægen þæt heora agene menn
100 wolden hergon þone mynstre, þæt wæs Hereward and his genge; þæt wæs forðam þet hi herdon sæcgen þet se cyng heafde gifen þæt abbotrice an Frencisce abbot, Turolde wæs gehaten, and þæt he wæs swiðe styrne man and wæs cumen þa into Stanforde mid ealle hise Frencisce menn. Þa wæs þære an cyrceward, Yware wæs gehaten; nam þa be nihte eall þet he mihte,

[1] ? steinford br. [2] fafan

þet wæron Cristes bec and mæssehakeles and cantelcapas and reafes and 105
swilce litles hwat, swa hwat swa he mihte, and ferde sona ær dæg to
þone abbot Turolde, and sægde him þæt he sohte his griðe, and cydde
him hu þa utlages sceolden cumen to Burh. Þæt he dyde eall be þære
munece ræde.

Þa sona on morgen comen ealle þa utlaga mid fela scipe, and woldon 110
into þam mynstre, and þa munecas wiðstodon þæt hi na mihton in cumen.
Þa lægdon hi fyr on, and forbærndon ealle þa munece huses and eall þa
tun butan ane huse. Þa comen hi þurh fyre in æt Bolhiðe-geate; and þa
munecas comen heom togeanes, beaden heom grið. Ac hi na rohten na
þing, geodon into þe mynstre, clumben upp to þe halge rode, namen þa þe 115
kynehelm of ure drihtnes heafod, eall of smeate golde, namen þa þet fot-
spure þe wæs undernæðen his fote, þæt wæs eall of read golde, clumben
upp to þe stepel, brohton dune þæt hæcce þe þær wæs behid, hit wæs eall
of gold and of seolfre. Hi namen þære twa gildene scrines and nigon seol-
ferne, and hi namen fiftene mycele roden ge of golde ge of seolfre. Hi 120
namen þære swa mycele gold and seolfre, and swa manega gersumas on
sceat and on scrud and on bokes swa nan man ne mæi oðer tællen. Sægdon
þæt hi hit dyden for ðes mynstres holdscipe. Syððon geden heom to scipe,
ferden heom to Elig, betæhtan þær þa ealla þa gærsume. Þa Denescæ menn
wændon þæt hi sceoldon ofercumen þa Frencisca men. Þa todrefedon ealle 125
þa munekes. Beleaf þær nan butan an munec; he wæs gehaten Leofwine
lange. He læi seoc in þa secræman-in. Ða com Turold abbot, and æhte
siþe twenti Frencisce men mid him, and ealle full wepnode. Þa he þider
com, þa fand he forbærnd wiðinnan and wiðutan eall butan þa cyrece ane.
Þa wæron þa utlagas ealle on flote, wistan þæt he scolde þider cumen. Þis 130
wæs don þæs dæges ·iiii· nonas Iunii.

Þa twegen kyngas Willelm and Swægn wurdon sæhtlod. Þa ferdon
þa Dænesca menn ut of Elig mid ealle þa forenspræcena gærsume and læddon
mid heom. Þa hi comen on middewarde þe sæ, þa com an mycel storm
and todræfede ealle þa scipe þær þa gersumes wæron inne; sume ferdon to 135
Norwæge, sume to Yrlande, sume to Dænmarce. And eall þæt þider com
þæt wæs þone hæcce and sume scrine and sume roden and fela of þa oðre
gærsume, and brohten hit to an cynges tun[1] and dyden hit eall þa in þone
cyrce. Ða syððon þurh heora gemelest and þurh heora druncenhed on an
niht forbærnde þa cyrce and eall þet þær innæ wæs. Ðus wæs se mynstre 140
of Burch forbærnd and forhærgod. —

The Domesday Book.

1085. — Ða to þam midewintre wæs se cyng on Gleaweceastre mid
his witan and heold þær his hired ·v· dagas. — Æfter þisum hæfde se
cyng mycel geþeaht and swiðe deope spæce wið his witan ymbe þis land
hu hit wære gesett oððe mid hwylcon mannon. Sende þa ofer eall Engla- 145
land into ælcere scire his men and lett agan ut hu fela hundred hyda wæron
innon þære scire oððe hwet se cyng him sylf hæfde landes and orfes innan
þam lande oððe hwilce gerihtæ he ahte to habbanne to ·xii· monþum of
ðære scire. Eac he lett gewritan hu mycel landes his arcebiscopas hæfdon
and his leodbiscopas and his abbodas and his eorlas. And þeah ic hit lengre 150
telle, hwæt oððe hu mycel ælc mann hæfde, þe landsittende wæs innan
Englalande, on lande oððe on orfe, and hu mycel feos hit wære wurð. Swa
swyðe nearwelice he hit lett utaspyrian, þæt næs an ælpig hide ne an gyr-
de landes ne furðon, hit is sceame to tellanne ac hit ne þuhte him nan
sceame to donne, an oxe ne an cu ne an swin næs belyfon, þæt næs gesæt 155
on his gewrite. And ealle þa gewrita wæron gebroht to him syððan. —

[1] tun .... hatte MS.

William the Conqueror.

1087.[1] Æfter ure drihtnes hælendes Cristes gebyrtide an þusend wintra and seofan and hundeahtatig wintra on þam an and twentigan geare þæs þe Willelm weolde and stihte Engleland swa him god uðe, gewearð swiðe
160 hefelic and swiðe wolberendlic gear on þissum lande. Swylc coðe com on mannum þæt fullneah æfre þe oðer man wearð on þam wyrrestan yfele, þet is on ðam drife, and þet swa stranglice þæt mænige menn swulton on ðam yfele. Syððan com þurh þa mycclan ungewiderunge, þe comon swa we beforan tealdon, swiðe mycel hungor ofer eall Engleland þæt manig hundred
165 manna earmlice deaðe swulton þurh þone hungor. Eala, hu earmlice and hu reowlic tid wæs ða, ða ða wreccæ men lægen fordrifene full neah to deaðe, and syððan com se scearpa hungor and adyde hi mid ealle. Hwam ne mæg earmian swylcere tide? Oððe hwa is swa heardheort þæt ne mæg wepan swylces ungelimpes? Ac swylce þing gewurðað for folces synna þæt
170 hi nellað lufian god and rihtwisnesse swa swa hit wæs þa on ðam dagum þæt litel rihtwisnesse wæs on þisum lande mid ænige men, buton mid munecan ane, þær þær hi wæll ferdon.

Se cyng and þa heafodmen lufedon swiðe and oferswiðe gitsunge on golde and on seolfre, and ne rohtan hu synlice hit wære begyten, buton hit come
175 to heom. Se cyng sealde his land swa deore to male, swa heo deorost mihte; þonne com sum oðer and bead mare þonne þe oðer ær sealde, and se cyng hit lett þam menn þe him mare bead. Ðonne com se þridde and bead geat mare, and se cyng hit let þam men to handa þe him eallra meast bead, and ne rohte na hu swiðe synlice þa gerefan hit begeatan of earme mannon ne
180 hu manige unlaga hi dydon. Ac swa man swyðor spæc embe rihte lage, swa mann dyde mare unlaga. Hi arerdon unrihte tollas and manige oðre unriht hi dydan þe sindon earfeþe to areccenne. —

Eac on þam ilcan geare toforan Assumptio sancte Marie for Willelm cyng of Normandige into France mid fyrde; and hergode uppan his agenne
185 hlaford Philippe þam cynge; and sloh of his mannon mycelne dæl, and forbearnde þa burh Maðante and ealle þa halige mynstres þe wæron innon þære burh. And twegen halige menn þe hyrsumedon gode on ancersettle wuniende þær wæron forbearnde.

Ðissum þus gedone, se cyng Willelm cearde ongean to Normandige.
190 Reowlic þing he dyde, and reowlicor him gelamp. Hu reowlicor? Him geyfelade, and þæt him stranglice eglade. Hwæt mæg ic teollan? Se scearpa deað, þe ne forlet ne rice menn ne heane, se[2] hine genam. He swealt on Normandige on þone nextan dæg æfter Natiuitas sancte Marie. And man bebyrgede hine on Caþum æt sancte Stephanes mynstre. Ærer he hit arærde,
195 and syððan mænifealdlice gegodade.

Eala, hu leas and hu unwrest is þysses middaneardes wela! Se þe wæs ærur rice cyng and maniges landes hlaford, he næfde þa ealles landes buton seofon fot mæl. And se þe wæs hwilon gescrid mid golde and mid gimmum, he læg þa oferwrogen mid moldan!

200 He læfde æfter him þreo sunan. Rodbeard het se yldesta, se wæs eorl on Normandige æfter him; se oðer het Willelm, þe bær æfter him on Engleland þone kinehelm; se þridda het Heanric, þam se fæder becwæð gersuman unateallendlice.

Gif hwa gewilnigeð[3] to gewitane, hu gedon mann he wæs oððe hwilcne
205 wurðscipe he hæfde oððe hu fela lande he wære hlaford, þonne wille we be him awritan swa swa we hine ageaton, ðe him on locodan and oðre hwile on his hirede wunedon. Se cyng Willelm, þe we embe specað, wæs swiðe wis man and swiðe rice, and wurðfulre and strengere þonne ænig his foregenga wære. He wæs milde þam godum mannum þe god lufedon, and ofer

[1] *MS. err. 1086; also 1088 = MS. 1087.* [2] seo [3] gewilniged

eall gemett stearc þam mannum þe wiðcwædon his willan. On ðam ilcan 210
steode þe god him geuðe þæt he moste Engleland gegan, he arerde mære
mynster, and munecas þær gesætte and hit wæll gegodade. On his dagan
wæs þæt mære mynster on Cantwarbyrig getymbrad and eac swiðe manig
oðer ofer eall Englaland. Eac þis land wæs swiðe afylled mid munecan,
and þa leofodan heora lif æfter sanctus Benedictus regule. And se cristen- 215
dom wæs swilc on his dæge þæt ælc man hwæt his hade to belumpe fol-
gade se þe wolde.

Eac he wæs swyðe wurðful. Þriwa he bær his cynehelm ælce geare,
swa oft swa he wæs on Englelande. On Eastron he hine bær on Winceastre, on
Pentecosten on Westmynstre, on midewintre on Gleaweceastre. And þænne 220
wæron mid him ealle þa rice men ofer eall Englaland, arcebiscopas and
leodbiscopas, abbodas and eorlas, þegnas and cnihtas. Swilce he wæs eac
swyðe stearc man and ræðe, swa þæt man ne dorste nan þing ongean his
willan don. He hæfde eorlas on his bendum þe dydan ongean his willan.
Biscopas he sætte of heora biscoprice and abbodas of heora abbodrice and 225
þægnas on cweartern; and æt nextan he ne sparode his agenne broðor, Odo
het. He wæs swiðe rice biscop on Normandige, on Baius wæs his biscop-
stol; and wæs manna fyrmest to eacan þam cynge, and he hæfde eorldom
on Englelande; and þonne se cyng wæs on Normandige, þonne wæs he
mægesteron þisum lande. And hine he sætte on cweartern. 230

Betwyx oðrum þingum nis na to forgytane þæt gode frið þe he macode
on þisan lande, swa þæt an man, þe him sylf aht wære, mihte faran ofer his
rice mid his bosum full goldes ungederad; and nan man ne dorste slean
oðerne man, næfde he næfre swa mycel yfel gedon wið þone oðerne. —

He rixade ofer Englæland and hit mid his geapscipe swa þurhsmeade 235
þæt næs an hid landes innan Englælande þæt he nyste hwa heo hæfde oððe
hwæs heo wurð wæs and syððan on his gewrit gesætt. Brytland him wæs
on gewealde and he þærinne casteles gewrohte and þet manncynn mid ealle
gewealde. Swilce eac Scotland he him underþædde for his myccle strengþe.
Normandige þæt land wæs his gecynde, and ofer þone eorldom þe Mans is 240
gehaten he rixade. And gif he moste þa gyt twa gear libban, he hæfde Yr-
lande mid his werscipe gewunnon and wiðutan ælcon wæpnon.

Witodlice on his timan hæfdon men mycel geswinc and swiðe manige
teonan. Castelas he let wyrcean/ and earme men swiðe swencean./ Se cyng
wæs swa swiðe stearc/ and benam of his underþeoddan manig[1] marc/ goldes 245
and ma hundred punda seolfres./ Ðet he nam be wihte/ and mid mycelan
unrihte/ of his landleode/ for littelre neode./ He wæs on gitsunge befeallan,/
and grædinæsse he lufode mid ealle./ He sætte mycel deorfrið,/ and he
lægde laga þærwið,/ þæt swa hwa swa sloge heort oððe hinde/ þæt hine
man sceolde blendian./ He forbead þa heortas/ swylce eac þa baras./ Swa 250
swiðe he lufode þa headeor,/ swilce he wære heora fæder./ Eac he sætte
be þam haran/ þæt hi mosten freo faran./ His rice men hit mændon,/ and
þa earme men hit beceorodan./ Ac he wæs swa stið/ þæt he ne rohte heora
eallra nið,/ ac hi moston mid ealle þes cynges wille folgian,/ gif hi woldon
libban/ oððe land habban,/ land oððe eahta/ oððe wel his sehta./ Wala wa!/ 255
þæt ænig man sceolde modigan swa,/ hine sylf upp ahebban, and ofer ealle
men tellan. Se ælmihtiga god cyþæ his saule mildheortnisse, and do him
his synna forgifenesse! Ðas þing we habbað be him gewritene, ægðer ge
gode ge yfele, þæt þa godan men niman æfter þeora godnesse, and forfleon[2]
mid ealle yfelnesse, and gan on ðone weg þe us lett to heofonan rice. — 260

Æfter his deaðe his sune Willelm, hæt eall swa þe fæder, feng to þam
rice and wearð gebletsod to cynge fram Landfrance arcebiscop on West-
mynstre. —

---

[1] under þeoddan man manig [2] for leon

William Rufus and Henry I [Beauclerc].

1088. On þisum geare wæs þis land swiðe astirad and mid mycele
265 swicdome afylled, swa þæt þa riceste Frencisce men, þe weron innan þisan
lande, wolden swican heora hlaforde þam cynge and woldon habban his
broðer to cynge, Rodbeard, þe wæs eorl on Normandige. Sona swa hit com
to þam Eastron, þa ferdon hi and hergodon and bærndon and aweston þæs
cynges feormehames and eallra þæra manna land hi fordydon þe wæron
270 innan þæs cynges holdscipe. — Ða þe cyng undergeat ealle þas þing and
hwilcne swicdom hi dydon toweard his, þa wearð he on his mode swiðe
gedrefed. Sende þa æfter Englisce mannan, and heom foresæde his neode.
And gyrnde heora fultumes, and behet heom þa betsta laga þa æfre ær wæs
on þisan lande. And ælc unrihtgeold he forbead, and geatte mannan heora
275 wudas and slætinge. Ac hit ne stod nane hwile. Ac Englisce men swa þeah
fengon to þam cynge heora hlaforde on fultume. —

1096. — Ðises geares eac to þam Eastran wearð swiðe mycel styrung
geond ealle þas þeode and fela oðra þeodan þurh Urbanus se wæs papa
gehaten, þeah þe he þæs setles naþing næfde on Rome. And ferde unari-
280 medlice folc mid wifan and cildan to þi þæt hi uppon hæðene þeodan win-
nan woldan. —

1100. On þison geare se cyng Willelm heold his hired to Cristes-
mæssa on Gleaweceastre, and to Eastron on Winceastre, and to Pentecosten
on Westmynstre. And to þam Pentecosten wæs gesewen innan Barrucscire
285 æt anan tune blod weallan of eorþan, swa swa mænige sædan þe hit geseon
sceoldan. And þæræfter on morgen æfter Hlammæssedæge wearð se cyng
Willelm on huntnoðe fram his anan men mid anre fla ofsceoten and syððan
to Winceastre gebroht and on þam biscoprice bebyrged. Þæt wæs þæs
þreotteðan geares þe he rice onfeng. He wæs swiðe strang and reðe ofer
290 his land and his mænn and wið ealle his neahheburas and swiðe ondrædendlic.
And þurh yfelra manna rædas þe him æfre gecweme wæran and þurh his
agene gitsunga he æfre þas leode mid here and mid ungylde tyrwigende wæs.
Forþan þe on his dagan ælc riht afeoll. and ælc unriht for gode and for
worulde up-aras. Godes cyrcean he nyðerade. And þa biscoprices and
295 abbotrices þe þa ealdras on his dagan feollan, ealle he hi oððe wið feo ge-
sealde oððe on his agenre hand heold and to gafle gesette, forþan þe he
ælces mannes gehadodes and læwedes yrfenuma beon wolde. And swa þæt
þæs dæges þe he gefeoll, he heafde on his agenre hand þæt arcebisceoprice on
Cantwarbyrig and þæt bisceoprice on Winceastre and þæt on Searbyrig and
300 ·xi· abbotrices ealle to gafle gesette. And, þeah þe ic hit læng ylde, eall
þet þe gode wæs lað and rihtfullan mannan, eall þæt wæs gewunelic on
þisan lande on his tyman. And forþi he wæs forneah ealre his leode lað
and gode andsæte, swa swa his ænde ætywde; forþan þe he on middewardan
his unrihte buten behreowsunge and ælcere dædbote gewat.

305 On þæne Þunresdæg he wæs ofslagen and þæs on morgen bebyrged.
And syðþan he bebyrged wæs, þa witan þe þa nehhanda wæron his broðer
Heanrig to cynge gecuran. And he þærrihte þæt biscoprice on Winceastre
Willelme Giffarde geaf And siþþan to Lundene for. And on þan Sunnan-
dæge þæræfter toforan þam weofode on Westmynstre gode and eallan folce
310 behet ealle þa unriht to aleggene, þe on his broðer timan wæran, and þa
betstan lage to healdene þe on æniges cynges dæge toforan him stodan.
And hine syððan æfter þam se biscop of Lundene Mauricius to cynge gehal-
gode; and him ealle on þeosan lande to abugan, and aðas sworan, and his
men wurdon. — Ða toforan sancte Michaeles mæssan com se arcebiscop
315 Ansealm of Cantwarbyrig hider to lande, swa swa se cyng Heanrig be his
witena ræde him æfter sende, forþan þe he wæs ut of þis lande gefaren for
þan mycelan unrihte þe se cyng Willelm him dyde. And siðþan sona her-
æfter se cyng genam Mahalde him to wife, Malcolmes cynges dohter of
Scotlande and Margareta þære goda cwæne, Eadwardes cynges magan, and

of þan rihtan Ænglalandes kynekynne. And on sancte Martines mæssedæg heo wearð him mid mycelan weorðscipe forgifen on Westmynstre, and se arcebiscop Ansealm hi him bewæddade and siððan to cwene gehalgode. — 320

1110. - Ðises geares sende se cyng toforan længtene his dohter mid mænigfealdan madman ofer sæ, and hi þam casere forgeaf. On þære fiftan nihte on Maies monðe ætywde se mona on æfen beorhte scinende, and syððan litlan and litlan his leoht wanode, swa þæt he sona nihtes to þam swiðe mid ealle acwanc, þæt naþer ne leoht ne trændel ne nan þing mid ealle of him wæs gesæwen; and swa þurhwunode fullneah oð dæg, and syðþan full and beorhte scinende ætywde. He wæs þæs ylcan dæges feowertyne nihta eald. Ealle þa niht wæs seo lyft swiðe clene, and þa steorran ofer eall þa heofon swiðe beorhte scinende. And treowwæstmas wurdon þære nihte þurh forste swiðe fornumene. — 325 330

1127. Ðis gear heald se kyng Heanri his hird æt Cristesmæsse on Windlesoure. Þær wæs se Scotte kyng Dauid and eall ða heaued læred and læuued þæt wæs on Engleland. And þær he let sweren ercebiscopes and biscopes and abbotes and eorles and ealle þa ðeines ða þær wæron his dohter Æðelic Englaland and Normandi to hande æfter his dæi, þe ær wæs þes caseres wif of Sexlande. And sende hire siððen to Normandi; and mid hire ferde hire broðer Rotbert eorl of Gleucestre and Brian þes eorles sunu Alein Fergan. And leot hire beweddan þes eorles sunu of Angeow, Gosfreið Martæl wæs gehaten. Hit ofþuhte naþema ealle Frencisc and Englisc; oc se kyng hit dide for to hauene sibbe of se eorl of Angeow and for helpe to hauene togænes his neue Willelm. — 335 340

1128. — Ðes ilces geares com fram Ierusalem Hugo of þe Temple to ðone kyng on Normandig. And se kyng him underfeng mid micel wurðscipe, and micele gersumes him geaf on gold and on silure. And siððon he sende him to Englalande. And þær he wæs underfangen of ealle gode men, and ealle him geauen gersume, and on Scotlande ealswa. And be him senden to Ierusalem micel eahte mid ealle on gold and on silure. And he bebead folc vt to Ierusalem, and þa for mid him and æfter him swa micel folc, swa næfre ær ne dide, siððon þæt se firste fare was on Vrbanes dæi pape. Þeah hit litel behelde. He seide þæt fulle feoht was sett betwenen ða cristene and þa heðene. Þa hi þider comon, ða ne was hit noht buton læsunge. Þus earmlice wearð eall þæt folc swengt. — 345 350

1135. On þis gære for se king Henri ouer sæ æt te Lammasse. And ðat[1] oþer dei þa he lai an slep in scip, þa þestrede þe dæi ouer al landes, and uuard þe sunne suilc als it uuare thre niht ald mone, an sterres abuten him at middæi. Wurþen men suiðe ofuundred and ofdred, and sæden ðat micel þing sculde cumen herefter. Sua dide; for þat ilc gær warth þe king ded ðat oþer dæi efter sanct Andreas massedæi on Normandi. Þa þestreden[1] sona þas landes; for æuric man sone ræuede oþer þe mihte. Þa namen his sune and his frend, and brohten his lic to Englelande and bebirieden[2] in Redinge. God man he wes, and micel æie wes of him. Durste nan man misdon wið oðer on his time. Pais he makede men and dær. Wuasua bare his byrthen gold and sylure, durste nan man sei to him naht bute god. 355 360 365

Enmang þis was his nefe cumen to Englelande, Stephne de Blais; and com to Lundene. And te Lundenisce folc him underfeng, and senden æfter þe ærcebiscop Willelm Curbuil; and halechede him to kinge on midewintredæi. On þis kinges time wes al unfrið and yfel and ræflac; for agenes him risen sona þa rice men þe wæron swikes, alrefyrst Balduin de Reduers, and held Execestre agenes him. And te king it besæt, and siððan Balduin acordede. Þa tocan þa oðre, and helden her castles agenes him. — 370

[1] westre *MS.*] *em. Bradley*, wes treson a þas *Emerson* [2] bebiriend

The Last Entries. Stephen, Matilda , Henry II [Courtmantle].

1137. Ðis gære for þe king Stephne ofer sæ to Normandi, and ther wes undertangen forþi ðat hi uuenden ðat he sculde ben alsuic alse the eom
375 wes and for he hadde get his tresor. Ac he todeld it and scatered sotlice. Micel hadde Henri king gadered gold and syluer, and na god ne dide me for his saule tharof.

Þa þe king Stephne to Englalande com, þa macod he his gadering æt Oxeneford. And þar he nam þe biscop Roger of Sereberi and Alexander
380 biscop of Lincol and te canceler Roger hise neues, and dide ælle in prisun til hi iafen up here castles. Þa the suikes undergæton ðat he milde man was and softe and god and na iustise ne dide, þa diden hi alle wunder. Hi hadden him manred maked and athes suoren; ac hi nan treuthe ne heolden. Alle he wæron forsworen and here treothes forloren. For æuric rice man his
385 castles makede, and agænes him heolden, and fylden þe land ful of castles. Hi suencten suyðe þe uurecce men of þe land mid castelweorces. Þa þe castles uuaren maked, þa fylden hi mid deoules and yuele men. Þa namen hi þa men þe hi wenden ðat ani god hefden, bathe be nihtes and be dæies, carlmen and wimmen, and diden heom in prisun efter gold and syluer, and
390 pined heom untellendlice pining. For ne uuæren næure nan martyrs swa pined alse hi wæron: Me henged up bi the fet and smoked heom mid ful smoke. Me henged bi the þumbes other bi the hefed, and hengen bryniges on her fet. Me dide cnotted strenges abuton here hæued, and uurythen to ðat it gæde to þe hærnes. Hi dyden heom in quarterne, þar nadres and
395 snakes and pades wæron inne, and drapen heom swa. Sume hi diden in crucethus, ðat is in an cæste þat was scort and nareu and undep, and dide scærpe stanes þerinne, and þrengde þe man þærinne, ðat him bræcon alle þe limes. In mani of þe castles wæron 'lof and grin'; ðat wæron rachenteges ðat twa oþer ihre men hadden onoh to bæron onne. Þat was sua maced,
400 ðat is, fæstned to an beom, and diden an scærp iren abuton þa mannes throte and his hals, ðat he ne myhte nowiderwardes ne sitten ne lien ne slepen, oc bæron al ðat iren. Mani þusen hi drapen mid hungær.

I ne can ne i ne mai tellen alle þe wunder ne alle þe pines ðat hi diden wrecce men on þis land. And ðat lastede þa ·xix· wintre wile Stephne
405 was king, and æure it was uuerse and uuerse. Hi læiden gæildes on the tunes æure um wile and clepeden it 'tenserie'. Þa þe uurecce men ne hadden nan more to gyuen, þa ræueden hi and brendon alle the tunes, ðat wel þu myhtes faren all a dæis fare sculdest thu neure finden man in tune sittende ne land tiled. Þa was corn dære and flec and cæse and butere; for nan ne
410 wæs o þe land. Wrecce men sturuen of hungær. Sume ieden on ælmes, þe waren sum wile rice men. Sume flugen ut of lande. Wes næure gæt mare wreccehed on land, ne næure hethen men werse ne diden þan hi diden. — Gif twa men oþer ·iii· coman ridend to an tun, al þe tunscipe flugæn for heom, wenden ðat hi wæron ræueres. Þe biscopes and lered men heom
415 cursede æure, oc was heom naht þarof; for hi uueron al forcursæd and forsuoren and forloren. Warsæ me tilede, þe erthe ne bar nan corn; for þe land was al fordon mid suilce dædes. And hi sæden openlice ðat Crist slep and his halechen. Suilc and mare þanne we cunnen sæin we þolenden ·xix· wintre for ure sinnes. —

420 1140. On þis gær wolde þe king Stephne tæcen Rodbert eorl of Gloucestre, þe kinges sune Henries; ac he ne myhte, for he wart it war. — Þerefter wæx suythe micel uuerre betuyx þe king and Randolf eorl of Cæstre, noht forþi ðat he ne iaf him al ðat he cuthe axen him, alse he dide alle othre, oc æfre þe mare he iaf heom, þe wærse hi wæron him. Þe eorl heold Lincol
425 agænes þe king, and benam him al ðat he ahte to hauen. And te king for þider and besætte him and his brother Willelm de Romare[1] in þe castel.

[1] r . . are

And te æorl stæl ut and ferde efter Rodbert eorl of Gloucestre, and brohte him þider mid micel ferd. And fuhten suythe on Candelmassedæi agenes heore lauerd, and namen him; for his men him suyken and flugæn. And læd him to Bristowe, and diden þar in prisun and feteres[1]. Þa was al Engleland styred mar þan ær wæs, and al yuel wæs in lande. 430

Þerefter com þe kynges dohter Henries, þe hefde ben emperice in Alamanie and nu wæs cuntesse in Angou. And com to Lundene, and te Lundenissce folc hire wolde tæcen. And scæ fleh and forles þar micel. Þerefter þe biscop of Wincestre Henri þe kinges brother Stephnes spac wid Rodbert eorl and wyd þemperice, and suor heom athas ðat he neure ma mid te king his brother wolde halden. And cursede alle þe men þe mid him heoldon, and sæde heom ðat he uuolde iiuen heom up Wincestre; and dide heom cumen þider. Þa hi þærinne wæren, þa com þe kinges cuen mid al hire strengthe, and besæt heom, ðat þer wæs inne micel hungær. Þa hi ne leng ne muhten þolen, þa stali hi ut and flugen. And hi wurthen war widuten and folecheden heom. And namen Rodbert eorl of Gloucestre, and ledden him to Rouecestre, and diden him þare in prisun; and te emperice fleh into an minstre. Þa feorden þe wise men betwyx þe kinges freond and te eorles freond, and sahtlede sua ðat me sculde leten ut þe king of prisun for þe eorl, and te eorl for þe king. And sua diden. — 435 440 445

Þa was Engleland suythe todeled. Sume helden mid te king, and sume mid þemperice For þa þe king was in prisun, þa wenden þe eorles and te rice men þat he neure mare sculde cumen ut; and sæhtleden wyd þemperice, and brohten hire into Oxenford, and iauen hire þe burch. Þa þe king was ute, þa herde ðat sægen, and toc his feord, and besæt hire in þe tur. And me læt hire dun on niht of þe tur mid rapes, and stal ut. And scæ fleh and iæde on fote to Walingford. Þærefter scæ ferde ouer sæ. And hi of Normandi wenden alle fra þe king to þe eorl of Angæu, sume here þankes, and sume here unþankes; for he besæt heom til hi aiauen up here castles. And hi nan helpe ne hæfden of þe kinge. — 450 455

And te eorl of Angæu wærd ded. And his sune Henri toc to þe rice. And te cuen of France todælde fra þe king. And scæ com to þe iunge eorl Henri, and he toc hire to wiue and al Peitou mid hire. Þa ferde he mid micel færd into Engleland, and wan castles. And te king ferde agenes him mid micel mare ferd. And þoþwæthere fuhtten hi noht. Oc ferden þe ærcebiscop and te wise men betwux heom, and makede ðat sahte ðat te king sculde ben lauerd and king wile he liuede, and æfter his dæi ware Henri king; and he helde him for fader and he him for sune, and sib and sæhte sculde ben betwyx heom and on al Engleland. Þis and te othre foruuardes þet hi makeden suoren to halden þe king and te eorl and te biscopes[2] and te eorles and rice men alle. Þa was þe eorl underfangen æt Wincestre and æt Lundene mid micel wurtscipe. And alle diden him manred, and suoren þe pais to halden. And hit ward sone suythe god pais, sua ðat neure was ere[3]. Þa was þe king strengere þanne he æuert er[4] was. And te eorl ferde ouer sæ. And al folc him luuede, for he dide god iustise and makede pais.[5] 460 465 470

1154. On þis gær wærd þe king Stephne ded, and bebyried, þer his wif and his sune wæron bebyried, æt Faueresfeld; þæt minster hi makeden. Þa þe king was ded, þa was þe eorl beionde sæ. And ne durste nan man don oþer bute god for þe micel eie of him. Þa he to Engleland com, þa was he underfangen mid micel wurtscipe and to king bletcæd in Lundene on þe Sunnendæi beforen midwinterdæi. And held þær micel curt. — 475

---

[1] .. teres [2] b[iscop] [3] here *MS.*, *em.* *Emerson* [4] her

78. AELFRIC. SERMO DE INITIO CREATURAE

MS.: Cambridge, Univ. Gg. 3. 28; first half of the XIth century. — *Editions and bibliography:* cf. Ælfric's Homilies and Legends (above).

An angin is ealra þinga, þæt is god ælmihtig. He is ordfruma and ende. He is ordfruma, forði þe he wæs æfre; he is ende butan ælcere geendunge, forðan þe he bið æfre ungeendod. He is ealra cyninga cyning, and ealra hlaforda hlaford. He hylt mid his mihte heofonas and eorðan, and
5 ealle gesceafta butan geswince; and he besceawað þa niwelnyssa þe under þyssere eorðan sind. He awecð ealle duna mid anre handa; and ne mæg nan þing his willan wiðstandan, ne mæg nan gesceaft fulfremedlice smeagan ne understandan ymbe god. Maran cyððe habbað englas to gode þonne men, and þeahhweðere hi ne magon fulfremedlice understandan ymbe god.
10 He gesceop gesceafta þa ða he wolde; þurh his wisdom he geworhte ealle þing, and þurh his willan he hi ealle geliffæste. Ðeos þrynnys is an god; þæt is se fæder and his wisdom of him sylfum æfre acenned, and heora begra willa, þæt is se halga gast; he nis na acenned, ac he gæð of þam fæder and of þam suna gelice. Ðas þry hadas sindon an ælmihtig god, se
15 geworhte heofenas, and eorðan, and ealle gesceafta.

He gesceop tyn engla werod, þæt sind englas and heahenglas, throni, dominationes, principatus, potestates, uirtutes, cherubim, seraphim. Her sindon nigon engla werod. Hi nabbað nænne lichaman, ac hi sindon ealle gastas swiðe strange and mihtige and wlitige, on micelre fægernysse gesceapene, to
20 lofe and to wurðmynte heora scyppende. Ðæt teoðe werod abreað and awende on yfel. God hi gesceop ealle gode, and let hi habban agenne cyre, swa hi heora scyppend lufedon and filigdon, swa hi hine forleton. Ða wæs þæs teoðan werodes ealdor swiðe fæger and wlitig gesceapen, swa þæt he wæs gehaten Leohtberend. Þa began he to modigenne for þære fægernysse þe he hæfde,
25 and cwæð on his heortan þæt he wolde and eaðe mihte beon his scyppende gelic, and sittan on þam norðdæle heofenan rices, and habban andweald and rice ongean god ælmihtigne[1] Þa gefæstnode he þisne ræd wið þæt werod þe he bewiste, and hi ealle to ðam ræde gebugon. Ða ða hi ealle hæfdon þysne ræd betwux him gefæstnod, þa becom godes grama ofer hi ealle, and hi
30 ealle wurdon awende of þam fægeran hiwe, þe hi on gesceapene wæron, to laðlicum deoflum. And swiðe rihtlice him swa getimode: Þa ða he wolde mid modignysse beon betera þonne he gesceapen wæs, and cwæð, þæt he mihte beon þam ælmihtigum gode gelic, þa wearð he and ealle his geferan forcuþran and wyrsan þonne ænig oðer gesceaft; and þa hwile þe he smeade
35 hu he mihte dælan rice wið god, þa hwile gearcode se ælmihtiga scyppend him and his geferum helle wite, and hi ealle adræfde of heofenan rices myrhðe, and let befeallan on þæt ece fyr, þe him gegearcod wæs for heora ofermettum.

Þa sona þa nigon werod, þe ðær to lafe wæron, bugon to heora scyppende mid ealre eaðmodnesse, and betæhton heora ræd to his willan. Þa
40 getrymde se ælmihtiga god þa nigon engla werod, and gestaþelfæste swa þæt hi næfre ne mihton ne noldon syððan fram his willan gebugan; ne hi ne magon nu, ne hi nellað nane synne gewyrcan, ac hi æfre beoð ymbe þæt an, hu hi magon gode gehyrsumian and him gecweman. Swa mihton eac þa oðre þe ðær feollon don, gif hi woldon; forþi ðe god hi geworhte to wlitegum
45 engla gecynde, and let hi habban agenne cyre, and hi næfre ne gebigde ne ne nydde mid nanum þingum to þam yfelan ræde; ne næfre se yfela ræd ne com of godes geþance, ac com of þæs deofles, swa swa we ær cwædon.

---

[1] ælmihtne

79. A COTTON VESPASIAN HOMILY

(EARLY ME. TRANSLITERATION OF AELFRIC'S SERMO DE INITIO CREATURAE)

MS.: BM., Cotton Vespasian A XXII; first half of the 13th century. — *ed.*: R. Morris, EETS. 34. — We. V; 16; Ke. 4636; Ba. 172; RO. 391.

Vre hlaford almihtiȝ god wile and us hot þat we hine lufie, and of him maȝe and spece, naht him to mede, ac hus to freme and to fultume. Gif non of him ne spece non hine ne lufede. Gif non hine ne lufede non to him ne come, ne delende nere of his eadinesse, nof his merhðe. Hit is wel swete of him to specene; þenche ȝie ælc word of him swete, al swa an huni tiar felle upe ȝiure hierte. — 5

Heo is ælra þinga angin, and hordfruma and ænde. He his ord; for he wes efre; he is ænde buton ælcere ȝiendunȝe. Heo is alra kingene king and alra hlaforden hlaford. He halt mid his mihte hefene and eorðe and alle ȝescefte buton ȝeswince. Ne meȝ nan iscefte fulfremedlice smeaȝan ne understonden embe god. 10

Heo ȝescop ȝesceafte þa ða he wolde. Þurh his wisdom, se sune, heo ȝeworhte alle þing and þurh his wille, ali gast, he hi alle ȝeliffeste. Þeos þrimnis is an god; þat is se fader and his wisdom of him selfe efre acenned, and hare beire wille, þat is se hali gast; he geð of þe fader and of þe sune ȝelice. 15

He ȝescop tyen engle werod oðer had oðer hapes, þat beoð angeli, boden; archangeli, hahboden; troni, þrimsetles; dominationes, hlafordscipe; principatus, alderscipen; potestates, anwealda gastes; uirtutes, mihti gastes; cherubim, ȝefildnesse of ywitte; seraphim, birninde oðer anhelend. Forwan hi beoð þuss icweðe me scel sigge an oðre stowe. Her beoð niȝen anglen hapes oðer had oðer werod. Hi nabbeð nenne lichama, ac hi bæð alle gastes swiðe strange and mihti an mucele feirnesse isceapen to lofe and to wurhminte hare sceoppinde. Þat teonðe werod abreað and awende on yfele, oðer al swa fele þe me mihte þat tioðe hape fulfellen. God ȝesceop alle gode, and let hi hi habben aȝen chire to chiesen ȝief hy wolden hare sceappinde lufie oðer hine ferleten. Þa wes þes tyendes hapes alder swiþe feir isceapen, swa þat heo was ȝehoten Leoht-berinde. Þa began he to modienne fer þere feirnesse þe heo hafde, and cweð an his herto, þat he wolde and eaðe mihte bien his sceoppinde ȝelic and sitte an norðdele hefene riches and habbe anwealda and riche anȝen god-elmichti[1]. Þa yfestende þisne red wið þan hape þe bewiste, and hi alle to rede gebuȝon. Þa þe hi[2] alle hafeden þisne red betwuxe ham ȝefestnod, þa becom godes grama ofer ham alle, and hi alle wurðon awende of þan feȝre hiwe þe hi anȝescapen were to loðlice deoflen. And swiðe riçhtlice ham swa belamp: Þa ðe hi wolde mid modinesse beon betere þonne he ȝesceapen were and cweð hare alder þat he mihte beon þam ælmihti god ȝelic, þa warð he and halle his iferen forcuðran and wursan þanne ænig oðer ȝesceafte. And þa wile þe he smeade hu he mihte delen rice wið god, þa wile ȝearcode se almihti sceappende him and his iferen helle wite, and hi alle adrefde of heofan rices mirhðe, and let befallen on þat ece fer þe ham ȝearcod was fer hare prede. 20 25 30 35 40

Þa sona þe nigon werod oðe hapes þe þer to lafon were, bugon to hare scyppende mid ælra ædmodnisse, and betehton hare red to his wille. Þa ȝefestnede se ælmihti god þa nigen angle wærod and ȝesteþelfaste swa þat hi nefre ne mihten ne noldan siððan fram his wille ȝebugon; ne hi muȝen ne hi nelleð nane synne ȝewercon, ac hi efre beoð ymbe þat an hu hi mugon god hihersamian and him ȝecwemen. Swa michte æac þe oðre þe þer fellon don ȝef hi wolden; forði ðe god hi ȝeworhte to meren anglen, and let ham habba agenne cire, and hi nefre ne bide nane niede to þan yfele rede, ne yfel to þence, ne to donne. 45 50

---

[1] godelmichti *MS.* [2] hi] li *MS.*

80. AN BISPEL

MS., ed., &c.: Cotton Vespasian A XXII, *above.*

Hit ȝelamp þat an rice king wes, strang and mihti. His land gelest wide and side, his folc was swiðe ærfeð-teile; his underþeoden ȝewer on his cynerice wuneden.

Þa befel hit swa þat him a þance befell to underȝeite wa an alle his cynerice him were frend oðer fend, hold oðer fa. And he nam him to rede þat heom wolde ȝearceon anæ grate laðienge and þider ȝeclepien all his underþeod, þat hi bi ene fece to his curt berie come sceolde, and sette ænne deȝie, þat hi alle be þe latst to þa deȝie þer were.

Ac þis ȝesceod he hadde isett bitweone frend and fend, þat þan hi come mistlice to berie, ȝef he frend were me hine sceolde derewrlice[1] forðclepien and do hine wasse and ȝiefe him his formemete, þat him to lang ne þuhte to abiden of[2] se[3] laford to þe none inn come. Gief he fend were me sceolden anon eter gat ȝemete mid gode repples and stiarne swepen, and stiarne hine besie, and binde him hand and fett, and do hine into þiesternesse, and þer abide of[2] all his ȝeferen were ȝegadered, þat hi alle clone[4] simle belocen were.

Þa sende se king his ærndraches of fif ceðen to alle his underþeoden to ȝelaðie þis folc; hwet bute icome, sum cofer sum later, sum frend sum fend, and was idon bi ham al swa ær cweðe[5] þat isett was.

Þa hit þerto com þat se hlaford into þar halle come mid his dierewurð ȝeferede, mid ærlen and aldren, mid cnihten, mid þeinen, þa cweð se hlafor to his: "Æer þanne we mid ure frienden toðe mete go, scewie[6] we þes uncoðe mæn ur ȝefo." Þa hi tofor him come, þa wente he hin to ham and þus cweð: "Unwraste man, wat lacede ȝeu an alle mire rice þat ȝie hatrede and widerwardnesse aȝenes me ȝewin[7] sceolde and to mine fa ȝebugon? Swa ibruce ic mine rice, ne scule ȝie mine mete ibite, ac scule þa þe hit mid mire lufe ȝearnede." Þa þis was isegd, þa were cofe abruden into þesternesse, þe hi sturfe hungre; and se hlaford nam within[8] to is frenden and et and dranc and macede hine wel bliðe mid his, and þer hi hadden brad and win and ·vii· sandon.

Nu, gode menn, understandeð þis bispel: Þes king is ure hlaford almihti god, þe is king ofer alle kingen and hlaford ofer alle hlaforden. Strang[9] he his and michti; for he ȝesceop alle þing of nahte, and na þing ne maȝi aȝenes his wille ne him wiðstande. Forþan him seigd se witiȝe: "*Qui celorum contines tronos &c.* Þat is: Hlaford of mihte, þe halste[10] hefene þrimsettles and to[11] neowelnesse þe under eorðe is belocest; ·iii· p[r]ou[12]. Þe dunan þu awiðhst mid þina hand. He is iwiss mihti, forþan þe non mihte nis buton fram him. His land is all þes middenard, for he alle ȝesceop and all dihte wiðute swince. He us is king and sceppend, and fader and hlaford. King, for he mid rihtwisnesse diht man and engel, god and euel; sceppende, for he us machede lichame and sawle ableow; feder, for he us fett and scred and forðteh alse is cyldren; hlaford, forþan þe is ȝeie and drednesse is ofer hus and þas ah to bienne. He is hure fader; he lenð us his eorðe to tolie, his[13] corn to sawe, his eorðe us werpð corn and westm, niatt and dierchin, his loht leoem and lif, his water drench and fiscynn, his fer manifeald þeninge. His sonne, mone, sterren, rien, daw, wind, wude: unitald fultume al þat we habbeð of þese feder we habbeð, of wam we alle and us sielfe[14] habbeð. Muȝe we ahct clepeien hine moder, wene we ȝie muȝe we, hwat deð si moder hire bearn. —

And þis is seo king þe wile wite an alle his underþeode wa hine lufeð and hwa hine hateð, hwa him is frend oðer fend. And þerfor he hað ȝelaðed alle folc to ane dȝeie, þat is domes dȝeie, þat hi alle þer beon be þe latst.

---

[1] derewurðlice *em. Morris* [2] oð *em. Mo.* [3] fe *MS.* [4] clene *em. Mo.* [5] cweðe we *emm. Mo. and Hall (SEME); but perh.* cweðe *for* cweð he [6] scepie *MS.* [7] ȝewinne *emm. Mo., Hall* [8] within] hit hī *MS.*, wiðinne *em. Hall; ?* named him *(cf. OED* name *v., and* take *v. 63c)* [9] Srang *MS.* [10] alste *MS.*, halst *emm. Mo. Hall; but perh. for* þe hef. [11] tho *em. Mo.* [12] = Third Book of the Proverbs, *Hall* [13] he *MS.* [14] sielþe *MS.*

81. LAMBETH HOMILIES

MS.: Lambeth 487; late 12th century. — *ed.*: R. Morris, EETS. 29/34. — We. V, 12; Ke. 4638-; Ba. 170; RO. 390.

(III.) "Go to thy father's tomb!"

Tobreoke anes eorðliches monnes heste: he wile wreðe wið þe. Hunfald mare þu scoldest halden Cristes biheste, for þon he is alra kinge king. Þe mon, þe leie ·xij· moneð in ane prisune, nalde he ȝefen al þet he efre mahte biȝeten wið þet he moste ·xij· beo ðer ut of? And þah þu leie in ane prisune oðer hwile, þu hefdest clað to werien, and to etene and to drinken. Ȝe, soðliche, on Cristes prisune nis nan of þis sere: þet is in helle. Ah a þer is waning and graming and toþen grisbating, hunger and þurst, and chele, and feonda bitinga, and neddre slittinga. Wa is him þet he efre wes iboren on þis liue, þe þer scal wunian. 5

Þah þu liuedest of Adames frumðe þet come þes dei and þu ahtest al weorld iwald and alre welene mest, þenne þu scalt of þisse liue, naldc hit þe þinchen na mare bute al-swa þu ene unwriȝedest[1] mid þine eȝen; forðon nis nawiht þeos weorld. Al heo aȝeð, on ane alpi þraȝe þerihtes he ne bið. Wei, hwi beo we uule on þisse wrecche world? Soðliche[2] heo us truket þenne we lest weneð. Wei, þet eni mon scal wið oðerne misdon for þisse worldes ȝitsunge[3]! Soðliche, al heo agað, and þa wrecche saule hit scal abuggen. 10 15

Ga to þine feder burinesse oðer þer eni of þine cunne lið in, and esca hine, hwet he habbe biȝeten mid his wohe domas and mid his reuunge, mid his licome lustes, mid his oðre sunne, hwile he wes her on þisse liue! Soðliche, he walde seggen ȝif he mihte speken: "Wa is me, þet ic efre dude swa muchele sunne and heo ne ȝebette; for swilche pine ic habbe, þet me were leofere þenne al world þah hit were min most ic habben an alpi þraȝe summe lisse and summe leðe. And ec most ic[4] underfon minne licome and beon on worlde a mare ic walde fein pinian and sitten on forste and on snawe up et mine chinne and þa ȝet hit walde[5] me þunchen þet softeste beð and þet wunsemeste þet ic efre ibad, moste ic beon of þisse earme liue!" 20 25

And þa-ȝet þu maht understonden þenne þu stondest et his burienesse, þet he wes prud and wlonc, swa þu ert nu; and þu forwurðest eca swa he is nu al to nohte; and þu nast neure hwenne. Leof wes he on liue; and lað is he nuðe, and þa wrecche saule forloren. Forþi, leofe men, understondet eouseluen þa hwile ȝe mahten: Nis þas weorld nawiht; ȝe hit iseoð eow seluen. — 30

(V.) The Pit of Sin.

Leofe men, we uindeð in halie boc, þet Ieremie þe prophete stod in ane putte, and þet in þe uenne up to his muðe. And þa he hefede þer ane while istonde, þa bicom his licome swiðe feble; and me nom rapes and caste in to him for[6] to draȝen hine ut of þisse putte. Ah his licome wes se swiðe feble, þet he ne mihte noht iþolie þe herdnesse of þe rapes. Þa sende me claðes ut of þes kinges huse for to biwinden þe rapes, þet his licome, þe feble wes, ne sceolde noht wursien. 35 40

Leofe men, þeos ilke weord þe ic habbe her iseit habbeð muchele bitacnunge, and god ha beoð to heren and muchele betere to ethalden. — Þes put bitacneð deopnesse of sunne; for alse longe alse we liggeð in heueð-sunnen, al þa hwile we stondeð[7] in þe putte and þet in þe uenne up to þe muðe, alse þeos men doð þe liggeð inne eubruche and ine glutenerie and ine manaðas and ine prude and ine oðre fule sunnen. And þet beoð riche men alremest, þe habbeð þas muchele prude in þis worlde, þe habbeð 45

[1] unpriȝedest *MS.*, em. *Morris* [2] Soddliche *MS.* [3] ȝifsunge *MS.* [4] mostic *MS.*
[5] walð *MS.* [6] for] fro *MS.* [7] stodeð *MS.*

feire huses and feire hames, feire wifes and feire children, feire hors and
50 feire claþes, heauekes and hundes, castles and tunes. Her uppon heo þencheð muchele mare þen uppon god-almihtin, þe al þis heom haueð isend. Þa þe liggeð inne swilc sunne and ne þencheð noht for to arisen, heo delueð deihwamliche heore put deoppre and deoppre. Ah, leofe men, god-almihtin haueð isceawed[1] us wel muchele grace, þenne he haueð geuen us to beon
55 muð-freo[2], þet we maȝen mid ure muðe bringen us ut of þisse putte, þe bitacneð þeo deopnesse of sunne. And þet þurh þreo herde weies, þe þus beoð ihaten: *Cordis contricione, oris confessione, operis satisfactione;* þurð heorte bireusunke, þurh muðes openunge, þurh dede wel endinge. —

Bi Ieremie þe prophete we aȝen to understonden ulcne mon sunfulle,
60 þet lið in heuie sunne and þurh soðe scrift his sunbendes nule slakien. *Funiculi amaritudines penitencie significant*: Þe rapes þe weren icast to him bitacneð þe herdnesse of scrifte; for nis nan of us se strong þe hefde idon þre hefsunnen, þet his licome nere swiðe feble er he hefde idreȝen þet scrift þe þerto bilimpeð. *Panni circumpositi funibus ecclesie sacramenta*
65 *significant quibus penitencie duricia mitigatur*: Þas kinges hus bitacneð hali chirche; þa claðes, þet weren isende ut of þes kinges huse for to binden þe rapes mid, bitacnet þe halie ureisuns, þe me singeð in halie chirche, and þe halie sacramens, þe me sacreð in alesnesse of alla sunfulle.

Leofe men, nu ȝe habbeð iherd[3] of þis putte þe bitacninge, þe ic habbe
70 embe ispeken, and þe bitacninge of þe prophete, and þet þe rapes bitacneð and hwat þa claðes bitacneð þe þe rapes weren mide biwunden. Ihereð nuðe whulche þinges wunieð in þisse putte. Þer wunieð fower cunnes wurmes inne, þet fordoð nuðe al þeos midelerd: Þer wunieð inne faȝe neddren and beoreð atter under heore tunge; blake tadden and habbeð atter
75 uppon heore heorte; ȝeluwe froggen, and crabben. Crabbe is an manere of fissce in þere sea. Þis fis is of swulc cunde þet euer se he mare strengðdeð him to swimminde mid þe watere se he mare swimmeð abac. And þe alde crabbe seide to þe ȝunge: "Hwi ne swimmest þu forðwarð in þere sea alse oðer fisses doð?" And heo seide: "Leofe moder, swim þu
80 foren me and tech me hu ic scal swimmen forðward." And heo[4] bigon to swimmen forðward mid þe streme, and swam hire þer aȝen.

Þas faȝe neddre bitacneð þis faȝe folc þe wuneð in þisse weorlde, þe speket alse feire biforen heore euencristene alse heo heom walde into heore bosme puten, and swa sone se hi beoð iturnd awey from heom, heom to-
85 twiccheð and todraȝeð mid ufele weordes. *Hii eciam sunt doctores et falsi christiani.* Þos men þe þus todraȝed heore euencristene bihinden heo habbeð þe nome of cristene, ah þah heo beoð Cristes unwines and beoð monslaȝen; for heo slaȝeð heore aȝene saule and bringeð heon into þare eche pine of helle.

90 Þos blaca tadden, þet habbeð þet atter uppon heore heorte, bitacneð þes riche men, þe habbeð þes mucheles weorldes ehte and na maȝen noht itimien þarof to eten ne to drinken, ne na god don þerof for þe luue of god-almihtin þe haueð hit heom al geuen, ah liggeð þer-uppon alse þe tadde deð in þere eorðe þet neure ne mei itimien to eten hire fulle, swa
95 heo is afered leste þeo eorðe hire trukie. Þeos ilke ehte þe þeos þus ouerliggeð heom turneð to swart atter; for heo falleð þer-þurh into þer stronge pine þet na mon ne mei tellen.

Þeos ȝeolewe froggen bitacneð þeos wimmen þe claþeð heom mid ȝeolewe[5] claþes; for þe ȝeolewe clað is þes deofles helfter. Þeos wimmen
100 þe þus luuieð[6] beoð þes deofles musestoch iclepede; for þenne þe mon wule tilden his musestoch he bindeð uppon þa swike chese and bret hine for-þon þet he scolde swote smelle; and þurh þe sweote smel of þe chese he bicherreð monie mus to þe stoke. Alswa doð monie of þas wimmen; heo smurieð heom mid blanchet þet is þes deofles sape, and claþeð heom

[1] isceaweð *MS.* [2] mud freo *MS.* [3] iherð *MS.* [4] heo *suppl. Morris* [5] froggen — ȝeolewe] *not in MS., suppl. Hall* [6] lumeð *em. Hall,* liuieð *Morris*

mid ȝeoluwe claþe, þet is þes deofles helfter. And seodðan heo lokieð in þe scawere, þet is þes deofles hindene. Þus heo doð for to feiren heom seoluen and to draȝen lechurs to ham; ah heo fuleð heom soluen þermide. 105

Nu, leofe men, for godes lufe witeð how wið þes deofles musestoch, and witeð eow, þet ȝe ne beo noht þe foaȝe neddre, ne þe blake tadde, ne þe ȝolewe frogge. Þe feder and þe sune and þe halie gast iscilde us þerwið and wið alle sunnen a buten ende, *per omnia secula seculorum. Amen.* 110

82. THE WOHUNGE OF URE LAUERD

MS.: BM., Cotton Titus D XVIII; first half XIII century. — ***ed.:*** R. Morris, EETS. 34. — We. XIII, 171.

Ihesu, swete Ihesu, mi druð, mi derling, mi drihtin, mi healend, mi huniter, mi haliwei! Swetter is munegunge of þe þen mildeu o muðe! Hwa ne mei luue þi luueli leor? Hwat herte is swa hard þat ne mei tomelte i þe munegunge of þe? Ah, hwa ne mei luue þe, luueliche Ihesu! —

Bute hwat tunge mai hit telle, hwat heorte mai hit þenche for sorhe and for reowðe of alle þa buffetes and ta bali duntes þat tu þoledest i þin earst niminge, hwen þat Iudas Scharioth brohte þa helle-bearnes þe to taken and bringen biforen hare princes; hu ha þe bunden swa hetelifaste þat te blod wrang ut at tine finger-neiles, as halhes bileuen, and bunden ledden rewli and dintede unrideli o rug and o schuldres, and bifore þe princes buffeted and beten. Siðen bifore Pilat hu þu was naket bunden faste to þe piler, þat tu ne mihtes nowhwider wrenche fra þa duntes. Þer þu wes for mi luue wið cnotti swepes swungen, swa þat ti luueliche lich mihte beo to-torn and to-rent. And al þi blisfule bodi streamed on a girre-blod[1]. Siðen o þin heaued wes set te crune of scharpe þornes, þat wið eauriche þorn wrang ut te reade blod of þin heali heaued. Siðen ȝette buffetet and to-dunet i þe heaued wið þe red ȝerde þat te was ear in honde ȝiuen þe on hokerringe. 5 10 15

A, hwat schal I nu don? Nu min herte mai to-breke, min ehne flowen al o water. A, nu is mi lefmon demd for to deien. A, nu mon ledes him forð to munte Caluarie to þe cwalm-stowe. A, lo, he beres his rode upon his bare schuldres; and lef þa duntes drepen me þat tai þe dunchen and þrasten þe forðward swiðe toward ti dom. A, lefmon, hu mon folhes te, þine frend sariliche wið reming and sorhe, þine fend hokerliche to schome and wundren up o þe. A, nu haue þai broht him þider. A, nu raise þai up þe rode; setis up þe warh-treo. A, nu nacnes mon mi lef. A, nu driuen ha him up wið swepes and wið schurges. A, hu liue I for reowðe þat seo mi lefmon up o rode, and swa to-drahen hise limes þat I mai in his bodi euch ban tellen. A, hu þat ha nu driuen irnene neiles þurh þine feire hondes into hard rode þurh þine freoliche fet. A, nu of þa honden and of þa fet swa luueli streames te blod swa rewli. 20 25 30

A, nu beden ha mi leof, þat seið þat him þristes, aisille, surest alre drinch, menged wið galle þat is þing bittrest; twa bale-drinch i blodleting swa sur and swa bittre; bote ne drinkes he hit noht.

A, nu, swete Ihesu, ȝet upon al þi wa ha eken schome and bismer, lahhen þe to hokere þer þu o rode hengest. Þu, mi luueliche lef, þer þu wið strahte earmes henges o rode, was reowðe to rihtwise, lahter to þe luðere. And tu, þat al þe world fore mihte drede and diuere, was unwreste folk of world to hoker lahter. 35

A, þat luuelike bodi þat henges swa rewli, swa blodi, and swa kalde! A, hu schal I nu liue, for nu deies mi lef for me up o þe deore rode! Henges dun his heaued and sendes his sawle. — 40

---

[1] gore blod *em.* *Morris-Skeat*

83. VICES AND VIRTUES

MS.: BM., Stowe 34; beg. 13th c. – *ed.:* F. Holthausen, EETS. 89, 159; W. N. Francis, EETS. 217.— We. IX, 2; Ke. 4919-21; Ba. 181; RO. 334.

Hierafter cumð anoðer godes ȝiue, ðat is sapiencia ȝenamned, þat is wisdom. Salemon seið þat *sapiencia edificauit sibi domum et cetera.* Wisdom, he seið, ararde hire an hus, and hie karf hire seuen postes. Þat bieð ðo seuen hali mihtes ðe we hier teforen habbeð ȝespeken, þe anginneð at
5 tare ðe is icleped godes dradnesse, ðe is anginn of ðese wisdome. Hier is igadered swilch timber ðe næure rotien ne mai. — Ælle, ðu lieue saule, bie nu gladd and bliðe in ðe hali goste, all swo ic ær sade! Forðan þu hauest fair timber ȝegadered of ðese hali mihte, and godes auȝen wisdom is ðar ouer wrihte, and seið ðat he wile ðar mid ðe wuniȝen, forði ðat tu luuest
10 him and his wordes. Wit mote nu læte resten ðine wrecche lichame, ðe is swiðe unstrang and swiðe brusel. His heaued him acþh, ðe eiene him trukieð, his bilif is litel, forðan he ne hafð bute ðurh his handiswinke bi to libbenne and ðat menn, for godes luue, him giuen willeð, ðo ðe of him rewðhe habbeð. He hafð michel hier abuten iswunken, ȝielde him godalmihtin, forði him is
15 nied nu to resten.

Nu andswereð þe saule: Ich ðe bidde and ec halsiȝe uppe ðare hali þrinnesse, ðe is fader and sune and hali gost, on soð godd, þat ðu þis weork naht ne forlate; forðan ic habbe ðarof michel help and gode strengþe, ȝeþanked bie godd! Riht alswo ðe lichame none strencþe ne mai habben wiðuten
20 bonen, alswo ne mai ic ne non saule strengþe ne mihte habben wiðuten ðese hali mihten. Ne wonde ðu naht [for] ure lichame! He nis naht lihtlich to ilieuen. He me hafð ofte beswiken. Ic habbe ifolȝed his iwill eaure to longe; swo ne scall ic næure mo eft. Ac me scal don bi him al swo bi ðan asse: *Vt iumentum factus sum apud te, et ego semper tecum;* þat he muȝe
25 [ðis] soð seggen: Ich am imaked al swo a dier swinkende beforen ðe, ðat ic eft muȝe resten mid ðe. Eft sæde ðes ilke profiete: *Sitiuit in te anima mea, corpus multipliciter.* Mi saule was ofþerst, he sæde, after ðe, hlauerd, and min flesch michele swiðere, for ðo manifelde swinche of fasten and of his biliue, ðe ic for mine sennen mid mine swote biȝatt. Ðench and siech
30 well ȝerne after ðese hali mihtes, and sete hes on ȝewrite, ðat hie muȝen sum oðre saule don god.

Ratio: Lieue saule, ȝif ðu wel hafst understonden, godes temple is ȝerard uppe on [ðe], after ðat ðe apostel seið: *Templum dei, quod estis uos.* Godes temple is hali, and ðat ȝe bieð ȝeu seluen. Ac he seið ðarafter swiðe
35 eisliche: *Si quis autem uiolauerit templum dei disperdet illum deus.* Se ðe bifeleð godes temple mid ani full senne, godd him scal forlesen baðe licame and saule. Of ðese hali temple ðe rihte beleaue is grundwall. Herof seið ðe apostele: *Fundamentum aliud nemo potest ponere, preter idem quod positum est, quod est Iesus Christus.* Ne mai no mann leiȝen oðer grundwall[1]
40 þanne ðat ðe is ileid, þat is Iesu Crist, þar ðe Peter sade: *Tu es Christus, filius dei uiui,* and þis sculen ilieuen and seggen alle cristene ðe on Criste belieuð. Ðe postes þat sculen beren up ðis weorc, he bien inamned hier teforen. Cariteð arist up fram ðe grundwalle, and beclepð all ðe wouh, alle ðe bieð in ðo hali huse wuniende; and hie arist up anon to ðe roue, forðan
45 to hire bieð ifastned alle ðe raftres of ðe hali mihtes. Ðe faste hope hafð hire stede up an heih, forði hie is rof and wrikð alle ðe hire bieð beneðen mid ðe scincles of holie þohtes, þe sapientia hire fint. Ðies hali mihte is all wrihte of ðesen eadi temple. Hie hit belokeð wiðinnen and wiðuten, þat he, ðe is alre kiningene kyng, muȝe hauen his reste wiðinnen. Forði he bitt
50 ðat pais bie aiðer on licame and on saule, and ðat þies hali mihte sibsumnesse bie rixende on ȝeu baðe; and hwaðer ȝunker hes tobrecð: iusticia dei scall ðarof don riht.

[1] grunndwall

Nu andswereð ðe lichame, and seið: Swiðe ich am ȝewundred of ðe, Ratio, þe scalt after godes isetnesse wissin and stieren ȝe ðe saule ȝe ðe lichame, þat ðu ne undernemst þat ic and ðe saule ne bieð nauht of one 55 ikende, ðeih wit boðe anne sceppend hadden. Ic am heui, also he ðe is imaked of ierðe; and hie is liht alswo ðe left, ðat is icleped *spiraculum uite*, þat is 'ðe blast of liue'. Hie is gost, and ic am dust; hie is heuenlich, and ich ierðlich; hie is of heiȝe kenne alswo hie ðe is godes aȝen anlicnesse, ic ham ðes forȝeltes Adames anlicnesse, þurh hwam ic am on muchele 60 aruednesses, on hungre and on ðurste, on wacches and on swinkes, and on maniȝe kennes wrecchades, sori and sorhfull, woninde and wepinde. Þat he wot ðe wot alle þing, þat unneaðe ich mihte ðis writen for ðo teares ðe comen ierninde from ðare wellriðe of rewnesse. Wepeð, wepeð forð mid me alle ðe healdeð ȝeu seluen forȝelte, and waschen ðe spottes of ure euele 65 ðeawes! Nis ðar non swo god leiȝe se teares; hie makieð scene ansiene. Wel him ðe is clene iþrowen, and hafð ðat faire scrud of charite all besett mid ȝimstanes of gode werkes! He mai cumen mid gode fultume in to ðe bredale tofore ðe bredgume, and mid him wuniȝen on michele merhðe and on michele ædinesse. Lieue Racio, ðis is min froure, ðat ic þenche, þeih 70 ȝie be gode rihte unwurð helden of me, naðeles min hope is aure fastliche upe Criste, gode sune, þe scop him seluen after mire andlicnesse, and becam soð mann, se ðe was, and is, and æuremo bieð an soð godd. Iþanked bie he! —

Wite ðu to soðe ðat þese teares ðe we embe spekeð hie bieð iwis 75 godes ȝiue, and swiðe niedfulle to ðan inede þat iherd sculen bien of gode. Of hem sade ðe prophete: *Fuerunt mihi lacrime me panes die ac nocte*. Mine teares, he sade, me waren bred daiȝ and niht, swa gode hie þouhten. Of oþres kennes teares he sade: *Lacrimis meis stratum meum rigabo*. Ich scal watrien min bedd mid mine teares. Ðies bedd tacneð þe consciencia, 80 þat is þat inȝied wiðinnen. Þar ðe gode sawle haueð hire reste, þar haueð se eule sawle hire pine. Forþi he sade, þat he wolde mid teares wascen þat inȝied þar of ðe his herte him wreiȝede. Ne finde we nawher þat godd wernde ani þing ðe ani mann mid teares him besouhte. — Ðanne ðu on michele niede gode wilt beseken, þanne is ðe wel god þat þu muȝe forðdraȝen 85 sume gode dade. Þin hierte bieð ðe gladdere, and ðe sikerliker ðu miht bidden. Segge we nu forð mid þe prophete: *Ciba nos pane lacrimarum*, hlauerd, fed us mid ðo breade of swete teares, *et potum da nobis in lacrimis in mensura*, and ȝif us drinken of oðreskennes teares, and ðat mid imete! Ðat ich wile þat ðu wel be iwarned, ȝif godd ðe ȝifð þese swete teares, þat 90 non win in ðare world nis swa swete. And alswa alswa man to michel mai drinken of ðare wine, alswa mai ðe mann to michel wepen, þeih hie swete bien. And forði þe is god þat þu beseke at gode one mihte ðe hatte '*discrecio*', þat is sckelewisnesse.

Hie is swiðe beheue mang alle ðe oðre mihtes. Ðis ðe hali faderes 95 seggeð: Hie is moder of alle ðe oðre mihtes. Ðar ðe hie rixið, ne mai naure man forfaren, þe hire wile rixin and folȝin. Hit seið in 'Vitas patrum' ðat at sume sal waren ðe hali faderes togedere igadered, and waren spekinde betwen hem on williche wise me mihte rihtist and sikerest to gode cumen. Sum sade þurh fasten; sum þurh wacchen; sum ðurh bede; sum sade þurh 100 hersumnesse; sum sade ðurh annesse; sum sade ðurh herborȝin wrecche menn and feden and screden; sum sade ðurh seke menn tolokin. And on manieskennes wisen hie namden after ðan þe þat hali goddspell seið. Ða sade on of ða eldest and on of ða wisest: Ðurh alle ðesen we habbeð iseȝen and iherd swiðe maniȝe ȝeborȝen, and manie of alle ðesen inamde mihten 105 forfaren, forþi ðat hem trukede discrecio, þat is scadwisnesse and skele. Forði sume deden michel mare þan hie mihtin wel andin, sume deden to

litel, sume deden euele and wenden wel don, sume wel agunnen and euele andeden. Ac naure ne ȝeseiȝe we manne þat hadde þese hali mihte mid
110 him, þat he aure misferde. Beȝete se ðe muge! —

84. KENTISH SERMON

MS: Bodleiana, Laud 471; XIII cent. — *ed.:* R. Morris, An OE. Miscellany, EETS. 49. — We. V, 15; Ke. 4661; Ba. 171-172; RO, 391.

The Marriage in Cana.

Dominica secunda post octavam Epiphania. Sermo Euan.

Nuptie facte sunt in Chana Galilee, et erat mater Ihesu ibi; vocatus est autem Ihesus ad nuptias et discipuli eius.

Þet holi godspel of to day us telþ þet a bredale was imaked ine þo londe of Ierusalem in ane cite þat was icleped Cane in þa time þat godes
5 sune yede in erþe flesliche[1]. To þa bredale was ure leuedi seinte Marie and ure louerd Ihesus Críst and hise deciples. So iuel auenture þet wyn failede at þise bredale, þo seide ure leuedi seinte Marie to here sune: 'Hi ne habbet no wyn.' And ure louerd answerde and sede to hire: 'Wat belongeth hit to me oþer to þe, wyman?' Nu ne dorste hi namore sigge, ure
10 lauedi. Hac hye spac to þo serganz þet seruede of þo wyne and hem seyde: 'Al þet he hot yu do, so doþ!' And ure louerd clepede þe serganz and seyde to hem: 'Fol-vellet,' ha seyde, 'þos ydres' (þet is to sigge þos croos oþer þos faten of watere). For þer were ·vi· ydres of stone, þet ware iclepede baþieres wer þo Gius hem wesse for clenesse and for religiun, ase þe custome
15 was ine þo time. Þo serganz uuluelden þo faten of watere and hasteliche was iwent into wyne bie þo wille of ure louerde. Þo seide ure lord to þo serganz: 'Moveth togidere and bereth to Architriclin,' þat was se þet ferst was iserued. And also hedde idrunke of þise wyne þet ure louerd hedde imaked of þe watere, (ha niste nocht þe miracle, ac þo serganz wel hit wiste
20 þet hedde þet water ibrocht), þo seide Architriclin to þo bredgume: 'Oþer men,' seyde he, 'doþ forþ þet beste wyn þet hi habbeþ ferst at here bredale, and þu hest ido þe contrarie þet þu hest ihialde þet beste wyn wat[2] nu.' Þis was þe commencement of þo miracles of ure louerde þet he made flesliche in erþe; and þo beleuede on him his deciples. I ne sigge nacht þet hi ne hedden
25 þer before ine him beliaue; ac fore þe miracle þet hi seghe was here beliaue þe more istrengþed.

Nu ye habbeþ iherd þe miracle, nu ihereþ þe signefiance: Þet water bitockned se euele christeneman; for also þet water is natureliche chald[3] and akelþ alle þo þet hit drinkeþ, so is se euele christeman chald of þo luue of
30 gode for þo euele werkes þet hi doþ, ase so is lecherie, spusbreche, roberie, manslechtes, husberners, bakbiteres, and alle oþre euele deden, þurch wyche þinkes man ofserueth þet fer of helle, ase godes oghe mudh hit seid. And alle þo signefied þet water þet þurch yemere werkes oþer þurch yemer iwil liesed þo blisce of heuene. Þet wyn þat is naturelliche hot ine himselue and anhet alle þo
35 þet hit drinked, betokned alle þo þet bied anheet of þe luue of ure lorde. Nu, lordinges, ure lord god almichti, þat hwylem in one stede and ine one time flesliche makede of watere wyn, yet habbeþ[4] manitime maked of watere wyn gostliche, wanne þurch his grace maked of þo euele manne good man, of þe orgeilus umble, of þe lechur chaste, of þe niþinge large, and of alle oþre folies, so ha maket of
40 þo watere wyn: þis his si signefiance of þe miracle. Nu loke euerich man toward himseluen, yef he is win, þet is to siggen yef he is anheet of þo luue of gode, oþer yef he[5] is water, þet is yef þu art chold of godes luue yef þu art euel man. Besech ure lorde, þet he do ine þe his uertu, þet ha þe wende of euele into gode, and þet he do þe do swiche werkes þet þu mote habbe þo blisce
45 of heuene. Quod uobis prestare dignetur etc.

[1] flesliche ar [2] wath [3] schald [4] hadeþ [5] he he

85. SAINT KATHERINE

MS.: *B* = Oxford, Bodley 34; first half of the 13th century. (*Var. R*: BM., Royal 17A. XXVII.) — *ed.*: E. Einenkel, EETS. 80. — We. V,50; Ke. 4715; Ba. 169; RO. 342.

The Engine of Torture.

Hwil þe king weol[1] al inwið of wreaððe, com a burhreue as þe þet wes
þes deofles budel Belial of helle, Cursates hehte, ant tus on heh cleopede:
'O kene king, o icudd keiser! ȝet ne seh Katerine nanes cunnes pine þet
ha oht dredde. Do ido dede, nu ha þus þreateð ant þrepeð aȝein þe. Hat
hwil ha wed tus, inwið þeos[2] þreo dahes, ȝarkin fowr hweoles, ant let þurh- 5
driuen þrefter þe spaken ant te uelien wið irnnene gadien, swa þet te pikes
ant te irnene preones se scharpe ant se sterke borien þurh ant beore forð
feor o[3] þet oðer half, þet al þe hweoles beon þurhspitet mid kenre pikes[4]
þen eni[5] cnif, rawe bi rawe. Let þenne turnen hit tidliche abuten, swa þet
Katerine schal wið þet grisliche rune, hwen ha þer bisit ant bisið þer upon, 10
swiken hire sotschipes ant ure wil wurchen; oðer ȝef þet ha nule no, ha
schal beo tohwiðeret wið þe hweoles swa in an hont-hwile[6], þet alle þe[7]
hit bihaldeð schule grure habben.'

Þe king hercnede his read; ant wes sone, as he het, þes heane ant tes
heatele tintreoh itimbret, ant wes þe þridde dei idrahen þider as þe reuen 15
weren eauer iwunet. Ant te king heold ta of þis eadi[8] meiden hise kine-
motes.

Þis pinfule gin wes o swuch[9] wise iginet, þet te twa turnden[10] eiðer
wiðward oðer ant anes weis baðe; þe oðer twa turnden[10] anes weis alswa
ah toȝein þe oðre, swa þet hwenne þe twa walden keasten uppart[11] þing þet 20
ha chahten[12], þe oðre[13] walden drahen hit ant dusten dunewardes; se grisliche
igreiðet, þet grure grap euch mon hwen he lokede þron.

Her amidde heapes[14] wes þis meiden iset for te al torenden[15] ant
reowðfulliche torondin, ȝef ha nalde hare read heren ne hercnin. Ah heo
keaste up hire ehnen, ant cleopede towart heouene ful heh wið hire heorte 25
ah wið stille[16] steuene: 'Almihti[17] godd, cuð nu þi mihte ant menske[18] nu
þin hehe nome, heouenliche lauerd! Ant for te festnin ham i treowe bileaue
þe beoð to þe iturnde ant Maxence ant alle hise halden ham mate, smit se
smeordtliche herto, þet al þeos fower hweoles tohwiðerin to stucches.

Þis wes unneaðe iseit, þet an engel ne com wið ferlich afluhte 30
fleoninde adunewart, ant draf þerto dunriht as a þunres dune; ant duste hit
a swuch dunt, þet hit bigon to cleaterin al ant to cleouen, tobursten ant
tobreken, as þah hit were bruchel gles ha þe treo ant tel irn, ant ruten forð
wið swuch rune þe stucchen of baðe bimong ham, as ha stoden ant seten
þer abuten, þet ter weren isleine of þet awariede uolc fowr þusent fulle. 35
Þear me mahte iheren þe heaðene hundes ȝellen ant ȝeien ant ȝuren on euch
half, þe cristene kenchen ant herie þen healent, þe helpeð hise oueral. Þe
keiser al acanget hefde[19] iloset mondrem, ant dearede al adedet, druicninde
ant dreori ant drupest alre monne. —

The Death of St.Katherine.

Þe king, as þe þe[7] wes fordrenct wið þes deofles puissun, nuste[20] 40
hwet meanen; ah het swiðe don[21] hire ut[22] of his hehsihðe and biheafdin
utewið[23] þe barren of þe burhe. Heo as me ledde hire, lokede aȝeinwart for
ludinge þet ha herde, ant seh sihen[24] efter hire heaðene monie, wepmen ant
wummen, wið wringende honden, wepinde sare. Ah þe meidnes alre meast,
wið sari mod ant sorhful, ant te riche leafdis letten teares trondlin. Ant heo 45
biwende hire aȝein, sumdel iwreaðet, ant eadwat ham hare wop wið þulliche

---

[1] wweol *MS.* [2] þeos *Varr.*] þe *MS.* [3] on *R* [4] pikes *Varr.*] ***not in BR*** [5] ei *MS.*
[6] hondhwile *R* [7] þe *B*] þet *Varr.* [8] eadi *Varr.*] a *MS.* [9] swuhc *MS.* [10] turden *MS.*
[11] upward *Varr.* [12] cahten *Varr.* [13] odre *MS.* [14] heapes *Varr.*] ***not in BR*** [15] torenden
reowliche *BR* [16] stille *Varr.*] ***not in MS.*** [17] al mihte *MS.* [18] meske *MS.* [19] het *MS.*
[20] and nuste *MS.* [21] don *Varr.*] wið *B*, mid *R* [22] ut ***not in B*** [23] hire utewið *Varr.*
[24] sihen ***not in B***

wordes: 'ȝe leafdis ant ȝe meidnes, ȝef ȝe weren wise nalde ȝe nawt bringen me forð towart blisse wið se bale bere; nalde ȝe neauer remen ne makie reoðe for me, þe feare to eche reste into þe riche of heouene. Beoð bliþe,
50 ich biseche ow, ȝef ȝe me blisse unneð; for ich iseo Iesu Crist, þe cleopeð me ant copneð; þe is mi lauerd ant mi luue, mi lif ant mi leofmon, mi wunne ant me iweddet, mi murhðe ant mi mede ant meidene crune.' —

Nefde ha bute ibede swa, þet ter ne com a steuene sihinde from heouene: 'Cum, mi leoue leofmon; cum nu, min iweddet, leouest an
55 wummon. Low, þe ȝete of eche lif abit te al iopenet. Þe wununge of euch[25] wunne kepeð ant copneð þi cume. Lo, al þe[7] meidene mot ant tet hird of heouene kimeð[26] her agein þe wið kempene crune! Cum nu, ant ne beo þu na þing o dute of al þet tu ibeden hauest. Alle þeo þe[7] munneð þe ant ti passiun, hu þu deað drohe, wið inwarde heorte in eauer euch time þet heo
60 to þe cleopien wið luue ant riht bileaue ich bihate ham hihentliche help of heoueriche[27].'

Heo wið þeos steuene strahte uorð swiftliche þe snawhwite[28] swire ant cweð to þe cwellere: 'Mi lif ant mi leofmon, Iesu Crist mi lauerd, haueð nu icleopet me. Do nu þenne hihentliche þet te is ihaten.' Ant he,
65 as ha het him, hef þet heatele sweord up ant swipte hire of þet heaued.

I þet ilke stude anan iworðen twa wundres: Þe an of þe twa wes, þet ter sprong ut mid te dunt milc imenget wið blod, to beoren hire wittnesse of hire hwite meiðhad. Þe oðer wes, þet te engles lihten of heouene, ant heuen hire on heh up, ant beren forð hire bodi ant biburieden hit i þe munt
70 of Synai, þer Moyses fatte þe lahe et ure lauerd, from þeonne as ha deide twenti dahene ȝong ant ȝet ma, as pilegrimes þe[7] wel witen seggeð.

Þear ure lauerd wurcheð se feole wundres for hire, as na muð ne mei munnen. Ah bimong ham alle þis is an of þe heste, þet ter rinneð a[29] mare eoile iliche riue, ant strikeð a stream ut of þet stanene þruh þet ha in
75 resteð. Ȝet of þe lutle banes, þe floweð ut wið þe eoille, floweð oðer eoile ut, hwider se me eauer bereð ham ant hwer se ha beoð ihalden, þet healeð alle uueles ant botneð men of euch bale, þe[7] rihte bileaue habbeð.

Þus wende þe eadie meiden Katerine icrunet to Criste from eorðliche pinen i Nouembres moneð þe fif ant twentuðe dei, ant Fridei onont te under,
80 i þe dei ant i þe time, þet hire deore leofmon Iesu ure lauerd leafde lif o[30] rode for hire ant for us alle. Beo he as healent iheret ant iheiet in alre worlde worlt a on ecnesse. Amen.

86. SEINTE MARHERETE

MS.: *B* = Oxford, Bodley 34; first half of the 13th century. (*Var. R:* BM., Royal 17 A. XXVII.) — *ed.*: F. M. Mack, EETS. 193. — We. V, 52; Ke. 4695 —; Ba. 169; RO. 342; R. Furuskog, Collation of MS. Bodley 34, Studia Neophil. XIX, Uppsala 1946.

Introduction.

Hercneð alle þe earen[1] ant herunge habbeð, widewen wið þa iweddede ant te meidnes nomeliche, lusten swiðe ȝeorliche hu ha schulen luuien þe liuiende lauerd ant libben i meiðhad, þet him his mihte leouest, swa þet ha moten þurh þet eadie meiden þe we munneð to-dei wið meiðhades menske,
5 þet seli[2] meidnes song singen wið þis meiden ant wið þet heouenliche hird echeliche in heouene.

Þis meiden þet we munieð wes Margarete ihaten, ant hire flesliche feder Theodosie hehte, of þet heþene folc patriarche ant prince. Ah heo, as þe deorwurðe drihtin hit dihte, into a burh wes ibroht to ueden ant to
10 uostrin, from þe muchele Antioche fiftene milen. Þa ha hefde of helde ȝeres fiftene ant hire moder wes iwend þe wei þet worldliche men alle

[25] euhc *MS.* [26] kumeð *Varr.* [27] heoueneriche *Varr.* [28] snahwite *MS.* [29] aa, al *Varr.* [30] on *Varr.* *Seinte Marherete* [1] earen] mahen *R* [2] seli] murie *R*

schulen wenden, [3]ha warð þeo þe ha hefde iwist ant iwenet swa lengre swa leuere, ant alle hire luueden þet hire on lokeden as þeo þet godd luuede, þe heouenliche lauerd, ant ȝef hire þe grace of þe hali gast, swa þet ha ches him to luue ant to lefmon, ant bitahte in his hond þe menske[4] of hire meiðhad, [5]hire wil ant hire werc, ant al þet heo eauer i þe world i wald hahte, to witen ant to welden wið al hire seoluen. Þus ha wes ant wiste meokest [6]alre milde wið oðre meidnes o þe feld hire fostermodres hahte; ant herde on euich half hire hu me droh to deaðe Cristes icorene, and ȝirnde ant walde ȝeorne, ȝef godes wil were, þet ha moste beon an of þe moni moder-bern þet swa muchel drehen[7] for drihtin. —

'An Unwihte of Helle'.

Hire uostermoder wes an þet frourede hire ant com to þe cwalm-hus ant brohte hire to fode bred ant burnes drunch, þet ha bi liuede[8]. Heo þa ant monie ma biheolden þurh an eilþurl as ha bed hire beoden. Ant com ut of an hurne hihendliche towart hire an unwiht of helle on anc[9] drakes liche, se grislich þet ham gras wið þet sehen, þet unselhðe glistinde as þah he[10] al ouerguld were. His lockes ant his longe berd blikeden al of golde, ant his grisliche teð semden of swart irn. His twa ehnen steareden steappre þen þe steoren ant ten ȝimstanes, brade ase bascins, in his ihurnde heaued on eiðer half on his heh hokede nease. Of his speatewile muð sperclede fur ut, ant of his nease-þurles þreste smorðrinde smoke, smecche forcuðest; ant lahte ut his tunge, se long þet he swong hire abuten his swire; ant semde as þah a scharp sweord of his muð scheate[11], þe glistnede ase gleam deð ant leitede al o leie. Ant al warð þet stude ful of strong ant of stearc stench, ant of þes schucke schadewe schimmede ant schan al. He strahte him ant sturede toward tis meoke meiden, ant geapede[12] wið his genow upon hire ungeinliche, ant bigon to crahien ant crenge wið swire, as þe þe hire walde forswolhe mid alle. Ȝef ha agrisen wes of þet grisliche gra, nes na muche wunder. —

The Confession of a Demon.

'Wult tu witen, lufsume leafdi, hu ich hatte? Ah hwet-se of mi nome beo, ich habbe efter Belzebub meast monnes bone ibeon ant forswolhen hare swinc ant to aswinden imaket þe meden þet ha moni ȝer hefden ham iȝarket. Wið sum of mine wiheles þus[13] ich wrencte ham adun hwen ha lest wenden; ne neauer ȝet ne mahte me ouercume na mon bute þu nuþe. —

Monie ich habbe awarpen þe wenden mine wiheles ful witerliche etwrenchen[14], ant o[15] þisse wise: Ich leote oðerhwiles a cleane mon wunien neh a cleane wummon, þet ich nawhit towart ham ne warpe ne ne weorri, ah leote ham al iwurðen. Ich leote ham talkin of godd ant teuelin of godlec, ant trewliche luuien ham wiðuten uuel wilnunge ant alle unwreste willes, þet eiðer of his ahne, ant of þe oðres ba, treowliche beo trusti, and te sikerure beon to sitten bi ham seoluen ant gominen togederes. Þenne þurh þis sikerlec seche ich earst upon ham, ant scheote swiðe dearnliche ant wundi, ear ha witen hit, wið swiðe attri healewi hare unwarre heorte. Lihtliche on alre earest, wið luueliche lates, wið steape bihaldunge eiðer on oðer ant wið plohe-speche sputte to mare, se longe þet ha toggið ant tollið togederes. Þenne þudde ich in ham luuefule þohtes, on earest hare unþonkes, ah swa waxeð þet wa þurh þet ha hit þeauieð, þet ham þuncheð god þrof. Ant ich þus, hwen ha leoteð me ne ne letteð me nawt, ne ne steorið ham seolf, ne ne stondeð strongliche aȝein, leade ham i þe leiuen ant i þe ladliche lake of þet suti sunne. Ȝef ha edstonden wulleð mine unwreste wrenches ant mine

---

[3] ha-leuere] *L*: ampliori desiderio de sua nutrice amabatur [4] meske *MS.* [5] hire wil — hahte *deleted in B* [6] alre milde *deleted in MS.* [7] drohen *R*, ant drehheden *B in margin* [8] bileuide *B*, bilede *R* [9] ana *MS.* [10] he *B*] hit *R* [11] scheate] lahte *R* [12] geapede] ȝeonede *R* [13] þus *R*] þet *B* [14] etsterten *R* [15] on *R*

swikele swenges, wreastlin ha moten ant wiðerin wið ham seoluen; ne me akeasten ha ne mahen, ear ha ham seoluen ouercumen.

Lað me is ant noðeles nedlunge ich do hit cuðe þe[16] hu ha mahen best ouercume me. Lowse me þe hwile, leafdi, ant leoðe me. Þis beoð þe
65 wepnen þet me wurst wundið ant witeð ham unwemmet ant strengeð ham sterclukest[17] aȝein me ant aȝein hare wake lustes; þet beoð: eoten meokeliche ant meaðeluker drinken; do þet flesh i sum derf ne neauer ne beon idel; hali monne bone for ham wið hare ahne beodefule þohtes, þet ha schulen þenchen bimong hare benen aȝein hare unwerste[18] þohtes, þet ich
70 in ham þudde; þenchen hit is þurh me þet hare lust leadeð ham to wurche to wundre; þenchen ȝef ha beieð me, to hu bitter beast ha buheð ant hwas luue ha forleteð; hu lufsum þing ha leoseð, þet is meiðhad[19]; meidenes menske ant te luue of þe luueliche lauerd of heouene ant of þe lufsume cwen, englene leafdi. — Þis ha moten ofte munien bi ham seolfen; þenchen
75 hu swart þing ant suti is þet sunne; þenchen of helle wa ant of heoueriche[20] wunne. —

Margarete, meiden, to hwon schal ich iwurðen[21]? Mine wepnen, wumme, allunge aren awarpen. Ȝet were hit þurh a mon! Ah is þurh a meiden. Þis ȝet me þuncheð wurst, þet al þet cun þet tu art icumen ant ikennet of,
80 beoð alle in ure bondes, ant tu art edbroken ham, alre wundre meast þet tu þe ane hauest ouergan þi feader ant ti moder, meies ant mehes ba, ant al þe ende þet tu ant heo habbeð in ieardet, ant Crist ane hauest icoren to leofmon ant to lauerd. Beatest us ant bindest ant to deað fordemest. Wei, wake beo we nu ant noht wurð mid alle, hwen a meiden ure muchele
85 ouergart þus auealleð!' —

87. HALI MEIDENHAD

MSS.: B=Oxford, Bodley 34; first half XIII century. *(Var. C*= BM., Cotton Titus D. XVIII; XIII century.) — *edd.:* A.F. Colborn, Hali Meiðhad, Oxford 1940; Cockayne-Furnivall, EETS 18, 2. 1922. — We. V, 1; Ke. 4616; Ba. 168; RO. 389.

The Miseries of Marriage.

Þus, wummon, ȝef þu hauest were efter þi wil ant wunne, ba, of worldes weole, þe nede[1] schal itiden. Ant hwet ȝef ha beoð þe wone, þet tu nabbe þi wil wið him, ne weole nowðer, ant schalt grenin godles inwið westi wahes, ant te[2] breades wone brede þi bearnteam? — Beo hit nu þet te beo
5 richedom riue ant tine wide wahes wlonke ant weolefule, ant habbe monie vnder þe, hirdmen in halle, ant ti were[3] beo þe wrað oðer iwurðe þe lað, swa þet inker eiþer heasci wið oþer: hwet worltlich weole mei beo þe wunne? Hwen he bið ute, hauest aȝein his hamcume[4] sar, care, ant eie. Hwel he bið et hame, alle þine wide wanes þuncheð þe to nearewe. His
10 lokunge on[5] ageasteð þe; his ladliche mirð ant his untohe bere makeð þe to agrisen. Chit te ant cheoweð þe, ant scheomeliche schent te; tukeð þe to bismere, as huler his hore; beateð þe ant busteð þe as his ibohte þrel ant his eðele þeowe. Þine banes akeð þe, ant ti flesch smeorteð þe, þin heorte wiðinne þe swelleð of sar grome, ant ti neb utewið tendreið ut of teone. —
15 Ȝef þu iwurðest him unwurð, ant he as unwurð þe, oðer ȝef þu him muche luuest ant he let lutel to þe, hit greueð þe se swiðe þet tu wult, inoh reaðe, ase monie[6] doð, makien him poisun ant ȝeouen bale i bote stude. Oðer hwase swa nule don, medi wið wicchen, ant forsaken, forte drahen his luue

---

[16] cuðe þe] *not in R* [17] stalewardlukest *R* [18] unwreste *R* [19] þet is wið meiðhad *MS.* [20] heouenriches *R* [21] iwurden *MS.*

[1] þe schal nede *C*] þe ne schal *B* [2] in *C* [3] *C*] weres *B* [4] *C*] cume *B* [5] on þe *C* [6] monie awariede *C*

towart hire, Crist ant hire cristendom ant rihte bileaue. Nu, hwet blisse mei
þeos bruken, þe luueð hire were wel ant ha habbe his laððe, oþer cunqueari 20
his luue o þulliche wise? —

Lute! wat meiden of al þis ilke weane of wifes wa wið hire were. —
Þah þis beon of to speokene vnwurðliche þinges, þes[1] þe mare ha schawið
i hwuch þeodom wifes beoð, þe[2] þullich mote drehen, ant meidnes, i hwuch
freodom, þe[2] freo beoð fram ham alle. Ant hwet ȝef ich easki ȝet, þah hit 25
þunche egede, hu þet wif stonde, þe[2] ihereð, hwen ha kimeð[3] in, hire bearn
schreamen, sið[4] þe cat et te fliche, ant ed te hude þe hund, hire cake bear-
nen[5] o þe stan, ant hire kelf suken[5], þe crohe eornen[5] i þe fur? Ant te
cheorl chideð. Þah hit beo egede isahe, hit ah, meiden, to eggi þe swiðe
þerfrommart[6], for nawt ne þuncheð hit hire egede þet hit fondeð. Ne þerf 30
þet seli meiden þet haueð al idon hire ut of þullich þeowdom, as godes
freo dohter ant his sunes spuse, drehe nawiht swucches; forþi, seli meiden,
forsac al þulli sorhe for utnume mede, þet tu ahtest[7] to don wiðvten euch
hure. —

88. SAWLES WARDE

MSS.: B=Oxford, Bodley 34; first half XIII century. (*Var. C*= BM., Cotton Titus D. XVIII; XIII century.) — *edd.:* R.M. Wilson, Leeds 1939; Brandl-Zippel, MeSLP., 2. 1927; R. Morris, EETS. 34. — We. V, 2; Ke. 4874; Ba. 168-169; RO. 389.

Fearlac's Report.

Warschipe, þat aa is waker, is offearet, lest sum fortruste him ant
feole o slepe ant forȝeme his warde; ant sent ham in a sonde, þat ha wel
cnaweð of feorren icumen forte offearen þeo þe[8] beoð ouerhardi and þeo þe
ȝemelese beoð halden ham wakere. He is underuon in ant swiðe bihalden
of ham alle; for lonc he is ant leane ant his leor deaðlich ant blac ant elheowet; 5
ant euch her þuncheð, þat stont in his heaued up. Warschipe hat him tellen
biuoren hwet he beo ant hweonene[9] he comme ant hwet he þer seche. 'Ne
mei ich,' he seið, 'nohwer speoken bute ich habbe god lust. Lustnið me
þenne. Fearlac ich hatte ant am Deaðes sonde and Deaðes munegunge, ant
am icumen biuore hire to warnin ow of hire cume.' Warschipe, þat best 10
con bisetten hire wordes ant ec hire werkes, spekeð for ham alle ant frei-
neð hwenene he[10] cume ant hwuch hird ha leade. Fearlac hire ontswereð:
'Ich nat nawt þe time; for ha ne seide hit me nawt. Ah eauer lokið hwenne;
for hire wune is to cumen bi stale ferliche ant unmundlunge, hwen me least
weneð. Of hire hird þat tu easkest ich þe ontswerie: ha lihteð, hwerse ha 15
eauer kimeð[11], wið a þusent deoflen ant euchan bereð a gret boc al of sunnen
iwriten wið swarte smale leattres ant an unrude raketehe gledread of fure,
forte binden ant to drahen into inwarde helle, hwuchse he mei preouin þurh
his boc, þat is on euch sunne enbreuet, þat he wið wil oðer wið word oðer wið
werc wrahtte in al his lifsiðe, bute þat he haueð ibet earþon wið soð schrift ant 20
wið deadbote.'

Ant Warschipe hire easkeð: 'Hweonene cumest tu, Fearlac, Deaðes
munegunge?' 'Ich cume,' he seið, 'of helle.' 'Of helle?' ha seið Warschipe,
'ant hauest tu isehen helle?' 'Ȝe,' seið Fearlac, 'witerliche ofte ant ilome.'
'Nu,' seið þenne Warschipe, 'for þi trowþe treoweliche tele us hwuch is helle 25
ant hwet tu hauest isehen þrin.' 'Ant ich,' he seið Fearlac, 'o mi trowðe bluðe-
liche, nawt tah efter þat hit is, for þat ne mai na tunge tellen, ah efter þat ich
mei ant con, þertowart ichchulle readien[12]:

Helle is wid[13] wiðute mete ant deop wiðute grunde, ful of brune uneuen-
lich; for ne mei nan eorðlich fur euenin þertowart. Ful of stench unþolelich; 30

---

[1] þah *C* [2] þat *C* [3] cumeð *C* [4] seoð *C* [5] bearneð, sukeð, eorneð *C* [6] swiðre þerframward *C* [7] ahes *C* [8] þat *C,a.u.* [9] hweþen *C* [10] hwenne ha *C* [11] cumeð *C,a.u.* [12] reoden *C* [13] wid *C*] *not in B, cf. Dan Michel, below, 160 ff.*

for ne mahte in eorðe na cwic þinge hit þolien. Ful of sorhe untalelich; for ne mei na muð for wrecchedom ne for wa rikenin hit ne tellen. Se þicke is þrinne þe þosternesse, þat me hire mei grapin; for þat fur ne ȝeueð na liht, ah blent ham þe ehnen þe þer beoð wið a smorðrinde smoke smeche for-
35 cuðest. Ant tah i þat ilke swarte þeosternesse swarte þinges ha iseoð as deoflen, þat ham meallið ant derueð aa ant drecched wið alles cunnes pinen, ant iteilede draken grisliche ase deoflen þe forswolheð ham ihal ant speoweð ham eft ut biuoren ant bihinden, oðerhwile torendeð ham ant tocheoweð ham euch greot; ant heo eft iwurðeð hal to a swuch bale bote[1], as ha ear weren.
40 Ant ful wel ha iseoð, ham to grisle ant to grure ant to echen hare pine, þe laðe hellewurmes, tadden ant froggen, þe freoteð ham ut te ehnen ant te neasegristles ant snikeð in ant ut; neddren ant eauraskes[2], nawt ilich þeose her, ah hundret siðe grisluker, et muð ant et earen, ed ehnen ant ed neauele ant ed te breosteholke as meaðen i forrotet flesch eauerȝete þickest.

45 Þer is remunge i þe brune ant toðes hechelunge i þe snawi weattres. Ferliche ha flutteð from þe heate into þe chele. Ne neauer nuten ha of þeos twa hweðer ham þuncheð worse; for eiðer is unþolelich, ant i þis ferliche mong þe leatere þurh þe earre derueð þe mare. Þat fur ham forbearneð al to colen calde; þat pich ham forwalleð, aðet[3] ha beon formealte, ant eft
50 acwikieð anan to drehen al þat ilke ant muchedeale wurse a wiðuten ende. Ant tis ilke unhope is ham meast pine, þat nan naueð neauer mare hope of nan acouerunge, ah aren sikere of euch uuel to þurhleasten i wa from world into worlde aa on echnesse. Euch aþrusmeð oðer, ant euch is oðres pine, ant euchan heateð oðer ant him seoluen as þe blake deouel. Ant eauer se
55 ha i þis world luueden ham mare, se ha þer heatieð ham swiðere; ant eiðer curseð oðer ant fret of þe oðres earen ant te nease alswa. Ich habbe bigunne to tellen of þing, þat ich ne mahte nawt bringe to eni ende, þah ich hefde a þusent tungen of stele ant talde aðet ha weren alle forwerede. —

O helle, deaðes hus, wununge of wanunge, of grure ant of granunge,
60 heatel ham ant heard wan of alle wontreaðes,[4] buri of bale ant bold of eauereuch bitternesse! Þu laðest lont of alle, þu dorc stude ifullet of alle dreorinesses! Ich cwakie of grisle ant of grure, ant euch ban schokeð[5] me, ant euch her me rueð up of þi munegunge. For nis þer na steuene bituhhe þe fordemde bute 'wumme!' ant 'wa is me!' ant 'wa beo þe!' ant 'wa beo þe!'
65 Wa ha ȝeieð, ant wa ha habbeð. Ne of al, þat eauer wa is, ne schal ham neauer wontin þe swuch wununge ofearneð for ei hwilinde[6] blisse her o þisse worlde. Wel were him, ȝef þat he neauer ibore nere.

Bi þis ȝe mahen sumdel witen hwuch is helle; for iwis ich habbe þrin isehen a þusent siðe wurse. Ant from þeonne kimeð Deað wið a þusent
70 deoflen hiderwart, as ich seide. Ant ich com þus', quoð Fearlac, 'forte warnin ow fore ant tellen ow þeos tidinges[7].' —

Umben ane stunde spekeð eft Warschipe ant seið: 'Ich iseo a sonde cumen swide gledd icheret, feier ant freolich ant leofliche aturnet.' 'Let him in,' seið Wit, 'ȝef godd wule, he bringeð us gleade tidinges; ant þat us were
75 muche neod; for Fearlac, Deaðes sonde, haueð wið his offearet us swiðe midalle.' Warschipe let him in; ant he gret Wit, þen lauerd, ant al þat hird seoðen wið lahhinde chere. Ant ha ȝeldeð him his gretunge, ant beoð alle ilihtet and igleadet, ham þuncheð, of his onsihðe; for al þat hus schineð ant schimmeð of his leome. He easkeð ham ȝef ham biluueð to heren him
80 ane hwile. 'Ȝe,' quoð ha Rihtwisnesse, 'wel us biluueð hit, ant wel is riht þat we þe liðeliche lustnin.' 'Hercnið nu,' þenne he seið, 'ant ȝeornliche vnderstondeð. Ich am Murðes sonde ant munegunge of Eche-Lif ant Liuesluue ihaten ant cume riht from heouene.' —

---

[1] bale unbotelich *C* [2] eafroskes *C* [3] til þat *C* [4] wandreðes *C* [5] ? scheked *B*, *Brunner-Hittmair*; scheked *C* [6] hwilende *C* [7] tiðinges *C*

89. ANCRENE RIWLE

MS.: BM., Cotton Nero A. XIV; first half XIII c.— *edd.:* J. Morton, Camden Soc. 57; M. Day, EETS. 225; *cf.*EETS.229&c — We. VI, 40; Ke. 4396-4409; Ba. 179-180; RO. 276.

The 'Order'.

Nu aski ȝe hwat riwle ȝe ancren schullen holden. Ȝe schullen alles-weis, mid alle mihte, and mid alle strencðe wel witen þe inre and þe vttre vor hire sake. Þe inre is euere iliche; þe vttre is misliche; vor eurich schal holden þe uttre efter þet ðe licome mei best mid hire serui ðe inre. Nu þeonne is hit so þet alle ancren muwen wel holden one riwle? *Quantum ad* 5 *puritatem cordis circa quam uersatur tota religio;* þet is, alle muwen and owen holden one riwle onont purete of heorte; þet is, cleane, schir inwit, wiðute wite of sunne þet ne beo þuruh schrift ibet. Ðis makeð ðe leafdi riwle. — Þeos riwle is imaked nout of monnes fundleas, auh is of godes hestes. Forþi heo is euer on and schal beon wiðute monglunge and wiðute chaungunge 10 and alle owen hire in on euer to holden. Auh alle ne muwe nout holden one riwle ne ne þuruen ne ne owen holden on one wise ðe vtture riwle, *quantum scilicet ad obseruancias corporales;* þet is ononde licomliche lokinges. Þe vttre riwle, ðet ich þuften cleopede and is monnes fundles, nis for noþing elles istald bute forte seruie ðe inre. Þet makeð festen, wakien, 15 kold and here werien, and swuche oþre heardschipes ðet moni flechs mai þolien, and moni ne mai nout. Vorði mot þeos riwle chaungen hire misliche efter euch-ones manere and efter hire efne. Vor sum is strong, sum is un-strong, and mei fulwel beo cwite and paie god mid lesse. —

Gif eni vnweote asceð ou of hwat ordre ȝe beon alse sum deð, alse 20 ȝe telleð me, þe isihð þene gnet and swoluweð þe vliȝe, onswerieð and siggeð þet ȝe beoð of seint Iames ordre þet was godes apostle and for his muchele holinesse icleoped godes broþer. Gif him þuncheð wunder and selkuð of swuch onswere, askeð him hwat beo ordre and hwar he ifinde in holi write religiun openluker descriued and isuteled þen is i sein Iames canoniel epistle. 25 He seið hwat is religiun and hwuch is riht ordre: *Religio munda et immacu-lata apud deum et patrem hec est visitare pupillos et orphanos in tribulatione eorum et immaculatum se custodire ab hoc seculo.* Þet is: Cleane religiun and wiðuten wem is iseon and helpen widewen and federlease children and from þe worlde witen him cleane and vnwemmed. Þus seint Iame descriueð 30 religiun and ordre; þe latere dole of his sawe limpeð to recluses. — Powel, þe ereste ancre, Antonie, and Arsenie, Makarie and te oþre, neren heo reli-giuse and of seint Iames ordre? Also seinte Sare, and seinte Sincletice, and monie oþre swuche weopmen and wummen mid hore greate matten and hore herde heren, neren heo of gode ordre? And hweðer hwite oþer blake, 35 alse unwise askeð ou þe weneð þet ordre sitte iþe kurtel oþer iþe kuuele, god hit wot, noþeleas heo weren wel beoðe, nout tauh onont cloðes, auh ase godes spuse singeð bi hire suluen: *'Nigra sum sed formosa'.* 'Ich am blac and tauh hwit', heo seið, vnseaulich wiðuten and schene wiðinnen. O þisse wise onswerieð to þeo þet askeð ou of ower ordre, and hweðer hwite oþer 40 blake, siggeð þet ȝe beoð boðe, þuruh ðe grace of god and of seint Iames ordre. —

Beware!

Uorþui, mine leoue sustren, þet leste þet ȝe euer muwen luuieð our þurles, al beon heo lutle, þe parlurs lest and nerewest. Þet cloð in ham beo twouold: blac cloð; þet creoiz hwit wiðinnen and wiðuten. Þet blake 45 cloð bitockneð þet ȝe beoð blake and unwurðe touward þe worlde wiðuten. — Þet blace cloð also, tekeþe bitocnunge, deð lesse eile to þen eien and is þiccure aȝein þe wind and wurse to þuruhseon, and halt his heou betere uor winde and for oþerhwat. Lokeð þet te parlurs beon euer ueste on

50 eueriche halue, and eke wel istekene, and witeð þer our eien, leste þe heorte etfleo and wende ut, ase of Dauid, and oure soule seclie so sone so heo is ute. Ich write muchel uor oþre, þet noþing ne etrineð ou, mine leoue sustren; vor nabbe ȝe nout þene nome, ne ne schulen habben þuruh ðe grace of gode, of totinde ancres, ne of tollinde lokunges ne lates, þet summe
55 oþerhwules, weilawei, unkundeliche makieð; vor aȝein kunde hit is, and unmeð sullic[1] wunder, þet te deade totie, and mid cwike worldesmen wede wið sunne.

'Me leoue sire', seið sum inouh reaðe, 'and is hit nu so ouervuel uorte toten vtward?' Ȝe hit, leoue suster, vor vuel þet ter kumeð of hit is
60 vuel and ouervuel to euerich ancre, and nomelich to þe ȝunge. — Nout on vuel ne two, auh al þet vuel and al þet wo þet nu is and euer ȝete was and euer schal iwurðen: al com of a sihðe. Þet hit beo soð, lo, her þe preoue: Lucifer, þuruh þet he iseih and biheold[2] on him sulf his owene ueirnesse, leop into prude and bicom of engel atelich deouel. —

65 Also Bersabee þuruh þet heo unwreih hire ine Dauies sihðe heo makede him sunegen on hire, so holi king ase he was and godes prophete. And nu cumeð forð a feble mon and halt him þauh heihliche, ȝif he haueð enne widne hod and one ilokene cope, and wule iseon ȝunge ancren, and loken nede ase ston hu hire hwite like him, þet naueð nout hire leor
70 uorbernd iþe sunne, and seið þet heo mei iseon baldeliche holi men; ȝe nomeliche swuche ase he is, uor his wide sleuen! Me-sur-qui-derie, ne iherest tu þet Dauid, godes owune deorling, bi hwam god sulf seið *'Inueni uirum secundum cor meum,'* þet is, ich habbe ifunden, cweð he, enne mon efter mine heorte, þes þet god sulf seide bi þeos deorewurðe sawe, king and pro-
75 phete ichosen vt of alle, was þus þuruh on eie-wurp to one wummon, ase heo weoschs hire, lette vt his heorte and forȝet him suluen, so þet he dude þreo vtnumen heaued-sunnen and deadliche: one Bersabee spusbruche þe lefdi þet he lokede on; treisun and monsleiht on his treowe kniht Vrie, hire louerd. And þu, a wrecche sunful mon, ert so swuðe herdi to kesten kang
80 eien up on ȝunge wummen? Ȝe, mine leoue sustren, ȝif eni is onwil uorte iseon ou, ne wene ȝe þer neuer god, auh ileueð him þe lesse. —

Spellunge and smecchunge beoð ine muþe boðe, ase sihðe is iþen eien. Auh we schulen leten smecchunge vort tet we speken of ower mete, and speken nu of spellunge, and terefter of herrunge, of bo imene, sume
85 cherre, ase goð togederes.

On alre erest hwon ȝe schulen to oure parlures þurle, iwiteð et ower meiden hwo hit beo þet is icumen; uor swuch hit mei beon þet ȝe schulen asunien ou; and hwon ȝe alles moten uorð, creoiseð fulȝeorne our muð, earen, and eien, and te breoste eke, and goð forð mid godes drede. To
90 preoste on erest siggeð *'confiteor'*, and þerefter *'benedicite'* þet he ouh to siggen; hercneð his wordes, and sitteð al stille, þet hwon he parteð urom[3] ou, þet he ne cunne ower god, ne ower vuel nouþer, ne he ne cunne ou nouþer blamen ne preisen. Sum is so wel ilered, oðer se wis iworded, þet heo wolde þet he wuste hit; þe sit and spekeð touward him, and ȝelt him
95 word aȝein word, and bicumeð meister, þe schulde beon ancre, and leareð him þet is icumen to leren hire; wolde, bi hire tale, sone beon mit te wise icud and icnowen. Icnowen heo is wel; vor þuruh þet ilke þet heo weneð to beon wis iholden, he understont þet heo is sot, vor heo hunteð efter pris and keccheð lastunge. Vor ette laste, hwon he is iwend awei, 'þeos
100 ancre', he wule siggen, 'is of muchele speche'.

Eue heold ine parais longe tale mid te neddre, and tolde hire al þet lescun þet god hire hefde ilered and Adam of þen epple. And so þe ueond

[1] sullich, selli *Varr.*] swuc *MS.* [2] biheod [3] urorm

þuruh hire word understod anonriht hire wocnesse, and ivond wei touward hire of hire uorlorenesse. Vre lefdi, seinte Marie, dude al an oðer wise: ne tolde heo þen engle non tale, auh askede him þing scheortliche þet heo ne kuðe. 3e, mine leoue sustren, uoleweð ure lefdi and nout þe kakele Eue. Vorþi ancre, hwatse heo beo, alse muchel ase heo euer con and mei, holde hire stille. Nabbe heo nout henne kunde! Þe hen hwon heo haueð ileid, ne con buten kakelen. And hwat bi3it heo þerof? Kumeð þe coue anonriht and reueð hire hire eiren, and fret al þet of hwat heo schulde uorð bringen hire cwike briddes. And riht also þe luðere coue deouel berþ awei urom þe kakelinde ancren, and uorswoluweð al þet god þet heo istreoned habbeð, þet schulden ase briddes beren ham up toueard heouene, 3if hit nere icakeled. Þe wreche peoddare more noise he makeð to 3eien his sope, þen a riche mercer al his deorewurðe ware. To summe gostliche monne þet 3e beoð trusti[1] uppen, ase 3e muwen beon of lut, god is þet 3e asken red and salue þet he teche ou to3eines fondunges, and ine schrifte scheaweð him, 3if he wule iheren ower greste and ower lodlukeste sunnen, uorþi þet him areowe ou and þuruh ðe bireounesse crie[2] Crist inwardliche merci uor ou, and habbe ou ine munde and in his bonen. *'Sed multi ueniunt ad uos in uestimentis ouium, intrinsecus autem sunt lupi rapaces'.* Auh witeð ou and beoð iwarre, he seið, ure louerd, uor monie cumeð to ou ischrud mid lombes fleose and beoð wode wulues.' Worldliche men ileueð lut, religiuse 3et lesse! Ne wilnie 3e nout to muchel hore kuðlechunge. Eue wiðute drede spec mit te neddre; vre lefdi was ofdred of Gabrieles speche. —

'Bacbitare and Fikelare.'

Urom al vuel speche, mine leoue sustren, stoppeð ower earen, and habbeð wlatunge of þe muðe þet speouweð ut atter. Vuel speche is þreouold attri, ful, idel. Idel speche is vuel, ful speche is wurse, attri speche is þe wurste. Idel is and unnet al þet god ne cumeð of; and of swuche speche, seið ure louerd, schal euerich word beon irikened and i3iuen reisun, hwi þe on hit seide and te oðer hit hercnede. And tis is þauh þet leste vuel of þe þreo vueles. Hwat, hu schal me þeonne 3elden reisun of þe þreo vueles, and nomeliche of þe wurste? Hwat, hu of þe wurste, þet is of attri and of ful speche, nout one þeo þet hit spekeð, auh þeo þet hit hercneð? Ful speche, is as of lecherie and of oðre fulðen þet unweasschene muðes spekeð oðer-hwule. Þe þet swuch fulðe speteð ut in eni ancre eare me schulde dutten his muð nout mid schearpe wordes, auh mid herde fustes. Attri speche is eresie and þuertouer leasunge, bacbitunge, and fikelunge. Þeos beoð þe wurste. Eresie, god beo iþoncked, ne rixleð nout in Englelond; auh leasunge is so vuel þing þet seint Austin seið, þet forte schilden ðine ueder from deaðe ne schuldest tu nout lien. God sulf seið þet he is soð, and hwat is more a3ein soð þen is leas and leasunge. *'Diabolus mendax est et pater eius.'* 'Þe deouel,' hit seið, 'is leas and leasunges feder.' Þe ilke þeonne þet stureð hire tunge ine leasunge, heo makeð of hire tunge cradel to þes deofles bearn, and rockeð hit 3eorneliche ase nurice.

Bacbitunge and fikelunge and eggunge to don eni vuel, heo ne beoð nout monnes speche, auh beoð þes deofles bles, and his owene stefne. 3if heo owen to beon ueor urom alle worldliche men, hwat, hu ancren owen to hatien ham, and schunien þet heo ham ne iheren. Iheren, ich sigge; uor hwose spekeð mid ham, heo nis nowiht ancre. — Þe vikelare ablent þene mon and put him preon in eien þet he mid vikeleð.

Þe bacbitare cheouweð ofte monnes fleschs ine uridawes, and bekeð mid his blake bile o cwike charoines ase þe þet is þes deofles corbin of helle. 3et wolde he teteren and pileken mid his bile roted stinkinde fleshs as is reafnes kunde, þet is, 3if he nolde siggen non vuel bi non oðer bute

[1] strusti [2] cririe

bi ðeo þet rotieð and stinkeð al ine fulðe of hore sunnen, hit were ȝet þe lesse sunne; auh lihteð upon cwike fleschs, tetereð and tolimeð hit; þet is, he misseið bi swuche þet is cwic in god. He is to ȝiuer reafen and to bold mid alle. An oðer half nimeð nu ȝeme of hwuche two mesteres þeos two
160 menestraus serueð hore louerde, þe deofle of helle. Ful hit is to siggen, auh fulre hit is uorte beon hit; and so hit is allegate. Heo beoð þes deofles gongmen, and beoð wiðuten ende in his gong-huse. Þes fikelares mester is to wrien and te helien ðet gong-þurl, and tet he deð as ofte ase he mid his fikelunge and mid his preisunge heleð and wrihð mon his sunne; uor noþing
165 ne stinckeð fulre þenne sunne, and he hit heleð and wrihð so þet he hit nout ne istinckeð. Þe bacbitare unheleð and unwrihð hit, and openeð so þet fulðe þet hit stinkeð wide. Þus ha beoð bisie i þisse fule mester, and eiðer mid oðer striueð her abuten. Swuche men stinkeð of hore stinkinde mester, and bringeð euerich stude o stenh þet heo tocumeð. Ure louerd ischilde ou þet
170 te breð of hore stinkinde þrote ne neihi ou neuer. Oðer speche soileð and fuleð; ac þeos attrieð þe heorte and te earen boðe. Þet ȝe ðe bet icnowen ham ȝif eni cumeð touward ou, lo, her hore molden:

Uikelares beoð þreo kunnes. Þe uorme beoð vuele inouh, þe oðre þauh beoð wurse, þe þridde ȝet beoð alre wurste. Þe uorme ȝif a mon is
175 god, preiseð hine biuoren himsulf, and makeð hine inouh reðe ȝet betere þen he beo, and ȝif he seið wel, oðer deð wel, he hit heueð to heie up mid ouerpreisunge and herunge. Þe oðer is ȝif a mon is vuel, and seið and deð so muche mis þet hit beo so open sunne þet he hit ne mei nonesweis allelunge wiðsiggen, he þauh biuoren þe monne sulf makeð his vuel lesse. 'Nis
180 hit nout nu,' he seið, 'so ouervuel ase me hit makeð. Nert tu nout i þisse þinge þe uorme ne þe laste. Þu hauest monie ueren. Let iwurðe, gode mon; ne gest tu nout þe one. Moni deð muche wurse.' Þe þridde cumeð efter, and is wurst fikelare, ase ich er seide; vor he preiseð þene vuele and his vuele deden ase ðe ðe seið to ðe knihte þet robbeð his poure men: 'A,
185 sire, hwat tu dest wel. Uor euere me schal þene cheorl pilken and peolien; uor he his ase þe wiði þet sprutteð ut ðe betere þet me hine ofte croppeð.' Þus ðe ualse uikelare ablendeð þeo ðe ham hercneð, ase ich er seide, and wrieð hore fulðe so þet heo hit ne muwen stinken; and tet is muchel unselhðe; vor ȝif heo hit stunken, ham wolde wlatien þer aȝean, and so
190 eornen to schrifte, and speouwen hit ut þer, and schunien hit þerefter.

Bacbitares, þe biteð oþre men bihinden, beoð of two maneres, auh þe latere beoð wurse. Þe uorme cumeð al openliche, and seið vuel bi anoþer, and speouweð ut his atter, so muchel so him euer to muðe cumeð, and gulcheð al ut somed þet þe attri heorte sent up to þe tunge. Ac þe latere
195 cumeð forð al an oþer wise, and is wurse ueond þen ðe oþer; auh under ureondes huckel weorpeð adun þet heaued and foð on uor te siken er he owiht sigge, and makeð drupie chere, bisaumpleð longe abuten uor te beon ðe betere ileued. Auh hwon hit alles cumeð forð, þeonne is hit ȝeoluh atter. 'Weilawei and wolawo,' heo seið, 'wo is me þet he, oþer heo, habbeð swuch
200 word ikeiht. Inouh ich was abuten, auh ne help me nout to don her one bote. Ȝare hit is þet ich wuste herof, auh þauh þuruh me ne schulde hit neuer more beon iupped; auh nu hit is þuruh oþre so wide ibrouht forð, ich hit ne mei nout wiðsaken. Vuel me seið þet hit is, and ȝet hit is wurse. Seoruhful ich am and sori þet ich hit schal siggen. Auh, forsoðe, so hit is,
205 and tet is muche seoruwe. Uor ueole oþre þing he, oðer heo, is swuðe to herien, auh nout for þisse þinge, and wo is me ðereuore. Ne mei ham no mon werien.' Þis beoð þes deofles neddren þet Salomon spekeð of. Vre louerd þuruh his grace holde ou oure earen urom hore attrie tungen, and ne leue ou neuer stinken þene fule put þet heo unwreoð, ase ðe uikelares wreoð
210 and helieð ase ich er seide, vnwreon hit to ham suluen þeo þet hit to limpeð, and helien hit oðre. Þet is a muche þeau, and nout to þeo þet hit schulden

smellen, and hatien þet fulðe. Nu, mine leoue sustren, urom al vuel speche þet is ðus þreouold, idel, and ful, and attri, holdeð feor our earen. Me seið upon ancren þet euerich mest haueð on olde cwene to ueden hire earen, ane maðelild þet maðeleð hire alle ðe talen of ðe londe, ane rikelot[1] þet cakeleð 215 hire al þet heo isihð oþer ihereð. So þet me seið ine bisauwe: 'Vrom mulne and from cheping, from smiððe and from ancre huse me tiðinge bringeð.' Þet wot Crist, þis is a sori tale, þet ancre hus þet schulde beon onlukust stude of alle, schal beon iueied to þeo ilke þreo studen þet mest is inne of cheafle. Auh ase quite ase ȝe beoð of swuche, leoue sustren, weren alle ðe 220 oðre, ure louerd hit vðe. —

The Outer Rule.

Of sihðe and of speche and of ðe oðre wittes is inouh iseid. Nu is þeos laste dole, ase ich bihet ou on erest, todeled and isundred o lutle seoue stucchenes.

Me let lesse deinte to þinge þet me haueð ofte. And forþi ne schule 225 ȝe beon, bute ase ure leawude breþren beoð, ihuseled wiðinnen tweolf moneð bute viftene siðen. —

Ȝe schulen eten urom Ester uort þet ðe Holi-rode-dei, þe latere, þet is ine heruest, eueriche deie twie, bute uridawes and umbridawes and ȝoingdawes and uigiles. I þeos dawes, ne in ðe Aduent ne schulen ȝe [eten] nout 230 hwit, bute ȝif neode hit makie. Þet oðer halue ȝer ȝe schulen uesten, al bute Sunendawes one.

Ȝe ne schulen eten vleschs ne seim buten ine muchele secnesse, oðer hwoso is euer feble. Eteð potage bliðeliche, and wunieð ou to lutel drunch. Noðeleas, leoue sustren, ower mete and ower drunch haueð iþuht me lesse 235 þen ich wolde. Ne eete ȝe nenne dei to breade and to watere, bute ȝe habben leaue. Sum ancre makeð hire bord mid hire gistes wiðuten. Þet is to muche ureondschipe; uor of alle ordres þeonne is hit unkuindelukest and mest aȝean ancre ordre þet is al dead to þe worlde. Me haueð iherd ofte siggen þet deade men speken mid cwike men; auh þet heo eten mid cwike 240 men ne uond ich neuer ȝete. Ne makie ȝe none gistninges, ne ne tulle ȝe to ðe ȝete none unkuðe harloz. Þauh þer nere non oðer vuel of bute hore meðlease muð, hit wolde oðer hwule letten heouenliche þouhtes. Hit ne limpeð nout to ancre of oðer monne elmesse uorto makien hire large. Nolde me lauhwen ane beggare lude to bisemare þet bede men to feste? Marie and 245 Marthe, boðe heo weren sustren, auh hore lif sundrede. Ȝe ancren habbeð inumen ou to Marie dole, þet ure louerd sulf herede. — Bidden hit uorto ȝiuen hit, nis nout ancre rihte. Of ancre kurteisie and of ancre largesse is ikumen ofte sunne and scheome on ende.

Wummen and children þet habbeð iswunken uor ou, hwatse ȝe sparieð 250 on ou, makieð ham to etene; nenne mon biuoren ou, bute ȝif he habbe neode, ne laðe ȝe to drinken; nout ne ȝirne ich þet me telle ou hendi ancren. —

Ȝe, mine leoue sustren, ne schulen habben no best bute kat one. Ancre þet haueð eihte þuncheð bet husewif, ase Marthe was, þen ancre; ne none 255 weis ne mei heo beon Marie mid griðfulnesse of heorte. Vor þeonne mot heo þenchen of þe kues foddre and of heordemonne huire, oluhnen þene heiward, warien hwon me punt hire, and ȝelden þauh ðe hermes. Wat Crist, þis is lodlich þing hwon me[2] makeð mone in tune of ancre eihte. Þauh ȝif eni mot nede habben ku, loke ðet heo none monne ne eilie, ne ne hermie, 260 ne þet hire þouht ne beo nout þeron iuestned. Ancre ne ouh nout to habben no þing þet drawe utward hire heorte.

[1] kikelot *Var.* [2] me me

None cheffare ne driue ȝe; ancre þet is cheapild, heo cheapeð hire soule þe chepmon of helle. Ne wite ȝe nout in oure huse of oþer monnes
265 þinges, ne eihte, ne cloðes; ne nout ne vnderuo ȝe ðe chirche uestimenz ne þene caliz, bute ȝif strencðe hit makie, oþer muchel eie. Vor of swuche witunge is ikumen muchel vuel oftesiðen. Wiðinnen ower woanes ne lete ȝe nenne mon slepen. Ȝif muchel neode mid alle makeð breken ower hus, þeo hwule ðet hit euer is ibroken, loke þet ȝe habben þerinne mid ou one
270 wummon of clene liue, deies and nihtes.

Uorþi þet no mon ne isihð ou, ne ȝe ne iseoð nenne mon, wel mei don of ower cloðes, beon heo hwite, beon heo blake, bute þet heo beon unorne and warme and wel iwrouhte, uelles wel itauwed; and habbeð ase monie ase ou to neodeð, to bedde and eke to rugge.

275 Nexst fleshe ne schal non werien no linnene cloð, bute ȝif hit beo of herde and of greate heorden. Stamin habbe hwose wule, and hwose wule mei beon buten. Ȝe schullen liggen in on heater and igurd. Ne bere ȝe non iren, ne here, ne irspiles felles; ne ne beate ou þermide, ne mid schurge ileðered, ne ileaded; ne mid holie, ne mid breres ne ne biblodge hire
280 sulf wiðuten schriftes leaue. Ne ne nime et enes to ueole disceplines. Ower schon beon greate and warme. Ine sumer ȝe habbeð leaue uorto gon and sitten baruot; and hosen wiðuten uaumpez, and ligge ine ham, hwoso likeð. Sum wummon inouh reaðe wereð þe brech of heare ful wel iknotted, and þe strapeles adun to hire uet, ilaced ful ueste. Ȝif ȝe muwen beon
285 wimpelleas, beoð bi warme keppen and þeruppon blake ueiles. Hwose wule beon iseien, þauh heo atiffe hire, nis nout muchel wunder; auh to godes eien heo is lufsumere þet is uor ðe luue of him untiffed wiðuten. Ring ne broche nabbe ȝe, ne gurdel imenbred, ne glouen, ne no swuch þing þet ou ne deih forto habben.

290 Euer me is leouere so ȝe don gretture werkes. Ne makie none purses uorte ureonden ou mide, ne blodbendes of seolke, auh schepieð and seouweð and amendeð chirche cloðes and poure monne cloðes. No þing ne schule ȝe ȝiuen wiðuten schriftes leaue. Helpeð mid ower owune swinke, so uorð so ȝe muwen, to schruden ou suluen and þeo ðet ou serueð, ase
295 seint Ierome lereð. Ne beo ȝe neuer idel. Uor anonrihtes ðe ueond beot hire his werc þet ine godes werke ne wurcheð, and he tuteleð anonrihtes touward hire. Uor þeo hwule þet he isihð hire bisi, þencheð þus: Vor nout ich schulde nu kumen neih hire, ne mei heo nout ihwulen uorto hercnen mine lore. Of idelnesse awakeneð muchel flesshes fondunge. *Iniquitas*
300 *Sodome saturitas panis et ocium.* Þet is: Al Sodomes cweadschipe kom of idelnesse and of ful wombe. Iren þet lið stille, gedereð sone rust; and water þet ne stureð nout, readliche stinkeð.

Ancre ne schal nout forwurðen scolmeistre, ne turnen hire ancre hus to childrene scole. Hire meiden mei þauh techen sum lutel meiden, þet were
305 dute of forto leornen among gromes; auh ancre ne ouh forto ȝemen bute god one. Ȝe ne schulen senden lettres, ne underuon lettres, ne writen buten leaue. Ȝe schulen beon idodded four siðen i ðe ȝere, uorto lihten ower heaued, and ase ofte ileten blod and oftere ȝif neod is; and hwoso mei beon þer wiðuten, ich hit mei wel iþolien. Wassheð ou hwarse ȝe habbeð neode,
310 ase ofte ase ȝe wulleð.

Ancre þet naueð nout neih honde hire uode, beoð bisie two wummen: on ðet bileaue euer et hom, an oðer þet wende ut hwon hit is neod. And þeo beo ful unorne oðer of feier elde; and bi ðe weie, ase heo geð, go singinde hire beoden, ne ne holde heo nout none tale mid mon ne mid
315 wummon, ne ne sitte ne ne stonde bute þet leste ðet heo mei, er þen heo kume hom. Nouhwuder elles ne go heo, bute þider ase me sent hire. Wiðute leaue ne ete heo ne ne drinke ute. Þe oðer beo euer inne, ne wiðute ðe ȝeate ne go heo nout wiðute leaue. Boðe beon obedient to hore dame

in alle þinges bute ine sunne one. No þing nabben heo þet hore dame hit nute. - Nouðer of ðe wummen ne beren urom hore dame ne ne bringen to hire none ideie talen ne neowe tiþinges, ne bitweonen ham sulf ne singen, ne ne speken none worldliche spechen, ne lauhwen, ne ne pleien so ðet ei mon þet hit iseie muhte hit to vuel turnen. Ouer alle þing leasunge and luðere wordes hatien. Hore her beo ikoruen, hore heuedcloð sitte lowe. Eiðer ligge one. Hore hesmel beo heie istihd al wiðute broche. No mon ne iseo ham unweawed ne open heaued. Louh lokunge habben. - On alle wise uorberen to wreððen hore dame. And ase ofte ase heo hit doð, er heo drinken oðer eten, makien hore uenie akneon adun to þer eorðe biuoren hire and sigge "mea culpa", and underuon þe penitence þet heo leið upon hire, lutende hire louwe. Þe ancre neuermore þerefter þene ilke gult ne upbreide hire uor none wreððe, bute ȝif heo eftsone ualle i ðet ilke, auh do hit allunge ut of hire heorte. And ȝif eni strif ariseð bitweonen ðe wummen, ðe ancre makie eiðer of ham to makien oðer venie akneon to ðer eorðe; and eiðer rihte up oðer, and kussen ham on ende. And þe ancre legge on eiðer sum penitence. - Non ancre seruant ne ouhte mid rihte uorto asken isette huire, bute mete and cloð, þet heo mei vlutten bi, and godes milce. Ne misleue non god, hwatso bitide, of ðe ancre, þet he hire trukie. Þe meidenes wiðuten, ȝif heo serueð ðe ancre also ase heo owen, hore hure schal beon ðe eche blisse of heouene. Hwoso haueð eie hope touward so heie hure, gledliche wule heo seruen and lihtliche alle wo and alle teone þolien. Mid eise ne mid este ne kumeð me nout to þer heouene. —

Ȝe ancren owen þis lutle laste stucchen reden to our wummen eueriche wike enes, uort ðet heo hit kunnen. And muche neod is ou beoðe, ðet ȝe nimen to ham gode ȝeme; uor ȝe muwen muchel þuruh ham beon igoded and iwursed on oðer halue. Ȝif heo suneged þuruh ower ȝemeleaste, ȝe schulen beon bicleoped þerof biuoren þe heie demare; and forþi ase ou is muche neod and ham is ȝete more, ȝeorneliche techeð ham to holden hore riulen, boðe uor ou and for ham suluen, liðeliche þauh and luueliche, uor swuch ouh wommone lore to beon, luuelich and liðe and seldwhonne sturne. Boðe hit is riht þet heo ou dreden and luuien; auh þet ðer beo more euer of luue þen of drede. Þeonne schal hit wel uaren.

Se uorð ase ȝe muwen of drunch and of mete and of cloð and of oðer þinges, þet neode of fleshe askeð, beoð large touward ham, þauh ȝe ðe neruwure beon and te herdure to ou suluen; vor so deð þe wel bloweð: went þene neruwure ende of þe horne to his owune muðe and utward þene wide. And ȝe don also, ase ȝe wulleð, þet ower beoden bemen and dreamen wel ine drihtenes earen; and nout one to ower ones, auh to alle uolkes heale, ase ure louerd leue þuruh ðe grace of himsulf, þet hit so mote beon. Amen.

O þisse boc redeð eueriche deie hwon ȝe beoð eise, eueriche deie lesse oðer more. Uor ich hopie þet hit schal beon ou, ȝif ȝe hit redeð ofte, swuðe biheue þuruh godes grace; and elles ich heuede vuele bitowen muchel of mine hwule. God hit wot, me were leouere uorto don me touward Rome þen uorto biginnen hit eft forto donne. And ȝif ȝe iuindeð þet ȝe doð also ase ȝe redeð, þonkeð god ȝeorne; and ȝif ȝe ne doð nout, biddeð godes ore and beoð umbe þer abuten þet ȝe hit bet holden efter ower mihte. Veder and sune and holi gost, and on almihti god, he wite ou in his warde. He gledie ou and froure ou, mine leoue sustren; and for al þet ȝe uor him drieð and suffreð, he ne ȝiue ou neuer lesse huire þen altogedere him suluen. He beo euer iheid from worlde to worlde, euer on ecchenesse! Amen.

Ase ofte ase ȝe readeð out o þisse boc, greteð þe lefdi mid one Aue Marie uor him ðet makede þeos riwle, and for him þet hire wrot and swonc her abuten. Inouh meðful ich am, þet bidde so lutel.

90. DAN MICHEL, AYENBITE OF INWYT

MS. [= Original]: BM., Arundel 57; 1340. — *ed.*: R. Morris, EETS. 23. — We. VI, 4; Ke. 4418-4420; Ba. 184-185; RC. 278.

Some Notes of the Author.

Þis boc is dan Michelis of Northgate, ywrite an Englis of his oȝene hand. Þet hatte 'Ayenbyte of Inwyt', and is of þe bochouse of saynt Austines of Canterberi. —

Þis boc is ywrite
5 Uor Englisse men, þet hi wyte
Hou hi ssolle hamzelue ssriue
And maki ham klene ine þis liue.
Þis boc hatte huo þet writ
'Ayenbite of Inwyt'. —

10 Nou ich wille þet ye ywyte hou hit is ywent,
Þet þis boc is ywrite mid Engliss of Kent:
Þis boc is ymad uor lewede men,
Uor uader, and uor moder, and uor oþer ken,
Ham uor to berȝe uram alle manyere zen,
15 Þet ine hare inwytte ne bleue no uoul wen.
'Huo ase god' is his name yzed,
Þet þis boc made. God him yeue þet bread
Of angles of heuene and þerto his red,
And onderuonge his zaule huanne þet he is dyad. Amen.

20 Ymende þet þis boc is uolueld ine þe eue of þe holy apostles Symon an Iudas of ane broþer of þe cloystre of sanynt Austin of Canterberi ine þe yeare of oure lhordes beringe 1340. —

Avarice.

Alle manere of uolk studieþ ine auarice, and greate and smale: kinges, prelates, clerkes, an lewede and religious. Auarice is disordene loue, zuo 25 disordene him ssseweþ in þri maneres generalliche: ine wynnynge boldeliche, ine ofhealdinge streytliche, ine spendinge scarsliche. Þise byeþ þe þri boȝes principales, þet of þise rote wexeþ. Ac specialliche and propreliche of þe rote of auarice guoþ out manye smale roten, þet byeþ wel greate dyadliche zennes. — And ech of þise smale roten him todelþ ine uele manyeres.

30 Þanne þe uerste rote, þet is gauelinge, him todelþ ine zeuen outkestinges. Uor þer byeþ zeue manere gaueleres lenynde, þet leneþ zeluer uor oþren and aboue þe catel nimeþ þe heȝþes oþer ine pans, oþer ine hors, oþer ine corn, oþer ine wyn, oþer ine frut of þe grounde þet hi nimeþ ine wedde dyade, wyþoute rekenynge þet frut ine paynge. And þet wors ys: hi 35 wylleþ rekeny tuyes oþer þries þet yer uor to do arise þet gauel, and wylleþ yet habbe yefþes aboue uor eche terme, and makeþ ofte of þe gauel principale dette. Þise byeþ gaueleres kueade and uoule. Ac þer is anoþer lenere corteys, þet leneþ wyþoute chapfare makiinde, alneway in heȝinge oþer ine pans, oþer ine hors, oþer ine coupes of gold oþer of zeluer, 40 oþer robes, oþer tonnen mid wyn, oþer ine uette zuyn, seruices ulessliche, of hors, of carten, oþer prouendres to ham, oþer to hare children, oþer ine oþre þinges, and oueral to gauel, huanne me hit nimþ by þe skele of þe lone. Þis is þe uerste manere of gauelynge, þet is ine leninge kueadliche. Þe oþre manere of gauelynge is ine 45 þan þet ne leneþ naȝt to hare persone, ac þet hire uaderes and þe uaderes of hare wyues oþer hare eldringes habbeþ yporchaced be gauelinge hit ofhyealdeþ and noileþ hit naȝt yelde. Þe þridde manere of gauelinge is ine ham þet habbeþ onworþ to lene of hire hand, ac hi doþ lene hare sergons

oþer oþre men of hire pans. Þise byeþ þe mayster gaueleres. Of þe ilke zenne ne byeþ naȝt þe heȝe men quit, þet hyealdeþ and sosteneþ Iewes and 50
þe Caorsins, þet leneþ and destruiþ þe contraye, and hy nymeþ þe medes and þe greate yefþes and oþerhuil þe ronsounes, þet byeþ of þe guodes of þe poure. Þe uerþe manyere is ine ham, þet leneþ of oþremanne zelure oþer borȝeþ to litel cost uor to lene to gratter cost. Þise byeþ litle gaueleres, þet lyerneþ zuych uoul creft. Þe vifte manere is ine cheapfare, huanne me 55
zelþ þet þing, huet þet hit by, more þanne hit by worþ uor þane time; an þet wors is þe timezettere ontrewe, huanne he yziȝþ þet uolk mest nyeduol, þanne wyle he zelle þe derrer tuyes oþer þries zuo moche þane þet þing by worþ; zuych uolk doþ to moche kuead. Uor hire timezettinge hi destrueþ and makeþ beggeres þe knyȝtes and þe heȝemen, þet uolȝeþ þe tornemens 60
and þet hy betakeþ hyre londes and hare eritage ine wed and dead wed, þet naȝt him ne aquytteþ. — Þe oþre beggeþ þe þinges, huanne hi byeþ lest worþ to greate cheape, ine herueste þet corn, ine uendonginge þet wyn, oþre cheapfares uor to zelle ayen alhuet hi byeþ mest diere and wilneþ þane dyere time uor to zelle þe derrer. — 65

Þe eȝtende boȝ of auarice is chapfare, huerinne me zeneȝeþ ine uele maneres uor timlich wynnynge, and nameliche ine zeue maneres: Þe uerste is to zelle þe þinges ase dyere ase me may, and to begge as guodcheap ase me may. Þe oþer is lyeȝe, zuerie, and uorzuerie þe heȝere to zelle hare chapuare. Þe þridde manere is þet me deþ ine wyȝtes and ine mesures; 70
and þet may by ine þri maneres. Þe uerste: huanne me heþ diuerse wyȝtes oþer diuerse mesures, and beggeþ be þe gratteste wyȝtes oþer be þe gratteste mesures and zelleþ by þe leste. Þe oþre manere is, huanne me heþ riȝtuolle wyȝtes and riȝtuolle mesures and zelleþ ontreweliche, ase doþ þise tavernyers þet uelleþ þe mesure myd scome. Þe þridde manere zuo is, huanne 75
þo, þet zelleþ be wyȝte, purchaceþ and makeþ zuo moche, þet þet þing, þet me ssel weȝe, sseweþ more heuy. Þe uerþe manere to zeneȝi in chapfare is to zelle to tyme. Of þisen we habbeþ yspeke aboue. Þe vifte manere is, oþer þing zelle þanne me heþ ysseawed beuore, ase doþ þise scriueyns þet sseweþ guode lettre ate ginnynge and efterward makeþ wycked. Þe zixte is 80
hede þe zoþnesse of þe þinge þet me wyle zelle, ase doþ þe romongours of hors. Þe zeuende is maki porchaci, þet þet þing, þet me zelþ, makeþ uor to ssewy betere þanne hit by, ase doþ þise zelleres of cloþ þet chieseþ þe þyestre stedes, huer hi zelleþ hare cloþ. Ine uele oþre maneres me may zeneȝi ine chapfares, ac long þing hit were to zigge. — 85

Gluttony.

Þe zenne of glotounye is a vice, þet þe dyeuel is moche myde ypayd and moche onpayþ god. Be zuych zenne heþ þe dyeuel wel grat miȝte in manne, huerof we redeþ ine þe godspelle, þet god yaf yleaue þe dyeulen to guo into þe zuyn; and þo hi weren ine ham, hise adreynten ine þe ze, ine tokninge þet þe glotouns ledeþ lif of zuyn and þe dyeuel heþ yleaue to guo 90
in ham and hise adrenche ine þe ze of helle and ham to do ete zuo moche, þet hi tocleue, and zuo moche drinke þet hy ham adrencheþ.

Huanne þe kempe heþ his uelaȝe yueld and him halt be þe þrote, wel onneaþe he arist. Alsuo hit is of þan þet þe dyeuel halt be þa zenne; and þeruore bleþeliche he yernþ to þe þrote, ase þe wolf to þe ssepe, him uor 95
to astrangli, ase he dede to Euen and to Adam in paradys terestre. Þet is þe vissere of helle þet nymþ þane viss bi þe þrote and by þe chinne. Þis zenne moche mispayþ god; uor þe glotoun makeþ to grat ssame, huanne he makeþ his god of ane zeche uol of dong, þet is of his wombe, þet he loueþ more þanne god, and ine him ylefth and him serueþ. 100

God him hat ueste; þe wombe zayþ: 'Þou ne sselt, ac et longe and atrayt.' God him hat be þe morȝen arise; þe wombe zayþ: 'Þou ne sselt; ich

am to uol, me behoueþ to slepe. Þe cherche nys non hare, hy abyt me wel.' And huanne he arist, he begynþ his matyns and his benes and his oreysones,
105 and zayþ: 'A, god, huet ssolle we ete to day? Huader me ssolle eny þing uynde þet by worþ?' Efter þise matynes comeþ þe laudes and he[1] zayþ: 'A, god, huet we hedde guod wyn yesteneuen and guode metes!' And efterþan he bewepþ his zennes, and zayþ: 'Allas,' he zayþ, 'ich habbe yby nyeȝ dyad to niȝt! To strang wes þet wyn teue! Þet heaued me akþ! Ich ne ssel by
110 an eyse, alhuet ich habbe ydronke.' Þous to þe kueade zayþ. Þis zenne let man to ssame; uor alþeruerst he becomþ tauernyer, þanne he playþ ate des, þanne he zelþ his oȝen, þanne he becomþ ribaud, holyer and þyef, and þanne me hine anhongeþ. Þis is þet scot, þet me ofte payþ! —

Nou þou hest yhyerd þe zennes þet comeþ of glotounye and of lecherie.
115 And þeruore þet zuyche zennes arizeþ communliche ine tauerne, þet is welle of zenne, þeruore ich wylle a lite talke[2] of þe zennes þet byeþ ydo ine þe tauerne. Þe tauerne ys þe scole of þe dyeule, huere his deciples studieþ, and his oȝene chapele, þer huer me deþ his seruese and þer huer he makeþ his miracles, zuiche ase behoueþ[3] to þe dyeule. At cherche kan god his
120 uirtues sseawy and do his miracles: Þe blynde to liȝte, þe crokede to riȝte, yelde þe wyttes to[4] þe wode, þe speche to þe dombe, þe hierþe to þe dyaue. Ac þe dyeuel deþ al ayenward ine þe tauerne: Uor huanne þe glotoun geþ into þe tauerne, ha geþ opriȝt; huanne he comþ ayen, he ne heþ uot þet him moȝe sostyeni ne bere. Huanne he þerin geþ, he yzycþ and
125 yherþ and specþ wel and onderstant; huan he comþ ayen, he heþ al þis uorlore, ase þe ilke þet ne heþ wyt ne scele ne onderstondinge. Zuyche byeþ þe miracles þet þe dyeuel makeþ, and huet lessouns þer he ret, alle uelþe he tekþ þer: glotounye, lecherie, zuerie, uorzuerie, lyeȝe, miszigge, reneye god, euele telle, contacky, ant to uele oþre manyeres of zennes. Þer
130 ariseþ þe cheastes, þe strifs, þe manslaȝþes. Þer me tekþ to stele and to hongi. Þe tauerne is a dich to þieues, and þe dyeules castel uor to werri god an his halȝen. And þo þet þe tauernes sustyeneþ, byeþ uelaȝes of alle þe zennen þet byeþ ydo ine hare tauernes. And uorzoþe, yef me ham zede oþer dede ase moche ssame to hire uader oþer to hare moder oþer to hare
135 gromes as me deþ to hire uader of heuene and to oure lheuedy and to þe halȝen of paradis, mochel hi wolden ham wreþi, and oþer red hi wolden do þerto þanne hi doþ. —

Antiquity and Christendom.

Of þe uour uirtues cardinales spekeþ moche þe yealde philosofes, ac þe holi gost hise yefþ and tekþ betere an hondredsiþe, ase zayþ Salomon
140 ine þe boc of wysdome. Of þise uour uirtues þe uerste me clepeþ sleȝþe, þe oþer temperance, þe þridde strengþe, þe uerþe dom[5]. Þise uour uirtues byeþ ycleped cardinals, uor þet hi byeþ heȝest amang þe uirtues, huerof þe yealde filosofes speke; uor be þise uour uirtues þe man gouerneþ himzelue ine þise wordle, ase þe apostles gouerneþ holy cherche be his cardi-
145 nals. — Þise uour uirtues habbeþ diuerse offices, and mochel ham diuerseþ ine hire workes, ase zayþ an ald filosofe, þet hette Platoun, ine his boc þet he made of þe uour uirtues. —

Ine þise uour uirtues ham studede þe yealde filozofes, þet al þe wordle onworþede and uorlete uor uirtue to zeche and wysdom. And þeruore hi
150 were ycleped filosofes; uor 'filozofe' is ase moche worþ ase 'loue of wysdome'. A, god, hou hit ssolde ous ssende and astonie, huanne þo þet weren paenes and wyþout laȝe ywrite, þet naȝt ne couþe of þe zoþe grace of god ne of þe holy gost ne wenden: hi cliuen into þe helle of perfeccion of liue be strengþe be hire oȝene uirtue, and ne daynede naȝt to loki ope þe wordle!
155 And we þet byeþ cristene and habbet þe zoþe beleaue and conne þe hestes

[1] he] *not in MS.* [2] talke] take *MS.* [3] bohoueþ [4] to] of *MS.* [5] dom] *alias* riȝtuolnesse

of god and habbeþ þe grace of þe holy gost: yef we yzeȝe þet we miȝte more in one daye profiti þanne hi ne moȝe ine one yere yhol, we waleweþ ase zuyn hyer beneþe ine þise wose of þise wordle. Þeruore zayþ sanynte Paul, þet þe payens þet byeþ wyþoute laȝe and doþ þe laȝe, ate daye of dome hi ssolle ous deme, þet habbet þe laȝe and naȝt hise doþ. — 160

Drede's Report.

Drede zayþ[1]: 'Helle is wyd wyþoute metinge, dyep wyþoute botme, uol of brene onþolyinde, uol of stenche wyþoute comparisoun. Þer is zorȝe, þer is þyesternesse, þer ne is non ordre, þer is groniynge wyþoute ende. Þer ne is non hope of guode, non wantrokiynge of kueade. Ech þet þerinne is hateþ him zelue and alle oþren. Þer ich yzeȝ alle manyere tormens; þe leste 165 of alle is more þanne alle þe pynen þet moȝe by ydo ine þise wordle. Þer is wop and grindinge of teþ; þer me geþ uram chele into greate hete of uere, and buoþe onþolyinde. Þere alle be uere ssolle by uorbernd and myd wermes ssolle by ywasted and naȝt ne ssolle wasti. Hire wermes ne ssolle naȝt sterue, and hare ver ne ssel neure by ykuenct. No rearde ne ssel þer by 170 yhyerd bote 'Wo! wo!' Wo hy habbeþ, and wo hy gredeþ. Þe dyeules tormentors pyneþ and togydere hy byeþ ypyned; ne neure ne ssel by ende of pyne oþer reste. Þellich is helle, an a þousend zyþe worse; and þis ich yzeȝ ine helle and a þousendziþe more worse! Þis ich com uor to zygge you.' —

91. RICHARD ROLLE OF HAMPOLE, ENGLISH TREATISES

MSS.: *C* = Cambridge, Univ. Dd. V. 64: XIV/XV century. [*Varr.: R* = Bodl., Rawlinson A. 389; XV ct. *V* = Bodl., Vernon Ms., XIV ct.] — *edd.:* H. E. Allen, English Writings of Richard Rolle, Oxford 1931; C. Horstmann, Yorkshire Writers, London 1895. — BR. 2270; We. XI, 5-6; Ke. 4855-59; Ba. 191-193; RO, 308.

From: EGO DORMIO.

Ego dormio et cor meum vigilat. Þai þat lyste lufe, herken and here of luf. In þe sang of luf it es writen: 'I slepe, and my hert wakes.' Mykel lufe he schewes, þat never es irk to lufe, bot ay standand, sittand, gangand, or wirkand, es ay his lufe thynkand, and oftsyth þarof es dremande. Forþi þat I lufe, I wow þe, þat I myght have þe als I walde, noght to me, bot to 5 my lorde. I will become þat messanger to bryng þe to hys bed, þat hase made þe and boght þe, Criste, þe keyng sonn of heven; for he wil with þe dwelle, if þou will lufe hym. He askes þe na mare bot þi lufe. And my dere syster in Criste, my wil þou dose if þou lufe hym. Criste covaytes noght els[2], bot at þou do his wil and enforce þe day and nyght þat þou leve 10 al fleschly lufe and al lykyng þat lettes þe til lofe Ihesu Crist verraly. For ay whils þi hert es heldand til lufe any bodely thyng, thou may not perfitely be coupuld with god.

In heven[3] er neyn orders of aungels, þat er contened in thre ierarchies. Þe lawest ierarchi contenes aungels, archaungels, and vertues; þe mydel 15 ierarchi contenes principates, potestates, and dominacions; þe heest ierarchi, þat neest es to god, contenes thronos, cherubyn, and seraphyn. Þe lawest es aungels, þe heest es seraphyn; and þat order, þat leste es bryght, es seven sythe sa bryght als þe sonn es. And as þou sees þe son[4] bryghtar þan a kandele, þe kandel bryghtar þan þe mone, þe mone bryghtar þan a sterne, 20 also er þe orders in heven ilk ane bryghter þan other, fra aungels to seraphyn. Þis I say to kyndel þi hert for to covayte þe felichip of aungels. For al þat er gude and haly, when þai passe owt of þis worlde, sal be taken intil

[1] *cf. Sawles Warde (above), 29 ff.* [2] Cr.-els] Criste covaytes þi fairehede in saule, þat þou gyf hym halely þi hert; and I preche noght els *R* [3] heven *R*] wham *C* [4] And-son *R*] *not in C*

þies orders: some intil þe lawest, þat hase lufed mykel; some intil þe my-
25 delmest, þat hase lufed mare; oþer intil þe heest, þat maste lufed god and byrnandest es in hys lufe. Seraphyn es at say 'brynand'; til þe whilk order þai er receyved þat leest covaytes in þis worlde, and maste swetnes feles in god, and brynandest hertes hase in his lufe.

Til þe I write þis[1] specialy, for I hope mare godenes in þe þan in
30 another, and þat[2] þou wil gyf þi thoght to fulfil in dede þat þou seys[3] es maste prophetabel for þi sawle, and þat lyf gif þe til þe[4] whilk þow may halyest offer þi hert to Ihesu Criste and leste be in bisynes of þis worlde. For if þow stabil þi lufe, and be byrnande whils þou lyfes here, withowten dowte þi settel es ordaynde ful hegh in heven and joyful before goddes face
35 amang his haly aungels. For in þe self degre þeir prowde devels fel downe fra, er meke men and wymen, Criste dowves, sett, to have rest and joy withowten ende, for a litel schort penance and travel þat þai have sufferd for goddes lufe. Þe thynk peraventure hard to gife þi hert fra al erthly thynges, fra al ydel speche and vayne, and fra al fleschly lufe, and to be alane, to
40 wake[5] and pray and thynk of þe joy of heven and of þe passyon of Ihesu Criste, and to ymagyn þe payne of hell þat es ordande for synful man. Bot wyterly, fra þou be used þarin, þe wil thynk it lyghter and swetter þan þou dyd any erthly thyng or solace. Als sone als þi hert es towched with þe swetnes of heven, þe wil lytel lyst þe myrth of þis worlde; and when þou
45 feles joy in Criste lufe, þe wil lathe with þe joy and þe comforth of þis worlde and erthly gamen. For al melody and al riches and delites, þat al men in þis world kan ordayne or thynk, sownes bot noy and anger til a mans hert þat verraly es byrnand in þe lufe of god; for he hase myrth and joy and melody in aungels sang, als þou may wele wyt. If þou leve al thyng
50 þat þi fleschly lufe list, for þe lufe of god, and have na thoght on syb frendes, bot forsake al for goddes lufe, and anely gyf þi hert to coveyte goddes lufe and pay hym, mare joy sal þou have and fynd in hym þan I can on thynk. —

Alle perisches and passes þat we with eghe see.[6]/ It wanes into wrechednes þe welth of þis worlde./ Robes and ritches rotes in dike./ Prowde
55 payntyng slakes into sorow./ Delites and drewryse stynk sal ful sone,/ þair golde and þaire tresoure drawes þam til dede./ Al þe wikked of þis worlde drawes til a dale,/ þat þai may se þare sorowyng, whare waa es ever stabel./ Bot he may syng of solace, þat lufes Ihesu Criste./ Þe wretchesse fra wele falles into hell. —

60 It wyll kyndel þi hert to sett at noght al þe gudes of þis worlde and þe joy þarof, and to desyre byrnandly þe lyght of heven with aungels and halowes. And when þi hert es haly ordande to þe service of god, and al worldly thoghtes put oute, þan wil þe liste stele by þe alane, to thynk on Criste, and to be in mykel praying. For thorow gode thoghtes and hali
65 prayers þi hert sal be made byrnand in þe lufe of Ihesu Criste, and þan sal þow fele swetnes and gastely joy bath in praying and in thynkyng. And when þou ert by þe alane, gyf þe mykel to say þe psalmes of þe psauter and Pater noster and Ave Maria. And take na tent þat þou say many, bot þat þou say þam wele, with al devocion þat þow may, liftand up þi thoght til
70 heven. Better it es to say seven psalmes wyth desyre of Crystes lufe, havand þi hert on[7] þi praying, þan seven hundreth thowsand suffrand þi thoght passe in vanitees of bodyli thynges. What gude hopes þou may come þarof, if þou lat þi tonge blaber on þe boke and þi hert ren abowte in sere stedes in þe worlde? Forþi sett þi thoght in Criste, and he sal rewle it til hym. And
75 halde þe fra þe venome of þe worldly bisynesse. —

Þis degre es called contemplatife lyfe, þat lufes to be anely, withowten ryngyng or dyn or syngyng or criyng. At þe begynyng, when þou comes

---

[1] þis *R*] *not in C* [2] þat *R*] *not in C* [3] *R*] says *C* [4] in þe *R* [5] *R*] walk *C*
[6] Alle—see *R*] *not in C* [7] on *R*] of *C*

þartil, þi gastly egh es taken up intil þe blysse of heven, and þar lyghtned with grace and kyndelde with fyre of Cristes lufe, sa þat þou sal verraly fele þe bernyng of lufe in þi hert ever mare and mare, liftand þi thoght to god, and feland lufe, joy, and swetnes so mykel þat na sekenes, anguys, ne schame, ne penance may greve þe, bot al þi lyf sal turne intyl joy. And þan fore[1] heghnesse of þi hert þi[2] prayers turnes intil joyful sange, and þi thoghtes to melody. Þan es Ihesu al þi desyre, al þi delyte, al þi joy, al þi solace, al þi comforth. Al I wate þat on hym ever be þi sang, in hym all þi rest. Þen may þow say: 80 85

'I slepe, and my hert wakes.
Wha sall tyll my lemman say:
For hys lufe me langes ay?'

Now I write a sang of lufe, þat þou sal delyte in when þow ert lufand Ihesu Criste: 90

My sange es in syhtyng, my lyfe es in langynge,
Til I þe se, my keyng, so fayre in þi schynyng,
So fayre in þi fayrehede.
Intil þi lyght me lede, and in þi lufe me fede,
In lufe make me to spede, þat þou be ever my mede. 95

When wil þou come, Ihesu my joy, and cover me of kare,
And gyf me þe, þat I may se, lifand evermare?
Al my coveytyng war commen, if I myght til þe fare.
I wil na thyng bot anely þe, þat all my will ware.

Ihesu my savyoure, Ihesu my comfortoure, 100
Of al my fayrnes flowre, my helpe and my sokoure,
When may I se þi towre?
When wil þou me kall? Me langes to þi hall,
To se þe þan al; þi luf, lat it not fall!
My hert payntes þe pall þat steds us in stal. 105

Now wax I pale and wan for luf of my lemman.
Ihesu bath god and man, þi luf þou lerd me þan
When I to þe fast ran; forþi now I lufe kan.
I sytt and syng of luf-langyng þat in my breste es bredde.
Ihesu, Ihesu, Ihesu, when war I to þe ledde? 110
Full wele I wate, þou sees my state; in lufe my thoght es stedde,
When I þe se and dwels with þe, þan am I fylde and fedde.

Ihesu, þi lufe es fest, and me to luf thynk best.
My hert, when may it brest to come to þe, my rest?
Ihesu, Ihesu, Ihesu, til þe it es þat I morne 115
For my lyfe and my lyvyng. When may I hethen torne?

Ihesu, my dere and my drewry, delyte ert þou to syng.
Ihesu, my myrth and melody, when will þow com, my keyng?
Ihesu, my hele and my hony, my whart and my comfortyng,
Ihesu, I covayte for to dy when it es þi payng. — 120

Ihesu, with þe I byg and belde; lever me war to dy
Þan al þis worlde to welde and hafe it in maystry.
When wil þou rew on me, Ihesu, þat I myght with þe be,
To lufe and lok on þe?
My setell ordayne for me, and sett þou me þarin; 125
For þen moun we never twyn.
And I þi lufe sal syng thorow syght of þi schynyng
In heven withowten endyng. Amen.

Explicit tractatus Ricardi heremite de Hampole, scriptus cuidam moniali de ȝedyngham.

[1] þan fore *R*] þarfore *C* [2] þi *D*] in *C*

From: *THE FORM OF LIVING.*

XII. Twa lyves þar er þat cristen men lyfes: Ane es called actyve lyfe,
130 for it es mare bodili warke. Another contemplatyve lyfe, for it es in mare
swetnes gastely. Actife lyfe es mykel owteward, and in mare travel, and in
mare peryle for þe temptacions þat er in þe worlde. Contemplatyfe lyfe es
mykel inwarde, and forþi it es lastandar and sykerar, restfuller, delitabiler,
luflyer, and mare medeful. For it hase joy in goddes lufe, and savowre in
135 þe lyf þat lastes ay, in þis present tyme if it be right ledde. And þat felyng
of joy in þe lufe of Ihesu passes al other merites in erth; for it es swa
harde to com to, for þe freelte of oure flesch and þe many temptacions þat
we er umsett with, þat lettes us nyght and day. All other thynges er lyght
at come to in regarde þarof, for þat may na man deserve, bot anely it es
140 gifen of goddes godenes til þam þat verrayli gifes þam to contemplacion and
til quiete for Cristes luf.

Til men or wymen þat takes þam til actife lyfe, twa thynges falles:
Ane for to ordayne þair meyne in drede and in þe lufe of god, and fynd
þam þaire necessaries, and þamself kepe enterely þe comandementes of god,
145 doand til þar neghbur als þai wil þat þai do til þam. Another, es þat þai do
at þar power þe seven werkes of mercy, þe whilk es: to fede þe hungry, to
gyf þe thirsti a drynk, to cleth þe naked, to herbar hym þat has na howsyng,
to viset þe seke, to comforth þam þat er in prysoun, and to grave dede men.
Al þat mai and hase[1] cost. Þai may noght be qwyt with ane or twa of þir,
150 bot þam behoves do þam al, if þai wil have þe benyson on domes day, þat
Ihesu sal til al gyf þat dose þam; or els may þai drede þe malysoun þat al
mon have þat wil noght do þam, when þai had godes to do þam wyth.

Contemplatife lyf hase twa partyes, a lower and a heer. Þe lower
party es meditacion of haly wrytyng, þat es goddes wordes, and in other gude
155 thoghtes and swete, þat men hase of þe grace of god abowt þe lufe of Ihesu
Criste, and also in lovyng of god in psalmes and ympnes, or in prayers. Þe
hegher party of contemplacion es behaldyng and ȝernyng of þe thynges of
heven, and joy in þe haly gaste, þat men hase oft. And if it be swa þat þai
be noght prayand with þe mowth, bot anely thynkand of god and of þe faire-
160 hede of aungels and haly sawles, þan may I say þat contemplacion es a
wonderful joy of goddes luf, þe whilk joy es lovyng of god, þat may noght
be talde. And þat wonderful lovyng es in þe saule, and for abundance of
joy and swettenes it ascendes intil þe mouth, swa þat þe hert and þe tonge
acordes in ane, and body and sawle joyes in god lyvand.

165 A man or woman þat es ordaynd til contemplatife lyfe first god enspires
þam to forsake þis worlde and al þe vanite and þe covayties and þe vile luste
þarof. Sythen he ledes þam by þar ane, and spekes til þar[2] hert, and als þe
prophete says, 'he gifes þam at sowke þe swetnes of þe begynnyng of lufe'.
And þan he settes þam in wil to gyf þam haly to prayers and meditacions
170 and teres. Sithen, when þai have sufferd many temptacions, and foule noyes
of thoghtes þat er ydel and of vanitees, þe whilk comber þam, þat can noght
destroy þam, er passand away, he gars þam geder til þam þair hert, and fest
anely in hym, and opens til þe egh of þair sawls þe ȝates of heven, swa
þat þe ilk egh lokes intil heven. And þan þe fire of lufe verrali ligges in
175 þair hert and byrnes þarin, and makes clene of al erthly filth. And sithen
forward þai er contemplatife men, and ravyst in lufe. For contemplacion es
a syght, and þai se intil heven with þar gastly egh. Bot þou sal witt, þat
na man hase perfite syght of heven whils þai er lifand bodili here; bot als
sone als þai dye, þai er broght before god, and sese hym face til face and
180 egh til egh, and wones with hym withouten ende. For hym þai soght, and
hym þai covayted, and hym þai lufed in al þar myght.

[1] *R*] hase and mai *C* [2] ȝar

92. THE BOOK OF MARGERY KEMPE

MS.: W. E. I. Butler-Bowdon; circa 1440-1450. -- *ed.*: S. B. Meech - H.E.Allen, EETS. 212; modern rendering: W. Butler-Bowdon, World's Classics 543. — RO. 266.

Preface.

A schort tretys of a creature sett in grett pompe and pride of þe world, whech sythen was drawyn to ower lord be gret pouerte, sekenes, schamis, and gret repreuys in many diuers contres and places, of whech tribulacyons sum schal ben schewed aftyr, not in ordyr as it fellyn but as þe creatur cowd han mend of hem whan it wer wretyn, for it was ·xx· ȝer and mor fro tym þis creatur had forsake þe world and besyly clef onto ower lord or þis boke was wretyn, not-wythstondyng þis creatur had greet cownsel for to don wryten hir tribulacyons and hir felingys, and a whyte frer proferyd hir to wryten frely yf sche wold. And sche was warnyd in hyr spyrit þat sche xuld not wryte so sone. And many ȝerys aftyr sche was bodyn in hyr spyrit for to wrytyn. And þan ȝet it was wretyn fyrst be a man whech cowd neiþyr wel wryten Englysch ne Duch, so it was vnable for to be red but only be specyal grace, for þer was so mech obloquie and slawndyr of þis creatur þat þer wold fewe men beleue þis creatur. And so at þe last a preste was sor mevyd for to wrytin þis tretys, and he cowd not wel redyn it of a ·iiij· ȝere togedyr. And sythen be þe request of þis creatur and compellyng of hys owyn consciens he asayd agayn for to rede it, and it was mech mor esy þan it was afortyme. And so he gan to wryten in þe ȝer of owr lord a ·m·cccc·xxxvj· on þe day next aftyr Mary Maudelyn aftyr þe informacyon of þis creatur.

Early Autobiography. (Cap.II).

And whan þis creatur was þus gracyowsly comen ageyn to hir mende, sche thowt sche was bowndyn to god ant þat sche wold ben his seruawnt. Neuyr-þe-lesse sche wold not leeuyn hir pride ne hir pompows aray þat sche had vsyd befortym, neiþyr for hyr husbond ne for noon oþer mannys cownsel. And ȝet sche wyst ful wel þat men seyden hir ful mech velany, for sche weryd gold pypys on hir hevyd and hir hodys wyth þe typettys were daggyd. Hir clokys also wer daggyd and leyd wyth dyuers colowrs betwen þe daggys þat it schuld be þe mor staryng to mennys sygth and hirself þe mor ben worshepd. And whan hir husbond wold speke to hir for to leuyn hir pride, sche answeryd schrewydly and schortly and seyd þat sche was comyn of worthy kenred, hym semyd neuyr for to a weddyd hir, for hir fadyr was sumtyme meyr of þe town N.[1] and sythyn he was alderman of þe hey gylde of þe Trinyte in N. And þerfor sche wold sauyn þe worschyp of hir kynred whatsoeuyr ony man seyd. Sche had ful greet envye at hir neybowrs þat þei schuld ben arayd so wel as sche. Alle hir desyr was for to be worshepd of þe pepul. Sche wold not be war be onys chastysyng ne be content wyth þe goodys þat god had sent hire, as hir husbond was, but euyr desyryd mor and mor.

And than, for pure coveytyse and for to maynten hir pride, sche gan to brewyn and was on of þe grettest brewers in þe town N. a ·iij· ȝer or ·iiij· tyl sche lost mech good, for sche had neuyr vre þerto. For thow sche had neuyr so good seruawntys and cunnyng in brewyng, ȝet it wold neuyr preuyn wyth hem. For whan þe ale was as fayr standyng vndyr berm as any man mygth se, sodenly þe berm wold fallyn down þat alle þe ale was lost euery brewyng aftyr oþer, þat hir seruawntys weryn aschamyd and wold not dwellyn wyth hir. Þan þis creatur þowt how god had punched hir befortyme and sche cowd not be war, and now eftsons be lesyng of hir goodys, and þan sche left and brewyd no mor.

And þan sche askyd hir husbond mercy for sche wold not folwyn hys cownsel afortyme, and sche seyd þat hir pride and synne was cause of alle her punschyng and sche wold amend þat sche had trespasyd wyth good wyl.

But ȝet sche left not þe world al hol, for now sche bethowt hir of a

[1] N = *Lynne (King's Lynn); this anonymity is dropped later on.*

newe huswyfre: Sche had an horsmille. Sche gat hire tweyn good hors and a man to gryndyn mennys corne and þus sche trostyd to getyn hir leuyng.
55 Þis provysion duryd not longe; for in schort tyme aftyr on Corpus Cristi Evyn fel þis merueyl: Thys man, beyng in good heele of body and hys tweyn hors craske and lykand þat wel haddyn drawyn in þe mylle befortyme, as now he toke on of þis hors and put hym in þe mylle as he had don befor, and þis hors wold drawe no drawt in þe mylle for no þing þe man mygth
60 do. Þe man was sory and asayd wyth al hys wyttys how he schuld don þis hors drawyn. Sumtyme he led hym be þe heed, sumtyme he beet hym, and sumtyme he chershyd hym, and alle avayled not, for he wold raþer gon bakward þan forward. Þan þis man sett a scharp peyr sporys on hys helys and rood on þe hors bak for to don hym drawyn, and it was neuyr þe bettyr.
65 Whan þis man saw it wold be in no wey, þan he[1] sett up þis hors ageyn in þe stabyl and ȝafe hym mete, and he ete weel and freschly. And sythen he toke þe oþer hors and put hym in þe mylle. And lech as hys felaw dede so dede he, for he wold not drawe for any þing þat þe man mygth do. And þan þis man forsoke hys seruyse and wold no lengar abyden wyth þe
70 fornseyd creatur.

Anoon as it was noysed abowt þe town of N. þat þer wold neyþyr man ne best don seruyse to þe seyd creatur, þan summe seyden sche was acursyd; sum seyden god toke opyn veniawns upon hir; sum seyden o thyng[2], and sum seyd anoþer. And sum wyse men, whos mend was mor growndyd
75 in þe lofe of owyr lord, seyd it was þe hey mercy of our lord Ihesu Cryst clepyd and kallyd hir fro þe pride and vanyte of þe wretchyd[3] world.

And þan þis creatur, seyng alle þis aduersytes comyng on euery syde, thowt it weryn þe skowrges of owyr lord þat wold chastyse hir for hir synne. Þan sche askyd god mercy and forsoke hir pride, hir coueytyse, and desyr
80 þat sche had of þe worshepys of þe world, and dede grett bodyly penawnce, and gan to entyr þe wey of euyrlestyng lyfe, as schal be seyd aftyr. —

Visions. (Cap. VI, VII, LXXX.)

Anoþer day þis creatur schuld[4] ȝeue hir to medytacyon, as sche was bodyn befor, and sche lay stylle nowt knowyng what sche mygth best thynke. Þan sche seyd to ower lord Ihesu Crist: 'Ihesu, what schal I
85 thynke?' Ower lord Ihesu answeryd to hir mende: 'Dowtyr, thynke on my modyr; for sche is cause of alle þe grace þat þow hast.'

And þan anoon sche saw Seynt Anne gret wyth chylde, and þan sche preyd Seynt Anne to be hir mayden and hir seruawnt. And anon ower lady was born; and þan sche besyde hir to take þe chyld to hir and kepe it tyl
90 it wer twelve ȝer of age wyth good mete and drynke, wyth fayr whyte clothys and whyte kerchys. And þan sche seyd to þe blyssed chyld: 'Lady, ȝe schal be þe modyr of god.' The blyssed chyld answeryd and seyd: 'I wold I wer worthy to be þe handmayden of hir þat xuld conseive þe sone of god.' Þe creatur seyd: 'I pray ȝow, lady, ȝyf þat grace falle ȝow, forsake
95 not my seruyse.'

The blysful chyld passyd awey for a certeyn tyme, þe creatur being stylle in contemplacyon, and sythen cam ageyn and seyd: 'Dowtyr, now am I bekome þe modyr of god.' And þan þe creatur fel down on hir kneys wyth gret reuerens and gret wepyng and seyd: 'I am not worthy, lady, to
100 do ȝow seruyse.' 'Ȝys, dowtyr,' sche seyde, 'folwe þow me; þi seruyse lykyth me wel.'

Þan went sche forth wyth owyr lady and wyth Iosep, beryng with hir a potel of pyment and spycys þerto. Þan went þei forth to Elysabeth, Seynt Iohn Babtystys modir, and whan þei mettyn togyder, eyþyr of hem
105 worshepyd oþer, and so þei wonyd togedyr wyth gret grace and gladnesse ·xij· wokys. And þan Seynt Iohn was bor, and owyr lady toke hym vp fro þe erthe wyth al maner reuerens and ȝaf hym to hys modyr, seyng of hym þat he schuld be an holy man, and blyssed hym. Sythen þei toke her leue

[1] he] het *MS.* [2] o thyng] *not in MS., suppl. Meech* [3] wretthyd *MS.* [4] schul *MS.*

eyþyr of oþer wyth compassyf terys. And þan þe creatur fel down on kneys to Seynt Elyȝabeth and preyd hir sche wold prey for hir to owyr lady þat sche mygth do hir seruyse and plesawns. 'Dowtyr, me semyth,' seyd Elysabeth, 'þu dost ryght wel þi deuer.' 110

And þan went þe creatur forth wyth owyr lady to Bedlem and purchasyd hir herborwe euery nyght wyth gret reuerens, and owyr lady was receyued wyth glad cher. Also sche beggyd owyr lady fayr whyte clothys and kerchys for to swathyn in hir sone whan he wer born, and whan Ihesu was born, sche ordeyned beddyng for owyr lady to lyg in wyth hir blyssed sone. And sythen sche beggyd mete for owyr lady and hir blyssyd chyld. Aftyrward sche swathyd hym wyth byttyr teerys of compassyon, hauyng mend of þe scharp deth þat he schuld suffyr for þe lofe of synful men, seyng to hym: 'Lord, I schal fare fayr wyth ȝow. I schal not byndyn ȝow soor. I pray ȝow beth not dysplesyd wyth me.' 115 120

And aftyr on þe ·xij· day, whan ·iij· kyngys comyn wyth her ȝyftys and worschepyd owyr lord Ihesu Crist being in hys moderys lappe, þis creatur, owyr ladys handmayden, beheldyng al þe processe in contemplacyon wept wondyr sor. And whan sche saw þat þei wold take her leue to gon hom aȝen into her cuntre, sche mygth not suffyre þat they schuld go fro þe presens of owyr lord; and for wondyr þat þei wold gon awey sche cryed wondyr sore. And soon aftyr cam an awngel and bad owyr lady and Iosep gon fro þe cuntre ob Bedlem into Egypt. Þan went þis creatur forth wyth owyr lady day be day purueyng hir herborw wyth gret reuerens wyth many swet thowtys and hy medytacyons and also hy contemplacyons, sumtyme duryng in wepyng ·ij· owyres and oftyn lengar in þe mend of owyr lordys passyon wythowtyn sesyng, sumtyme for hir owyn synne, sumtyme for þe synne of þe pepyl, sumtyme for þe sowlys in purgatory, sumtyme for hem þat arn in pouerte er in any dysese; for sche desyred to comfort hem alle. – 125 130 135

Anoþer tyme sche saw in hyr contemplacyon owr lord Ihesu Crist bowndyn to a peler, and hys handys wer bowndyn abouyn hys heuyd. And þan sche sey sextene men wyth sextene scorgys, and eche scorge had ·viij· babelys of leed on þe ende, and euery babyl was ful of scharp prekelys as it had ben þe rowelys of a spor. And þo men wyth þe scorgys madyn comenawnt þat ich of hem xulde ȝeuyn owr lord ·xl· strokys. Whan sche saw þis petows syght, sche wept and cryid ryth lowde as ȝyf sche xulde a brostyn for sorwe and peyne. 140

And whan owr lord was al tobetyn and scorgyd, þe Iewys losyd hym fro þe peler and tokyn hym hys crosse for to beryn on hys schuldyr. And þan hir thowt þat owr lady and sche went be anoþer wey for to metyn wyth hym, and whan þei mettyn wyth hym, þei sey hym beryn þe heuy crosse wyth gret peyne; it was so heuy and so boystows þat vnethe he myth bere it. And þan owr lady seyd vnto hym: "A, my swete sone, late me help to ber þat heuy crosse." And sche was so weyke þat sche myth not but fel down and swownyd and lay stille as it had ben a ded woman. Þan þe creatur say owr lord fallyn down by hys modyr and comfortyn hir as he myth wyth many swete wordys. — 145 150

And anon aftyr sche beheld how þe cruel Iewys leydyn hys precyows body to þe crosse and sithyn tokyn a long nayle, a row and a boistews, and sett to hys on hand and wyth gret violens and cruelnes þei dreuyn it thorw hys hande. Hys blisful modyr heheldyng and þis creatur how hys precyows body schrynkyd and drow togedyr wyth alle senwys and veynys in þat precyows body for peyne þat it suffyrd and felt, þei sorwyd and mornyd and syhyd ful sor. Than sey sche wyth hyr gostly eye how þe Iewys festenyd ropis on þe oþer hand, for þe senwys and veynys wer so schrynkyn with peyne þat it myth not come to þe hole þat þei had morkyn þerfor, and drowyn þeron to makyn it mete wyth þe hole. And so her peyne and hir sorwe euyr encresyd. And sithyn þei drowyn hys blisful feet on þe same maner. — And þan sche wept and cryid passyngly sor þat myche of þe pepil in þe chirche wondryd on hir body. — 155 160 165

93. WORCESTER FRAGMENTS

MS.: Worcester Cathedral Library, 174; 2nd half XI century. - *edd.*: J. Hall, Selections from EME, Oxford 3. 1963; S. W. Singer, London 1845; E. Haufe, Greifswald 1880; R. Buchholz, Erlanger Beiträge VI, 1890. — BR. *47; We. IV, 48; Ba. 178.

Þonne liþ þe clei-clot colde on þen flore, (B35)
And him sone from [fleoþ] þeo he ær freome dude;
Nulleþ heo mid honden his heafod riht wen[den]:
Heom þuncheþ þet hore honden swuþe beoþ ifuled
5 Gif heo hondieþ þe[ne d]eade seoþþen his deaȝes beoþ igon;
Sone cumeþ þet wrecche wif þe [forh]oweþ þene earfeþ siþ.
Forbindeþ þæs dædan muþ and his dimme eȝen,
[Þon]ne þet riche wif forhoweþ þene earueþ siþ;
For ufel is þeo wrecche lufe, [þari]nne þeo unblisse cumaþ.
10 Þonne besihþ þeo soule sorliche to þen lich[ame]: -
"Hwar is nu þe[o mo]dinesse swo muchel þe þu lufedæst? (C4)
Hwar beoþ nu þeo pundes þurh [pa]newes igædered?
Heo weren monifolde bi markes itolde.
Hwar beoþ [nu] þeo goldfæten þeo þe guldene comen to þine honden?
15 Þin blisse is [nu] al agon, min seoruwe is fornon.
Hwar beoþ nu þine wæde, þe þ[u] wel lufedest?
Hwar beoþ [sibbe], þe seten sori ofer þe?
Beden swuþe ȝeorne [þet] þe come bote.
Heom þuhte alto longe þet þu were on liue;
20 For heo [we]ren grædie to gripen þine æihte.
Nu heo hi dæleþ heom imong, [heo] doþ þe wiþuten;
Ac nu heo beoþ fuse to bringen þe ut of huse,
B[rin]gen þe ut æt þire dure, of weolen þu ært bedæled.
Hwui noldest þ[u be]þenchen me, þeo while ic was innen þe,
25 ac semdest me mid sunne? Fo[rþon] ic seoruhful eam.
Weile þet ic souhte so seoruhfulne buc!
Noldest þ[u lo]kien lufe wiþ ilærede men,
ȝiuen ham of þine gode, þet heo þe fo[re] beden.
Heo mihten mid salm-songe þine sunne acwenchen,
30 Mid [ho]re messe þine misdeden fore biddan.
Heo mihten offrian loc leofli[che] for þe,
swuþe deorwurþe lac licame Cristes,
Þurh þæne þu were alese[d] from helle-wite,
And mid his reade blode, þet he ȝeat on rode,
35 Þo þu we[re] ifreoed to farene into heouene;
Ac þu fenge to þeowdome þurh þæs deofles lore.
Bi þe hit is iseid, and soþ hit is, on boken:
Qui custodit diuitias ser[uus] est diuitiis.
Þu were þeow þines weolan,
40 Noldest þu nouht þærof d[ælen] for drihtenes willæn;
Ac æfre þu grædiliche gæderedest þe more.
Lu[þer]liche eart þu forloren from al þet þu lufedest;
And ic scal wræcche soule [weo]we nu driæn.
Eart þu nu loþ and unwurþ alle þine freonden.
45 Nu ham [þun]cheþ alto long þet þu ham neih list
Ær þu beo ibrouht, þær þu be[on] scalt,
On deope sæþe, on durelease huse,
Þær wurmes wældeþ . . ."

6b *due to* 8b] *em.* þe woneþ þe feorsiþ *prop. Hall* 12 panewes *Holthausen* 17 sibbe *Hall, no gap in MS.* 27 þu lokien *Singer*] þe makien *Buchholz* 33 þæne] þære *MS., em. Zupitza* 43 weowe *Haufe*] ece we *Singer* 45 Nu ham] nu has *MS.*

THE NATIVITY OF CHRIST

Bodleian, MS. Douce 293, late twelfth century; full-page miniature, 273×194 mm. ("It is difficult to feel certain whether this work is the product of incompetence or whether it is a late-12th-century "primitive". Its gaucheries are not without a certain charm. Note the disregard of the function of the frame." T.S.R.Boase.) Colours very brilliant and crude; background half red, half slate blue.

94. Poema Morale

MSS.: *D* = Bodleiana 1605, Digby A 4; **early** XIII c., Kent; [*L* = London, Lambeth 487; *T* = Cambridge, Trinity Coll. B 14. 52; *E, e* = BM., Egerton 613]. — *edd.*: H. Marcus, Palaestra 194, 1934; *D*: J. Zupitza, Anglia I, 1878; *L*: R. Morris, EETS. 34; *T*: R. Morris, EETS. 53; *E, e*: R. Morris, EETS. 34, J. Zupitza, AMÜb., 1882. — BR. 1272; We. VII, 25; Ke. 4827-30; Ba. 180. RO. 307.

Ic am elder þanne ic wes a wintre and ec a lore; [1]
Ic wealde more þanne ic dede; mi wit oȝhte to bi more.
Wel longe ic habbe child ibien on worde and on dede;
Þeȝh ic bi on wintren eald, to ȝiung ic am on rede.
5 Vnnet lif ic habbe iled and ȝiet, me þinȝh, ic lede.
Þanne ic me biþenche wel, wel sore ic me adrede.
Mest al þet ic habbe idon is idelnesse and chilce.
To late ic habbe me biþoȝt, bute god me do milce.
Vele idel word ic habbe iqueðe, siþen ic speke cuðe,
10 And vele ȝunge deden idon, þet me ofþencheð nuðe.
Al to lome ic habbe igelt on worke and on worde;
Al to muchel ic habbe ispent, to litel ileid on horde.
Mest al þet me likede er, nu hit me mislikeð:
Se þe muchel volȝeð his iwil him selue he biswikeð.
15 Ic miȝte habbe bet idon, hadde ic þo iselðe;
Nu ic wolde, ac ic ne mai uor helde ne uor unhelðe.
Elde me is bistolen an, er ic hit iwiste:
Ne mai ic isien biuore me uor smeche ne uor miste.
Arȝe we bieð to donne god, to euele al to þriste;
20 More eie stondeð man of man þanne him doð of Criste.
Þet wel ne doð, þer wile hi muȝe, ofte hit ham sel riewe,
Þanne hi mouwe sulle and ripe, þet hi herþan siewe.
Do ech to gode þet hi muȝe, þer wile hi bieð a liue;
Ne leue no man to muchel to childe ne to wiue!
25 Se þet hine selue vorȝet uor wiue oþer uor childe,
He sal comen on euele stede, bute god him bi milde.
Sende sum god biuoren him, þe hwile he mai, to heuene;
For betere is on elmesse biuore þanne ben efter seuene.
Ne bie þe leuere þan þe self ne þi mei ne þi mowe;
30 Sot is þe is oðer mannes frend betere þanne his owe.
Ne hopie wif to hire were, ne were to his wiue;
Bi for him selue eurich man, þer wile hi bieð a liue.
Wis is þet hine selue biþencheð, þo hwile þet he mot libbe;
Vor hine willeð sone uorȝiete þo fremde and þo sibbe.
35 Þet wel ne deþ þe wile he mai, ne sal he þanne he wolde;
Vor manies mannes sore iswinch habbeð ofte unholde.
Ne solde no man don a first ne sleuhþen wel to donne;
For mani man bihoteð wel, þet hit forȝet wel sone.
Se man þet wile siker bien to habbe godes blisce,
40 Do wel him self, þer hwile he mai, þanne haueð he hit to iwisse.
Þo riche men weneð siker bien þurh walles and þurh diche:
Se deð his heȝhte on sikere stede, þet sent hi to heueriche.
For þer ne darf he ben ofdred of fere ne of þieue;
Þer ne mai hit him binime se loþe ne se lieue. —
45 Þer me sal ure werkes weȝe biuore þe heuenekinge
And ȝieuen us ure workes lean efter ure earninge.
Eurich man mid þet he haueð mai beggen heueriche,

2 wealde *T*] ealdi *D* 7 chilce *TE*] chilðe *D* 8 don *D* 10 ȝunge *LTE*] euele *D* 13 er *LTE*] þo *D* 21 þo þet *D* 27 b *TEe*] man þet wile t. h. *D* 29-30 *T*] *not in D* 29 mæi *T* 30 owen *T* 33 selue *T*] *not in D* 35 Se þet *D* 40 wel him self *T*] eure god *D* 41 diches *D* 43 For *LTE*] *not in D* he *LT*] man *D* 44 hit him *T*] him naht *D*

Se þet more haueð and se þet lesse boþe muȝen iliche,
Al suo on mid his panie, swo oþer mid his punde;
50 Þet is si wonderlicheste ware, þet ani man eure vonde. —

Vnderstondeð nu to me, eadi men and arme, [229]
Ich wille telle of helle pine and warni ȝeu fram harme.
In helle is hunger and þurst, euele two iuere:
Þos pine þolieð þo þet weren meteniþinges hiere.
55 Þer is sorinesse and wop efter eche strete.
Hi uareð vram hete into chele, fram chele into hete.
Þanne hi in þare hete bieð, se chele ham þencheð blisce;
Þanne hi to chele comeð of hete hi habbeð misse.
Eider ham deð wo inoh, nabbeð hi none blisce.
60 Niteð hi hwer hi wonieð mest mid neure none iwisse.
Hi walkeð eure and reste secheð, ac hi ne muȝen imeten;
Vor hi nolden, þo hi mihte, hire sennen ibeten.
Hi secheð reste þer non nis, for hi ne muȝen iuinde,
Ac walkeð weri up and dun, swo water doð mid winde.
65 Þet senden þo þet were her on þonke unstedeueste,
And þo þet biheten gode and nolden hit ileste.
Þo þet agunne godes werc and hit fulendi nolde,
Nu weren hier and nuðe þer, and deden þet hi wolde.
Þer is pich þet eure walð, þet sullen baþien inne
70 Þo þet ledden here lif in werre and in winne.
Þer is ver þet is hundredfealde hotter þanne is vre;
Ne mai hit kuenche no weter, Auene stream ne Sture.
Þer is uer þet eure brenneð, ne mai hit no þing quenchen;
Þerinne sendeð þo þet loueden wrecche men to swenchen,
75 And þo þet were swikele men and ful of euele wrenchen,
And þo þet mihte unriht do and lief hit wes to þenche,
Þo þet louede hordom and stale, and reauinge and drunke,
And on þos loþes diefle werkes to bleðeliche swunke.
Þo þet weren lease men ne mihte me hem ileuen,
80 And medeȝierned domesmen and wrangwise ireuen.
Þo þet oþres wif wes lief and here oȝen eðlete,
And þo þet swiþe seneȝeden on drunke and on hete.
Þe wrecche man binam his god and leide hit on horde.
Þe litel let of godes bode and of his swete worde.
85 And se þet his oȝen nolde ȝeuen þer he iseȝh þo niede,
Ne nolde ihiere godes men þer·he set at his biede.
And þo þet weren ȝetseres of þise worldes eȝhte,
And deden al þet se loþe gost ham tichede to and tehte:
And alle þo þet anie wise þo diefle er ikuemde,
90 Þo beð nu mid him in helle vordon and vordemde,
Bute þo þet vorþuhte ham here sennen and here misdeden,
And gunnen here sennes beten and betere lif leden.
Þer bieð naddren and snaken, eueten and fruden,
Þo tereð and freteð þet euel spekeð, þo ondfulle and þo prude.
95 Neure sunne þer ne sinð, ne mone ne no sterre.
Þer is muchel godes hete and muchel godes herre.
Eure þer is euel smac, þiesternesse and eȝie,
Nis þer neure oþer liht þanne þiester leie.
Þer liggeð ateliche feond in stronge raketeȝe.—

---

48 more haueð *LT*] lesse *D* lesse *LTE*] more *D* boþe *T*] here aider *D* muȝen *L*] *not in D* 52 telle *E*] *not in D* þ. w. ȝ. and *D* 53 iueren *D* 56 and fram *D* 65 senden] seden *D*, beoð *Varr.* 68 nuðe *L*] nu *D* 70 in w. a. i. w. *L*] in wele a. i. senne *D* 71 hudredfealde *D* 72 auene *T*] hauene *D* 76 hit *LT*] hit hem *D* 81 wes *TE*] haueden *D* 88 tehte *e*] taðte *D* 90a *T*] þo sullen ben voð mid him *D* 93 e. and ec *D* 94 þo þet e. *D* 99 ateliche *T*] attliche *D*

100 Þet bieð þo þet weren mid gode engles swiþe heȝe. —
Euele christene men hi bieð here iuere,
Þo þet here christendom euele hielden hiere.
And ȝet hi bieð on werse stede in niþerhelle grunde.
Ne sulle hi neure comen vt vor marke ne vor punde,
105 Ne mai ham noþer helpe þer bene ne elmesse;
Vor naht hi solden bidde þer ore ne ȝeuenesse.
Shilde him ech, þe hwile he mai, wið þo helle pine,
And warni ech his frend þerwið, swa ich wille mine. —

95. ORRMULUM

MS.[= Original]: Bodl. 5113, Junius 1; XIII ct. — *ed.:* R. M. White - R. Holt, Oxford 1878. — BR. 2315; We. V, 14; Ke. 4827-30; Ba. 171; RO. 390.

Dedication and Introduction.

Nu, broþerr Wallterr, broþerr min affterr þe flæshess kinde,
Annd broþerr min i crisstenndom þurrh fulluhht annd þurrh trowwþe,
Annd broþerr min i godess hus ȝēt o þe þridde wise,
Þurrh þatt witt hafenn tăkenn ba an reȝhellboc to follȝhenn
Unnderr kanunnkess had annd lif, swasumm sannt Awwstin sette, 5
Icc hafe don, swasumm þu badd, annd forþedd te þin wille:
Icc hafe wennd inntill Ennglissh goddspelless hallȝhe lāre
Affterr þatt little witt þatt me min drihhtin hafeþþ lenedd.
Þu þohhtesst tatt itt mihhte wel till mikell frame turrnenn,
Ȝiff Ennglissh follc forr lufe off Crist itt wollde ȝerne lernenn 10
Annd follȝhenn itt annd fillenn itt wiþþ þohht, wiþþ word, wiþþ dede.
Annd forrþi ȝerrndesst tu þatt icc þiss werrc þe shollde wirrkenn;
Annd icc itt hafe forþedd te, acc all þurrh Cristess hellpe;
Annd unnc birrþ baþe þannkenn Crist, þatt itt iss brohht till ende.
Icc hafe sammnedd o þiss boc þa goddspelless neh alle, 15
Þatt sinndenn o þe messeboc inn all þe ȝer att messe.
Annd aȝȝ affterr þe goddspell stannt þatt tatt te goddspell meneþþ,
Þatt mann birrþ spellenn to þe follc of þeȝȝre sawle nede,
Annd ȝēt tær tekenn mare inoh þu shallt tæronne findenn
Off þatt tatt Cristess hallȝhe þed birrþ trowwenn wel and follȝhenn. 20
Icc hafe sett her o þiss boc amang goddspelless wordess
All þurrh me sellfenn maniȝ word þe rīme swa to fillenn;
Acc þu shallt findenn þatt min word, eȝȝwhær þær itt iss ekedd,
Maȝȝ hellpenn þa þatt redenn itt, to sen annd tunnderrstanndenn
All þess te bettre hu þeȝȝm birrþ þe goddspell unnderrstanndenn. 25
Annd forrþi trowwe icc, þatt te birrþ wel þolenn mine wordess,
Eȝȝwhær þær þu shallt findenn hemm amang goddspelless wordess;
Forr whase mōt to læwedd follc larspell off goddspell tellenn,
He mōt wel ekenn maniȝ word amang goddspelless wordess;
Annd icc ne mihhte nohht min ferrs aȝȝ wiþþ goddspelless wordess 30
Wel fillenn all, annd all forrþi shollde icc wel offte nede
Amang goddspelless wordess don min word, min ferrs to fillenn.
Annd te bitæche icc off þiss boc, heh wikenn alls itt semeþþ,
All to þurrhsekenn illcan ferrs annd to þurrhlokenn offte,
Þatt upponn all þiss boc ne be nan word ȝæn Cristess lare, 35
Nan word tatt swiþe wel ne be to trowwenn annd to follȝhenn.
Witt shulenn tredenn unnderrfōt annd all þwerrtūt forrwerrpenn
Þe dom off all þatt laþe flocc, þatt iss þurrh niþ forrblendedd,
Þatt tæleþþ þatt to lofenn iss þurrh niþfull modiȝnesse.

3 þride *MS*

40 Þeȝȝ shulenn lǣtenn hæþeliȝ off unnkerr swinnc, lef broþerr,
Annd all þeȝȝ shulenn takenn itt onn unnitt annd onn idell,
Acc nohht þurrh skill, acc all þurrh niþ, annd all þurrh þeȝȝre sinne.
Annd unnc birrþ biddenn godd tatt he forrȝife hemm hĕre sinne.
Annd unnc birrþ baþe lofenn godd off þatt itt wass bigunnenn,
45 Annd þannkenn godd tatt itt iss brohht till ende þurrh hiss hellpe;
For itt maȝȝ hellpenn alle þa þatt bliþelike itt herenn,
Annd lufenn itt annd follȝhenn itt wiþþ þohht, wiþþ word, wiþþ dede.

Annd whase wilenn shall þiss boc efft oþerrsiþe writenn,
Himm bidde icc, þatt hē̄t wrīte rihht, swasumm þiss boc himm tæcheþþ
50 All þwerrtū̄t, affterr þatt itt iss uppo þiss firrste bisne,
Wiþþ all swillc rīme, alls her iss sett, wiþþ allse fele wordess,
Annd tatt he loke wel, þatt he an bocstaff wrīte twiȝȝess,
Eȝȝwhær þær itt uppo þiss boc iss wrītenn o þatt wise.
Loke he wel þatt hē̄t write swa, forr he ne maȝȝ nohht elless
55 Onn Ennglissh wrītenn rihht te word; þatt wite he wel to soþe.

Annd ȝiff mann wile wītenn whi icc hafe don þiss dede,
Whi icc till Ennglissh hafe wennd goddspelless hallȝhe lare:
Icc hafe itt don forrþi þatt all crisstene follkess berrhless
Iss lang uppo þatt an þatt teȝȝ goddspelless hallȝhe lare
60 Wiþþ fulle mahhte follȝhe rihht þurrh þohht, þurrh word, þurrh dede. —
Annd tærfore hafe icc turrnedd itt inntill Ennglisshe spæche, [305]
Forr þatt I wollde bliþeliȝ þatt all Ennglisshe lede
Wiþþ ære shollde lisstenn itt, wiþþ herrte shollde itt trowwenn,
Wiþþ tunge shollde spellenn itt, wiþþ dede shollde itt follȝhenn,
65 To winnenn unnderr crisstenndom att Crist soþ sawle berrhless.
Annd godd allmahhtiȝ ȝife uss mahht annd lusst annd witt annd wille,
To follȝhenn þiss Ennglisshe boc, þatt all iss haliȝ lare,
Swa þatt we motenn wurrþi ben to brukenn heffness blisse.
Am[æn]. Am[æn]. Am[æn].

Icc þatt tiss Ennglissh hafe sett Ennglisshe menn to lare,
70 Icc wass þær, þær I crisstnedd wass, Orrmin bi name nemmnedd.
Annd icc, Orrmin, full innwarrdliȝ wiþþ muþ annd ec wiþþ herrte
Her bidde þa crisstene menn þatt herenn oþerr rē̄denn
Þiss boc, hemm bidde icc her þatt teȝȝ forr me þiss bede biddenn,
Þatt broþerr þatt tiss Ennglissh writt allræresst wrā̄t annd wrohhte,
75 Þatt broþerr forr hiss swinnc to læn soþ blisse mōte findenn.
Þis boc iss nemmnedd Orrmulum, forrþi þatt Orrm itt wrohhte. —

SECUNDUM JOHANNEM XXIII. Nuptie quidem facte sunt in Chana Galilee.

Uppo þe þridde daȝȝ bilammp, swasumm þe goddspell kiþeþþ, [14000]
Þatt i þe land off Galile wass an bridale ȝarrkedd,
Annd itt wass ȝarrkedd in an tun þatt wass Canā ȝehatenn.
80 Annd Cristess moderr Marȝe wass att tatt bridaless sæte;
Annd Crist wass clepedd till þatt hus wiþþ hise lerninngcnihhtess.
Annd teȝȝre win wass drunnkenn swa þatt tær nass þa na mare.
Annd Crisstess moderr comm till Crist annd seȝȝde himm þuss wiþþ worde:
'Þiss win iss drunnkenn to þe grund, annd niss her nu na mare.'
85 Annd ure laferrd Iesu Crist þuss seȝȝde till hiss moderr:
'Whatt falleþþ þiss till me wiþþ þe, wifmann, þiss þatt tu mælesst?
Abid, abid, wifmann, abid, ne comm nohht ȝē̄t min time.'
Annd sannte Marȝe ȝede anan, annd seȝȝde to þe birrles:
'Doþ þatt tatt he shall bidden ȝuw, ne be ȝe nohht tærȝæness.'
90 Þeȝȝ haffdenn sexe fē̄tless þær att tatt bridaless sæte,
Þatt wærenn, summ þe goddspell seȝȝþ, sexe stanene fē̄tless,

Swillke summ þatt Iudisskenn follc wass wunedd i þatt time
To wasshenn offe þeȝȝre lic, to clennsenn hemm þatt wise;
Annd twafald oþerr þrefald mett þa fētless alle tokenn.
95 Annd Crist badd tatt teȝȝ shollden gan annd fillenn þeȝȝre fētless
Wiþþ waterr; annd teȝȝ ȝedenn till, annd didenn þatt he seȝȝde,
Annd filledenn upp till þe brerd wiþþ waterr þeȝȝre fētless.
Annd Crist ta seȝȝde þuss till hemm: 'Gaþ till wiþþ ȝure cuppes,
Annd ladeþþ upp annd bereþþ itt till þallderrmann onn hæfedd.'
100 Annd teȝȝ þa didenn þatt he badd, annd bærenn þa to drinnkenn
Þatt hæfedd mann þatt heȝhesst wass att tatt bridale settledd.
Annd he toc sone annd drannc þatt win þatt wass off waterr wurrþenn,
Annd nisste he nohht whæroffe itt wass, acc wel þe birrless wisstenn,
Þatt haffdenn rihht ta lădenn upp þe waterr off þa fētless.
105 Annd he badd clepenn þa till himm, son summ he drunnkenn haffde,
Þatt mann þatt tær bridgume wass att tatt bridaless sæte.
Annd son se þatt bridgume comm, þatt allderrmann himm seȝȝde:
'Illc mann firrst brinngeþþ forþ god win, annd siþþenn he biginneþþ
To brinngenn forþ summ werrse win, son summ þe follc iss drunnkenn;
110 Annd tu þe gode win till nu aȝȝ hafesst hidd annd haldenn.'
Þiss tākenn wrohhte Iesu Crist þe firrste off hise tacness
I Galile rihht i þatt tun þatt wass Cana ȝehatenn.
Annd tuss he toc to shæwenn þær hiss goddcunndnessess mahhte.
Annd hise lerninngcnihhtess þær tōkenn onn himm to lefenn,
115 Þurrh þatt teȝȝ sæȝhenn þære inn himm allmahhtiȝ godess mahhte.
Her endeþþ nu þiss goddspell þuss, annd uss birrþ itt þurrhsekenn,
To lokenn whatt itt læreþþ uss off ure sawle nede. —

96. BESTIARIUM

MS.: BM., Arundel 292; m. XIII ct. — *ed.*: R. Morris, EETS. 49. — BR. 3413; We. II, 24, Ke. 4436; Ba. 182-183; RO. 397.

The Spider.

Natura aranee.

Seftes sop ure seppande, sene is on werlde,
Leiðe and loðlike, ðus we it leuen,
Manikines ðing alle manne to wissing.
Ðe spinnere on hire swid ge weveð,
5 Festeð atte hus rof, hire fodredes
O rof er on ouese, so hire is on elde.
Werpeð ðus hire web, and weueð on hire wise.
Ðanne ge it haueð al idigt, ðeðen ge driueð,
Hitt hire in hire hole, oc ai ge it biholdeð
10 Til ðat ðer fleges faren and failen ðerinne,
Wiðeren in ðat web, and wilen ut wenden.
Ðanne renneð ge rapelike, for ge is ai redi,
Nimeð anon to ðe net and nimeð hem ðere.
Bitterlike ge hem bit and here bane wurðeð,
15 Drepeð and drinkeð here blod, doð ge hire non oðer god,
Bute fret hire fille,
And dareð siðen stille.

Significacio.

Ðis wirm bitokneð ðe man ðat oðer biswikeð
On stede er on stalle, stille er lude,

---

96. Tit. iranee *MS.* 2 loldike

20 In mot er in market er oni oðer wise,
He him bit ðan he him bale selleð,
And he drinkeð his blod, wanne he him dreueð,
And ðo freteð him al, ðan he him iuel werkeð.

The Whale.

Natura cetegrandie.

Cethegrande is a fis
25 Ðe moste ðat in water is,
Ðat tu wuldes seien get,
Gef ðu it soge wan it flet,
Ðat it were a neilond
Ðat sete one ðe se sond.
30 Ðis fis ðat is vnride,
Ðanne him hungreð he gapeð wide,
Vt of his ðrote it smit an onde,
Ðe swetteste ðing ðat is o londe.
Ðerfore oðre fisses to him dragen;
35 Wan he it felen he aren fagen.
He cumen and houen in his muð.
Of his swike he arn uncuð.
Ðis cete ðanne hise chaueles lukeð;
Ðise fisses alle in sukeð.
40 Ðe smale he wile ðus biswiken,
Ðe grete maig he nogt bigripen.
Ðis fis wuneð wið ðe se grund,
And liueð ðer eure heil and sund,
Til it cumeð ðe time
45 Ðat storm stireð al ðe se,
Ðanne sumer and winter winnen.
Ne mai it wunen ðerinne,
So droui is te sees grund,
Ne mai he wunen ðer ðat stund,
50 Oc stireð up and houeð stille.
Wiles ðat weder is so ille,
Ðe sipes ðat arn on se fordriuen,
Loð hem is ded, and lef to liuen,
Biloken hem and sen ðis fis.
An eilond he wenen it is. 55
Ðerof he aren swiðe fagen,
And mid here migt ðarto he dragen,
Sipes on festen,
And alle up gangen,
Of ston mid stel in ðe tunder 60
Wel to brennen one ðis wunder,
Warmen hem wel and heten and drinken.
Ðe fir he feleð and doð hem sinken;
For sone he diueð dun to grunde.
He drepeð hem alle wiðuten wunde. 65

Significacio.

Ðis deuel is mikel wið wil and magt,
So wicches hauen in here craft,
He doð men hungren and hauen ðrist,
And mani oðer sinful list,
Tolleð men to him wið his onde, 70
Woso him folegeð he findeð sonde.
Ðo arn ðe little in leue lage,
Ðe mikle ne maig he to him dragen.
Ðe mikle, I mene ðe stedefast
In rigte leue mid fles and gast. 75
Woso listneð deueles lore,
On lengðe it sal him rewen sore;
Woso festeð hope on him,
He sal him folgen to helle dim.

97. NOU GOTH SONNE VNDER WOD

[From Archbishop Edmund Riche's 'Speculum Ecclesiae', c. 1240. — Brown: 'Sunset on Calvary'.] — *MS.:* Bodleiana 3462, Selden s. 74; XIII century.— *ed.:* C. Brown, EL. XIII, Oxford 1932. — BR. 2320; We. XIII, p. 988; Ba. 301; RO. 345.

Nou goth sonne vnder wod:
Me reweth, Marie, þi faire rode.
Nou goþ sonne vnder tre:
Me reweþ, Marie, þi sone and þe.

23 hem al 51 ðar

98. GENESIS AND EXODUS

MS.: Cambridge, Corpus Christi Coll. 444; late XIII century. — *ed.:* R. Morris, EETS. 7. — BR. 2072; We. VIII, 1; Ke. 4502-94; Ba. 187; RO. 319. G. Linke, Palaestra 197, 1935.

Introduction.

Man og to luuen ðat rimes ren,
ðe wisseð wel ðe logede men,
Hu man may him wel loken
ðog he ne be lered on no boken,
5 Luuen god and seruen him ay,
For he it hem wel gelden may,
And to alle cristenei men
Beren pais and luue bitwen.
ðan sal him almightin luuen
10 Her bineðen and gund abuuen,
And giuen him blisse and soules resten
ðat him sal earuermor lesten.
Ut of Latin ðis song is dragen
On Engleis speche, on soðe sagen.
15 Cristene men ogen ben so fagen
So fueles arn quan he it sen dagen,
ðan man hem telleð soðe tale
Wið londes speche and wordes smale
Of blisses dune, of sorwes dale;
20 Quhu Lucifer, ðat deuel dwale
Brogte mankinde in sinne and bale
And held hem sperd in helles male
Til god srid him in manliched,
Dede mankinde bote and red,
25 And unspered al ðe fendes sped,
And halp ðor he sag mikel ned.
Biddi hic singen non oðer led,
ðog mai hic folgen idelhed.

Joseph.

xii. ger or Ysaac was dead
30 Iacobes sunes deden unred; [1906]
For sextene ger Ioseph was old,
Quane he was into Egipte sold.
He was Iacobes gunkeste sune,
Brictest of wastme and of witter wune.
35 If he sag hise breðere misfaren
His fader he it gan vnhillen and baren.
He wulde ðat he sulde hem ten,
ðat he wel ðewed sulde ben.
Forði wex-em wið gret nið
40 And hate for it in ille lið.
ðo wex her hertes niðful and bold,
Quanne he hem adde is dremes told,
ðat is handful stod rigt up soren,
And here it leigen alle hem biforen,
45 And sunne and mone and sterres ·xie·
Wurðeden him wið frigti luue.
ðo seide his fader: "Hu mai ðis sen,
ðat ðu salt ðus wurðed ben,
ðat ðine breðere and ic and she
50 ðat ðe bar sulen luten ðe?"
ðus he chidden hem bitwen,
ðoge ðhogte Iacob siðe it sulde ben.
Hise breðere kepten at Sichem
Hirdnesse, and Iacob to sen hem
55 Sente Ioseph to dalen Ebron,
And he was redi his wil to don.
In Sichem feld ne fond-e hem nogt;
In Dotaym he fond hem sogt.
He knewen him fro feren kumen.
60 Hate hem on ros in herte numen.
Swilc nið and hate ros hem on,
He redden alle him for to slon.
"Nai," quad Ruben, "slo we him nogt,
Oðer sinne may ben wrogt,
65 Quat-so him drempte ðorquiles he slep,
In ðis cisternesse old and dep
Get wurð-e worpen naked and cold,
Quat-so his dremes owen awoid."
ðis dede was don wið herte sor.
70 Ne wulde Ruben nogt drechen ðor.
He gede and sogte anoðer stede.
His erue in bettre lewse he dede.
Vdas ðorquiles gaf hem red,
ðat was fulfilt of derne sped:
75 Fro Galaad men wið chafare
Sag he ðor kumen wið spices ware;
Towarde Egipte he gunne ten.
Iudas tagte hu it sulde ben:
Ioseph solde ðe breðere ten
80 For ·xxx· plates to ðe chapmen.
Get wast bettre he ðus was sold
ðan he ðor storue in here wold.
Ðan Ruben cam ðider agen;
To ðat cisternesse he ran to sen.
85 He missed Ioseph and ðhogte swem;
Wende him slagen, set up an rem.
Nile he blinnen swilc sorwe him clived,
Til him he sweren ðat he liued.
ðo nomen he ðe childes srud,
90 ðe Iacob hadde mad-im in prud.
In kides blod he wenten it.
ðo was ðor an rewli lit.
Sondere men he it leiden on,
And senten it Iacob into Ebron;
95 And shewed it him, and boden him sen,
If his childes wede it migte ben.
Senten him bode he funden it.
ðo Iacob sag ðat sori writ,
He gret and seide ðat "wilde der
100 Hauen min sune swolgen her!"
His cloðes rent in haigre srid.
Long grot and sorge is him bitid.
His sunes comen him to sen,
And hertedin him if it migte ben.
105 "Nai! Nai!" quat he, "Helpeð it nogt,
Mai non herting on me ben wrogt.
Ic sal ligten til helle dale
And groten ðor min sunes bale."
ðor was in helle a sundri stede,
110 Wor ðe seli folc reste dede;
ðor he stunden til helpe cam,
Til Ihesu Crist fro ðeðen he nam.

---

10 ðund *MS.* 11 reste 18 Wid 21 *suppl. Morris* 28 mai] *inserted in a later hand* 34 waspene *MS.* 39 wexem *MS.*, wexem wið him *Hall* 57 fonde *MS.* 58 dotayin *Morris* 66 ðisternesse *MS.* 67 wurðe 69, 76 wid 73 dor 82 dan 87 him] he *MS.*, *em. Hall* 90 madim *MS.* 98 dat 105 helped 113 ðeden, he] him *em. Hall*

99. A PRISONER'S PRAYER

MS.: London, Guildhall, De Antiquis Legibus Liber Cronica Maiorum et Vice Comitum Londoniarum &c. ab anno MCLXXVIII ad annum MCCLXXIV; m. XIII century. — *ed.*: Wright-Halliwell, Rel. Ant., London 1841; A. J. Ellis, EETS. VII; C. Brown, EL.XIII, Oxford 1932. — BR. 322; We. XIII, 30; cf. E. Ekwall, Studies on the Population of Medieval London, Stockholm 1956, and Studier i Mod. Sprakvetenskap XVII.

Eyns ne soy ke pleynte fu
Ore pleyn dangusse tressu;
Trop ai mal & contreyre
4 Sanz decerte en prisun sui,
Car maydez trespuis Ihesu
Duz deus & deboneyre.

Ihesu Crist, veirs deu ueirs hom,
8 Prenge vus de mei pite!
Ietez mei de la prisun
Vie sui atort gete.
Io e mi autre compaignun,
12 Deus enset la uerite,
Tut pur autri mesprisun
Sumes a hunte liuere.

Sire deus,
16 Ky as mortels
Es de pardun ueine,
Sucurez,
Deliuerez
20 Nus de ceste peine!
Pardonez
& assoylez
Icele gentil sire,
24 Si te plest
Par ki forfet
Nus suffrun tel martire.

Fous est ke se afie
28 En ceste morteu uie,
Ke tant nus contralie
Et v nad fors boydie.
Ore eft hoem en leesse
32 & ore est en tristesce
Ore le garist ore blesce
Fortune ke le guie.

Virgne & mere au souerein,
36 Ke nus ieta de la mayn
Al maufe ki par euayn
Nus ont trestuz en sun heim
A grant dolur peine
40 Requerez icel seignur
Ke il par sa grant dulcur
Nus get de ceste dolur
V nus sumus nuyt et ior
44 & doint ioye certeyne.

Ar ne kuthe ich sorghe non,
Nu ich mot manen min mon;
Karful wel sore ich syche,
4 Geltles ihc tholye muchele schame:
Help, god, for thin swete name,
Kyng of heueneriche!

Iesu Crist, sod god sod man,
8 Louerd, thu rew vpon me!
Of prisun thar ich in am
Bring me vt and makye fre.
Ich and mine feren sume,
12 God wot ich ne lyghe noct,
For othre habbet misnome
Ben in thys prisun ibroct.

Al-micti,
16 That wel lictli
Of bale is hale and bote,.
Heuene king,
Of this woning
20 Vt vs bringe mote.
Foryhef hem
The wykke men,
God, yhef it is thi wille,
24 For wos gelt
We bed ipelt
In thos prisun hille.

Ne hope non to his liue,
28 Her ne mai he biliue;
Heghe thegh he stighe,
Ded him felled to grunde.
Nu had man wele and blisce
32 Rathe he shal tharof misse;
Worldes wele mid ywisse
Ne lasted buten on stunde.

Maiden that bare the heuen king,
36 Bisech thin sone, that swete thing,
That he habbe of hus rewsing
And bring hus of this woning
For his muchele milse.
40 He bring hus vt of this wo
And hus tache werchen swo
In thos liue, go wu-s it go,
That we moten ey and o
44 Habben the eche blisce.

---

* *In the MS., which preserves text and music of this Prayer, the English words are written directly under the French.*

100. DEBATE OF THE SOUL AND THE BODY

MS.: Bodleiana 1486, Laud 108; XIII XIV cent. — *edd.*: E. Mätzner, SPR. I, 1867; W. Linow, Erlanger Beitr. I, 1889; O. F. Emerson, MER., 2. 1915. — BR. 351; W. IX,1; Ke. 4556-58; Ba. 177-178; RO. 338.

Als I lay in a winteris nyt
In a droupening bifor þe day,
Vorsoþe I sauȝ a selly syt:
A body on a bere lay
5 Þat hauede ben a mody knyȝt
And lutel serued god to payȝ;
Loren he haued þe liues lyȝt;
Þe gost was oute and scholde away.

Wan þe gost it scholde go,
10 Yt biwente and withstod;
Biheold the body þere it cam fro
So serfulli with dredli mod.
It seide: 'Weile, and walawo!
Wo worþe þi fleys, þi foule blod!
15 Wreche bodi wȝy listouȝ so
Þat ȝwilene were so wilde and wod? —

Ȝwere ben þi wurðli wedes,
Þi somers with þi riche beddes,
Þi proude palefreys and þi stedes,
20 Þat þouȝ about in dester leddes?
Þi faucouns þat were wont to grede,
And þine houndes þat þou ledde?
Me þinkeþ god is þe to gnede,
Þat alle þine frend beon fro þe fledde.

25 Ȝwere beon þi castles and þi toures,
Þi chaumbers and þi riche halles
Ipeynted with so riche floures,
And þi riche robes alle?
Þine cowltes and þi couertures,
30 Þi cendels and þi riche palles?
Wrechede it is nouȝ þi bour:
To moruwe þouȝ schalt þerinne falle. —

Wan I þe wolde teme and teche [89]
Ȝwat was yuel and ȝwat was guod,
35 Of Crist ne kirke was no speche,
Bote renne aboute and breyde wod.
Inouȝ I miȝte preye and preche;
Ne miȝte I neuere wende þi mod
Þat þouȝ woldest god knouleche,
40 But don al þat þin herte to stod.

I bad þe þenke on soulenede,
Matines, masse, and euesong;
Thou mostist first don oþere dede,
Þou seidist al was idel gong.
45 To wode and water and feld thouȝ ede,
Or to court to do men wrong;
Bote for pride or grettore mede
Lutel þouȝ dust guod among. —

Ne nis no leuedi briȝt on ble,
50 Þat wel were iwoned of þe to lete,
Þat wolde lye a niȝth bi þe
For nouȝth þat men miȝte hem bihete.
Þou art unsemly for to se,
Uncomli for to cussen suwete.
55 Þouȝ ne hauest frend þat ne wolde fle,
Come þouȝ stertlinde in þe strete.'

Þe bodi it seide: 'Ic seyȝe,
Gast, þou hast wrong iwys
Al þe wyt on me to leyȝe,
60 Þat þouȝ hast lorn þi mikkil blis.
Were was I bi wode or weyȝe,
Sat or stod or dide ouȝt mys,
Þat I ne was ay under þin eyȝe?
Wel þouȝ wost þat soth yt is.' —

65 Þe gast yt seide: 'Is no doute,
Abouten, bodi, þouȝ me bar.
Þou mostist nede, I was wiþoute
Hand and fot, I was wel war.
Bote as tou bere me aboute
70 Ne miȝt I do þe leste char;
Þerfore most I nede loute,
So doth þat non oþer dar. —

Bodi, I may no more duelle, [353]
Ne stonde for to speke with þe.
75 Hellehoundes here I ȝelle,
And fendes mo þan men mowe se,
Þat comen to fette me to helle.
Ne may I noweder fro hem fle.
And þou schalt comen with fleys and felle
80 A domesday to wonie with me.'

Ne hauede it nou er þe word iseyd,
It ne wiste ȝwider it scholde go:
In abreken at a breid
A þousend deuelene and ȝet mo.

---

2 droukening 17 *St 3~4 Varr.*] *4~3 MS.* 17 wurdli 20 about *Var.*] haddest *MS.* 21 wont *Var.*] nouȝt *MS.* 22 ledde *MS.*] fedde *em. Emerson* 34 Ȝwat *not in MS.*, *spl. Mätzner* 40 to *spl. Mä.* 45 edest *MS.* 46 cour 78 noȝwer *em. Emerson* hem] him *MS.* 82 þat wiste ȝw. *MS.*

85 Ʒwan thei haddin on him leyd
 Here scharpe cloches alle þo,
Yt was in a sori pleyt,
Reuliche toyled to and fro.

For thei weren ragged, roue and tayled,
90 With brode bulches on here bac;
Scharpe clauwes, longe nayled,
No was no lime withoute lac.
On alle halue it was asayled
With mani a deuel foul and blac.
95 Merci criende lutel auailede
Ʒwan Crist it wolde so harde wrac.

Some þe chaules it towraste
And ȝoten in þe led al hot,
And bedin him to drinke faste,
100 And senke abouten him abrod.
A deuil kam þer atte laste
Þat was maister, wel I wot,
A colter glowende in him he þraste
Þat it þoruȝ þe herte it smot.

105 Gleyues glowende some setten
To bac and brest and boþe side,
Þat in his herte þe poyntes metten,
And maden him þo woundes wide
And seiden him fol wel he lette
110 Þe herte þat was so fol of pride;
Wel he it hadde þat men him bihette,
For more scholde it bitide.

Worþli wedes for to were
Þei seiden þat he louede best;
115 A deueles cope for to bere,
Al brennynde on him was kest,
With hote haspes imad to spere
Þat streite sat to bac and brest.
An helm þat was lutel to here
120 Anon him kam, and hors al prest.

Forth was brouȝt þere with a bridel
A corsed deuel als a cote,
Þat grisliche grennede and ȝenede wide,
Þe leyȝe it lemede of his þrote;
125 With a sadel to the midside
Fol of scharpe pikes schote,
Alse an hechele onne to ride;
Al was glowende, ilke a grote.

Opon þat sadil he was slоungen,
130 As he scholde to þe tornement.
An hundred deuel on him dongen
Her and þer þan he was hent.
With hote speres þoruȝ was stongen,
And wiþ oules al torent.
135 At ilke a dint þe sparkles sprongen
As of a brond þat were forbrend.

Ʒwan he hadde riden þat rode
Opon þe sadil þer he was set,
He was kast doun as a tode,
140 And hellehoundes to him were let
Þat broȝden out þo peces brode,
Als he to helle ward was fet.
Ther alle þe fendes fet it trode,
Men miȝte of blod foluwe þe tred.

145 He beden him hontin and blowen,
Crien on Bauston and Bewis,
Þe ratches þat him were woned te knowen
He scholden sone blowe þe pris:
An hundred deueles on a rowe
150 With stringes him drowen, unþanc his,
Til he kome to þat loðli lowe
Þer helle was, I wot to wis.

Ʒwan it kam to þat wikke won,
Þe fendes kasten suwilk a ȝel,
155 Þe erþe it openede anon,
Smoke and smoþer op it wel.
Boþe of pich and of brumston
Men myȝte fif mile haue þe smel.
Louerd, wo schal him be bigon
160 Þat haþ þeroffe þe tenþe del! —

Þe foule fendes þat weren fayn,
Bi top and tail he slongen hit,
And kesten it with myȝt and mayn
Doun into the deueles pit,
165 Þer sonne ne schal neuere be seyn;
Hemself he sonken in þermit;
Þe erþe himsulf it lek aȝeyn,
Anon þe donge it was fordit.

Wȝan it was forthe, þat foule lod
170 To hellewel or it were day,
On ilk a her a drope stod
For friȝt and fer þer as I lay.
To Iesu Crist with milde mod
Ʒerne I kalde and lokede ay,
175 Ʒwan þo fendes hot and wod
Come to fette me away.

I þonke him þat þolede deth,
His muchele merci and his ore,

---

97 towrasten 99 scenche *em. Mätzner* 106 sides 113 Wordly 120 and] an *MS.* 122 cote] colte *em. Mätzner* 137 reden 140 led 146 Hauston *MS.*] Bausan, Bauȝan, Bauson *Varr.* 149 deueles ratches on *MS.* 152 lodli 156 wal 157 of *Var.*] *not in MS.* 167 hem sulf 175 hot fot *MS.*

Þat schilde me fram mani a qued,
180 A sunful man as I lai þore.
Þo alle sunful I rede hem red
To schriuen hem and rewen sore;
Neuere was sunne idon so gret
þat Cristes merci ne is wel more.
185 Sa grace ly doine Iesu Crist,
Ki ce dite de meins escrit
De li server de quer parfit,
A tous otreie ly seint espirit.

101. THOMAS OF HALES' LOVE RON

MS.: Oxford, Jesus Coll. 29; XIII century. — *edd.*: R. Morris, EETS. 49; C. Brown. EL. XIII, Oxford 1932. — BR. 66; We. XIII, 173; Ba. 182; RO. 61.

Incipit quidam cantus quem composuit frater Thomas de Hales de ordine fratrum minorum, ad instanciam cuiusdam puelle deo dicate.

A mayde Cristes me bit yorne
Þat ich hire wurche a luue-ron,
For hwan heo myhte best ileorne
4 To taken on oþer soþ lefmon,
Þat treowest were of alle berne
And best wyte cuþe a freo wymmon.
Ich hire nule nowiht werne:
8 Ich hire wule teche as ic con.

Mayde, her þu myht biholde
Þis worldes luue nys bute o res
And is byset so fele-volde,
12 Vikel and frakel and wok and les.
Þeos þeines þat her weren bolde
Beoþ aglyden so wyndes bles,
Vnder molde hi liggeþ colde
16 And faleweþ so doþ medewe-gres.-

Nis no mon iboren olyue
Þat her may beon studeuest,
For her he haueþ seorewen ryue,
20 Ne tyt him neuer ro ne rest.
Toward his ende he hyeþ blyue
And lutle hwile he her ilest;
Pyne and deþ him wile ofdryue
24 Hwenne he weneþ to libben best.

Nis non so riche ne non so freo
Þat he ne schal heonne sone away,
Ne may hit neuer his waraunt beo,
28 Gold ne seoluer, vouh ne gray.
Ne beo he no þe swift, ne may he fleo,
Ne weren his lif enne day.
Þus is þes world, as þu mayht seo,
32 Al so þe schadewe þat glyt away.

Þis world fareþ hwilynde:
Hwenne on cumeþ anoþer goþ;
Þat wes bifore nv hit is bihynde,
36 Þat er was leof nv hit is loþ.
Forþi he doþ as þe blynde
Þat in þis world his luue doþ;
Ye mowen iseo þe world aswynde:
40 Þat wouh goþ forþ, abak þat soþ.

Þeo luue þat ne may her abyde,
Þu treowest hire myd muchel wouh;
Al so hwenne hit schal toglide,
44 Hit is fals and mereuh and frouh
And fromward in vychon tide.
Hwile hit lesteþ is seorewe inouh;
An ende, ne werie mon so syde,
48 He schal todreosen so lef on bouh.

Monnes luue nys buten o stunde:
Nv he luueþ, nv he is sad,
Nu he cumeþ, nv wile he funde,
52 Nv he is wroþ, nv he is gled.
His luue is her and ek alunde,
Nv he luueþ sum þat he er bed;
Nis ne neuer treowe ifunde:
56 Þat him tristeþ he is amed.

Yf mon is riche of worldes weole
Hit makeþ his heorte smerte and ake,
If he dret þat me him stele
60 Þenne doþ him pyne nyhtes wake;
Him waxeþ þouhtes monye and fele,
Hw he hit may witen wiþ-vten sake.
An ende, hwat helpeþ hit to hele,
64 Al deþ hit wile from him take.

Hwer is Paris and Heleyne
Þat weren so bryht and feyre on bleo?
Amadas and Dideyne,
68 Tristram, Yseude and alle þeo?
Ector, wiþ his scharpe meyne,
And Cesar, riche of wordes feo?
Heo beoþ iglyden vt of þe reyne
72 So þe schef is of þe cleo.

Hit is of heom also hit nere,
Of heom me haueþ wunder itold!
Nere hit reuþe for to heren
76 Hw hi were wiþ pyne aquoid,
And hwat hi þoleden alyue here?
Al is heore hot iturnd to cold.
Þus is þes world of false fere:
80 Fol he is þe on hire is bold.

181 þo a. s. *Parr.*] þo þat sunful ben *MS.*

101. 20 ro ne rest *supplied by a later hand*

Þeyh he were so riche mon
As Henry vre kyng,
And al so veyr as Absalon
84 Þat neuede on eorþe non euenyng,
Al were sone his prute agon;
Hit nere on ende wrþ on heryng.
Mayde, if þu wilnest after leofmon,
88 Ich teche þe enne treowe king.

A swete, if þu iknowe
Þe gode þewes of þisse childe!
He is feyr and bryht on heowe,
92 Of glede chere, of mode mylde,
Of lufsum lost, of truste treowe,
Freo of heorte, of wisdom wilde,
Ne þurhte þe neuer rewe,
96 Myhtestu do þe in his ylde.

He is ricchest mon of londe;
So wide so mon spekeþ wiþ muþ,
Alle heo beoþ to his honde,
100 Est and west, norþ and suþ.
Henri, king of Engelonde,
Of hym he halt and to hym buhþ.
Mayde, to þe he send his sonde
104 And wilneþ for to beo þe cuþ.

Ne byt he wiþ þe lond ne leode,
Vouh ne gray ne rencyan.
Naueþ he þerto none neode;
108 He is riche and weli man.
If þu him woldest luue beode
And bycumen his leouemon,
He brouhte þe to suche wede
112 Þat naueþ king ne kayser non.

Hwat spekestu of eny bolde
Þat wrouhte þe wise Salomon
Of iaspe, of saphir, of merede golde,
116 And of mony onoþer ston?
Hit is feyrure of feole volde
More þan ich eu telle con.
Þis bold, mayde, þe is bihote
120 If þat þu bist his leouemon.

Hit stont vppon a treowe mote,
Þar hit neuer truke ne schal;
Ne may no mynur hire vnderwrote,
124 Ne neuer false þene grundwal.
Þarinne is vich balewes bote,
Blisse and joye and gleo and gal.
Þis bold, mayde, is þe bihote
128 And vych o blisse þar wyþal.

Þer ne may no freond fleon oþer,
Ne non furleosen his iryhte.
Þer nys hate ne wreþþe nouþer,
132 Of prude ne of onde, of none wihte.
Alle heo schule wyþ engles pleye,
Some and sauhte in heouene lyhte.
Ne beoþ heo, mayde, in gode weye
136 Þat wel luueþ vre dryhte? —

Ne may no mon hine iseo,
Al so he is in his mihte,
Þat may wiþ-vten blisse beo
140 Hwanne he isihþ vre drihte.
His sihte is al ioye and gleo,
He is day wyþ-vte nyhte.
Nere he, mayde, ful seoly
144 Þat myhte wunye myd such a knyhte?

He haueþ bitauht þe o tresur
Þat is betere þan gold oþer pel,
And bit þe luke þine bur,
148 And wilneþ þat þu hit wyte wel
Wyþ þeoues, wiþ reueres, wiþ lechurs.
Þu most beo waker and snel.
Þu art swetture þane eny flur
152 Hwile þu witest þene kastel.

Hit is ymston of feor iboren,
Nys non betere vnder heouene grunde,
He is to-fore alle oþre icoren,
156 He heleþ alle luue wunde.
Wel were alyue iboren
Þat myhte wyten þis ilke stunde;
For habbe þu hine enes forloren,
160 Ne byþ he neuer eft ifunde.

Þis ilke ston þat ich þe nemne
Maydenhod icleoped is.
Hit is o derewurþe gemme,
164 Of alle oþre he berþ þat pris,
And bryngeþ þe wiþ-vte wemme
Into þe blysse of paradis.
Þe hwile þu hyne witest vnder þine hemme,
168 Þu ert swetture þan eny spis.

Hwat spekstu of eny stone
Þat beoþ in vertu oþer in grace,
Of amatiste, of calcydone,
172 Of lectorie and tupace,
Of iaspe, of saphir, of sardone,
Smaragde, beril and crisopace?
Amon alle oþre ymstone
176 Þes beoþ deorre in vyche place.

Mayde, al so ich þe tolde,
Þe ymston of þi bur
He is betere an hundred folde
180 Þan alle þeos in heore culur;

103 schonde *MS.* 168 þan] þat *MS.*
170 grace] pris *MS.* *(in another early hand)*

He is idon in heouene golde
And is ful of fyn amur.
Alle þat myhte hine wite scholde,
184 He schyneþ so bryht in heouene bur.

Hwen þu me dost in þine rede
For þe to cheose a leofmon,
Ich wile don as þu me bede,
188 Þe beste þat ich fynde con.
Ne doþ he, mayde, on vuele dede,
Þat may cheose of two þat on,
And he wile wiþ-vte neode
192 Take þet wurse, þe betere let gon?

Þis rym, mayde, ich þe sende
Open and wiþ-vte sel.
Bidde ic þat þu hit vntrende
196 And leorny bute bok vych del;
Herof þat þu beo swiþe hende
And tech hit oþer maydenes wel.
Hwoso cuþe hit to þan ende
200 Hit wolde him stonde muchel stel.

Hwenne þu sittest in longynge,
Drauh þe forþ þis ilke wryt;
Mid swete stephne þu hit singe,
204 And do al so hit þe byt.
To þe he haueþ send one gretynge;
God almyhti þe beo myd
And leue cumen to his brudþinge
208 Heye in heouene þer he sit.

And yeue him god endynge,
Þat haueth iwryten þis ilke wryt.
Amen.

102. UBI SUNT

MS.: Bodl. 1687, Digby 86; XIII century. – [*Varr.:* Laud 108, Harley 2253, Auchinleck MS. Vernon MS.] — *edd.*: H. Varnhagen, Anglia III. 64, 1880; F. J. Furnivall, EETS. 117; C. Brown, EL. XIII, Oxford 1932. — BR. 3310; We. VII, 30; Ba. 267-271: RO. 345.

UUere beþ þey biforen vs weren,
Houndes ladden and hauekes beren,
And hadden feld and wode?
Þe riche leuedies in hoere bour,
Þat wereden gold in hoere tressour
6 Wiþ hoere briȝtte rode?

Eten and drounken and maden hem glad.
Hoere lif was al wiþ gamen ilad;
Men kneleden hem biforen.
Þey beren hem wel swiþe heye:
And in a twincling of on eye
12 Hoere soules weren forloren.

Were is þat lawing and þat song,
Þat trayling and þat proude ȝong,
Þo hauekes and þo houndes?
Al þat ioye is went away,
Þat wele is comen te weylaway,
18 To manie harde stoundes.

Hoere paradis hy nomen here;
And nou þey lien in helle ifere,
Þe fuir hit brennes heuere.
Long is ay and long is ho,
Long is wy and long is wo:
24 Þennes ne comeþ þey neuere.

Dreȝy here, man, þenne if þou wilt
A luitel pine þat me þe bit,
Wiþdrau þine eyses ofte,
Þey þi pine be ounrede:
And þou þenke on þi mede
30 Hit sal þe þinken softe.

If þat fend, þat foule þing,
Þorou wikke roun, þorou fals egging,
Here neþere þe haueþ icast,
Oup and be god chaunpioun,
Stond, ne fal na-more adoun
36 For a luytel blast!

Þou tak þe rode to þi staf,
And þenk on him þat þereonne ȝaf
His lif þat wes so lef.
He hit ȝaf for þe, þou ȝelde hit him:
Aȝein his fo þat staf þou nim
42 And wrek him of þat þef!

Of riȝtte bilcue þou nim þat sheld,
Þe wiles þat þou best in þat feld
Þin hond to strenkþen fonde.
And kep þy fo wiþ staues ord,
And do þat traytre seien þat word.
48 Biget þat mvrie londe,

Þereinne is day wiþhouten niȝt,
Wiþouten ende strenkþe and miȝt,
And wreche of euerich fo,
Mid god himselwen eche lif,
And pes and rest wiþoute strif,
54 Wele wiþouten wo.

Mayden moder, heuene quene,
Þou miȝt and const and owest to bene
Oure sheld aȝein þe fende.
Help ous sunne for to flen,
Þat we moten þi sone iseen
60 In ioye wiþouten hende! Amen.

9 keneleden *MS.*, knel- *Varr.* 33 Here] þere *MS.*

103. **CURSOR MUNDI**

MSS. E = Edinburgh, Royal Coll. of Physicians; XIV ct., ? Scotland. *C* = BM. Cotton Vespasian A III; **XIV century.** N. *G* = Göttingen, UB. Theol. 107; XIV ct., N-NMld. *F* = Bodleiana, Fairfax 14; XIV ct., ?NW-NWMld. *T* = Cambridge, Trinity Coll. R. 3. 8; bg.XV ct., SMld. — *ed.*: R. Morris, EETS. 57/101. — BR. 2153; We. VI, 1; Ke. 4552-55; Ba. 182; RO. 288.

Prologue, MS. C

Man yhernes rimes for to here,
And romans red on maneres sere:
Of Alisaundur þe conquerour;
Of Iuly Cesar þe emparour;
5 O Grece and Troy þe strang strijf,
Þere many thosand lesis þer lijf;
O Brut þat bern bald of hand,
Þe first conquerour of Ingeland;
O kyng Arthour þat was so rike,
10 Quam non in hys tim was like;
O ferlys þat hys knyhtes fell,
Þat aunters sere I here of tell,
Als Wawan, Cai and oþer stabell,
For to were þe ronde tabell;
15 How Charles kyng and Rauland faght,
With Sarazins wald þai na saght;
Of Tristrem and hys leif Ysote,
How he for here becom a sote;
O Ioneck and of Ysumbrase,
20 O Ydoine and of Amadase,
Storis als o serekin thinges
O princes, prelates and o kynges,
Sanges sere of selcuth rime,
Inglis, Frankys, and Latine.
25 To rede and here ilkon is prest,
Þe thynges þat þam likes best.
Þe wis man wil o wisdom here,
Þe foul hym draghus to foly nere,
Þe wrang to here o right is lath,
30 And pride wyth buxsumnes is wrath;
O chastite has lichur leth,
On charite ai werrais wreth;
Bot be þe fruit may scilwis se,
O quat vertu is ilka tre.
35 Of alkyn fruit þat man schal fynd
He fettes fro þe rote his kynd.
O gode pertre coms god peres,
Wers tre, vers fruit it beres.
Þat I speke o þis ilke tre,
40 Bytakens, man, both me and þe;
Þis fruit bitakens alle oure dedis,
Both gode and ille qua rightly redis.
Vr dedis fro vr hert tas rote,
Quedur þai be worthi or bale or bote;
45 For be þe thyng man drawes till
Men schal him knaw for god or ill.
A saumpul her be þaem I say,
Þat rages in þare riot ay;
In riot and in rigolage,
50 Of all þere liif spend þai þe stage;
For now is halden non in curs,
Bot qua þat luue can paramurs.
Þat foly luue, þat uanite,
Þam likes now nan oþer gle.
55 Hit neys bot fantum for to say;
To day it is, to moru away.
Wyth chaunce of ded, or chaunge of hert
Þat soft began has endyng smart;
For wen þow traistest wenis at be,
60 Fro hir schalt þou, or scho fro þe.
He þat stithest wenis at stand,
Warre hym, his fall is nexst his hand.
Ar he sua brathly don be broght,
Wydur to wende ne wat he noght,
65 Bytuixand his luf haf hym ledd,
To sli mede als he hym forwith bedd;
For þan sal mede withouten mere,
Be mette for dede or bettur or were.
Forþi blisce I þat paramour,
70 Quen I haue nede me dos socure,
Þat saues me first in herth fra syn,
And heuen blys me helps to wyn.
For þof I quilum haf ben untrew,
Hyr luue is ay ilike new;
75 Hir luue sco haldes lele ilike,
Þat suetter es þan hony o bike.
Suilk in herth es fundun nan,
For scho es modur and maidan;
Moder and maiden neuer þe lesse,
80 Forþi of hir tok Crist his flesse.
Qua truly loues þis lemman,
Þis es þe loue bes neuer gan;
For in þis liif scho failes neuer,
And in þat toþer scho lastes ever.
85 Off suilk an suld ȝe mater take,
Crafty þat can rimes make,
Of hir to mak bath rim and sang,
And luue hir suette sun amang. —
In hir wirschip wald I bigyn [111]
90 A lastand warc apon to myn,
For to do man knaw hir kyn,

Emm. fr. Varr. — *MS. C:* 8 Ingland 11 knythes 16 with] wit *a.u.* 19 ysambrase 44 Quedur] dur 46 kaw 57 chaunge] chaunce 59 traistes 61 titthest 66 bedd *not in C* 67 witoten 69 Þ] ⁊ 74 ilik 83 liif] loue

Þat hus scli wirschip cum to wyn;
Sumkins iestes for to scaw,
Þat done were in þe halde law,
95 Bituix þe ald law and þe new,
How Cristes brith bigan to brew,
I sal yow schew with myn entent,
Brefli of aiþere testament;
Al þis werld, or þis bok blin,
100 With Cristes help I sal ouerrin,
And tell sum gestes principale;
For all may na man haue in talle. -
Þis are the maters redde on raw
Þat I thynk in þis bok to draw [222]
105 Schortly rimand on þe dede,
For mani er þai herof to spede.
Notful me thinc it ware to man
To knaw him self how he began,
How he began in werld to brede,
110 How his oxspring began to sprede:
Bath o þe first and o þe last.
In quatkin curs þis world es past.
Efter haly kyrces state
Þis ilk bok it es translate
115 Into Inglis tong to rede
For þe loue of Inglis lede,
Inglis lede of Ingeland,
For þe commun at understand.
Frankis rimes here I redd,
120 Comunlik in ilka sted,
Mast es it wroght for Frankis man;
Quat is for him na Frankis can?
Of Ingeland þe nacion
Es Inglis man þar in commun.
125 Þe speche þat man with mast may spede
Mast þarwith to speke war nede.
Selden was for ani chance
Praised Inglis tong in France;
Giue we ilkan þare langage,
130 Me think we do þam non outrage.
To laud and Inglis man I spell
Þat understandes þat I tell,
And to þoo speke I alþermast
Þat won in vnuarces to wast
135 Þair liif in trofel and truandis,
To be ware with þat self and wis,
Sumquat vnto þat thing to tent,
Þat al þar mode might with amend.
Ful il ha þai þat spending spend
140 Þat findes na frote þarof at end.
Sli word and werc sum we til heild,
Traistli acountes sal we yeild.
Þarfor do draw þam hiderward,
Þat o þe pardon will ha part,
145 To here and hald sal ha pardon,
O plight with Cristes benisun.
Now o þis proloug wil we blin,
In Cristes nam our bok begin,
'Cursur o werld' man aght it call,
150 For almast it ourrennes all.
Tak we our biginning þan
Of him þat al þis werld bigan. —

Herod's Death

MS. C

Þis Herods had regned thritte yere,
Quen Iesus Crist vr lauedi bere;
155 Siþen he regned yeres seuen.
His wranges godd on him sal heuen,
Þat fals, þat fell, þat goddes fa,
Þat soght his lauerd for to sla!
Hu had he hert to sced þair blod
160 Þat neuer did til him bot god!
Þat wili wolf, þat fox sa fals
Bath gain fremd and freindes als,
O carles costes al til vnknauin,
And was manqueller til his auen.
165 Þat gredi gerard als a gripe,
His vnrightes biginnes to ripe,
And of his seruis mani dai
Nu neghes tim to tak his lai.
Þat caitif vnmeth and vnmeke
170 Nu bigines he to seke:
Þe parlesi has his a side,

MS T

Heroude had regned þritty ȝere,
Whenne þat Marie Iesu bere;
Siþen he regned þries seuen.
Fer he brouȝte him self from heuen,
Þat false feloun goddes fo
Souȝte his lord for to slo.
How had he hert to shede her blood
Þat neuer dud but good?
Þat wilful wolf þat ferde so fals
Aȝeynes fremde and frendes als
His delful dedes most be knowen;
Monqueller was he to his owen.
Þat gredy gerarde as a gripe
Now his wrongis bigonne to ripe;
And for his seruyse mony a day
Þenne coom tyme to take his pay.
Þat cursed caitif so vnmeke
Þo bigon to wexe seke:
Þe palesy smoot his oon side

94 hald 96 crist 109 he *not in C* 112 quatking 113 kyrc 114 is es 117 Ingland 120 ilk 123 Ingland 131 and *CGF*. To lewed men englisshe *T* 134 vnuarc es 139 il ha] ilhayle *F* 140 frote] fro 142 acountes *F*] armites *C* 146 crist 147 blin] b *C* 148 crist 156 *G* = *C*, In myche sorou as I sal neyuen *F* 157 godds *C* 160 godd *C* 162 freinds *C* 164 aun *C*

MS. C

Þat dos him fast to pok his pride.
In his heued he has þe scall,
Þe scab ouergas his bodi all,
175 In his sides him held þe thring.
His folk sagh soru on þair king.
With þe crache him tok þe scurf,
Þe fester thrild his bodi thurgh;
Þe gutte potagre es il to bete,
180 It fell al dun intil his fete.
Oueral þan was he mesel plain
And þarwith had feuer quartain.
Ydropsi held him sua in threst,
Þat him thoght his bodi suld brest.
185 Þe falland gute he had emell,
His teth vt of his heued fell,
On ilk side him soght þe sare,
It moght naman in lijf ha mare.
Oueral wrang vte worsum and ware,
190 And wormes creuled here and þare.
Als caitif þare he ligges seke,
And dos him leches for to seke,
And þai com bath fra ferr and ner,
Þat sliest war o þat mister;
195 Bot for þai moght not leche his wa,
All he did þam for to sla.
His aun geing all fledd him fra,
Bath seruandes and sun alssua;
His freindes all þai him fra fledd,
200 Moght nan for stinck negh til his bedd.
All þai fled fra him awai,
And isked efter his enddai.
Quen þat his sun Archelaus
Sagh his soruful fader þus,
205 Til þe barnage tit he sent,
To mak a priue parlement.
'God men', he said, 'quat es your sight
O mi fader þat þus es dight?
Yee se, he has na mannes taill;
210 Þarfor yee sai me your consaill.
He es sua stad within his waa,
Þat sagh I neuer nanoþer sua.
Þe roting þat him rennes vte,
Þe stinck þat ai es him abute
215 Ne mai na liueand man it thole;
And þarwith he dos his leches cole.
Quatsum he self dos, he ne wat,
For he es in a soruful state,
For he es vte of his witt for wa.
220 Forþi rede I, if you thinc sua,
Þat we ger get vs leches tuin,
In quilk we mai siker vs in
To mak a neu bath to proue

MS. T

Þat dud him faste abate pride.
On his heed þere wex a scalle,
Þe scabbe ouergooþ his body alle.
Þus at ones coom þis þing.
Þe folke say sorwe on her kyng.
Þe ȝicche toke him sikerly,
Þe fester smoot þourȝe his body,
Þe goute potagre euel to bete;
Hit fel doun into his fete.
Oueral was he mesel pleyne,
Þerwiþ he hadde þe feuer quarteyne.
Þe dropesy so togider him prest
Þat he wende his body wolde brest.
Þe fallyng euel had he to melle;
His teeþ out of his heed felle,
On vche side him souȝte his sore.
Miȝt no mon wiþ lif haue more.
Oueral wrong out þe wore
Maþes cruled in him þore.
Þis caitif so vnmeke
Dooþ him leches for to seke
Þei comen boþe fro fer and nere
Þe sleȝest of þat ilke mistere;
And for þei miȝte not leche his wo,
Alle he dud hem for to slo.
Fro him fledde his owne meyne
Boþe son and seruauntis to se.
Þus his frendes fro him fledde,
Miȝt noo for stynke com to his bedde.
Alle fled fro him away
And preyed aftir his endyng day.
Whenne þat Archelayus his son
Say þus his sory fadir won,
To þe baronage soone he sent
To make a priue parlement.
'Gode men,' he seide, 'what is ȝoure siȝt
Of my fadir þat is þus diȝt?
Ȝe seen he haþ no monnes taile;
Þerfore seiþ me ȝoure counsaile.
He is so stad in his wo;
Saw we neuer noon oþere so.
Þe rotyng of him þat renneþ oute
And þe stynke him aboute
May no lyuynge mon hit þole.
He sleeþ his leches deed as cole.
Wod is he þus in þis debate;
He is in a sorweful state.
For wo he is out of his wit.
I rede, if ȝe assente to hit,
Þat we get vs leches tweyn,
In whiche we may trust certeyn,
A newe baþ to make and proue

179 þe g. þe p. *C* 190 creuld *C* 192 lethes *C* 198 seruands *C* 202 isked *C*] prayed *GF* 207 *a.u.* es *G*, is *F* 209 mans *C* 216 *G* = *C*, þarfore his leches he slees as fole *F*

MS. C

O pike and oile to his behoue;
225 And quen þat it has had an hete,
Cast him þarin al for to suete.'
Þe barnage said: 'God es þi rede;
For almis war þat he war dede.'
Þir leches sone did þai bring.
230 Quen þai come befor þe king,
He lifted vp his lathli chin
And felunlik can on þaim grin.
'Fiȝaputains,' he said, 'quat er yee?'
'Sir, lechis for to leche þe;
235 Medicine sal þou of vs take.
A nobul bath we sal þe make,
Þat bi þat þou þarof cum vte
Þou sal be hale sum ani trute.'
Þai fild a lede o pik and oyle,
240 And fast þai did it for to boile.
Quen it was to þair will al dight.
Þai lifted vp þat maledight.
'Aha! traiturs!' he said, 'I sale
Hing yow bot ye mak me hale!'
245 'Nai, goddut,' þai said, 'sir king,
Sal þou neuer naman hing
Bi þat we ani fra oþer part,
Bot if we fail nu of vr art.'
With þis þai lete his heued dun,
250 And vp þe fete o þat felun;
For þai haf halden him þair hete:
Þarin þai hang him be þe fete,
And druned him in pike and terr;
And send him quar he faris werr,
255 Werr þan he fared euer ar,
Þar neuer es end apon his car.
For he es bileft with Satanas,
And with þe traitur sir Iudas. —

MS. T

Of picche and brymstone for his loue.
And whenne hit welleþ in þat hete,
Cast him in and lete him swete.'
Þe baronage seide: 'Good is þis rede;
For almes were þat he were dede.'
Þo leches soone dud þei bringe.
Whenne þei coom bifore þe kynge,
He lifte vp his lodly chin
Lokyng felounly and grym.
'Hore sones,' he seide, 'what are ȝe?,
'Leches,' þei seide, 'to leche þe;
Medicyne shal þou of vs take.
A noble baþ we shul þe make;
Bi þat þou com þerof oute
Þou shal be hool as any troute.'
Þei filled a leed of picche and oile,
And fast duden hit to boile.
Whenne it was at her wille diȝt
Þei liften vp þat cursed wiȝt
'Traitours,' he seide, 'ȝe shul goon
To honge but I be hool anoon.'
'Nay certis,' þei seide, 'sir kyng,
Shal þou neuer no mon hing
Bi þat we ones fro þe part,
But if we failen of oure art.'
Herwiþ þei let þe heed doun
And vp þe feet of þat feloun;
Soone helde him her hete.
Þerynne þei honged him bi þe fete
In þat baþ of picche and terre;
And sende him þere he fareþ werre,
Wors þen he ferde euer are;
For neuer comeþ ende of his care.
He was lefte wiþ Sathonas
And wiþ þe traitour fals Iudas. —

Gethsemane.

MS C

Leue we nu of Iudas here   to sai and his tresun, [15491/92]
260 To spek o Iesu þar he was   herberd in þat tun.
Hu sent Petre mened him to   and said him þis resun:
'Þou sal be traijst, lauerd, to night;   it es noght to mistrun.
Elleuen er we yeitt to stand   with þe all redi bun.

MS. T

Leue we of Iudas here   to speke of his tresoun,
260 To telle of Ihesu þere he was   herbored in þe toun.
How Petur him bymened   and seide þis resoun:
'Þou shal bitrayed be, lord, to nyȝt   bi a fals feloun.
Elleuen are we ȝitt to stonde   wiþ þe al redy boun.

229 *G*] þis l. sun d. þ. sun forth bring *C*, þer l. sone forþ d. þ. b. *F* 231 ching *C* 232 grin *GF*] grene *C* 251 haite *C* 253 drund *C* 256 car] far *C* 262 traijst *G*, saued *F*, mistrun *GF* 263 witstand *C*

MS. C

If þai cum þe for to take, we sall þe werr þam fra.
265 We er herdi men inou agains Iudas, vr fa.'
'Quat wepens ha yee?' coth Iesus. 'Sir, we haf suerdes tua.'
Þan he bad þam all be still, and said: 'Inou er þaa.

I do yow to wijt, mi breþer leif, þat lang es siþen gan
Þat ȝerned I haf þis ilk mete mast at ete of an.
270 Iudas sal now com in hi for to do me be tan;
And yee, forsoth, sal efter me be ful will of wan.'

Quen þai vnderstode þis worde, a soruing þai bigan;
And vr lauerd cald eftsith Petre, and said him þan:
'Petre, freind, self Sathanas has asked þe to fan.
275 He wil þe sift nu, if he mai, as man dos corn or bran;
Bot ic haf praied for þi faith þat it stand gain Sathan.

Petre, comforth breþer þin, quen I am ledd yow fra!'
'Lauerd,' he said, 'þou wat þat I þe luue and dred alsua;
I am redi to folu þe bath in wel and wa,
280 Bath to prisun and to ded for þi luue wil I ga.'

Þan biheild þat lauerd hind apon þat suete meigne
Þat ful mikel murning mad ful soruful on to se.
'Ha, mi leif fernet,' he said, 'ful wel yeitt sal yow be,
Þis ilk night sal be a sculd bituix yow and me.
285 Til vnmesur mismai yow noght; for time sal cum þat yee
Sal yur vngladnes þat es nu haf turned into gle.

MS. T

If any com þe to take, we wol þe kepe hem fro.
265 We are hardy men inowe aȝeyn Iudas oure fo.'
'What wepenes haue ȝe?' seide Ihesus. 'Sir, we haue swerdes two.'
Þenne he bad hem alle be stille, and seide: 'Inowȝe are þo.

I do ȝou to witen, breþere dere, þat longe hit is agone
Þat I haue greiþed þis ilke mete moost to ete of one.
270 Iudas hieþ him ful fast, comeþ he not allone.
Ȝe, forsoþe, shul aftir me be laste ful wille of wone.'

Whenne þei vndirtoke þis word, a sorwyng þei bigon;
And oure lorde calde Petur, and seidè to him þon:
'Petur,' he seide, 'Sathanas oon is it of þi foon,
275 Haþ asked now to fonde þe þi self allon;
But I haue preyed for þi feiþ þat hit stonde as stoon.

Petur, coumforte breþer þine, whenne I am lad ȝou fro!'
'Lord,' he seide, 'þou woost þat I loue þe and drede also.
I am redy þe to folwe boþe in wele and wo,
280 Boþe to prisoun and to deþ for þi loue wole I go.'

Þenne bihelde þat lord hende vpon þat swete meyne,
How myche þei mournyng made and sorweful were to se.
'A, my leue frendes,' he seide, 'ful wel shal ȝou be;
Þis nyȝt shal ben a scateryng bitwene ȝou and me.
285 In no manere mysse may I ȝou nouȝt; for tyme shal come þat ȝe
Shul al þe sorwe þat ȝe haue now be turned ȝou into gle.

---

264 *a.u.* þaim *G*, ham *F* 268 to *not in GF* dere *GF* 269 ȝerned *F*, grened *G* at *GF a.u.* 270 *GF* = *C* 271 be left ful *GF* 274-276 *GF* = *C* 274 is is of *T* 276 praid *C* 281 þat *GF*] þar *C* 283 farnet *G*, breþer *F* 284 sculd] skaile *G*, parting *F* 285 *G* = *C*, Loke ȝe ȝou disconfort noȝt *F* 286 vngladnes *F*, soru *G*

MS. C

For þof mi flex to þam be taght als prophetis has sett,
Þat thoru mi ded apon þe rode sal mans bale be bette,
I sal rise on þe thrid dai to lijf withuten lett.
290 And quen we sal in Galilee eft be samen mete,
Al þe care yee nu sal haf clenli yee sal forgett.

Petre, be þou noght to radd, ma not to mikel care!
Yee weind yow into Galilee, and I sal mete yow þare.'
'I?' he said, 'to leue þe þus? Þat sal be neuer mare!
295 Bot sal we elles suffre samen bathe soft and sare.'
'Do wai, leif frend,' coth Iesus, 'þou sal nite me oft are.

Þou sal þam se yeitt to night do me ful gret spite,
For þai wald writh on me, þou wat, al þair awen wijt.
Ar þe cock him crau to night, thris þou sal me nite,
300 And sai þat þou me neuer sagh, bes þar na langer lite.
Bot þou sal couer and comforth þam þat þou sees in þair site,
And þe and þin, bath of yur care I sal yow mak all quite.'

Alle þe apostels þan bigan to fal apon a gret;
And þan he went als he was wont vnto Mont-Oliuete.
305 Thre disciplis with him yede foluand at his fete.
'Bides here, and prai,' he said, 'I sal cum to yow skete.'
Fra þaim he yode þan allan a stancast wel o strete.

With him he thre apostels toke, ar he made his praier,
Petre, Iames and sant Ion, þer thre him derrest wer.

MS. T

For þouȝe my fleshe be to hem take as prophecie haþ sett
And bi my deeþ on þe rode shal monnes synne be bet,
I shal rise þe þridde day to lif wiþouten let.
290 And whenne we shul in Galile efte togider be met,
Alle þe cares þat ȝe haue now clene shul ȝe forget.

Petur, be þou not to ferde, I bidde þe herfore;
But wende ȝe into Galile, and I shal mete ȝou þore.'
'Nay, sir,' he seide, 'to leue þe þus þat shal be neuer more,
295 But suffer wol we togider boþe softe and sore.'
'Dowey,' seide Ihesus þo, 'þou shal forsake me ore.

Þou shal se hem ȝitt to nyȝt do me greet deray;
For þei wolde on me wreke al her owne affray.
Þou shal ar þe cokke crowe forsake me þries, I say,
300 And say þou me neuer seȝe; hit beþ noon oþere way.
But þou shal couer and coumforte hem þat þou seest in delay,
And þe and hem of ȝoure woo I make quyt som day.'

Alle þe apostles þo bigon to grounde to falle so mete.
Himself went, as he was wont, to mount of Olyuete.
305 Thre disciples wiþ him ȝede folewyng at his fete.
'Abideþ here and preyeþ,' he seide, 'I shal com to ȝou swete.'
Anoon he ȝede a stones cast bisyde þat ilke strete.

Wiþ him þre apostles he toke, ar he made his preyere,
Petur, Iame, and seynt Ion, þese him derest were.

---

287 taght prophecy *GF* 288 mans *C* 290 *GF* = *C* 292 rad *G*, adred *F* make-care *GF* 294 a) *GF* = *C* 295 a) *G* = *C*, We salle ga in cumpany *F* 296 nite oft] me nickin *G*, forsake me *F* 297-302 *GF* = *C* (spite] despite *GF*) 299 For þat w. writ ... aun *C* 303 a grete *F*] þe ground: oliuete etc. *G* 306 praies *GF* skete *GF* 309 Iams *C*, Iame *F*, Iam and als s. I. *G* þer *F*, þir *G*

MS. C

310 Prìueli þam ledd him with forqui þai war him dere,
And sceued þam apon þe mont his consail for to here.
Als dos þe fader to þe sun, he can þam teche and lere,
And his angus in his hert til þam al mad he clere.

'Mi saul es sorful to þe ded þat I sal suffer son.
315 Toquils I ga mi praier mak, ye bide me here on hone.'
A stancast þan fra þaim he yode, and þar he made his bone
Til his fader der of heuen þat sittand es in trone.
Of his soru mai naman tell þat liues vnder þe mone. —

MS. T

310 Pryuely lad hem hym wiþ, for þei were him dere,
And ledde hem vpon þe mount, his counsel for to here.
As dere fadir doþ son, so he dud hem lere,
And his angwisshe in his hert to hem þus made he clere.

'Mi soule is sorweful to þe deþ þat I shal suffer soone.
315 I wol go make my preyere; abideþ til I haue done.'
A stones cast fro hem he ȝede, and þer he made his bone
To his fadir dere of heuen þat sittyng was in trone.
His sorwe myȝte no mon telle, þat lyueþ vndir mone. —

Paulus. ***MS. E***

Saulus soȝte ai quare and þrette
320 Al þe cristin he wiþ mette. — [19604]
Als he wente þus to seke and aske
Tilwarde a tune that hiȝt Damaske,
Þe fir of heuin hauis him stund
And braþeli befte unto þe grunde.
325 Blindfelde he was, als he sua lai;
He herde a steuin þus til him sai:
'Saul, Saul, sai me nu
Quarfore on me sua weirais tu?'
'Ande quat ertu, lauerd, sua unsene?'
330 'Bot ic hat Ihesum Nazarene
Þat tu werrais al þat tu mai.
Bot vndirstande þat I þe sai:
It es to þe oute-ouir miȝte
Ogain þi stranger for to fiȝte.'
335 Saul him quoke, sua was he rad,
Forglopnid in his mode als mad.
'Sai me þan, lauerd, quat I sal do!
Þi wil wil I do redi, loo.'
'Rise up and gang; þe tun es nere.
340 Quat tu sal do þare sal tu lere.'
Þe folk war ferde þat wiþ him ferde:
Na man þai saȝ quatsum þai herde.
Of Saul herde þai wel þe steuin
Bot noȝte of þat þat com fra heuin.
345 Blinde he ras up als he moȝte
Þat forwiþ þan was blind in þoȝte.
His eien opin baþe hauid he,
And þoȝ a smitte moȝte he noȝt se.
Al blind his men to tune him ledde,
350 And ·iij· daiis liuid he þare unfed.
Nouþer hene ete þa ·iii· dais time,
Na hene iwis moȝt se a stime.
Wiþin þai ·iii· niȝte and þre daiis
Mikil he lernid, als sum man sais,
355 Of spellis þat he siþin spac;
For of preching hauid he na make.—
Quen he hauid his baptim tane,
He ete and dranke and couerid onane.
To cristin men sone was he cuþe;
360 In sinagoge spel biguþe.
Al þat him herde him wonderit on;

---

310 for þ. *GF* 311 sceud *C* 312 Als dughti f. dos to s. *G*, As blessid f. d. t. s. *F* can *F*, gun *G* 313 A. of a. *C* til] to *GF* 314 dede *GF* 315 toq.] quilis *G*, þe quilest *F* me h. and hone *G*, as ȝe ware wone *F* *319 ff.: Some variants, esp. from T:* 322 Towarde *T* 323 þe fuyr of helle him smot þat stounde *T* 324 beft] kest *CG*, And bremely kest him to þat g. *T* 328 on-w.] me þus pursewes *T* 331 þ. þou pursuest *T* 333/34 Hit is to þe muche vnriȝt / Aȝein trouþe wiþ wronge to f. *T* 335 drad *T* 336 Forglopnid] For ferde *T* 337/8 what shal I/ þ. w. to do I am redy *T* 339 and *not in E* go *T* 340 lere] here *T* 342 what so *T* 344 *CF* = *E*, B. n. þai sau [say] þ. c. *GT* 345 he was his wey he souȝt *T* 346 forwiþ] bifore *T* 347 eien] eȝeliddes *T* 348 A. ȝitt myȝt he noþing se *T* 351/4 þo þre dayes/ Ny siȝte saw he none wayes/ In þo þre dayes and þre nyȝt / Muche he lered men telle riȝt *T* 357 tane] vndirgone *T* 359/60 To cristen men as I ȝou telle/ In synagoge bigan to spelle/ þus soone þenne wex þei couþ/ Goddes wordes in his mouþ *T* [*sim. in CGF*] 361 herde] dredde *T*

Ilkane saide: 'Na es noȝt gion
He þat we saȝ þis ender dai
Gain name of Ihesu sua werrai
365 And þarfore come unto þis tun
At fotte þe cristin to prisune?'
Saulus couerid in an stunde.
Þe Iuwis fast gan he confunde,
And bad þaim alle to lete and liste,
370 Þare was no god bot Ihesu Criste.
So faste þe Iuwis he wiþstode,
Þat sare he mengit þaim in mode;
Quarefore it was þai toke þair rede
Derueli do him to þe dede.
375 Þair redis þarfor gan þai run
Wiþ þe kepers of þe tune
Nichte or dai to waite þe time,
Quen þai moȝte come to murþir him.
Þe mair þan dide þe tune beget;
380 Bot Paul it wist þat he was þrette,
And in a lepe man lete him dune
Out-ouir þe wallis of þe tune
Wiþoutin wonde or ani wemme.
He went him to Ierusalem,
385 To þe apostlis he him bede.
Bot þai sumdel for him war drede
And wende noȝte giet in þat siquare
Þat sikirlic he cristin ware. —

104. THE STORY OF JOSEPH

MS.: Bodleiana 2306, Bodley 652; XIV /XV cent. — *edd.*: W. Heuser, Das frühme. Josephslied, Bonn. Btr. XVII; A. S. Napier, Oxford 1916. — BR. 4172; We. VIII,2; Ke. 4655-56; Ba. 188.

Prologue.

Wolle ȝe nou ihere wordes swiþe gode
Of one patriarke after Noees flode!
Nellic ȝou nouȝt tellen of þis flodes grame
Bote of one patriarke, Iacob was his name.
5 While men loueden meri song, gamen and feire tale;
Nou hem is wel leuere gon to þe nale,
Vcchen out þe gurdel and rume þe wombe,
Comen erliche þider and sitte þer ful longe.
Þat is þe soule ful loþ and lef þe licame;
10 Bote we hit bileuen, hit biþ a luþer game.
To fullen oure wombe hit is lutel pris
And seþþe ligge slepe, such hit were agris.
Þus ferden oure aldren bi Noees dawe,
Of mete and of drinke hi fulden here mawe,
15 And for ȝiuernesse þei weren riȝt wod;
Forþi sende oure louerd Noees flod.
Þo hi miȝten drinke þat hi weren fulle!
Hi floten swiþe riued bi dich and bi pulle.
Þer nas in þis world hul non so heiȝ
20 Þat tis vnirude flod muchel ne ouersteiȝ.
Nou ich wole fon on, þer ich er let,
And tellen ou of Iacob, so ich ȝou bihet. —

Joseph.

Nou Iosep sit in pette and wringeþ his honde. [109]
Awey, þat bitwene breþren ssal be þus muchel onde!
25 Nou drawen him vp hi wolleþ and quellen him atte frome,
Þenne seien hi bisides twei riche chapmen come.
Vrom a lond hi comen, Galaad ihoten is,
Mid here assen isemed of fer and of gris,
Of stor and of spices þei ladden grete male,

362 And seiden is not þis þat mon *T* 363 ender] ȝondir *T* 368 fast *not in E* 369 lete] leue *T* 374 Dernely *T* 375 bigan *T* 376 k.] lederes *T* 377 or] ouir *E*, d. whenne þei myȝt spie / Bi murþerment to do him diȝe *T* 379 Ofte þe toun for him þei set *T* 382 out *not in T* 384 went him] wentin *E*, went þo *T* 387/8 þei wende not ȝitte þon/þat he hadde ben cristen mon *T*

30 Into Egipte lond to sullen hit to sale.
Þenne spac him Iuda, he spac atte frome:
'Wolle we sullen Iosep þis chapmen þat her come!
Fer into Egypte lond hi him wolleþ lede;
Þenne worþ his sweuen eþ to arede.'

35 Hi comen to þis chapmen and sseweden here tale:
Iosep in þe pette hi chepeden to sale.
Þis chapmen beþ wise and axeþ wer he be.
'Comeþ ner,' hi seiden, 'and ȝe him mowen ise.
Hit is a swiþe feir child and of kunne heiȝ.'
40 Mid þat ilke worde þe pet hi weren neiȝ.
Hi drowen vp Iosep, mid one longe rope;
Ac one gode while ne miȝte he speke for wope.
Þis chapmen biholdeþ Iosep, þat beþ swiþe wis,
And Iosep to begge swiþe lef hem is.
45 Hi chepeþ and hi bedeþ, sone hi beþ aton.
Iosep wrang his honden and was ful sori man.
Hi casten hond to purse, þe panes beþ itold;
Nou helpe Crist Iosep, so ȝung he is isold!
Þis chapmen fengeþ þat child, his breþren þat fe.
50 Darf no man axe wer Iosep sori be;
For euere ase hi hine ledeþ, euer he wepeþ,
His fader and his moder ȝung he forleteþ.

Þis chapmen beþ wel bliþe, þat Iosep habbeþ ibouȝt,
And vpon þe se stronde hi him habbeþ ibrouȝt.
55 Þis chapmen nimeþ Iosep riȝt bi þe hond,
And so hi ledeþ Iosep into Egipte lond.
Ac of Egiptene speche couþe he no þing;
Forþi he wepte sore, þis ilke ȝungling.
Hi ladden Iosep into þe burȝ þat riche was and strong,
60 Castles heie and proute, stretes wide and long,
Mani feir halle and mani feir bour,
Whit so eni lilie, briȝt so eni flour.
Muche was þe blisse þat was in þe burȝ,
Iosep for to sullen hi ladden þurȝ and þurȝ.
65 Þider comen kniȝtes and burgeis ful bolde;
Hi comen into þe strete Iosep to biholde.
Leuedis of boure, and maidenes fre
Comen into þe strete Iosep to ise. —

Jacob.

Iosep cam into halle and sauȝ his breþren wepe. [491]
70 He kisseþ Beniamin anon, his neb he gan wipe,
And so he goþ bi rewe and kusseþ hem eueruchon;
Seþþe he cam into Egypte, nas he so bliþe man.
Þenne seide Iosep to his breþren anon:
'Þe sweuene þat me mette, ȝit nis hit nouȝt agon.
75 Ac ase ȝe wolleþ, breþren, þat ich be aliue,
Ȝe ssule fecchen oure fader and maken him ful bliþe
And oure kun alle and oure next folde,
Þat ich mowe in þis lond here lif holde;
For þe hunger haþ ibe two ȝer swiþe strong,
80 And ȝit hit lasteþ fiue, and þat is al to long.'

Feire he ssrudde his breþren mid dereworþe cloþ,
His breþren þat rideþ and here men þat goþ.
Of fiss and of flesse, of foules ibake

He lette senden in cartes to his fader sake,
85 Cloþes of skarlet and of sabelin,
Of honi and of corn, of fruit and of win,
Nappes of seluer and ringes of golde
And alle prudene mest þat hi leden wolde.

Feire fareþ þis ȝunge men bi dai and bi niȝt,
90 To here fader Iacob þat hi cumen riȝt,
And habbeþ to Iacob ibrouȝt al þis þing,
And seggeþ þat Iosep is in Egipte ase heiȝ as a king.
Þo Iacob iherde þat Iosep was aliue,
Nas neuere for his child fader so bliþe.
95 He caste awai his crucche, his mantel he feng,
Feire he platte his her wiþ a selkene streng,
He toc his benetene hat wiþ pal þat was biweued:
'Of sor and of serewe nou ich am bireued;
For nou me þuncheþ þat ich mai flen as an ern
100 For þe loue of Iosep, mi leueste bern!'
Iacob rod singinde, such hit were a child:
'For þe loue of Iosep nou ich am ȝung and wild.'

Þo Iosep iherde of his fader come,
Kniȝtes inowe mid him he haþ inome,
105 Mid harpe and mid pipe, mid ioie and mid songe,
Mid alle worssipe mest his fader to vnderfonge.
Ich ȝou mai telle, and ich ȝou mai singe
Þat bliþe was Pharaon of Ioseppes þinge,
And lond swiþe riche bi þe see side
110 He haþ to Iacob iȝiue and castles heye and wide.

Nou haueþ Iacob wele and alle winne
Mid his sones twolue and mid his oþer kunne.
Þe blisse is ful swete þat comeþ after wo;
Wel is him aliue þat his care mot atgo.
115 Nou þuncheþ Iacob his lif swiþe swete;
Of Iacob to telle nou ich mot nede lete.
Come neuere to þis hous worse tidinge
Bote alle worssipe mest and Cristes blessinge! Amen.

Explicit Iacob and Iosep.

105. MEMENTO MORI

MS.: BM., Cotton Caligula A IX; m. XIII ct. — *edd.:* R. Morris, EETS. 49; C. Brown, EL. XIII, Oxford 1932. — BR. 3517; We. VII, 36; Ba. 271.

Ihereð of one þinge þat ȝe ohen of þenche,
Ȝe þat werieð riche schrud and sitteð on oure benche.
Þah me kneoli ou biuore and mid win schenche,
4 From þe dreorie deað ne mai no mon atblenche.

Ȝe þat sittet ischrud wið skarlet and wið palle,
Wel soþe tiþinge ich ou wile telle.
Þe feond þencheð iwis þe sawle forto cwelle,
8 Ase we hit findeþ iwriten in þe goddspelle.

Ah of one þinge we schule nime gome,
Þat we weren poure þa we hider come.
We hit hereð iwis swiþe ofte and ilome:
12 Þe sawle and þe licome selde heo beoþ isome.

Hwenne þat child bið iboren and on eorþe ifalle,
Nolde ich ȝeuen enne peni for his weden alle;
Ah seoððen moni mon biȝet bores and halle,
16 Forhwi þe wrecche sawle schal into pine ualle.

Þenche we on þe laste dai, þat we schule heonne fare
Vt of þisse worlde wið pine and wið kare,
Al so we hider comen, naked and bare,
20 And of ure sunnen ȝeuen ondsweare.

Nabbe no mon so muchel, al hit wolle agon,
His lond and his lude, his hus and his hom,
Þe sorie soule at dome makeþ hire mon.
24 Iwis ne mai atblenche ure neauer non.

Þenne þe latemest dai deþ haueð ibrouhit,
Binimeð ure speche, ure siht, and ure þoht,
And in euche lime deþ us hafð þurhsoht,
28 Þenne beoð ure blisse al iturnd to noht.

Ne miȝte no tunge tellen þat euer wes iboren
Þe stronge pine of helle, þah he hedde isworen,
Er þe sawle and þe bodi atwo beon todroren,
32 Bute Crist þat lesede his folc þat þer wes forloren.

Anon so þe sawle bið ifaren ut,
Me nimeð þe licome and preoneð in a clut,
Þat wes so modi and so strong and so swiþe prud,
36 And wes iwoned to werien moni a feir schrud.

Nu lið þe cleiclot al so þe ston,
And his freondes striueð to gripen his iwon;
Þen þe sorie sowle makeð hire mon,
40 Of alle hire erure freond nu nafð heo non.

Þenne saið þe sawle wið sorie chere:
'Awai, þu wrecche fole bali, nu þu list on bere,
Ich schal habben for þe fendes to ifere.
44 Awai, þat þu euere to monne ischape were!

Ne schaltu neauer sitten on bolstre ne on benche,
Ne neuer in none halle þer me uin schenche;
For þine fule sunnen and for þin uniwrenche
48 Hi schal, wrecche sawle, to ateliche stenche.

Hwer beoð alle þine freond þat faire þe bihete,
And feire þe igretten bi weies and bi strete?
Nu heo wolleð, wrecche, alle þe forlete,
52 Nolden he, hore stonkes, non nu þe imete.

Hwer beoð þine dihsches midd þine swete sonde?
Hwer beoþ þine nappes þat þe glideþ to honde?
Hwer is þi bred and þin ale, þi tunne and þine stonde?
56 Nu þu schalt in þe putte wunie mid þe wonde.

Of me þu heuedest miȝte to don al þine wille.
Euer þu were abuten us bo for to spille;
Nu þu schalt, wrecche, liggen ful stille,
60 And ich schal þine gultes abuggen ful ille.

Hwi noldest þu mid Crist maken us isahte,
Masse leten singe of þat he þe bitahte?

---

22 his lude (h. ayhte) *Varr.*] *not in MS.* 23 at dome *Var.*] *not in MS.* 31 todroren *Var.*] todrehen *MS.* 39 Þen *Var.*] *not in MS.* 46 schencheð 49 frond 56 mid *Var.*] wid *MS.*

Euer þu were abuten to echen þin ahte;
64 Forþi we beoð an ende boþe bipahte. —

Nu schal þin halle mid spade beon iwroȝt,
And þu schald þerinne, wrecche, beon ibroȝt;
Nu schulen þine weden alle beon isoȝt,
68 Me wule swopen þin hus and ut mid þe swoft.

Þi bur is sone ibuld þer þu schald wunien inne,
Þe rof, þe firste, schal ligge o þine chinne.
Nu þe sculen wormes wunien wiðinne;
72 Ne mai me heom vt driuen wið nones kunnes ginne.

Nu is afered of þe þi mei and þi mowe;
Alle heo wereð þe weden þat er weren þin owe,
And þu schald nu in eorþe liggen ful lohe.
76 Wai, hwi noldestu er of þisse beon icnowe?

Nu schal forrotien þine teð and þi tunge,
Þi mahe and þi milte, þi liure and þi lunge,
And þi þrote-bolle þat þu mide sunge;
80 And þu schal in þe putte faste beon iþrunge. —

Ich am sori inoh bi dai and bi niht,
I schal to þeostre stude, þer neauer ne kumeð liht;
Þar I schal imete moni a ful wiht,
84 Ne schal ich neauer iseo Crist þat is so briht.

In ful a bitter bað baþien ich schal naked,
Of pisch and of brimeston wallinde is imaked.
Þer is Sathanas þe cwed redi wið his rake,
88 And swo he me wule forswolehen, þe furberninde drake.

Þah al þat fur in þis world togedere were ibroht,
Aȝeines þare hete nere hit al noht.
Wo is him aliue þat þerinne is ibroht!
92 Awai, þas ilke pine þu hauest me bisoht.

Hwo isehe þene cwed hu lodlich he beo,
Hornes on his heaued, hornes on his cneo!
Nis no þing aliue þat so ateliche beo;
96 Wo is heom ine helle þet hine schule iseo.

He ȝeoneþ mid his muþe and stareþ mid his eȝe,
Of his neoseþurles cumeð þe rede leie,
Þat fur springeþ him vt of eueruche breye.
100 He moste deie for care, hwase hine iseȝe.

Also beoð his eȝeputtes ase a bruþenled,
Þat fur springeþ him of wunderliche red.
Ne mai no tunge telle hu lodlich is þe cwed!
104 Hwase lokede him on for care he miȝte beo dead.

Holde we us clene ut of hordom,
Masse leten singen and almesdede don,
And wið hali chirche maken us isom;
108 Þenne mohe we cwemen Crist at þe dom.

Þe king þat al þis world scheop þurh his holi miȝte
Biwite vre sawle from þan fule wiȝte,
And lete us hatie þat woh and luuie þat riȝte,
112 And bringe ure sawle to heoueriche liȝte. Amen.

---

76 icnowe *Par.*] iouowe *MS.* 83 Þar *Par.*] þat *MS.* 108 Þenne we] venne þe *MS.*

106. THE PRICKE OF CONSCIENCE

MS.: Oxford, Trinity Coll. 16A, f. 1a-116b; XIV century. (= *T*, one of the southern MSS. of this northern poem.) — *Not hitherto edited.* — [Var. C: BM., Cotton Galba E. IX, late XIV century, supplied by MS. Harley 4196, ed. R. Morris, Transact. Phil. Soc. 1863; — cf. J. Lightbown, Leeds Studies 4, 1935; B. v. Lindheim, Wiener Beitr. 59, 1937.] — BR. 3428, 3429, 1193, 484; We. XI,4; Ke. 4855; Ba. 185; RO. 307.

Introduction.

MS. T

Profitabule book ys þys to lerune [fol.1a]
To þo þet woluth þerto herune;
ffor hit is callud 'of conciens pricke'
To mende sunful þet ar wykke
5 Hem to wythdrawe fro here mysdede
And stere to gode ȝef þey taken hede.
Withinne þys book buth conteynud euen
An entre furst and partus seuene
Of noble materus for souls fode
10 Bettur þan al þys worldus gode.
Þys schul ȝe knowe ȝef ȝe wol here;
Lystenuth forþy bo lyf an dere,
And in ȝoure hertus suffere hem synke,
As parchement taketh wrytyng of ynke,
15 Þat ȝe mowe haue, as god byhete,
Þe lond of mylke an hony swete,
Þe wheche ys lykenude for his bryȝtnusse
To heuene and eke for his swettnusse.
Þere-in god hem boþe glade an fede
20 Þet stylly now herun what y bede;
But furst at oure bygynnyng
Sey we to god þus hym preyng:

Þet myȝt of þe fadur almyȝty,
Þe wyt of þe sone alwytty,
25 Þe grace an þe godnus of þe holy gost,
Þe wheche ys lord of myȝtus most,
Wyth vs alle be at þe bygynnyng
And brynge vs to a goud endyng,
And helpe vs holly in his dede
30 And grante vs heuune to oure mede;

MS. C

Þe myght of þe fader almyghty, [1]
Þe witt of þe son alwytty,
25 And þe gudnes of þe hali gast,
A godde and lorde of myght mast,
Be wyth us and us help and spede
Now and ever in al our nede,
And specialy at þis bygynnyng,
And bryng us all til gude endyng. Amen. —

Concerning the preservation of ME texts cf. the numbers of MSS. given in BR.: **Pricke of Conscience 114 MSS., Chaucer CT. 64, Langland PPl. 50, Gower Confessio Amantis 49, Lydgate Dietary 46, Hoccleve Reg. Princes 44, Erthe 36, — South. Legendary 34, — Lydgate Fall Pr. 31, — North. Legendary 17, — Chaucer Troilus 17, Robert of Gloucester Chron. 16, — Chaucer Parl. Fowles 14, — Cursor Mundi 10, etc.** — **1-22** ***not in other MSS.*** 1 Prof.] ***Initial not accomplished. Erasure before*** lerune **2 þet, 3 hit** ***and often:*** **-t** ***ending in a flourish.*** 5 mysdede] mysde ***MS.*** **21 bygynnyg 23 þet *T*]** ***Initial not accomplished.***

MS. T

Þat we neuur fallun in deuelus den,
God so vs graunte, seyuth alle amen. —

Mony bun glad tryfeles to here [fol. 4a]
And vanytees woldun gladly lere.
35 Bysy þey bun in worlde þoȝt
To lerne þet þe soule helputþ noȝt;
But þat þat nudful wer to knowe
To lere þey ar ful wondur slowe.

Þerfore þey kunne not ysee
40 Þe perellus þat þey schulden drede and fle,
And wat wey þey schuldun take,
And wheche wey þey schuldun forsake.
No wondur is þauȝ þay wronge go;
ffor in gret derkenus gon alle þo,
45 Wythoutoun lyȝt of vndurstondyng
Of þat þet falluth to ryȝt knowyng.
Þerfore ȝeuureyche cristene mon
Þat wyt or wysdam any conn,
Þat connot wel þe ryȝte wey see,
50 Ny fle þe perellus þat wyse flee,
Schulde be buxum an bysy
To leyrnun and her of hem namly,
Þat vndurstonduth and knowoth scyle
Wat wey is god and wheche ys ille.
55 Þat wol þe wey of lyef ryȝt loke
Schal þus bygynnun, as seyth þe boke,
ffurst to knowe wat hymself ys,

MS. C 33 Many has lykyng trofels to here, [183]
And vanites wille blethly lere,
And er bysy in wille and thoght
To lere þat þe saul helpes noght;
Bot þat nedeful war to kun and knaw,
To listen and lere þai er ful slaw.
Forþi þai can noght knaw ne se
40 Þe peryls þat þai suld drede and fle,
And wilk way þai suld chese and take,
And wilk way þai suld lef and forsake.
Bot na wonder es, yf þai ga wrang,
For in myrknes of unknawyng þai gang,
45 Withouten lyght of understandyng
Of þat þat falles til ryght knawyng.
Þarfor ilk cristen man and weman
Þat has witte and mynd and skille can,
Þat knaws noght þe ryght way to chese,
50 Ne þe perils þat ilk wise man flese,
Suld be bughsom ay and bysy
To here and lere of þam namely,
Þat understandes and knawes by skille
Wilk es gude way and wilk es ille.
55 He þat right ordir of lyfyng wil luke
Suld bygyn þus, als says þe boke,
To knaw first what hymself es,

---

31 þat T] abbr. þt, a.u. 37 neful C

MS. T

Þan may he sone kome to mekenus,
What ground of alle vertuus ys best,
60 On wheche alle oþur vertuus do rest.
He þat con knowen and wol wel se,
What he was, is, and schalbe,
A more wyse mon may he be tolde,
Wheþur þat he be ȝong or olde,
65 Þen he þat con alle oþur þyng
And of hymself hath no knowyng. —

Old Age.

At þe furste bygynnyng of mon [fol. 12b]
Nyen hunderred wynter leuede he þanne,
As clerkes in here bookes bere wytnes;
70 But setthen wex monnes lyuyng les. —
Nowe ben mennes dayes scherter, [fol. 13a]
As Iob telles, and wel smerter.
Numquid non paucitas dierum meorum finietur breui.
He seyth: My fewe dayes sere
Schel enden nowe in schert tyme here,
75 Longe ȝer fourty ȝer con passe
Or fyfty fewer as now tyme ys.
But sone whenne mon waxeth olde,
His kynde waxeth bo febele and colde.
Þenne chaungeþ his complexcoune,
80 His maneres and his condiciounes:
His herte hard is and heuy,
His hed feble is and dosy;

MS. C

Swa may he tyttest com to mekenes,
Þat es grund of al vertus to last,
60 On whilk al vertus may be sette fast;
For he þat knawes wele, and can se
What himself was, and es, and sal be,
A wyser man may he be talde,
Wether he be yhung man or alde,
65 Þan he þat can alle other thyng
And of himself has na knawyng. —

In þe first bygynnyng of þe kynd of man [728]
Neghen hundreth wynter man lyfed þan,
Als clerkes in bukes bers witnes;
70 Bot sythen bycom mans lyf les. —
Bot now falles yhit shorter mans dayes, [758]
Als Iob, þe haly man, þus says:
Nunc paucitas dierum meorum finietur brevi.
Now, he says, my fon days sere
Sal enden with a short tyme here.
75 Fone men may now fourty yhere pas,
And foner fifty, als in som tym was.
Bot als tyte als a man waxes alde,
Þan waxes his kynde wayke and calde.
Þan chaunges his complexcion,
80 And his maners and his condicion:
Than waxes his hert hard and hevy,
And his heved feble and dysy;

---

61 known *T* 72 funietur *T* 78 waxceh *T*

MS. T

His gost þenne waxuth sycke and sor,
H:s fas þenne wyrlynkeleth more and more.
85 His mynde schorteþ when he þenketh.
His nese dropputh, his breth stynketh;
His sy3t dymmeth, he waxeth loth,
His bake crokeþ, stoupyng he goth;
His fyngeres, tones, of fot and hond
90 His touches alle þey ben tremlande.
His werke forfareth þat he bygynnes.
His her mouteth, his eynen dymetþ,
His 3eres waxeþ hard and def to here,
His tonge fayletþ to speke clere,
95 His mouth saueletþ, his teth roteþ,
His wyt fayleþ and ofte doteth,
Ly3t to greue and waxuth frouward,
Hym turne fro wrath hit ys ful hard.
He spekeþ an leuctþ sone a þyng,
100 Loth to turne fro þat trouwyng;
Couetous and hard holdande,
His cher is drye and his semblande;
Swyft to speke on his manere
And loth and slowe is forte heren; [fol. 13b]
105 He preyseth olde and holdeth hem wyse,
And 3onge men hym lust wel spyse;
He loueth olde þat 3er han ben,
And laketh þo þat now ar sen;
Sekel he ys and ofte gronyng,

MS. C

Þan waxes his gaste seke and sare,
And his face rouncles ay mare and mare.
85 His mynde es short when he oght thynkes.
His nese ofte droppes, his hand stynkes;
His sight wax dym þat he has,
His bak waxes croked, stoupand he gas;
Fyngers and taes, fote and hande,
90 Alle his touches er tremblande.
His werkes forworthes þat he bygynnes.
His haire moutes, his eghen rynnes;
His eres waxes deef and hard to here,
His tung fayles, his speche is noght clere.
95 His mouthe slavers, his tethe rotes,
His wyttes fayles, and he ofte dotes.
He is lyghtly wrath, and waxes fraward,
Bot to turne hym fra wrethe it es hard.
He souches and trowes sone a thyng,
100 Bot ful late he turnes fra þat trowyng;
He es covatous and hard haldand,
His chere es drery and his sembland;
He es swyft to spek on his manere
And latsom and slaw for to here.
105 He prayses ald men and haldes þam wyse,
And yhung men list him oft despyse;
He loves men þat in ald tyme has bene,
He lakes þa men þat now are sene.
He is ofte seke and ay granand,

---

90 ? touthes *T*

MS. T 110 And ȝeuer gruchyng and ay playnyng.
To olde men þese cuyndely fallen,
Properutes of ȝelde clerkes hem calleþ.
Ȝet bun þer mo þen y haue ytolde,
Þat falleþ to men, when þey ar olde.
115 Þus may men se, who-so con kenne,
What maneres ben of olde menne. —

The New Jerusalem.

Þis sete conteyneth al heuene-riche, [fol. 108a, M. 8867]
But non wot wat þing hit is lyche.
We fynden, þat hit is feyre and bryȝt,
120 But hit desscreuen con na mon ryȝt;
ffor so wyse a clerke wes neuur on lyue,
Þat þat feyrnes couþe dysscreue.
But þaȝ y ne con descreuen þat stede,
I wol ymageyn on myn oune hede,
125 fforte ȝeuen hit a disscripcyoune;
ffor þerto I haue a gret affexioune,
And gret comphort hit is to me [fol. 108b]
To þenke and speke of þat sete.
Þat trauayle may greue me no þyng,
130 For I haue þerin so gret lykyng.
Aȝeyn ryȝt trouthe no þyng me þynket y do
To lyken þe sete þat me longeth to.
Men moune hit lyken on sum party
To bodyly þyng and als to gostly.
135 But alle þyng þat cler is and bryȝt
Is most lykyng vnto bodyly syȝt,
Þerfore lykene I hit to bodyly þyng,
Þat feyre is with gostly vnderstondyng.
Ful longe and brod is heuene sete
140 Of þe wheche compareson ne mad may be;
But as I ymage in my þoȝt,
I lekene hit to a cete þat were wroȝt
Of gold and precyous stones sere,
Set on a mot of berel ful clere,
145 With walles, and wardes, an teretus,
And enter, and ȝates, and eke garetus.
And alle þe walles were of þat cete
Of prescyous stones and ryche pere,
And alle þe teretes of cristal clene,
150 And þe wardes anamayled and gult bydene;
And þe ȝates of charbokel schule falle,

MS. C 110 And ofte angerd, and ay pleynand.
Alle þir, thurgh kynd, to an ald man falles,
Þat clerkes propertes of eld calles.
Yhit er þar ma þan I haf talde,
Þat falles to a man þat es alde.
115 Þus may men se, wha-so can,
What þe condicions er of an ald man. —

---

117 ff. *Varr. see also vol. II.* [117-240 *not in C; Morris spl. from H*] 125 ffort *T* 126 a fexioune *T* 139/40 þe bryght cete of h. es large and brade / Of whilk may na c. be made / Tille na cete þat on erth may stand / ffor it was never made with mans hand *H* 140 comparesonne mad *T* 151 schul schule *T*

MS T

And þe garetes of rebeus and coralle.
And hit hade lones and stretes wyde,
And feyre buyldynges on euuereyche syde,
155 And schynyng of gold bryȝt burnesschede,
And with alle reches plenesschede.
And þat alle þe stretes and lones
Were ȝeuen paued with precyous stones;
And þe brede and þe lenthe of þat sete
160 Wer wel more þan is her any cuntre.
And alle kunnes maner of melody,
Of musyke, of murthe, and of mynstralsy,
Þat myȝt be mad with mouthe or honde,
Were contynewally þerin sounande.
165 And þat vcha lone and vcha strete
Were euurmore ful of sauoure swete
Of riche spysery and alle oþer þyng,
Þat any sote sauoure myȝt oute spryng;
And allc þe delytes þat men moun þynk,
170 And plente were euur of mete or drynke.
And alle þe setesenes þat wer þore, [fol. 109a]
Haden als meche beaute oþur elles more,
As hadde Absolon þat so feyr was,
Þat his beaute alle mennus dede pas;
175 And hade as meche strenthe among,
Als Samsone hade, þat was so strong,
Þat a þousand men y-armede ful clene
He ouurcum and felle ham alle bydene. —
And þat vchon hade als meche fredome
180 As August þat wes emperoure of Rome,
Vnto wham alle þe londus aboute
Aȝtoune seruise and wern vndurloute;
And þat vchon hade as good hele,
As Moyses hadde, þat ay was lele,
185 ffor god nolde neuur late euul dere hym,
Saue þat he made his eynun dym.
And þat vchon myȝt lyue ryȝt þore,
As longe þat hit possibyle wore,
As Mathusahel dede. in þys lyef here,
190 Þat leuede neȝ a þousand ȝere. —

Þus mowne men lykenen and ymagyn [fol. 110b, M. 9051]
Þe sete of heuene and þe blysse þerin
To a sete of gold and prescyous stonus sere.
But þe sete of heuene ys fer more cler,
195 And is set opon so heȝ an hulle,
Þat no suynful mon may wynne þertille.
Þat hylle I lykene to burel clene,
Bryȝtur þan any þat her is sene.
Þat hylle nys elles but vndurstondyng,
200 But holy þoȝt and brennyng ȝernyng,
Þat holy men haden in þat stede,
While þey leueden her byfore here dede;
ffor god wol þat þey als heȝ passe,

---

152 rubys *H* 154 b.] bygyngs *H* 156 plenessehde *T* *After* 164 And þat ilk day on sere manere suld falle / Swa þat na man moght irk with alle *H* 167 Of *H*] And *T* 173 absoln *T* 174 Whase bewte moght bi skylle pas / Þe bewte of alle manere of men erthly / Swa clene he was in lym and body *H*

MS. T As here ȝernyng ypward wasse.
205 And ȝet I lykene more forthur in my þoȝt
Þe walles of heuene as þey were wroȝt
Of alle manere precyous stonus sere
And þerto wer set in gold ful clere;
But so bryȝt gold and eke so clene
210 In þys world wes þer ner non seene,
Ny so ryche stonus ny so precyouse,
As þer ben ny none so uertuous.
Þe precyous stonus gostly moune be
Gode werkes and þe gold charite,
215 Þat abouten hem schal schyne ful cler
Þat deden good werkes and charyte her.
Þe turretus of heuene, boþe gret an smal,
I lykene to turetus of cleyr cristal;
But þo turrettus beþ more schynande
220 Þan ȝeuur was cristal in any londe.
Gostly þo turrettes moune ser honores be,
Þat gode men in heuene schul here an se.
Þe wardes of þe sete of heuene bryȝt
I lykene to wardes ful stalworþly dyȝt
225 And clanly dyȝt and wel entayled
Of seluur and gold ful wel anamayled.
But þe wardes of þe sete of heuene
Bune more trusty þan mon con nemene.
Gostly to speke þe wardes so dyȝt
230 Moune be called strenthe, power, and myȝt,
Þat þey schul haue þat in heuene dwelle, [fol. 111a]
As ȝe myȝt here me byforen telle.
Þe ȝatus y lykene of heuene brade
To ȝates þet were of charbokul made.
235 Þo ȝatus moun be called mekenes
Of ryȝt feyth, fredom, and buxumnes,
Þe wheche ȝe moune entre þat ben buxume
Into þe sete of heuene to cume. —

Abouen þe sete schal noȝt be seyne, [fol. 112a, M. 9210]
240 But bryȝt bemes only, as y wen,
Þe wheche schul schyne from godes face,
And spreden abouten ouur al þat place.
His bryȝt face schul alle þo se,
Þat schul wone þer in þat sete;
245 And þat syȝt is þe moste joy of heuene,
As men myȝt here me byfore nemene.
And þaȝ þat sete be long and wyde,
Men schul hem see from þe furrest syde,
As wel þo þat schul be from hym fer,
250 As þo þat schal be þarto ner.
As men of fer londes mown haue syȝt
Of þe sunne þat schyneth her bryȝt,
Ryȝt so þe face of god almyȝty
Schal be schynyng þer ful opunly
255 To alle þo men þat þydur schul wynde,
Þaȝ þey dwellen at þe fyrrest ende. [fol. 112b]

Btw. 234/35 But swa clere charbukelle was never sene / Als þa yhates of heven er ne swa clene *H* 249 heym *T* 250 þarto] to so *T*, Als þas þat sal þar til hym be nerrer *C*

þ profitable book vs þis to [illegible] sume
To þo þat wolich [illegible] heryne
For hit is callid of conciens pricke
To meuede sinful þen ay quikke
Hem to wyþ drawe fro here mysde
And here to gode ȝef þey taken hede.
Wich nine þis book wich conteynid euen
In ordre first and partis seuene
Of noble materis for soulis fode
[illegible] þan al þis [illegible] gode
þis schul ȝe knowe ȝef ȝe wol here
[illegible] for þi wolyf an dere
And in ȝoure herte [illegible] [illegible] synke
As parchement taketh wryting of inke
þat ȝe mowe haue as god byhete
þe lond of mylke an hony swete
þe wheche þis [illegible] for his [illegible]
To heuene and eke for his [illegible]
Þere in god hem boþe glade an fede
þer [illegible] now [illegible] [illegible] [illegible]
[illegible] [illegible] at oure [illegible]
[illegible] to god þus [illegible] [illegible]
þ [illegible] miȝt of þe fadur al miȝty
þe wyt of þe sone al wytty
þe [illegible] an þe goodnus of þe holy gost
þe wheche ys lord of miȝtus most
Wich vs alle [illegible] at þe bygynnynge
And brynge vs to a good endynge
And kepe vs holly in his [illegible]
And [illegible] vs heuene to oure mede
þo [illegible] neuer fallen in [illegible] ten
God do vs [illegible] [illegible] alle amen

FROM THE PRICKE OF CONSCIENCE

Oxford, Trinity College 16 A, fol. 1a; cf. p. 234

MS. T

But vche mon, as he louede god here,
Schal wonen þer, summe fyr and summe nere;
ffor summe loueden god her more þan summe,
260 And als summe loueden las þat þyder schul comme.
Þey þat loueden god her alderbest,
When þey comme þyder, schul be nerrest;
And þe more neȝ þat þay hym be,
Þe more vereyly þey schul hym se;
265 And þe more vereyly þey se his face,
Þe more schal be þer here solace;
But þo þat her loueden hym les,
Schul wone þer aftur þat her loue is.
Vche mon schal se hym in his degre
270 In what syde of heuene er þat he be.
Als vche schal haue in here heryng
Gret joy in heuene and gret lykyng;
ffor þey schul here þer aungelles song,
And holy men schul syngen þer among
275 With delytabeles foys and reyȝt cler,
And eke with þat þay schuln ay here
Alle oþer manere of swete melody
Of delytable voyces and munstralsy
And vche on swete tonus of musyk,
280 Þat any mon þat hereth may lyke,
And of alle voys þat swete may be
Schulen vchon heren in þat sete,
Withouten any-kunns vnstrementus ryngande,
And withoute meuynge of fot, mouth, or honde,
285 And withouten any maner trauayle;
And þys schal neuurmore sece ny fayle.
Suche melody, as þer schal be þanne,
Herde in þis worlde neuur erthely monne;
ffor al þe melody of þis worlde here,
290 Þat ȝeuur ȝet hath ben fur or nere,
Were noȝt but as soroue and care
Vnto þe lest poynte of melody þare. —

Some Notes of the Author.

Now haue y, as y furst undertoke, [fol. 115b, M. 9533]
ffulfulled þe seuenc partes of þys bok,
295 Þat bune tyteled to haue in muynde:
Þe furst is wrecchednes of mon-kynde;
Þe secounde of worldes condyssyounes sere
And of vnstabulnese of þys worlde here;
Þe þrydde is deth þat is bodily;
300 The furthe al so is of purcatory;
The fyfþe of domes-day, þe laste day of alle,
And of tokenes þat byfore schul falle;
The syxte of þe peynes of helle to nemene;
Te seuenþe part is of þe joyus in heune. [fol. 116a]
305 Of þese seuene partes buth sere maneres drawen
Of bokes of wheche summe buth vnknowen,
And nomly to lewede men of Engelonde,
Þat con but Engelyshe vndurstonde.

270/71 *plus* 6 *vv. in* C 278 ? delytale *T* 279 tenus *T* 294 Þe seueneþe part *T* 301 fyþe *T* domes daay *T*

MS. T

Þarfore þys tretyse drawen I woolde
310 In Engelyssche tonge þat hit myȝt be tolde
'Prykke of concyens' as men mowne fele;
ffor ȝef þet a mon vnderstonde hit wele
And alle þe materes to his herte take,
Hit may his concyens tender make. –
315 But I prey ȝow alle por charyte,
Þat þis tretys wolde here or se,
Ȝe haue me excused at þys tyme,
Ȝef ȝe vynde her defaut in þis ryme:
Þaw þe ryme be rude I ne rekene me,
320 Ȝef þat þe maters goode and trewe be.
And ȝef þat any þe wheche is clerke
Con fynden any erroures in þis werke,
I pray hym to do me þat fauoure,
Þat he wol amende þat erroure.
325 And ȝef þey her any erroure moune se [fol. 116b]
Or any defaute in þys tretys be,
I make holly her a prostestacyoune,
Þat I wol stonden to corectyone
Of euurvche a ryȝtwes lered mon,
330 Þat any defaute her corecte con. —

107. A LULLABY

MS.: BM., Harley 913; **early** XIV ct. [Kildare]. — *edd.* Wright-Halliwell, Rel. Ant., 1843; W. Heuser, Bonner Beitr. XIV, 1904; C. Brown, RL. XIV, 2. 1952. — BR. 2025; We. VII, 44; Ke. 4662; Ba. 267-271; RO. 345.

Lollai, lollai, litil child, whi wepistou so sore?
Nedis mostou wepe, hit was iȝarkid þe ȝore
Euer to lib in sorow, and sich and mourne þerfore,
As þin eldren did er þis, whil hi aliues wore.
Lollai, [lollai,] litil child, child, lolai, lullow,
6 Into vncuþ world icommen so ertow.

Bestis and þos foules, þe fisses in þe flode,
And euch schef aliues, imakid of bone and blode,
Whan hi commiþ to þe world hi doþ hamsilf sum gode:
Al bot þe wrech brol þat is of Adamis blode.
Lollai, lollai, litil child, to kar ertou bemette,
12 Þou nost noȝt þis worldis wi.d bifor þe is isette.

Child, if betidiþ þat þou ssalt þriue and þe,
Þench þou wer ifostred vp þi moder kne.
Euer hab mund in þi hert of þos þinges þre:
Whan þou commist, whan þou art, and what ssal com of þe.
Lollai, lollai, litel child, child, lollai, lollai;
18 Wiþ sorow þou com into þis world, wiþ sorow ssalt wend awai.

Ne tristou to þis world, hit is þi ful vo,
Þe rich he makiþ pouer, þe pore rich also;
Hit turneþ wo to wel and ek wel to wo:
Ne trist no man to þis world, whil hit turniþ so.
Lollai, lollai, litil child, þe fote is in þe whele;
24 Þou nost whoder turne to wo oþer wele. —

---

309 draween *T* 328 ? correccyone *T* 1 *a.u.* lollai[2]] 1. *MS.* 3 þerfore] euer 4 wore] were *MS., em. Brown*

108. The Castel of Loue

MS.: Bodleiana 3938, Vernon; XIV century. — *edd.*: R. F. Weymouth, London 1864; C. Horstmann, EETS. 98. — BR. 3270; We. VI, 45; Ba. 186; RO. 290.

Her byginnet a tretys
Þat is yclept 'Castel off Loue',
Þat bisschop Grosteyȝt made ywis,
ffor lewede mennes byhoue.

Alle we habbeþ to help neode,
Þah we ne beþ alle of one þeode
Ne iboren in one londe [21]
Ne one speche vnderstonde.
5 Ne mowe we alle Latin wite
Ne Ebreu ne Gru þat beþ iwrite,
Ne ffrench ne þise oþer spechen
Þat me mihte in world sechen,
To herie god, vre derworþe drihte,
10 As vche mon ouȝte wiþ al his mihte.
Lofsong syngen to god ȝerne
Wiþ such speche as he con lerne
No monnes mouþ ne be idut,
Ne his ledene ihud
15 To seruen his god, þat him wrouȝte
And maade al þe world of nouȝte.
On Englisch ichul mi resun schowen
ffor him þat con not iknowen
Nouþer ffrench ne Latyn;
20 On Englisch ichulle tellen him. -
Þauh hit on Englisch be dim and derk
Ne nabbe no sauur bifore clerk,
ffor lewed men þat luitel connen
On Englisch hit is þus bigonnen. -
25 Hit was a kyng of muche miht, [275]
Of good wille and gret insiht,
And þis kyng hedde a sone,
Of such wit and of such wone,
Of such strengþe and of such chere
30 As was his fader in his manere.
Of on wille heo weoren bo,
And of on studefastschipe also,
Of on fulnesse heo weoren outriht,
And boþe heo weoren of on miht.
35 Þorw þe sone þe fader al begon
Þat bilay to his kynedom.
Wiþ wit was his begynnynge,
Þe fader wolde to ende bringe.
Foure douhtren hedde þe kyng,
40 And to vchone sunderlyng
He ȝaf a dole of his fulnesse,
Of his miht and of his wysnesse,
As wolde bifallen to vchon;
And ȝit was al þe folnesse on,
45 Þat to himself bilay;
Wiþoute whom he ne mai
His kindom wiþ pees wysen,
Ne wiþ rihte hit justisen.
Good is to nempnen hem forþi:
50 Þe furste douȝter hette Merci,
Þe kynges eldeste douȝter heo is;
Þat oþer hette Soþ, iwis;
Þe þridde soster is cleped Riȝt;
Pees hette þe feorþe apliȝt.
55 Wiþouten þeos foure wiþ worschipe
Mai no kyng lede gret lordschipe.
Þis kyng, as þou herdest ar þis,
Hedde a þral þat dude amis,
Þat for his gult strong and gret
60 Wiþ his lord was so ivet,
Þat þorw besiht of riht dom
To strong prison was idon
And bitaken to alle his fon,
Þat sore him pyneden euerichon;
65 Þat of no þing heo nedden onde
Bote him to habben vnder honde.
Heo him duden in prisun of deþ,
And pyneden him sore wiþouten meþ.
Merci þat anon iseiȝ;
70 Hit eode hire herte swiþe neih.
Ne mai hire no þing lengore holde.
Byforen þe kyng comen heo wolde
To schewen forþ hire resoun
And to dilyuere þe prisoun.
75 'Vnderstond', quaþ heo, 'fader myn,
Þow wost þat I am douȝter þyn,
And am ful of boxumnes,
Of milce and of swetnes,
And al ich habbe, fader, of þe.
80 I beoseche þat þou here me,
Þat þe sorful wrecche prisoun
Mote come to sum raunsum
Þat amidden alle his fon
In strong prison hast idon.
85 Heo him made agulte, þulke vnwreste,
And biswikede him þorw heor feire beheste,
And seiden him ȝif he wolde þe appel ete,
Þat whon he hedde al iete
Of þe treo þat him was forbode,
90 He scholde habbe al þe miht of gode.

---

2 þah] þat *MS.* 7 þis (45-48 ? *after* 56) 81 sorful *Halliwell's Var.*] *not in MS.* 89 *after* 90 *MS.*

And begyleden him þerof, and heo luytel rouȝten;
ffor falshede euerȝite heo souhten.
And falshede hem iȝolde be,
And þe wrecche prisun isold to me!
95 ffor þow art kyng of boxumnes,
Of milce and of swetnes,
And I þi douhter alre-eldest,
Ouer alle þe oþere beldest;
Neuere I þi douhter neore,
100 Bote milce toward him were.
Milce and merci he schal haue,
Þorw milce ichulle þe prisun craue.
ffor þin owne swete pite
I schal him bringe to sauete.
105 Þi milce for him I crie euermore,
And haue of him milce and ore!'
Anon whon Soþ þis iseiȝ,
Hou Merci, hire soster, hir herte beiȝ,
And wolde þis þral of prisun bringe
110 Þat Riht hedde him idemet wiþ-outen endinge,
Al heo chaunged hire mood,
And biforen þe kyng heo stood.
'ffader, I þe biseche, herkne to me!
I ne may forbere to telle hit þe
115 Hou hit me þinkeþ a wonder þing
Of Merci, my suster, wilnyng,
Þat wolde wiþ hire milsful sarmon
Diliuere þe þral out of prison
Þat swiþe agulte, þer ich hit seih
120 And tolde hit to Riht, þat stood me neih.
ffader, ich sigge þe forþi:
Þou ouhtes nouȝt to heere Merci,
Of no boone þat heo bisecheþ þe.
Bote Riht and Sooþ þermide be.
125 And þow louest soþ and hatest lees,
ffor of þi fulnesse icomen ich wes;
And eke þow art kyng rihtwys,
And Merci herte so reuþful is
Þat ȝif heo mai saue wiþ hire mylde speche
130 Al þat heo wole fore biseche,
Neuer schal be misdede abouht,
And þou, kyng, schalt be douted riȝt nouht.
Þou art also so trewe a kyng,
And stable of þouȝt in alle þyng.
135 fforþi me þinkeþ Merci wilneþ wouȝ,
And spekeþ toȝeynes Riȝt inouȝ;
ffor Riht con hym in prison bynde.
He ouȝte neuere milce to fynde;
Milce and merci he haþ forloren.
140 He was warned þerof biforen.
Whi scholde me helpe þulke mon
Þat nedde of himself pite non?
His dom he mot habbe as Soþ con sugge,
And al his misdede abugge.'
145 Riht iherde þis talkyng.
Anon heo stod bifore þe kyng.
'Þi douȝter,' heo seiþ, 'I am, I wot bi þon,
ffor þou art, kyng, riht domesmon.
Þer beþ rihte domes mitte,
150 Alle þine werkes beþ ful of witte.
Þis þral of whom my sustren deeþ mene,
Haþ deseruet as at ene;
ffor in tyme, while þat he freo wes,
He hedde wiþ him boþe merci and pees,
155 And soþ and riht he hedde bo,
And wiþ his wille he wente hem fro
And tyed hym to wraþþe and wouȝ,
To wreccheddam and serwe inouȝ.
So þat, ȝif riht geþ,
160 He schal euere þolyen deþ;
ffor þo þow him þe heste hiȝtest,
Þorw soþ þou him þe deþ diȝtest.
And I myself him ȝaf þe dom,
As sone as he hedde þe gult idon;
165 ffor Soþ bereþ witnesse þerto,
And elles nedde I no dom ido.
Ȝif he in court biforen vs were,
Þe dom þou scholdest sone ihere.
ffor Riht ne spareþ for to jugge
170 What-so-euere Soþ wol sugge;
Þorw wisdam heo demeþ alle,
As wole to his gult bifalle.'
Soþ and Riht, lo, þus heo suggeþ,
And þis þral to deþe juggeþ;
175 Neuer nouþer ne spekeþ him good,
Nis non þat Merci vnderstood.
Ac as a mon mis-irad
On vche half he is mis-bilad.
Ne helpeþ him no þing wherso he wende,
180 Þat his fo ne fetteþ him in vche ende
And istrupt him al start-naked,
Of miȝt and strengþe al bare imaked;
Him and al þat of him sprong
He dude a þeuwedam vyl and strong
185 And made agult swiþe ilome,
And Riht com after wiþ hire dome;

149 þer] þe *em. Horstmann* 176 Nis] Ne *MS.*, *em. Horstmann* 180 ne *not in MS.*

Wiþouten Merci and Pees heo con jugge,
Euer aftur þat Soþ wol sugge.
Ne Pees mot not mid hem be,
190 Out of londe heo mot fie,
ffor Pees bileueþ in no londe
Wher þer is werre, nuy and onde;
Ne Merci mot not among hem liue,
Ac boþe heo beþ of londe idriue.
195 Nis þer nout in world bileued
Þat nis destrued and todreued,
And dreynt, forloren and fordemed,
But ei3te soulen, þat weren i3emed
In þe schup, and þat weoren heo:
200 Noe and his sones þreo
And heore wyues þat heo hedden bifore;
Of al þe world nas beleued more.
Careful herte him ou3te come
Þat þencheþ vppon þe dredful dome!
205 And al hit is þorw Riht and Soþ,
Þat wiþouten Pees and Merci doþ
So þat Pees a last vp breek,
And þus to hire fader speek:
'I am þi dou3ter sau3t and some,
210 And of þi fulnesse am I come.
Tofore þe my playnt I make:
Mi two sustren me habbeþ forsake,
Wiþouten me heo doþ heore dom,
Ne Merci among hem nou3t ne com.
215 ffor no þing þat I mi3te do
Ne moste Merci hem come to,
Ne for none kunnes fey
Ne moste ich hem come ney3,
Ak þat dom is al heore owen.
220 fforþi ich am of londe iflowen,
And wole wiþ þe lede my lyf,
Euer o þat ilke stryf
Þat among my sustren is awake,
Þorw sauhtnesse mowe sum ende take.
225 Ac what is hit euer þe bet
Þat Riht and Soþ ben iset,
Bote heo wite wel þeos:
Rihtes mester hit is and wes
In vche dom pees to maken.
230 Schal I þenne beo forsaken,
Whon eueriche good for me is wrouht
And to habben me biþouht?
And he me louede neuere to fere
Þat Merci, my suster, nul not here.
235 Off vs foure, fader, ichul telle þe,
Hou me þinkeþ hit ou3te to be.
Whon foure beþ togedere isent
To don an euene juggement
And schul þorw skil alle and some
240 3iuen and demen euene dome,
Þer ne ou3te no dom forþ gon,
Er þen þe foure ben aton;
At on heo moten atstonden alle
And loken seþþen, hou dom wol falle.
245 Be vs foure þis I telle:
We beoþ not alle of on spelle;
Boþe ich and Merci
We beclepeþ þe dom forþi;
Hit is al as Ri3t and Soþ wol deme,
250 Merci ne me nis hit not qweme.
Wiþouten vs þer is bale to breme;
fforþi, fader, þow nime 3eme!
Of vche goodschipe pees is ende,
Ne fayleþ no weole þer heo wol lende,
255 Ne wisdam nis not worþ an hawe
Þer pees fayleþ to felawe;
And hose pees loueþ, wiþouten gabbe,
Pees wiþouten ende he schal habbe.
Mi word ou3te ben of good reles,
260 ffor þou art kyng and prince of pes.
fforþi þou ou3test to here me,
And Merci my suster, þat clepeþ to þe
Þat þe þral, þe prisoun,
Mote come to sum raunsoun.
265 Vre wille, fader, þou do sone
And here vre rihte bone!
ffor Merci euere clepeþ to þe
Til þat þe prison dilyuered be,
And ichul fleon and neuere come
270 Bote my sustren ben sau3t and some.'
Þe kynges sone al þis con heren,
Hou his sustren hem tobeeren,
And sei3 þis strif so strong awaken,
And Pees and Merci al forsaken;
275 Þat wiþouten help of his wisdome
Ne mihten heo neuere togedere come.
'Leoue fader,' quaþ he, 'ich am þi sone,
Of þi wit and of þi wone,
And þi wisdam clepeþ me me;
280 And so muche þou louedest me
Þat al þe world þorw me þou wrou3test,
And so þou me in werke bou3test;
ffor we beoþ on in one fulnesse,

---

222 o (= oð)] on *MS.* 227 þeos] pees *em. Horstmann* 231 fourme 237 þe ffoure *MS.*
279 me me] me *MS.* 281 þorw] for *MS.* *(par moi)*

In miht, in strengþe, and in heiȝnesse;
285 Ichulle al don þat þi wille is,
ffor þou art kyng rihtwis.
So muche, fader, ich nyme ȝeme
Of þis strif þat is so breme,
Þat for þe tale þat Merci tolde þe
290 fful sore þe prisun reweþ me;
fforþi he reweþ me wel þe more,
ffor Merci euere clepeþ þin ore.
Þou art, fader, so milsful kyng:
Hire we schul heren of alle þing.
295 Al ichul hire wille done
And sauhten Soþ and hire ful sone.
Nimen ichulle þe þralles weden,
As Soþ and Riht hit wolden and beoden,
And alone ichul holde þe doom
300 As justise ouhte to don,
And maken ichule Pees to londe come,
And Pees and Riht cussen and be sauȝt and some.
And druyuen out Werre, Nuy and Onde,
And sauen al þe folk in londe.'
305 Hose þis forbysene con,
He may openliche iseo bi þon
Þat al þis ilke tokenynge
Is godes insiht, almihti kynge. —

109. WILLIAM OF SHOREHAM. GOOD AND EVIL

MS.: BM., Addit. 17376; XIV ct. — *ed.:* M. Konrath, EETS. LXXXVI, [No 7]. — BR. 1495; We. VI, 10; Ba. 267-271; RO. 313.

And seþþe god self hyt forbeade,
Wannes comeþ forþe al þat quead,
So meche þer hys? [315]
And wel to donne apayneþ ueawe,
Ac hym apayneþ many a screwe
6 To do amys.

Þat god hyt soffreþ hou mey hyt be,
Seþþe of so great myȝtte hys he
Þet, ȝef ha wolde,
He myȝtte uordo þat hys quead,
And lete ous libbe, and nauȝt be dead?
12 Hyt þingþ ha scholde.

Leue broþer, ȝef he so wolde,
By þe syker þat he so scholde;
Ac he hyt nele.
Ich kan þe telle reyson wy
He let yworþe quead to by.
18 Nou harkne skele.

Þat alþerferste þat god schop,
Þat was heuene, þer nys no wop,
Soþ for to telle;
For he hyt made of swyche aray,
For alle manere blysse and play
24 Þer to folfelle. —

Ac nys no blysse ne no feste
Aȝeyns þe ioye of conqueste
Þet hys þorȝ god.
Ne mey me more ioye aspye,
Þane wanne a man þorȝ pur mestrye
30 Keþ hys manhod.

And to great defaute hyt were,
Ȝef no ioye of conqueste nere,
So merye hys hy.
Nou sixt þou þanne mytte beste
Hou ioye þat comeþ of conqueste
36 Mot neades by.

Nys gryt stryf wyþoute queade,
And þer conqueste hys, stryf hys neade,
And som vschent;
Þanne nys hyt to god no wrang
To soffre queade þe gode amang
42 To auancement.

For ȝef quead nere in none þynge,
Þer nere stryf ne contekynge,
Ne no wyþsey.
And ȝyf stryf nere, ne victorye,
So scholde ine heuene lac glorye,
48 Ac hyt ne mey. —

Swyþe fayr þyng hys þat wyte [541]
And þer bysyde blak a lyte
Wel ydyȝt:
Þe wyte hyt þe uayrer makeþ,
And hymselue more hyt blakeþ,
54 And al hyt hyȝt.

Þe wyse man þe wyser semeþ
Þer þet menye foules dremeþ,
And no reysoun.
Þe merrer hyt hys ine bataylle
Þet me sykþ al þe vomen faylle,
60 And falle adoun.

Þys lykynge hys for heuene blysse
Þat leste schal wyþoute mysse
Ase euere mo:
Þar hys so meche þe more merye
Þe deuel ys þat mey nauȝt ne derye
66 And helle also. —

1 seþþe] þesse *MS.* *em. Konrath* 4 apanyeþ 5 many] manþ *MS.* 7 mey] meny *MS.* 13 scholde : 14 wolde *MS.* 47 lac] þat *MS.*, faylly þat *spl. Konrath* 51 ydryȝt 52 þe w. þe u. hyt m. *MS.* 55 wyse] wyser *MS.* soneþ 59 msykþ

110. The Arrest

MS.: Bodleiana 14667, Rawlinson 175; m. XIV c. — *ed.*: W. Heuser - F. Foster, EETS. 183, [145/147]. — BR. 170, 1907; We. V, 18; Ba. 173-174; RO. 392

Iudas come þan vnto him ryght, [709]
And kyssed him als he had hyght.
'Hail maister,' vnto him he sayd.
Þan handes sone on him þai layd,
5 And omang þam stode he styll,
And lete þam wyrk with him þare will.
Þan said Ihesus vnto Iudas:
'Sen þou þis tresone procurd has,
And sen þiself ordand all þis,
10 Whareto comes þou me to kys?
Þou bitrayes thurgh þi kyssyng
Mans son þat may weld all thing.'
When his discipels saw þis fare,
In þair hertes þai had gret care.
15 Ilkone said other vnto:
'Allas, what es vs best to do?
Better bote es none bot fle;
ffor if we dwell here, ded be we.'
And so þai fled fro him ilk one
20 All bot saint Peter and saint Iohne.
Peter wend wele to haue done,
And out he drogh his swerd sone,
Vntyll a Iew þan smate he þare,
And his ryght ere of he schare.
25 And þat same Iew was seruand
Vnto þe bysschop of þe land,
And Malchus says men þat he hyght,
And in a lanterne bare he lyght.
When Ihesus saw þat dede was done
30 Vnto Peter þus said he sone:

Mitte gladium tuum in uaginam; omnis enim qui gladio percutit gladio peribit.

'Putt vp,' he said, 'þi swerd ogayne,
ffor he þat slase, he sall be slayne,
And he þat smytes with swerd iwyss,
Thurgh swerd he sall peryss.
35 Wenes þou noght, and I wald craue,
Þat I fra heuen myght helpyng haue?
Haue I myght, and I wald send,
ffra my fader me to defend
Sexty thowsand of aungels bright.
40 Þan suld þir men haue lytell myght.
My party þan I myght maintene
Ogayns þir Iewes þat er so kene.
Bot þan might noght fullfylled be
Þe wordes þat er wryten of me,
45 Als witnes beres þe prophecy
Þat says of me þat I sall dy.
And sen so es my fader will,
All þat þai said I sall fullfyll.'
Ihesus þan stowped doun þam biforn,
50 And toke þe ere þat was ofshorn,
He went to him þat was bledand,
And heled it with his haly hand;
He made it hale als it was are.
Bot þarfor yhit wald þai noght spare,
55 Tyte þai toke him þam bytwene,
And band him als he thefe had bene.
Þan Ihesus said to þam in fere:
'Als a thefe yhe bynd me here,
And comes with swerdes and glauyes grete
60 Als a thefe me for to bete
And for to dere me þat yhe may.
ffairer it war haue done by day;
ffor ilk a day yhe haue me sene
In yhour temple yhow betwene,
65 Techand þe law to ilk a man;
Why wald yhe noght tak me þan?
Bot þis tyme falles vnto yhow ryght
In myrknes for to proue yhour myght.'
Vnto his wordes toke þai no hede,
70 Bot furth with him þai went gud spede,
And led him so omang þam all,
Vnto þai come till Cayphas hall.
ffor þare þe Iewes habade all styll,
Tyll Ihesus was broght þam vntyll.
75 ffor ferd all his discipels fled,
When þair lord was fra þam led.
Þai fled and left þair lord allone,
All bot saint Peter and saint Iohne.
And yhit þai durst noght negh him negh
80 Bot folowd efter euer on dregh,
And graythely held þe same gate,
Vntyll þai come till Cayphas yhate.
Saint Iohne son was laten in þore,
ffor he was knawen lang byfore,
85 And Peter stode allane þare out,
In his hert he had gret dout.

---

80 efter] euer *MS.*

Saint Iohne spak vnto þe vscher þan,
For he was knawen wele with þat man;
And so þai spak bitwene þam two,
90 Þat Peter was laten in alsso.
And both byheld with drery mode
Vnto þair maister þare he stode,
Byhynd þe folk ay gan þai hone
To wayt what suld with him be done.
95 Þus als þai stod omang þe rout,
Iohne had a mantyll him obout.
Þe Iewes thoght it was all wrang
Þat he stode so þam omang;
Som of þam hent him be þe lapp,
100 Þat he suld noght oway schapp.
And when he saw þai wald him take,
His mantell was him leuer forsake;
ffra þam stirt he in a tene
And left þe mantell þam bytwene.
105 Vnto þe dore he toke þe gate,
And preuely he past þe yhate;
Furth he went with hert sore,
Þarein durst he com no more.

Accusacio Iudeorum contra Ihesum.

All þis tyme þan Ihesus stode
110 Omang þe Iewes full myld of mode,
And none of þam myght fynd him in
Thing þat suld sownd to any syn.
And som þat stode þare him bysyde
Sayd þus in gret tene þat tyde:
115 'Þis man þat standes omanges yhow
Has said þat he may neuer avow,
Þat if men kest doun in a thraw
Our mykell temple þat we wele knaw,
He says þat himself suld it rays
120 Ryght vp ogayn within thre days,
Hale to be bath tre and stane,
Þis will we wytnes euer ilk ane.'
Cayphas, when he herd þis saw,
And other, als þai satt on raw,
125 Sayd to Ihesu þare he stode:
'Think ye þat þis playnt es gude?
What answer will þou gyf till vs
Of þam þat þe accuses þus?'
Ihesus stode styll and answerd noght,
130 ffor he was angerd in his thoght.
Cayphas þan bygan to cry,
And spak to him despitusly:
'I coniore þe thurgh god lyfand
Þat þou me tell to vnderstand,
135 Yf þou be god son of heuen.'
Ihesus answerd with myld steuen:
'Þou says þiself þat I am he,
And sertainly I say to þe,
In heuen blys men se me sall
140 With my fader þat weldes all
To deme ilk man efter þair dedes;
He es noght wyse þat dome noght dredes.
But all if I þus to yhow say
Þat I am godes son verray,
145 Yhe er so full of envy now
Þat my tales yhe will noght trow.
And also if I it deny,
Yhe will noght leue me now forþi.'
Þe Iewes answerd and said on raw:
150 'Þan er tow godes son bi þi saw?'
He answerd and said myldely:
'Yhe say þat godes son am I.'
When Cayphas herd þat he so sayd,
Of þa wordes he was noght payd;
155 His awen clathes he raue for tene,
And sythen he carped wordes kene.

Quid adhuc desideramus testimonium?

He said vnto þe Iewes all:
'Whareto suld we more wytnes call?
He grauntes omang vs all full euen,
160 And says he es god son of heuen.
Sen he it grauntes tyll vs ilk ane,
Other wytnes nedes vs nane.
And þarfor says, what es yhour red?'
Þai sayd all he had serued ded;
165 And in þe face þai gon him smyte,
And spytt opon him for despyte,
And euer ilk one on sydes sere
Missayd him on foul manere.

De negacione Petri.

Peter stod ay in þe flore,
170 And saw how foul þai with him fore.
To buffett him war þai full bald;
And þe weder was wonder cald.
Þarfore þe Iewes had made a fyre
In þe flore brynand full chyre.
175 When Peter saw þe fyre so clere,
Als he durst, he drogh him nere;
Omang þe Iewes he stode full styll,
And warmed him at his awen wyll.
Þan som of þam þat stode bisyde,
180 Spak to Peter in þat tyde,
And said: 'Felow, whare had we þe?
Er tow noght ane of his meneyhe?'
Peter answerd sone onane
And said: 'Gud man, þou has mysgane
185 In þi wordes wrang þou wenes,

I am noght þe man þat þou of menes,
Ne, sir, I wate noght what þou says
Of þis thing þou to me lays.'
A mayden stode þare þam bysyde,
190 And herd þam so togyder chyde.
When scho saw Peter in þe face,
Þis wordes scho said in þat place:
'Sertainly he þis es ane
Þat with Ihesu was wont to gane.'
195 And vnto Peter said scho þen:
'Þou ert ane of þe prophetes men,
And by þi sembland may men se
Þat þou ert man of Galile,
And bi þi spech men may þe knaw.'
200 Þan Peter answerd with gret aw,
And athes vnto þam he sware
Þat he saw Ihesu neuer are.
He saw his gabyng might not gayne,
He wald haue bene oway full fayne,
205 And preuely he toke þe gate
Bytwene þe seruandes and þe yhate.
And sone þat man come him biforne
Þat he had his ere of shorne,
He was ane of þe bysshop men;
210 Him thoght þat he suld Peter ken,
And fast bigan he for to threte,
And spak to him wordes grete:
'ffelow,' he said, 'er tow noght he
Þat my ryght ere reft fra me,
215 When we come þy maister to take?
Þis mater may þou noght forsake.
Þi maister heled it als it was,
For he wend so oway to pas.
By þis cause ryght wele I ken
220 Þat þou ert ane of his men,
And now it sall wele yholden be,
Þe dede þat þou did þare to me.'
Þan Peter stode and dred him sare,
Euell him thoght þat he come þare,
225 And þus he said with sorow strang:
'Man, of me þou menes wrang!
fful wrange on me here þou þe wrekes,
I knaw him noght þat þou of spekes.'
And sone when he had said þis saw,
230 Þe cokkes onane bigan to craw.
And Ihesus, als he bonden stode,
Byheld Peter with myld mode,
fforþi þat he suld vndertake
How he sayd he suld him forsake.
235 And sone when Peter persayued so
Þat his lord loked him vnto,
In his hert als sone it brayd
How þat Ihesus had to him sayd
Þat he suld deny him on þat wyse
240 Or þe cok had krawen thryse.
And when he wist how he had wroght,
He was full drery in his thoght,
And fra his enmyse þat þare ware
He wan þare out and weped sare.
245 And furth he went with symple chere,
And more he durst noght negh þam nere. —

111. CAIAPHAS

MS.: BM., Sloane 2478; XIV century. — *edd.:* Wright-Halliwell, Reliquiae Antiquae, London 1843; C. Brown, Kittredge Anniversary Papers, Boston 1913. — BR. 180; We. XIV,2; Ba. 277.

Caiphas:

Alle hayle! And wel y-met
Alle ȝee schulleþ beo þe bet,
Nou icham ycome.
Blysful and blyþe ȝee mowe boe,
5 Such a prelat her ysoe,
Itolled to þis trome.

Ȝe boeþ wel wery aboute ygo;
So icham my sulf also,
Ich, bysschop Cayface.
10 Ich moste her sone synge
Þe prophecye of heuene kynge,
Þat whyle ich seyde by grace.

Þy stondeþ a stounde and bloweþ breþ!
And ȝif icham as ȝee soeþ,
15 Ichulle bere me bolde,
And synge ȝou sone a lytel song;
Ha schal boe schort and noþyng long,
Þat raþer ichadd ytolde.

Ich was bysschop of þe lawe,
20 Þat ȝer þat Crist for ȝou was slawe:
Ȝe mowe boe glade þerfore.
Hit com to soþe þat ich þo seyde:

203 not] *not in MS.*

Betere hit were þat o man deyde
Þan al uolk were ylore.
'Expedit — etc.'

25 Ichot ȝe mowe nouȝt longe dwelle;
Þy are ȝe go ichow wol telle
Of Crist ane litel tale.
And of ȝour palm ȝe bereþ an honde,
Ich schal habbe leue, ich onderstonde,
30 Of grete man and smale.

A wel sooþ sawe soþlich ys seyd,
Ech god game ys god ypleyd,
Louelych and lyȝt ys leue.
Þe denes leue and alle manne
35 To rede and synge, ar ich go hanne,
Ich bydde þat ȝou ne greue.

O, decane reuerende,
In adiutorium meum intende,
Ad informandum hic astantes
Michi sitis fauorantes; [1]
Si placet, bone domine,
Iube benedicere!

Karissimi, hodie cantatur quidam cantus, 'Occurrunt turbae cum floribus et palmis redemptori obuiam, etc.' Et nos similiter debemus ei occurrere cum floribus virtutum et palmis victoriarum. Palma enim victoriam significat, vnde scribitur: 'Iustus vt palma florebit,' et secundum Gregorium: 'Ex qualitate palmarum designatur proficiens vita iustorum'; ad no- [2] quod omnem a crucifixo habemus, vnde ipse dicit: 'Si viridi [3] hoc faciunt in arido quid fiet?' In summa ergo, dum processionem facimus, Christum ad nos venientem suscipimus, cum pueris obuiam imus, si innocenciam seruamus, oliuas gerimus; si pacis et misericordiae operibus indulgemus, palmas portamus; si de viciis et diabolo victoriam optinemus, virentes flores et frondes gestamus; si virtutibus exornamur, vestimenta sternimus carnem mortificantes, ramos carpimus, sanctorum vestigia imitantes. De istis aliqua pro laicis intendo pertractare, et sic in breui expediam vos.

Wolcome boe ȝee, þat stondeþ aboute,
Þat habbeþ ysiwed þis grete route,
Sone ychulle ȝou synge.
40 Ȝou alle today ic mot ymete,
Ichabbe leue of þe grete
Wysdom for to wrynge.

A bysschop ich was in Cristes tyme,
Þo Gywys vawe wolde do by me,
45 What ic ham euere radde.
Iudas to ous Ihesus solde,
Þo Annas and ich panes tolde,
Our byȝete was badde.
'Pontifex anni illius qui consilium dederat Iudaeis . . .'

Wharfore ich and Annas
50 Tofonge Ihesus of Iudas
Vor þrytty panes to paye.
We were wel faste to helle ywronge,
Vor hym þat for ȝou was ystonge
In rode a gode Fridaye.
'Tamen expedit vnum hominem mori etc.'

55 Þat Latyn þat ic lascht out nou ryȝt,
To ȝoure Ihesus hit was ydyȝt,
And is þus moche to telle:
Hit is betere þat o man deye
Þan al folk euere boe in eye
60 In þe pyne of helle.

Þe prophecie þat ich seyde þar,
Ich hit seyde þo as a star,
Ich nuste what ich mende.
Ich wende falslyche jangli þo,
65 Of me þat wyt naddych no,
Bote as Ihesu sende.

Man, at fulloȝt, as chabbe yrad,
Þy saule ys godes hous ymad,
And tar ys wassche al clene;
70 Ac after fullouȝt þoruȝ fulþe of synne
Sone is mad wel hory wyþinne,
Al day hit is ysene.

Man, þou hast þroe wel grete fon,
Þat fondeþ euere hou mo don
75 To foule godes hous;
Þat is þi flechs wyþ lecherye,
Þe world wyþ coueytise and enuye,
Þerto hi buþ wel vous.

Þe þrydde fo is þe deuel of helle,
80 Þat fondeþ in þi saule dwelle,
And holde Cryst þaroute;
Wyþ prude and wrethe he wole com yn,
Þi of hym and hys engyn
Ȝee scholde habbe doute.

85 Laste ȝour soule boe fuld aȝee,
Wyþ þoes þroe foon syker ȝe boe,
Ȝee mote boe wel clybbe
To floe ham and þe sunnes seuene,
Wylneþ schryft ȝyf ȝe wol heuene,
90 Good lyf ȝe mote lybbe. —

Lewede, þat bereþ palm an honde, [133]
Þat nuteþ what palm ys tonderstonde,
Anon ichulle ȝou telle:
Hit is a tokne þat alle and some
95 Þat buþ yschryue, habbeþ ouercome
Alle þe deueles of helle.

---

[1] scitis fauorante [2] *evidently some lines missing in MS.* [3] mundi

ȝyf eny habbeþ braunches ybroȝt
And buþ vnschryue, har bost nys noȝt
Aȝee þe fend to fyȝte.
100 Hy makeþ ham holy as ywere,
Vort hy boe schryue, hy schulleþ boe skere
Of loem of heuene lyȝte.

Ich moste synge and ba go;
Schewe me þe bok þat ic hadd ydo,
105 Þe song schal wel an heyȝ;
Ich may noȝt synge hym al bi rote,
Vorto tele eche note,
Hy boeþ ynome wel neyȝ.
Cantat: *'Expedit vnum, etc.'*

Ich warny alle schrewen vnschryue,
110 To Symon cumpayngnoun ic habbe yȝyue
Power of discipiyne;
He wol boe redy ase ȝe,
Ich rede þar come non to me
Anaunter last ha whyne.

115 Nou gawe hom hit iș fordays,
Lengere ne tyd ȝou here no pays,
Þe belle wol sone rynge.
Doþ so þat ich cunne ȝou þonkes,
Wyþ bordoun hauteyn menamonkes
120 Lat me hure ȝou synge!

112. ROBERT MANNYNG OF BRUNNE, 'HANDLYNG SYNNE'

MS.: BM., Harley 1701. M. XIV ct. — *ed.*: F. J. Furnivall, EETS. 119/123. — BR. 778; We. VI,2; Ke. 4860-66; Ba. 183-184; RO. 290.

Prologue.

To alle crystyn men vndir sunne, [57]
And to gode men of Brunne,
And speciali alle be name
Þe felaushepe of Symprynghame,
5 Roberd of Brunne greteþ ȝow
In al godenesse þat may to prow.
Of Brunnewake yn Kesteuene,
Syxe myle besyde Sympryngham euene
Y dwelled yn þe pryorye
10 Fyftene ȝere yn cumpanye
In þe tyme of gode dane Ione
Of Camelton, þat now ys gone.
In hys tyme was y þere ten ȝeres,
And knewe and herd of hys maneres.
15 Syþyn with dane Ione of Clyntone,
Fyue wyntyr wyþ hym gan y wone.
Dane Felyp was mayster þat tyme
Þat y began þys Englyssh ryme;
Þe ȝere of grace fyl þan to be
20 A þousynd and þre hundred and þre.
In þat tyme turnede y þys
On Englyssh tunge out of Frankys
Of a boke as y fonde ynne;
Men clepyn þe boke 'Handlyng Synne'.
25 In Frenshe þer a clerk hyt sees,
He clepyþ hyt 'Manuel de pecches'. —

Vanity.

ȝyf þou art prout of þy her, [3199]
As prout men ben euery where,
Or ȝyf þou tyfyst þe ouerproudly,
30 Ouer mesure on þy body,
Swyche synne ys nat þe leste;
Y rede þe telle hyt to þe preste.
Be nat proud of þy croket,
Yn þe cherche to tyfe and set.
35 At home mayst þou þy croket werche,
And nat at þy messe yn þe cherche.
And of þese berded buckys also
With hemself þey moche mysdo,
Þat leue crystyn mennys acyse
40 And haunte alle þe newe gyse;
Þerwhylys þey had þat gyse on hand,
Was neuer grace yn þys land.
Of proud wymmen wuld y telle,
But þey are so wroth and felle;
45 Of þese þat are so foule and fade,
Þat make hem feyrere þan god hem made
With oblaunchere or ouþer floure,
To make hem whytter of coloure.
Grete pryde hyt ys, and outrage,
50 Þat she ys nat payd of goddys ymage. —
ȝyf þou haue grete desyre [3407]
To be clepyd 'lorde' or 'syre',
For to glose þe and slyppe,
And to haue þe wurdys of wurschyp,
55 Or ȝe wymmen also, comunly,
Wulde be kallede 'madame' or 'lady',
Al þys comþ of grete pryde;
Yn þy shryfte þou noght hyt hyde:
He ys ryȝt lorde, þe kyng of heuene.

60 Wrong hyt ys þat men any oþer neuene.
3yf þou delyte þe yn grete meyne,
For men shulde haue drede of þe,
And for þy meyne wuldyst preysed be,
3yf harme to oþer þan do þat meyne,
65 Þou for þy meyne shalt dampned be
3yf þou to euyl vowe þy meyne.
3yf þou delyte þe yn grete hallys,
Yn a foule pryde þan þou fallys;
For y se many þat nowe þey bygge,
70 And now sone dede þey lygge.
Y sey for þo þat haue grete pryde
Yn hygh hallys and yn wyde:
3yf þou delyte þe yn ryche beddyng,
Yn hors, yn harneys, or yn feyre rydyng,
75 Alle ys pryde and vanyte;
Of al shalt þou acouped be.
Y seyd langere, yn gode cunnaunt:
Euery man may haue to hys auenaunt
Cytes, tounnes, castellys, and hallys,
80 Hors, amour, and þat þarto fallys;
But yn al þat moche þrong,
Do holy cherche ne pore man wrong!
What sey ȝe men of ladyys pryde
þat gone traylyng ouer syde?
85 3yf a lady were ryghtly shreue,
Better hyt were yn almes ȝeue,
To soule helpe hyt myȝt do bote,
Þat trayleþ lowe vndyr þe fote.
Wymples, kerchyues, saffrund betyde,
90 3elugh vnder ȝelugh þey hyde;
Þan wete men neuer, wheþer ys wheþer,
Þe ȝelugh wymple or þe leþer.
Wymmen þat go fro strete to strete,
One or ouþer for to mete,
95 Of pryde comþ swyche desyre,
For þey haue on hem feyre atyre:
But she wul to þe prest þat telle,
She may þerfore go to helle;
For yn as moche þat she douþ men synne,
100 Yn so moche shal she haue plyght ynne.
And, wymmen, y seye of þo
Þat borwe cloþes yn carol to go,
Þat pore pryde, god hyt loþes,
Þat make hem proude of ouþer mennys cloþys. —

On Tournaments and Plays.

105 Of tournamentys þat are forbede
Yn holy cherche, as men rede, [4572]
Of tournamentys y preue þerynne
Seuene poyntes of dedly synne:
Fyrst ys pryde, as þou wel wost,
110 Auauntement, bobaunce and bost;
Of ryche atyre ys here auaunce,
Prykyng here hors with olypraunce.
Wete þou wel þer ys enuye,
Whan one seeþ anoþer do maystrye,
115 Oþer yn wurdys, oþer yn dedys,
Enuye moste of alle hem ledys.
Yre and wraþþe may þey nat late;
Ofte are tournamentys made for hate.
3yf euery knyȝt louede oþer weyl,
120 Tournamentes shulde be neuer a deyl.
And certys þey falle yn sloghnes,
Þey loue hyt more þan god oþer messe.
And þerof ys hyt no doute:
Þey dyspende more gode þer aboute,
125 Þat ys ȝeue alle to folye,
Þan to any dede of mercy.
And ȝyt may nat, on no wyse,
Be forgete dame Coueytyse,
For she shal fonde, on alle wyse,
130 To wynne hors and harnyse.
And ȝyt shal he make sum robbery,
Or bygyle hys hoste þer he shal lye.
Glotonye also ys hem among,
Delycyus metes to make hem strong,
135 And drynke þe wyne þat he were lyght,
Wyþ glotonye to make hym wyght.
3yt ys þere dame Lecherye.
Of here cumþ alle here maystrye:
Many tymes for wymmen sake
140 Knyghteys tournamentys make;
And whan he wendyþ to þe tournament,
She sendyþ hym sum pryuy present,
And byt hym do for hys lemman
Yn vasshelage alle þat he kan.
145 So ys he bete þere for here loue,
Þat he ne may sytte hys hors aboue,
Þat perauenture yn alle hys lyue
Shal he neuer aftyr þryue.
Loke now whedyr swyche tournours
150 Mow be kalled turmentours!
For þey turmente alle with synne;

Þere tourment ys, þer shul þey ynne,
But þey leue swyche myschaunce,
And for here synne do penaunce.
155 Also y telle by iustyng,
Þerof cumþ myschefful þyng;
Alle ys þe toon with þe touþer,
As a shyppe þat ys turned with þe roþer.
And þese bourdys of þese squyers,
160 Also haue þey made for swyche maners
Of pryde, hate, and enuye,
Sloghtnesse, coueytyse, and glotonye;
Lecherye makþ hem alle to bygynne;
Þese wymmen are partyners of þere synne.
165 A clerk of order þat haþ þe name,
3yf he iuste, he ys to blame.
Hyt were wurþy þat had þe gre
Brokyn þe arme, legge, or thee.
Hyt ys forsoþe, 3yf he so werche,
170 A3ens þe state of holy cherche.
Hyt ys forbode hym yn þe decre
Myracles for to make or se;
For myracles 3yf þou bygynne,
Hyt ys a gaderyng, a syght of synne.
175 He may yn þe cherche, þurgh þys resun,
Pley þe resurreccyun,
Þat ys to seye, how god ros,
God and man yn my3t and los,
To make men be yn beleue gode
180 Þat he ros with flesshe and blode;
And he may pleye withoutyn plyght,
Howe god was bore yn 3ole nyght,
To make men to beleue stedfastly
Þat he lyght yn þe vyrgyne Mary.
185 3if þou do hyt yn weyys or greuys,
A syght of synne truly hyt semys.
Seynt Ysodre y take to wyttnes,
For he hyt seyþ þat soþe hyt es.
Þus hyt seyþ yn hys boke:
190 Þey forsake þat þey toke,
God and here crystendam,
Þat make swyche pleyys to any man
As myracles and bourdys,
Or tournamentys of grete prys.
195 Þese are þe pompes þat þou forsoke,
Fryst whan þou þy crystendam toke.
At þe fonte seyþ þe lewed man:
'Y forsake þe here, Satan,
And alle þy pompes and' all thy werkys.'
200 Þys ys þy lore aftyr þe clerkys.
Haldyst þou forward, e, certys nay,
Whan þou makyst swyche a dray.
A3ens god þou brekest cunnaunt,
And seruyst 3oure syre Termagaunt.
205 Seynt Ysodre seyþ yn hys wrytyng:
'Alle þo þat delyte to se swyche þyng
Or hors or harneys lenyþ þartyl,
3yt haue þey gylt of here peryl.'
3yf prest or clerk lene vestement
210 Þat halwed ys þurgh sacrament,
More þan ouþer þey are to blame;
Of sacrylege þey haue þe fame.
Fame, for þey falle yn plyght,
Þey shuld be chastysed þerfor with ry3t.
215 Daunces, karols, somour games,
Of many swych come many shames;
Whan þou stodyst to make þyse,
Þou art slogh yn goddys seruyse;
And þat synnen yn swych þurgh þe,
220 For hem þou shalt acouped be.
What seye 3e by euery mynstral
Þat yn swyche þynges delyte hem alle?
Here doyng ys ful perylous,
Hyt loueth noþer god ne goddys house.
225 Hem were leuer here of a daunce,
Of bost, and of olypraunce,
Þan any gode of god of heuene
Or ouþer wysdom þat were to neuene,
Yn foly ys alle þat þey gete,
230 Here cloth, here drynke, and here mete. —
Karolles, wrastlynges, or somourgames,
Whoso euer haunteþ any swyche shames
Yn cherche oþer yn cherche3erd,
Of sacrylage he may be aferd.
235 Or entyrludes, or syngynge,
Or tabure bete, or oþer pypynge,
Alle swyche þyng forbodyn es
Whyle þe prest stondeþ at messe. —
But for to leue yn cherche to daunce,
240 Y shal 3ow telle a ful grete chaunce,
And y trow þe most þat fel
Ys as soþ as þe gospel.
And fyl þys chaunce yn þys londe,
Yn Ingland, as y vndyrstonde;
245 Yn a kynges tyme þat hyght Edward
Fyl þys chaunce þat was so hard.

The Sacrilegious Carollers.

Hyt was vppon a Crystemesse-nyȝt
Þat twelue folys a karolle dyȝt [9016]
Yn wodehed, as hyt were yn cuntek
Þey come to a tounne men calles Colbek;
Þe cherche of þe tounne þat þey to come,
Ys of seynt Magne þat suffred martyrdome;
Of seynt Bukcestre hyt ys also,
Seynt Magnes suster, þat þey come to.
Here names of alle, þus fonde y wryte,
And as y wote, now shul ȝe wyte:
Here lodesman þat made hem glew,
Þus ys wryte, he hyȝte Gerlew;
Twey maydens were yn here coueyne,
Mayden Merswynde and Wybessyne;
Alle þese come þedyr for þat enchesone,
Of þe prestes doghtyr of þe tounne.
Þe prest hyȝt Robert, as y kan ame;
Aȝone hyght hys sone by name;
Hys doghter, þat þese men wulde haue,
Þus ys wryte þat she hyȝt Aue.
Echoune consented to o wyl,
Who shuld go Aue oute to tyl;
Þey graunted echone out to sende
Boþe Wybessyne and Merswynde.
Þese wommen ȝede and tolled here oute
Wyþ hem to karolle þe cherche aboute.
Beune ordeyned here karollyng,
Gerlew endyted what þey shuld syng:
Þys ys þe karolle þat þey sunge,
As telleþ þe Latyn tunge:
'Equitabat Beuo per siluam frondosam,
Ducebat secum Merswyndam formosam.
Quid stamus, cur non imus?'
'By þe leued wode rode Beuolyne,
Wyþ hym he ledde feyre Merswyne;
Why stonde we, why go we noght?'
Þys ys þe karolle þat Grysly wroght.
Þys songe sunge þey yn þe chercheȝerd,
Of foly were þey noþyng aferd,
Vnto þe matynes were alle done,
And þe messe shuld bygynne sone.
Þe preste hym reuest to begynne messe,
And þey ne left þerfore neuer-þe-lesse,
But daunsed furþe as þey bygan;
For alle þe messe þey ne blan.
Þe preste, þat stode at þe autere
And herde here noyse and here bere,
Fro þe auter down he nam,
And to þe cherche porche he cam
And seyd: 'On goddes behalue y ȝow forbede
Þat ȝe no lenger do swych dede;
But comeþ yn, on feyre manere,
Goddes seruyse for to here,
300 And doþ at crystyn mennys lawe.
Karolleþ no more, for Crystys awe,
Wurschyppeþ hym with alle ȝoure myȝt,
Þat of þe vyrgyne was bore þys nyȝt.'
For alle hys byddyng lefte þey noȝt,
305 But daunsed furþ, as þey þoȝt.
Þe prest þarefor was sore agreued,
He preyd god þat he on beleuyd,
And for seynt Magne, þat he wulde so werche,
Yn whos wurschyp sette was þe cherche,
310 Þat swych a veniaunce were on hem sent
Are þey oute of þat stede were went,
Þat þey myȝt euer ryȝt so wende
Vnto þat tyme tweluemonth ende.
Yn þe Latyne þat y fonde þore,
315 He seyþ nat 'tweluemonth' but 'euermore'.
He cursed hem þere alsaume
As þey karoled on here gaume.
As sone as þe preste hadde so spoke,
Euery hand yn ouþer so fast was loke,
320 Þat no man myȝt with no wundyr
Þat tweluemonþe parte hem asundyr.
Þe preste ȝede yn, whan þys was done,
And commaunded hys sone Aȝone
Þat he shulde go swyþe aftyr Aue
325 Oute of þat karolle algate to haue.
But al to late þat wurde was seyd;
For on hem alle was þe veniaunce leyd.
Þese men þat ȝede so karolland
Alle þat ȝere hand yn hand,
330 Þey neuer oute of þat stede ȝede,
Ne none myȝt hem þenne lede.
Þere þe cursyng fyrst bygan,
Yn þat place aboute þey ran,
Þat neuer ne felte þey no werynes,
As many bodyes for goyng dos,
Ne mete ete, ne drank drynke,
Ne slepte onely alepy wynke,
Nyȝt ne day þey wyst of none,
Whan hyt was come, whan hyt was gone.
340 Frost ne snogh, hayle ne reyne,
Of colde ne hete felte þey no peyne.
Heere ne nayles neuer grewe,
Ne solowed cloþes, ne turned hewe.
Þundyr ne lyȝtnyng dyd hem no dere;
345 Goddes mercy dyd hyt fro hem were.
But sungge þat songge þat þe wo wroȝt:
'Why stonde we, why go we noȝt?'

---

311 þey *Var.*] *om. MS.* 324 he *Var.*] *om. MS.*

The Tale of Pers the Usurer.

Befyl hyt so vpon a day, [5579]
Þat pore men sate yn þe way,
350 And spred here hatren on here barme
Aȝens þe sonne þat was warme;
And rekened þe custome houses echoun,
At whych þey had gode, and at whyche noun.
Þere þey hadde gode, þey preysed weyl,
355 And þere þey hadde noght, neuer a deyl.
As þey spak of many what,
Come Pers forþ yn þat gat.
Þan seyd echoun þat sate and stode:
'Here comþ Pers, þat neuer dyd gode.'
360 Echoun seyd to oþer jangland:
'Þey toke neuer gode at Pers hand,
Ne noun pore man neuer shal haue,
Coude he neuer so weyl craue.'
One of hem began to sey:
365 'A waiour dar y wyþ ȝow ley,
Þat y shal haue sum gode at hym,
Be he neuer so gryl ne grym.'
To þat waiour þey graunted alle,
To ȝyue hym a ȝyft ȝyf so myȝt befalle.
370 Þys man vpsterte and toke þe gate
Tyl he com at Pers ȝate.
As he stode stylle and bode þe quede,
One come with an asse charged with brede;
Þat yche brede Pers hade boght,
375 And to hys hous shuld hyt be broght.
He sagh Pers come þerwithalle.
Þe pore þoght 'now aske y shal.'
'Y aske þe sum gode, pur charyte,
Pers, ȝyf þy wyl be.'
380 Pers stode and loked on hym
Felunlyche with yȝen grym.
He stouped down to seke a stone;
But, as hap was, þan fonde he none.
For þe stone he toke a lofe
385 And at þe pore man þyt drofe.
Þe pore man hente hyt vp belyue,
And was þerof ful ferly blyþe.
To hys felaws faste he ran
With þe lofe þys pore man.
390 'Lo,' he seyde, 'what y haue
Of Pers ȝyft, so god me saue!'
Nay, þey swore by here þryft,
Pers ȝaue neuer swych a ȝyft.
He seyd: 'Ȝe shul weyl vnderstonde
395 Þat y hyt had at Pers honde;
Þat dar y swere on þe halydom
Here before ȝow echon.'
Grete merueyle had þey alle
Þat swych a chaunce myȝt hym befalle.
400 Þe þrydde day, þus wryte hyt ys,
Pers fyl yn a grete syknes.
And as he ley yn hys bedde,
Hym þoght weyl þat he was ledde
With one þat aftyr hym was sent,
405 To come vnto hys jugement.
Before þe juge was he broght
To ȝelde acounte how he hadde wroght.
Pers stode ful sore adrad
And was abashed as mad.
410 He sagh a fende on þe to party
Bewreyyng hym ful felunly.
Alle hyt was shewed hym before
How he had lyued syn he was bore;
And namely euery wykked dede
415 Syn fyrst he coude hym self lede,
Why he hem dyd and for what chesun,
Of alle behoueþ hym ȝelde a resoun.
On þe touþer party stode men ful bryȝt,
Þat wulde haue saued hym at here myȝ
420 But þey myght no gode fynde
Þat myȝt hym saue or vnbynde.
Þe feyre men seyd: 'What ys to rede?
Of hym fynde we no gode dede
Þat god ys payd of, but of a lofe
425 Þe whych Pers at þe pore man drofe.
Ȝyt ȝaue he hyt with no gode wylle,
But kast hyt aftyr hym with ylle;
For goddys loue ȝaue he hyt noȝt,
Ne for almes-dede he hyt had þoght.
430 Noþeles, þe pore man
Had þe lofe of Pers þan.'
Þe fende had leyd yn balaunce
Hys wykkede dedes and hys myschaunce.
Þey leyd þe lofe aȝens hys dedys,
435 Þey had noȝt elles, þey mote nedys:
Þe holy man telleþ vs and seys,
Þat þe lofe made euen peys.
Þan seyd þese feyre men to Pers:
'Ȝyf þou be wys, now þou leres
440 How þys lofe þe helpeþ at nede
To tylle þy soule with almes dede.'
Pers of hys slepe gan blynke,
And gretly on hys dreme gan þynke.
Syghyng with mournyng chere,
445 As man þat was yn grete were,
How þat he acouped was
With fendes fele for hys trespas,
And how þey wulde haue dampned hym þere,
Ȝyf mercy of Ihesu Cryst ne were.

---

409 al abashede and *Var.* amad *em. Emerson* 417 to ȝelde *MS.* 425 at *Var.*] a *MS.*

113. **SIR EODE**

MS.: Cambridge, Trinity Coll. 323; fol. 19a and fol. 25b; XIII century. — *ed.*: C. Brown, EL XIII, Oxford 1932. — BR. 4211; A. Schönbach, Studien zur Erzählungsliteratur des Mittelalters, III, Sitzungsberichte Wien CXLIV.

I. *Otide te munio verbo scripto tibi monstro* *fol. 19a*
Transeis ab hoc seculo, largus pauperibus esto,
Debita solue tua, peccati pondere pensa;
Tunc absolueris et habebis gaudia lucis.

Vid word and wrid ic warne þe, sir Eode,
Dele al þi goid pouere þad habbit neode,
Quite dettes and scriþe of sinful deode!
4 Þu salt ben idemet in þisse þridde nicste.
Þi goid, þin evel, idemit sul ben riste.
Do nu so wel þat þu þenne come to liste.

Mane techel phares, vigile cum morte uorares;
Rapta resignabis et meliora dabis.

Te-maruuen þu deyis, Ezechiel,
8 Biþenc þe nu suiþe wel.
Scrif þe wat itide,
Yeil agein þat þu hauis misnomen;
God þe hat þat is us bouen,
12 Þe bere maist þu yglide.

II. *fol. 25b*

Bisette þine ponevis, sire Eode,
Þeng on pore monnis neode!
Betere þe were of god mede
Þenne in helle mid veinde breden.

114. **THE BEGGAR AND THE USURER**

FROM A LATER SERMON

MS.: BM., Royal 18 B. XXIII; early XV century. — *ed.*: W. O. Ross, EETS. 209.

It was ons a notable ryche man and a covetous, and was withowten mercy and pete of is even-cristen. So it befell as pore men satt togeþur, þei preysed hem gretely þat ȝaue hem here almes, and þo þat wold not ȝeue þem þei dispreysed. And in þe menetyme com þis ryche man by hem; and 5 for all þat þei cud crie on hym ȝitt he ȝaue hem nowȝth. Þan seid on of þis pore men: "Felawes, what will ȝe ȝeue me and I may get anny of is almes þis day?" And þey made with hym a cownande.

Þan he com to þis riche mans gate and abode is commyng. And whan he see þis pore man, he had gret indignacion of hym, and wold haue 10 taken vp a stone for to haue cast at hym, and cud not fynde none. Þan he toke a rye-loff dispituosly and caste hat hym. Þis pore man toke þis loff and vente to is felowes and seid þat þe ryche man had ȝeue hym þat loue and so vanne is vageoure.

Anon aftur, þis ryche man fell seke and was almost at þe poynte of 15 dethe. Anon hym þouthe þat he was rauyshed before Criste for to ȝeld rekenynge how þat he had led is liff. And feendes, hym þouthe, stode on iche halfe on hym and shewed vnto hym all is liff, from ys childehode vnto þat tyme, and weyden þem in a balaunce. Oþur fayre men, hym þouthe, wold haue holpon hym; but þe had no-þinge to pese aȝeyns my wicked 20 dedis, but only þis love þat þe pore man had. Ȝitt he ȝaue it aȝeyns is will and wrathfully. It was leid in þe balaunce, þis loffe, and itt was even peyse with is wicked dedis. Þan þei þat holpe hym seid to hym: "Goy," þei seid, "and liff from þis tyme forward as þis loff haþ tauȝth þe. And be no more covetize, but compacient to þin evencristen, and loue almes dede, 25 for þat ledeþ a man to heven."

Þan þis man avoke and was sore aferde, and beþouthe hym of þe synnes þat þe feend had put aȝeyns hym and what turmentry and peyn þat he shulde haue had for hem, had not þe mercy of god bene; and seid to hymselfe: "Seth þis loff holpe me þus muche, myche more mede þei de-30 serven þat ȝeueþ hur almes with goode will." Þan he mendet is liff and becom a good man, and ȝaue afturward with good will of þe goodes þat god had sent hym. Take ensampull at þis man! -

115. A PARAPHRASE OF THE EVERYMAN THEME FROM A LATER SERMON

MS.: BM., Royal 18 B. XXIII; early XV century. — *ed.*: W.O.Ross, EETS. 209.

Now to þis matere acordynge I fynde a tale þat þer was somtyme a man þat had ·iiij· frendes. And in þre of hem specially he leid grett affeccion in, but in þe ·iiij· he had but litill affeccion in. So it befell on a tyme þat he had trespased aȝeyns þe kynge of þe londe, and so had forffette aȝeyns þe lawe þat he was vurthye to die. And whan þat he was take and shuld be brouthe to þe dome, he prayed to hem þat toke hym þat he myght speke with is frendes or þat he died. 5

He com to is firste frende, þat he trusted most in, and preid hym of is helpe and succour aȝeyns þe kynge. And þis firste answered hym on þis wyȝe: "The kynges felone I will not hold ne mayntene, for þou art wurthy to die. And þerfore raþur I will bie þe a clothe to berye þe in." Oþur answere he myght noon haue. Þan full sorefully he toke is leue and vent to aseye is second frend, besechynge hym of is helpe aȝeyns þe kynge, þat he wold graunte hym is liff. And he answerd hym and seid þat þe kynges felone shold haue no noþur fauour of hym but þat he wold helpe hym-selfe to lede þe kynges tratoure vnto þe dethe. Than whan he myght not spede at þe second, he vente to asey þe þride frende, and com to hym and preyd hym þat he wold goye with hym and helpe hym aȝeyns þe kynge þat he wold forȝeue hym is trespase. And he answerd hym and seid þat he wold not helpe hym, but sethe þat he was þe kynges traytour, he wold helpe to hange hym. 10 15 20

Than he vent to aseye is ·iiij· frende, þe wiche he trusted leste vppon, and preyd hym þat he wold goye with hym and preye for hym to þe kynge þat he wold forȝeue him is trespasse. And þan he answerd hym and seid: "In as much as þou preyste me faire, þowȝ þou haue but litill deserued it, ȝitt I will goy with þe to þe kyngě and preye þe kynge to forȝeue þe þi trespasse. And raþur þan þou shuld be dede, I will die for þe my-selfe." 25

Now goostely to speke to oure purpose, þe firste frend þat mankeend sekeþ most specyally for helpe in nede aftur is dethe, it is þe world. But what ȝeueþ þe world to mankeend aftur is dethe? In ys liff, I wot well, þe world graunteþ to many men ryches, mekell pompe of þe world, and manye vurshippes þerwith. But what frenshippe sheweþ þe world to mankeend at þe laste end, wold þou see trewly: Nowth els but an olde shete to þe erthe to wrappe hym in. Þis is a lewde frenshippe. 30 35

The second frend þat mankeend hath in þis vorld, þat is is fadere and is modere, is breþur and is sustren, is wiff and is children. But what frenshippe sheweþ þise vnto hym? Wepon and cryon and veylon is dethe and bryngeþ hym to ys graue. And þer þei leven hym. And aftur þat þe moneth mynd is do, anon aftur þei haue forȝett hym. — 40

The ·iij· frend þat commeþ to mankeend is þe dewell, to whom many men bethe inclined þese dayes and beth buxum to is biddynge, whateuer þat he biddeþ hym do. For þer was neuer sogett more buxummere to is prelate, ne wiff to hure husbond, þan many a man is to þe dewell. And anoon as man is dede, þe þeffe is redy to brynge þe sowle into peyn. — 45

Þan sethe þat þese ·iij· frendes fayll in þe tyme of nede, seke we þan to þe ·iiij· frende, þat is Crist, of þe wiche frenshippe and loue we may not be withowte, for is frenshippe delyvers vs from þe bitter peynes of hell and restoreþ vs to euerlastynge liff. - Þis frenshippe and loue bothe shewed Criste to mankeend, of þe wiche frenshippe now-a-dayes mankeend setteþ bot litill by itt. And ȝitt þe loue of Criste is muche more bettur and trewere þan þe frenshipp of þe oþure ·iij· byfore; for Criste is oure frend both bodely and goostely, and þe othere frendes be but flesshly and ȝeueþ but litill charge of here frendes sowles þat ben passed owte of þis world. - 50

116. A Treatise against Miracle Plays

MS.: BM., Addit. 24202; XIV ct. — *edd.:* Wright-Halliwell, Reliquiae Antiquae, London 1843; E. Mätzner, ASP, Berlin 1867; [Parts: A. S. Cook, LMER, 1915.] — We. XII, 77; Ba. 204.

A, lord, syþen an erþely servaunt dar not takun in pley and in bourde þat þat his[1] erþely lord takiþ in ernest, myche more we shulden not maken oure pleye and bourde of þo myraclis and werkis þat god so ernestfully wrouȝt to us. — Whanne we taken in bourde and pley þe most ernestful
5 werkis of god, as ben hyse myraclis, god takiþ awey fro us his grace of mekenesse, drede, reuerence, and of oure bileue; þanne whanne we pleyin his myraclis as men don nowe on dayes, god takiþ more venjaunce on us þan a lord þat sodaynly sleeþ his servaunt for he pleyide to homely wiþ hym. —
10 But here aȝenis þei seyen þat þei pleyen þese myraclis in þe worschip of god. — Also oftesiþis by siche myraclis-pleyinge ben men conuertid to gode lyuynge, as men and wymmen seyng in myraclis-pleyinge þat þe deuil by þer aray, by þe whiche þei mouen eche on oþere to leccherie and to pride, makiþ hem his servauntis to bryngen hemsilf and
15 many oþere to helle, and to han fer more vylenye herafter by þer proude aray heere þan þei han worschipe heere, and seeynge ferþermore, þat al þis worldly beyng heere is but vanite for a while, as is miraclis-pleying, wherþoru þei leeuen þer pride and taken to hem afterward þe meke conuersacioun of Crist and of hise seyntis; and so myraclis-pleyinge turneþ
20 men to þe bileue and not peruertiþ. Also oftesyþis by siche myraclis-pleyinge men and wymmen, seynge þe passioun of Crist and of hise seyntis, ben mouyd to compassion and deuociun, wepynge bitere teris; þanne þei ben not scornynge of god but worschipyng. Also prophitable to men and to þe worschipe of god it is to fulfillun and sechen alle þe menes by
25 þe whiche men mowen fleen[2] synne, and drawen hem to vertues. And syþen as þer ben men þat only by ernestful doynge wylen be conuertid to god, so þer been oþere men þat wylen be conuertid to god but by gamen and pley. And now on dayes men ben not conuertid by þe ernestful doyng of god ne of men, þanne now it is tyme and skilful to assayen to conuertyn
30 þe puple by pley and gamen, as by myraclis-pleyinge and oþer maner myrthis. Also summe recreacioun men moten han, and bettere it is or lesse yuele, þat þei han þere recreacioun by pleyinge of myraclis þan by pleyinge of oþer japis. Also siþen it is leueful to han þe myraclis of god peyntid, why is not as wel leueful to han þe myraclis of god pleyed, syþen
35 men mowen bettere reden þe wille of god and his mervelous werkis in þe pleyinge of hem þan in þe peyntinge, and betere þei ben holden in mennus mynde and oftere rehersid by þe pleyinge of hem þan by þe peyntynge; for þis is a deed bok, þe toþer a quick.

To þe first reson we answeryn seying þat siche myraclis-pleyinge is
40 not to þe worschipe of god, for þei ben don more to ben seen of þe world and to plesyn to þe world þanne to ben seen of god or to plesyn to hym, as Crist neuer ensaumplide hem but onely heþene men þat eueremore dishonouren god, seyinge þat to þe worschipe of god þat is to þe most veleynye of hym. — Þerfore to pristis it is vttirly forbedyn not onely to
45 been myracle-pleyere but also to heren or to seen myraclis-pleyinge. —

And as anentis þe second reson, we seyen: — Myraclis-pleyinge, albeit þat it be synne, is oþerewhile occasion of conuertyng of men, but as it is synne, it is fer more occasion of peruertyng of men not onely of oon synguler persone but· of an hool comynte, as it makiþ al a puple to ben
50 ocupied in veyn aȝenus þis heeste of þe psauterbook, þat seiþ to alle men,

[1] her *MS.* [2] seene

and namely to pristis þat eche day reden it in þer servyse 'Turne awey myn eyen þat þei se not vanytees!' —

By þis we answeren to þe þridde resoun, seyinge þat siche myraclis-pleyinge ȝyueþ noon occasioun of werrey wepynge and medeful, but þe wepyng þat falliþ to men and wymmen by þe siȝte of siche myraclis-pleyinge, — is not alowable byfore god, but more reprowable; for syþen Crist hymsilf reprouyde þe wymmen þat wepten upon hym in his passioun, myche more þei ben reprouable þat wepen for þe pley of Cristis passioun, leeuynge to wepen for þe synnes of hemsilf and of þeire chyldren, as Crist bad þe wymmen þat wepten on hym. 55 60

And by þis we answeren to þe furþe reson, seyinge þat no man may be conuertid to god but onely by þe ernestful doyinge of god and by noon veyn pleying; for þat þat þe word of god worchiþ not ne his sacramentis, how shulde pleyinge worchen, þat is of no vertue but ful of defaute. — Þis swetnesse in god wil not been verely had while a man is ocupied in seynge of pleyis. Þerefore þe pristis þat seyn hemsilf holy and bysien hem aboute siche pleyis, ben verry ypocritis and lyeris. 65

And herby we answeren to þe fifte resone, seyinge þat verry recreacion is leeueful ocupiynge in lasse werkis to more ardently worchen[1] grettere werkis, and þerefore siche myraclis-pleyinge ne þe siȝte of hem is no verrey recreasion, but fals and worldly, as prouyn þe dedis of þe fautours of siche pleyis. — As þis feynyd recreacioun of pleyinge of myraclis is fals conceite, so it is double shrewidnesse, worse þan þouȝ þei pleyiden pure vaniteis. For now þe puple ȝyueþ credence to many mengid leesyngis, for oþer mengid trewþis, and maken wenen to be gode þat is ful yuel. And so oftesiþis lasse yuele it were to pleyin rebaudye þan to pleyin siche myraclis. — His recreacioun shulde ben in þe werkis of mercy to his neyebore and in delityng[2] hym in alle good comunicacioun wiþ his neybore, as biforn he delited[2] hym in god, and in alle oþere nedeful werkis þat reson and kynde axen. 70 75 80

And to þe last reson we seyn þat peinture, ȝif it be verry wiþoute mengyng of lesyngis and not to curious to myche fedynge mennus wittis and not occasion of maumetrie to þe puple, þei ben but as nakyd lettris to a clerk to reden[3] þe treuþe; but so ben not myraclis-pleyinges[4] þat ben made more to deliten men bodily þan to ben bokis to lewid men. And þerefore ȝif þei ben quike bookis, þei ben quike bookis to schrewidnesse[5] more þan to godenesse. — 85

I preye þee rede enterly in þe book of lyf þat is Crist Ihesus, and if þou mayst fynden in hym þat he euere exsaumplide þat men shulden pleye myraclis, but alwey þe revers, and oure byleue cursiþ þat adden or lassen ouer þat Crist exsaumplide us to don. — If þou haddist hadde a fadir þat hadde suffred a dispitouse deþ to geten þee þyn heritage and þou þerafter woldest so liȝtly bern it to make þerof a pley to þe and to alle þe puple, no dowte but þat alle gode men wolden demyen þe unkynde; miche more god and alle his seyntis demyen alle þo cristen men unkynde þat pleyen or favouren þe pley of þe deþ or of þe myracles of þe most kynde fadir Crist, þat dyede and wrouȝte myraclis to bryngen men to þe euere lastande heretage of heuene. — 90 95

Þis myraclis pleyinge is verre wittnesse of mennus averice and coveytise byfore, þat is maumetrie as seiþ þe apostele; for þat þat þei shulden spendyn upon þe nedis of þer neȝeboris, þei spenden upon þe pleyis. And to peyen þer rente and þer dette þei wolen grucche, and to spende two so myche upon þer pley þei wolen noþinge grucche. Also to gederen[6] men togidere to bien þe derre þere vetailis and to stiren men to glotonye and 100

[1] worschen [2] di- *MS.*, *em. Cook* [3] riden *MS.*, *em. Mätzner* [4] -pleyinge [5] schrewidenesse [6] gideren *MS.*, *em. Mätzner*, gaderen *Cook*

105 to pride and boost, þei pleyn þes myraclis; and also to han wherof to spenden on þese myraclis, and to holde felawschipe of glotenye and lecherie in sich dayes of myraclis-pleyinge, þei bisien hem beforn to more gredily bygilen þer neȝbors in byinge and in sellyng. And so þis pleyinge of myraclis now on dayes is werre[1] witnesse of hideous coveytise, þat is
110 maumetrie. — Maumetrie, I seye; for siche pleyinge men as myche honoryn or more þan þe word of god whanne it is prechid, and þerefore blasfemely þei seyen, þat siche pleyinge doiþ more good þan þe word of god whanne it is prechid to þe puple. —

And þerefore, dere frend, spende we nouþer oure wittis ne oure money
115 aboute myraclis pleying, but in doinge hem in dede, in grete drede and penaunce; for sikir þe wepyng and þe fleyshly deuocion in hem ben but as strokis of han hamer on euery side, to dryue out þe nayl of oure drede in god and of þe day of dome, and to maken þe weye of Crist slidir and heuy to us as reyn on erþe and cley weies. —

117. STOND WEL MODER UNDER RODE

MSS.: Bodleiana 1687, Digby 86. E. XIII ct. [*Varr. R:* BM., Royal 12 E.1; *H*: BM., Harley 2253; both XIV cent.] — *edd.*: H. Varnhagen, Anglia II, 1879; C. Brown, EL. XIII, Oxford 1932. — BR. 3211; We. IX, 3; Ba. 267-271. RO. 345.

'Stond wel, moder, ounder rode,
Bihold þi child wiþ glade mode,
Moder bliþe miȝt þou be.'
'Sone, hou may ich bliþe stonde?
Ich se þine fet and þine honde
6 Inayled to þe harde tre.'

'Moder, do wey þi wepinge!
Ich þolie deþ for monnes þinge,
Wor mine gultes ne þolie I non.'
'Sone, ich fele þe deþes stounde.
Þat swerd is at min herte grounde,
12 Þat me byheyte Simeon.'

'Moder, reu vpon þi bern!
Þou wip awey þe blodi teren;
Hy doþ me worse þene mi ded.'
'Sone, hou miȝtte ich teres werne?
I se þo blodi flodes herne
18 Out of þin hert to min fet.'

'Moder, nou I may þe seye,
Betere is þat ich one deye,
Þen alle monkun to helle go.'
'Sone, I se þi bodi iswonge,
Þine honde, þine fet, þi bodi istounge
24 Hit nis no wonder þey me be wo.'

'Moder, if ich þe dourste telle,
If ich ne deye þou gost to helle,
I þolie deþ for monnes sake.'
'Sone, þu best so meke and mynde,
Wit me nout, hit is mi kuinde
30 Þat ich sike and sewere make.'

'Moder, merci, let me deye
And Adam out of helle beye,
And al monkun þat is forlore.'
'Sone, wat sal me þe stounde?
Þine pinen me bringeþ to þe grounde;
36 Let me dey þe bifore!'

'Swete moder, nou þou fondest
Of mi pine þer þou stondest;
Wiþhoute mi pine nere no mon.'
'Sone, I wot I may þe telle,
Bote hit be þe pine of helle,
42 Of more pine ne wot I non.'

'Moder, of moder þus I fare.
Nou þou wost wimmanes kare,
Þou þou art clene mayden on.'
'Sone, þou helpest alle nede,
Alle þo þat to þe wille grede,
48 May and wif and fowel wimmon.'

'Moder, I ne may no lengore dwelle.
Þe time is comen, I go to helle;
Þe þridde day y ryse vpon.'
'Sone, I wille wiþ þe founde,
I deye almest, I falle to grounde,
54 So serwful deþ nes never non.'

---

[1] verre *em. Cook* *88.* 8 þinge *R*] kuinde *D* 13 *RH*] M. do wei þine teres *D* 14 teres *D* 15 deþ *D* 17 þo *R*] þine *D*, flodes *R*] woundes *D*, stremes *H* 18 *R*] From þin h. t. þi fot *D* 28 best *R*] me bihest *D*, art *H* so m. a. m. *H*] so milde *D*, me so minde *R* 29 *RH*] Icomen hit is of monnes k. *D* 33 al *R*] *om.D* 45 þou þou *RH*] þou *D* 51 *RH*] I þolie þis for þine sake *D* 52 *RH*] S. iwis I wille f. *D*

118. A VYSION OF SAULES THAT WAR DAMPNED

MS.: BM., Addit. 37049, fol. 74a; XV century. — *Hitherto not edited.* — BR. 637.

Here folows a vysion of saules þat war dampned and put to helle after þair jugement and how þai ar deformed and myschapyn: Sum of þaim war horned as bolles and þai betokyn[1] prowd men. And tother as bares and þai signyfie manslaers and morderers[2] in wil or in dede and ireful. 5 And sum semed as þair eene hang opon þair chekys; þe whilk ar þai þat ar inuyos lokyng upon oþer mens prosperite and hatyng þair welfare and wele plesyd of þair ylle-fare. Sum has lang hokyd nayles lyke lyons; þe whilk ar fals couetos men and extorcioners. Sum had bolned belys; þat ar fowle glotons and lyfes al in lust of þair belys. Sum had þair rygges al 10 rotyn and þair bakkes; þat ar lycheros caytyfes, þe whilk had al þair delyte in lustynes and lychery. Sum had fete al tognawyn and ban as þai wer brokyn and bolned leggys. Þat ar slewthy caytyfs þat wil not laboure in gode werkes for þe hele of þair saules. Þir[3] caytyfes ledes Sathanas to hell:

15 Cum, folow me, my frendes, vnto helle,
Ay to dwelle in helle depe;
ffor þar sal ȝe both rare and ȝelle
Þat to ȝow sal be schame and schenschepe.
ffor to my lare ay ȝe toke gode hede
20 When I to ȝow gaf cownsell,
Þerfore gret payne sal be ȝoure mede;
ffor with me ay ȝe sall dwelle.
Þar sal ȝe se with ȝour syght
More sorow and payne þan man can telle
25 ffor ȝow ay redy dyght
Þat for ȝoure syn ay þer sal dwelle.
Alle þat hert hates and wald flee
Þar sal ȝe se within helleȝate,
And of al þat yll is gret plente
30 And defaute of alle godes as clerkes wate.
ffyre þat neuer slokynd sal be
Is þar with brymstone byrnyng hate
Þat if alle þe watyr in þe see
It þorow ran myght not abate.
35 ffor as fyre is hoter here aywhare
Þan is þe fyre paynted on a walle
Ryght so is þe fyre hoter þere
Þan is here þe fyre þat we so[4] calle.
Yit þar is swylk cold euermare
40 With stormes and wyndes þat ay sal blawe,
Þat if a hyll byrnande ware
It suld ay turne to yce and snawe.
Þar is ay smoke and stynke ymange
And myrknes more þan euer was here,
45 Þar is hongyr and thyrst and thrange
And vgly fendes of gret powere.
Þar is wepyng and doolful sange
Gnaystyng of tethe and grisly chere
And oþer tormentes hard and strange
50 Mo þan hert can þinke fer or nere.

---

[1] be betokyn *MS.* [2] moderers *MS.* [3] þir] þie *MS.* [4] so *not in MS.* 50 *An ugly representation of those "dampned saules" and the contrastful "Angels' Song within Heaven" by Hoccleve (BR. 1246) following in MS.*

119.-121. **YORK PLAYS**

MS.: BM., Addit. 35920, olim Ashburnham 137; **XV century.** — *ed.*: **L. Toulmin Smith,** Oxford 1885. — BR. 1273; We. XIV,6; Ke. 4941-42; Ba. 278; TB. 97-98; **RO. 336.**

119. THE BARKERS. *The Creation, and the Fall of Lucifer.*

Dramatis personae:
Deus.
Primus angelus seraphyn. (*Ser.*)
Angelus cherubyn. (*Cher.*)
Primus angelus deficiens, Lucifer. (*Luc.*)
Secundus angelus deficiens. (*Sec. d.*)

Scene I: Heaven.

Deus: Ego sum Alpha et O, vita, via, veritas, primus et nouissimus.

I am gracyus and grete god withoutyn begynnyng.
I am maker vnmade, all mighte es in me.
I am lyfe and way vnto welth wynnyng.
4 I am formaste and fyrste; als I byd sall it be.
My blyssyng o ble sall be blendyng,
And heldand fro harme to be hydande,
My body in blys ay abydande,
8 Vnendande withoutyn any endyng.

Sen I am maker vnmade and moste so of mighte
And ay sall be endeles and noghte es but I,
Vnto my dygnyte dere sall diewly be dyghte
12 A place full of plente to my plesyng at ply,
And therewith als wyll I haue wroght
Many dyuers doynges bedene,
Whilke warke sall mekely contene,
16 And all sall be made euen of noghte.

But onely þe worthely warke of my wyll
In my sprete sall enspyre þe mighte of me,
And in þe fyrste, faythely, my thoghts to fullfyll,
20 Baynely in my blyssyng I byd at here be
A blys al-beledande abowte me;
In þe whilke blys I byde at be here
Nyen ordres of aungels full clere,
24 In louyng ay lastande at lowte me.

Tunc cantant angeli: Te deum laudamus, te dominum confitemur.

Here vndernethe me nowe a nexile I neuen,
Whilke ile sall be erthe now, all be at ones
Erthe haly and helle; þis hegheste be heuen,
28 All that welth sall welde sall won in þis wones.
Thys graunte I ȝowe mynysters myne,
Towhils ȝhe ar stabill in thoghte;
And also to þaime þat ar noghte
32 Be put to my presone at pyne.

(Ad Luc.)

Of all þe mightes I haue made moste nexte after me,
I make þe als master and merour of my mighte,
I beelde þe here baynely in blys for to be,
36 I name þe for Lucifer, als berar of lyghte.
No thyng here sall þe be derand,
In þis blis sall be ȝhour beeldyng,
And haue al welth in ȝoure weledyng,
40 Ay whils ȝhe ar buxumly berande.

6 hyndande *MS.* 28 All that welth] And that wethth *MS.*

Tunc cantant angeli: Sanctus, sanctus, sanctus, dominus deus sabaoth.

Ser.: A, mercyfull maker, full mekill es þi mighte,
Þat all this warke at a worde worthely has wroghte!
Ay loved be þat lufly lorde of his lighte,
44 That vs thus mighty has made, þat nowe was righte noghte!
In blys for to byde in hys blyssyng,
Ay lastande in luf lat vs lowte hym,
At beelde vs thus baynely abowete hym,
48 Of myrthe neuermore to haue myssyng!

Luc.: All the myrth þat es made es markide in me.
Þe bemes of my brighthode ar byrnande so bryghte,
And I so semely in syghte my selfe now I se,
52 For lyke a lorde am I lefte to lende in þis lighte,
More fayrear be far þan my feres,
In me is no poynte þat may payre,
I fele me fetys and fayre,
56 My powar es passande my peres.

Cher.: Lord, wyth a lastande luf we loue þe allone,
Þou mightefull maker þat markid vs and made vs,
And wroghte us thus worthely to wone in this wone,
60 Ther neuer felyng of fylth may full vs nor fade vs.
All blys es here beeldande aboute vs,
Towhyls we are stabyll in thoughte
In þe worschipp of hym þat us wroghte
64 Of dere neuer thar vs more dowte vs.

Luc.: O, what I am fetys and fayre and fygured full fytt!
Þe forme of all fayrehede apon me es feste,
All welth in my weelde es, I wete be my wytte,
68 Þe bemes of my brighthede are bygged with þe beste.
My schewyng es schemerande and schynande,
So bygly to blys am I broghte,
Me nedes for to noy me righte noghte,
72 Here sall neuer payne me be pynande.

Ser.: With all þe wytt at we welde we wyrschip þi wyll,
Þu gloryus god þat es grunde of all grace,
Ay with stedefaste steuen lat vs stande styll,
76 Lorde, to be fede with þe fode of thi fayre face.
In lyfe that es lely ay lastande,
Thi dale, lorde, es ay daynetethly delande,
And whoso þat fode may be felande
80 To se thi fayre face es noght fastande.

Luc.: Owe, certes! What I am worthely wroghte with wyrschip, iwys!
For in a glorius gle my gleteryng it glemes,
I am so mightyly made my mirth may noghte mys,
84 Ay sall I byde in this blys thorowe brightnes of bemes.
Me nedes noghte of noy for to neuen,
All welth in my welde haue I weledande,
Abowne ʒhit sall I be beeldand,
88 On heghte in þe hyeste of hewuen.

Ther sall I set my selfe, full semely to seyghte,
To ressayue my reuerence thorowe righte o renowne,
I sall be lyke vnto hym þat es hyeste on heghte.

59 this wonus

92 Owe, what I am derworth and defte! Owe, dewes! All goes downe!
My mighte and my mayne es all marrande.
Helpe, felawes! In faythe, I am fallande.
Sec. d.: Fra heuen are we heldande on all hande;
96 To wo are we weendande, I warande.

Scene II: Hell.

Luc.: Owte, owte! Harrowe! Helples, slyke hote at es here!
This es a dongon of dole þat I am to dyghte.
Whare es my kynde become, so cumly and clere,
100 Nowe am I laytheste, allas, þat are was lighte.
My bryghtnes es blakkeste and blo nowe.
My bale es ay betande and brynande,
That gares ane go gowlande and gyrnande.
104 Owte! Ay, walaway! I well enew in wo nowe!

Sec. d.: Owte, Owte! I go wode for wo, my wytte es all wente nowe!
All oure fode es but filth, we fynde vs beforn.
We þat ware beelded in blys in bale are we brent nowe.
108 Owte! On þe, Lucifer, lurdan! Oure lyghte has þu lorne.
Þi dedes to þis dole nowe has dyghte us.
To spill vs þu was oure spedar;
For thow was oure lyghte and oure ledar.
112 Þe hegheste of heuen hade þu hyght vs.

Luc.: Walaway! Wa es me now! Nowe es it war thane it was.
Vnthryuandely threpe ȝhe; I sayde but a thoghte.
Sec. d.: We, lurdane, þu lost vs! *Luc.:* ȝhe ly! Owte! Allas!
I wyste noghte þis wo sculde be wroghte.
Owte on ȝhow, lurdans! ȝhe smore me in smoke.
Sec. d.: This wo has þu wroghte vs. *Luc.:* ȝhe ly, ȝhe ly!
Sec. d.: Thou lyes, and þat sall þu by!
We lurdans haue at ȝowe, lat loke!

Scene III: Heaven.

Cher.: A, lorde, louid be thi name þat vs þis lighte lente!
Sen Lucifer, oure ledar, es lighted so lawe
For hys vnbuxumnes in bale to be brente,
124 Thi rightwysnes to rewarde on rowe,
Ilke warke eftyr is wroghte
Thorowe grace of þi mercyfull myghte.
The cause I se itt in syghte,
128 Wharefore to bale he es broghte.

Deus: Those foles for þaire fayrehede in fantasyes fell,
And hade mayne of mighte þat marked þam and made þam;
Forthi efter þaire warkes were in wo sall þai well,
132 For sum ar fallen into fylthe þat euermore sall fade þam,
And neuer sall haue grace for to gyrth þam.
So passande of power tham thoght þam,
Thai wolde noght me worschip þat wroghte þam;
136 Forþi sall my wreth euer go with þam.

Ande all that me wyrschippe sall wone here, iwys,
Forthi more forthe of my warke wyrke nowe I will.
Syn than þer mighte es formarryde þat mente all omys,
140 Euen to myne awne fygure þis blys to fulfyll,

---

95 heledande 97 Lucifer deiabolus in inferno 105 Secundus diabolus

Mankynde of moulde will I make;
But fyrste wille I fourme hym before,
All thyng that sall hym restore,
144 To whilke þat his talents will take.

Ande in my fyrste makyng to mustyr my mighte,
Sen erthe is vayne and voyde, and myrknes emel,
I byd in my blyssyng ȝhe aungels gyf lyghte
148 To þe erthe, for it faded when þe fendes fell.
In hell sall neuer myrknes be myssande.
Þe myrknes thus name I for nighte;
The day þat call I this lyghte.
152 My afterwarkes sall þai be wyssande.

Ande now in my blyssyng I twyne tham in two,
The nighte euen fro þe day, so þat thai mete neuer,
But ather in a kyndc couiese þaire gates for to go,
156 Bothe þe nighte and þe day, does dewly ȝhour deyuer;
To all I sall wirke be ȝhe wysshyng.
This daywarke es done ilke a dele;
And all þis warke lykes me ryght wele,
160 And baynely I gyf it my blyssyng.

Explicit.

120. THE SHIPWRITES *The Building of the Ark.*

Deus: I se suche ire emonge mankynde, [57]
Þat of þare werkis I will take wrake:
Þay shall be sownkyn for þare synne;
4 Þerfore a shippe I wille þou make.
Þou and þi sonnes shall be þerein,
They sall be sauyd for thy sake.
Therfore go bowdly and begynne
8 Thy mesures and thy markis to take.

Noe: A, lorde, þi wille sall euer be wrought,
Os counsell gyfys of ilka clerk.
Bot first of shippecraft can I right noght;
12 Of ther makyng haue I no merke.
Deus: Noe, I byd þe hartely haue no þought.
I sall þe wysshe in all þi werke,
And euen to itt till ende be wroght;
16 Therfore to me take hede and herke.

Take high trees and hewe þame cleyne;
All be sware and noght of skwyn.
Make of þame burdes and wandes betwene,
20 Þus thrivandly and noght ouerthyn.
Luke þat þi semes be suttilly seyn,
And naylid wele þat þei noght twyne.
Þus I deuyse ilk dele bedeyne,
24 Þerfore do furthe, and leue thy dyne.

·iij·c· cubyttis it sall be long,
And fyfty brode, all for thy blys.
Þe highte of thyrty cubittis strong,
28 Lok lely þat þou thynke on þis.
Þus gyffe I þe grathly, or I gang,

2 wreke 19 þame of

Þi mesures þat þou do not mysse.
Luk nowe þat þou wirke noght wrang,
32 Þus wittely sen I þe wyshe.

Noe: A, blistfull lord, þat al may beylde,
I thanke þe hartely both euer and ay.
Fyfe hundreth wyntres I am of elde:
36 Me thynk þer ȝeris as yestirday.
Ful wayke I was and all vnwelde;
My werynes is wente away.
To wyrk þis werke here in þis feylde
40 Al be myselfe I will assaye.

To hewe þis burde I will begynne;
But firste I wille lygge on my lyne.
Nu bud it be alle in like thynne,
44 So put it nowthyr twynne nor twyne.
Þus sall I iune it with a gynn,
And sadly sette it with symonde fyne;
Þus sall y wyrke it both more and mynne
48 Thurgh techyng of god maister myne.

More suttelly can no man sewe;
It sall be cleyngked euerilka dele.
With nayles þat are both noble and newe
52 Þus sall I feste it fast to feele,
Take here a revette, and þere a rewe,
With þer bowe þer nowe wyrke I wele;
Þis werke I warand both gud and trewe.

56 Full trewe it is who will take tente.
Bot faste my force begynnes to fawlde;
A hundereth wyntres away is wente,
Sen I began þis werk, full grathely talde,
60 And in slyke trauayle for to be bente,
Is harde to hym þat is þus olde.
But he þat to me þis messages sent,
He will be my beylde, þus am I bowde. —

121. *From XXVI.: PILATUS.*

Vndir þe ryallest roye of rente and renowne
Now am I regent to rewle þis region in reste;
Obeye vnto bidding bud busshoppis me bowne,
And bolde men þat in batayll makis brestis to breste.
5 To me betaught is þe tent of þis towre be ȝon towne;
For traytoures tyte will I taynte, þe trewþe for to triste.
The dubbyng of my dingnite may noȝt be done downe,
Nowdir with duke nor dugeperes, my dedis are so dreste.
My desire muste dayly be done
10 With þame þat are grettest of game,
And þer agayne fynde I but fone,
Wherfore I schall bettir þer bone.
But he þat me greues for a grume,
Beware, for wystus I am!

15 Pounce Pilatt of thre partis þan is my propir name.
I am perelous prince . . . . .

55/56 *no gap in the MS.* 2 to] of 5 tent þis t. begon t. 14 ?wyscus

122.-124. WAKEFIELD PLAYS

MS.: Huntington-Lb., HM. 1, olim Towneley Hall; **XV century**. — *ed.*: G. England-A. W. Pollard, EETS. LXXI. — BR. 715; We. XIV,7; Ke. 4909; Ba. 277-278; TB. 96; RO. 338.

122. *From III. 'PROCESSUS NOE CUM FILIIS. WAKEFELD.'*

Dramatis personae:
Noe. (*N.*)
Vxor eius. (*V.*)
Primus, secundus, tertius filius. (*Pf., Sf., Tf.*)
Prima, secunda, tertia mulier. (*Pm., Sm., Tm.*)

N.: Now ar we there [325]
as we shuld be.
Do get in oure gere,
oure catall and fe
5 Into this vesell here,
my chylder fre.
V.: I was neuer bard ere,
as euer myght I the,
In sich an oostre as this.
10 In fath I can not fynd
Which is before, which is behynd;
Bot shall we here be pynd,
Noe, as haue thou blis?

N.: Dame, as it is skill,
15 here must vs abide grace.
Therfor wife, with good will
com into this place.
V.: Sir, for Iak nor for Gill
will I turne my face,
20 Till I haue on this hill
spon a space
On my rock.
Well were he, myght get me!
Now will I downe set me;
25 Yit reede I no man let me,
ffor drede of a knok.

N.: Behold to the heuen,
the cateractes all,
That are open full euen,
30 grete and small,
And the planettis seuen
left has thare stall!
Thise thoners and levyn
downe gar fall
35 ffull stout
Both halles and bowers,
Castels and towres.
ffull sharp ar thise showers,
That renys aboute.

40 Therfor, wife, haue don!
Com into ship fast!
V.: Yei, Noe, go cloute thi shone,
the better will thai last.
Pm.: Good moder, com in sone;
45 for all is ouercast
Both the son and the mone.
Sm.: And many wynd blast
ffull sharp.
Thise floodis so thay ryn;
50 Therfor, moder, come in!
V.: In fayth, yit will I spyn.
All in vayn ye carp.

Tm.: If ye like ye may spyn,
moder, in the ship.
55 *N.*: Now is this twyys com in,
dame, on my frenship.
V.: Wheder I lose or I wyn,
in fayth, thi felowship,
Set I not at a pyn!
60 This spyndill will I slip
Apon this hill,
Or I styr oone fote.
N.: Peter! I traw we dote!
Without any more note
65 Come in, if ye will!

V.: The water nyghys so nere,
that I sit not dry.
Into ship with a byr
therfor will I hy
70 ffor drede that I drone here.
N.: Dame, securly,
It bees boght full dere,
ye abode so long by
Out of ship.
75 *V.*: I will not for thi bydyng
Go from doore to mydyng.
N.: In fayth, and for youre long taryyng.
Ye shal lik on the whyp.

V.: Spare me not, I pray the,
80 bot euen as thou thynk,
Thise grete wordis shall not flay me.
N.: Abide, dame, and drynk!
ffor betyn shall thou ay be
with this staf to thou stynk.
85 Ar strokis good? Say me!
V.: What say ye? Wat wynk?
N.: Speke!

---

45 ffor *a.u.* 66 Yet water 83 ay *not in MS.*

Cry me mercy, I say!
Ɖ.: Therto say I nay!
90 *N.*: Bot thou do, bi this day,
Thi hede shall I breke!

Ɖ.: Lord, I were at ese
and hertely full hoylle,
Might I onys haue a measse
95 of wedows coyll!
ffor thi saull, without lese,
shuld I dele penny doyll;
So wold mo, no frese,
that I se on this sole
100 Of wifis that ar here.
ffor the life that thay leyd,
Wold thare husbandis were dede;
ffor as euer ete I brede,
So wold I oure syre were!

105 *N.*: Yee men that has wifis,
whyls they ar yong,
If ye luf youre lifis,
chastice thare tong!
Me thynk my hert ryfis
110 both levyr and long,
To se sich stryfis
wedmen emong.
Bot I,
As haue I blys,
115 Shall chastyse this.
Ɖ.: Yit may ye mys,
Nicholl nedy!

N.: I shall make þe still as stone,
begynnar of blunder!
120 I shall bete the bak and bone,
and breke all in sonder!
Ɖ.: Out! Alas, I am gone!
Oute apon the, mans wonder!
N.: Se how she can grone,
125 And I lig vnder.
Bot, wife,
In this hast let vs ho,
ffor my bak is nere in two.
Ɖ.: And I am bet so blo
130 That I may not thryfe.

Pf.: A, whi fare ye thus,
fader and moder both!
Sf.: Ye shuld not be so spitus
standyng in sich a woth.
135 *Tf.*: Thise showers ar so hidus
with many a cold coth.
N.: We will do as ye bid vs;
we will no more be wroth,
Dere barnes!
140 Now to the helme will I hent,
And to my ship tent.

Ɖ.: I se on the firmament,
Me thynk, the seven starnes.

N.: This is a grete flood,
145 wife, take hede.
Ɖ.: So me thoght, as I stode;
we ar in grete drede.
Thise wawghes ar so wode.
N.: Help, god, in this nede!
150 As thou art stereman good
and best, as I rede,
Of all,
Thou rewle vs in this rase,
As thou me behete hase.
155 Ɖ.: This is a perlous case.
Help, god, when we call!

N.: Wife, tent the steretre,
and I shall asay
The depnes of the see
160 that we bere, if I may.
Ɖ.: That shall I do ful wysely.
Now go thi way,
ffor apon this flood haue we
flett many day
165 With pyne.
N.: Now the water will I sownd.
A, it is far to the grownd;
This trauell I expownd
Had I to tyne.

170 Aboue all hillys bedeyn
the water is rysen late
Cubettis ·xv·
bot in a higher state
It may not be, I weyn;
175 for this well I wate,
This forty dayes has rayn beyn;
it will therfor abate
Full lele.
This water in hast
180 Eft will I tast.
Now am I agast,
It is wanyd a grete dele.

Now are the weders cest
and cateractes knyt
185 Both the most and the leest.
Ɖ.: Me thynk, bi my wit,
The son shynes in the eest!
Lo, is not yond it?
We shuld haue a good feest,
190 were thise floodis flyt
So spytus.
N.: We haue been here, all we,
·ccc· dayes and fyfty.
Ɖ.: Yel, now wanys the see.
195 Lord, well is vs! —

---

135 showers *not in MS.* **173** highter

123. XIII. SECUNDA PASTORUM.

Dramatis personae:

Primus pastor, Coll. (P.)
Secundus pastor, Gib. (S.)
Tertius pastor, Daw. (T.)
Mak. (M.)
Gill, uxor eius. (G.)
Angelus.
Maria.
Jesus.

Scene I: **In the Field.**

P.: Lord, what these weders ar cold,
and I am yll happyd.
I am nerehande dold,
so long haue I nappyd.
5 My legys thay fold,
my fyngers ar chappyd;
It is not as I wold,
for I am al lappyd
In sorow,
10 In stormes and tempest,
Now in the eest, now in the west.
Wo is hym has neuer rest
Mydday nor morow.

Bot we sely shepardes,
15 that walkys on the moore,
In fayth we are nerehandys
outt of the doore;
No wonder, as it standys,
if we be poore,
20 ffor the tylthe of oure landys
lyys falow as the floore,
As ye ken.
We ar so hamyd,
ffortaxed and ramyd,
25 We ar mayde handtamyd
With thyse gentlery men.

Thus thay refe us oure rest,
oure lady theym wary!
These men that ar lord-fest
30 thay cause the ploghe tary.
That men say is for the best,
we fynde it contrary;
Thus ar husbandys opprest
in po[i]nte to myscary
35 On lyfe.
Thus hold thay us hunder,
Thus thay bryng us in blonder;
It were greatte wonder,
And euer shuld we thryfe.

40 Ther shall com a swane
as prowde as a po:
He must borow my wane,
my ploghe also;
Then I am full fane
45 to graunt or he go.
Thus lyf we in payne,
anger and wo
By nyght and day.
He must haue if he langyd,
50 If I shuld forgang it;
I were better be hangyd
Then oones say hym nay.

ffor may he gett a paynt slefe,
or a broche, now on dayes,
55 Wo is hym that hym grefe,
or onys aganesays!
Dar no man hym reprefe,
what mastry he mays,
And yit may no man lefe
60 oone word that he says,
No letter.
He can make purveance
With boste and bragance,
And all is thrugh mantenance
65 Of men that are gretter.

It dos me good, as I walk
thus by myn oone,
Of this warld for to talk
in maner of mone.
70 To my shepe wyll I stalk
and herkyn anone,
Ther abyde on a balk
or sytt on a stone
ffull soyne.
75 ffor I trowe, perde,
Trew men if thay be,
We gett more compane
Or it be noyne.

S.: Benste and Dominus!
80 What may this bemeyne?
Why fares this warld thus?
Oft haue we not sene.
Lord, thyse weders ar spytus,
and the windes full kene,
85 And the frostys so hydus,
thay water myn eeyne,
No ly.
Now in dry, now in wete,
Now in snaw, now in slete,
90 When my shone freys to my fete,
It is not all esy.

Bot as far as I ken,
or yit as I go,
We sely wedmen

---

23 lamyd *em. Hemingway* 40 *St. 4 after 5 MS., em. Kölbing* 84 windes] weders *MS.*

95 dre mekyll wo;
We haue sorow then and then,
it fallys oft so;
Sely Capyle, oure hen,
both to and fro
100 She kakyls;
Bot begyn she to crok,
To groyne or to clok,
Wo is hym is of oure cok,
ffor he is in the shekyls.

105 These men that ar wed
haue not all thare wyll;
When they ar full hard sted,
thay sygh full styll;
God wayte, thay ar led
110 full hard and full yll;
In bower nor in bed
thay say noght thertyll
This tyde.
My parte haue I fun,
115 I know my lesson.
Wo is hym that is bun,
ffor he must abyde.

Bot now late in oure lyfys,
a meruell to me
120 That I thynk my hart ryfys
sich wonders to see,
What that destany dryfys
it shuld so be:
Som men wyll have two wyfys
125 and som men thre
In store;
Som ar wo that has any,
Bot so far can I:
Wo is hym that has many,
130 ffor he felys sore!

Bot, yong men of wowyng,
for god that you boght,
Be well war of wedyng,
and thynk in youre thoght:
135 'Had I wyst' is a thyng
it seruys of noght;
Mekyll styll mowrnyng
has wedyng home broght,
And grefys
140 With many a sharp showre;
ffor thou may cach in an owre
That shall savour fulle sowre
As long as thou lyffys.

ffor, as euer red I pystyll,
145 I haue oone to my fere
As sharp as a thystyll,
as rugh as a brere;
She is browyd lyke a brystyll
with a sowreloten chere;
150 Had she oones wett hyr whystyll,
she couth syng full clere
Hyr pater noster.
She is as greatt as a whall,
She has a galon of gall;
155 By hym that dyed for us all,
I wald I had lost hir.

P.: God looke ouer the raw!
full defly ye stand.
S.: Yee, the dewill in thi maw,
160 so tariand!
Sagh thou awre of Daw?
P.: Yee, on a ley land
Hard I hym blaw.
He commys here at hand,
165 Not far.
Stand styll. *S.*: Qwhy?
P.: ffor he commys, hope I.
S.: He wyll make vs both a ly
Bot if we be war.

170 *T.*: Crystys crosse me spede
and sant Nycholas!
Therof had I nede;
it is wars then it was.
Whoso couthe take hede
175 and lett the warld pas,
It is euer in drede
and brekyll as glas,
And slythys.
This warld fowre neuer so
180 With meruels mo and mo,
Now in weyll, now in wo,
And all thyng wrythys.

Was neuer syn Noe floode
sich floodys seyn;
185 Wyndys and ranys so rude
and stormes so keyn;
Som stamerd, som stod
in dowte, as I weyn;
Now god turne all to good;
190 I say as I mene,
ffor ponder:
These floodys so thay drowne,
Both in feyldys and in towne,
And berys all downe,
195 And that is a wonder.

We that walk on the nyghtys
oure catell to kepe,
We se sodan syghtys,
when othere men slepe.
200 Yit me thynk my hart lyghtys,
I se shrewys pepe;
Ye ar two allwyghtys,

142 savour *illegible* 156 had ryn to I had l. h. *MS.* 161 awro 202 tall w. *em. Kittredge*

I wyll gyf my shepe
A turne.
205 Bot full yll haue I ment,
As I walk on this bent,
I may lyghtly repent,
My toes if I spurne.

A, sir, god you saue,
210 and master myne!
A drynk fayn wold I haue
and somwhat to dyne.
P.: Crystys curs, my knaue,
thou art a ledyr hyne!
215 *S.*: What, the boy lyst rave!
Abyde vnto syne
We haue mayde it.
Yll thryft on thy pate!
Though the shrew cum late,
220 Yit is he in state
To dyne, if he had it.

T.: Sich seruandys as I,
that swettys and swynkys,
Etys oure brede full dry,
225 and that me forthynkys;
We ar oft weytt and wery,
when mastermen wynkys.
Yit commys full lately
both dyners and drynkys.
230 Bot nately
Both oure dame and oure syre,
When we haue ryn in the myre,
Thay can nyp at oure hyre,
And pay vs full lately.

235 Bot here my trouth, master,
for the fayr that ye make:
I shall do therafter
wyrk as I take.
I shall do a lytyll, sir,
240 and emang euer lake;
ffor yit lay my soper
neuer on my stomake
In feyldys.
Wherto shuld I threpe?
245 With my staf can I lepe;
And men say 'Lyght chepe
Letherly foryeldys.'

P.: Thou were an yll lad
to ryde on wowyng
250 With a man that had
bot lytyll of spendyng!
S.: Peasse, boy! I bad
no more jangling,
Or I shall make the full rad,
255 by the heuens kyng,
With thy gawdys.
Wher ar oure shepe, boy, we skorne?
T.: Sir, this same day at morne
I thaym left in the corne,
260 When thay rang lawdys.

Thay haue pasture good;
thay can not go wrong.
P.: That is right; by the roode,
Thyse nyghtys ar long;
265 Yit I wold, or we yode,
oone gaf vs a song.
S.: So I thoght as I stode
to myrth vs emong.
T.: I grauntt.
270 *P.*: Lett me syng the tenory.
S.: And I the tryble so hye.
T.: Then the meyne fallys to me.
Lett se how ye chauntt.

Tunc intrat Mak, in clamide se super togam vestitus.

M.: Now, lord, for thy naymes ·vii·
275 that made both moyn and starnes
Well mo then I can neuen,
thi will, lorde, of me tharnys.
I am all vneuen;
that moves oft my harnes.
280 Now wold god I were in heuen;
for there wepe no barnes
So styll!
P.: Who is that pypys so poore?
M.: Wold god ye wyst how I foore!
285 Lo, a man that walkys on the moore,
And has not all his wyll!

S.: Mak, where has thou gon?
Tell vs tythyng.
T.: Is he commen? Then ylkon
290 take hede to his thyng!
Et accipit clamidem ab ipso.

M.: What! Ich be a yoman,
Ich tell you, of the king!
The self and the same,
sond from a greatt lordyng,
295 And sich.
ffy on you! Goyth hence,
Out of my presence!
Ich must haue reuerence!
Why, who be ich?

300 *P.*: Why make ye it so qwaynt,
Mak? Ye do wrang.
S.: Bot, Mak, lyst ye saynt?
I trow that ye lang.
T.: I trow the shrew can paynt,
305 the dewyll myght hym hang!
M.: Ich shall make complaynt,
and make you all to thwang,

281 there] the *MS.* 287 gon] gom 292 Ich] I *MS.* 298 Ich] I *MS.* 302 saynt] ?em. faynt

At a worde,
And tell euyn how ye doth!
310 *P.*: Bot, Mak, is that sothe?
Now take outt that sothren tothe,
And sett in a torde.

S.: Mak, the dewill in youre ee,
a stroke wold I leyne you.
315 *T.*: Mak, know ye not me?
By god, I couthe teyn you.
M.: God looke you all thre!
Me thoght I had sene you;
Ye ar a fare compane!
320 *P.*: Can ye now mene you?
S.: Shrew, jape!
Thus late as thou goys,
What wyll men suppos?
And thou has an yll noys
325 Of stelyng of shepe.

M.: And I am trew as steyll,
all men waytt;
Bot a sekenes I feyll,
that haldys me full haytt.
330 My belly farys not weyll,
it is out of astate.
T.: Seldom lyys the dewyll
dede by the gate.
M.: Therfor
335 Full sore am I and yll,
If I stande stone-styll;
I ete not an nedyll
Thys moneth and more.

P.: How farys thi wyff, by my hoode,
340 how farys sho?
M.: Lyys walteryng, by the roode,
by the fyere, lo.
And a howse full of brude!
She drynkys well, to.
345 Yll spede othere good
that she wyll do!
Bot sho
Etys as fast as she can,
And ilk yere that commys to man
350 She bryngys furth a lakan,
And som yeres two!

Bot were I not more gracyus
and rychere be far,
I were eten outt of howse
355 and of harbar.
Yit is she a fowll dowse,
if ye com nar:
Ther is none that trowse
nor knowys a war
360 Then ken I.
Now wyll ye se what I profer,
To gyf all in my cofer
To morne at next to offer
Hyr hed-maspenny.

365 *S.*: I wote so forwakyd
is none in this shyre;
I wold slepe, if I takyd
les to my hyere.
T.: I am cold and nakyd
370 and wold haue a fyere.
P.: I am wery, forrakyd,
and run in the myre.
Wake thou!
S.: Nay, I wyll lyg downe by,
375 ffor I must slepe truly.
T.: As good a mans son was I
As any of you.

Bot Mak, com heder, betwene
shall thou lyg downe!
380 *M.*: Then myght I lett you bedene
of that ye wold rowne;
No drede.
ffro my top to my too
Manus tuas commendo
385 ***Poncio Pilato,***
Cryst crosse me spede!

Tunc surgit pastoribus dormientibus et dicit:

Now were tyme for a man,
that lakkys what he wold,
To stalk preuely than
390 vnto a fold.
And neemly to wyrk than
and be not to bold,
ffor he might aby the bargan,
if it were told
395 At the endyng.
Now were tyme for to reyll;
Bot he nedys good counsell
That fayn wold fare weyll
And has bot lytyll spendyng.

400 Bot abowte you a serkyll
as rownde as a moyn,
To I haue done that I wyll,
tyll that it be noyn,
That ye lyg stone-styll,
405 to that I haue doyne,
And I shall say thertyll
of good wordys a foyne.
On hight
Ouer youre hedys my hand I lyft:
410 'Outt go youre een, fordo your syght!'
Bot yit I must make better shyft,
And it be right.

Lord, what thay slepe hard!
That may ye all here.

347 so *MS.*

THE ANGEL AND THE SHEPHERDS

Bodleian, MS. Gough liturg. 2, late twelfth century; full-page miniature, 261 x 189 mm. Colours: the sky is gold, the earth green with pink flowers. The angel is dressed in white and pink, with a blue cloak. The shepherds wear brightly coloured clothes.

415 Was I neuer a shepard,
bot now wyll I lere.
If the flok be skard,
yit shall I nyp nere.
How, drawes hederward!
420 Now mendys oure chere
ffrom sorow:
A fatt shepe I dar say,
A good flese, dar I lay,
Eftwhyte when I may;
425 Bot this will I borow.

Scene II: **Mak's Cottage**.

[*M.*:] How, Gyll, art thou in?
Gett vs som lyght!
G.: Who makys sich dyn
this tyme of the nyght?
430 I am sett for to spyn;
I hope not I myght
Ryse a penny to wyn,
I shrew them on hight!
So farys
435 A huswyff that has bene
To be rasyd thus betwene.
Here may no note be sene
ffor sich small charys.

M.: Good wyff, open the hek!
440 Seys thou not what I bryng?
G.: I may thole the dray the snek.
A, com in, my swetyng!
M.: Yee, thou thar not rek
of my long standyng.
445 *G.*: By the nakyd nek
art thou lyke for to hyng.
M.: Do way!
I am worthy my mete,
ffor in a strate can I gett
450 More then thay that swynke and [swette
All the long day.

Thus it fell to my lott,
Gyll, I had sich grace.
G.: It were a fowll blott
455 to be hanged for the case.
M.: I haue skapyd, Jelott,
oft as hard a glase.
G.: Bot so long goys the pott
to the water, men says,
460 At last
Comys it home broken.
M.: Well knowe I the token;
Bot let it neuer be spoken,
Bot com and help fast.

465 I wold he were slayn,
I lyst well ete.
This twelmothe was I not so fayn
of oone shepe mete.
G.: Com thay or he be slayn
470 and here the shepe blete!
M.: Then myght I be tane,
that were a cold swette.
Go spar
The gaytt doore. *G.*: Yis, Mak,
475 ffor and thay com at thy bak, —
M.: Then myght I by, for all the pak,
The dewill of the war!

G.: A good bowrde haue I spied,
syn thou can none:
480 Here shall we hym hyde,
to thay be gone,
In my credyll abyde.
Lett me alone,
And I shall lyg besyde
485 in chyl[d]bed and grone.
M.: Thou red;
And I shall say thou was lyght
Of a knaue childe this nyght.
G.: Now well is me day bright
490 That euer was I bred.

This is a good gyse,
and a far cast.
Yit a woman avyse
helpys at the last!
495 I wote neuer who spyse,
agane go thou fast.
M.: Bot I com or thay ryse,
els blawes a cold blast!
I will go slepe.
500 Yit slepys all this meneye,
And I shall go stalk preuely,
As it had neuer bene I
That caryed thare shepe.

Scene III: **Field**.

P.: *Resurrex a mortuis!*
505 Haue hald my hand!
Iudas carnas dominus!
I may not well stand;
My foytt slepys, by Ihesus,
and I water fastand.
510 I thoght that we layd vs
full nere Yngland.
S.: A, ye!
Lord, what I haue slept weyll!
As fresh as an eyll,
515 **As lyght I me feyll**
As leyfe on a tre.

---

504 mortruis *MS.*

T.: Benste be herein!
So my body qwakys,
My hart is outt of skyn;
520 what so it makys?
Who makys all this dyn?
So my browes blakys,
To the dowore wyll I wyn.
Harke, felows! Wakys!
525 We were fowre.
Se ye awre of Mak now?
P.: We were vp or thou.
S.: Man, I gyf god a vowe,
Yit yede he nawre.

530 T.: Me thoght he was lapt
in a wolfe-skyn.
P.: So are many hapt
now, namely within.
T.: When we had long napt,
535 me thoght, with a gyn
A fatt shepe he trapt,
bot he mayde no dyn.
S.: Be styll!
Thi dreme makys the woode;
540 It is bot fantom, by the roode.
P.: Now god turne all to good,
If it be his wyll.

S.: Ryse, Mak, for shame!
Thou lygys right lang.
545 M.: Now Crystys holy name
be vs emang!
What is this? For sant Iame,
I may not well gang.
I trow I be the same;
550 A, my nek has lygen wrang
Enoghe.
Mekill thank! Syn yistereuen
Now, by sant Stevyn,
I was flayd with a swevyn,
555 My hart out of sloghe.

I thoght Gyll began to crok,
and trauell full sad,
Welner at the fyrst cok,
of a yong lad
560 ffor to mend oure flok;
then be I neuer glad.
I haue tow on my rok
more then euer I had.
A, my heede!
565 A house full of yong tharmes!
The dewill knok outt thare harnes!
Wo is hym has many barnes,
And therto lytyll brede!

I must go home, by youre lefe,
570 to Gyll as I thoght.
I pray you looke my slefe,
that I steyll noght.
I am loth you to grefe,
or from you take oght.
575 T.: Go furth, yll myght thou chefe!
Now wold I we soght
This morne,
That we had all oure store.
P.: Bot I will go before.
580 Let vs mete. S.: Whore?
T.: At the crokyd thorne.

Scene IV: **Cottage.**

M.: Vndo this doore!
G.: Who is there?
M.: How long shall I stand?
G.: Who makys sich a bere,
585 Now walk in the wenyand?
M.: A, Gyll, what chere?
It is I, Mak, youre husbande.
G.: Then may we be here
the dewill in a bande,
590 Syr Gyle!
Lo, he commys with a lote
As he were holden in the throte.
I may not syt at my note
A handlang while.

595 M.: Wyll ye here what fare she makys
to gett hir a glose?
And dos noght bot lakys,
and clowse hir toose!
G.: Why! Who wanders? Who wakys?
600 Who commys? Who gose?
Who brewys? Who bakys?
What makys me thus hose?
And than,
It is rewthe to beholde,
605 Now in hote, now in colde.
ffull wofull is the householde
That wantys a woman.

Bot what ende has thou mayde
with the hyrdys, Mak?
610 M.: The last worde that thay sayde,
when I turnyd my bak,
Thay wold looke that thay hade
thare shepe all the pak.
I hope thay wyll nott be well payde,
615 when thay thare shepe lak,

518 body] *illegible*, hart *England* 534 T.] ij. pastor *MS.* 538 S.] iij. pastor *MS.*
553 strevyn 582 G.] *not in MS.* there] here *MS.*

Perde!
Bot howso the gam gose,
To me thay wyll suppose,
And make a fowll noyse,
620 And cry outt apon me.

Bot thou must do as thou hyght.
G.: I accorde me thertyll.
I shall swedyll hym right
In my credyll;
625 If it were a gretter slyght,
yit couthe I help tyll.
I wyll lyg downe stright;
com, hap me! *M.*: I wyll.
G.: Behynde!
630 Com Coll and his maroo,
Thay will nyp vs full naroo.
M.: Bot I may cry out 'haroo',
The shepe if thay fynde.

G.: Harken ay when thay call!
635 Thay will com onone.
Com and make redy all,
and syng by thyn oone.
Syng 'lullay' thou shall;
for I must grone,
640 And cry outt by the wall
on Mary and Iohn
ffor sore.
Syng 'lullay' on fast,
When thou heris at the last;
645 And bot I play a fals cast,
Trust me no more!

Scene V: Field.

T.: A, Coll, goode morne,
why slepys thou nott?
P.: Alas, that euer was I borne!
650 We haue a fowll blott:
A fat wedir haue we lorne.
T.: Mary, godys forbott!
S.: Who shuld do vs that skorne?
That were a fowll spott.
655 *P.*: Som shrewe.
I haue soght with my dogys
All Horbery shrogys,
And of ·xv· hogys
ffond I bot oone ewe.

660 *T.*: Now trow me, if ye will,
by sant Thomas of Kent:
Ayther Mak or Gyll
was at that assent!
P.: Peasse, man, be still!
665 I sagh, when he went.
Thou sklanders hym yll;
thou aght to repent,
Goode spede!
S.: Now, as euer myght I the,
670 If I shuld euyn here de,
I wold say it were he
That dyd that same dede.

T.: Go we theder, I rede,
and ryn on oure feete.
675 Shall I neuer ete brede,
the sothe to I wytt.
P.: Nor drynk in my heede,
with hym tyll I mete.
S.: I wyll rest in no stede,
680 tyll that I hym grete,
My brothere.
Oone I will hight:
Tyll I se hym in sight,
Shall I neuer slepe one nyght,
685 Ther I do anothere.

Scene VI: Cottage

T.: Will ye here how thay hak?
Oure syre lyst croyne.
P.: Hard I neuer none crak
so clere out of toyne.
690 Call on hym. *S.*: Mak!
Vndo youre doore soyne!
M.: Who is that spak,
as it were noyne,
On loft?
695 Who is that, I say?
T.: Goode felowse, were it day.
M.: As far as ye may,
Good, spekys soft

Ouer a seke womans heede,
700 that is at maylleasse!
I had leuer be dede
or she had any dyseasse.
G.: Go to an othere stede,
I may not well qweasse.
705 Ich fote that ye trede
goys thorow my nese,
So hee.
P.: Tell vs, Mak, if ye may,
How fare ye, I say?
710 *M.*: Bot ar ye in this towne to day?
Now, how fare ye?

Ye haue ryn in the myre
and ar weytt yit:
I shall make you a fyre,
715 if ye will syt.
A nores wold I hyre,
thynk ye on yit,
Well qwytt is my hyre,
my dreme this is itt,
720 A seson.
I haue barnes, if ye knew,
Well mo then enewe,

Bot we must drynk as we brew,
And that is bot reson.
725 I wold ye dynyd or ye yode;
me thynk that ye swette.
S.: Nay, nawther mendys oure mode
drynke nor mette.
M.: Why, sir, alys you oght bot
goode?
730 *T.*: Yee, oure shepe that we gett
Ar stollyn as thay yode;
oure los is grette.
M.: Syrs, drynkys!
Had I bene thore,
735 Som shuld haue boght it full sore!
P.: Mary, som men trowes that
ye wore,
And that vs forthynkys.

S.: Mak, som men trowys
that it shuld be ye.
740 *T.*: Ayther ye or youre spouse,
so say we.
M.: Now if ye haue suspowse,
to Gill or to me,
Com and rype oure howse,
745 and then may ye se
Who had hir.
If I any shepe fott,
Aythor cow or stott!
And Gyll, my wyfe, rose nott
750 Here syn she lade hir.

As I am true and lele,
to god here I pray
That this be the fyrst mele
that I shall ete this day.
755 *P.*: Mak, as haue I ceyll,
avyse the, I say!
He lernyd tymely to steyll
that couth not say nay.
G.: I swelt!
760 Outt, thefys, fro my wonys!
Ye com to rob vs for the nonys.
M.: Here ye not how she gronys?
Youre hartys shuld melt.

G.: Outt thefys, fro my barne!
765 Negh hym not thor!
M.: Wyst ye how she had farne,
youre hartys wold be sore.
Ye do wrang, I you warne,
that thus commys before
770 To a woman that has farne,
bot I say no more.
G.: A, my medyll!
I pray to god so mylde,
If euer I you begyld,
775 That I ete this chylde
That lygys in this credyll.

M.: Peasse, woman, for godys payn!
And cry not so;
Thou spyllys thy brane,
780 and makys me full wo.
S.: I trow oure shepe be slayn.
What finde ye two?
T.: All wyrk we in vayn,
as well may we go.
785 Bot hatters
I can fynde no flesh,
Hard nor nesh,
Salt nor fresh,
Bot two tome platers,

790 Whik catell bot this,
tame nor wylde,
None, as I haue blys,
as lowde as he smylde.
G.: No, so god me blys,
795 and gyf me joy of my chylde!
P.: We haue merkyd amys
I hold vs begyld.
S.: Syr, don.
Syr, oure lady hym saue,
800 Is youre chyld a knaue?
M.: Any lord myght hym haue
This chyld to his son.

When he wakyns he kyppys
that joy is to se.
805 *T.*: In good tyme to hys hyppys
and in cele!
Bot who was his gossyppys
so sone rede?
M.: So fare fall thare lyppys.
810 *P.*: Hark now, a le!
M.: So god thaym thank,
Parkyn, and Gybon Waller, I say,
And gentill Iohn Horne, in good fay;
He made all the garray
815 With the greatt shank.

S.: Mak, freyndys will we be,
for we ar all oone.
M.: We, now I hald for me,
for mendys gett I none.
820 ffare well all thre, *(Exeunt pastores)*
all glad were ye gone.
T.: ffare wordys may ther be,
bot luf is ther none
This yere.
825 *P.*: Gaf ye the chyld any thyng?
S.: I trow not oone farthyng.
T.: ffast agane will I flyng,
Abyde ye me here. *(T. redit)*

828 here] there *MS.*

Mak, take it to no grefe,
830 if I com to thi barne.
M.: Nay, thou dos me greatt reprefe,
and fowll has thou farne.
T.: The child will it not grefe,
that lytyll day-starne.
835 Mak, with youre leyfe,
let me gyf youre barne
Bot ·vj· pence.
M.: Nay, do way! He slepys.
T.: Me thynk he pepys.
840 *M.*: When he wakyns, he wepys.
I pray you, go hence.

T.: Gyf me lefe hym to kys,
and lyft vp the clowtt.
What the dewill is this?
845 He has a long snowte!
P.: He is merkyd amys,
we wate ill abowte.
S.: Ill spon weft, iwys,
ay commys foull owte.
850 Ay, so!
He is lyke to oure shepe.
T.: How, Gyb, may I pepe?
P.: I trow, kynde will crepe
Where it may not go.

855 *S.*: This was a qwantt gawde,
and a far cast.
It was a hee frawde.
T.: Yee, syrs, wast.
Lett bren this bawde,
860 and bynd hir fast!
A fals skawde
hang at the last;
So shall thou.
Wyll ye se how thay swedyll
865 His foure feytt in the medyll?
Sagh I neuer in a credyll
A hornyd lad or now.

M.: Peasse byd I! What!
Lett be youre fare!
870 I am he that hym gatt,
and yond woman hym bare.
P.: What dewill shall he hatt,
Mak? Lo god, Makys ayre!
S.: Lett be all that;
875 now god gyf hym care,
I sagh.
G.: A pratty child is he,
As syttys on a wamans kne,
A dyllydowne, perde,
880 To gar a man laghe.

T.: I know hym by the eeremarke,
that is a good tokyn.
M.: I tell you, syrs, hark:
Hys noyse was brokyn,
885 Sythen told me a clerk
that he was forspokyn.
P.: This is a fals wark;
I wold fayn be wrokyn:
Gett wepyn.
890 *G.*: He was takyn with an elfe,
I saw it myself;
When the clok stroke twelf
Was he forshapyn.

S.: Ye two ar well feft
895 sam in a stede.
T.: Syn thay manteyn thare theft,
let do thaym to dede.
M.: If I trespas eft,
gyrd of my heede.
900 With you will I be left.
P.: Syrs, do my reede!
ffor this trespas
We will nawther ban ne flyte,
ffyght nor chyte,
905 Bot haue done as tyte,
And cast hym in canvas.

Scene VII: Field[1].

[*P.*:] Lord, what I am sore,
In poynt for to bryst!
In fayth, I may no more;
910 therfor wyll I ryst.
S.: As a shepe of ·vij· skore
he weyd in my fyst.
ffor to slepe aywhore
me thynk that I lyst.
915 *T.*: Now I pray you,
Lyg downe on this grene.
P.: On these thefys yit I mene.
T.: Wherto shuld ye tene?
Do as I say you.

Angelus cantat 'Gloria in excelsis', postea dicat:

920 *A.*: Ryse, hyrdmen heynd!
For now is he borne
That shall take fro the feynd
that Adam had lorne.
That warloo to sheynd
925 this nyght is he borne.
God is made youre freynd
now at this morne
He behestys,
At Bedlem go se,
930 Ther lygys that fre
In a cryb full poorely
Betwyx two bestys. *(Exit.)*

---

[1] After the 'punishment' 919 Do] so *MS*

P.: This was a qwant stevyn
that euer yit I hard.
935 It is a meruell to neuyn
thus to be skard.
S.: Of godys son of heuyn
he spak vpward.
All the wod on a leuyn
940 me thoght that he gard
Appere.
T.: He spake of a barne
In Bedlem, I you warne.
P.: That betokyns yond starne.
945 Let vs seke hym there.

S.: Say, what was his song?
Hard ye not how he crakyd it,
Thre brefes to a long?
T.: Yee, Mary, he hakt it.
950 Was no crochett wrong,
nor no thyng that lakt it.
P.: ffor to syng vs emong,
right as he knakt it,
I can.
955 *S.*: Let se how ye croyne!
Can ye bark at the mone?
T.: Hold youre tonges, haue done!
P.: Hark after, than!

S.: To Bedlem he bad
960 that we shuld gang.
I am full fard
that we tary to lang.
T.: Be mery and not sad,
of myrth is oure sang!
965 Euer lastyng glad
to mede may we fang,
Withoutt noyse.
P.: Hy we theder forthy,
If we be wete and wery,
970 To that chyld and that lady;
We haue it not to lose.

S.: We fynde by the prophecy,
let be youre dyn,
Of Dauid and Isay,
975 and mo then I myn,
Thay prophecyed by clergy
that in a vyrgyn
Shuld he lyght and ly,
to slokyn oure syn
980 And slake it,
Oure kynde from wo;
ffor Isay sayd so:
Concipiet virgo
A chylde that is nakyd.

985 *T.*: ffull glad may we be,
and abyde that day,
That lufly to se,
that all myghtys may.
Lord, well were me,
990 for ones and for ay,
Myght I knele on my kne,
som word for to say
To that chylde.
Bot the angell sayd,
995 In a cryb wos he layde,
He was poorly arayd,
Both meke and mylde.

P.: Patryarkes that has bene,
and prophetys beforne,
1000 Thay desyryd to haue sene
this chylde that is borne.
Thay ar gone full clene;
that haue thay lorne.
We shall se hym, I weyn,
1005 or it be morne,
To tokyn.
When I se hym and fele,
Then wote I full weyll
It is true as steyll
1010 That prophetys haue spokyn.

To so poore as we ar
that he wolde appere,
ffyrst fynd, and declare
by his messyngere.
1015 *S.*: Go we now, let vs fare!
The place is vs nere.
T.: I am redy and yare;
go we in fere
To that bright!
1020 Lord, if thi wylles be,
We ar lewde all thre,
Thou grauntt vs somkyns gle
To comforth thi wight.

Scene VIII: Bethlehem.

P.: Hayll, comly and clene!
1025 Hayll, yong child!
Hayll, maker, as I meyne,
of a madyn so mylde!
Thou has waryd, I weyne,
the warlo so wylde.
1030 The fals gyler of teyn,
now goys he begylde.
Lo, he merys!
Lo, he laghys, my swetyng!
A wel fare metyng.
1035 I haue holden my hetyng;
Haue a bob of cherys!

983 cite v. c. *MS.* 997 meke] mener *MS.*, *em. Kölbing* 1023 thi] this *em. Brandl.*

S.: Hayll, sufferan sauyoure,
for thou has vs soght!
Hayll, frely foyde and floure,
1040 that all thyng has wroght!
Hayll, full of fauoure,
that made all of noght!
Hayll, I kneyll and I cowre.
A byrd haue I broght
1045 To my barne.
Hayll, lytyll tyne mop!
Of oure crede thou art crop.
I wold drynk on thy cop,
Lytyll day-starne.

1050 *T.*: Hayll, derlyng dere,
full of godhede!
I pray the be nere,
when that I haue nede.
Hayll! Swete is thy chere.
1055 My hart wold blede
To se the sytt here
in so poore wede,
With no pennys.
Hayll! Put furth thy dall!
1060 I bryng the bot a ball;
Haue and play the with all,
And go to the tenys!

Maria: The fader of heuen,
god omnypotent,
1065 That sett all on seuen,
his son has he sent.
My name couth he neuen,
and lyght or he went.
I conceyuyd hym full euen
1070 thrugh myght, as he ment,
And now is he borne.
He kepe you fro wo!
I shall pray hym so.
Tell furth as ye go,
1075 And myn on this morne!

P.: ffarewell, lady,
so fare to beholde,
With thy childe on thi kne!
S.: Bot he lygys full cold.
1080 Lord, well is me;
now we go, thou behold.
T.: ffórsothe, allredy
it semys to be told
Full oft.
1085 *P.*: What grace we haue fun!
S.: Com furth, now ar we won!
T.: To syng ar we bun:
Let take on loft!

Explicit pagina pastorum.

124. *From XXX. IUDICIUM: Devils 'vp Watlyn Strete'.*

Tutiuillus (*T.*), Wolfyshede (primus demon, *Pd.*), and Outehorne (secundus demon, *Sd.*) on their way to the Last Judgement.

Pd.: Oute! Haro! Out, out! [89]
Harkyn to this horne!
I was neuer in dowte
or now at this morne.
5 So sturdy a showte,
sen that I was borne,
Hard I neuer here abowte
in ernyst ne in skorne.
A wonder!
10 I was bonde full fast
In yrens for to last;
Bot my bandys thai brast
And shoke all in sonder. —

It was like to a trumpe,
15 it had sich a sownde.
I fell on a lumpe
for ferd that I swonde.
Sd.: There I stode on my stumpe,
I stakerd that stownde;
20 There chachid I the crumpe,
yit held I my grounde
Halfe nome.

Pd.: Make redy oure gere!
We ar like to haue were;
25 ffor now dar I swere
That Domysday is comme. —

ffor to stand thus tome
thou gars me grete.
Sd.: Let vs go to this dome
30 vp Watlyn strete!
Pd.: I had leuer go to Rome,
yei thryse, on my fete,
Then forto grefe yonde grome
or with hym forto mete.
35 ffor wysely
He spekys on trete,
His paustee is grete;
Bot begyn he to threte,
He lokys full grisly.

40 Bot fast take oure rentals;
hy, let vs go hence!
ffor as this fals
the great sentence.

Sd.: Thai ar here in my dals;
45 fast stand we to fence
Agans thise dampnyd sauls
without repentence
And just.
Pd.: How so the gam crokys,
50 Examyn oure bokys.
Sd.: Here is a bag full, lokys,
Of pride and of lust,

Of wraggers and wrears,
a bag full of brefes,
55 Of carpars and cryars,
of mychers and thefes,
Of lurdans and lyars
that no man lefys,
Of flytars, of flyars,
60 and renderars of reffys:
This can I
Of alkyn astates
That go bi the gatys,
Of poore pride, that god hatys,
65 Twenty so many. —

Bot, sir, I tell you before:
had Domysday oght tarid,
We must haue biggid hell more.
The warld is so warid.
70 *Pd.*: Now gett we dowbill store
of bodys myscarid
To the soules where thai wore
both sam to be harrid.
Sd.: Thise rolles
75 Ar of bakbytars,
And fals questdytars;
I had no help of writars
Bot thise two dalles. — *(Intr. T.)*

T.: Whi spir ye not, sir,
80 no questyons?
I am oone of youre ordir
and oone of youre sons.
I stande at my tristur,
when othere men shones.
85 *Pd.*: Now thou art myn awne
querestur,
I wote where thou wonnes.
Do tell me.
T.: I was youre chefe tollare,
And sithen courte rollar,
90 Now am I master lollar,
And of sich men I mell me.

I haue broght to youre hande
of saules, dar I say,
Mo than ten thowsand
95 in an howre of a day.
Som at ayllhowse I fande,
and som of ferray,
Som cursid, som bande,
som yei, som nay.
100 So many
Thus broght I on blure;
Thus did I my cure.
Pd.: Thou art the best sawgeoure
That euer had I any. —

105 *T.*: Here I be gesse
of many nyce roket,
Of care and of curstnes,
hethyng and hoket,
Gay gere and witles,
110 his hode set on koket,
As prowde as pennyles,
his slefe has no poket,
ffull redles;
With thare hemmyd shoyn,
115 All this must be done;
Bot syre is out at hye noyn
And his barnes bredeles.

A horne and a Duch ax,
his slefe must be flekyt;
120 A syde hede and a fare fax,
his gowne must be spekytt;
Thus toke I youre tax,
thus ar my bookys blekyt.
Pd.: Thou art best on thi wax
125 that euer was clekyt
Or knawen.
With wordes will thou fill vs;
Bot tell thi name till vs.
T.: Mi name is Tutiuillus,
130 My horne is blawen.
ffragmina verborum,
Tutiuillus colligit horum,
Belzabub algorum,
Belial belium doliorum.

135 *Sd.*: What, I se thou can of gramory,
and som what of arte.
Had I bot a penny,
on the wold I warte.
T.: Of femellys a quantite
140 here fynde I parte.
Pd.: Tutiuillus, let se,
goddys forbot thou sparte.
T.: So joly
Ilka las in a lande
145 Like a lady nerehande,
So fresh and so plesande
Makys men to foly.

If she be neuer so fowll a dowde
with hir kelles and hir pynnes,
150 The shrew hir self can shrowde
both hir chekys and hir chynnes.

106 hoket *MS.* 126 knowen *MS.*

She can make it full prowde
with iapes and with gynnes,
Hir hede as hy as a clowde,
155 bot no shame of hir synnes
Thai fele.
When she is thus paynt,
She makys it so quaynte,
She lookys like a saynt,
160 And is wars then the deyle. —

Yit a poynte of the new gett
to tell will I not blyn,
Of prankyd gownes and shulders vp set,
mos and flokkys sewyd wythin.
165 To vse sich gise thai will not let,
thai say it is no syn,
Bot on sich pilus I me set
and clap thaym cheke and chyn,
No nay.
170 Dauid in his sawtere says thus,
That to hell shall thai trus
Cum suis adinuencionibus,
For onys and for ay. —

And Nell with hir nyfyls
175 of crisp and of sylke,
Tent well youre twyfyls
youre nek abowte as mylke;
With youre bendys and youre bridyls
of Sathan, the whilke
180 Sir Sathanas idyls
you for tha ilke,
This gill knaue;
It is open behynde,
Before is it pynde,
185 Bewar of the west-wynde
Youre smok lest it wafe. —

Ye lurdans and lyars,
mychers and thefes,
fflytars and flyars
190 that all men reprefes,
Spolars, extorcyonars,
welcom, my lefes!
ffals jurars and vsurars
to symony that clevys,
195 To tell;
Hasardars and dysars,
ffals dedys forgars,
Slanderars, bakbytars,
All vnto hell! —

After the Last Judgement.

200 *Pd.*: Do now furthe go! [532]
Trus, go we hyne!
Vnto endles wo,
ay lastand pyne!
Nay, tary not so;
205 we get ado syne.
Sd.: Hyte hyderwarde, ho,
harry ruskyne!
War oute!
The meyn shall ye nebyll,
210 And I shall syng the trebill,
A revant the devill
Till all this hole rowte. —

Where is the gold and the good
that ye gederd togedir?
215 The mery menee that yode
hider and thedir?
T.: Gay gyrdyls, iaggid hode,
prankyd gownes, whedir?
Haue ye wit or ye wode,
220 ye broght not hider
Bot sorowe,
And youre synnes in youre nekkys.
Pd.: I beshrew thaym that rekkys!
He comes to late that bekkys
225 Youre bodyes to borow. —

Thar neghburs thai towchid,
with wordys full ill,
The warst ay thai sowchid,
and had no skill.
230 *Sd.*: The pennys thai powchid,
and held thaym still;
The negons thai mowchid,
and had no will
ffor hart fare;
235 Bot riche and ill-dedy,
Gederand and gredy,
Sore napand and nedy
Youre godys forto spare. —

Pd.: Sir, I trow thai be dom,
240 somtyme were full melland;
Will ye se how thai glom!
Sd.: Thou art ay telland;
Now shall thai haue rom
in pyk and tar euer dwelland,
245 Of thare sorow no some,
bot ay to be yelland
In oure fostre.
T.: By youre lefe may we mefe you?
Pd.: Showe furth, I shrew you!
250 *Sd.*: Yit to nyght shall I shew you
A mese of ill ostre.

T.: Of thise cursid forsworne
and all that here leyndys,
Blaw, Wolfyshede and Outehorne,

255 now namely my freyndys!
Pd.: Illa haill were ye borne,
youre awne shame you sheyndys,
That shall ye fynde or to morne.
Sd.: Com now with feyndys
260 To youre angre;
Youre dedys you dam;
Com, go we now sam,
It is commen youre gam,
Com, tary no langer!

125. HEROD FROM COVENTRY

MS.: Birmingham, Free Reference Lb., Croo MS., XVI century; destroyed 1879. Print: Th. Sharp, Hist. Cov., 1817; Diss. on the Coventry Mysteries, 1825. — *ed.*: H. Craig, EETS. LXXXVII; J. M. Manly, Specimens of the Pre-Shaksperean Drama, Boston 1900. — BR. 3477; We. XIV,9; Ba. 277; TB. 90-91; RO.337.

Nonceose: Faytes pais, damnyis, baronys de grande reynowne! [475]
Payis, seneoris, schevaleris de nooble posance!
Pays, gentis homos, companeonys petis egrance!
Je vos command dugard treytus sylance.
5 Payis, tanque vottur nooble roie syre ese presance!
Que nollis persone ese non fawis perwynt dedfferance,
Nese harde de frappas; mayis gardus to to paceance,
Mayis gardus voter seneor to cor reyuerance;
Car elat vottur roie to to puysance.
10 Anon de leo, pase tos je vose cummande!
Elay roie Erott la grandeaboly vos vmport!

Erode: Qui statis in Jude et rex Iseraell,
And the myghttyst conquerowre that eyuer walkid on grownd.
For I am evyn he thatt made bothe hevin and hell,
15 And of my myghte powar holdith vp this world rownd.
Magog and Madroke, bothe the did I confownde,
And with this bryght bronde there bonis I brak onsunder,
Thatt all the wyde worlde on those rappis did wonder.

I am the cawse of this grett lyght and thunder;
20 Ytt ys throgh my fure that the soche noyse dothe make.
My feyrefull contenance the clowdis so doth incumbur
That oftymis for drede therof the verre yerth doth quake.
Loke, when I with males this bryght brond doth schake,
All the whole world from the north to the sowthe
25 I ma them dystroie with won worde of my mowthe!

To reycownt vnto you myn innevmerabull substance,
Thatt were to moche for any tong to tell!
For all the whole orent ys under myn obbeydeance,
And prynce am I of purgatorre and cheff-capten of hell.
30 And those tyraneos trayturs be force ma I compell
Myne enmyis to vanquese and evyn to dust them dryve,
And with a twynke of myn iee not won to be lafte aiyve!

Behold my contenance and my colur,
Bryghtur then the sun in the meddis of the dey!
35 Where can you haue a more grettur succur

1-11 Some of the French words [*cf Manly*]: 2 puissance 3 petits et grands 4 de garder trestous 5 votre noble roi seit ici present 6 nulle personne ici non fasse point d. 7 Ne se hardie de frapper mais gardez toute p. 8 Mais gardez votre seignour tout con r. 9 Car il est 10 Au nom de lui pais tous 11 Il est roi Erode le grand [:cummande] — le diable vous emporte!

1 dffyis 16 the] them *em. Manly*

Then to behold my person that ys soo gaye?
My fawcun and my fassion, with my gorgis araye!
He thatt had the grace allwey theron to thynke,
Lyve the myght allwey withowt othur meyte or drynke.

40 And thys my tryomfande fame most hylist dothe abownde
Throghowt this world in all reygeons abrod,
Reysemelyng the fauer of thatt most myght Mahownd.
From Jubytor be desent and cosyn to the grett god,
And namyd the most reydowndid kyng Eyrodde,
45 Wyche thatt all pryncis hath under subjeccion
And all there whole powar vndur my proteccion.

And therefore, my hareode here, callid Calcas,
Warne thow eyuere porte thatt noo schyppis aryve,
Nor also aleond stranger throg my realme pas,
50 But the for there truage do pay markis fyve!
Now spede the forth hastele;
For the thatt wyll the contrare
Apon a galowse hangid schalbe,
And, be Mahownde, of me the gett noo grace!

55 *Noncios:* Now, lord and mastur, in all the hast
Thy worethe wyll ytt schall be wroght,
And thy ryall cuntreyis schalbe past
In asse schort tyme ase can be thoght.

Erode: Now schall owre regeons throghowt be soght
60 In eyuere place, bothe est and west.
Yif any katyffis to me be broght,
Yt schalbe nothyng for there best.
And the whyle thatt I do resst,
Trompettis, viallis, and othur armone
65 Schall bles the wakyng of my maieste! —

126. William Herebert. Hostis Herodes impie

MS.: Cheltenham, Phillipps 8336; XIV ct.* — *edd.:* Wright-Halliwell, Rel. Ant., 1843; C. Brown, RL. XIV, 2. 1952. — BR. 1213; We. XIII,34; Ba. 267-271.

Herodes, þou wykked fo, wharof ys þy dredinge?
And why art þou so sore agast of Cristes to-cominge?
3 Ne reueth he nouth erthlich god þat maketh ous heuene kynges.

Þe kynges wenden here way and foleweden þe sterre,
And sothfast ly3th wyth sterre-lyth souhten vrom so verre,
6 And sheuden wel þat he ys god in gold and stor and mirre.

Crist ycleped heuene lomb so com to seynt Ion
And of hym was ywas3e þat sunne nadde non,
9 To halewen our vollouth-water þat sunne hauet uordon.

A newe myhte he cudde þer he was at a feste:
He made vulle wyth shyr water six cannes by þe leste,
12 Bote þe water turnde into wyn þorou Crystes oune heste.

Wele, louerd, boe myd þe, þat shewedest þe to day
Wyth þe uader and þe holy gost wythouten endeday.

39 the] he *em. Manly, cf.* 50 * *cf. Forsström, Lund Studies in English XV.*

127. A LUTEL SOTH SERMUN

MS.: Oxford, Jesus Coll. 29; XIII century. — *ed.*: R. Morris, EETS. 49. — BR. 1091; We. V, 3; Ba. 172.

Herkneþ alle gode men and stylle sitteþ adun,
And ich ou wile tellen a lutel soþ sermun;
Wel we wuten alle, þey ich ou nouht ne telle,
Hw Adam vre vorme fader adun feol into helle.
5 Schomeliche he forles þe blisse þat he hedde,
To yuernesse and prude none neode he nedde.
He nom þan appel of þe treo þat him forbode was;
So reuþful dede idon neuer non nas.
He made him into helle falle,
10 And after him his children alle.
Þer he wes fort vre drihte
Hyne bouhte myd his myhte.
He hine alesede myd his blode,
Þat he schedde vpon þe rode.
15 To deþe he yef him for vs alle,
Þo we weren so strong atfalle.
Alle bakbytares heo wendeþ to helle,
Robbares and reuares and þe monquelle,
Lechurs and horlyngs þider schulleþ wende,
20 And þer heo schulle wunye euer buten ende.
Alle þeos false chapmen þe feond heom wule habbe,
Bakares and breowares, for alle men heo gabbe.
Lowe heo holdeþ heore galun, mid beorme heo hine fulleþ,
And euer of þe purse þat seoluer heo tulleþ.
25 Boþe heo makeþ feble heore bred and heore ale;
Habbe heo þat seoluer, ne telleþ heo neuer tale.
Gode men for godes luue bileueþ succhе sunne,
For at þen ende hit binymeþ heueriche wunne.
Alle preostes wives ich wot heo beoþ forlore;
30 Þes persones ich wene ne beoþ heo nouht forbore,
Ne þeos prude yongemen þat luuyeþ Malekyn,
And þeos prude maydenes þat luuyeþ Ianekyn.
At chireche and at chepyng hwanne heo togadere come,
Heo runeþ todageres and spekeþ of derne luue.
35 Hwenne heo to chirche cumeþ to þon holy-daye,
Euervych wile his leof iseo þer yef he may.
Heo biholdeþ Watekin mid swiþe gled eye;
At hom is hire pater-noster biloken in hire teye.
Masses and matynes ne kepeþ heo nouht,
40 For Wilekyn and Watekyn beoþ in hire þouht.
Robyn wule Gilothe leden to þan ale,
And sitten þer togederes and tellen heore tale.
He may quyten hire ale and seoþþe don þat gome,
An eue to go myd him ne þincheþ hire no schome.
45 Hire syre and hire dame þreteþ hire to bete:
Nule heo furgo Robyn for al heore þrete.
Euer heo wule hire skere, ne com hire no mon neyh;
Forte þat hire wombe vp aryse an heyh.
Godemen, for godes luue, bileueþ oure sunne!
50 For at þon ende hit binymeþ heoueryche wunne.
Bidde we Seynte Marie for hire milde mode,
For þe theres þat heo weop for hir sune blode,
Al so wis so he god is for hire erendynge.
To þe blysse of heuene he vs alle brynge. Amen.

128. SOMER IS COMEN AND WINTER GON

MS.: BM., Egerton 613; XIII ct. — *edd.:* R. Morris, EETS. 49; C. Brown, EL. XIII, Oxford 1932. — BR. 3221; We. XIII, 164; Ba. 267-271.

Somer is comen and winter gon,
Þis day biginniþ to longe,
And þis foules euerichon
Joye hem wit songe.
5 So stronge kare me bint,
Al wit joye þat is funde
In londe,
Al for a child
Þat is so milde
10 Of honde.

Þat child þat is so milde and wlong
And eke of grete munde,
Boþe in boskes and in bank
Isout me hauet astunde.
15 Ifunde he heuede me,
For an appel of a tre
Ibunde.
He brac þe bond
Þat was so strong
20 Wit wunde.

Þat child þat was so wilde and wlong
To me alute lowe,
Fram me to Giwes he was sold
Ne cuþen hey him nout cnowe.
25 'Do we,' sayden he,
'Naile we him opon a tre
A-lowe,
Ac arst we sullen
Scumi him
30 A þrowe.'

Ihesu is þe childes name,
King of al londe.
Of þe king he meden game
And smiten him wit honde
35 To fonden him, opon a tre
He ȝeuen him wundes to and þre
Mid honden,
Of bitter drinck
He senden him
40 A sonde.

Det he nom ho rodetre,
Þe lif of vs alle,
Ne miitte it nowtt oþer be
Bote we scolden walle,
45 And wallen in helle dep
Nere neuere so swet
Wit alle.
Ne miitte us saui
Castel, tur,
50 Ne halle.

Mayde and moder þar astod,
Marie ful of grace,
And of here eyen heo let blod
Uallen in þe place.
55 Þe trace ran of here blod,
Changed ere fles and blod
And face.
He was todrawe,
So dur islawe
60 In chace.

Det he nam, þe suete man,
Wel heye opon þe rode;
He wes hure sunnes euerichon
Mid is swete blode.
65 Mid flode he lute adun
And brac þe ȝates of þat prisun
Þat stode,
And ches here
Out þat þere
70 Were gode.

He ros him ene þe þridde day,
And sette him on is trone.
He wule come a domesday,
To dem us euerich one.
75 Grone he may and wepen ay,
Þe man þat deiet witoute lay
Alone.
Grante ous, Crist,
Wit þin uprist
80 To gone. Amen.

---

2 biginniz 6 *? em.* þat I find 14 hauet] hauȝ *MS.* 21 wlong] bold *em. Brown*
23 *? em.* For me by G.h.w. fong
41 Det] dȝ *MS.* 43 miite] *erasure in MS.*, mytte *in a later hand on margin* 53 of here eyen heo] *erasure in MS., almost illegible;* Hii let þe teres al of blod *in a later hand on margin* 56 changedere *MS.* 66 brace *MS.* 74 euerichic *MS.* 80 gene *MS.*

129. ERTHE

MSS.: *A.* = BM., Harley 2253, early XIV ct.; *B.* = Lambeth 853, early XV ct. — *ed.*: H. Murray, Erthe upon Erthe, EETS. 141. — BR. 3939, 3940, 703-705; We. VII, 26; Ke. 4618-19; Ba. 267-271.

A. Erþe toc of erþe erþe wyþ woh;
Erþe oþer erþe to þe erþe droh;
Erþe leyde erþe in erþene þroh:
4 Þo heuede erþe of erþe erþe ynoh.

B. Erþe out of erþe is wondirly wrouȝt;
Erþe of erþe haþ gete a dignyte of nouȝt;
Erþe upon erþe haþ sett al his þouȝt,
4 How þat erþe upon erþe may be hiȝ brouȝt.

Erþe upon erþe wold he be a king;
But how erþe schal to erþe þenkiþ he no þing.
Whanne þat erþe biddiþ erþe hise rentis hom bring,
8 Þan schal erþe out of erþe haue a piteous parting.

Erþe upon erþe wynneþ castels and touris:
Þan seiþ erþe to erþe: 'Now is þis al houris!'
Whanne erþe upon erþe haþ biggid up hise boures,
12 Þanne schal erþe upon erþe suffir scharpe schouris.

Erþe gooth upon erþe; as molde upon molde
So gooth erþe upon erþe, al gliteringe in golde,
Like as erþe unto erþe neuere go scholde:
16 And ȝit schal erþe unto erþe raþer þan he wolde. —

Þerfore, þou erþe upon erþe, þat so wickidli hast wrouȝt,
While þat þou erþe art upon erþe, turne aȝen þi þouȝt,
And praie to þat god upon erþe, þat al þe erþe haþ wrouȝt,
20 Þat þou, erþe upon erþe, to blis may be brouȝt. —

130. LOUE

MS.: Edinburgh, Nat. Lb. 18. 7. 21 (John Grimestone); XIV century. — *ed.*: C. Brown, RL. XIV, 2. 1952. — BR. 2012; We. XIII, 241; Ba. 267-271.

Loue me brouthte,
And loue me wrouthte,
Man, to be þi fere.
Loue me fedde,
And loue me ledde,
6 And loue me lettet here.

Loue me slou,
And loue me drou,
And loue me leyde on bere.

Loue is my pes,
For loue I ches,
12 Man to byȝen dere.

Ne dred þe nouth,
I haue þe south,
Boþen day and nith,
To hauen þe,
Wel is me,
18 I haue þe wonnen in fith.

131. HYMN TO MARY

MS.: BM., Egerton 613; XIII ct. — *edd.*: R. Morris, EETS. 49; F. A. Patterson, ME. Penitential Lyric, NY. 1911; C. Brown, EL. XIII, Oxford 1932. — BR. 2645; We. XIII, 189; Ba. 267-271.

Of on þat is so fayr and briȝt
Velud maris stella,
Briȝter þan þe dayis liȝt,
Parens et puella,
5 Ic crie to þe, þou se to me,
Leuedy, preye þi sone for me,
Tam pia,
Þat ic mote come to þe,
Maria.

10 Of kare conseil þou ert best,
Felix fecundata;
Of alle wery þou ert rest,

Mater honorata.
Bisek him wit milde mod
15 Þat for ous alle sad is blod
In cruce,
Þat we moten komen til him
In luce.

Al þis world was forlore
20 *Eua peccatrice,*
Tyl our lord was ybore
De te genitrice.
With aue it went away,
Þuster nyth and comet þe day
25 *Salutis,*
Þe wellc springet hut of þe
Virtutis.

Leuedi, flour of alle þing,
Rosa sine spina,
30 Þu bere Ihesu, heuene king,
Gratia diuina.
Of alle þu berst þe pris,
Leuedi, quene of parays
Electa,
35 Mayde milde moder es
Effecta.

Wel he wot he is þi sone
Ventre quem portasti;
He wyl nout werne þe þi bone
40 *Paruum quem lactasti.*
So hende and so god he his,
He hauet brout ous to blis
Superni,
Þat hauet hidut þe foulc put
45 *Inferni.*

132. OREYSOUN

MS.: BM., Harley 2253. Bg. XIV ct. – *edd.*: K. Böddeker, Dichtgg. Harl. 2253, Berlin 1878; G. L. Brook, The Harley Lyrics, Manchester 1948. — BR. 2039; We. XIII, 197; Ke. 4618-19; Ba. 267-271.

Mayden moder milde,
Oiez cel oreysoun!
From shome þou me shilde
4 *E de ly mal feloun.*
For loue of þine childe
Me menez de tresoun.
Ich wes wod ant wilde,
8 *Ore su en prisoun.*

Þou art feyr ant fre
E plein de doucour;
Of þe sprong þe ble,
12 *Ly souerein creatour.*
Mayde, byseche y þe
Vostre seint socour:
Meoke ant mylde be wiþ me
16 *Pur la sue amour!* —

133. WILLIAM HEREBERT. TO ST. MARY

MS.: Cheltenham, Phillipps 8336: XIV ct.* — *edd.*: Wright-Halliwell, Rel. Ant., 1843; C. Brown RL. XIV, 2. 1952. — BR. 3700; We. XIII, 39; Ba. 267-271.

Þou wommon boute uere
Þyn oune uader bere;
Gret wonder þys was
Þat on wommon was moder
To uader and hyre broþer,
6 So neuer oþer nas.

Þou my suster and moder
And þy sone my broþer,
Who shulde þoenne drede?
Whoso hauet þe kyng to broder
And ek þe quene to moder
12 Wel auhte uor to spede.

Dame, suster and moder,
Say þy sone, my broþer,
Þat ys domesmon,
Þat uor þe þat hym bere,
To me boe debonere;
18 My robe he haueth opon.

Soethþe he my robe tok,
Also ich finde in bok,
He ys to me ybounde.
And helpe he wole, ich wot,
Vor loue þe chartre wrot,
24 Þe enke orn of hys wounde.

Ich take to wytnessinge
Þe spere and þe crounynge,
Þe nayles and þe rode,
Þat he þat ys so cunde,
Þys euer haueth in munde,
30 Þat bouhte ous wyth hys blode.

When þou ȝeue hym my wede,
Dame, help at þe noede
Ich wot þou myth uol wel,
Þat uor no wreched gult
Ich boe to helle ypult,
36 To þe ich make apel.

---

24 comȝ *MS.*   * *cf. Forsström, Lund Studies in English XV.*

Nou, dame, ich þe byseche
At þylke day of wreche
Boe by þy sones trone,
When sunne shal boen souht
In werk, in word, in þouht,
42 And spek uor me þou one. Amen.

134. A SPRING SONG

MS.: BM., Harley 2253. Bg. XIV ct. — *edd.*: K. Böddeker, Dichtgg. Harl. 2253. Berlin 1878; G. L. Brook, The Harley Lyrics, Manchester 1948. — BR. 3963; We. XIII, 163; Ke. 4618-19; Ba. 267-271.

When y se blosmes springe
Ant here foules song,
A suete loue-longynge
Myn herte þourhout stong,
5 Al for a loue newe,
Þat is so suete ant trewe,
Þat gladieþ al my song.
Ich wot al myd iwisse
My ioie ant eke my blisse
10 On him is al ylong.

When y miselue stonde
Ant wiþ myn eȝen seo
Þurled fot ant honde
Wiþ grete nayles þreo,
15 Blody wes ys heued,
On him nes nout bileued
Þat wes of peynes freo,
Wel wel ohte myn herte
For his loue to smerte
20 Ant sike ant sory beo.

Iesu, milde ant softe,
Ȝef me streynþe ant myht
Longen sore ant ofte
To louye þe aryht,
25 Pyne to þolie ant dreȝe
For þe, swete Marye!
Þou art so fre ant bryht,
Mayden and moder mylde,
For loue of þine childe,
30 Ernde vs heuene lyht.

Alas, þat y ne con
Turne to him my þoht
Ant cheosen him to lemmon!
So duere he vs haþ yboht,
35 Wiþ woundes deope ant stronge,
Wiþ peynes sore ant longe;
Of loue ne conne we noht.
His blod þat feol to grounde
Of hise suete wounde
40 Of peyne vs haþ yboht.

Iesu, milde ant suete,
Y synge þe mi song.
Ofte y þe grete
Ant preye þe among:
45 Let me sunnes lete,
Ant in þis lyue bete
Þat ich haue do wrong!
At oure lyues ende,
When we shule wende,
50 Iesu, vs vnderfong! Amen.

135. AN AUTUMN SONG

MS.: BM., Harley 2253. — BR. 2359; We. XIII, 204; Ba. 267-271.

Nou skrinkeþ rose ant lylieflour
Þat whilen ber þat suete sauour
In somer, þat suete tyde;
Ne is no quene so stark ne stour
5 Ne no leuedy so bryht in bour
Þat ded ne shal by-glyde.
Whose wol fleysh lust forgon
Ant heuene blis abyde,
On Iesu be is þoht anon,
10 Þat þerled was ys side.

From Petresbourh in o morewenyng,
As y me wende o my pleyȝyng,
On mi folie y þohte.
Menen y gon my mournyng
15 To hire þat ber þe heuene kyng,
Of merci hire bysohte.
Ledy, preye þi sone for ous,
Þat vs duere bohte,
Ant shild vs from þe loþe hous
20 Þat to þe fend is wrohte.

Myn herte of dedes wes fordred
Of synne þat y haue my fleish fed
Ant folewed al my tyme,
Þat y not whider I shal be led
25 When y lygge on deþes bed,
In ioie ore into pyne.
On o ledy myn hope is,
Moder ant virgyne,
We shulen into heuene blis
30 Þurh hire medicine.

---

134. 26 swete *Var. R* (Royal 2 F. VIII, ed. Brown EL. XIII)] sone *MS.* 34 þat þvs me haued hybovt *R* 43 þe] se *MS.* 49 we] whe *MS.* 50 vndefong *MS.* ***135.*** 1 skrnkeþ *MS.* 29 whe *MS.*

Betere is hire medycyn
Þen eny mede or eny wyn;
Hire erbes smulleþ suete:
From Catenas into Dyuelyn
35 Nis þer no leche so fyn
Oure serewes to bete.
Mon þat feleþ eni sor
Ant his folie wol lete,
Wiþoute gold oþer eny tresor
40 He mai be sound ant sete.

Of penaunce is his plastre al,
Ant euer seruen hire y shal
Nou ant al my lyue.
Nou is fre þat er wes þral,
45 Al þourh þat leuedy gent ant smal;
Heried be hyr ioies fyue!
Wherso eny sek ys,
Þider hye blyue!
Þurh hire beoþ ybroht to blis
50 Bo mayden ant wyue. —

136. THE OLD MAN'S PRAYER

MS.: BM., Harley 2253, Bg. XIV ct. — *edd.:* K. Böddeker, Dichtgg. Harl. 2253, Berlin 1878; G. L. Brook, The Harley Lyrics, Manchester 1948. — BR. 1216; Wc. XIII, 135; Ba. 267-271.

Heȝe louerd, þou here my bone,
Þat madest middelert ant mone,
Ant mon of murþes munne.
Trusti kyng ant trewe in trone,
5 Þat þou be wiþ me sahte sone,
Asoyle me of sunne.
ffol ich wes in folies fayn,
In luthere lastes y am layn,
Þat makeþ myn þryftes þunne,
10 Þat semly sawes wes woned to seyn.
Nou is marred al my meyn,
Away is al my wunne.

Vnwunne haueþ myn wonges wet,
Þat makeþ me rouþes rede.
15 Ne semy nout þer y am set,
Þer me calleþ me fulleflet
Ant waynoun wayteglede.

Whil ich wes in wille wolde,
In vch a bour among þe bolde
20 Yholde wiþ þe heste.
Nou y may no fynger folde,
Lutel loued ant lasse ytolde,
Yleued wiþ þe leste.
A goute me haþ ygreyþed so
25 Ant oþer eueles monye mo.
Y not whet bote is beste.
Þar er wes wilde ase þe ro
Nou y swyke, y mei nout so,
Hit siweþ me so faste.

30 ffaste y wes on horse heh
Ant werede worly wede.
Nou is faren al my feh,
Wiþ serewe þat ich hit euer seh,
A staf ys nou my stede.

35 When y se steden styþe in stalle
Ant y go haltinde in þe halle,
Myn huerte gynneþ to helde.
Þat er wes wildest inwiþ walle
nou is vnder fote ytalle
40 Ant mey no fynger felde.
Þer ich wes luef icham ful loht,
Ant alle myn godes me atgoht,
Myn gomenes waxeþ gelde.
Þat feyre founden me mete ant cloht,
45 Hue wrieþ awey as hue were wroht:
Such is euel ant elde.

Euel ant elde ant oþer wo
Foleweþ me so faste
Me þunkeþ myn herte brekeþ atuo.
50 Suete god, whi shal hit swo?
Hou mai hit lengore laste?

Whil mi lif wes luþer ant lees,
Glotonie mi glemon wes,
Wiþ me he wonede a while.
55 Prude wes my plowefere,
Lecherie my lauendere;
Wiþ hem is gabbe ant gyle.
Coueytise myn keyes bere,
Niþe ant Onde were mi fere,
60 Þat bueþ folkes fyle.
Lyare wes mi latymer,
Sleuthe ant Slep mi bedyuer,
Þat weneþ me vmbe while.

Vmbe while y am to wene,
65 When y shal murþes meten.
Monne mest y am to mene.
Lord, þat hast me lyf to lene,
Such lotes lef me leten. —

Nou icham to deþe ydyht;
70 Ydon is al my dede.
God vs lene of ys lyht
Þat we of sontes habben syht
Ant heuene to mede! Amen.

---

136. 27 þar] þat *em. Böd.* 63 vnbe 64 whene

137. HAND BY HAND WE SHALL US TAKE

MS.: Bodl. Libr., Bodley 1871; first half XIV century. — *edd.*: C. Brown, Rel. Lyrics XIV, 2. 1952; R.L.Greene, EE. Carols, Oxford 1935. — BR. 29.

Honnd by honnd we schulle ous take,
And ioye and blisse schulle we make,
For þe deuel of elle man hazt forsake,
4 *And godes sone ys maked oure make.*

A child is boren amonges man,
And in þat child was no wam;
Þat child ys god, þat child is man,
8 And in þat child oure lif bygan.
Honnd by honnd, &c.

Senful man, be bliþe and glad,
For your mariage þy peys ys grad,
12 Wan Crist was boren!
Com to Crist, þy peis ys grad,
For þe was hys blod ysched,
Þat were forloren.
16 Honnd by honnd, &c.

Senful man, be bliþe and bold,
For euene ys boþe boȝt and sold,
Euereche fote!
20 Com to Crist, þy peys ys told;
For þe he ȝahf a hondre fold
Hys lif to bote.
Honnd by honnd, &c.

138. BLESSED BE THE APPLE

MS.: BM., Sloane 2593; XV century. — *ed.*: B. Fehr, Archiv 109; C.Brown, Rel. Lyrics XV, Oxford 1939. — BR. 117.

Adam lay i-bowndyn, bowndyn in a bond,
Fowr þowsand wynter þowt he not to long;
And al was for an appil, an appil þat he tok,
As clerkes fyndyn wretyn in here book.

Ne hadde þe appil take be, þe appil taken ben,
Ne hadde neuer our lady a ben heuene qwen.
Blyssid be þe tyme þat appil take was!
Þerfore we mown syngyn: *Deo gracias.*

139. TIMOR MORTIS CONTURBAT ME

MS.: Bodl. Library 29734, Eng. poet. e I; XV century. — *edd.*: Th.Wright, Songs and Carols, Percy XXIII, 1836; R.L.Greene, EE. Carols, Oxford 1935. — BR. 375.

In what estate so ever I be;
Timor mortis conturbat me.

As I went in a mery mornyng,
I hard a byrd boþe wep and syng.
Þys was þe tenowr of her talkyng:
6 *Timor mortis conturbat me.*

I asked þat byrd what sche ment.
"I am a musket boþe fayer and gent;
For dred of deþ I am al schent:
10 *Timor mortis conturbat me.*

Whan I schal dey, I know no day;
What countre or place I cannot sey;
Wherfor þis song syng I may:
14 *Timor mortis conturbat me.*

Jhesu Cryst, whane he schuld dey,
To hys fader he gan prey;
"Fader," he seyd, "in trinite,
18 *Timor mortis conturbat me."*

Al crysten pepull behold and se:
Þis world is but a vanite,
And replet with necessyte;
22 *Timor mortis conturbat me.*

Wak I or sclep, ete or drynke:
Whan I on my last end do thynk,
For grete fer my sowle doþ shrynke;
26 *Timor mortis conturbat me."*

God graunte vs grace hym for to serue,
And be at owr end whan we sterue,
And frome þe fynd he vs preserue!
30 *Timor mortis conturbat me."*

---

137. Burden in 9 *and* 16 Honnd by honnd þanne schulle ous take, &c.
139. 16 prey] sey *MS.*

140. AMOR MARIAE

(QUIA AMORE LANGUEO I)

MS.: Bodleiana 21896, Douce 322; XV ct. — *edd.:* C. Brown, RL. XIV, 2. 1952; H. S. Bennett London 1938. — BR. 1460; Ba. 267-271.

In a tabernacle of a toure,
As I stode musyng on the mone,
A crouned quene, most of honoure,
4 Apered in gostly syght ful sone.
She made compleynt thus by hyr one,
For mannes soule was wrapped in wo:
'I may nat leue mankynde allone,
8 *Quia amore langueo.*

I longe for loue of man my brother,
I am hys vokete to voyde hys vyce.
I am hys moder, I can none other,
12 Why shuld I my dere chylde dispyce?
Yef he me wrathe in diuerse wyse,
Through flesshes freelte fall me fro,
Yet must we rewe hym tyll he ryse,
16 *Quia amore langueo.* —

O wreche in the worlde, I loke on the,
I se thy trespas day by day,
With lechery ageyns my chastite,
20 With pryde agene my pore aray.
My loue abydeth, thyne ys away;
My loue the calleth, thow stelest me fro.
Sewe to me, synner, I the pray,
24 *Quia amore langueo!* —

I seke the in wele and wrechednesse,
I seke the in ryches and pouerte.
Thow, man, beholde where þy moder ys;
28 Why louest þou me nat syth I loue the?
Synful or sory how euere thow be,
So welcome to me there ar no mo.
I am thy suster, ryght trust on me,
32 *Quia amore langueo.* —

Nowe, man, haue mynde on me for euer,
Loke on þy loue þus languysshyng.
Late vs neuer fro other disseuere,
36 Myne helpe ys þyne oune, crepe vnder my wynge.
Thy syster ys a quene, þy broþer a kynge,
Thys heritage ys tayled, sone come þerto.
Take me for þy wyfe and lerne to synge,
40 *Quia amore langueo!*'

141. AMOR CHRISTI

(QUIA AMORE LANGUEO II)

MS.: London, Lambeth 853; XV cent. — *edd.:* F. J. Furnivall, EETS. 15; H. S. Bennett, London 1938. — BR. 1463; Ba. 267-271.

In a valey of þis restles mynde
I souȝte in mounteyne and in mede,
Trustynge a trewe loue for to fynde.
4 Vpon an hil þan y took hede:
A voice y herde, and neer y ȝede,
In huge dolour complaynynge þo:
'Se, dere soule, how my sidis blede,
8 *Quia amore langueo.*'

Vpon þis hil y fond a tree,
Vndir þe tree a man sittynge.
From heed to foot woundid was he,
12 His herte-blood y siȝ bledinge;
A semeli man to ben a king,

141. 2 mede *Var.*] myde *MS.*

A graciouse face to loken vnto.
I askide whi he had peynynge;
16 He seide: '*Quia amore langueo.*

I am true loue, þat fals was neuere.
Mi sistyr, mannis soule, y loued hir þus!
Bicause we wolde in no wise disceuere,
20 I lefte my kyngdom glorious.
I purueide for hir a paleis precious;
Sche fleyth, y folowe, y souȝte hir so.
I suffride þis peyne piteuous
24 *Quia amore langueo.*

My fair spouse and my loue briȝt,
I saued hir fro betynge, and sche haþ me bet;
I cloþid hir in grace and heuenli liȝt,
28 Þis bloodi scherte sche haþ on me sette.
For longynge of loue ȝit wolde y not lett.
Swete strokis are þese, lo!
I haue loued hir euere as y hir het,
32 *Quia amore langueo.*

I crowned hir wiþ blis, and sche me with þorn;
I ledde hir to chaumbir, and sche me to die;
I brouȝte hir to worschipe, and sche me to scorn;
36 I dide her reuerence, and sche me vilonye.
To loue þat loueþ is no maistrie;
Hir hate made neuere my loue hir foo,
Axe me no questioun whi,
40 *Quia amore langueo.*

Loke vnto myn hondis, man!
Þese gloues were ȝoue me whan y hir souȝte.
Þei ben not white, but rede and wan,
44 Onbroudrid with blood my spouse hem brouȝte.
Þei wole not of, y loose hem nouȝte,
I wowe hir with hem where-euere sche go;
Þese hondis for hir so freendli fouȝte,
48 *Quia amore langueo.*

Merueille nouȝte, man, þouȝ y sitte stille.
Se, loue haþ sched me wondir streite,
Boclid my feet, as was hir wille,
52 With scharp naile, lo, þou maiste waite.
In my loue was neuere desaite,
Alle myn humours y haue opened hir to,
Þere my bodi haþ maad hir hertis baite,
56 *Quia amore langueo.* —

I sitte on þis hil, for to se fer,
I loke into þe valey my spouse to se;
Now renneþ sche awayward, ȝit come sche me neer,
60 For out of my siȝte may sche not flee.
Summe wayte hir prai to make hir to flee,
I renne bifore, and fleme hir foo;
Returne, my spouse, aȝen to me,
64 *Quia amore langueo.*

Fair loue, lete us go pleye!
Applis ben ripe in my gardayne,
I schal þee cloþe in a newe aray,
68 Þi mete schal be mylk, hony, and wiyn.

22 flolowe *MS.* 30 are] axe *MS.*, be *Var.*

Fair loue, lete us go digne,
Þi sustynaunce is in my crippe, lo!
Tarie þou not, my faire spouse myne,
72 *Quia amore langueo.* —

My loue is in hir chaumbir; holde ȝoure pees.
Make ȝe no noise, but lete hir slepe.
My babe y wolde not were in disese;
76 I may not heere my dere child wepe.
With my pap y schal hir kepe.
Ne merueille ȝe not þouȝ y tende hir to:
Þis hole in my side had neuere be so depe,
80 But *quia amore langueo.*' —

142. AL OTHER LOUE

MS.: Eton Coll. 36, II. M. XIV ct. — *ed.*: C. Brown, RL. XIV, 2. 1952. — BR. 196; We. XIII, 51a.

Al oþer loue is lych þe mone
Þat wext and wanet as flour in plein,
As flour þat fayret and fawyt sone,
4 As day þat scwret and endt in rein.

Al oþer loue bigint bi blisse,
In wep and wo mak is hendyng:
No loue þer nis þat oure halle lysse,
8 Bot wat areste in evene kyng. —

Al oþer loue y flo for þe;
Tel me, tel me, wer þou lyst?
'In Marie mylde an fre
12 I schal be founde, ak mor in Crist.' -

143. HI SIKE AL WAN HI SINGE

MS.: Bodleiana 1603, Digby 2; XIII ct. — *edd.*: F. J. Furnivall, EETS. 117; C. Brown, EL. XIII, Oxford 1932. — BR. 1365; We. XIII. 124; Ba. 267-271.

Hi sike al wan hi singe,
For sorue þat hi se
Wan hic wit wepinge
Biholde apon þe tre.
5 Hi se Ihesu, mi suete,
His herte blode forlete
For þe luue of me.
His wondis waxin wete;
Marie, milde and seete,
10 Þu haf merci of me!

Hey apon a dune
As al folke hit se may,
A mile wythute þe tune
Abute þe midday,
15 Þe rode was op areride.
His frendis werin al offerde,
Þei clungin so þe cley.
Þe rod stonit in ston.
Mari hirselfe alhon,
20 Hir songe was wayleway.

Wan hic him biholde
Wyt hey and herte bo,
Hi se his bodi colde,
His ble waxit alle bloe.
25 He honge al of blode
Se hey apon þe rode
Bitwixen þefis two.
Hu soldi singe mor?
Mari, þw wepe sor,
30 Þu wist of al his woe.

Wel ofte wan hi siche,
Hi make mi mone,
Hiuel hit may me like;
Ande wondir nis hit non
35 Wan hi se honge hey
Ande bitter peynis drei
Ihesu mi lemmon.
His wondis sor smerte,
Þe sper his at his herte.
40 Ande þorit his side gun.

Þe naylis beit al to longe,
Þe smyt his al to sleye,
Þue bledis al to longe;
Þe tre his al to heye.
45 Þe stonis waxin wete.
Allas, Ihesu mi suete,
Feu frendis hafdis neye;
But sin Ion murnind
And Mari wepind,
50 Þat al þi sorue seye.

Wel ofte wan hi slepe
Wit soru hic ham soit,
Wan hi wake and wepe
Hi þenke in mi þoit,
55 Allas, þat men beit wode,
Biholdit an þe rode,
And silit, hic li noyt,
Her souelis into sin
For any worlde his win
60 Þat was so der hiboyt.

143. 22 bo *Var. (Harl. 2253)*] boþe *MS.* 23 hise *MS.* 48 murind *MS.* 52 þoit soit *MS.* 53 wepe] wende *MS.*

144. Three Things

MS.: Arundel 292; XIII ct. — *edd.*: E. Mätzner, SPR. I, 1867; M. Förster, Anglia XLII; C. Brown, EL. XIII, Oxford 1932. — BR. 3969; We. VII, 37; Ba. 267-271.

Wanne I ðenke ðinges ðre
Ne mai hi neure bliðe ben:
Ðe ton is dat I sal awei, 3
Ðe toþer is I ne wot wilk dei;
Ðe ðridde is mi moste kare,
I ne wot wider I sal faren. 6

145. THOW WRECHE GOST WITH MUD YDET

MS.: BM., Addit. 11579, fol. 26b; XVth century. — ***Not heretofore printed.*** — BR. 3701.

Þw wreche gost, wid mud ydet,
Þync on me her in þys pet!
A man y was and mannes fere:
Swylc schalt þw ben as yc am here.

146. Becomen ich wil frere

MS.: Bodl. 1603, Digby 2; XIII ct. — *edd.*: F. J. Furnivall, EETS. 117; C. Brown, E. L. XIII, 2. 1952. — BR. 2293; We. XIII, 28; Ba. 267-271.

No more ne willi wiked be,
Forsake ich wille þis world-is fe,
Þis wildis wedis, þis folen gle.
Ich wul be mild of chere,
Of cnottis scal mi girdil be:
Becomen ich wil frere. 6

Frer menur I wil me make,
And lecherie I wille asake;
To Ihesu Christ ich wil me take
And serue in holi churche,
Al in mi ouris for to wake,
Goddis wille to wurche. 12

Wurche I wille þis workes gode,
For him þat boyht us in þe rode.
Fram his side ran þe blode,
So dere he gan vs bie.
For sothe I tel him mor þan wode
Þat hantit licherie. 18

147. Memorare novissima tua

MS.: Sankt Florian, Stiftsbibl. XI. 57; XIII / XIV century. ***Not heretofore printed; a facsimile edition had been prepared in MS. by B. ten Brink.****(Varr. edd.: Wright-Halliwell, Rel. Ant.; M. Förster, Anglia XLII; F. J. Furnivall, EETS. 15; H. Murray, EETS. 141; C. Brown, EL.XIII. pp. 19, 173-175; *a. o.* — BR. 1422, 3201, 3219, 4129; We. VII, 16, 16a, 16b, 17.) — ***St.Florian MS. not listed in BR.***

Þe man þat him beþouhte
Herlic and ofte
Hu sori his þat fore
From bed into fflore, 4
Hu sori his þat fflute
Fro bere into pute,
Nis hin vrþe sunne
Þat solde his lif winne. 8

** **I received ten Brink's MS. from A. Brandl in 1939; and I should not like to omit the late publication. Other versions of these verses appear as tombstone or mural inscriptions, cf.*** BR. 4129; We. VII, 16a. —

1 byþouhte *Var.*] be þinchet ***MS.*** 7 vrþe] ? vrre ***MS.***

148. John Audelay. Vche mon kepe his state

MS.: Bodl. 21876, Douce 302; XV ct. — *ed.*: E. K. Whiting, EETS. 184. — BR. 1588: Ke. 4417; Ba. 264; TB. 99-100.

I say algate:
Hit is þe best, erele and late,
Vche mon kepe his oune state.

In wat order or what degre
Hole cherche haþ bownd þe to,
Kepe hit wele, I cownsel þe,
Dissire þou neuer to go þerfro.
5 I say allgate: *&c.*

A hye worchip hit is to þe
To kepe þi state and þi good name,
Leud or lered, werehere hit be,
Ellis god and mon þay wol þe blame.
10 I say algate: *&c.*

Foure obisions now schul ȝe here
Þat god hatls hile in his syȝt:
A harde prest, a proud frere,
An hold mon lechoure, a couard [knyȝt!
15 I say algate: *&c.*

A prest schuld scheu vche mon mekenes,
And leue in loue and charite,
Proȝ his grace and his goodnes
Set al oþer in vnite.
20 I say algate: *&c.*

A frere schuld loue alle holenes,
Prayers, penans, and pouerte;
Relegious men, Crist hem ches
To foresake pride and vaynglory.
25 I say algate: *&c.*

An hold mon schuld kepe him chast,
And leue þe synne of lechore.
Al wedid men schuld be stedfast,
And foresake þe syn of avowtre.
30 I sai algate: *&c.*

A knyȝt schuld feȝt aȝayns falsnes,
And schew his monhod and his myȝt,
And mayntene trouþ and ryȝtwysnes,
And hole cherche and wedowes ryȝt.
35 I say algate: *&c.*

Here be al þe foure astatis
In hole cherche god haþ ordent.
He bedis ȝou kepe hem wel algate.
Wosoeuer hem chomys he wyl be [schent.
40 I say algate: *&c.*

149. A Christmas Carol

(? John Audelay) — *MS.*, *ed.*: *as before*. (Var.: BM., Sloane 2593; ed. B. Fehr, Archiv CIX.) — BR. 3526.

Nowel, nowel, nowel!

Þer is a babe born of a may
In saluacion of vs,
Þat he be heryd in þis day,
4 *Vene, creatore spiritus.*

In Bedlem in þat fayre plas
Þis blessid barne borne he was.
Him to serue god grawnt vs grace,
8 *Tu trinetatis vnitas.*

Þe angelis to chepardis songyn and [sayd:
'Pes in erþ be mon vnto!'
Þerwith þai were ful sore afrayd,
12 *Glorea in exelsis deo.*

Þe chepardis hard þat angel song.
Þai heredon god in trenete;
Moche merþ was ham among,
16 *Iam lucis ortus sidere.*

III· kyngis þai soȝt him herefore
Of dyuers lond and fere cuntre,
And askidyn were þis barne was [bore,
20 *Hostes Herodes impij.* —

Þe stere apered here face beforne,
Þat gladid here hertes ful graciously,
Ouer þat plase þis babe was born,
24 *Ihesu saluotor seculi.*

Þai knelid adowne with gret reuerens;
Gold, sens, and myr þai offerd him to.
He blessid ham al þat were pres^ent,
28 *Ihesu nostra redempcio.*

Þe gold betokens he was a kyng;
Þe sens, a prest of dyngnete;
Þe myr betokynþ his bereyng,
32 *Magne deus potencie.* —

Þai turnyd þen anoþer way
Into here kyngdom ful graciously.
Þen þai begonon to syng and say:
36 *Saluator mundy, domine.*

---

148. 11 Fourel Fore ·iiij· *MS.* abusions *em. Whiting* 39 Woseuer *149.* 34 here *not in MS.*

150. SEPTEM VIRTUTES CONTRA SEPTEM VICIA

MS.: BM., Harley 1706, fol. 206a; XV century. — *Not heretofore printed.* — BR. 469.

Be meke and mylde of herte and tunge
Ayens pryde, boþ oolde and younge.
Kepe charyte and flee enuye;
Hate no man in herte preuylye.
5 Suffer wronge and chyde þou not.
Be ware of wraþe and venge þe not.
Do almes whyles þou arte in quarte.
Late neuer auaryce dwelle in þi herte.
Kepe mesure in mete and drynke at mele.
10 Flee glotonye and wiþ him not deele.
In clennesse kepe þe chaste and cleere.
Be no lechoure in no maner.
Euer worche some werke of honeste,
And be neuer ydel, y counselle þee.
15 Þese vertues slene þe synnes seuene
And leden a man þe way to heuene.

151. THE CRUCIFIXION

MS.: BM., Addit. 37049, fol. 28a; XV century. — *Not heretofore printed.* — BR. 269.

Also take hede to þis insawmpyl here
Þat is lykend vnto þe fawconere,
Þe whilk when his hawke fro hym dos flee
Schews to þe hawke rede flesche to see;
5 And when þe hawke lokes þer vnto,
ffast to his mayster he hastes to go.
Þus dos Criste, as ȝe may see:
Hynges bledyng opon a tre,
Hys body with blody woundes schewynge
10 ffor to induce to hym mans saule to brynge,
Þe whilk fro hym by syn dos fle away
And to hym will turne agayn withoute delay.
Þus he has his armes spred man to hals and kysse,
Þat to hym will turne repentyng his mys.
15 Þerfore of saluacioun if þou sure wil be
Þe cros of penaunce þou take on þe,
Þat is be distret poneschyng of þi body,
And nayled þorow þi left hande for þat foly
With schame and displesaunce of all þi syn
20 Þat letts þe alway heuen to wyn.
Þe nayle in þe right hande also sal be
Desyre and luf of heuenly þinges in þi hert fre.
Þe nayle sal be drede þat þorow þi fete sal go,
Þat in dedly syn þou be not dampned to endles wo.
25 And þe spere þe whilk sal perche þi hert,
Sal be contricioun for syn with sorow smert.
Þe blode and þe watyr þat fro þe hert ryns clere,
Sal be wepyng for þe syns þou has done here.
Þus þi selfe here þou sal do crucifye,
30 Þat aftyr in blis þou may be set full hye.

Crucifixion: Immediately preceding are ten lines on the "Horologium Sapiencie", BR. 4140. — 6 to go] to *crossed* 10 induce] reduce *MS.*, saule & brynge *MS.*

152. PEARL

MS.: BM., Cotton Nero A. X; XIV/XVcentury. – *Facsimile*: EETS. 162 (I. Gollancz). – *edd.*: R. Morris, EETS. 1; I. Gollancz, London 1891; C. G. Osgood, BLS. II, Boston 1906; E. V. and I. L. Gordon, Oxford 1953. — BR. 2744; We. XV, 2; Ke. 4394, 4577-91; Ba. 201-202; RO. 300.

I.

Perle, plesaunte to prynces paye
To clanly clos in golde so clere!
Oute of oryent, I hardyly saye,
4 Ne proued I neuer her precios pere,
So rounde, so reken in vche araye,
So smal, so smoþe her sydeȝ were,
Quere-so-euer I jugged gemmeȝ gaye,
8 I sette hyr sengeley in synglure.
Allas, I leste hyr in on erbere!
Þurȝ gresse to grounde hit fro me yot.
I dewyne, fordolked of luf-daungere
12 Of þat pryuy perle wythouten spot.

Syþen in þat spote hit fro me sprange,
Ofte haf I wayted, wyschande þat wele,
Þat wont watȝ whyle deuoyde my wrange
16 And heuen my happe and al my hele.
Þat dotȝ bot þrych my hert þrange,
My breste in bale bot bolne and bele;
Ȝet þoȝt me neuer so swete a sange
20 As stylle stounde let to me stele.
For soþe þer fleten to me fele,
To þenke hir color so clad in clot.
O moul, þou marreȝ a myry iuele,
24 My priuy perle wythouten spotte.

Þat spot of spyseȝ mot nedeȝ sprede,
Þer such rycheȝ to rot is runnen;
Blomeȝ blayke and blwe and rede
28 Þer schyneȝ ful schyr agayn þe sunne.
Flor and fryte may not be fede
Þer hit doun drof in moldeȝ dunne;
For vch gresse mot grow of grayneȝ dede,
32 No whete were elleȝ to woneȝ wonne.
Of goud vche goude is ay bygonne;
So semly a sede moȝt fayly not,
Þat spryngande spyceȝ vp ne sponne
36 Of þat precios perle wythouten spotte.

To þat spot þat I in speche expoun
I entred in þat erber grene,
In Augoste in a hyȝ seysoun,
40 Quen corne is coruen wyth crokeȝ kene.
On huyle þer perle hit trendeled doun
Schadowed þis worteȝ ful schyre and schene,
Gilofre, gyngure and gromylyoun,
44 And pyonys powdered ay bytwene.
Ȝif hit watȝ semly on to sene,
A fayr reflayr ȝet fro hit flot.
Þer wonys þat worþyly, I wot and wene,
48 My precious perle wythouten spot.

---

8 syngulere *Osgood*, synglere *Gordon* 25 mot *illegible* 35 sprygande *MS.*

Bifore þat spot my honde I spenned
For care ful colde þat to me caȝt.
A deuely dele in my hert denned,
52 Þaȝ resoun sette myseluen saȝt.
I playned my perle þat þer watȝ spenned
Wyth fyrce skylleȝ þat faste faȝt.
Þaȝ kynde of Kryst me comfort kenned,
56 My wreched wylle in wo ay wraȝte.
I felle vpon þat floury flaȝt,
Suche odour to my herneȝ schot;
I slode vpon a slepyng-slaȝte
60 On þat precios perle wythouten spot.

II.

Fro spot my spyryt þer sprang in space,
My body on balke þer bod in sweuen.
My goste is gon in godeȝ grace
64 In auenture þer meruayleȝ meuen.
I ne wyste in þis worlde quere þat hit wace,
Bot I knew me keste þer klyfeȝ cleuen;
Towarde a foreste I bere þe face,
68 Where rych rokkeȝ wer to dyscreuen.
Þe lyȝt of hem myȝt no mon leuen,
Þe glemande glory þat of hem glent;
For wern neuer webbeȝ þat wyȝeȝ weuen
72 Of half so dere adubbemente.

Dubbed wern alle þo downeȝ sydeȝ
Wyth crystal klyffeȝ so cler of kynde.
Holtewodeȝ bryȝt aboute hem bydeȝ
76 Of bolleȝ as blwe as ble of Ynde.
As bornyst syluer þe lef on slydeȝ,
Þat þike con trylle on vch a tynde.
Quen glem of glodeȝ agaynȝ hem glydeȝ,
80 Wyth schymeryng schene ful schrylle þay schynde.
Þe grauayl þat on grounde con grynde
Wern precious perleȝ of oryente,
Þe sunnebemeȝ bot blo and blynde
84 In respecte of þat adubbement.

The adubbemente of þo downeȝ dere
Garten my goste al greffe forȝete.
So frech flauoreȝ of fryteȝ were,
88 As fode hit con me fayre refete.
Fowleȝ þer flowen in fryth in fere,
Of flaumbande hweȝ, boþe smale and grete;
Bot sytole-stryng and gyternere
92 Her reken myrþe moȝt not retrete.
For quen þose bryddeȝ her wyngeȝ bete,
Þay songen wyth a swete asent;
So gracios gle couþe no mon gete
96 As here and se her adubbement.

So al watȝ dubbet on dere asyse
Þat fryth þer fortwne forth me fereȝ.
Þe derþe þerof for to deuyse

49 spennd 53 spenned] penned *emm. Holthausen, Emerson* 54 fyrte MS] *em. Holthausen*
60 precos 72 adubmente 95 gracos

100 Nis no wyȝ worþe þat tonge bereȝ.
I welke ay forth in wely wyse,
No bonk so byg þat did me dereȝ.
Þe fyrre in þe fryth, þe feirer con ryse
104 Þe playn, þe plontteȝ, þe spyse, þe pereȝ;
And raweȝ and randeȝ and rych reuereȝ
As fyldor fyn her bonkes brent.
I wan to a water by schore þat schereȝ:
108 Lorde, dere watȝ hit adubbement!

The dubbemente of þo derworth depe
Wern bonkeȝ bene of beryl bryȝt.
Swangeande swete þe water con swepe,
112 Wyth a rownande rourde raykande aryȝt.
In þe founce þer stonden stoneȝ stepe,
As glente þurȝ glas þat glowed and glyȝt,
As stremande sterneȝ, quen stroþe-men slepe,
116 Staren in welkyn in wynter nyȝt.
For vche a pobbel in pole þer pyȝt
Watȝ emerad, saffer, oþer gemme gente,
Þat alle þe loȝe lemed of lyȝt,
120 So dere watȝ hit adubbement.

III.

The dubbement dere of doun and daleȝ,
Of wod and water and wlonk playneȝ,
Bylde in me blys, abated my baleȝ,
124 Fordidden my stresse, dystryed my payneȝ.
Doun after a strem þat dryȝly haleȝ
I bowed in blys, bredful my brayneȝ.
Þe fyrre I folȝed þose floty valeȝ,
128 Þe more strenghþe of ioye myn herte strayneȝ.
As fortune fares þer as ho frayneȝ,
Wheþer solace ho sende oþer elleȝ sore,
Þe wyȝ to wham her wylle ho wayneȝ
132 Hytteȝ to haue ay more and more.

More of wele watȝ in þat wyse
Þen I cowþe telle þaȝ I tom hade;
For vrþely herte myȝt not suffyse
136 To þe tenþe dole of þo gladneȝ glade.
Forþy I þoȝt þat paradyse
Watȝ þer ouer gayn þo bonkeȝ brade.
I hoped þe water were a deuyse
140 Bytwene myrþeȝ by mereȝ made.
Byȝonde þe broke, by slente oþer slade,
I hoped þat mote merked wore.
Bot þe water watȝ depe, I dorst not wade,
144 And euer me longed a more and more.

More and more, and ȝet wel mare,
Me lyste to se þe broke byȝonde;
For if hit watȝ fayr þer I con fare,
148 Wel loueloker watȝ þe fyrre londe.
Abowte me con I stote and stare,
To fynde a forþe faste con I fonde.
Bot woþeȝ mo iwysse þer ware,

103 feier *MS.* 115 As] a *MS.* 138 ouer] oþer *MS.* 142 hope *MS.* 144 a *MS.*] ay *Gordon*

152 Þe fyrre I stalked by þe stronde.
And euer me þoȝt I schulde not wonde
For wo þer weleȝ so wynne wore.
Þenne nwe note me com on honde
156 Þat meued my mynde ay more and more.

More meruayle con my dom adaunt:
I seȝ byȝonde þat myry mere
A crystal clyffe ful relusaunt.
160 Mony ryal ray con fro hit rere.
At þe fote þerof þer sete a faunt,
A mayden of menske, ful debonere.
Blysnande whyt watȝ hyr bleaunt.
164 I knew hyr wel, I hade sen hyr ere.
As glysnande golde þat man con schere,
So schon þat schene anvnder shore.
On lenghe I loked to hyr þere;
168 Þe lenger, I knew hyr more and more.

The more I frayste hyr fayre face,
Her fygure fyn quen I had fonte,
Suche gladande glory con to me glace
172 As lyttel byfore þerto watȝ wonte.
To calle hyr lyste con me enchace,
Bot baysment gef myn hert a brunt;
I seȝ hyr in so strange a place,
176 Such a burre myȝt make myn herte blunt.
Þenne vereȝ ho vp her fayre frount,
Hyr vysayge whyt as playn yuore;
Þat stonge myn hert ful stray atount,
180 And euer þe lenger, þe more and more.

IV.

More þen me lyste my drede aros;
I stod ful stylle and dorste not calle.
Wyth yȝen open and mouth ful clos,
184 I stod as hende as hawk in halle.
I hoped þat gostly watȝ þat porpose;
I dred onende quat schulde byfalle,
Lest ho me eschaped þat I þer chos,
188 Er I at steuen hir moȝt stalle.
Þat gracios gay withouten galle,
So smoþe, so smal, so seme slyȝt,
Ryseȝ vp in hir araye ryalle,
192 A precios pyece in perleȝ pyȝt. —

Pyȝt in perle, þat precios pyece
On wyþer half water com doun þe schore.
No gladder gome heþen into Grece
196 Þen I, quen ho on brymme wore;
Ho watȝ me nerre þen aunte or nece;
My joy forþy watȝ much þe more.
Ho profered me speche, þat special spece,
200 Enclynande lowe in wommon lore,
Caȝte of her coroun of grete tresore,
And haylsed me wyth a lote lyȝte.

---

185 hope **192** precos **193** pyece] pyse *MS., em. Gollancz.* **199** spyce

Wel watȝ me þat euer I watȝ bore,
204 To sware þat swete in perleȝ pyȝte!

V.

'O perle,' quod I, 'in perleȝ pyȝt,
Art þou my perle þat I haf playned,
Regretted by myn one on nyȝte?
208 Much longeyng haf I for þe layned,
Syþen into gresse þou me aglyȝte;
Pensyf, payred, I am forpayned,
And þou in a lyf of lykyng lyȝte,
212 In paradys erde, of stryf vnstrayned.
What wyrde hatȝ hyder mi iuel vayned,
And don me in þys del and gret daunger?
Fro we in twynne wern towen and twayned,
216 I haf ben a joyleȝ juelere.'

That juel þenne in gemmeȝ gente
Vered vp her vyse wyth yȝen graye,
Set on hyr coroun of perle orient,
220 And soberly after þenne con ho say:
'Sir, ȝe haf your tale mysetente,
To say your perle is al awaye,
Þat is in cofer so comly clente,
224 As in þis gardyn gracios gaye,
Hereinne to lenge for euer and play,
Þer mys nee mornyng com neuer here;
Her were a forser for þe, in faye,
228 If þou were a gentyl jueler.

Bot, jueler gente, if þou schal lose
Þy ioy for a gemme þat þe watȝ lef,
Me þynk þe put in a mad porpose,
232 And busyeȝ þe aboute a raysoun bref.
For þat þou lesteȝ watȝ bot a rose
Þat flowred and fayled as kynde hyt gef;
Now þurȝ kynde of þe kyste þat hyt con close
236 To a perle of prys hit is put in pref.
And þou hatȝ called þy wyrde a þef,
Þat oȝt of noȝt hatȝ mad þe cler,
Þou blameȝ þe bote of þy meschef,
240 Þou art no kynde jueler.'

A juel to me þen watȝ þys geste,
And iueleȝ wern hyr gentyl saweȝ.
'Iwyse', quod I, 'my blysfol beste,
244 My grete dystresse þou al todraweȝ.
To be excused I make requeste.
I trawed my perle don out of daweȝ.
Now haf I fonde hyt, I schal ma feste,
248 And wony wyth hyt in schyr wod-schaweȝ,
And loue my lorde and al his laweȝ
Þat hatȝ me broȝt þys blys ner.
Now were I at yow byȝonde þise waweȝ,
252 I were a ioyful jueler.' —

226 here] nere *emm. Gollancz, Osgood, Gordon* 250 broȝ *MS, em. Morris*

'A blysful lyf þou says I lede. [VII, 409]
Þou woldeȝ knaw þerof þe stage?
Þow wost wel when þy perle con schede
256 I watȝ ful ȝong and tender of age.
Bot my lorde þe Lombe þurȝ hys godhede,
He toke myself to hys maryage,
Corounde me quene in blysse to brede
260 In lenghe of dayeȝ þat euer schal wage;
And sesed in alle hys herytage
Hys lef is, I am holy hysse;
Hys prese, hys prys, and hys parage
264 Is rote and grounde of alle my blysse.' —

'Moteleȝ may so meke and mylde,' [XVI, 961]
Þen sayde I to þat lufly flor,
'Bryng me to þat bygly bylde
268 And let me se þy blysful bor.'
Þat schene sayde: 'Þat god wyl schylde;
Þou may not enter wythinne hys tor.
Bot of þe Lombe I haue þe aquylde
272 For a syȝt þerof þurȝ gret fauor.
Vtwyth to se þat clene cloystor
Þou may, bot inwyth not a fote.
To strech in þe strete þou hatȝ no vygour,
276 Bot þou wer clene wythouten mote.

If I þis mote þe schal vnhyde, [XVII.]
Bow vp towarde þys borneȝ heued,
And I anendeȝ þe on þis syde
280 Schal sve, tyl þou to a hil be veued.'
Þen wolde I no lenger byde,
Bot lurked by launceȝ so lufly leued,
Tyl on a hyl þat I asspyed
284 And blusched on þe burghe, as I forth dreued,
Byȝonde þe brok fro me warde keued,
Þat schyrrer þen sunne wyth schafteȝ schon.
In þe Apokalypce is þe fasoun preued,
288 As deuyseȝ hit þe apostel John.

As John þe apostel hit syȝ wyth syȝt,
I syȝe þat cyty of gret renoun,
Jerusalem so nwe and ryally dyȝt,
292 As hit was lyȝt fro þe heuen adoun.
Þe borȝ watȝ al of brende golde bryȝt
As glemande glas burnist broun,
Wyth gentyl gemmeȝ anvnder pyȝt,
296 Wyth banteleȝ twelue on basyng boun,
Þe foundementeȝ twelue of riche tenoun.
Vch tabelment watȝ a serlypeȝ ston,
As derely deuyseȝ þis ilk toun
300 In Apocalyppeȝ þe apostel John. —

XIX.

Ryȝt as þe maynful mone con rys [1093]
Er þenne þe day-glem dryue al doun,
So sodanly on a wonder wyse
304 I watȝ war of a prosessyoun.

281 I *spl.* *Morris, Gordon* 288 Jhon

Þis noble cite of ryche enpryse
Watȝ sodanly ful wythouten sommoun
Of such vergyneȝ in þe same gyse
308 Þat watȝ my blysful anvnder croun.
And coronde wern alle of þe same fasoun,
Depaynt in perleȝ and wedeȝ qwyte;
In vchoneȝ breste watȝ bounden boun
312 Þe blysful perle wyth gret delyt.

Wyth gret delyt þay glod in fere
On golden gateȝ þat glent as glasse;
Hundreth þowsandeȝ I wot þer were,
316 And alle in sute her liureȝ wasse;
Tor to knaw þe gladdest chere.
Þe Lombe byfore con proudly passe
Wyth horneȝ seuen of red golde cler;
320 As praysed perleȝ his wedeȝ wasse.
Towarde þe throne þay trone a tras.
Þaȝ þay wern fele, no pres in plyt,
Bot mylde as maydeneȝ seme at mas,
324 So droȝ þay forth wyth gret delyt.

Delyt þat hys come encroched
To much hit were of for to melle.
Þise aldermen, quen he aproched,
328 Grouelyng to his fete þay felle.
Legyounes of aungeleȝ togeder uoched
Þer kesten ensens of swete smelle.
Þen glory and gle watȝ nwe abroched;
332 Al songe to loue þat gay juelle;
Þe steuen moȝt stryke þurȝ þe vrþe to helle
Þat þe Vertues of heuen of joye endyte.
To loue þe Lombe his meyny in melle
336 I-wysse I laȝt a gret delyt.

Delit þe Lombe for to deuise
Wyth much meruayle in mynde went.
Best watȝ he, blyþest, and moste to pryse,
340 Þat euer I herde of speche spent;
So worþly whyt wern wedeȝ hys,
His lokeȝ symple, hymself so gent.
Bot a wounde ful wyde and weete con wyse
344 Anende hys hert, þurȝ hyde torente.
Of his quyte syde his blod outsprent.
Alas, þoȝt I, who did þat spyt?
Ani breste for bale aȝt haf forbrent
348 Er he þerto hade had delyt.

The Lombe delyt non lyste to wene.
Þaȝ he were hurt and wounde hade,
In his sembelaunt watȝ neuer sene,
352 So wern his glenteȝ gloryous glade.
I loked among his meyny schene
How þay wyth lyf wern laste and lade:
Þen saȝ I þer my lyttel quene
356 Þat I wende had standen by me in sclade.

---

305 enpresse *MS.* 312 wyth gret] wythouten *MS.*, *em. Morris* 319 glode *MS.* 325 þat þer h. *Gollancz*, *Osgood* 341 hyse *Gollancz*

Lorde, much of mirþe watȝ þat ho made
Among her fereȝ þat watȝ so quyt!
Þat syȝt me gart to þenk to wade
360 For luf-longyng in gret delyt.

XX.

Delyt me drof in yȝe and ere,
My maneȝ mynde to maddyng malte.
Quen I seȝ my frely, I wolde be þere,
364 Byȝonde þe water þaȝ ho were walte.
I þoȝt þat noþyng myȝt me dere
To fech me bur and take me halte,
And to start in þe strem schulde non me stere,
368 To swymme þe remnaunt, þaȝ I þer swalte.
Bot of þat munt I watȝ bitalt.
When I schulde start in þe strem astraye,
Out of þat caste I watȝ bycalt;
372 Hit watȝ not at my prynceȝ paye.

Hit payed hym not þat I so flonc
Ouer meruelous mereȝ, so mad arayde.
Of raas þaȝ I were rasch and ronk,
376 Ȝet rapely þerinne I watȝ restayed.
For ryȝt as I sparred vnto þe bonc,
Þat brathþe out of my drem me brayde.
Þen wakned I in þat erber wlonk.
380 My hede vpon þat hylle watȝ layde
Þer as my perle to grounde strayd.
I raxled, and fel in gret affray,
And, sykyng, to myself I sayd,
384 'Now al be to þat prynceȝ paye.'

Me payed ful ille to be outfleme
So sodenly of þat fayre regioun,
Fro alle þo syȝteȝ so quyke and queme.
388 A longeyng heuy me strok in swone,
And rewfully þenne I con to reme:
'O perle,' quod I, 'of rych renoun,
So watȝ hit me dere þat þou con deme
392 In þis veray avysyoun!
If hit be ueray and soth sermoun
Þat þou so stykeȝ in garlande gay,
So wel is me in þys doel-doungoun
396 Þat þou art to þat prynseȝ paye.' —

To pay þe prince oþer sete saȝte [1201]
Hit is ful eþe to þe god krystyin;
For I haf founden hym, boþe day and naȝte,
400 A god, a lorde, a frende ful fyin.
Ouer þis hyul þis lote I laȝte,
For pyty of my perle enclyin,
And syþen to god I hit bytaȝte
404 In Krysteȝ dere blessyng and myn,
Þat in þe forme of bred and wyn
Þe preste vus scheweȝ vch a daye.
He gef vus to be his homly hyne
408 Ande precious perleȝ vnto his pay. Amen. Amen.

---

366 *cf. Gordon p. 85* 378 bratþe *MS., em. Osgood* 387 quykes *MS., em. Gollancz*
394 strykes *emm. Gollancz, Osgood, Chase* 401 *?* hyiil, *Osgood*

153. WILLIAM LANGLAND.

VISION OF WILLIAM CONCERNING

PIERS THE PLOWMAN

B-Version (? c. 1377): *MS. L* = Bodl. 987, Laud 581; XIV XV century. — *C-Version* (? c. 1393): *MS. P* = Huntington HM. 137, olim Phillipps 8231; XV ct. — *edd.:* W. W. Skeat, EETS. 28/81; W. W. Skeat, Oxford 1886, 2. 1924; (*A-Version*: T. Knott - D. Fowler, Baltimore 1952) — BR. 1459, 1458; We. IV, 51; Ke. 4818-26; Ba. 196-200; RO. 304-307; *cf. Bloomfield Speculum 1939, Bright, Görnemann, Cargill, Manly CHEL. II, EETS. 139 b-f,* & others.

Further passages from Piers Plowman cf. pp. 533, 535, 569

Biographical Notes from C VI. *

Thus ich awaked, god wot, whanne ich wonede on Cornehulle, [1]
Kytte and ich in a cote, cloþed as a lollere,
And lytel ylete by, leyue me for soþe,
Among lollares of London and lewede heremytes;
5 For ich made of þo men, as Reson me tauhte.
For as ich cam by Conscience, with Reson ich mette
In an hote heruest, whenne ich hadde myn hele,
And lymes to labore with and louede wel-fare,
And no dede to do bote drynke and to slepe,
10 In hele and in vnite on me aposede.
Romynge in remembraunce, thus Reson me aratede:
'Canstow seruen,' he seide, 'oþer syngen in a churche,
Oþer coke for my cokers, oþer to þe cart picche,
Mowe oþer mowen, oþer make bond to sheues,
15 Repe oþer be a repereyue and aryse erliche,
Oþer haue an horne and be haywarde and liggen oute a nyghtes,
And kepe my corn in my croft fro pykers and þeeues,
Oþer shappe shon oþer cloþes, oþer shep oþer kyn kepe,
Heggen oþer harwen, oþer swyn oþer gees dryue,
20 Oþer eny oþer-kyns craft þat to þe comune nedeþ,
Hem þat bedreden be bylyue to fynde?'
'Certes,' ich seyde, 'and so me god helpe,
Ich am to waik to worche with sykel oþer with sythe,
And to long, leyf me, lowe for to stoupe,
25 To worchen as a workeman eny whyle to dure. —
Whanne ich ȝong was,' quath ich, 'meny ȝer hennes,
My fader and my frendes founden me to scole,
Tyl ich wiste wyterliche what holy wryt menede,
And what is best for þe body, as þe bok telleþ,
30 And sykerest for þe soule, by so ich wolle continue.
And ȝut fond ich neuere in faith, sytthen my frendes deyden,
Lyf þat me lyked bote in þes longe clothes.
Yf ich by laboure sholde lyue and lyflode deseruen,
That labour þat ich lerned best þerwith lyue ich sholde.
In eadem uocatione in qua uocati estis, manete.
35 And ich lyue in Londone and on Londone bothe,
The lomes þat ich laboure with and lyflode deserue
Ys pater-noster and my prymer, placebo and dirige,
And my sauter som tyme, and my seuene psalmes.
Thus ich synge for hure soules of suche as me helpen,
40 And þo þat fynden me my fode vouchen saf, ich trowe,
To be welcome whanne ich come, oþer-whyle in a monthe,

---

* *not in A and B.* — 1 wot god *MS.* [*Emm. from Varr., Skeat*] wanne [*a. o.* wh- = w *in P*] 3 And a lytel ich let 6 wit 19 Eggen 20 eny k. nudeþ 33 Hyf 34 þerwhit 35 londene a. o. londen *P*, by londoun, out of londone, vp londe *Varr.* 41 wolcome

Now with hym and now with hure, and þus-gate ich begge
Withoute bagge oþer botel bote my wombe one.
And also more-ouer me þynkeþ, syre Reson,
45 Men sholde constreyne no clerke to knauene werkes.' —

Prologue.

In a somer seson whan soft was the sonne, [B. 1]
I shope me in shroudes, as I a shepe were,
In habite as an heremite vnholy of workes,
Went wyde in þis world wondres to here.
50 Ac on a May mornynge on Maluerne hulles
Me byfel a ferly of fairy me thouȝte:
I was wery forwandred, and went me to reste
Vnder a brode banke bi a bornes side;
And as I lay and lened and loked in þe wateres,
55 I slombred in a slepyng, it sweyued so merye.
Thanne gan I to meten a merueilouse sweuene,
That I was in a wildernesse, wist I neuer where;
As I bihelde into þe est an hiegh to þe sonne,
I seigh a toure on a toft trielich ymaked.
60 A depe dale binethe, a dongeon þereinne,
With depe dyches and derke and dredful of sight.
A faire felde ful of folke fonde I there bytwene,
Of alle maner of men, þe mene and þe riche,
Worchyng and wandryng, as þe worlde asketh.
65 Some putten hem to þe plow, pleyed ful selde,
In settyng and in sowyng swonken ful harde,
And wonnen that wastours with glotonye destruyeth.
And some putten hem to pruyde, apparailed hem þereafter,
In contenaunce of clothyng comen disgised.
70 In prayers and in penance putten hem manye,
Al for loue of owre lorde lyueden ful streyte,
In hope forto haue heueneriche blisse,
As ancres and heremites that holden hem in here selles,
And coueiten nought in contre to kairen aboute,
75 For no likerous liflode her lykam to plese.
And somme chosen chaffare; they cheuen the bettere,
As it semeth to owre syȝt that suche men thryueth.
And somme murthes to make, as mynstralles conneth,
And geten gold with here glee, synneles, I leue;
80 Ac iapers and iangelers, Iudas chylderen.
Feynen hem fantasies, and foles hem maketh,
And han here witte at wille to worche ȝif þei sholde;
That Poule precheth of hem, I nel nought preue it here:
Qui turpiloquium loquitur, is Luciferes hyne.
85 Bidders and beggeres fast aboute ȝede,
With her bely and her bagges of bred ful ycrammed;
Fayteden for here fode, fouȝten atte ale.
In glotonye, god it wote, gon hij to bedde,
And risen with ribaudye, tho Roberdes knaues.
90 Slepe and sori sleuthe seweth hem eure.
Pilgrymes and palmers pliȝted hem togidere
To seke seynt Iames, and seyntes in Rome.
Thei went forth in here wey with many wise tales,
And hadden leue to lye al here lyf after.

65 put 84 is-hyne *Parr.*] etc. *L* 86 bagge

95 I seigh somme that seiden þei had ysouȝt seyntes
To eche a tale þat þei tolde; here tonge was tempred to lye
More þan to sey soth, it semed bi here speche.
Heremites on an heep with hoked staues
Wenten to Walsyngham and here wenches after.
100 Grete lobyes and longe that loth were to swynke,
Clotheden hem in copis to ben knowen fram othere,
And shopen hem heremites here ese to haue.
I fonde þere freris, alle þe foure ordres,
Preched þe peple for profit of hemseluen,
105 Glosed þe gospel, as hem good lyked,
For coueitise of copis construed it as þei wolde.
Many of þis maistres freris mowe clothen hem at lykyng,
For here money and marchandise marchen togideres;
For sith charite haþ be chapman and chief to shryue lordes,
110 Many ferlis han fallen in a fewe ȝeris.
But holychirche and hij holde better togideres,
The moste myschief on molde is mountyng wel faste.
Þere preched a pardonere, as he a prest were;
Brouȝte forth a bulle with bishopes seles,
115 And seide þat hymself myȝte assoilen hem alle
Of falshed, of fastyng, of vowes ybroken.
Lewed men leued hym wel and lyked his wordes,
Comen vp knelyng to kissen his bulles.
He bonched hem with his breuet and blered here eyes,
120 And rauȝte with his ragman rynges and broches.
Thus þey geuen here golde glotones to kepe,
And leueth such loseles þat lecherye haunten.
Were þe bischop yblissed and worth bothe his eres,
His seel shulde nouȝt be sent to deceyue þe peple.
125 Ac it is nauȝt by þe bischop þat þe boy precheth,
For the parisch prest and þe pardonere parten þe siluer
That þe poraille of þe parisch sholde haue ȝif þei nere.
Persones and parisch prestes pleyned hem to þe bischop,
Þat here parisshes were pore sith þe pestilence tyme,
130 To haue a lycence and a leue at London to dwelle
And syngen þere for symonye; for siluer is swete.
Bischopes and bachelers, bothe maistres and doctours,
Þat han cure vnder Criste and crounyng in tokne
And signe þat þei sholden shryuen here paroschienes,
135 Prechen and prey for hem and þe pore fede,
Liggen in London in lenten, an elles.
Somme seruen þe kyng, and his siluer tellen,
In cheker and in chancerye chalengen his dettes
Of wardes and wardmotes weyues and streyues. —
140 Þanne come þere a kyng, Knyȝthod hym ladde,
Miȝt of þe comunes made hym to regne,
And þanne cam Kynde-wytte and clerkes he made
For to conseille þe kyng and þe comune saue.
The kyng and Knyȝthode and Clergye bothe
145 Casten þat þe comune shulde hemself fynde.
Þe comune contreued of Kynde-witte craftes,
And for profit of alle þe poeple plowmen ordeygned,
To tilie and trauaile, as trewe lyf askeþ.
Þe kynge and þe comune and Kynde-witte þe thridde

112 mychief 140-214 *not in A*

150 Shope lawe and lewte, eche man to knowe his owne. —
Wiþ þat ran þere a route of ratones at ones,
And smale mys with hem mo þen a þousande,
And comen to a conseille for here comune profit;
For a cat of a courte cam whan hym lyked,
155 And ouerlepe hem ly3tlich and lau3te hem at his wille,
And pleyde wiþ hem perilouslych and possed hem aboute.
'For doute of dyuerse dredes we dar nou3te wel loke.
And 3if we grucche of his gamen he wil greue vs alle,
Cracche vs, or clowe vs, and in his cloches holde,
160 That vs lotheth þe lyf, or he lete vs passe.
My3te we wiþ any witte his wille withstonde,
We my3te be lordes aloft and lyuen at owre ese.'
A raton of renon, most renable of tonge,
Seide for a souereygne help to hymselue:
165 'I haue ysein segges,' quod he, 'in þe cite of London
Beren bi3es ful bri3te abouten here nekkes,
And some colers of crafty werk; vncoupled þei wenden
Boþe in wareine and in waste where hem leue lyketh;
And otherwhile þei aren elles-where, as I here telle.
170 Were þere a belle on here bei3, bi Ihesu, as me thynketh,
Men my3te wite where þei went, and awei renne.
And ri3t so,' quod þat ratoun, 'reson me sheweth,
To bugge a belle of brasse or of bri3te syluer,
And knitten on a colere for owre comune profit,
175 And hangen it vpon þe cattes hals; þanne here we mowen
Where he ritt or rest or renneth to playe.
And 3if him list for to laike, þenne loke we mowen,
And peren in his presence, þer-while hym plaie liketh,
And 3if him wrattheth, be ywar and his weye shonye.'
180 Alle þis route of ratones to þis reson þei assented.
Ac þo þe belle was ybou3t and on þe bei3e hanged,
Þere ne was ratoun in alle þe route for alle þe rewme of Fraunce,
Þat dorst haue ybounden þe belle aboute þe cattis nekke,
Ne hangen it aboute þe cattes hals al Engelonde to wynne;
185 And helden hem vnhardy and here conseille feble,
And leten here laboure lost and alle here longe studye.
A mous þat moche good couthe, as me thou3te,
Stroke forth sternly, and stode biforn hem alle,
And to þe route of ratones reherced þese wordes:
190 'Thou3 we culled þe catte, 3ut sholde þer come another,
To cracchy vs and al owre kynde, þou3 we croupe vnder benches.
Forþi I conseille alle þe comune to lat þe catte worche,
And be we neuer so bolde, þe belle hym to shewe;
For I herde my sire seyn, is seuene 3ere ypassed:
195 Þere þe catte is a kitoun, þe courte is ful elyng.
Þat witnisseth holiwrite, who-so wil it rede,
Ve terre vbi puer rex est, etc.
For may no renke þere rest haue for ratones bi ny3te.
Þe while he caccheþ conynges, he coueiteth nou3t owre caroyne,
But fet hym al with venesoun, defame we hym neuere.
200 For better is a litel losse þan a longe sorwe,
Þe mase amonge vs alle, þou3 we mysse a schrewe.
For many mannus malt we mys wolde destruye,
And also 3e route of ratones rende mennes clothes,

156 possed ab. *L* 184 it *not in* *L* 192 worthe

Nere þat cat of þat courte þat can ȝow ouerlepe.
205 For had ȝe rattes ȝowre wille, ȝe couthe nouȝt reule ȝowreselue.
I sey for me,' quod þe mous, 'I se so mykel after,
Shal neuer þe cat ne þe kitoun bi my conseille be greued,
Ne carpyng of þis coler þat costed me neure.
And þouȝ it had coste me catel, biknowen it I nolde,
210 But suffre as hymself wolde to do as hym liketh,
Coupled and vncoupled to cacche what thei mowe.
Forþi vche a wise wiȝte I warne, wite wel his owne.'
What þis meteles bemeneth, ȝe men þat be merye,
Deuine ȝe, for I ne dar, bi dere god in heuene!
215 Ȝit houed þere an hondreth in houues of selke,
Seriauntz it semed þat serueden atte barre,
Pleded en for penyes and poundes þe lawe,
And nouȝt for loue of owre lorde vnlese here lippes onis.
Þow myȝtest better mete þe myste on Maluerne hulles,
220 Þan gete a momme of here mouthe, but money were shewed.
Barones an burgeis and bondemen als
I seiȝ in þis assemble, as ȝe shul here after.
Baxsteres and brewesteres and bocheres manye,
Wollewebsteres and weueres of lynnen,
225 Taillours and tynkeres and tolleres in marketes,
Masons and mynours and many other craftes.
Of alkin libbyng laboreres lopen forth somme,
As dykers and delueres þat doth here dedes ille,
And dryuen forth þe longe day with 'Dieu vous saue, dame Emme!'
230 Cokes and here knaues crieden: 'Hote pies, hote!
Gode gris and gees! Go we dyne, go we!'
Tauerners vntil hem tolde þe same:
'White wyn of Oseye, and red wyn of Gascoigne,
Of þe Ryne and of þe Rochel, þe roste to defye!'
235 Al þis seiȝ I slepyng and seuene sythes more. —

Falsehood and Lying.

Drede atte dore stode and þe dome herde, [B II, 205]
And how þe kynge comaunded constables and seriantz,
Falsenesse and his felawschip to fettren an to bynden.
Þanne Drede went wiȝtliche and warned þe Fals,
240 And bad hym flee for fere and his felawes alle.
Falsenesse for fere þanne fleiȝ to þe freres,
And Gyle doþ hym to go agast for to dye.
Ac marchantz mette with hym and made hym abide,
And bishetten hym in here shope to shewen here ware,
245 And apparailled hym as a prentice þe poeple to serue.
Liȝtliche Lyer lepe awey þanne,
Lorkynge thorw lanes tolugged of manye.
He was nawhere welcome for his manye tales,
Ouer al yhowted and yhote trusse,
250 Tyl pardoneres haued pite and pulled hym into house.
They wesshen hym and wyped hym and wonden hym in cloutes,
And sente hym with seles on Sondayes to cherches,
And gaf pardoun for pens poundmel aboute.
Thanne loured leches and lettres þei sent,
255 Þat he sholde wonye with hem, wateres to loke.
Spiceres spoke with hym, to spien here ware;

220 monoy 229 longe *Varr.*] dere *L* 231 and *Varr.*] a *L*

For he couth of here craft and knewe many gommes.
Ac mynstralles and messageres mette with hym ones,
And helden hym an half-ȝere and elleuene dayes.
260 Freres with faire speche fetten hym þennes,
And for knowyng of comeres coped hym as a frere.
Ac he hath leue to lepe out, as oft as hym liketh,
And is welcome whan he wil, and woneth wyth hem oft. —

Reason's Sermon.

The kyng and his knightes to the kirke wente [B V, 1]
265 To here matynes of þe day and þe masse after.
Þanne waked I of my wynkynge, and wo was withalle,
Þat I ne hadde sleped sadder and yseiȝen more.
Ac er I hadde faren a fourlonge, feyntise me hente,
That I ne myȝte ferther a foot for defaute of slepynge;
270 And sat softly adown, and seide my bileue,
And so I babeled on my bedes, þei brouȝte me aslepe.
And þanne saw I moche more þan I bifore tolde;
For I say þe felde ful of folke, þat I bifore of seyde,
And how Resoun gan arrayen hym, alle þe reume to preche,
275 And with a crosse afor þe kynge comsed þus to techen.
He preued þat þise pestilences were for pure synne,
And þe southwest wynde on Saterday at euene
Was pertliche for pure pryde and for no poynt elles.
Piries and plomtrees were puffed to þe erthe,
280 In ensample, ȝe segges, ȝe shulden do þe bettere.
Beches and brode okes were blowen to þe grounde,
Torned vpward her tailles in tokenynge of drede,
Þat dedly synne at domesday shal fordon hem alle.
Of þis matere I myȝte mamely ful longe,
285 Ac I shal seye as I saw, so me god helpe,
How pertly afor þe poeple Resoun gan to preche.
He bad Wastoure go worche what he best couthe,
And wynnen his wastyng with somme manere crafte.
And preyed Peronelle her purfyle to lete,
290 And kepe it in hir cofre for catel at hir nede.
Thomme Stowue he tauȝte to take two staues,
And fecche Felice home fro þe wyuen pyne.
He warned Watt his wyf was to blame,
Þat hire hed was worth halue a marke, his hode nouȝte worth a grote.
295 And bad Bette kut a bow other tweyne,
And bete Betoun þerwith, but if she wolde worche.
And þanne he charged chapmen to chasten her childeren,
Late no wynnynge hem forweny, whil þei be ȝonge,
Ne for no pouste of pestilence plese hem nouȝte out of resoun. —
300 And sithen he preyed prelatz and prestes togideres,
'Þat ȝe prechen to þe peple, preue it on ȝowreseluen,
And doth it in dede, it shal drawe ȝow to good.
If ȝe lyuen as ȝe leren vs, we shal leue ȝow þe bettere.'
And sithen he radde Religioun here reule to holde,
305 'Leste þe kynge and his conseille ȝowre comunes appayre,
And ben stuwardes of ȝowre stedes, til ȝe be ruled bettre.'
And sithen he conseilled þe kynge þe comune to louye.
'It is þi tresore, if tresoun ne were, and triacle at þi nede.'
And sithen he prayed þe pope haue pite on holicherche,

276 were *Var.*] was *L* 292 filice ?wynen

310 And er he gyue any grace, gouerne firste hymselue. —
'And ȝe þat seke seynte Iames and seintes of Rome,
Seketh seynt Treuthe, for he may saue ȝow alle!
Qui cum patre et filio, þat faire hem bifalle
Þat suweth my sermon!' And þus seyde Resoun.
315 Thanne ran Repentance and reherced his teme,
And gert Wille to wepe water with his eyen.
Peronelle Proude-herte platte hir to þe erthe,
And lay longe ar she loked, and 'lorde, mercy!' cryed. —

Gluttony and Parson Sloth.

Now bigynneth Glotoun for to go to schrifte, [B V, 304]
320 And kaires hym to kirke ward, his coupe to schewe.
Ac Beton þe brewestere bad hym good morwe,
And axed of hym with þat whiderward he wolde.
'To holi cherche,' quod he, 'forto here masse,
And sithen I wil be shryuen and synne namore.'
325 'I haue gode ale, gossib,' quod she, 'Glotown, wiltow assaye?'
'Hastow auȝte in þi purs any hote spices?'
'I haue peper and piones,' quod she, 'and a pounde of garlike,
A ferthyngworth of fenel-seed for fastyng-dayes.'
Þanne goth Glotoun in and grete othes after;
330 Cesse þe souteresse sat on þe benche,
Watte þe warner and his wyf bothe,
Tymme þe tynkere and tweyne of his prentis,
Hikke þe hakeneyman and Hughe þe nedeler,
Clarice of Cokkeslane and þe clerke of þe cherche,
335 Dawe þe dykere and a dozeine other;
Sire Piers of Pridie and Peronelle of Flaundres,
A ribibour, a ratonere, a rakyer of Chepe,
A ropere, a redyngkyng, and Rose þe dissheres,
Godfrey of Garlekehithe, and Gryfin þe Walshe,
340 And vpholderes an hepe erly bi þe morwe
Geuen Glotoun with glad chere good ale to hansel.
Clement þe cobelere cast of his cloke,
And atte 'new faire' he nempned it to selle;
Hikke þe hakeneyman hitte his hood after,
345 And badde Bette þe bochere ben on his side.
Þere were chapmen ychose þis chaffare to preise;
Who-so haueth þe hood shuld haue amendes of þe cloke.
Two risen vp in rape and rouned togideres,
And preised þese penyworthes apart bi hemselue;
350 Þei couth nouȝte bi her conscience acorden in treuthe,
Tyl Robyn þe ropere arose bi þe southe,
And nempned hym for a noumpere þat no debate nere,
For to trye þis chaffare bitwixen hem þre.
Hikke þe hostellere hadde þe cloke,
355 In couenaunte þat Clement shulde þe cuppe fille,
And haue Hikkes hode hostellere and holde hym yserued;
And who-so repented rathest shulde arise after,
And grete sire Glotoun with a galoun ale.
Þere was laughyng and louryng and 'let go þe cuppe!'
360 And seten so til euensonge and songen vmwhile,
Tyl Glotoun had yglobbed a galoun an a jille.
His guttis gunne to gothely as two gredy sowes.

---

327 she] he *L* 353 *not in L* 362 godly

He pissed a potel in a pater-noster while,
And blew his rounde ruwet at his rigge-bon ende,
365 That alle þat herde þat horne held her nose after,
And wissheden it had be wexed with a wispe of firses.
He myȝte neither steppe ne stonde er he his staffe hadde;
And þanne gan he go liche a glewmannes bicche,
Somme tyme aside and somme tyme arrere,
370 As who-so leyth lynes forto lacche foules.
And whan he drowgh to þe dore þanne dymmed his eighen,
He stumbled on þe thresshewolde an threwe to þe erthe.
Clement þe cobelere cauȝte hym bi þe myddel,
For to lifte hym alofte and leyde him on his knowes;
375 Ac Glotoun was a gret cherle and a grym in þe liftynge,
And coughed vp a caudel in Clementis lappe,
Is non so hungri hounde in Hertfordschire
Durst lape of þe leuynges, so vnlouely þei smauȝte.
With al þe wo of þis worlde his wyf and his wenche
380 Baren hym home to his bedde and brouȝte hym þerinne.
And after al þis excesse he had an accidie,
Þat he slepe Saterday and Sonday, til sonne ȝede to reste.
Þanne waked he of his wynkyng and wiped his eyghen,
Þe fyrste worde þat he warpe was: 'Where is þe bolle?'
385 His wif gan edwite hym þo how wikkedlich he lyued,
And Repentance riȝte so rebuked hym þat tyme:
'As þow with wordes and werkes hast wrouȝte yuel in þi lyue,
Shryue þe and be shamed þerof and shewe it with þi mouth!'
'I, Glotoun' quod þe gome, 'gylti me ȝelde,
390 Þat I haue trespassed with my tonge, I can nouȝte telle how ofte,
Sworen 'goddes soule' and 'so god me help and halidom',
Þere no nede ne was nyne hundreth tymes;
And ouerseye me at my sopere and some tyme at nones,
Þat I, Glotoun, girt it vp, er I hadde gone a myle,
395 And yspilte þat myȝte be spared and spended on somme hungrie,
Ouerdelicatly on fastyng-dayes drunken and eten bothe,
And sat some tyme so longe þere þat I slepe and ete at ones,
For loue of tales in tauernes to drynke þe more, I dyned,
And hyed to þe mete er none whan fastyng-dayes were.'
400 'This shewyng shrifte,' quod Repentance, 'shal be meryte to þe!'
And þanne gan Glotoun grete and gret doel to make
For his lither lyf þat he lyued hadde,
And avowed to fast: 'For hunger or for thurst
Shal neuere fisshe on þe Fryday defien in my wombe,
405 Tyl Abstinence myn aunte haue ȝiue me leue;
And ȝit haue I hated hir al my lyf-tyme.'
Þanne come Sleuthe al bislabered with two slymy eiȝen.
'I most sitte,' seyde þe segge, 'or elles shulde I nappe;
I may nouȝte stonde ne stoupe ne withoute a stole knele.
410 Were I brouȝte abedde, but if my taille-ende it made,
Shulde no ryngynge do me ryse, ar I were rype to dyne.'
He bygan *benedicite* with a bolke, and his brest knocked,
And roxed and rored and rutte atte laste.
'What! Awake, renke!' quod Repentance, 'and rape þe to shrifte!'
415 'If I shulde deye bi þis day, me liste nouȝte to loke;
I can nouȝte perfitly my pater-noster, as þe prest it syngeth,
But I can rymes of Robyn Hood and Randolf erle of Chestre,

---

372 stumbled] trembled *L* 385 wif] witte *L* 403 to *not in L*

Ac neither of owre lorde ne of owre lady þe leste þat euere was made.
I haue made vowes fourty and forȝete hem on þe morne;
420 I parfourned neure penaunce, as þe prest me hiȝte,
Ne ryȝte sori for my synnes ȝet was I neuere.
And ȝif I bidde any bedes, but if it be in wrath,
Þat I telle with my tonge is two myle fro myne herte.
I am occupied eche day, haliday and other,
425 With ydel tales atte ale and otherwhile in cherches;
Goddes peyne and his passioun ful selde þynke I þereon.
I visited neuere fieble men, ne fettered folke in puttes;
I haue leuere here an harlotrie or a somer game of souteres,
Or lesynges to laughe at and belye my neighbore,
430 Þan al þat euere Marke made, Mathew, John and Lucas.
And vigilies and fastyng-dayes alle þise late I passe,
And ligge abedde in lenten, an my lemman in myn armes,
Tyl matynes and masse be do, and þanne go to þe freres;
Come I to *'ite missa est'*, I holde me yserued.
435 I nam nouȝte shryuen some tyme, but if sekenesse it make,
Nouȝt tweies in two ȝere, and þanne vp gesse I schryue me.
I haue be prest and persoun passynge thretti wynter,
Ȝete can I neither solfe ne synge, ne seyntes lyues rede;
But I can fynde in a felde or in a fourlonge an hare,
440 Better þan in *'beatus vir'* or in *'beati omnes'*
Construe oon clause wel and kenne it to my parochienes.
I can holde louedayes and here a reues rekenynge;
Ac in canoun ne in þe decretales I can nouȝte rede a lyne.
Ȝif I bigge and borwe it, but ȝif it be ytailled,
445 I forȝete it as ȝerne; and ȝif men me it axe
Sixe sithes or seuene, I forsake it with othes.
And þus tene I trewe men ten hundreth tymes.
And my seruauntz some tyme her salarye is bihynde,
Reuthe is to here þe rekenynge, whan we shal rede acomptes;
450 So with wikked wille and wraththe my werkmen I paye.
Ȝif any man doth me a benfait or helpeth me at nede,
I am vnkynde aȝein his curteisye, and can nouȝte vnderstonde it.
For I haue and haue hadde some dele haukes maneres:
I nam nouȝte lured with loue, but þere ligge auȝte vnder þe thombe.' —
455 Þanne sat Sleuthe vp, and seyned hym swithe,
And made a vowe tofore god for his foule sleuthe. —

Pilgrims to Truth.

A thousand of men þo thrungen togyderes, [B V, 517]
Criede vpward to Cryst and to his clene moder
To haue grace to go with hem, Treuthe to seke.
460 Ac þere was wyȝte non so wys þe wey þider couthe. —
'Peter!' quod a plowman, and put forth his hed,
'I knowe hym as kyndely, as clerke doþ his bokes.
Conscience and Kynde-witte kenned me to his place.' —
'This were a wikked way, but who-so hadde a gyde [B VI, 1]
465 That wolde folwen vs eche a fote,' þus þis folke hem mened.
Quatȝ Perkyn þe plouman: 'Bi seynt Peter of Rome,
I haue an half acre to erye bi þe heighe way;
Hadde I eried þis half acre and sowen it after,
I wolde wende with ȝow and þe way teche.'
470 'Þis were a longe lettynge,' quod a lady in a sklayre,

436 shcryue 449 þe *not in L* 456 avowe 469 wolde] wil *L*

'What sholde we wommen worche þerewhiles?'
'Somme shal sowe þe sakke,' quod Piers, 'for shedyng of þe whete;
And ȝe, louely ladyes with ȝoure longe fyngres,
Þat ȝe han silke and sendal to sowe, whan tyme is,
475 Chesibles for chapelleynes, cherches to honoure.
Wyues and wydwes wolle and flex spynneth,
Maketh cloth, I conseille ȝow, and kenneth so ȝowre douȝtres.
Þe nedy and þe naked nymmeth hede how hij liggeth,
And casteth hem clothes, for so comaundeth Treuthe.
480 For I shal lene hem lyflode, but ȝif þe londe faille,
Flesshe and bred bothe to riche and to pore,
As longe as I lyue for þe lordes loue of heuene.
And alle manere of men þat þorw mete and drynke lybbeth,
Helpith hym to worche wiȝtliche, þat wynneth ȝowre fode.'
485 'Bi Crist,' quod a knyȝte þo, 'he kenneth vs þe best.
Ac on þe teme trewly tauȝte was I neuere.
Ac kenne me,' quod þe knyȝte, 'and, bi Crist, I wil assaye!'
'Bi seynt Poule,' quod Perkyn, 'ȝe profre ȝow so faire,
Þat I shal swynke and swete and sowe for vs bothe,
490 And oþer laboures do for þi loue al my lyf tyme,
In couenaunt þat þow kepe holikirke and myselue
Fro wastoures and fro wykked men, þat þis worlde struyeth.
And go hunte hardiliche to hares and to foxes,
To bores and to brockes, þat breketh adown myne hegges,
495 And go affaite þe faucones, wilde foules to kille;
For suche cometh to my croft and croppeth my whete.'
Curteislich þe knyȝte þanne comsed þise wordes:
'By my power, Pieres,' quod he, 'I pliȝte þe my treuthe,
To fulfille þis forward, þowȝ I fiȝte sholde.
500 Als longe as I lyue, I shal þe mayntene.'
'Ȝe, and ȝit a poynt,' quod Pieres, 'I preye ȝow of more:
Loke ȝe tene no tenaunt, but Treuthe wil assent.
And þowgh ȝe mowe amercy hem, late mercy be taxoure,
And mekenesse þi mayster maugre medes chekes,
505 And þowgh pore men profre ȝow presentis and ȝiftis,
Nym it nauȝte, an auenture ȝe mowe it nauȝte deserue;
For þow shalt ȝelde it aȝein at one ȝeres ende,
In a ful perillous place, Purgatorie it hatte.
And mysbede nouȝte þi bondemen, þe better may þow spede.' —
510 Now is Perkyn and his pilgrymes to þe plowe faren;
To erie þis halue acre holpyn hym manye.
Dikeres and delueres digged vp þe balkes.
Þerewith was Perkyn apayed, and preysed hem faste.
Other werkemen þere were, þat wrouȝten ful ȝerne,
515 Eche man in his manere made hymself to done;
And some to plese Perkyn piked vp þe wedes.
At heighe pryme Peres lete þe plowe stonde,
To ouersen hem hymself, and who-so best wrouȝte,
He shulde be huyred þerafter, whan heruest-tyme come.
520 And þanne seten somme and songen atte nale,
And hulpen erie his half acre with 'How! Trollilolli!'
'Now, bi þe peril of my soule!' quod Pieres al in pure tene,
'But ȝe arise þe rather and rape ȝow to worche,
Shal no greyne þat groweth glade ȝow at nede;
525 And þough ȝe deye for dole þe deuel haue þat reccheth!' —

---

472 sowe s. *L*

Thanne Pieres þe plowman pleyned hym to þe kny3te,
To kepe hym, as couenaunte was, fram cursed shrewes,
And fro þis wastoures wolueskynnes þat maketh þe worlde dere:
'For þo waste and wynnen nou3te, and þat ilke while
530 Worth neuere plente amonge þe poeple, þerwhile my plow liggeth.'
Curteisly þe kny3te þanne, as his kynde wolde,
Warned Wastoure and wissed hym bettere,
'Or þow shalt abugge by þe lawe, by þe ordre þat I bere!'
'I was nou3t wont to worche,' quod Wastour, 'and now wil I nou3t [bigynne!'
535 And lete li3te of þe lawe and lasse of þe kny3te,
And sette Pieres at a pees and his plow bothe,
And manaced Pieres and his men, 3if þei mette eft sone.
'Now, by þe peril of my soule!' quod Pieres, 'I shal apeyre 3ow [alle!'
And houped after Hunger þat herd hym atte firste:
540 'Awreke me of þise wastoures,' quod he, 'þat þis worlde schendeth!'
Hunger in haste þo hent Wastour bi þe mawe,
And wronge hym so bi þe wombe, þat bothe his eyen wattered;
He buffeted þe Britoner aboute þe chekes,
Þat he loked like a lanterne al his lyf after.
545 He bette hem so bothe, he barste nere here guttes;
Ne hadde Pieres with a pese-lof preyed Hunger to cesse,
They hadde ben doluen bothe, ne deme þow non other.
'Suffre hem lyue,' he seyde, 'and lete hem ete with hogges,
Or elles benes and bren ybaken togideres,
550 Or elles melke and mene ale,' þus preyed Pieres for hem.
Faitoures for fere herof flowen into bernes,
And flapten on with flayles fram morwe til euen,
That Hunger was nou3t so hardy on hem for to loke.
For a potful of peses þat Peres hadde ymaked,
555 An heep of heremites henten hem spades,
And ketten here copes, and courtpies hem made,
And wenten as werkemen with spades and with schoueles,
And doluen and dykeden to dryue aweye Hunger.
Blynde and bedreden were botened a þousande,
560 Þat seten to begge syluer, sone were þei heled.
For þat was bake for bayarde, was bote for many hungry,
And many a beggere for benes buxome was to swynke,
And eche a pore man wel apayed, to haue pesen for his huyre,
And what Pieres preyed hem to do, as prest as a sperhauke.
565 And þereof was Peres proude and put hem to werke,
And 3af hem mete as he my3te aforth and mesurable huyre.
Þanne hadde Peres pite and preyed Hunger to wende
Home into his owne erde and holden hym þere. —

Dowel, Dobet, Dobest.

Ich wente forþ wyde-where, walkynge myn one, [C XI, 61]
570 In a wylde wyldernesse by a wode syde.
Blisse of þe briddes abyde me made,
And vnder lynde in a launde lenede ich a stounde,
To lithen here laies and here loueliche notes.
Murthe of here murye mouthes made me to slepe;
575 And merueilousliche me mette amyddes al þat blisse.
A muche man, me þouhte lyke to myselue,
Cam and callede me by my kynde-name.
'What art þow,' quaþ ich, 'þat my name knowest?'

571 þe *not in P* 577 kynde] ryhte 578 ert *P, as often*

'That wost þou, Wille,' quaþ he, 'and no wight betere.'
580 'Wot ich?' quaþ ich, 'Ho art þow?' 'Thouhte,' seide he þenne.
'Ich haue þe suwed þis seue ȝer; seih þou me no rather?
'Art þow Þouhte,' quaþ ich þo, 'þow couþest me wisse
Where þat Dowel dwelleþ, and do me to knowe.'
'Dowel and Dobet,' quaþ he, 'and Dobest þe þridde
585 Beþ þre fayre vertues, and beeþ nauht ferr to fynde:
Who-so is trewe of hys tonge and of hus two handes,
And þorwe leel labour lyueþ, and loueþ his emcristine,
And þerto trewe of hus tail, and halt wel his handes,
Nouht dronkelewe ne deynous, Dowel hym folweþ.
590 Dobet doþ al this, ac ȝut he doþ more;
He is lowe as a lombe and loueliche of speche,
And helpeth herteliche alle men of þat he may aspare. —
Dobest bere sholde þe bisshopes croce,
And halye with þe hoked ende ille men to goode,
595 And with þe pyk putte adoune ***preuaricatores legis,***
Lordes þat lyuen as hem lust and no lawe acounten.
For here mok and here meeble suche men þynken
That no bisshop sholde here byddinge withsitte.
Ac Dobest sholde nat dreden hem, bote do as god hihte. —
600 And þus ys Dowel, my frend, to do as lawe techeþ, [304]
To louye and to lowe þe, and no lyf to greue.
Ac to louye and to lene, leyf me, þat is Dobet.
Ac to ȝeue and to ȝeme boþe ȝonge and olde,
Helen and helpen, is Dobest of all.
605 For þe more a man may do, by so þat he do hit,
The more is he worth and worthi of wyse and goode ypreised.' —

The Easter Vision.

Wo-werie and wetschod wente ich forth after, [C XXI, 1]
As a recheles renke þat reccheþ nat of sorwe,
And ȝeode forþ lyke a lorell al my lyf-tyme,
610 Til ich wax wery of þis worlde, and wilnede efte to slepe,
And lenede me til lenten, and longe tyme ich slepte.
Of gurles and of '*gloria laus*' gretliche me dremede,
And how '*osanna*' by orgone olde folk songe.
On was semblable to þe Samaritan and somdel to Peers Plouhman,
615 Barfot on an asse bak bootles cam prykye,
Withoute spores oþer spere, and sprakliche he lokede,
As is þe kynde of a knyght, þat comeþ to be doubed,
To geten hus gilte spores and galoches ycouped.
Then was Faith in a fenestre, and cryde: '*A filij Dauid!*'
620 As doþ an heraud of armes, when auntrous comeþ to justes.
Olde Iewes of Ierusalem for ioye þei songen:
'*Benedictus qui venit in nomine domini.*'
Þenne ich fraynede Faith, what al þat fare bymente,
And ho sholde iusten in Ierusalem. 'Iesus,' he seide,
'And fecche þat þe feond cleymeþ, Peers frut þe plouhman.'
625 'Ys Peers in þis place?' quaþ ich. And he preynkte vpon me:
'*Liberum dei arbitrium,*' quaþ he, 'for loue haþ vndertake
That þis Iesus of hus gentrise shal jouste in Peers armes,
In hus helme and in hus haberion, ***humana natura.***

586 is] his trywe *a.u.* hys] ys two] to 594 þe *not in P* 597 And for *P* 599 hym
600 to day 603 holde 605 Fore 607 wetschode 608 richeles 610 to *not in P*
613 orgne folk] men 618 ycoped 620 auntres 622 fraynnede 627 þes genterise 628 In *not in P*

Þat Crist be nat knowe for *consummatus deus*,
630 In Peeres plates þe plouhman this prykiere shal ryde;
For no dint shal hym dere as *in deitate patris.*'
'Ho shal jouste with Iesus,' quaþ ich, 'Iewes, oþer scrybes?'
'Nay,' quaþ Faith, 'bote þe feond and Fals-dom-to-deye.
Deþ seith he wol fordo and adoun brynge
635 Al þat lyueþ oþer lokeþ a-londe and a-watere.
Lyf seith þat he lyeþ, and haþ leyde hus lyf to wedde,
Þat for al þat Deþ can do withinne þre dayes
To walke and fecche fro þe feonde Peers frut þe plouhman,
And legge hyt þer hym lykeþ and Lucifer bynde,
640 And forbete and bringe adoun bale and deþ for euere.
O mors, ero mors tua.
Thenne cam Pilatus with muche peuple, *sedens pro tribunali*,
To seo hou douhtiliche Deþ sholde do, and deme here beyer ryght.
The Iuwes and þe iustices aȝens Iesus þey were,
And alle þe court cryede '*crucifige!*' lowde. —
645 '*Tolle, tolle!*' quaþ anoþer, and toke of kene þornes,
And bygan of a grene þorne a garlaunde to make,
And sette hit sore on hus hefd, and suthe seyde in enuye:
'*Aue, rabbi*,' quaþ þat ribaud, and reodes shotte at hus eyen;
And nailede hym with þre nayles naked on þe rode,
650 And with a pole poyson putten to hus lippes,
And beden hym drynke, hus deþ to lette and hus dayes lengthen.
And seide: 'Yf he sothfast beo, he wol hymself helpen.
And now, yf þow be Criste, godes sone of heuene,
Come adoune of þis rode, and þenne wol we leyue
655 That Lyf þe louyeþ, and wol nat lete þe deye.'
'*Consummatum est*,' quaþ Crist, and comsede for to sounye
Pitousliche and paal, as prison þat deyeþ.
The lord of lyf and of light þo leyde hus eyen togederes.
The day for drede þerof withdrow, and deork bycam þe sonne. —
660 What, for fere of þis ferly and of þe false Iewes,
Ich drow in þat deorknesse to *descendit ad inferna*,
And þer ich seyh sothliche *secundum scripturas*,
Out of þe west, as it were, a wenche, as me þouhte,
Cam walkynge in þe way; to helleward he lokede.
665 Mercy hihte þat mayde, a mylde þyng withalle,
And a ful benygne burde and buxum of speche.
Heore sustre, as hit semede, cam softly walkynge
Euene out of þe est, and westwarde he þouhte,
A comely creature and clene, Treuthe he hihte.
670 For þe vertue þat here folwede afered was he neuere.
Whan þeos maydenes metten, Mercy and Treuthe,
Ayther axed of oþer of þis grete wonder,
Of þe deone and deorknesse, and how þe day rowed,
And whiche a light and a leom lay byfore helle.
675 'Ich haue ferly of þis fare, in faith,' seide Treuthe,
'And am wendyng to wyte, what þis wonder meneþ.'
'Haue no meruayle þerof,' quath Mercy, 'murthe hit bytokneþ!' —
'Now suffre we,' seide Treuthe, 'ich seo, as me thynkeþ,
Out of þe nype of þe north, nat ful fer hennes,
680 Ryghtwisnesse come rennynge; reste we þe whyle;
For he wot more þan we, he was er we boþe.'

---

629 þat] þa 630 thes 639 hyt] hym 640 forbite adoun and br. bale deþ 644 lowede
647 on] in 648 rabi and] a 651 bid 663 weynche 666 benyngne 669 he] sheo
673 roued 680 Rythw. 681 er] er þan

'That is soth,' seide Mercy, 'and ich seo her by southe,
Wher comeþ Pees pleyinge, in pacience ycloþed.
Loue heore haþ coueyted longe, leyue ich non oþer
685 Bote Loue haue sent heore som lettere, what þis light bymeneþ
That ouerehoueþ helle þus. He shal ous telle.'
Whenne Pees, in pacience ycloþed, aproched ayþer oþer,
Ryghtwisnesse reuerencede Pees in heore riche cloþinge,
And prayede Pees to tellen huere to what place he wolde,
690 In heore gay garnemens wham he gladie þouhte.
'My wil is to wende,' quaþ Pees, 'and welcome hem alle,
Þat meny day myghte ich nat seo for meorknesse of synne.
Adam and Eue, and oþer mo in helle,
Moyses and meny mo mercy shullen synge.
695 And ich shal daunce þerto; do also þow, suster!
For Iesus iousted wel, ioye bygynneþ to dawen!
Loue, þat is my lemman, suche letteres me sente,
Þat Mercy my suster, and ich Mankynde shulde saue.
And þat god haþ forgyue and graunted to al mankynde,
700 Mercy, my suster, and me to maynprise hem alle.
And Crist haþ conuerted þe kynde of Ryghtwisnesse
Into pees and pyte of hus pure grace. —
After sharpest shoures,' quaþ Pees, 'most sheene is þe sonne; [456]
Ys no weder warmer þan after watery cloudes,
705 Noþer loue leuere ne leuere freondes,
Þan after werre and wrake, whanne Loue and Pees beon maistres.' —
Treuthe trompede þo, and song: '*Te deum laudamus!*'
And þen lutede Loue in a lowd note:
'*Ecce quam bonum et quam iocundum est, habitare fratres in unum!*'
Tyl þe day dawede these damseles daunsede,
710 That men rang to þe resurreccioun. And with þat ich awakede,
And kallyd Kytte my wyf, and Kalote my doughter:
'Arys, and go reuerence godes resurreccioun,
And creop on kneos to þe croys, and cusse hit for a juwel
And ryghtfullokest a relyk, non riccher on erthe;
715 For godes blesside body hit bar for oure bote,
And hit afereþ þe feonde; for such is þe myghte:
May no grysliche gost glyde þer hit shadeweþ!' —

Antichrist and Conscience.

When Neode hadde vndernome me thus, anon ich fel a-sleope,
And mette ful merueilousliche, þat in a mannes forme [C XXIII, 51]
720 Antecrist cam þenne; and al þe crop of Treuthe
Turned tyte vp so doun, and ouertilte þe rote,
And made Fals to springe and sprede and spede menne neodes.
In eche contreie þer he cam, he cutte away Treuthe,
And gert Gyle growe þer, as he a god were.
725 Freres folweden þat feonde, for he ȝaf hem copes,
And religiouse reuerencede hym and rongen here belles.
Al þe couent þo cam to welcome þat tyraunt,
And alle hise as wel as hym, saue onliche fooles.
The whiche fooles weren gladdere to deye
730 Þan lyue lengoure, suþe leaute was so rebuked. —
Anticrist thus sone hadde hundredes at hus baner,
And Pruyde bar þat baner boldeliche aboute,
With a lorde þat lyueþ after lykynge of hus body,

683, 687 cloþed 691 weynde 698 shullen 714 An r. 722 spedde 725 ȝe ȝaue
727 couant wolcome þat *Varr.*] þe 732 abouhte

And cam aȝeyns Conscience, þat keper was an gyour
735 Ouer kynde cristyne and cardinale uertues.
'Ich consail,' quaþ Conscience þo, 'comeþ with me, ȝe fooles,
Into Unite-holichurche and halde we ous þere,
And crye we to Kynde þat he come and defende
Ous fooles fro þe feondes lymes for Peers loue þe plouhman.
740 And crye we on al þe comune, þat þei come to Unite,
Ther to abyde and bykere aȝeyns Beliales children.'
Kynde huyrde þo Conscience, and cam out of þe planetes,
And sente forþ his foreyours, feuers and fluxes,
Couhes and cardiacles, crampes and toþ-aches,
745 Reumes and radegoundes and roynouse scabbes,
Bules and bocches and brennyng aguwes;
Frenesyes and foule vueles, these foragers of Kynde,
Hadden pryked and preyed polles of people.
Largeliche a legion lees þe lyf sone.
750 Ther was: 'Harow and help! Her comeþ Kynde,
With Deþ þat is dredful to vndo ous alle!'
The lord þat lyuede after lust, þo aloud criede
After Comfort, a knyght, to come and bere hus baner.
'Alarme! Alarme!' quaþ þat lorde, 'eche lyf kepe hus owene!'
755 Thenne mette þese men, er mynstrales myghte pipe,
And er heraudes of armes hadden discriued lordes.
Elde þe hore was in þe vauntwarde,
And bar þe baner byfore Deþ; by right he hit claymede.
Kynde cam after hym with menye kynne sores,
760 As pockes and pestilences, and muche people shente.
So Kynde þorgh corupcions culde ful menye.
Deþ cam dryuyng after, and al to douste paschte
Kynges and knyghtes, caysers and popes;
Lered ne lewide he lefte no man stande.
765 That he hitte euene, sterede neuere after.
Many a louely lady and here lemmanes knyghtes
Sounede and swelte for sorwe of Deþes dyntes. —
Lyf tho leep asyde and lauhte hym a lemman.
'Hele and ich,' quaþ he, 'and hihnesse of herte
770 Shal do þe nat drede, neiþer Deþ ne Elde,
And to forȝete ȝouthe and ȝyue nauht of synne.'
This likede Lyf and Fortune, hus lemman,
And geten in here glorie a gadelyng atte laste,
On þat muche wo wrouhte, Sleuthe was hus name.
775 Sleuthe wax wonder ȝerne, and sone was of age,
And wedded on Wanhope, a wenche of þe stewes. —
And Elde hente good hope and hastiliche shrof hym,
And wayueþ away Wanhope, and with Lyf he fighteþ.
And Lif fleyh for fere to Fisik after helpe,
780 And bysouhte hym of socour, and of his salue hadde,
And gaf hym gold goud won þat gladede here hertes,
And þei gauyn hym agayn a glasene houe.
Lyf leyuede þat lechecraft lette sholde Elde,
And todryue away Deþ with dyas and drogges.
785 Elde auntred hym on Lyf, and atte laste he hitte
A fisician with a forrede hod, þat he fel in a palsye,
And þer deiede þat doctour, er thre dayes after.

743 fereours 744 crampes] claumpes 748 prykede preyede 752 loust 755 þes 758 þe] a 762 dryu.] dremend paihste 766 lofly 767 Deþes] dyþes 771 to forȝ.] forȝute 775 þo sleuthe 779 fleyht f. f. t. syke 780 his] here 784 dyas] dayes

'Now ich seo,' saide Lyf, 'þat surgerye ne phisike
May nat a myte availle to medlen aȝens Elde.'
790 And in hope of hus hele good heorte he hente,
And rod so to Reuel, a ryche place and a murye.
The companye of Comfort men cleped hit som tyme.
And Elde hastede after hym, and ouer my hefde ȝeode,
And made me balled byfore and bar on þe croune.
795 So harde he ȝeode ouer myn hefde, hit wol be sene euere.
'Syre vuel-ytauht Elde,' quaþ ich, 'vnhende go with þe!
Suþþe whanne was þe hey wey ouer menne hefdes?
Haddest þow be hende,' quaþ ich, 'þow woldest haue asked leue.'
'Ȝe, leue, lordeyn!' quaþ he, and leyde on me with age,
800 And hitte me vnder þe ere, vnneþe may ich huyre.
He boffatede me aboute þe mouthe and bete oute my wang-teþ,
And gyuede me wiþ goutes, ich may nat go at large. —
And as ich sat in þis sorwe, ich sauh how Kynde passede,
And Deþ drow neyghynge me; for drede gan ich quaken,
805 And criede carfully to Kynde, out of kare me brynge:
'Lo, hou Elde þe hore haþ me byseye!
Awreke me, yf ȝoure wil beo; for ich wolde be hennes.'
'Yf þow wolt beo awreke, wende into Unite,
And hold þe þare euere, til ich sende for þe,
810 And loke þou conne som craft, er þou come þennes.'
'Consaileþ me, Kynde,' quaþ ich, 'what crafte be best to leere?'
'Lerne to loue,' quaþ Kynde, 'and lef alle oþer þynges!' —
And ich þorgh consail of Kynde comsede to rome
Thorgh Contricion and Confession, til ich cam to Unite.
815 And þer was Conscience constable, crystine to saue.
He was byseged soþliche with seuene grete geauntes,
That with Anticrist helden harde aȝeyns Conscience. —
Conscience cride: 'Helpe, Cleregie, oþer ich falle
Thorgh imparfit preestes and prelates of holychurche!'
820 Freres herde hym crie and comen hym to helpe;
Ac for þei couþe nat wel here craft, Conscience forsoke hem.
Neode neyhede þo ner; to Conscience he tolde
Þat þei came for couetise, to haue cure of soules.
And for thei aren poure, paraunter for patrimonye hem failleþ,
825 Thei wolle flaterie to fare wel to folke þat ben riche.' —
Enuye herde þis, and het freres go to scole,
And lerne logik and lawe and eke contemplacion,
And preche men of Plato, and prouen hit by Seneca,
That alle þyng vnder heuene ouhte to beo in comune.
830 He lyeþ, as ich leyue, þat to þe lewede so precheþ. —
The while Couetise and Vnkyndenesse assailede Conscience,
In Vnite-holichurche Conscience held hym,
And made Pees portor to pynne þe ȝates.
Alle tale-tellours and titereres in ydel,
835 Ypocrise and thei an hard sawt thei ȝeuen.
Ypocrise at þe ȝate harde gan fighte,
And wondede wel wickedly meny a wys techere,
That with Conscience acordede and cardinale uertues. —
Anon Sleuthe seih þat, and so dude Pruyde, [373]
840 And comen with a kene wil, Conscience to assaile.
Conscience criede eft: 'Cleregie, come help me!'

---

792 clipid 800 vnnyþe 803 ich sauh] sauh 805 out *not in P* 816 bysegide 817 Aunticrist 835 swat

And bad Contricion to come, to helpe kepe þe ȝate.
'He lith adreynt,' saide Pees, 'and so doþ meny oþere.
The frere with hus fisik þis folke haþ enchaunted,
845 And doþ men drynke dwale, þat men dredeþ no synne.'
'By Crist,' quaþ Conscience tho, 'ich wol bycome a pilgryme,
And wenden as wide, as the worlde regneþ,
To seke Peers þe plouhman, þat Pruyde myghte destruye,
And þat freres hadden a fyndynge, þat for neode flateren,
850 And counterpleideþ me, Conscience. Nowe Kynde me avenge,
And sende me hap and hele, til ich haue Peers Plouhman!'
And suthe he gradde after grace, til ich gan awake.

Explicit Peeres Plouheman.

154. HOLY CHIRECHE VNDER VOTE

MS.: Oxford, Jesus Coll. 29; XIII ct. — *ed.:* R. Morris, EETS. 49. — BR. 4085, We. IV, 28; Ba. 182.

Hwile wes seynte Peter icleped Symon.
Þo queþ vre louerd him to: 'Þu schalt hoten ston.
Ich wile myne chireche sette þe upon.'
Þeo þat heo schulde biwite, nv beoþ hire ivon.
5 Of alle hire forme freond nv naueþ heo non:
Þarfore is hire wurþsype wel neyh al agon.
Þo þer wes Symon, and nv is symonye,
Þat muchel del haueþ amerd of þere clergie.
Bidde we vre louerd Crist, þat hire warantye
10 For his swete moder luue seynte Marie.
Soþþe wes seynte Peter pope ine Rome,
Þer is þat heued, and auhte to beon, of þe cristendome.
Clement and Gregorie þat him after come,
Hi hedden teone and seorewe ofte and ilome;
15 For hi heolden Cristes men myd sib and myd some
And eke holi chireche wiþvten þeowedome.
Þo heo stod ful vaste, and seoþþe sume stunde;
Nu me kasteþ hire to myd markes and myd punde
Of seolure and of golde to vellen heo to grunde.
20 Nis nv non þat wile for hire þolie deþ ne wunde,
Soþþe seynt Thomas þolede deþ al myd vnrihte,
Þe archebisscop Stephne for hire gon to fyhte,
And seynt Admund soþþe ful veyre hire dihte;
For holden hire wurschipe hi duden al heore myhte.
25 Nv is holy chireche vuele vnder honde;
Al hire weorreþ þat wuneþ ine londe:
Biscopes and clerekes, knyhtes and bonde,
Kynges and eorles to hire habbeþ onde.
And þe seolue pope þat heo biwyte scholde,
30 Habbe he þe yeftes of seoluer and of golde,
Markes and pundes, myd rihte oþer myd wronge,
Heo let heom alle iwurþe þat beoþ so swyþe stronge!
Away, þat heo bi vre daye so is vnder vote!
Bidde we alle Ihesu Crist þat hyre sende bote
35 For his swete moder luue, þat is so veyr and swote,
Þat we in þisse lyue hit iseon mote. Amen.

---

153. 842 kepe *not in P* 843 adreynched 844 enchauntede 847 wordle 849 þat fr.] þe fr.
154. 27 bispes *MS.*

155. CAYM

MS.: BM., Cotton Cleopatra B. II; **late XIV c.** — *edd.:* H. Brewster, Monumenta Franciscana, RS. 1858; Th. Wright, PPS., 1859. — **BR. 2777**; **We. IV, 43**; Ba. 267-273.

Preste, ne monke, ne ȝit chanoun,
Ne no man of religioun
Gyfen hem so to deuocioun
4 As done þes holy frers;
For summe gyuen ham to chyualry,
Somme to riote and ribaudry,
Bot ffrers gyuen ham to grete study
8 And to grete prayers.
Who-so kepes þair reule al,
Boþe in worde and dede,
I am ful siker þat he shal
12 Haue heuen blis to mede.

Men may se by þair contynaunce,
Þat þai are men of grete penaunce,
And also þat þair sustynaunce
16 Simple is and wayke.
I haue lyued now fourty ȝers,
And fatter men about þe neres
ȝit sawe I neuer þen are þese frers,
20 In contreys þer þai rayke.
Meteles so megre are þai made,
And penaunce so puttes ham doun,
Þat ichone is an horslade,
24 When he shal trusse of toun.

Allas, þat euer it shuld be so,
Suche clerkes as þai about shuld go,
Fro toun to toun by two and two,
28 To seke þair sustynaunce.
By god þat al þis world wan,
He þat þat ordre first bygan,
Me þynk, certes, it was a man
32 Of simple ordynaunce;
For þai haue noght to lyue by,
Þai wandren here and þere,
And dele with dyuers marcerye,
36 Right as þai pedlers were. —

Þai dele with purses, pynnes, and knyues,
With gyrdles, gloues, for wenches and wyues;
Bot euer bacward the husband thryues
40 Þer þai are haunted tille.
For when þe gode man is fro hame,
And þe frere comes to oure dame,
He spares nauþer for synne ne shame,
44 Þat he ne dos his wille.
ȝif þai no helpe of houswyues had
When husbandes are not inne,
Þe freres welfare were ful bad,
48 For þai shuld brewe ful thynne.

Trantes þai can and many a jape;
For somme can with a pound of sape
Gete him a kyrtelle and a cape,
52 And som-what els þerto.
Wherto shuld I othes swere?
Þer is no pedler þat pak can bere
Þat half so dere can selle his gere,
56 Þen a frer can do.
For if he gife a wyfe a knyfe
Þat cost bot penys two,
Worthe ten knyues, so mot I thryfe,
60 He wyl haue er he go.

Iche man þat here shal lede his life,
Þat has a faire doghter or a wyfe,
Be war þat no frer ham shryfe,
64 Nauþer loude ne stille.
Þof women seme of hert ful stable,
With faire byhest and with fable
Þai can make þair hertes chaungeable
68 And þair likynges fulfille.
Be war ay with þe lymitour,
And with his felawe baþe:
And þai make maystries in þi bour,
72 It shal turne þe to scaþe. —

Þai say þat þai distroye synne.
And þai mayntene men moste þerinne;
For had a man slayn al his kynne,
76 Go shryue him at a frere,
And for lesse þen a payre of shone
He wyl assoil him clene and sone,
And say þe synne þat he has done
80 His saule shal neuer dere.
It semes soþe þat men sayne of hayme
In many dyuers londe,
Þat þat caytyfe cursed Cayme
84 First þis order fonde.

Nou se þe soþe whedre it be swa:
Þat frer Carmes come of a K,
Þe frer Austynes come of A,
88 Frer Iacobynes of I,
Of M comen þe frer Menours;
Þus grounded Caym þes four ordours;
Þat fillen þe world ful of errours
92 And of ypocrisy.
Alle wyckednes þat men can telle
Regnes ham among.
Þer shal no saule haue rowme in helle:
96 Of frers þer is suche þrong. —

56 þen *MS.*] as *em. Cook*   85 ff. *cf. Wyclif, Trialogus, IV, 33:* . . . quattuor litterae huius nominis 'Caim' inchoant hos quattuor ordines, secundum ordinem temporis, quo finguntur a fratribus incepisse, ita quod C. Carmelitas, A. Augustinenses, I. Iacobitas et M. Minores significat.

Þai trauele ȝerne and bysily
To brynge doun þe clergye;
Þai speken þerof ay vilany,
100 And þerof þai done wrong.
Whoso lyues oght many ȝers
Shal se þat it shal falle of frers,
As it dyd of þe templers,
104 Þat wonned here vs among:
For þai held no religioun,
Bot lyued after lykyng,
Þai were distroyed and broght adoun
108 Þurgh ordynance of þe kyng.

Ful wysely can þai preche and say;
Bot as þai preche, no þing do þai.
I was a frere ful many a day,
112 Þerefor þe soþe I wate.
Bot when I sawe þat þair lyuyng
Acordyd not to þair preching,
Of I cast my frer clothing
116 And wyghtly went my gate.
Oþer leue ne toke I none,
Fro ham when I went,
Bot toke ham to þe deuel ychone,
120 Þe priour and þe couent. —

156. AGAINST THE FRIARS

MS.: Cambridge, St. John's Coll. G. 28; XV century. - *ed.*: H. A. Person, Cambridge ME. Lyrics, Seattle 1953. - BR. 3697; We. IV, 43a.

Þou þat sellest þe worde of god,
Be þou berfot, be þou schod,
Cum neuere here!
In principio erat verbum
Is þe worde of god alle and sum
6 Þat þou sellest, lewed frere.

Hit is cursed symonie
Eþer to selle or to bye
Ony gostly þinge.
Þerfore, frere, go as þou come,
And hold þe in þi hows at home,
12 Til we þe almis brynge.

Goddis lawe ȝe reuerson,
And mennes howsis ȝe presen,
As Poul beriþ wittnes,
As mydday deuelis goynge abowte
For money lowle ȝe lowte
18 Flatteringe boyth more and lesse.

157. THE FRIAR'S REPLY

MS., *ed.*: Cambridge, St. John's Coll. G. 28, *above*. - BR. 161.

Allas, what schul we freris do?
Now lewed men kun holy writ,
Alle abowte wherre I go
4 Þei aposen me of it.

Þen wondriþ me þat it is so
How lewed men kan alle wite.
Sertenly, we be vndo,
8 But if we mo amende it.

I trowe þe deuel browȝt it aboute
To write þe gospel in Englishe;
For lewed men ben nowe so stowt
12 Þat þei ȝeuen vs neyþer fleche ne fishe.

When I come into a schope
For to say "*In principio*",
Þei bidine me: "Goo forþ, lewed poppe!"
16 And worche and win my siluer so.

Yf y sae, hit longoþ not
For prestis to worche where þei go,
Þei leggen for hem holi writ,
20 And sein þat Seint Polle did soo.

Þan þei loken on my nabete,
And sein, forsoþe, withoutton oþes,
Wheþer it be russet, black, or white:
24 "It is worþe alle oure werynge cloþes!"

I seye: "I begge not for me,
Bot for them þat haue none."
Þei seyne: "Þou hauist to or þre;
28 Ȝeue hem þat nedith þerof oone!"

Þus oure disseytis bene aspiede
In þis maner and mani moo.
Fewe men bedden vs abyde,
32 But heyfast þat we were goo.

If it goo forþe in þis maner
It wole doen vs myche gyle;
Men schul fynde vnneþe a frere
36 In Englonde wiþin a whille.

---

25 begge *not in MS.*

158. A Stanzaic Life of Christ

MS.: BM., Harley 3909; XV ct. — *ed.*: F. A. Foster, EETS. 166. — BR. 1755; We. VIII, 25a; Ba.190.

Anecdotes.

On Friday deghet he on the tre.
Setterday in sepultre lay;
For sorowe of moder and his meisne
4 That day we fasten, sothe to say. [5116]

Anno gracie sexto decimo Tiberius erectus est in imperatorem post mortem Octouiani.

Tiberius was made this ȝer [5117]
Emperour after Octouian,
And eghten ȝer, withouten wer,
8 Regnet er that Crist was tane. —

In al his werkes wel abydyng
He was, as Iosephus witenesse ber,
And as schowde by hys doyng
12 In worlde lyuyng, as ȝe moun ler.

ffor in what lond, withoute lesing,
That he made any officer,
He suffert hom alway so lenging
16 And neuermore chaunget in no maner.

And cause whi that so did he:
Hit was the peple forto spare.
Men asket what the cause might be,
20 And this was alway his vnsware:

Nam procuratores, inquit, tanto dominantur grauius, quanto breuius.

'ffor procuratoures and officeres,
The lasse wille thay han maistry,
The more greuouse bene of maneres
24 Hor sugetes forto do any.'

And this ensaumple shewet he
To make hyt sothe that he con say,
Of a mon that he con se
28 Lay ones woundet in the way,

Was bytten with fleghes bitterly.
Come by a frende and for the best
Steret these fleghes that diden hym ny
32 For to gete hym better rest.

Thenne sayde the seke mon to hym tho:
'Frende, thow dos me now grete wogh:
The fleghes that thow puttes me fro
36 Now thay haden eten inogh,

And lasse thay greuet whil thay wer ful.
Now wol thay, when thow art away,
Hongrily take sadder pul,
40 And greue more then bifore, in fay.'

And right so in the selue maner
Hit fares by officeres iwys,
That hopen to stonde but one ȝer
44 Nuyen the more and done amys.

We reden in Rome a monn ther was
This emperoures tyme lyuyng,
That a temprur founden has
48 To make glas big and eke bowing,

As stif as siluer or golde is
Or other metal to be wroght.
When the emperour herd of this,
52 That monn was sone bifor hym broght.

Whenne he bifore hym come iwys,
The emperour sone at hym soght,
Whether any monnes wyt saue hys
56 Of that temprur knew oght.

And he vnswaret and sayd nay,
Ther was no mon knewe hyt saue he,
Hymselfe furst fonde hit, in gode fay,
60 By fer seching and sotilte.

When the emperour knewe thys thing,
Bad sle hym sone in al maner;
For ȝif that ilke crafte sulde spring,
64 Siluer ne gold noght worthy wer.

Anno gracie undevicesimo, Tiberii quarto.

This ȝer deghet that cuoynt clerke,
Ouide, that exilet was
Out of Rome for wikket werke
68 In one boke that he mad thenne has,

The wiche book was of paramur,
Al forto teche men for to wow,
And broght mony in grete langour,
72 For kokewald wer mo thenne inowe. -

10 ber] her *MS.* 12 woelde 55 amy 65 couynt

159. JOHN MIRK, INSTRUCTIONS

PROPTER PRESBITERUM PAROCHIALEM INSTRUENDUM

MS.: BM., Cotton Claudius A II; 1st h. XV ct. — *ed.*: E. Peacock, EETS. 31. — BR. 961; We. VI, 38; Ba. 175; RO. 299-300; TB. 129.

God seyth hym-self, as wryten we fynde,
That whenne þe blynde ledeth þe blynde
Into þe dyche þey fallen boo,
For þey ne sen whareby to go.
5 So faren prestes now by dawe:
They beth blynde in goddes lawe,
That whenne þey scholde þe pepul rede
Into synne þey do hem lede.
Thus þey haue do now full ȝore,
10 And alle ys for defawte of lore;
Wharefore, þou preste curatoure,
ȝef þou plese thy sauyoure,
ȝef thow be not grete clerk,
Loke thow moste on thys werk. —
15 Preste, þy-self thow moste be chast,
And say þy serues wyþowten hast, [24]
That mowthe and herte acorden ifere,
ȝef thow wole that god þe here.
Of honde and mowþe þou moste be trewe,
20 And grete oþes thow moste eschewe,
In worde and dede þou moste be mylde,
Bothe to mon and to chylde.
Dronkelec and glotonye,
Pruyde and slouþe and enuye,
25 Alle þow moste putten away,
ȝef þow wolt serue god to pay.
That þe nedeth, ete and drynke,
But sle þy lust for any thynge.
Tauernes also thow moste forsake,
30 And marchaundyse þow schalt not make,
Wrastelyng and schotyng and suche maner game,
Thow myȝte not vse wythowte blame.
Hawkyng, huntyng, and dawnsyng
Thow moste forgo for any thyng.
35 Cuttede clothes and pyked schone,
Thy gode fame þey wole fordone.
Marketes and feyres I the forbede,
But hyt be for the more nede.
In honeste clothes thow moste gon,
40 Baselard ny bawdryke were þow non.
Berde and crowne thow moste be schaue,
ȝef thow wole thy ordere saue.
Of mete and drynke þow moste be fre,
To pore and ryche by thy degre.
45 ȝerne thow moste thy sawtere rede,
And of the day of dome haue drede,
And euer do gode aȝeynes euele,
Or elles thow myȝte not lyue wele.
Wymmones serues thow moste forsake,
50 Of euele fame leste they the make;
For wymmenes speche that ben schrewes,
Turne ofte away gode thewes.
From nyse iapes and rybawdye
Thow moste turne away þyn ye;
55 Tuynde þyn ye þat thow ne se
The cursede worldes vanytе! —
Also wythynne chyrche and seyntwary [330]
Do ryȝt thus as I the say:
Song and cry and suche fare
60 For to stynte þow schalt not spare;
Castyng of axtre and eke of ston
Sofere hem þere to vse non;
Bal and bares and suche play
Out of chyrcheȝorde put away.
65 Courte holdyng and suche maner chost
Out of seyntwary put þow most;
For Cryst hym-self techeth vs,
Þat holy chyrche ys hys hows,
Þat ys made for no-þyng elles
70 But for to praye in, as þe boke telles.
Þere þe pepull schale geder withinne
To prayen and to wepen for here synne.
Teche hem also well and greythe
How þey schule paye here teythe:
75 Of alle þyng that doth hem newe
They schule teythe well and trewe,
After þe costome of þat cuntraye
Euery mon hys teythyng schale paye
Bothe of smale and of grete,
80 Of schep and swyn and oþer nete.
Teyþe of huyre and of honde
Goth by costome of þe londe.
I holde hyt but an ydul þyng
To speke myche of teythyng;
85 For þaȝ a preste be but a fonne,
Aske hys teyþyng well he conne. —

20 enschewe

160. JOHN WYCLIF, ENGLISH WRITINGS

MSS.: *I, II, IV*: Cambridge, Corpus Christi Coll. 296; XIV cent. *III*: Bodl. 647; XIV cent. *V*: Ashburnham XXVII; XV ct. *VI-VII*: Bodl. 788; XIV cent. — *edd.*: *I-III, VI-VII*: Th. Arnold, Oxford 1869; *IV-V, VIII*: F. D. Matthew, EETS. 74. — We. XII, 30, 35, 37, 14, 68, 6; Ke. 4930-40; Ba. 203-205; RO. 313-314.

I. CHURCH TEMPORALITIES: *Secularization.*

Seculer lordischipes, þat clerkis han ful falsly aȝenst goddis lawe, and spende hem so wickedly, schulden be ȝouen wisly bi þe kyng and witti lordis to pore gentilmen, þat wolden justli gouerne þe peple, and meyntene þe lond aȝenst enemyes. And þan myȝte oure lond be strengere by many 5 thousand men of armes þan it is now, wiþouten ony new cost of lordis, or taliage of þe pore comyns, and be dischargid of gret heuy rente, and wickid costomes brouȝt vp bi coueitouse clerkis, and of many talliages and extorsions bi whiche þei ben now cruely pillid and robbid. —

II. THE GREAT SENTENCE OF CURS EXPOUNDED: *Reformation.*

Cap. X: — Alle worldly clerkis þat wolen not holde hem payed wiþ 10 holy writt and þe ordynaunce of Crist, to lyue in mekenesse, wilful pouert, and besy traueil in gostily werkes, as Crist and his postlis diden, disturblen verrey pees of holy chirche and cristendom. Lord, how grete hyndryng of[1] cristen feiþ is it, þat so many clerkis leuen holy writt, and namely Cristis gospel, and studyen heþene mennys lawis and worldly coueitouse prestis 15 tradicions, maad of here owene willardis dom for here pride and coueitise, and charge hem more þan goddis hestis; siþþen goddis lawe is liȝt, swete, and esy, and best wole brynge men to heuene, and at þe fulle occupie alle prestis wittis in þe world til þe day of dom, and oþere tradicions of synful men ben ful of errour, and maken many snaris, or gnaris, to lette men in 20 þe weie to heuene, þat bifore was siker and pleyn, wiþoute ony lettid.

Lord, what charite is it for hem þat schulden be most gostly prestis to make werre in alle cristendom for here worldly cause and stynkynge lordischipe, aȝenst Cristis biddyng and lif, and graunte ful absolucion and relessyng of alle peynes in purgatory, for to slee eche cristene man oþer, 25 as[2] don þes proude prestis of Rome and Avynoun, wiþ here worldly clerkis on boþe sidis. Certis, þei disturblen verry pees of al holy chirche and alle cristendom þerto. Lord, what mirrour of mekenesse is þis, þat bischopis and prestis, monkis chanons and freris, þat schulden be meke and pacient and lambren among woluys bi techyng of Crist, ben more proudly arraied 30 in armer and oþere costis of werris, and more cruel in here owene cause þan ony oþere lord or tiraunt, ȝe, heþene emperours! For þei wolen wiþouten pite and answere curse, prisone, slee, and brenne trewe prestis, þat techen pleynly Cristis lawe and his lif aȝenst here pride, coueitise, and ypocrisie. Lord, what ensaumple of pacience ȝeuen þes worldly prestis and religiouse, 35 þat schulden ȝeue alle here goodis and here bodely lif to kepe oþere men in pees and in charite, as Crist and his lawe techen, and now pursuen men so cruely for a litel trespas or noȝt, bi londis lawe, bi 'cristen court' clepid in name, but in dede Sathanas trone! —

Cap. XI: Ȝit worldly clerkis and feyned religious breken and disturblen 40 moche þe kyngis pees and his rewmes. For hir prelaties of þis world, wiþ prestis lesse and more, crien faste, and writen in here lawis, þat þe kyng haþ no jurisdiccioun ne power of here persones, ne goodis of holy chirche. And ȝit Crist and his postlis weren most obediaunt to kyngis and lordis, and tauȝten alle men to be suget to hem and serue hem, trewely and wil- 45 fully, in bodily werkis and tribut, and drede hem and worschipe hem bifore

[1] oft *MS.* [2] and *MS.*

alle oþere men. First, þe wise kyng Salamon put doun an heie bischop þat was fals to hym and his rewme, and exilide him, and ordeyned a good prest for him, as þe þridde bok of Kyngis telliþ. And Jesus Crist paiede tribut to emperour, and comaundid men to paie him tribute. — Lord, whoo haþ maad oure worldly clerkis exempt from kyngis jurisdiccion and chastisynge, 50 siþþen god ȝeuiþ kyngis þis office on alle mysdoeris? Certis, no man but Anticrist, Cristis enemye! Siþen clerkis, and namely hie prestis, schulden be most meke and obedient to lordis of þis world, as weren Crist and his apostlis, and teche oþere men boþe in word and dede to be myrrour of alle men, to ȝif þis mekenesse and obedience to þe kyng and his riȝtful lawis, 55 how stronge þeues and traitours ben þei now to kyngis and lordis! — For in þis þei techen lewid men and comyns of þe lond, boþe in wordis and lawis and opyn dede, to be fals and rebel aȝenis þe kyng and oþere lordis. And þis semeþ wel bi here newe lawe of decretalis, where þe proude clerkis haue ordeyned þis: þat oure clergie schal paie no subsidie ne taxe, ne helping 60 of oure kyng and oure rewme, wiþouten leue and assent of þe worldly prest of Rome! And ȝit many tymes þis proude worldly prest is enemye of oure lond, and priuely meynteneþ oure enemyes, to[1] weren aȝenst us wiþ oure owene gold! —

Also þes newe religious, and namely freris, distroien and disturblen 65 þe pees and reste of þe kyng and his rewme; for þorouȝ privei confession þei norischen moche synne, namely lecherie, avoutrie, and synne aȝennis kynde, extorsions and robberie and usure, for to haue pert þerof, and tellen not þe treuþe in confession, for drede of lesyng boþe frendischipe and wynning, and meyntening of here feyned ordre. And bi þis is strif and debate 70 among curatis and here children in god[2]; and in many tymes open fiȝtting for mortuaries and prechyng; and þei doren not seie þe treuþe aȝenst þe worldly prestis of Rome, þouȝ he robbe neuere so foul houre lond bi symonye and falsehed of perdon and priuylegies, whanne þei knowen wel þe treuþe, for drede þat he wold take awey þes þre poyntis, þat is, prechyng, schryuyng 75 and biryng. And for esy penaunce of money þat þei enyoynen men, for trentalis and masse pens, and makyng of gaie wyndowis and grete housis, þat þe world may see and preise, þe moste viciouse men, as avoutreris, extorsioneris, usureris, and open þeues, gon to þes ypocritis, and forsaken here owene curatis þat wolden sumwhat telle hem þe perilis. — Þes weiward 80 and coueitous confessouris disturblen most þe pees of þe kyng and his rewme, siþþen þei norischen moste synne bi fals prechyng of lesyngis, fablis, and veyn cronyclis, bi sikernesse of letteris of fraternyte and synguler preieris, and disceyuen men of þe treuþe of goddis word, and peruerte almesdede fro pore bedrede and feble men to hemself, bi colour of ypocrisie. — 85

Cap. XXI: Alle þo þat clippen þe kyngis money, and þat kytten mennus purses, ben solempnely cursed in parische chirches. Here it semeþ þat þe proude worldly preste of Rome, and alle his fautours, ben most cursed of clipperis and purse-kerueris; for þei drawen oute of oure lond pore mennus liflode, and many þousande mark bi ȝere of þe kyngis money, for sacramentis 90 and spiritual þingis, þat is cursed heresie of symonye, and makiþ al cristendom assente and meyntene þis heresie. And certis þouȝ oure rewme hadde an huge hill of gold, and neuere oþere man toke þerof, but only þis proude worldly prestis collectour, bi proces of tyme þis hil moste be spendid, for he takiþ euere money oute of oure lond, and sendiþ nouȝt aȝen but goddis 95 curs for his symonye, and acursed Anticristis clerkes to robbe more þe lond, or wrongful priuylegie, or ellis leue to do goddis wille, þat men schullen not do wiþouten his leed and biyng and sillyng. But þouȝ oure kyng take taliage of þe peple, as he may lawefully, for nedeful helpe of þe lond, ȝit þe money dwelliþ stille in oure rewme, to profit þerof in manye pertis. 100

[1] to] and *MS.* [2] good *MS.*

Also worldly prelatis and clerkis keruen foule pore mennus purses, whanne þei wasten þe chirche goodis, þat ben mennus sustenaunce, in pride, glotonye, lecherie, and oþere vanytees. For þei ben procuratours or tresureris of pore men in takyng dymes and offryngis, and as wel þei myȝtten take it out of
105 here purses openly and deuoure it, as þus to gete it bi extorsion, wrong customs, and Anticristis censuris, more þan þei schulden paye bi Goddis lawe and good conscience. For ȝif þei kittide þus openly here purses, þei schulden reckeuere it bi comyn lawe; but of þis sotel kittyng of here purs þei geten no remedie, but euere ben more robbid and more; and þe ende
110 for whiche þei ben þus robbid is many tymes to fynde haukis and houndis, and riche pelure, and proude hors, to hie prestis and curatis, þat schulden be myrrour of mekenesse and chastite and gostly traueyle and heuenly lif. —

Cap. XXVI: — And siþ Crist in þe gospel grauntiþ a hundridfold and euerlastynge lif in heuene to eche man þat forsakiþ for his loue hous or lond
115 or ony worldly honour, whi wole not þes prechours preche opynly þis gospel, þat men myȝtten leue werris and suffre persecucion paciently, as Crist tauȝte for þe beste? Whi wole not þe proude prest of Rome graunte ful perdon to alle men for to lyue in pees and charite and pacience, as he doþ to alle men for to fiȝtte and slee cristene men, and to helpe þerto? Certis þis prest
120 wiþ his fals prechours, þat ben princes of manquelleris and werris, ben openly contrarie to Crist and his postlis, and so open Anticristis, maistris of Sathanas.—

III. FIFTY HERESIES AND ERRORS OF FRIARS: *Caym, Clergy and Economics.*

Cap. L: Ȝitte freris ben moste perilouse enemyes to holy chirche and al oure lond, for þei letten curatis of hor offis, and spenden comynly and nedeles sixty thousande mark by ȝeere, þat þei robben falsely of þo pore
125 puple. ffor if curatis diden hor offis in gode lyue and trewe prechinge, as þei ben holden upon peyne of dampnynge in helle, þer were clerkis ynowhe, of bischops, parsouns, and oþer prestis, and in caas ouer-mony to þo puple. And ȝitte not two hundrid ȝeere agone þer was no frere; and þen was oure lond more plentyuous of catel and men, and þei were þen strengere of com-
130 plexioun to labour þen now, and þen were clerkis ynowȝe. And now ben mony thousande of freris in Englond, and þo olde curatis stonden stille unamendid. And amonge alle synne is more encreesid, and þo puple chargid by sixty thousande mark by ȝeere, and þerfore hit mot nedis fayle. And so freris suffren curatis to lyue in synne, so þat þei may robbe þo puple
135 and lyue in hor lustis. ffor if curatis done wil hor offis, freris weren superflu, and owre lond schulde be dischargid of mony thousande marke. And þen þo puple schulde better paye hor rentis to lordis, and dymes and offringis to curatis; and myche flatering and norisching of synne schulde be destried, and gode lif and pees and charite schulden regne amonge cristen
140 men. — Off þese fiffty heresies and errours, and mony moo, if men wil seke hom wel out, þei may knowe þat freris ben cause, bygynnyng, welle and mayntenyng of perturbacioun in cristendom and of alle yuels of þis world. —

IV. AVE MARIA: Songs, Carols, and Plays.

— Whanne wymmen ben turnyd fully to goodnesse, ful hard it is þat ony man passe hem in goodnesse; and as hard it is þat ony man passe
145 hem in synne, whanne þei ben turnyd to pride and lecherie and dronkenesse. I gesse wel þat ȝonge wymmen may sumtyme daunsen in mesure to haue recreacion and liȝtnesse, so þat þei haue þe more þouȝt on myrþe in heuene and drede more and loue more god þerby, and synge honeste songis of Cristis incarnacion, passion, resurexion, and ascension, and of þe ioies of
150 oure ladi, and to dispise synne and preise vertue in alle here doynge. But

III. *? by Purvey*

nowe he þat kan best pleie a pagyn of þe deuyl, syngynge songis of lecherie, of batailis and of lesyngis, and crie as a wood man and dispise goddis maieste and swere bi herte, bonys, and alle membris of Crist, is holden most merie mon and schal haue most þank of pore and riche. And þis is clepid worschipe of þe grete solempnyte of Cristismasse! — 155

V. DE OFFICIO PASTORALE: ***The Translation of the Bible.***

Aus Cap. XV: Þe freris wiþ þer fautours seyn þat it is heresye to write þus goddis lawe in English, and make it knowun to lewid men. — Crist and his apostlis tauȝten þe puple in þat tunge þat was moost knowun to þe puple. Why shulden not men do nou so? Also þe worþy reume of Fraunse haþ translatid þe bible and þe gospels out of Lateyn into Freynsch. Why shulden 160 not Engliȝsche men do so? As lordis of Englond han þe bible in Freynsch, so it were not aȝenus resoun þat þey hadden þe same sentense in Engliȝsch. And herfore freris han tauȝt in Englond þe paternoster in Engliȝsch tunge, as men seyen in þe pley of Ȝork and in many oþere cuntreys. Siþen þe paternoster is part of Matheus gospel, as clerkis knowen, why may not 165 al be turnyd to Engliȝsch trewely, as is þis part, specialy siþen alle cristenmen, lerid and lewid, þat shulen be sauyd, moten algatis sue Crist and knowe his lore and his lif? But þe comyns of Engliȝschmen knowen it best in þer modir-tunge, and þus it were al oon to lette siche knowing of þe gospel and to lette Engliȝschmen to sue Crist and come to heuene. — 170

VI. SERMON: ***The Marriage in Cana.***

Þis gospel telliþ of þe first myracle þat Crist dide in presence of his disciplis. And þus telliþ þe story, þat weddingis weren made in a litil dwellinge place in þe contre of Galile, and Jesus moder was þere, wiþ Jesus and his disciplis. For as men seyen comounly, Joon Euangelist was weddid here, and Crist was his cosyn, and Cristis modir was his aunte; and 175 herfore þei weren homelyer in þis weddinge of Joon. Studie we not to what womman Joon was weddid, ne axe we not autorite to proue þat Joon was weddid now. ffor þat þe gospel seiþ here is ynow to cristen feiþ.

And whan wyn failide at þis feste, Jesus modir seide to him: 'Þei haue noo wyn.' And herby þis lady ment on curtays manere as she durst, 180 þat Jesus shulde helpe þis feste of wyn bi his myracle. But Jesus answerede strangely: 'What is þat to me and to þee, womman?' As if he seide: Y haue not by my manhede of þee for to do siche myraclis, but þerto nediþ my godhede. But afterward shal tyme come whan I shal offre my bodi þat Y hadde of þee, for savynge of mankynde. And herfore notiþ Austyn how 185 Jesus Crist clepiþ specialy in þes two places his moder 'womman', and here he figuride his speche in his passion and to his entent. Seiþ Crist þat his hour is not ȝit comen in which he shulde bi suffringe putte his bodi in werke; but his modir supposinge ay good of hir sone, saide to þe mynystres to do what euer he seide. And þere were at þe feste sixe water pottis sett 190 and ech of hem held a galloun or more; þe Iewes hadden a custom to walshe hem ofte, for touching or seynge of þing clene ynow, as seint Mark meneþ in his gospel.

Jesus bade þe seruantis fille þe pottis wiþ watir, and þei filliden hem alle vp to þe mouþe, and Jesus seide þan: 'Helde out now, and bere to þe 195 persone.' An architriclyn was he þat was clepid to blesse þe feeste and principaly in[1] þe hous þat was of þre stages, as ȝif it were now a persone of a chirche. And þei baren to þis persoun þe wyn þat Jesus hadde made. And whan he hadde tastid þerof and wiste not how it came, but þe seruauntis wisten wel þat drowen þe water, he clepide þe spouse of þe hous and seide 200

V. Authorship questioned. - Pass. abridged.
[1] in in MS.

to him þus: 'Þes men þat festen oþer putten first good wyn, whan þer tast is freishe, for to juge þe goodnesse; and after whan þei ben drunken and þer taist failiþ, þanne he puttiþ wers wyn. But þou doist euen þe contrarie; for þou hast kept good wyn vnto þis tyme.' Þis was þe bigynnynge of
205 signes, þat Jesus dide in Galile; and schewide his glorie bi doinge of þis myracle, and his disciplis trowiden in him. —

VII. *From Sermons 23 and 65: Against the "Poverty" of the Friars.*

— And alȝif freris seien þat þei beggen for charite whan þei haue prechid for siche beggyng, and þat Crist beggid so, and bad hem begge þus, neþeles al þis speche is poudrid wiþ gabbinge; and, as ypocritis done, þei
210 seken þer owen auantage and not þe worschip of Crist ne to profite of his chirche. For if þei diden, þei wolden sue Cristis reule, and leue chargyng of þe puple boþe in noumbre and begging, and leue here heye housis þat þei propren vnto hem, siþ Crist hadde no propre hous to reste his heed. —

— And so if þe stait of þese freris be not groundid in Crist, and þei
215 gabben many maneris vpon þe lyf of Crist, as in begginge and asoilinge and oþer feyned lesynges, þanne it is a tokene þat þei ben not of holy chirche, but Sathanas children whos dedis þei done. — For worldeli goodis, þe which Crist clepid Mammona of wickidnesse, ben most souȝt of sich men.— Þei haue goodis in comun uneuenly departid; ȝhe, more þan hem nedide ech
220 man to haue ynowȝ. And þus þis nest of Mammon genderiþ many striues, and ȝit þe fend techiþ hem to seie þat þei haue nouȝt, but ben more pore in spirit þan weren Crist and hise apostlis. But certis þis is not pouerte of which Crist spekiþ here. —

VIII. OF FEIGNED CONTEMPLATIVE LIFE: *Against Church Music.*

Also bi song þe fend lettiþ men to studie and preche þe gospel; for
225 siþ mannys wittis ben of certeyn mesure and myȝt, þe more þat þei ben occupied aboute siche mannus song þe lesse moten þei be sette aboute goddis lawe. For whanne þer ben fourty or fyfty in a queer, þre or foure proude and lecherous lorellis schullen knacke þe most deuout seruyce þat noman schal here þe sentence, and alle oþere schullen be doumbe and loken
230 on hem as foolis. And þanne strumpatis and þeuys preisen sire Iacke or Hobbe and Williem þe proude clerk, hou smale þei knacken here notis; and seyn þat þei seruen wel god and holy chirche, whanne þei dispisen god in his face, and letten oþere cristene men of here deuocion and compunccion, and stiren hem to worldly vanyte!

161. ON TITHING

AN ENUMERATION

MS.: BM., Harley 2383, fol. 51; XIVth century. — *Not heretofore printed.*

Of norysshyng of alle maner bestes, of alle cowis, of caluys, of lambe, of piggys, of goos, of duckes, of chekenys, of pekokys, of pigeons; of woll, of flex, of hempe, of corne, and of alle maner þyng þat newith by þe ȝere. Of mylke alle þe while it durith, as wel in wyntir as in somyre, oþer ellys
5 to gree þerfore. Of fisshyng, of fowlyng, of been, of hony and of wex, of conyggis, of venyson, and of alle maner oþyr godis rightfully ywonne, þat newith by þe ȝere and as ofte as hit newith. Of profit of myllis, of weris, and fisshyng no coste abatyd but þe tenthe dele shall be[1] payd truulich. Of lesis boþe of comyn and of seuerall shall þe tythe be payd trwlich aftir
10 þe numbir of þe bestes othir days as hit is most profit to holy churche.

Also of werkemen and of chepmen of the wynnyng[2] of here crafte othir cheffare, of carpynteris, of masons, and of smythes, of webbes, brewers and of alle oþer men þat goith to huyre by the ȝere or by þe woke shull tythe þe tenthe dele of þat þey vndirfong, but if þey[3] yeue ony certayn þer-
15 fore to holy church at þe curatoures will. And also of shredyng of trees and of alle maner vndyrwod ywexe oþer ynewyd within twenti wyntir.

---

[1] be] *not in MS.* [2] wynnyg *MS.* [3] þevl ıey *MS.*

162. THIS WORLD FARETH AS A FANTASY

MS.: Bodl. 3938, Vernon; XIVcentury. — *edd.*: F. J. Furnivall, EETS. 117; C. Brown, RL.XIV, 2. 1952. — BR. 1402; We. XIII, 83.

I wolde witen of sum wys wiht
Witterly what þis world were.
Hit fareþ as a foules fliht,
4 Now is hit henne, now is hit here;
Ne be we neuer so muche of miht,
Now be we on benche, nou be we on bere,
And be we neuer so war and wiht,
8 Now be we sek, now beo we fere;
Now is on proud wiþouten peere,
Now is þe selue iset not by;
And whos wol alle þing hertly here:
12 Þis world fareþ as a fantasy.

Þe sonnes cours we may wel kenne,
Aryseþ est and geþ doun west.
Þe ryuers into þe see þei renne,
16 And hit is neuer þe more almest.
Wyndes rosscheþ her and henne,
In snouȝ and reyn is non arest.
Whon þis wol stunte, ho wot, or whenne,
20 But only god on grounde grest?
Þe eorþe in on is euer prest,
Now bidropped, now al druyȝe.
But vche gome glit forþ as a gest;
24 Þis world fareþ as a fantasye.

Kunredes come, and kunredes gon,
As joyneþ generacions;
But alle heo passeþ, euerichon,
28 ffor al heor preparacions.
Sum are forȝete clene as bon
Among alle maner nacions;
So schul men þenken vs noþing on,
32 Þat nou han þe ocupacions.
And alle þeos disputacions
Idelyche all vs ocupye;
ffor Crist makeþ þe creacions,
36 And þis world fareþ as a fantasye

Whuch is mon, ho wot, and what,
Wheþer þat he be ouȝt or nouht?
Of erþe and eyr groweþ vp a gnat,
40 And so doþ mon whon al his souht.
Þauȝ mon be waxen gret and fat,
Mon melteþ awey so deþ a mouht;
Monnes miht nis worþ a mat,
44 But nuyȝeþ himself and turneþ to nouȝt.
Ho wot, saue he þat al haþ wrouȝt,
Wher mon bicomeþ whon he schal dye?
Ho knoweþ bi dede ouȝt bote bi þouȝt?
48 ffor þis world fareþ as a fantasye.

Dyeþ mon, and beestes dye,
And al is on ocasion,
And alle o deþ, hos boþe drye,
52 And han on incarnacion;
Saue þat men beoþ more sleyȝe,
Al is o comparison.
Ho wot ȝif monnes soule styȝe,
56 And bestes soules synkeþ doun?
Who knoweþ beestes entencioun,
On heor creatour how þei crie,
Saue only god þat knoweþ heore soun?
60 ffor þis world fareþ as a fantasye.

Vche secte hopeþ to be saue,
Baldely bi heore bileeue,
And vchon vppon god heo craue.
64 Whi schulde god wiþ hem him greue?
Vchon trouweþ þat oþur raue,
But alle heo cheoseþ god for cheue,
And hope in god vchone þei haue,
68 And bi heore wit heore worching preue.
Þus mony maters men don meue,
Sechen heor wittes hou and why,
But godes merci vs alle biheue,
72 ffor þis world fareþ as a fantasy. —

Wharto wilne we forte knowe
Þe poyntes of godes priuete?
More þen him lustes forte schowe,
76 We schulde not knowe in no degre,
And idel bost is forte blowe
A mayster of diuinite.
Þenk we lyue in eorþe her lowe,
80 And god an heiȝ in mageste.
Of material mortualite
Medle we and of no more maistrie.
Þe more we trace þe trinite,
84 Þe more we falle in fantasye. —

Of fantasye is al vr fare,
Olde and ȝonge and alle ifere.
But make we murie and sle care,
88 And worschipe we god, whil we ben here;
Spende vr good and luytel spare;
And vche mon cheries oþeres cheere,
Þenk hou we comen hider al bare,
92 Vr wey-wendyng is in a were.
Prey we þe prince þat haþ no pere,
Tac vs hol to his merci
And kepe vr concience clere;
96 ffor þis world is but fantasy. —

51 hos *MS.*] bos *em. Brown* 75 lustnes *MS.*

163. LAȜAMON, BRUT

MSS.: *A* = BM., Cotton Caligula A. IX; 1st quarter XIII ct. *B* = BM., Cotton Otho C. XIII; about 1270. — *ed.*: F. Madden, London 1847. — BR. 295; We. III, 3; Ke. 4675-4694; Ba. 163-165; RO. 320-322.

Introduction

MS. A Incipit hystoria Brutonum.

An preost wes on leoden,
  Laȝamon wes ihoten;
He wes Leouenaðes sone;
  liðe him beo drihten!
He wonede at Ernleȝe
  at æðelen are chirechen
Vppen Seuarne staþe,
  sel þar him þuhte,
5 Onfest Radestone,
  þer he bock radde.
Hit com him on mode
  and on his mern þonke,
Þet he wolde of Engle
  þa æðelæn tellen
Wat heo ihoten weoren
  and wonene heo comen
Þa Englene londe
  ærest ahten
10 Æfter þan flode,
  þe from drihtene com,
Þe al her aquelde
  quic þat he funde,
Buten Noe and Sem,
  Japhet and Cham,
And heore four wiues
  þe mid heom weren on archen.
Laȝamon gon liðen
  wide ȝond þas leode,
15 And biwon þa æðela boc,
  þa he to bisne nom:
He nom þa Englisca boc
  þa makede seint Beda;
An oþer he nom on Latin
  þe makede seinte Albin
And þe feire Austin
  þe fulluht broute hider in;
Boc he nom þe þridde,
  leide þer amidden,
20 Þa makede a Frenchis clerc,
  Wace wes ihoten,
Þe wel couþe writen
  and he hoe ȝef þare æðelen
Ælienor þe wes Henries quene,
  þes heȝes kinges.
Laȝamon leide þeos boc,
  and þa leaf wende.
He heom leofliche biheold;
  liþe him beo drihten!

MS. B Incipit prologus libri Brutonum.

A prest was in londe,
  Laweman was hote;
He was Leucais sone;
  lef him beo drihte!
He wonede at Ernleie
  wid þan gode cnihte
Uppen Seuarne,
  merie þer him þohte,
Faste bi Radistone,
  þer heo bokes radde.
Hit com him on mode
  and on his þonke,
Þat he wolde of Engelond
  þe rihtnesse telle
Wat þe men hihote weren
  and wanene hi comen
Þe Englene lond
  ærest afden
After þan flode,
  þat fram god com,
Þat al ere acwelde,
  cwic þat hit funde,
Bote Noe and Sem,
  Japhet and Cam,
And hire four wifes
  þat mid ham þere weren.
Loweman gan wende
  so wide so was þat londe,

And nom þe Englisse boc
  þat makede seint Bede;
Anoþer he nom of Latin
  þat makede seint Albin;
Boc he nom þan þridde,
  an leide þar amidde,
Þat makede Austin
  þat folloht brohte hider in.

Laweman þes bokes bieolde,
  an þe leues tornde.
He ham loueliche bihelde;
  fulste god þe mihtie!

---

2 driste *B* 3 cniþte *B* 5 ? boek *A* 7 ristnesse *B* 8 wancne *B* 19 folloft, brofte *B* (? -st-) 24 miþtie *B*

	MS. A	*MS. B*
25	Feþeren he nom mid fingren,	Feþere he nom mid fingres,
	and fiede on bocfelle,	and wrot mid his honde,
	And þa soþere word	And þe soþe word
	sette togadere,	sette togedere,
	And þa þre boc	And þane hilke boc
	þrumde to are.	tock us to bisne.
	Nu biddeð Laȝamon	Nu biddeþ Laweman
	Alcne æðele mon	echne godne mon
	for þene almiten godd,	For þe mihtie godes loue,
30	Þet þeos boc rede	þat þes boc redeþ,
	and leornia þeos runan,	
	Þat he þeos soðfeste word	Þat he þis soþfast word
	segge tosumne	segge togadere,
	For his fader saule	And bidde for þe saule
	þa hine forð brouhte,	
	And for his moder saule	
	þa hine to monne iber,	þat hine to manne strende,
	And for his awene saule,	And for his owene soule,
	þat hire þe selre beo! Amen.	þat hire þe bet bifalle! Amen.

MS. A *Brutus, Britain, England.*

35 Þis lond was ihaten Albion, þa Brutus cum heron; [1947]
Þa nolde Brutus na-mare, þat hit swa ihaten weore,
Ah scupte him nome æfter him seluan.
He wes ihaten Brutus: þis lond he clepede Brutaine.
And þa Troinisce men, þa temden hine to hærre,
40 Æfter Brutone Brutuns heom cleopede.
And ȝet þe nome læsteð and a summe stude cleouieð faste. —
Heora aȝene speke Troinisce seoððen heo hit cleopeden Brutunise.
Ah Engliscemen hit habbeð awend, seoððen Gurmund com in þis lond.
Gurmund draf out þe Brutuns, and his folc wes ihaten Sexuns
45 Of ane ende of Alemaine, Angles wes ihaten.
Of Angles comen Englisce men, and Engle-lond heo hit clepeden.
Þa Englisce ouercomen þe Brutuns and brouhten heom þer neoðere,
Þat neofer seoððen heo ne arisen ne her ræden funden. —

Bladud and Lear.

Ruhhudibras was sone dead; wa wes his duhþen. [2834]
50 His sune hehte Bladud; he wes a swiðe bisi mon.
He wes strong and swiðe muchel, riche he wes and mæhti.
He cuðe þene vuele craft, þat he wið þene wurse spæc;
And al þat euer he wolde, þe wurse him talde.
Þes ilke king Bladud Baðen iwrohte
55 Þurh swiðe muchele ginne mid ane stæn cunne,
Al swa great swa a beam, þe he leide in ane walle-stream;
Þe ilke makeð þat water hot and þan folc halwende.
He makede an temple onfest þe baðe an ære hæhtnesse nome;
Þe hire nome wul iheren, Minerue heo was ihaten.
60 To hire he hefde loue, and læfdi heo hehte.
In þere temple he lette beornen enne blase of fure,
Þe neuer ne aþeostrede wintres ne sumeres;
Ah euer me þat fur bette, swa þe king haihte,

26 soþe *Madden (err.)* 28 bidded *A* 29 mistie *B* 32 ford *A* 41 ȝet *B*] ȝeð *A*, cleouied *A*, standeþ *B* 42 aȝeine sp. T. and seoððen *MS.* 43 habbed 59 iherem

To wrðscipe his læfdi, þe leof him wes on heorten.
65 Þus dude Bladud þe king, þat hit wes wide cuð.
Þa he hefde þus idon, þæ þohte he on oðer:
He ȝealp þat he wolde fleon on fuȝeles læche,
Þat al his folc mihte iseon and his fluhtes bihalden.
He makede his feðerhome, and þaruore he hæfde muchel scome.
70 To Lunden he ferde mid muchelen his folke;
His feðerhome he dude him on, and he his fluht þer bigon:
Mid wiȝeful his fluhte tæih him to þon lufte;
He ferde swiðe hehȝe, þere weolcne he wes swiðe nih.
Þe wind him com on wiðere, weoðeleden his fluhtes,
75 Brecon þa strenges, þe he mid strahte,
And he feol to folde, þe king wes feie,
Vppen are stouwe þe i Lundene stod,
Appollones temple þe wes þe tirfulle feond.
Þe king feol on þene rof, þat he al to-draf.
80 Þus wes þas kineriche of heora kinge biræued.
Tuenti winter hafde Bladud þas kinelond an hond
Æfter his fader Ruhhudibras, þe Leil sune þes riche kinges wes.

MS. A	*MS. B*
Bladud hafde enne sune,	Bladud hadde one sone,
Leir wes ihaten.	Leir was ihote.
Efter his fader daie	After his fader he held þis lond
he heold þis drihliche lond	in his owene hond.
85 Somed an his liue	Ilaste his lifdaȝes
sixti winter.	sixti winter.
He makede ane riche burh	He makede on riche borh
þurh radfulle his crafte,	þorh wise menne reade,
And he heo lette nemnen	And hine lette nemni
efter him-seoluan:	after him-seolue:
Kaer-Leir hehte þe burh,	Kair-Leir hehte þe borh,
leof heo wes þan kinge,	leof he was þan king,
Þa we an ure leod-quide	Þe we on vre speche
Leirchestre clepiað.	Leycetre cleopieþ.
90 Ȝeare a þan holde dawen	In þan eolde daiȝe
heo wes swiðe aðel burh,	hit was a borh riche,
And seoððen þer seh toward	And suþþe þar soh to
swiðe muchel seorwe,	swiþe moche sorwe.

Þat heo wes al forfaren þurh þere leodene uæl.
Sixti winter hefde Leir þis lond al to-welden.
Þe king hefde þreo dohtren bi his drihliche quen,
95 Nefde he nenne sune, þerfore he warð sari,
His manscipe to halden buten þa þreo dohtren.
Þa ældeste dohter haihte Gornoille, þa oðer Ragau, þa þridde Cordoille.
Heo wes þa ȝungeste suster, a wliten alre-vairest;
Heo wes hire fader al swa leof swa his aȝene lif.
100 Þa ældede þe king, and wakede an aðelan,
And he hine biþohte wet he don mahte
Of his kineriche æfter his deie.
He seide to himsuluen, þat þat vuel wes:
'Ic wlle mine riche to-don allen minen dohtren,
105 And ȝeuen hem mine kine-þeode, and twemen mine bearnen.
Ac ærst ic wille fondien whulchere beo mi beste freond,
And heo scal habbe þat beste del of mine drihlichen lond.'
Þus þe king þohte, and þeræfter he worhte. —

71 fluht] fuht *A*, fliþt *B* 104 and allen *MS.* 106 woch me mest loule *B* 107 lon *A*

Cordelia.

Cordoille iherde þa lasinge þe hire sustren seiden þon kinge; [3031]
110 Nom hire leaffulne huie, þat heo liȝen nolden.
Hire fader heo wolde suge seoð, were him lef, were him lað.
Þeo queð þe alde king, vnræd him fulede:
'Iheren ich wlle of þe, Cordoille,
Sua þe helpe Appolin, hu deore þe beo lif min.'
115 Þa answarede Cordoille lude and nowiht stille
Mid gomene and mid lehtre to hire fader leue:
'Þeo art me leof al so mi fæder, and ich þe al so þi dohter.
Ich habbe to þe soþfaste loue, for we buoð swiþe isibbe.
And swa ich ibide are, ich wille þe suge mare:
120 Al swa muchel þu bist woruþ, swa þu weldende ært,
And al swa muchel swa þu hauest, men þe wllet luuien;
For sone heo bið ilaȝed, þe mon þe lutel ah.'
Þus seide þe mæiden Cordoille, and seoððen set swþe stille.
Þa iwarðe þe king wræð, for he nes þeo noht iquemed,
125 And wende on is þonke, þat hit weren for vnðeawe,
Þat he hire weore swa unwourð, þat heo hine nolde iwurði
Swa hire twa sustren, þe ba somed læsinge speken.
Þe king Leir iwerðe swa blac, swlch hit a blac cloð weoren,
Iwærð his hude and his heowe, for he was suþe ihærmed;
130 Mid þære wræððe he wes isweued, þat he feol iswowen.
Late þeo he up fusde, þat mæiden wes afeared,
Þa hit alles up brac, hit wes vuel þat he spac:
'Hærne, Cordoille! Ich þe telle wlle mine wille:
Of mine dohtren þu were me durest; nu þu eært me alre-læðest.
135 Ne scalt þu næuer halden dale of mine lande;
Ah minen oðeren dohtren ich wlle delen mine riche,
And þu scalt worðen wrechen and wonien in wansiðe.
For nauere ich ne wende þat þu me woldes þus scanden.
Þarfore þu scalt beon dæd, ich wene; fliȝ ut of min eæh-sene!
140 Þine sustren sculen habben mi kinelond, and þis me is iqueme.
Þe duc of Cornwaile scal habbe Gornoille,
And þe Scottene king Regau þat scone;
And ic hem ȝeue al þa winne, þe ich æm waldinge ouer.'
And al þe alde king dude, swa he hafuede idemed. —

Lear's Lament.

145 Leir þe king wende forþ to is dohter wunede norð. [3442]
Fulle þre nihtes heo hærabarewude hine and is cnihtes.
Heo swor a þane ferþe dæi bi al heuenliche main,
Þat ne sculde he habben mare bute enne knicte þere;
And ȝef he þet nolde, ferde wuder he wolde.
150 Wel oft wes Leir wa and neuere wurs þanne þa.
Þa seide þe alde king, æruu he was on herten:
'Wallan dæð! Wela deað! þat þu me nelt fordemen!
Seoð seide Cordoille, forcuð hit is me nouþe,
Mi ȝengestte dohter. Heo was me wel dure,
155 Seoððen heo me wes leaðest, for heo me seiden alre-soþust,
Þat he biðe vnworð and lah þe mon þe litul ah,

110 nam hire laþfolne oþ *B* nolde *a. o. B* 112 onread *B*, vnrað *A* 117 þeo] þou *B* 118 sohfaste *MS.* 120 woruh *MS.* weldende *B*, velden *A* 122 ilaȝeð *A* 124 wræð] wærð *A*, wroþ *B* 125 þat] þaht *A* 134 arle læðes *MS.* 136 mine *MS.* oðeren] *not in MS.*, two *B* 137 wrechen] warchen *A*, wreeche *B* wansiðe] wowe *B* 145 forh 146 ȝeo herborȝede him *B* 149 ferde] fare *B* 151 æ. h. w.] æ. ewas *A*, wo him was *B* 155 leadest *A*, loþest *B*, sohust *A*

And ihc nas na wurðra, þenne ich nes weldinde.
Ouersoþ seiden þat ȝunge vifmon, hire folweð mochel wisdom:
Þa wile þe ich hæuede mi kinelond, luueden me mine leoden.
160 For mine londe and for mine feo mine eorles fulle to mine cneo.
Nu ich æm a wrecche mon, ne leouet me no mon forþan.
Ah mi dohter me seide seoh, for nou ich hire ileue inoh,
And ba twa hire susteren lasinge me seiden,
Þat ich ham wes swa leof, leuere þenne hire aȝe lif.
165 And Cordoille mi dohter dohȝeþe me seide,
Þat heo me leouede swa feire swa monnes fader scolde.
Wet wold ich bidde mare of mire dohter dure?
Nu ich wullen faren feorð and ouer sæ fusen,
Iheren of Cordoille wat beon hire wille.' –

Godlac.

170 Godlac forþ geinde glad he wes on heorte. [4567]
He þohte to habben Delgan to quene of Denemarke;
Ah him com muchel lætting, swa him wes alre-laðest.
Æst aras a ladlich weder, þeostrede þa wolcne,
Þe wind com on weðere, and þa sæ he wraðede;
175 Vðen þer urnen, al se tunes þer burnen,
Rapes þer braken, balu wes fulle riue,
Scipen þer sunken,
Þer þreo and fifti scipen feollen to grunde
In þa teonfulle sæ, torneden sæiles.
180 Godlac hauede a god scip, ne gomede him nowiht.
He hine biðohte weht he don mihte.
He igrap ane wi-æxe muchele and swiðe scærpe;
He forheow þænne mæst atwo riht amidden;
He lette seil and þane meæst liðen mid vðen.
185 Þus seide Goðlac, sære him gromede:
'Æuerælc æhte mon help þat we libben,
Þat we comen to londe, ne recche we on swulche leoden!'
Heo ferden mid þon wedere, nusten heo nauere whudere. —

The Round Table.

Hit wes in ane Ȝeol-dæie, þat Arður in Lundene lai. [22737]
190 Þa weoren him to icumen of alle his kinerichen,
Of Brutlonde, of Scotlonde, of Irlonde, of Islonde,
And of al þan londe þe Arður hæfede an honde,
Alle þa hæxte þeines mid horsen and mid sweines.
Þer weoren seouen kingene sunes mid seouen hundred cnihten icumen,
195 Wið-uten þan hired þe herede Arðure.
Ælc hafede an heorte leches heȝe,
And lette þat he weore betere þan his iuere.
Þat folc wes of feole londe, þer wes muchel onde;
For þe an hine talde hæh, þe oðer muche herre.
200 Þa bleou mon þa bemen, and þa bordes bradden.
Water me brohte an uloren mid guldene læflen,
Seoððen claðes soften al of white seolke.
Þa sat Arður adun and bi him Wenhauer þa quene.
Seoððen sete þa eorles, and þerafter þa beornes;
205 Seoððen þa cnihtes, al swa mon heom dihte.
Þa heȝe iborne þene mete beoren

157 wurdra 158 ouer soh 162 soþ : inoþ *B* 166 so man his f. *B* 167 mire] mine *B*
170 forh 175 al se cunes 176 bulu 181 mihten 193 sweiens 203 Gwennayfer *B*

FROM LAȜAMON'S BRUT

British Museum, Cotton Caligula A IX, fol. 1; cf. p. 332

Æfne forð-rihten þa to þan cnihten,
Þa touward þan þæinen, þa touward þan sweinen,
Þa touward þan bermonnen forð at þan borden.
210 Þa duȝeðe wærð iwraððed, duntes þer weoren riue;
Ærest þa laues heo weorpen, þa while þa heo ilæsten,
And þa bollen seoluerne mid wine iuulled,
And seoððen þa uustes uusden to sweoren.
Þa leop þer forð a ȝung mon, þe ut of Winetlonde com.
215 He wes iȝefen Arðure to halden to ȝisle;
He wes Rumarettes sune, þas kinges of Winette.
Þus seide þe cniht þere to Arðure kinge:
'Lauerd Arður, buh raðe into þine bure,
And þi quene mid þe and þene mæies cuðe;
220 And we þis comp scullen todelen wið þas uncuðe kempen.'
Æfne þan worde he leop to þan borde,
Þer leien þa cniues biforen þan leod-kinge.
Þreo cnifes he igrap, and mid þan anæ he smat
I þere swere þe cniht, þe ærest bigon þat ilke fiht,
225 Þat his hefued i þene flor hælde to grunde.
Sone he sloh ænne oðer, þes ilke þeines broðer;
Ær þa sweordes comen, seouene he afelde.
Þer wes fæht swiðe græt; ælc mon oðer smat.
Þer wes muchel blod gute, balu wes an hirede.
230 Þa com þe king buȝen ut of his buren,
Mid him an hundred beornen mid helmen and mid burnen.
Ælc bar an his riht hond whit stelene brond.
Þa cleopede Arður aðelest kingen:
'Sitteð! Sitteð swiðe, elc mon bi his liue!
235 And wa swa þat nulle don, he scal fordemed beon.
Nimeð me þene ilke mon, þa þis feht ærst bigon,
And doð wiððe an his sweore, and draȝeð hine to ane more,
And doð hine in an ley uen, þer he scal liggen.
And nimeð al his nexte cun, þa ȝe maȝen iuinden,
240 And swengeð of þa hafden mid breoden eouwer sweorden.
Þa wifmen þa ȝe maȝen ifinden of his nexten cunden
Kerueð of hire neose, and heore wlite ga to lose;
And swa ich wulle al fordon þat cun þat he of com.
And ȝif ich auere-mare seoððen ihere,
245 Þat æi of mine hirede, of heȝe na of loȝe,
Of þissen ilke slehte æft sake arere,
Ne sculde him neoðer gon fore gold ne na gærsume,
Hæh hors no hære scrud, þat he ne sculde beon ded,
Oðer mid horsen todraȝen, þat is elches swiken laȝen.
250 Bringeð þene halidom, and ich wulle swerien þeron,
Swa ȝe scullen, cnihtes, þe weoren at þissen fihte,
Eorles and beornes, þat ȝe hit breken nulleð!'
Ærst sweor Arður, aðelest kingen,
Seoððen sworen eorles, seoððen sweoren beornes,
255 Seoððen sweoren þeines, seoððen sweoren sweines,
Þat heo nauere-mare þe sake nulde arere.

MS. A	*MS. B*
Me nom alle þa dede	Me nam alle þe deade,
and to leirstowe heom ladden.	and leide ȝam on erþe.

208/9 Ech man þare sareuede his freonde / So lang hit wende þus and sone þarafter wors *B* 212 seoluerne bollen *Bartels* 213 seodden *A* mid þa fustes starcliche fohte *B* 215 in stede of hostage *B* 232 brod *MS.* 237 A. d. aboute his swere one raketeȝe *B* 240 mid brode ȝoure sweordes *B* 246 arere] are *MS.* 249 orðer *MS.*

MS. A	*MS. B*
Seoðđen me bleou bemen	Suþþe me bleu þe bumes
mid swiðe murie dremen:	mid swiþe murie dremes:
Weoren him leof, weoren him læð,	Were ȝam leof, were ȝam loþ,
elc þer feng water and clæð,	alle hii fenge water and cloþ,
260 An seoðđen adun seten	And suþþe adun sete
sæhte to borden,	alle to þan borde,
Al for Arðure æiȝe,	For Arthures heye,
aðelest kingen.	boldest alre kinge.
Birles þer þrungen,	Borles þar þronge,
gleomen þer sungen,	glemen þar songe.
Harpen gunnen dremen,	
duȝeðe wes on selen.	
Þus fulle seoueniht	Þus folle soue niht
wes þan hirede idiht.	was al þat folk idiht.

265 Seoðđen hit seið in þere tale þe king ferde to Cornwale.
Þer him com to anan, þat wæs a crafti weorcman,
And þene king imette, and feiere hine grætte:
'Hail seo þu, Arður, aðelest kinge!
Ich æm þin aȝe mon; moni lond ich habbe þurhgan.
270 Ich con of treowerkes wunder feole craftes.
Ich iherde suggen biȝeonde sæ neowe tidende,
Þat þine cnihtes at þine borde gunnen fihte
A Midewinteres-dæi. Moni þer feollen;
For heore muchele mode morðgomenn wrohten.
275 And for heore hehȝe cunne ælc wolde beon wið-inne.
Ah ich þe wulle wurche a bord swiðe hende,
Þat þer maȝen setten to sixtene hundred and ma,
Al turn abuten, þat nan ne beon wið-uten,
Wið-uten and wið-inne, mon to-ȝæines monne.
280 Whenne þu wult riden, wið þe þu miht hit leden,
And setten hit whar þu wulle after þine iwille.
And ne dert þu nauere adrede to þere worlde longen,
Þat æuere æine modi cniht at þine borde makie fiht;
For þer scal þe hehȝe beon æfne þan loȝe.
285 Timber me lete biwinnen and þat beord biginnen.'
To feouwer wikene uirste þat werc wes iuorðed.
To ane heȝe dæie þat hired wes isomned,
And Arður him-seolf beh sone to þan borde,
And hehte alle his cnihtes to þan borde forð-rihtes.
290 Þo alle weoren iseten cnihtes to heore mete,
Þa spæc ælc wið oðer, alse hit weore his broðer.
Alle heo seten abuten, nes þer nan wið-uten,
Æuereælches cunnes cniht þere wes swiðe wel idiht;
Alle heo weoren bi ane, þe hehȝe and þa laȝe,
295 Ne mihten þer nan ȝelpen for oðere kunnes scenchen,
Oðer his iueren, þe at þan beorde weoren.
Þis wes þat ilke bord þat Bruttes of ȝelpeð
And sugeð feole cunne lesinge bi Arðure þan kinge.
Swa deð auer-alc mon, þe oðer luuienne con;
300 Ȝif he is him to leof, þenne wule he liȝen
And suggen on him wurðscipe mare þenne he beon wurðe.
Ne beo he no swa luðer mon, þat his freond him wel ne on.

---

259 læd *A*, clæd *A* 264 nih *B* (*dam.*) 268 seo] beo *B* 270 treo wrekes *MS.* 285 biwinnen] bringe *B* 286 wrec *MS.* 287/8 He lette in one daiȝe al þat folk gaderi / And Arthur him wende anon to þ. b. *B* 291 were broþers *B* 299 luuien ne] ne *redundant ? Madden*

Æft ȝif on uolke feondscipe arereð,
An æuer-æi time bitweone twon monnen,
305 Me con bi þan læðe lasinge suggen,
Þeh he weore þe bezste mon þe æuere æt at borde;
Þe mon þe him weore lað, him cuðe last finden.
Nis al soþ ne al les, þat leodscopes singeð.
Ah þis is þat soððe bi Arðure þan kinge:
310 Nes næuer ar swulc king swa duhti þurh alle þing;
For þat soðe stod a þan writen hu hit is iwurðen,
Ord from þan ænden of Arðure þan kinge,
No mare no lasse buten alse his laȝen weoren.
Ah Bruttes hine luueden swiðe and ofte him on liȝeð,
315 And suggeð feole þinges bi Arðure þan kinge,
Þat næuere nes iwurðen a þissere weorlde-richen.
Inoh he mai suggen, þe soð wule uremmen,
Seolcuðe þinges bi Arðure kinge.
Þa wes Arður swiðe heh, his hired swiðe hende,
320 Þat nas na cniht wel itald, no of his tuhtlen swiðe bald,
Inne Wales no in Ænglelond, inne Scot no in Irlond,
In Normandie no inne France, inne Flandres no inne Denemarc,
No in nauere none londe þe a þeos halfe Mungiu stondeð,
Þet weoren ihalde god cniht no his deden itald oht,
325 Bute he cuðe of Arðure and of aðelen his hirede,
His wepnen and his weden and his horsleden,
Suggen and singen of Arðure þan ginge,
And of his hired-cnihten and of heȝe heore mihten,
And of heore richedome, and hu wel hit heom bicomen.
330 Þenne weore he wilcume a þissere weorlde-richen,
Come þer he come, and þeh he weore i Rome!
Al þat iherde of Arðure telle
Heom þuhte muchel seollic of selen þan kinge. —

Arthur's Death.

Uppen þere Tanbre heo tuhten togadere. [28532]
335 Þe stude hatte Camelford, euer-mare ilast þat ilke weorde.
And at Camelforde wes isomned sixti þusend
And ma þusend þerto; Modred wes heore ælder.
Þa þiderward gon ride Arður þe riche
Mid unimete folke, uæie þah hit weore,
340 Uppe þere Tambre heo tuhte tosomne,
Heuen here-marken, halden togadere,
Luken sweord longe, leiden o þe helmen,
Fur ut sprengen, speren brastlien,
Sceldes gonnen scanen, scaftes to-breken.
345 Þer faht al tosomne folc vnimete.
Tambre wes on flode mid vnimete blode.
Mon i þan fihte non þer ne mihte ikenne nenne kempe,
No wha dude wurse no wha bet, swa þat wiðre wes imenged;
For ælc sloh adun-riht, weore he swein, weore he cniht.
350 Þer wes Modred ofslaȝe and idon of lifdaȝe,
And alle his cnihtes islaȝe in þan fihte.
Þer weoren ofslaȝe alle þa snelle
Arðures hered-men, heȝe and laȝe,
And þa Bruttes alle of Arðures borde,

308 Nis *B*] Ne *A* soh *A* 312 Ardure [*also* 325, 332, 353] 318 Of many cunnes þing *B*
320 tuhlen *MS.* 325 bote he *B*] Bute of he *A* 333 seollic] wonder *B* 348 wiðre] wiðe *A*
(= *wiȝe Madden*), weder *B* 351 *B*] in þan fihte *A* 353 and laȝe] *not in A*, and lowe *B*

355 And alle his fosterlinges of feole kineriches.
And Arður forwunded mid wal-spere brade;
Fiftene he hafde feondliche wunden,
Mon mihte i þare lasten twa glouen iþraste.
Þa nas þer na-mare i þan fehte to laue
360 Of twa hundred þusend monnen, þa þer leien tohauwen,
Buten Arður þe king ane and of his cnihtes tweien.

MS. A	*MS. B*
Arður wes forwunded	Arthur was forwonded
wunder ane swiðe.	wonderliche swiþe.
Þer to him com a cnaue	Þar com a ȝong cnaue
þe wes of his cunne;	Þat was of his cunne;
He wes Cadores sune,	He was Cador his sone,
þe eorles of Cornwaile.	eorl of Cornwale.
365 Constantin hehte þe cnaue;	Constantin he hehte;
he wes þan kinge deore.	þe king hine louede.
Arður him lokede on,	Þe king to him biheold,
þer he lai on folden,	
And þas word seide	and þeos word saide:
mid sorhfulle heorte:	
'Costæntin, þu art wilcume!	'Constantin þou hart wilcome!
þu weore Cadores sone	þou were Cador his sone.
Ich þe bitache here	Ich þe bitake here
mine kineriche;	mine kineriche;
370 And wite mine Bruttes	And wite mine Bruttus
a to þines lifes.	wel bi þine liue.

And hald heom alle þa laȝen þa habbeoð istonden a mine daȝen,
And alle þa laȝen gode, þa bi Vðeres daȝen stode.
And ich wulle uaren to Aualun to uairest alre maidene,
To Argante þere quene, aluen swiðe sceone;
375 And heo scal mine wunden makien alle isunde,
Al hal me makien mid haleweiȝe drenchen.
And seoðe ich cumen wulle to mine kineriche
And wunien mid Brutten mid muchelere wunne.'
Æfne þan worden þer com of se wenden
380 Þat wes an sceort bat liðen, sceouen mid vðen,
And twa wimmen þerinne, wunderliche idihte.
And heo nomen Arður anan, and aneouste hine uereden,
And softe hine adun leiden, and forð gunnen hine liðen.
Þa wes hit iwurðen, þat Merlin seide whilen,
385 Þat weore unimete care of Arðures forðfare.
Bruttes ileueð ȝete, þat he bon on liue
And wunnien in Aualun mid fairest alre aluen;
And lokieð euere Bruttes ȝete, whan Arður cumen liðe.
Nis nauer þe mon iboren of nauer nane burde icoren,
390 Þe cunne of þan soðe of Arðure sugen mare. —

Closing Lines.

Þæs Bruttes on ælc ende foren to Walisce londe, [32226]
And heore laȝen leofeden, and heore leodene-þæuwen,
And ȝet wunieð þære, swa heo doð auere-mære.
And Ænglisce kinges walden þas londes,
395 And Bruttes hit loseden, þis lond and þas leoden,
Þat næuere seoððen mære kinges neoren here.
Þa ȝet ne com þæs ilke dæi, beo heonne-uorð alse hit mæi;
Iwurðe þet iwurðe, iwurðe godes wille! Amen.

364 Corwaile *A* 368 Cador s s ne *B (dam.)* 375 scal] slal *MS.* 393 wunied *MS.* 395 losedenden *MS.*

164. MURDER IN THE CATHEDRAL

(From 'Thomas Becket' of the Southern Legendary.) — *MS.:* Bodl. 1486, Laud 108. E. XIII ct.; [21 MSS.] — *edd.:* C. Horstmann, EETS. 87; H. Thiemke, Palaestra 131. — BR. 4171, 907, 728; We. V, 19, 55; Ke. 4695-4717; Ba. 174-175.

How "that contek sprong".

Seint Thomas þouȝte wel, þat he ne miȝte nouȝt paie [369]
Þe kingue ne his conseil, bote he wolde holi churche bitraie.
In gret care and in soruwe he was hov he miȝte best do,
For he ne miȝte nouȝt paien Ihesu Crist and þene kingue also. —
5 Þe loue was euere gret inouȝ bitweone seint Thomas
And þe kinge, forto þe feond destourbede hit, allas.
Luyte an luyte þat contek sprong for pouere mannes riȝte;
Paie ore louerd and þe kinge þis holi man ne miȝte.
Þe furste tyme þat seint Thomas ovtliche him withseide,
10 Hit was for þe king aȝen pouere men dude onriȝtful dede:
Þe king nam fro ȝer to ȝere þoruȝ Engelond wel wide
After is wille ane summe of panes ideld bi eche side,
And sethþe þoru anqueste he let þoruȝ þe contreies anquere
Hov muche ech man scholde paiȝe and hov muche is riȝte were.
15 So longue he nam taillage þat he axede at þe laste
Eche ȝere ane certeyne rente þoruȝ al Engelond wel faste.
Ȝwat for eiȝe, ȝwat for loue, no man him ne withseide;
Bote euere þouȝte seint Thomas, þat hit was an onriȝtful dede.
He þouȝte al on god and on is soule and bilefde al his manhede,
20 And wende forth wel baldeliche to þe king withouten drede.
'Sire,' he seide, 'ȝif it is þi wille, þou art riche and hende,
And king of gret pouwer inov, ore louerd þe more sende.
A taillage þov taxt fram ȝer to ȝer þoruȝout al þi londe,
And axest it for a certeine rente, with onriȝte, ich onderstonde.
25 For riȝte rente þov dest it take at a certein daie in þe ȝere,
A certeyn summe asigned; and so ne dude no king ere,
Ȝwareþoruȝ þat þat certein rente, me þincheþ, þov ne miȝt it nouȝt make.
A taillage it is, and sumdel with vnriȝte itake.'
'Thomas, Thomas,' quad þe king, 'þou art mi chaunceler;
30 Þou auȝtest more to holden op þane to withseggen mi power.'
'Sire,' quath þis holi man, 'ich habbe ibeo with þe,
And þou hast, ore louerd furȝelde þe, gret guod idon me;
An oþur baillie ich habbe afongue, þei it were aȝen mi wille,
And I ne mai nouȝt loki boþe wel, bote ich scholde min owene aspille.
35 For ich am to luyte wuyrth þat on for to loke,
Þanne dude he gret folie þat boþe me bitoke.
Þarefore ich þe ȝelde up here al-out þe chauncelerie,
And take me al to holi churche, to god and to seinte Marie.' —

The Return from France.

Fram Fraunce he wende with gret honour toward Engelonde. [1761]
40 At one hauene he gan abide þat men cleopieþ Ȝwitsonde.
Þe lettres þat he hadde of Rome to Engelond he sende,
To don þe sentence al abrod bifore him ase he wende.
Þe erchebischop of Euerwyke in sentence he let do
And þene bischop of Salesburi and of Londone also;
45 For heo hadden icrouned þene ȝonge king aȝen þe dignete
With onriȝte in is bischopriche; he amansede hem alle þre.
Þo þe tiþinge to heom cam, heo maden heom wroþe inovȝ,
And þretneden þis holi man, þei it were with wouȝ.

---

27 þinchez *MS.* (-eþ] -ez, -eȝ *MS.*, *a.u.*) 40 Ȝwitsonde = *Wissant near Calais*

Seint Thomas eode toward þe schipe into Engelonde for to wende.
50 A man þare cam fram Engelonde aȝen heom, guod and hende.
'A, sire,' he seide, 'for godes loue, ne passe nouȝt þe se;
For þare beoth kniȝtes in Engelonde, iporueide þe for to sle.
At eche hauene men awaytieþ to kepe þe, mani on;
Ȝif þou comest among heom ovȝt, þov worst aslawe anon.'
55 'Certes,' quath þis holi man, 'I nelle no leng abide;
To Engelonde ichulle me drawe, tide ȝwat bitide.
Þei ich beo drawe lime-mele, I nelle bileue non-more;
To longe ich habbe þannes ibeo, þat reweþ me wel sore.
Þe soulene þat ich habbe þare for to loke six ȝer and more, iwis,
60 Withoute wardein habbeþ ibeo; allas, to longe it is!
Aslawe ich worþe þare, wel ich wot, are come ouȝt longe,
Ichulle for holi churche riȝte gladliche þene deth afonge.
Ake biddeþ for me Ihesu Crist, I bidde eov par charite!
Bifore alle oþere nameliche o þing biddeth for me:
65 Þat god for is holi grace to Caunterburi me sende,
Þat ich mote aliue oþur ded into mine owene churche wende.
Ȝif I ne mai þudere aliue come, are ich imartred beo,
Þat mi bodi mote ȝwan ich am ded, god it graunti me!'
His leue he nam wel deolfolliche, and to schipe he wende so.
70 He þonkede heom al honour þat men him hadden ido,
And biteiȝte al Fraunce Ihesu Crist, and blessede it wel faste.
Þat folk wep and makede sorewe gret, heore deol longe ilaste.
At Douere were kniȝtes ȝare þat heorden of him telle,
Sone ase he come op þere al aredi him to quelle.
75 Sire Reinaud of Wareygne and sire Randolf de Brok,
And also Gerueis þe schyrreue gret folk with him tok,
To kepe þis holi man at Douere, ase he come op of þe se,
And bote he wolde heore wille do, al-ȝare him for to sle.
To þe hauene of Sandwiche þat schip wel euene drouȝ,
80 Þe oþere abiden him alle at Douere with þretninge and bost inouȝ.
In þe schipes seile an heiȝ þis holi man let do
Ane croiz, þat man fer isaiȝ, iseuwed faste þerto;
Þat was signe of is baner, oþur ne kepte he non.
Men stoden at Sandwich and biheolden þe croiz wel mani on,
85 And seiden: 'We iseoth nouþe hiderward come oure bischop Thomas!'
Þe ȝuyt he was fer in þe se, heo wusten ȝwat he was.
Þat cri was sone wide couth, þat folk orn faste inovȝ,
And are he were to londe icome, muche folk aȝein him drouȝ.
Heo criden and þonkeden Ihesu Crist, þat heo mosten him aliue iseo,
90 And welcomeden him with joye inovȝ, non more ne miȝte beo. —
Þis was endleue hondret ȝer and sixti ȝer and tene
After þat ore swete louerd in is moder aliȝte, ich wene. —
Seint Thomas amoruwe to Caunterburi him drouȝ. [1843]
Al þe contreie aȝein him cam with joye and blisse inouȝ.
95 Ech preost somonede is paroche clanliche in euerech ende
To beon alle ȝare aȝein him with procession for to wende,
So þat with processiones manie and faire inovȝ,
With croyz and with taperes þe contreie aȝein him drouȝ.
Þare was joie and blisse inouȝ, more ne miȝte non beo!
100 Heo þonkeden ȝeorne Ihesu Crist, þat heo mosten aliue him iseo.
Of bellene and of tabours so gret was þe soun,
Of eche manere gleo and of song, þo he cam into toun,

---

61 worþe wel ich wot þare are *MS.* 66 wende *not in MS.* 75 de] þe *MS.* 100 þat aliue him mosten iseo *MS.*

Þat man ne mi3te iheore non oþur þing, bote þe noise þat was so gret.
Non more ioie ne mi3te beo, þane þare was in euereche stret.
105 Ase ore louerd a Palme-Sonenday honovred was inov3
Þo he rod into Ierusalem and toward is deþe drov3,
Also was þis holi man, ase men mi3ten iseo þere;
For ore louerd wolde þat is deth semblable to his were. —
Þe bischopes maden heom wroþe inou3, ant þretneden him wel faste.
110 Ake naþeles þe tweyne of heom withdrowen heom at þe laste:
Þe bischop of Salesburi and of Londone also,
To holi churche heo wolden stonde and to is lokinge also.
Ake þe erchebischop of Euerwik anon-ri3t heom withsede:
'Daþeheit habbe þat so atstonde, so folliche at ower rede,
115 For to don us in is grace, þat euere hath ibeon ore fo
And hath idon us mani a schame and þanne he wolde wel mo!
Þei he habbe ouer ov power, ouer me ne haueþ he non;
For erchebischop ich am, wel 3e wuteþ, ase wel ase he is on!
Ich habbe a luytel coffre, þat stant hol and sount,
120 At þe leste þare beoth inne 3eot ei3te hundret pound.
3are ich am to spene þat, and 3eot me þincheþ to luyte,
For to awreken us wel of him and for to alegge is pruyte.
Wende we to þe kinge anon, and telle him of is dede,
Þat him ne tit neuere pais, bote he þarof him rede!'

The King's Words.

125 Þeos þreo bischopus hasteliche ouer se þene wei nome.
A luyte bifore Cristemasse to þe kinge heo come,
And founden him in Normandie; adoun heo fullen akne.
Heo beden him holden op his honour, stifliche hore help to beo,
And tolden him hov þis holi man, þo he to londe cam,
130 Destourbede al holi churche and is kynedam
And hov he hadde with gret pruyte in mansinge ido
Al þat maden is sone king and consenteden þareto;
And hov in despit of him he dude swuch luþer dede,
And þat he ne scholde neuere in pais beo, bote he nome anoþur to rede.
135 Þe king, þo he heorde þis, for wrathþe he was nei3 wod.
He eode op and doun ase witles, and ofte in þou3te stod.
'3if he amanseþ alle þat maden mine sone king,' he seide,
Mid þe furste he amanseþ me, for it was min owene dede.
Þe traitur aspilleþ al þat lond, and bringeþ us in wrechhede,
140 Ho mi3te in swuch soruwe longe eni lif lede?'
Ofte he corsede alle þeo þat he hadde forth ibrou3t,
Of þe false preost and is fo þat heo ne awreke him nou3t,
Þat destourbede al þat lond and brou3te in wrechhede.
Ase he eode op and doun, ofte þat word he seide.
145 Þe kni3tes þo heo heorden þis, stoden some stille,
And biþou3ten heom wel priueliche to paie þe kinges wille.
Þe foure þat mest schrewes weren, biþou3ten hem of guyle,
Sire Reynaud le Fizovrs and sire Huwe de Moruile
And sire Willam Traci and sire Richard de Bruiz,
150 Heore names for heore schrewehede ne beoth nout for3ite 3uyt.
Huy nomen heom to rede stilleliche to passi þe se,
To paie þe kingus wille, seint Thomas for to sle.
Stilleliche heo wenden forth, þat no man it nuste.
Heo weren nei3wat at þe se, are þe king it wuste.
155 Þo þe king it onder3at, after heom he sende,

112 is] hire *Var.* 144 don doun *MS.* 145 heo *not in MS.*

Þat heo bilefde heore folie   and aȝenward to him wende.
Ake þis messager ne miȝte nouȝt   ouertake heom for none ginne,
For are he cam to þe se,   heo weren fer withinne.
Þo made þe king deol inov,   þat heo weren forth iwend
160 And þat is messager ne ouertok heom nouȝt   þat he after heom hadde isend.

The Deed (29/XII/1170).

Þis kniȝtes þene Tywesdai   no lengore nolden bileue,   [1977]
Ake wenden heom to Caunterburi,   wel are it were eue.
A luyte bifore compelin   to seint Thomas heo come;
Þene riȝte wei ful baldeliche   into is chaumbre heo nome.
165 Heo comen and founden him stilleliche   in is chaumbre stonde
With priue clerkes, and gret conseil   hadden þere on honde.
Sire Reynaud le Fizours   grimliche forth iwende.
'Sire,' he seide, 'ore louerd þe king   in message us hidere sende.
Fram him out of Normandie ˛ ane heste we habbeþ ibrouȝt,
170 Þat þov do is heste,   ne bilef þov it nouȝt,
And þat þou wende sone to is sone,   þat ȝong king imaked is,
For to amendi aȝeinest him,   þat þov hast is fader idon amis,
And swer þene othþ to beon him trewe,   and of þe baronie also,
Þat þou haist of him in chef,   do þat þou auȝtest him for to do.
175 Þe clerkes þat þov bringest with þe,   ȝif here-ate heo wolleþ atstonde,
Schullen suerie þe kinge trewe to beo,   oþur heo schullen out of londe.'
'Bev frere,' quath seint Thomas,   'I nelle þe noþing lie,
Þe kinge ichulle don riȝt   and lawe of þe baronie.
Ake nolde it god þat holi churche   onder fote were so
180 Þat ich oþur mine clerkus   scholden ani othþ þe kinge do!
For þov wost wel, alle þe lewede men,   þat beoth in his londe,
Ne swerieþ him nouȝt þene oth,   as ich me onderstonde.
Nov wolde ȝe holi churche   in grete seruage do,
In more þane ani lewede man beo?   Nai, it ne worth nouȝt so!'
185 'Me þincheþ wel,' quath sire Reynaud,   'þat þov nelt do noþing
Of þe heste þat we bringeþ þe   fram ore louerd þe king.
Also in is half we hoteþ þe,   þat þov asoili also
His bischopes þat þov hast   in mansinge ido.'
'Bev frere,' quathþ seint Thomas,   'it nis mi dede nouȝt,
190 Ake þoruȝ þe popes owene mouthþ   in sentence heo beoth ibrouȝt;
And þou wost wel it ne falleþ nouȝt to me   þe popus dede ondo.'
'Þei þe pope it hete do,' quath sire Reynaud,   'þoruȝ þe it is ido!'
'Ȝif þe pope hath,' quath seint Thomas,   'in sentence ibrouȝt
Heom þat habbeþ me misdon,   he ne mispaieþ me nouȝt.'
195 'In eche manere þov schewest wel,'   sire Reinaud seide þo,
'For to anuye ore louerd þe king,   and þat þov art is fo.
Ȝwareþoruȝ we iseoth wel, þat þov   wilnest to don him wo,
And woldest beo king in is stude,   ake þou ne worst neuere so,
And ȝif þou miȝtest, binime him is crovne,   ake so ne schal it nouȝt go.'
200 'Certes, bev frere,' quath seint Thomas,   'I ne þenche noþing þerto,
Ake raþur ichulle him þerto helpe,   so muche so ich mai,
And for him and for his honour   ich bidde niȝt and dai.
For þare nis nouþe man on eorþe,   þat ich louie, iwis,
So muche ase him, sauue is fader,   þat ȝeot mi louerd is.
205 A seinte Marie dai Maugdeleyne,   for-soþe I segge þe,
Þo þe acord was formest imaked   bitwene mi louerd and me,
He seide me, þat ich lete amansi   alle þat hadden misdo

---

166 þere *not in MS.*   174 þou a.] þo a. *MS.*   186 br. þe] br. *MS.*   187 We hoteþ þe ek in his half *Var.*   189 quathy *MS.*   193 seint *not in MS.*   198/199 *transp. in Varr.*

Mine churche, þat is his owene moder; and ich habbe idon so.'
'Avoy, sire preost,' quath þis oþur, 'to muche þov spext neiȝ!
210 Þov desclaundrest þin owene louerd, þov ne art noþer guod ne sleiȝ.
Seist þov þat mi louerd þe king in mansinge let do
Alle þat maden is sone king? Ne consentede he þerto?
Nas it al is owene dede and bi none oþur mannes lore?
Avoy, sire preost, biþench þe bet, ne seie þov so namore!'
215 'Certes, sire,' quath seint Thomas, 'þou wost wel it was so;
For þou were þare þo þiself and manie oþere þerto,
Bischopus and erchebischopus ek and oþere grete and heiȝe,
ȝe, fif hundred men and mo, also þov wel iseiȝe.'
'Beo stille!' quath þis luþere kniȝt. 'Hold þinne mouthþ, ich rede!
220 Þov misseist mi louerd þe king. Daþeit þat it seide!
Ho miȝte soffri swuch sclaundre, bote he nome þarof wreche?
Bi þe fei þat schal to god, man schal þe anoþur teche!'
His felawes euerechone heore armes abrod caste
And ferden ase men þat weren wode, and þretneden him wel faste.
225 To þe monekus heo wenden anon. 'Comieth hereforth,' he seide,
'ȝe holdeth here þe kingus fo; witieþ him wel, ich rede,
Þat ȝe to þe kingus wille is bodi habben alȝare,
Oþur he schal ouwer londes aboute and ower maneres maken wel bare!'
'Sire Reynaud,' quath seint Thomas, 'wenst þou þat ichulle fleo?
230 Nai, par deu, nouȝt a fote, for þe king ne for þe!'
'Bi god, sire bischop,' quath þis oþur, 'bi þat þou wost þen ende;
Þi fleoinge schal beo luyte wurth, þou ne schalt nouȝt wel fer wende!'
Þis kniȝtes in grete wrathþe þo wenden heom forth echon,
And leten heom army swyþe wel, and comen aȝen anon,
235 With suerdes and with axes and with oþere armes mo.
Robert de Brok, þe luþere clerk, he was with heom þo.
Into þe cloistre of Caunterburi with grete noyse heo comen weue;
Þe monekus songen compelin; for it was wel-neiȝ eue.
Some for þe grete noyse fullen adoun for fere,
240 And some bigonne to fleon aboute, ase men þat witlese were.
Seint Thomas nam ane croyz on honde, ake oþure armes non,
And þarewith wel baldeliche he eode aȝein is fon.
Þe monekus ornen to him sone. 'Sire, merci,' heo seiden,
'For godes loue, abid ȝut here, ore louerd þe mai ȝuyt rede.
245 Soffre, þat we helpen þe, oþur þat we with þe deiȝe!'
Some wolden makien þe doren faste, þo heo þat folk iseiȝe.
'Bileueþ,' quath þe holie man, 'ȝe ne doth nouȝt as þe wise;
Singuth forth ower euesong, and doth ore louerd is seruise.
Man ne schal of holi churche castel maken non.
250 Lateþ foles ane stounde awede and in heore folie gon!'
Þe kniȝtes comen reken in heore folie for to do,
And seiden: 'ȝware is nouþe þis traitour and false bischop also?'
Seint Thomas bar þe croiz on honde, and answerede is fon:
'Ich am here, godus preost; ake traitour nam ich non.
255 Secheþ him þat wole ov fleo oþur þat drede ovwer þretninge;
No rediore ne beoth ower swerdes me to deþe bringue
Þat min heorte prestore nis þene deþ for to take;
For þe riȝtes of holi churche I nelle nouȝt deth forsake.'
Þare wende forth on of heom, and is huyre of him drouȝ,
260 And is mantel anon afterward with gret uilte inouȝ.
Sire Reynaud le Fizours pursiwede him anon.

216 þare þi self þo *MS.* 220 daþeit alle þat *MS.* 227 bodi ȝe h. *MS.* 233 anon: 234 vchon *Varr., Thiemke* 238 comp.] Euesong *MS.* 241 on honde *not in MS.* 243 þe] þis *MS.* ornem *MS.* 246 faste] *not in MS., spl. Mätzner* 248 auesong *MS.* 252 and þis false *MS.* 258 det *MS.*

'Sire Reynaud,' quath seint Thomas þo, 'hov schal þis nouþe gon?
Ofte ich habbe þe guod ido and manie oþure mo.'
'Þov schalt sone,' quath þis oþur, 'iwite hou it go:
265 Traitour, þou art ded anon, non oþur nelle ich do!'
'For-soþe,' quath þis holi man, 'wel prest ich am þerto.
For þe riȝtes of holi churche deiȝe ichulle wel fawe,
Ȝif heo miȝte þere-afterward in pais beo and in lawe.
Ak ich ov bidde ȝif ȝe secheþ me, in ovre louerdes name,
270 Þat ȝe ne comen neiȝ non oþur man, harm ne do ne schame;
For non oþur gulti nis of þat ȝe witeþ me;
Heo buth alle gultlese bote ich one, þarof sikere ȝe beo.
And al so ase heo gultlese beoth, harmles lateþ heom wende!'
Þe guode man sat adoun a-kneo, þo he sai al þe ende.
275 Forto afonge þene stronge deth is heued he buyde adoun,
And softe, ase some iherden, he seide þis oresoun:
'Ore louerd and seinte Marie and seint Denis also
And alle þe avouwes of þis churche, in ȝwas ore ich am ido,
Ich bitake mine soule here, and holi churche riȝte!'
280 Ȝeot he bad for holi churche, þo he nadde non oþur miȝte!
Sire Reynaud le Fizovrs, mest schrewe of echon,
For to smite þis holi man is swerd he drouȝ anon.
Ake Edward Grim, þat was is clerk, in Grauntebrugge ibore,
His louerd to helpe ȝif he miȝte, his arm he pulte bifore.
285 He woundede is arm swyþe sore, þat blod orn faste adoun.
With þulke dunte he smot also seint Thomas ope þe croun,
Þat blod orn bi is face adoun in is riȝt half of þe wounde.
Lovde gradde þis luþere kniȝt: 'Smiteþ alle to grounde!'
Edward Grim and alle is men, þat þo aboute him were,
290 At-ornen aboute ech in is side ope þe weuedes for fere.
Ase it bi ore louerd ferde, þo þe Giwes him nome:
His desciples flovwen anon; men nusten ȝware heo bicome.
For in þe godspel it is iwriten, þat ore louerd himself seide:
'Ȝwane a man smit þene schepherde, þe schep wolleþ to-sprede.'
295 And ore louerd bad for is desciples þat men ne scholden hem non harm do.
Þaron þouȝte seint Thomas, he bad for is men also.
An oþur kniȝt smot seint Thomas in þulke sulue wounde,
And made him bouwie is face adoun and loke toward þe grounde.
Þe þridde in þulke sulue stude þare-after him smot anon,
300 And makede him loute adoun is face to þe ston.
In þulke stude þe feorþe smot, þare þe oþere hadden er ido,
Þat þe point of is swerd brak in þe marbre ato.
Ȝeot þat ilke point at Caunterburi þe monekus doth wite,
For honour of þe holi man, þat þarewith was ismite.
305 With þulke stroke he smote al of þe scholle and þe croune,
Þat þut brain ful on þe pauement al abrod þare doune,
Þat ȝwite brayn was imeind with þe rede blod þere,
Þat colur was wel fair to seo þei it reulich were.
Al round it orn aboute is heued, ase it were a dyademe,
310 And al round þare abouten it lay, ȝware-of men token grete ȝeme.
For ȝwane men peyntieþ an halewe, ȝe ne seoth it nouȝt bileued,
Þat þere nis depeint a roundel al aboute þe heued;
Þat rondel men cleopieþ þe diademe. Ful manie iseie in þat cas
Bi þe diademe of is brayne, þat he holi was. —

262 quat *MS.* 283 gunte brugge *MS.* 289 and and *MS.* 295 bad [þat] me ne scholde his disciples non harm do *Varr.*, *Thiemke* hem] him *MS.* 308 þei ich r. *MS.* 311 halewe *Var.*] Anletnesse *MS.* 313 for manie iseien þat cas *MS.*] and me seȝ þer a fair cas *Var.*, *Thiemke*

165. A CHARTER OF HENRY II

MS.: BM., Harleian Charter III B. 49; XII century. — *Facsimile:* W. Keller, Angelsächsische Palaeographie, Palaestra 43, Leipzig 1906. — *edd.:* J. Earle, Handbook of the Land Charters, London 1888; F. H. Stratmann, Anglia VII, 1884; F. Kluge, MLb., Halle 1912; J. Hall, Sel. EME, Oxford 3. 1953.

H' þurh godes ȝefu Ænglelandes king gret ealle mine bissceopas and ealle mine eorlas and ealle mine scirereuan and ealle mine þeinas Frencisce and Englisce on þan sciran þe Teobalt ercebisceop and se hiret æt Christes chyrchen on Cantuarabirȝ habbad land inne freondlice. And ic keþe eow þet ic hebbe heom geunnon þet hi beon ælc þare lande wurþa þe hi eafdon 5 en Edwardes kinges deȝe, and on Willelmes kinges mines furþur ealdefader, and on Henrices kinges mines ealdefader, and saca and socne, on strande and on streame, on wudan and on feldan, tolles and theames, grithbriches and hamsocne and forstalles and infangenes thiafes and fleamene frimtha ofer heore agene men binnan burgan and butan, swa ful and swa ford swa 10 mine agene wicneres hit sechan scolden, and ofer swa fele þeinas swa ich heom to-leten habban. And ic nelle þet eni man enig þing þer-on theo, butan hi and heara wicneras þe hi hit bitechan willað, ne Frencisce ne Englisce, for þan þingan* þe ich habbe Criste þas gerichtan forgifan minre saule to echere alisendnesse and ic nelle geþauian þet enig man þis abrece 15 bi minan fullen frenscipan. God geau gehealde.

166. PROCLAMATION OF HENRY III (18/X/1258)

(Huntingdon Redaction). — *MS.*: Publ. Rec. Off., Pat. Roll 43, Henry III m. 15. 40. — *Facsimile*: W. W. Skeat, English Dialects, Cambridge 1912. — *edd.*: Th. Rymer, Foedera conventiones &c., London 1704/1816; E. Mätzner, SP. II, 1867; F. Kluge, MeLb., 2. 1912; *a. o*. — *French Version* : MS. Pat. Roll 42, Henry III m. 1; edd.: Rymer, Mätzner, Ellis; & o. — We. X, 54; Ke. 4832-33; Ba. 115.

Henri par le grace deu rey de Engleterre, sire de Irlande, duc de Normandie, de Aquitien et cunte de Angou a tuz ses feaus clers et lays saluz.	5	Henri, þurȝ godes fultume king on Engleneloande, lhoauerd on Yrloande, duk on Normandie, on Aquitaine, and eorl on Aniow send igretinge to alle hise holde, ilærde and ileawede, on Huntendoneschire.
Sachez ke nus volons et otrions ke se ke nostre conseil, u la greignure partie de eus, ki est esluz par nus et par le commun de nostre reaume, a fet u fera al honur de deu et nostre fei et pur le profit de nostre reaume, sicum il ordenera, seit ferm et estable en tuttes choses a tuz jurz.	10 15	Þæt witen ȝe wel alle, þæt we willen and vnnen þæt, þæt vre rædesmen alle, oþer þe moare dæl of heom, þæt beoþ ichosen þurȝ us and þurȝ þæt loandes folk on vre kuneriche, habbeþ idon and schullen don in þe worþnesse of gode and on vre treowþe for þe freme of þe loande, þurȝ þe besiȝte of þan to-foren iseide redesmen, beo stedefæst and ilestinde in alle þinge a buten ænde.

* þimgan *MS.*

166. Readings from the *Oxford Redaction*: 5 his llerde 6 on Oxenefordeschire 7 þet (*a.u.*) 8 redesmen 9 del 11 habben 12 god 14 loand 15 seide stedefest 16 lestinde *Oxf.*, abuten *Hunt. MS. & Edd.*, ende *Oxf.*

Et comandons et enjoinons a tuz noz feaus et leaus en la fei k'il nus deivent, k'il fermement teignent et jurgent a tenir et a maintenir les establemenz ke sunt fet u sunt a fere par l'avant dit cunseil u la greignure partie de eus en la maniere k'il est dit desuz; et k'il s'entre-eident a ce fere par meismes tel serment cuntre tutte genz dreit fesant et parnant; et ke nul ne preigne de terre ne de moeble par quei ceste purveaunce puisse estre desturbee u empiree en nule manere.

Et se nul u nus viegnent encuntre ceste chose, nus volons et comandons ke tuz nos feaus et leaus le teignent a enemi mortel.

Et pur ce ke nus volons ke ceste chose seit ferme et estable, nos giveons nos lettres overtes seelees de nostre seel en checun cunte a demorer la en tresor.

Testmoin meimeismes a Londres le disutime jur de Octobre l'an de nostre regne quaraunte secund.

Et ceste chose fu fete devant: Boneface, arceveske de Cantreburi; Gautier de Cantelou, eveske de Wyrecestre; Simon de Montfort, cunte de Leycestre; Richard de Clare, cunte de Gloucestre et de Hertford; Roger le Bigod, cunte de Norfolk et mareschal de Engleterre; Humfrey de Bohun, cunte de Hereford; Piere de Savoye; Guilame de Forz, cunte de Aubemarle; Iohan de Plesseiz, cunte Warrewyk; Roger de Quency, cunte de Wyncestre; Iohan, le fiz Geffrey; Piere de Muntfort; Richard de Grey; Roger de Mortemer; James de Audithele; et Hugo le Despenser.

And we hoaten alle vre treowe in þe treowþe þæt heo vs oȝen, þæt heo stedefæstliche healden and swerien to
20 healden and to werien þo isetnesses þæt beon imakede and beon to makien þurȝ þan to-foren iseide rædesmen, oþer þurȝ þe moare dæl of heom, alswo alse hit is biforen iseid; and þæt
25 æhc oþer helpe þæt for to done bi þan ilche oþe aȝenes alle men riȝt for to done and to foangen; and noan ne nime of loande ne of eȝte, wherþurȝ þis besiȝte muȝe beon ilet oþer iwer-
30 sed on onie wise.

And ȝif oni oþer onie cumen her onȝenes, we willen and hoaten þæt alle vre
35 treowe heom healden deadliche ifoan.

And for þæt we willen, þæt þis beo stedefæst and lestinde, we senden ȝew þis writ open, iseined wiþ ure seel, to
40 halden a-manges ȝew ine hord.

Witnesse vs seluen æt Lundene þane eȝtetenþe day on þe monþe of Octobre, in þe two and fowertiȝþe ȝeare of vre
45 cruninge.

And þis wes idon ætforen vre isworene redesmen: Boneface, archebischop on Kanterburi; Walter of Cantelow, bischop on Wirechestre; Simon of Muntfort,
50 eorl on Leirchestre; Richard of Clare, eorl on Glowchestre and on Hurtforde; Roger Bigod, eorl on Northfolke and marescal on Engleneloande; Perres of Sauueye; Willelm of ffort,
55 eorl on Aubemarle; Iohan of Pleisseiz, eorl on Warewike; Iohan, Geffrees sune; Perres of Muntfort; Richard of Grey; Roger of Mortemer; James of Aldithel; and ætforen oþre inoȝe.

60 And al on þo ilche worden is isend in-to æurihce oþre shcire ouer al þære kuneriche on Engleneloande, and ek in-tel Irelonde.

19 stedefesteliche 20 setnesses 21 makede maken 22 seide redesmen 23 del 24 to-foren 25 don bi þat 26 oath 27 don fongen 28 loand 29 let 33 gif 35 foan 38 stedefes 39 sened 40 healden amaonges 42 þene 44 ȝear 46 don sworen 49 Muntford 53 mareschal 59 inoge

167. Lewes

MS.: BM., Harley 2253; beg. XIV ct. — *ed.*: K. Böddeker, Dichtgg. Harl. 2253, Berlin 1878. — BR. 3155; We. IV, 5; Ke. 4619; Ba. 267-273.

Richard,
Þah þou be euer trichard,
Tricchen shalt þou neuer-more!

Sitteþ alle stille ant herkneþ to me!
Þe kyng of Alemaigne, bi mi leaute,
Þritti þousent pound askede he
fforte make þe pees in þe countre,
5 And so he dude more. Richard, þah þou be, *&c.*

Richard of Alemaigne, whil þat he wes kyng,
He spende al is tresour opon swyuyng;
Haueþ he nout of Walingford o ferlyng.
Let him habbe, ase he brew, bale to dryng,
10 Maugre Wyndesore! Richard, *&c.*

Þe kyng of Alemaigne wende do ful wel,
He saisede þe mulne for a castel.
Wiþ hare sharpe swerdes he grounde þe stel,
He wende þat þe sayles were mangonel
15 To helpe Windesore. Richard, *&c.*

Þe kyng of Alemaigne gederede ys host,
Makede him a castel of a mulne-post,
Wende wiþ is prude ant is muchele bost,
Brohte from Alemayne mony sori gost
20 To store Wyndesore. Richard, *&c.*

By god, þat is abouen ous, he dude muche synne,
Þat lette passen ouer see þe erl of Warynne.
He haþ robbed Engelond, þe mores ant þe fenne,
Þe gold ant þe seluer, ant yboren henne,
25 For loue of Wyndesore. Richard, *&c.*

Sire Simond de Mountfort haþ suore bi ys chyn,
Heuede he nou here þe erl of Waryn,
Shulde he neuer more come to is yn,
Ne wiþ sheld, ne wiþ spere, ne wiþ oþer gyn,
30 To help of Wyndesore. Richard, *&c.*

Sire Simond de Montfort haþ suore bi ys top,
Heuede he nou here sire Hue de Bigot,
Al he shulde quite here tuelfmoneþ scot,
Shulde he neuer more wiþ his fot pot
35 To helpe Wyndesore. Richard, *&c.*

Be þe luef, be þe loth, sire Edward,
Þou shalt ride sporeles o þy lyard
Al þe ryhte way to Douere ward;
Shalt þou neuer-more breke foreward.
40 Ant þat reweþ sore.
Edward,
Þou dudest ase a shreward,
Forsake þyn emes lore!
Richard,
45 Þah þou be euer trichard,
Tricchen shalt þou neuer-more!

---

2 kyng] kyn *MS.* mi] me *MS.* 31 top *Böddeker, Brown*; cop *Wright, Brandl*; fot *em. Ritson*, *? em.* lot 36 loht *MS.* 42 ase] ? asc *MS.* 43 forsoke *MS. and Brown*

168. Robert of Gloucester, Chronicle

MS.: BM., Cotton Caligula A. XI; beg. XIV ct. [16 MSS.] — ed.: W. A. Wright, The Metrical Chronicle of Robert of Gloucester, RS. 86 I/II, London 1887. — BR. 727; We. III,4; Ke. 4867-69; Ba. 165; RO. 322-323.

Introduction.

Engelond his a wel god lond, ich wene ech londe best, [1]
Iset in þe on ende of þe worlde as al in þe west.
Þe see geþ him al aboute, he stond as in an yle,
Of fon hii dorre þe lasse doute, bote hit be þorȝ gyle
5 Of folc of þe sulue lond, as me haþ iseye ȝwile.
Fram souþe to norþ he is long eiȝte hondred mile. —
Þre wondres beþ in Engelond, none more I not: [151]
Þat water of Baþe is þat on, þat euere is iliche hot
And verss and newe, and euere springeþ, ne be þe chele so gret;
10 Swiche baþes þer beþ fale in clos and in þe stret.
Vpe þe plein of Salesbury þat oþer wonder is,
Þat Stonheng is icluped, non more wonder nis:
Evene vpriȝt and sviþe heiȝ, þat wonder hit is to se,
Þe stones stondeþ þere so grete, none more ne mowe be;
15 And oþere liggeþ heie aboue, þat man may be of aferd,
Þat eche man wondry may hou hii were ferst arered.
Vor noþer gyn ne mannes strengþe, it þencheþ, ne may it do;
Telle me ssal herafterward of þe wondres boþe tvo
And hou hii were verst imaked. Þat oþer wonder is
20 Vpe þe hul of þe Pek: Þe wind þere, iwis,
Vp of þe erþe ofte comþ, of holes þei hit were,
And blouþ vp of þulke holes, so þat it wolde arere
And bere vp grete cloþes, ȝif hii were þer nei,
And bloue hom here and þere vp in þe luft an hei.
25 Veire weies mani on þer beþ in Engelonde;
Ac voure mest of alle þer beþ, ich vnderstonde,
Þoru þe olde kinges imad, ȝwarþorȝ me mai wende
Fram þe on ende of Engelond vorþ to þe oþer ende.
Fram þe souþ tilþ to þe norþ Erningestret,
30 And fram est to þe west Ykenildestret,
Fram Douere into Chestre tilleþ Watelingestret,
Fram souþest to þe norþwest, and þat is somdel gret.
Þe verþe is mest of alle, þat tilleþ fram Totenas,
Fram þe on ende of Cornewaille anon to Cattenas,
35 Fram souþwest to þe norþest to Engelondes ende;
Fos me clupeþ þilke wei þat bi mani a god toun deþ wende.
So clene lond is Engelond and so cler wiþouten hore,
Þe veireste men in þe world þerinne beþ ibore;
So clene and vair and pur ȝwit among oþere men hii beþ,
40 Þat me knoweþ hem in eche lond bi siȝte þar me hem seþ.
So clene is also þat lond and mannes blod so pur,
Þat þe gret evel ne comeþ naȝt þer, þat me clupeþ þat holi fur,
Þat vorfreteþ menne limes, riȝt as it were ibrend;
Ac men of France in þulke vuel sone me sucþ amende,
45 Ȝif hii beþ ibroȝt into Engelond, ȝwareþorȝ me may iwite,
Þat Engelond is londe best, as hit is iwrite. —

***Hastings** (14/X/1066).*

King Harald sat glad ynou at Euerwik atte mete, [7396]
So þat þer com a messager, ar he adde iȝete,
And sede, þat duc Willam to Hastinges was icome

50 And is baner adde arerd and þe contreie al inome.
Harald anon mid grete herte, corageus ynou,
As he of no mon ne tolde þuderward uaste he drou.
He ne let noȝt clupie al is folc, so willesfol he was,
And al for in þe oþer bataile him vel so vair cas.
55 Þo duc Willam wuste, þat he was icome so nei,
A monek he sende him in message, and dude as þe sley,
Þat lond, þat him was iȝiue, þat he ssolde him vp-ȝelde,
Oþer come and dereyni þe riȝte mid suerd in þe velde,
Ȝif he sede, þat he nadde none riȝte þerto,
60 Þat vpe þe popes lokinge of Rome he ssolde it do,
And he wolde þerto stonde al wiþoute fiȝte,
Wer seint Edward hit him ȝaf and wer he adde þerto riȝte.
Harald sende him word aȝen, þat he nolde him take no lond,
Ne no lokinge of Rome bote suerd and riȝt hond.
65 Þo hit oþer ne miȝte be, eiþer in is side
Conseilede and ȝarkede hom, bataile uor to abide.
Þe Englisse al þe niȝt biuore uaste bigonne to singe,
And spende al þe niȝt in glotonie and in drinkinge.
Þe Normans ne dude noȝt so, ac criede on god uaste,
70 And ssriue hom ech after oþer, þe wule þe niȝt ylaste;
And amorwe hom let hoseli mid milde herte ynou,
And suþþe þe duc wiþ is ost toward þe bataile drou. —
Þe uerst ende of is ost biuore Harald mid such ginne [7460]
So þikke sette, þat no mon ne miȝte come wiþinne,
75 Wiþ stronge targes hom biuore, þat archers ne dude hom noȝt,
So þat Normans were nei to grounde ibroȝt.
Willam biþoȝte an quointise, and bigan to fle uaste,
And is folc uorþ mid him, as hii were agaste,
And flowe ouer an longe dale and so vp an hey.
80 Þe Engliss ost was prout ynou, þo he þis isey,
And bigonne him to sprede, and after þen wey nome.
Þe Normans were aboue þe hul, þe oþere vpward come,
And biturnde hom aboue al eseliche as it wolde be donward,
And þe oþere bineþe ne miȝte noȝt so quicliche vpward,
85 And hii were biuore al tosprad, þat me miȝte bitwene hom wende
Þe Normans were þo wel porueid aboute in eche ende,
And stones adonward slonge vpe hom ynowe,
And mid speres and mid flon vaste of hom slowe,
And mid suerd and mid ax, uor hii þat vpward nome
90 Ne miȝte no wille abbe of dunt, as hii þat donward come,
And hor vantwarde was to-broke, þat me miȝte wiþinne hom wende,
So þat þe Normans uaste slowe in ech ende
Of þe Englisse al uor noȝt, þat þe valeie was nei
As heie ifuld mid dede men, as þe doune an hei.
95 Þe ssetare donward al uor noȝt vaste slowe to gronde,
So þat Harald þoru þen eie issote was deþes wounde;
And a kniȝt þat isei, þat he was to deþe ibroȝt,
And smot him, as he lay bineþe, and slou him as uor noȝt. —

After the Norman Conquest.

Þus, lo, þe Englisse folc vor noȝt to grounde com [7494]
100 Vor a fals king þat nadde no riȝt to þe kinedom,
And come to a nywe louerd, þat more in riȝte was;
Ac hor noþer, as me may ise, in pur riȝte nas.

62 wer] whaþer, wheþer *Varr.* 68 mid mete and mid drinke *Varr.* 74 þikke] þilke *MS.*

And þus was in Normannes hond þat lond ibroȝt iwis,
Þat an aunter ȝif euermo keueringe þerof is.
105 Of þe Normans beþ heyemen þat beþ of Engelonde,
And þe lowemen of Saxons, as ich vnderstonde. —
And þe Normans ne couþe speke þo bote hor owe speche, [7538]
And speke French as hii dude atom, and hor children dude also teche,
So þat heiemen of þis lond, þat of hor blod come,
110 Holdeþ alle þulke speche, þat hii of hom nome.
Vor bote a man conne Frenss, me telþ of him lute;
Ac lowe men holdeþ to Engliss and to hor owe speche ȝute.
Ich wene þer ne beþ in al þe world contreyes none,
Þat ne holdeþ to hor owe speche, bote Engelond one.
115 Ac wel me wot uor to conne boþe wel it is;
Vor þe more þat a mon can, þe more wurþe he is. —

Lewes (14/ V/ 1264).

Þe king so sone in Mai estward euere drou [11346]
As toward þe hauenes wiþ gret poer inou.
Sir Simond de Mountfort and sire Gilebard,
120 Þe ȝonge erl of Gloucetre, come euere afterward
And barons ek mani on as sir Jon Giffard
And mani god bodi þat ne com neuereft aȝenward.
At Lewes þe king bigan mid is poer abide.
Þe barons astunte wiþoute toun biside,
125 And vaire sende into þe toun to þe king hor sonde,
Þat he ssolde vor godes loue him bet vnderstonde
And graunti hom þe gode lawes and habbe pite of is lond,
And hii him wolde serui wel to vote and to hond.
Þe king hom sende word aȝen wiþoute gretinge þis,
130 Þat he ne kepte noþing of hor seruise, iwis,
And þat out of loue and treuþe he dude hom echon
And þat he wolde hom seche out as is pur fon.
Þe barons ne couþe oþer red, þo hii hurde þis,
Bote bidde godes grace and bataile abide, iwis.
135 Hii wende and auisede hom somdel vp an doun,
Þat hii miȝte be war of hor fon and ise to toun.
Some radde þat hii ssolde wende in at on hepe
To habbe inome hom vnarmed and some abedde aslepe;
Þe godemen sede þat hii nolde suich vileinie do non,
140 Ac abide vort hii come i-armed out echon.
Hii houede vnder boskes, and newe kniȝtes made,
And armede and atired hom, and hor bedes ȝerne bade.
Sir Simon de Mountford conseilede hom vaste
Hou hii ssolde hom conteini, þe wule þe bataile ilaste.
145 Þo com þe ost smite out vast out of þe toune,
Mani was þe gode bodi, þat þer was ibroȝt þer doune;
Vor þe Londreis þer biuore a gret despit wroȝte
To þe quene at Londone. Sir Edward þeron þouȝte,
And vor to awreke is moder to hom vaste he drou,
150 And brouȝte hom to grounde and some of hom al fleinde he slou.
Þo he adde þis Loundreis al ibroȝt to grounde,
Wiþ gret joye he turnde aȝen, ac lute ioye he founde;
Vor þe barons were aboue and his alf ouercome.
Þe king of Alemaine was in a windmulle inome;
155 Vor a ȝong kniȝt him nom, kniȝt ymad þo riȝt,

111 wel lute, ryȝt lute *Varr.*

Sir Jon de Befs icluped, þat was suiþe god kniȝt,
Þat muche prowesse dude adai. And þe king him ȝeld in doute
To þe erl of Gloucetre as to þe hexte of þe route.
And to þe frere Menors into toun sir Edward fleu vaste,
160 And þere, as he nede moste, ȝeld him atte laste.
Mani on stilleliche hor armes awei caste,
And chaungede hom vor herigaus, somdel hii were agaste,
And manie flowe into þe water and some toward þe see,
And manie passede ouer and ne come neuere aȝe.
165 Aboute a four þousend and fif hundred, me sede,
Atte bataile were aslawe, þat was a pitos dede.
Sir Philip Basset, þe gode kniȝt, worst was to ouercome;
He hadde mo þan tuenti wounde, ar he were inome.
Sir Simond de Mountfort, þo ido was al þis,
170 Vorþ mid him þe king huld as in warde, iwis,
And þe king of Alemaine and sir Edward also
In þe castel of Walingford in warde he let do.
And oþer men þat were inome, he let bringe aboute
In oþer castels vaste inou, þat þer nas no doute. —

Prince Edward.

175 Sir Simond de Montfort, wis man þei he were, [11546]
Het þat me sir Edward gret reuerence bere,
Vor to pleie vp and doun as in compainie,
So þat þer was a gile yspeke as þoru god aspie:
Sir Edward bed sir Simon, þat he him ȝeue
180 To a-prikie stedes wiþoute toun leue.
Leue him was igraunted, god wot to wuch ende,
So þat sir Edward wiþoute toun gan wende.
An stede he gan aprikie wel vor þe maistrie
And wiþ him adde of kniȝtes a vair compainie.
185 And suþþe he nom an oþer, and weri hom made anon;
And suþþe he nom þe þridde, best of echon,
As it was er bispeke to wuch he ssolde truste.
He prikede it verst softe, as him lute luste;
Þo he was a lute fram þut folk, wiþ spore he smot to grounde,
190 Þe sides orne ablode in a lute stounde,
Þere as of stedes a god and quic me fond,
Vorþ wende þis gode kniȝt. Þo he was out of hond,
'Louerdinges,' he sede, 'habbeþ nou god dai!
And greteþ wel mi fader þe king, and icholle, ȝuf ich mai,
195 Ise him wel bi time, and out of warde him do!'
Wat halt it long tale, he ofscapede so;
And to þe castel of Wigemor þun wei sone he nom.
Þer was ioye and blisse inou, þo he þuder com. —

Evesham (4/VIII/1265).

Þe Tiwesday to Euesham he wende þe morweninge,
200 And þere he let him and is folc prestes massen singe. —
Þo hii come into þe feld, and sir Simond isei [11692]
Sir Edwardes ost and oþere al so nei,
He avisede þe ost suiþe wel, and þoru godes grace
He hopede winne a-day þe maistrie of þe place.
205 Þo sei he þer biside, as he bihuld aboute
Þe erles baner of Gloucetre and him mid al is route,

178 yspoke *Var.* 187 bispoke *Var.*

As him vor to close in þe oþer half ywis.
'Ouȝ,' he sede, 'redi folk, and wel iwar is þis,
And more conne of bataile, þan hii couþe biuore.
210 Vr soules,' he sede, 'abbe god, vor vr bodies beþ hore!' —
Hii bitoke lif and soule to godes grace echon,
And into bataile smite vaste among hor fon,
And as gode kniȝtes to grounde slowe anon,
Þat hor fon flowe sone þicke mani on.
215 Sir Warin of Bassingbourne, þo he þis isei,
Biuore he gan prikie and to grede an hei:
'Aȝen, traitors, aȝen! And habbeþ in ower þoȝt
Hou villiche at Lewes ȝe were to grounde ibroȝt!
Turneþ aȝen and þencheþ, þat þut power al oure is,
220 And we ssolle as vor noȝt ouercome vr fon, iwis!'
Þo was þe bataile strong in eiþer side, alas!
Ac atten ende was bineþe þulke þat feblore was,
And sir Simond was aslawe and is folk al to-grounde;
More murþre ȝare nas in so lute stounde.
225 Vor þere was werst Simond de Mountfort aslawe, alas,
And sir Henri, is sone, þat so gentil kniȝt was,
And sir Hue þe Despencer, þe noble iustise,
And sir Peris de Mountfort, þat stronge were and wise,
Sir Willam de Verous, and sir Rauf Basset also,
230 Sir de sein Jon, sir Jon Diue þerto,
Sir Trossel, sir Gileberd of Eisnesfelde,
And mani god bodi were aslawe þere in þulke felde.
And among alle oþere mest reuþe it was ido,
Þat sir Simon, þe olde man, demembred was so;
235 Vor sir Willam Mautrauers, þonk nabbe he non,
Carf him of fet and honde and is limes mani on, —
And is heued hii smiten of and to Wigemor it sende
To dam Maud þe Mortimer, þat wel foule it ssende.
And of al þat me him bilimede hii ne bledde noȝt, me sede,
240 And þe harde here was is lich þe nexte wede.
Suich was þe morþre of Euesham; uor bataile non it nas,
And þerwiþ Iesu Crist wel vuele ipaied was,
As he ssewede bi tokninge grisliche and gode,
As it vel of him sulue, þo he deide on þe rode,
245 Þat þoru al þe middelerd derkhede þer was inou:
Al so þe wule þe godemen at Euesham me slou,
As in þe norþwest a derk weder þer aros,
So demliche suart inou, þat mani man agros,
And ouercaste it þoȝte al þut lond, þat me miȝte vnneþe ise.
250 Grisloker weder þan it was ne miȝte an erþe be!
An vewe dropes of reine þer velle grete inou.
Þis tokninge vel in þis lond, þo me þis men slou.
Vor þretti mile þanne þis isei Roberd,
Þat verst þis boc made, and was wel sore aferd. —
255 Þo þe bataile was ido and þe godemen aslawe were,
Sir Simond þe ȝonge com to mete is fader þere.
He miȝte þo at is diner abbe bileued al so wel,
As me seiþ 'Wan ich am ded, make me a caudel!' —

230 Sir John de s. *Stowe* 231 Sir William Tr. *Stowe* 241 Einesham MS.

169. Simon Fraser

MS.: BM., Harley 2253; beg. XIV ct. [Execution of S.Fraser: 7/IX/1306] — *ed.*: K. Böddeker, Dichtgg. Harl. 2253, Berlin 1878. — BR. 1889; We. IV, 7.

Lystneþ, lordynges,
a newe song ichulle bigynne
Of þe traytours of Scotlond,
þat take beþ wyþ gynne.
Mon þat loueþ falsnesse,
ant nule neuer blynne,
4 Sore may him drede
þe lyf þat he is ynne,
Ich vnderstonde:
Selde wes he glad
Þat neuer nes a-sad
8 Of nyþe ant of onde.

Þat y sugge by þis Scottes
þat bueþ nou todrawe,
Þe heuedes o Londone-brugge
whose con yknawe.
He wenden han buen kynges,
ant seiden so in sawe;
12 Betere hem were han ybe barouns,
ant libbe in godes lawe
Wiþ loue.
Whose hateþ soth ant ryht,
Lutel he douteþ godes myht,
16 Þe heye kyng aboue.

To warny alle þe gentilmen
þat bueþ in Scotlonde,
Þe Waleis wes todrawe,
seþþe he wes anhonge,
Al quic biheueded,
ys boweles ybrend,
20 Þe heued to Londone-brugge
wes send
To abyde.
After Simond Frysel,
Þat wes traytour ant fykel,
24 Ant ycud ful wyde. —

Nou kyng Hobbe
in þe mures ȝongeþ,
For te come to toune
nout him ne longeþ.
Þe barouns of Engelond,
myhte hue him gripe,
28 He him wolde techen
on Englysshe to pype,
Þourh streynþe.
Ne be he ner so stout,
ȝet he biþ ysoht out
32 O brede ant o leynþe.

Sire Edward of Carnaruan,
Iesu him saue ant see!
Sire Emer de Valence,
gentil knyht ant free,
Habbeþ ysuore huere oth,
þat, par la grace dee,
36 Hee wolleþ ous delyuren
of þat false contree,
ȝef hii conne.
Muche haþ Scotlond forlore,
Whet a-last, whet bifore,
40 Ant lutel pris wonne.

Nou ichulle fonge
þer ich er let,
Ant tellen ou o Frisel,
ase ich ou byhet:
In þe batayle of Kyrkenclyf
ffrysel wes ytake,
44 Ys continaunce abatede
eny bost to make
Biside Striuelyn,
Knyhtes ant sweynes,
ffremen ant þeynes,
48 Monye wiþ hym. —

Sone þerafter þe tydynge
to þe kyng com;
He him sende to Londone
wiþ mony armed grom.
He com yn at Newegate,
y telle yt ou a-plyht,
52 A gerland of leues
on ys hed ydyht
Of grene;
ffor he shulde ben yknowe
Boþe of heȝe ant of lowe
56 For treytour, y wene.

Yfetered were ys legges
vnder his horse wombe,
Boþe wiþ yrn ant wiþ stel,
mankled were ys honde.
A gerland of peruenke
set on ys heued.
60 Muche wes þe poer
þat him wes byreued
In londe.
So god me amende,
Lutel he wende
64 So be broht in honde! —

Þer he wes ydemed
so hit wes londes lawe:
For þat he wes lordswyke,
furst he wes todrawe,

35 oht *MS.*

Vpon a reþeres hude
forþ he wes ytuht.
68 Sum while in ys time
he wes a modi knyht
In huerte.
Wickednesse ant sunne,
Hit is lutel wunne,
72 Þat makeþ þe body smerte.

ffor al is grete poer
ȝet he wes ylaht.
ffalsnesse ant swykedom,
al hit geþ to naht!
Þo he wes in Scotlond,
lutel wes ys þoht
76 Of þe harde jugement
þat him wes bysoht
In stounde.
He wes four siþe forswore
To þe kyng þer bifore,
80 Ant þat him brohte to grounde.

Wiþ feteres ant wiþ gyues
ichot he wes todrowe
ffrom þe tour of Londone,
þat monie myhte knowe,
In a curtel of burel,
a selkeþe wyse,
84 Ant a gerland on ys heued
of þe newe guyse,
Þurh Cheepe.
Moni mon of Engelond,
Forto se Symond
88 Þideward con lepe.

Þo he com to galewes,
furst he wes anhonge,
Al quic byheueded,
þah him þohte longe.
Seþþe he wes y-opened,
is boweles ybrend,
92 Þe heued to Londone-brugge
wes send
To shonde.
So ich euer mote þe,
Sum while wende he
96 Þer lutel to stonde!

He rideþ þourh þe site,
as y telle may,
Wiþ gomen ant wyþ solas,
þat wes here play,
To Londone-brugge
hee nome þe way.
100 Moni wes þe wyues chil
þat þeron lokeþ a-day,
Ant seide: 'Alas,
Þat he wes ibore,
Ant so villiche forlore,
104 So feir mon ase he was!'

Nou stont þe heued
aboue þe tubrugge,
ffaste bi Waleis,
soþ forte sugge.
After socour of Scotlond
longe he mowe prye,
108 Ant after help of Fraunce;
wet halt hit to lye?
Ich wene
Betere him were in Scotlond,
Wiþ is ax in ys hond,
112 To pleyen o þe grene!

Ant þe body hongeþ
at þe galewes faste,
Wiþ yrnene claspes,
longe to laste.
fforte wyte wel þe body
ant Scottyshe to gaste,
116 Foure ant tuenti þer beoþ
to soþe ate laste
By nyhte,
ȝef eny were so hardi
Þe body to remuy,
120 Also to dyhte.

Were sire Robert þe Bruytz
ycome to þis londe,
Ant þe erl of Asseles,
þat harde is an honde,
Alle þe oþer pouraille,
for-soþe ich vnderstonde,
124 Mihten be ful blyþe
ant þonke godes sonde
Wiþ ryhte:
Þenne myhte vch mon
Boþe riden ant gon
128 In pes wiþoute vyhte.

Þe traytours of Scotlond
token hem to rede,
Þe barouns of Engelond
to brynge to dede;
Charles of Fraunce,
so moni mon tolde,
132 Wiþ myht ant wiþ streynþe
hem helpe wolde,
His þonkes.
Tprot, Scot, for þi strif!
Hang vp þyn hachet ant þi knyf,
136 Whil him lasteþ þe lyf
Wiþ þe longe shonkes!

115 garste *MS.*

170. ELEGY ON THE DEATH OF EDWARD I

MS: BM., Harley 2253; beg. XIV ct. (Edward † 7/VII/1307). — *ed.*: K. Böddeker, Dichtgg. Harl. 2253, Berlin 1878. — BR. 205; We. IV, 8.

Alle þat beoþ of huerte trewe,
A stounde herkneþ to my song
Of duel, þat deþ haþ diht vs newe,
4 Þat makeþ me syke ant sorewe among,
Of a knyht, þat wes so strong,
Of wham god haþ don ys wille;
Me þuncheþ þat deþ haþ don vs wrong,
8 Þat he so sone shal ligge stille.

Al Englond ahte forte knowe
Of wham þat song is, þat y synge:
Of Edward kyng, þat liþ so lowe,
12 Ȝent al þis world is nome con springe;
Trewest mon of alle þinge,
Ant in werre war ant wys,
For him we ahte oure honden wrynge;
16 Of cristendome he ber þe pris.

Byfore þat oure kyng wes ded,
He spek ase mon þat wes in care:
'Clerkes, knyhtes, barouns,' he sayde,
20 'Y charge ou by oure sware,
Þat ȝe to Engelonde be trewe.
Y deȝe, y ne may lyuen namore;
Helpeþ mi sone, ant crouneþ him newe,
24 For he is nest to buen ycore.

Ich biqueþe myn herte aryht,
Þat hit be write at mi deuys,
Ouer þe see þat hue be diht,
28 Wiþ four score knyhtes, al of pris,
In werre þat buen war ant wys,
Aȝein þe heþene forte fyhte,
To wynne þe croiz þat lowe lys;
32 My self ycholde ȝef þat y myhte.'

Kyng of Fraunce, þou heuedest sunne,
Þat þou þe counsail woldest fonde,
To latte þe wille of kyng Edward,
36 To wende to þe holy londe,
Þat oure kyng hede take on honde,
Al Engelond to ȝeme ant wysse,
To wenden into þe holy londe,
40 To wynnen vs heueriche blisse.

Þe messager to þe pope com,
Ant seyde þat oure kyng wes ded;
Ys oune hond þe lettre he nom,
44 Ywis, is herte wes ful gret.
Þe pope him-self þe lettre redde,
Ant spec a word of gret honour:
'Alas!' he seide, 'is Edward ded?
48 Of cristendome he ber þe flour!'

Þe pope to is chaumbre wende,
For del ne mihte he speke namore,
Ant after cardinals he sende,
52 Þat muche couþen of Cristes lore,
Boþe þe lasse ant eke þe more,
Bed hem boþe rede ant synge:
Gret deol me myhte se þore,
56 Mony mon is honde wrynge.

Þe pope of Peyters stod at is masse
Wiþ ful gret solempnete,
Þer me con þe soule blesse:
60 'Kyng Edward, honoured þou be!
God leue, þi sone come after þe,
Bringe to ende þat þou hast bygonne;
Þe holy croiz ymad of tre,
64 So fain þou woldest hit han ywonne!

Ierusalem, þou hast ilore
Þe flour of al chiualerie,
Nou kyng Edward liueþ namore.
68 Alas! þat he ȝet shulde deye!
He wolde ha rered vp ful heyȝe
Oure baners, þat bueþ broht to grounde;
Wel longe we mowe clepe ant crie,
72 Er we a such kyng han yfounde!'

Nou is Edward of Carnaruan
Kyng of Engelond al a-plyht;
God lete him ner be worse man
76 Þen is fader, ne lasse of myht,
To holden is pore men to ryht,
Ant vnderstonde good consail,
Al Engelond forte wisse ant diht!
80 Of gode knyhtes darþ him nout fail.

Þah mi tonge were mad of stel,
Ant min herte yȝote of bras,
Þe godnesse myht y neuer telle,
84 Þat wiþ kyng Edward was:
Kyng, as þou art cleped conquerour,
In vch bataille þou hadest pris,
God bringe þi soule to þe honour
88 Þat euer wes ant euer ys,
Þat lesteþ ay wiþouten ende!
Bidde we god ant oure ledy
To þilke blisse Iesus vs sende. Amen.

---

49 chaunbre *MS.* 80 darh *MS.*

171. THE SONG OF THE HUSBANDMAN

MS.: BM., Harley 2253; beg. XIV ct. — *edd.*: Th. Wright, Pol. Songs, Camden Soc. VI, 1839; K. Böddeker, Dichtgg. Harley 2253, Berlin 1878; Brandl-Zippel, MeSLP., 2. 1927. — BR. 696; We. IV, 30; Ba. 267-271.

Ich herde men vpo mold make muche mon
Hou he beþ itened of here tilyynge:
'Gode ȝeres ant corn boþe beþ agon,
4 Ne kepeþ here no sawe ne no song synge.
Nou we mote worche, nis þer non oþer won,
Mai ich no lengore lyue wiþ mi lesinge.
Ȝet þer is a bitterore bit to þe bon;
8 For euer þe furþe peni mot to þe kynge. —

Þus we carpeþ for þe kyng, ant carieþ ful colde,
And weneþ for to keuere, ant euer buþ acast.
Whose haþ eny god, hopeþ he nout to holde,
12 Bote euer þe leuest we leoseþ alast.

Luþer is to leosen þer ase lutel ys,
Ant haueþ monie hynen þat hopieþ þerto.
Þe hayward heteþ vs harm to habben of his,
16 Þe bailif bockneþ vs bale ant weneþ wel do,
Þe wodeward waiteþ vs wo þat lokeþ vnder rys,
Ne mai vs ryse no rest, rycheis ne ro.
Þus me pileþ þe pore þat is of lute pris;
20 Nede in swot ant in swynk swynde mot swo. —

Nede he mot swynde, þah he hade swore,
Þat naþ nout an hod his hed for te hude.
Þus wil walkeþ in lond, ant lawe is forlore,
24 Ant al is piked of þe pore þe prikyares prude.

Þus me pileþ þe pore ant pykeþ ful clene.
Þe ryche men raymeþ wiþouten eny ryht,
Ar londes ant ar leodes liggeþ fol lene,
28 Þorh biddyng of baylyfs such harm hem haþ hiht.
Men of religioun me halt hem ful hene,
Baroun ant bonde, þe clerc ant þe knyht.
Þus wil walkeþ in lond ant wondred ys wene,
32 Falsshipe fatteþ ant marreþ wyþ myht.

Stont stille y þe stude ant halt hem ful sturne,
Þat makeþ beggares go wiþ bordon ant bagges.
Þus we beþ honted from halle to hurne;
36 Þat er werede robes, nou wereþ ragges.

Ȝet comeþ budeles wiþ ful muche bost:
'Greyþe me seluer to þe grene wax!
Þou art writen y my writ, þat þou well wost.'
40 Mo þen ten siþen told y my tax!
Þenne mot ich habbe hennen a-rost,
Feyr on fyshday launprey and lax.
Forþ to þe chepyn, geyneþ no chost,
44 Þah y suile mi bil ant my borstax.

Ich mot legge my wed wel ȝef y wolle,
Oþer sulle mi corn on gras þat is grene,
Ȝet I shal be foul cherl, þah he han þe fulle,
48 Þat ich alle ȝer spare, þenne y mot spene. —

---

22 an] en 24 is] haþ *em. Brandl* 29 mem 33 him 35 hale 42 fyhsh 43 ne

Nede y mote spene þat y spared ȝore,
Aȝeyn þis cachereles comeþ þus y mot care.
Comeþ þe maister budel, brust ase a bore,
52 Seiþ he wole mi bugging bringe ful bare.
Mede y mot munten, a mark oþer more,
Þah ich at þe set dey sulle mi mare.
Þus þe grene wax vs greueþ vnder gore,
56 Þat me vs honteþ ase hound deþ þe hare.

He vs honteþ ase hound hare doth on hulle;
Seþþe y tok to þe lond such tene me wes taht.
Nabbeþ ner budeles boded ar fulle,
60 For he may scape, and we aren euer caht.

Þus y kippe ant cacche cares ful colde,
Seþþe y counte ant cot hade to kepe.
To seche seluer to þe kyng y mi seed solde;
64 Forþi mi lond leye liþ, ant leorneþ to slepe.
Seþþe he mi feire feh fatte y my folde,
When y þenk o mi weole, wel neh y wepe:
Þus bredeþ monie beggares bolde,
68 Ant vre ruȝe ys roted ant ruls er we repe.'

Ruls ys oure ruȝe and roted in þe stre,
For wickede wederes by brok ant by brynke.
Þus wakeneþ in þe world wondred and wee;
72 Ase god is swynden anon, as so for te swynke.

172. WHY WERRE AND WRAKE IS ICOME

(On the Evil Times of Edward II.) — *MS.*: Edinburgh, Nat. Lb. 19. 2. 1, Auchinleck MS.; XIV century. — *edd.*: Th. Wright, Pol. Songs, Camden Soc. VI, 1839; Brandl-Zippel, MeSLP, 2. 1927. — BR. 4165; We. IV, 35.

Whii werre and wrake in londe and manslauȝt is icome,
Whii hungger and derþe on eorþe þe pore haþ vndernome,
Whii bestes ben þus storue, whii corn haþ ben so dere:
Ȝe þat wolen abide, listneþ and ȝe muwen here
Þe skile;
6 I nelle liȝen for no man, herkne whoso wile. —

Alle þe popes clerkes han taken hem to red:
If Treuþe come amonges hem, þat he shal be ded.
Þere dar he noȝt shewen him for doute to be slain,
Among none of þe cardinaus dar he noȝt be sein
For feerd.
12 If Symonie may mete wið him, he wole shaken his berd! —

For sone so a parsoun is ded and in eorthe idon,
Þanne shal þe patroun haue ȝiftes anon.
Þe clerkes of þe cuntre wolen him faste wowe,
And senden him faire ȝiftes and presentes inowe,
And þe bishop.
18 And þere shal symonye ben taken bi þe top.

Coueytise vpon his hors he wole be sone þere
And bringe þe bishop siluer and rounen in his ere,
Þat alle þe pore þat þer comen on ydel sholen þeih worche;
For he þat allermost may ȝiue, he shal haue þe churche!
Iwis,
24 Euerich man nu bi dawe may sen þat þus hit is. —

57 doh 58 tok] tek *MS.* 12 wið] wid *MS.*, *as always*

And whan þis newe parsoun is institut in his churche,
He bithenkeþ him hu he may shrewedelichest worche:
Ne shal þe corn in his berne ben eten wið no muis,
But hit shal ben ispended in a shrewede huis,
If he may.
30 Al shal ben ibeten out or Christemesseday.

And whan he haþ igadered markes and poundes,
He prikeþ out of toune wið haukes and wið houndes
Into a straunge contre and halt a wenche in cracche;
And wel is hire þat first may swich a parsoun kacche
In londe.
36 And þus þeih seruen þe chapele and laten þe chirche stonde.

And whan he haþ þe siluer of wolle and of lomb,
He put in his pautener an honne and a komb,
A myrour and a koeuerchef to binde wið his crok,
And rat on þe rouwebible, and on oþer bok
No mo!
42 But vnthank haue þe bishop þat lat hit so go.

For þouh þe bishop hit wite, þat hit be name kouth,
He may wið a litel siluer stoppen his mouth.
He medeþ wið þe clerkes and halt forth þe wenche
And lat þe parish forworthe; þe deuel him adrenche
For his werk!
48 And sory may his fader ben þat euere made him clerk.

And if þe parsoun haue a prest of a clene lyf,
Þat be a god consailler to maiden and to wif,
Shal comen a daffe and putte him out for a litel lasse,
Þat can noht a ferthingworth of god, vnneþe singe a masse
But ille.
54 And þus shal al þe parish for lac of lore spille.

And þise abbotes and priours don aȝein here riȝtes:
Hii riden wið hauk and hound and contrefeten kniȝtes.
Hii sholde leue swich pride and ben religious,
And nu is pride maister in euerich ordred hous!
Iwis,
60 Religioun is euele iholde, and fareþ þe more amis.

For if þere come to an abey to pore men or þre
And aske of hem helpe par seinte charite,
Vnneþe wole any don his ernde, oþer ȝong or old,
But late him coure þer al day in hunger and in cold,
And sterue.
66 Loke what loue þer is to god, whom þeih seien þat hii serue!

But þere come anoþer, and bringe a litel lettre
In a box vpon his hepe, he shal spede þe betre;
And if he be wið eny man þat may don þe abot harm,
He shal be lad into þe halle and ben imad ful warm
Aboute þe mawe.
72 And godes man stant þeroute! Sory is þat lawe. —

Religioun was first founded duresce for to drie;
And nu is þe moste del iwent to eise and glotonie.
Where shal men nu finde fattere or raddere of leres,
Or betre farende folk þan monekes, chanons, and freres
In vch toun?
78 I wot non eysiere lyf þan is religioun. —

25 the ȝong persoun *P*ar. *(MS. Cambr. Peterhouse 104, late XIV century.)* 57 religiouns *MS.*

And ȝit þer is anoþer ordre, Menour and Iacobin,
And freres of þe Carme and of seint Austin.
Þat wolde preche more for a busshel of whete,
Þan for to bringe a soule from helle out of þe hete
To rest.
84 And þus is Coueytise louerd boþe est and west.

And if þere be a riche man þat euel haþ vndernome,
Þanne wolen þise freres al day þider come;
And if hit be a pore lyf in pouerte and in care,
Sorwe on þat o frere þat kepeþ come þare
Ful loþ.
90 Alle wite ȝe, gode men, hu þe gamen goþ! —

And if þe riche man deie þat was of eny miȝte,
Þanne wolen þe freres for þe cors fiȝte.
Hit nis noȝt al for þe calf þat kow louweþ,
Ac hit is for þe grene gras þat in þe medewe grouweþ
So god.
96 Alle wite ȝe what I mene, þat kunnen eny god.

And ȝit þer is anoþer craft þat toucheþ þe clergie,
Þat ben þise false fisiciens þat helpen men to die.
He wole wagge his vrine in a vessel of glaz,
And swereþ þat he is sekere þan euere ȝit he was,
And sein:
102 'Dame, for faute of helpe þin housebonde is neiȝ slain.'

Þus he wole afraien al þat þer is inne
And make many a lesing siluer for to winne.
Ac afterward he fondeþ to comforte þe wif,
And seiþ: 'Dame, for of þin I wole holde his lyf!'
And liȝe,
108 Þouh he wite no more þan a gos wheiþer he wole liue or die.

He doþ þe wif seþe a chapoun and a piece of beof;
Ne tit þe gode man noȝt þerof, be him neuere so leof!
Þe best he pikeþ vp him-self and makeþ his mawe touȝt,
And ȝeueþ þe godeman soupe þe lene broþ, þat nis noȝt
For seke!
114 Þat so serueþ eny man, godes curs in his cheke! —

And þilke þat han al þe wele in freth and in feld,
Bothen eorl and baroun and kniȝt of o sheld,
Alle þeih beþ isworne holi churche holde to riȝte;
Þerfore was þe ordre mad for holi churche to fiȝte
Sans faille.
120 And nu ben þeih þe ferste þat hit sholen assaille.

Hii brewen strut and stuntise þere as sholde be pes.
Hii sholde gon to þe holi lond and maken þere her res
And fiȝte þere for þe croiz and shewe þe ordre of kniȝte
And awreke Ihesu Crist wið launce and speir to fiȝte
And sheld.
126 And nu ben þeih liouns in halle and hares in þe feld.

---

109 of *Var.*] *om. MS.*

Kni3tes sholde weren weden in here manere,
After þat þe ordre askeþ, also wel as a frere.
Nu ben þeih so degysed and diuerseliche idi3t,
Vnneþe may men knowe a gleman from a kni3t
Wel neih.
132 So is mieknesse driuen adoun and pride is risen on heih.

Kni3tshipe is acloied and deolfulliche idi3t.
Kunne a boy nu breke a spere, he scal be mad a kni3t.
And þus ben kni3tes gadered of vnkinde blod
And enuenimeþ þat ordre þat shold be so god
And hende.
138 Ac o shrewe in a court many man may shende. —

And if þe king in his lond makeþ a taxacioun,
And eueri man is iset to a certein raunczoun,
Hit shal be so forpinched, totoilled and totwi3t,
Þat haluendel shal gon in þe fendes fli3t
Off helle;
144 Þer beþ so manye parteners, may no tunge telle.

A man of ·xl· poundesworþ god is leid to ·xij· pans rounde;
And also much paieþ anoþer, þat pouerte haþ brou3t to grounde,
And haþ an hep of girles sittende aboute þe flet.
Godes curs moten hii haue! But þat be wel set
And sworn,
150 Þat þe pore is þus ipiled and þe riche forborn.

Ac were þe king wel auised and wolde worche bi skile,
Litel nede sholde he haue swiche pore to pile:
Thurfte him noht seke tresor so fer, he mi3te finde ner,
At justices, at shirreues, cheiturs and chaunceler
And at les.
156 Swiche mi3te finde him inouh and late pore men haue pes.

For whoso is in swich ofice, come he neuere so pore,
He fareþ in a while as þouh he hadde siluer ore;
Þeih bien londes and ledes, ne may hem non astonde.
What sholde pore men ipiled, when swiche men beþ in londe
So fele!
162 Þeih pleien wið þe kinges siluer and breden wod for wele.

Attourneis in cuntre þeih geten siluer for no3t.
Þeih maken men biginne þat þeih neuere hadden thou3t.
And whan þeih comen to þe ring: hoppe if hii kunne.
Al þat þeih muwen so gete al thinkeþ hem iwonne
Wið skile.
168 Ne triste no man to hem, so fals þeih beþ in þe bile.

And sumtime were chapmen þat treweliche bou3ten and solde.
And nu is þilke assise broke, and nas no3t 3ore holde.
Chaffare was woned to be meintened wiþ treuþe;
And nu is al turned to treccherie, and þat is muchel reuþe,
To wite,
174 Þat alle manere godnesse is þus adoun ismite. —

---

133 is *not in MS.* 160 men ben ipiled *em. Brandl*

173. THOMAS CASTELFORD, CHRONICLE

MS.: Göttingen UB., Cod. MS. Hist. 740, fol. 1a-221a; XIV century. (Chronicle ending A.D. 1327, cf. 485-564 below. Orig.: ? Pontefract, YW.) — *Not hitherto edited for the extracts printed below.* [fol. 110b-154a (King Arthur) *ed.* F. Behre, Göteborg 1940; fol. 19a-23a (King Lear) *ed.* R. Kaiser, Festschrift für Ernst Otto, Berlin 1957.]* — BR. 1559; We. III, 6; Ke. 4443; Ba. 165; RO. 323-324.

King Alfred's Wisdom.

Kyng Aluerede was a ful wise man, [fol. 163 b.1]
Nane wiser halden in Englande þan,
And to alle gode thewes he draghes.
He made in Englande þe gode laughes;
5 Ilk man haf his in pes and griȝ,
Alle þase destroie sais naie þarwiȝ.
Thefes, robbours, homicides,
Alle dampnede to suffer iewes þat tides,
Qwa-so with slik trespas was tane,
10 Raunson for þam he suffres nane;
Durand his daies he ne wald hant
Pes vnto slik trespassours grant.
Ek he was man of grete emprise;
Alle folkes him helde ful yiape and wise,
15 Of wordes and dedes ful yiape and quainte
Domes to sette of alkins plainte.
Þe wise kyng alle landes him calden,
Of þis midelerde þe wisiste halden.
He destroiede bostours and thefes
20 And alle þat lele men ders and grefes.
Slaghtre and thifte he made to ces,
And in England he sette slik pes,
Þat þoru Englande in sties and stretes
Qwar al folk forth passes and metes,
25 Vppe dide he hing of siluer and golde
To proue if thefes it stele wolde,
To proue if any man wer so curste
Of golde oþer siluer þan stele durste.
Þoru-out Englande in stretes and sties
30 On slik gise to tak thefes he spies.
Þof folk bi stretes forth pase so fele, [fol. 163 b.2]
Þe golde ne siluer durst na man stele.
Of alle þe folk þe stretes forth hantes
Na man durste stele of þase besantes;
35 Nan was so hardie in his daise
Godes to stele ne contekes raise. —

After the Norman Conquest.

Duk William þus Englande conquerde,
Alle to his wille, baȝ laude and lerde.
Þe kyng slane and his barons alle, [fol. 179 a.1]
40 It durste na man againes him calle.
Lo, þar in Eborwikes cite
William tok Englandes dignite.
On heide he tok þe diademe,
So to Englandes kyng walde seme

---

* *Other editions in preparation* 4 Englandę *MS.* 11 hrant 15 wordes of dedes *MS.* 24 alfolk *MS.* | ? al folkes *uncertain* -es *flourish in MS., as often;* *cf. Behre p. X* 32 naman. *a. o.* 35 Naman was nardie *MS.,* so *supplied*

45 Þe regne of Englande for to lede.
Of þe archebischope office Aldrede
Enoint and corounde was he
Alle Englande in his willes to be.
In Eborwikes cite stille he duelde;
50 A gret parlement þarin he helde
With þe gretteste of þe Normance
And oþer þat come with him of France.
On Englisse men he sette iugement
Againes him hade bene of assent,
55 lewes to suffre he dampnede þam þar,
Desheritede þar haires for euermar.
Þare alle þe landes and þe fes,
Þat wer within Englandes contres,
Amanges his knightes he wald noȝ targe
60 Þam to diuise with willes large;
Gif þam large partie in hert he keste
In his helpe were to mak conqueste.
ffra þe Englisse blode þe soile he refte,
And þe Normans þarin he fefde.
65 Yia, alle þe Englissemennes rightes
Largelie he delt amanges his knightes,
Amanges his profede bachelers,
And amanges his officiers.
Þe kyng gaf to Alaine Raindere,
70 Dukes of Britaine aeldeste bachelere,
ffra Eborwikes dikes to Stainemore,
ffor Cornewaile him was gifen bifore,
Alle þat for him and his to haf.
Part to þam so he vouchede saf.
75 Right suo he gaf to oþer chefetaines;
Gaf þam contres with wodes and plaines
To þar vnderlinges to part and dele,
Aftre þai in fight hade borne þam wele,
Suo þat ilk knight and swaine and knaf
80 Anens þar state of þe lande þai haf,
Suo þat ne was so litel a page,
Þat he ne hade soile to heritage.
Bot to him-self reseruede he
Alle þat pertende to þe regaute, [fol. 179 a.2]
85 Alle þe cites, hafnes, and portes,
Castells, and haldes, þe coron comfortes;
Ek to his dignite he spars
Chepingtounes, burghes, and thorufars.
Þat els to Englande purtens,
90 He gaf it to his aliens.
ffra Englisse blode Englande he refte!
Na maner soile wiȝ þam he lefte.
And gif it þam he wald noȝ spare
Þat in his house officiers ware:
95 Knightes and lordynges he þam made,
He gaf þam touns and feldes brade.
Alle þe Englissemen, þe soȝ to spelle,
Þat forth within Englande walde duelle,
Trauaile þai salde so þam nede stode

46 office *supplied by scribe at end of line* (= /office) 64 felde 74 ? Partes 82 ne *not in MS.*
91/englande 94 his *not in MS.* 96 brode 99 salle

100 On oþer mennes soile to win þar fode;
Duelle þai salde alls bondes and thralles
And do alle þat to thraldum falles,
Lif forth and trauaile in bondage
Þai and þar blode euer in seruage.
105 Englissemen þat wer noȝ bousum
Als for to lif in slik thraldum,
Voide þe regne and go quare þai walde,
Duel langre in Englande þai ne salde.
Schirefes he sette and ek iustise
110 On alle þat walde agains him rise
Þe domes to saie in Frankisse toung,
Þe folk to deme baȝ aelde and yong;
ffore þe bondes of Englisse linage
Salde noght witte bi þe langage
115 How þai þam dampnede, wele oþer ille,
Bot als bestes stande to þar wille! —

The Death of Richard Coeur de Lion.

Kyng Richard þan his maistris made
In contres qwilk kyng of France rade.
He seisede alle vntil his vce; [fol. 200 b.1]
120 He segede þe castel of Caluce.
Lo, in a-saut to þat castelle
Ane alblastrere, þe soȝ to spelle,
Bertram of Burdeus he hight,
On kyng Richarde he hade gode sight.
125 Þe kyng within his schote he was,
He smate him þoru with a matras.
Kyng Richarde feled within schort stunde
Nedelinges he sulde die of þe wonde.
To þe alblastrere ful raȝ spak he;
130 He saide: 'Qwi hafes þou þus slane me?'
Bertram ansuerde so noght him derede,
So he of na man wer aferde:
'I knau þe kyng Richarde bi name;
Þe to sla am I noght to blame.
135 In warlde þou hafes done sorow anogh;
Mi fadre bifor me, certes, þou slogh,
And siþen þou slogh my breþer twa,
And me þou was in wille to sla.
Anens me now it es na fors
140 Quat worthes in warlde als of my cors,
Sen þou erte now to ending broght,
Þat so mikel wa in warlde has wroght.'
Qwen kyng Richarde his wordes herde
He so baldelie to him ansuerde,
145 His dede he him forgaf ful sone
And alle þe trespas he hade him done.
Ek he him gaf of his tresore
Schillinges talde of siluer fife score,
ffor he him sagh of willes so balde
150 At his haskyng þe soȝ him talde.
Kyng Richarde to dede him hiede.
In þe tende yere of his regne he diede.

---

101 salle 110 þat] þas 117/richard 129 fulraȝ,*a.o.* 150 haskynges *MS*

At Caluces castelles seging
Slane was Richarde þe doghtie kyng.
155 With þe schote out of an alblaste
Out of þis life he diede and paste
Þe aghte ides of moneȝ Aprile
Of Cristes date to numbre þat qwile
Twelf vndreȝ yers alle bot an wane.
160 His cors þai tók, so dede and slane,
With honour to delf, þe soȝ to telle,
In þe monastre at Ebrardes-welle;
At his fadres fete þai him laide, [fol. 200 b.2]
Quare his-selfe bifore hade puruaide.
165 Þan rucariene Marcadeus
Of his slaghtre wald gife na treus.
Aftre kyng Richarde was slane and dede,
Þus he wroght at his awn rede:
Bertram of Burdeus dide he ta;
170 With knifes alle qwik he dide him fla.
Qwen he him hade al quik so flane,
ffor he his awne lorde hade slane,
Drogh him als traitur homicide;
Hengande on galghes so Bertram diede. —

King John and Prince Arthur. Normandy.

175 Kyng Iohan siþen he dide his cure [fol. 201 a.1]
To tak his broþer son Arthure;
To he him hade tane, neuer he ceste.
In Auguste, at saint Petres feste,
Þan tok he Arthur, his cosin;
180 He him withhelde his curt within.
Arthur bicom na man wiste qware;
Of him in life men sagh na-mare.
How he was slane wel fone men wiste;
Quat worthede of him was noght pupliste.
185 Rauiste was ek his sistre Bertha.
Na man wiste quar bicom þai twa. —
ffor sprang þe worde of kyng Iohan,
Þat feloneslie so hade misetane
To sla þe right heires of þe lande
190 In Englandes coron for to stande.
Þerfor it mofed ful gret distance
Bituen him and þe kyng of France.
Tuelf peres of France demede þam amang,
Kyng Iohan hade don full mikelle wrang,
195 Þat right heire was hade slane, þe childe,
His dede salde noght suo be befilde.
Normundie contres with gret rout
Entrede he and putt þe kyng Iohan out
ffor Arthures dede, þat was nexte haire
200 Of Normundie duche so faire.
Kyng Iohan with ful grete cheualrie
Paste þe cees flode to Normundie.
fful lang bataile he helde þarin,
Þe land againe þoru strenȝ to win.

165 rucariene *MS.*] ? *em.* þe rutariene 170 kinfes 171 alquik 174 dide 184 of was him *with transpon. m.* 187 wordel lorde *MS.* 194/don 195 þe] þai *MS.* 199 arthurede dede 204 land] lang

205 Þe were it durede mar þan a yere; [fol. 201 a. 2]
Wel ner it might na man þam stere.
ffra Rome come þider cardinales,
Dukes, and erels maste principales.
Als domesmen wiseste of worde
210 Bituen þe kynges þai made acorde.
Twelf pers and þe cardinales of Rome
Anens kyng Iohan þai gaf for dome
Him Normundies duche to tine
ffor Arthures dede, was his cosine,
215 To qwam þe heritage it stode
Als þoru rightwise descent of blode.
So Normundie was tint and loste;
ffra kynges of Englande pas it moste.
Gret raines wer aftre in þe herueste;
220 Þe wattres breme gret flodes vp keste
In þe lagh contres so gret flodes
Cornes periste, men loste gret godes. —

The Provisions of Oxford (1258).

Gret hungre in Englande was þat yere, [fol. 209 a. 1]
ffor mannes fode it was ful dere.
225 ffele men periste for vngre gret:
Sextene schillinges þe quarter of qwete!
Qwen it in chepes was maste vile,
Þe quarter for twa mark, sum qwile!
Þe yere bifor hade bene slik flodes,
230 Wel ner destroiede alle pouer men godes,
Alle repingode, slik stormes and raine!
In feldes þe corn rotte and slaine!
Vnnese ouer Yiole suffiste þe corn
Was won in þe erueste biforn.
235 In England þan ras gret descordes,
Sumquil in dedes sumquile in wordes.
Yia, gretelie ras þe citisains
Þe alienes in þe lande agains,
fforqwi þai wer entrede so fele; [fol. 209 a. 2]
240 Þam þoght na man sulde with þam dele.
Slik gret debate in lande to lette,
Þe kynges consile a parlement sette,
With lerede and laude at Oxenforde
Distance to cesse how walde worde.
245 Bischopes, abotes, and þe clergie,
Erels, barons to þe kyng Henrie,
Yia, alle þe beste, baȝ laude and lerede,
At Oxenforde, lo, þai aperede.
ffor pes and for Englandes honours
250 Þai ches to be tuelf prouisours,
So consailours þa sulde be tuelf,
Assignede þam hade þe kyng him-self.
ffor Englande regne þai suld ordaine,
Þar ordinans na man be againe.
255 Many þinges, certes, ordainede þaie,
In Englande to be halden for aie:

206 welner. *a. o.* 226 schilles 228 ? markes 235 Englande]-e *eras.* 244 ces se
251 þa] þai *MS.* 252 þam] þai *MS* 255 ordinainede

In Englande na man sulde haf rent,
Bot he þaron wer resident.
Ilke þing certaine price to bere,
260 So in þar bokes writen þai ere.
Þase ordinances so Englande mons
Calde Oxenforde prouisions.
To halde þer prouisions sware
Alle lerede and laude in Englande ware:
265 Bischopes, abotes, erels, and barons,
Ek alle þe pople in Englande wons,
To halde þam sware baȝ fre and bonde
Als wele inmen so of biyonde.
Þoru þase prouisions wel son
270 ffele þinges wer new ordainde and done.
Kyng Henrikes awne breþer thre
Of lande wer casten to passe þe cee,
Ek alienes wel many a score,
Þat to fele wer entrede bifore,
275 And ek fele of þe citisaines
Þat in sum þinges stode þam againes. —

Edward I.— Berwick (1296).

Anthoine Bek, bischope of Doreme, [fol. 215 b.2]
He paste þase daise þe cees streme,
ffor to procure alle chefetaines
280 To rise þe kyng of France againes
Als in helpe of Englandes kyng,
Gascoine againe til him to bring.
Englandes barons ouer past sum;
Into Gascoine with strenȝ þai cum.
285 Þai profitede litel, qwen þai com ouer:
Gascoine þai might noght recouer.
Of þase cites þai tok a fone;
Þat contre þai might noght els done.
Þe kyng grantede to þase alienes
290 Þat his partie biyionde sustenes,
Þar mone sulde ouer þe ce cum
And walk þoru-out Englandes kyngdum.
Cokedens, brabans, egles, and tornais,
Alle yode in Englande þase daise,
295 Alkins þinges to selle and bie,
Slik was in lande þe kynges crie.
Þai welk in lande fife yier and mare;
Siþen þoru þe kyng repelde þai ware.
Þe Scotisse folk amanges þam þan
300 Rebelle againes þar kyng bigan.
Þai raisede and made amanges þam-selfe
In þar lande to haf peres tuelfe
In þe maner þai haf in France
To gise þar lande in alkins chance.
305 Þerof to þam it come na gode;
In harmes and in ille grettelie it stode. —

---

263 *? þar MS.* 268 bi yonde 269 welson,*a.o.* 271 /awne 279 procurde 293 cf. *Hemingburgh, Chronicon, II, 187*: Mercatores enim alienigenae introduxerant in Angliam monetas . . . . pessimi metalli, pollardorum, crocardorum, scaldingorum, Brabantium, aquilarum . . . . et aliorum diversorum nominum. (*OED.*) 295 /þinges

Þan diede one þe same yere was tane
Eborwikes primat Iohan þe romane
For he was chosen amang clerk
His name was henrik of newerk
Gilbert of clare þe same yere diede
Glocestre erel to þe kyng alide
Þat same yere Edmunde þe kynges broþer
Wiþ erels barons and many oþer
Of englisse to him a soste folk
Wiþ him he tok a strenghfull oste
In to gascoine he paste þe cost
Againe to wyn gascoines contrees
Whiles scotlande helde þe parlement
Alle þai bicome of ane assent
Þai walde na langar suffer ne thole
Þat kyng salde Iohan þe baliole
Halde þe homage was made biforn
He feute to englandes kyng sworn
Þus þorw conseil sudanli [illegible]
Kyng Iohan baliole bigan to rise
Agaynes englandes kyng Edwarde
Orisen þat to he was ful harde
Kyng Edwarde sone wiþ folk atride
Northwarde whilis bigan to ride
In to scotlande whilis he soght
A fulgret oste wiþ him he broght
Kyng Iohan when he so rathelic heres
Kyng Edwarde in to scotlande aperes
Here harmes agaynes him he walde [illegible]
His cors to him ful sone he yalde [illegible]
To kyng Edwarde sent him to londen [illegible]
For þe trespas he was wiþ foilden [illegible]
Þar to abide his willes vnto
His lok of him quat he was to do
Siþen Iohan baliole after þase tymes
So paste ouer se to lif and lyms
Scotlandes coron he yalde vp þan
To englandes kyng for eu mare
Whiles Edwarde wroght sorow anogh
In scotlande for he brinde and slogh
Þe scottisse folk for him so dredde
In to berwik ful hale þai fledde
Kyng Edwarde sone wiþ many amo
Berwik to sege whilis bigan
On water on lande on alle sides

Þe toune he wnnes in schort tides
And þe castel he wan alsua
Alle founden þer in wiþ swerde to sla
Wemen and men and childre smale
Wiþ outen nombre wiþouten tale
Alde and yong alle were þan slane
Sone to þe kynges wille was tane
Of peple slane in berwik þan
[illegible] þan can nane [illegible] man
Friday in pasches wouke þat while [illegible]
In þe thridde calende of aprile
Taken was þe toune of berwik
Of alde and yong made slaghtre slik
Of crist a thousande yeres [illegible]
Past and fourten score [illegible]
Kyng Edwarde ful hastelie þan
After þat he berwik þus wan
Ane oste he sent of his men large
Þe castel of dunbar to sege
Þe scottisse oste þat of was war
Þai come on þam þat at dunbar
In bataile þan þai mette in felde
Of scotes felde sone many a sheld
In felde þat dai for sos þai tel [illegible]
Þe englisse men wan þe castel
Of scotes þer slane wele fele thousande
Þe felde wiþ þam of englande stande
Fra berwik wnning wouke [illegible]
Dunbar castel was taken [illegible]
at fawkirk be þe kyng of england.
Of scottes was slane therty thousand. xxxvij.
Englandes kyng quen þat done was
He ordande him þe see to pas
A fulgret oste assemblede he
And vnto flaundres he past þe see
Aboute saint laurence feste it wide
Fele erels and barons past him midde
To þe cite of gaunt turnede
Sumquile wiþ his oste þer soiurnde
Whiles þe kyng so holde in gaunt
His oste sumquile dwellyng to haunt
Bisshopes and dukes fele man of gode
Bitwene þe kynges lufelie þai yode
Bot pees to forme of þe distance
Bitwix him and þe kyng of fraunce

FROM THOMAS CASTELFORD'S CHRONICLE

Göttigen Hist. 740, fol. 216a, the end of the chronicle; cf. p. 372

Iqwiles Scotelande helde þar parlement, [fol. 216 a.1]
Alle þai bicome of ane assent:
Þai walde na langer suffer ne thole
310 Þar kyng salde, Iohan þe Bailiole,
Halde þe homage was made biforn,
Ne feute to Englandes kyng sworn.
Suo þoru conseil sumdele vnwise
Kyng Iohan Bailiole bigan to rise
315 Againes Englandes kyng Edwarde;
Drifen þarto he was ful harde.
Kyng Edwarde sone with folk atride
Norghwarde wel raȝ bigan to ride.
Into Scotelande wel raȝ he soght;
320 A ful gret oste with him he broght.
Kyng Iohan qwen he so rathelie heres
Kyng Edwarde into Scotelande apers
Bere harmes againes him he walde,
His cors to him ful sone he yialde.
325 Lo, kyng Edwarde sent him to Londen
ffor þe trespas he was with fonden,
Þar to abide his willes vnto,
To lok of him qwat was to do.
Siþen Iohan Bailiole, after þase tyms,
330 To-paste ouer ce with lif and lyms.
Scotelandes coron he yalde vp þar
To Englandes kyng for euermare.
Iqwiles Edwarde wroght sorow anogh
In Scotelande, for he brinde and slogh
335 Þe Scotisse folk for him so dredde,
Into Berwik ful hale þai fledde.
Kyng Edwarde sone with many a man
Berwik to sege wel raȝ bigan
On water, on lande, on alle sides.
340 Þe toune he winnes in schort tides. [fol. 216 a.2]
And þe castel he wan alsua,
Alle fonden þarin with swerde to sla.
Women and men and childre smale,
Withouten numbre, withouten tale,
345 Alde and yong, alle wer þan slane;
ffone to þe kynges wille was tane.
Of pople slane in Berwick þan
Ame þam can nane erdelik man!
ffridai in Paskes wouk þat qwile
350 In þe thridde calende of Aprile
Taken was þe toune of Berwik,
Of alde and yong made slaghtre slik,
Of Crist a thousande yiers wer sene
Past and fourten score and sextene. —

The Parliament of Lincoln (1301).

355 Jubelieus yer þase tides it come; [fol. 216 b.2]
Withouten numbre folk soght to Rome,
Siþen in þis yier pape Boniface
Of remissions he dide large grace.

---

309 nalanger 318 welraȝ, *a. o.* 334 for] r ***illegible***, ? fos
357 þis ***not in MS.***

Same yier alle folk to Rome went,
360 Þe kyng at Lincolne helde his parlement
Sone after þe Candelmes-daie.
Englandes barons þarto com þaie.
In þat parlement þe kyng Edwarde,
Sumdel drifen þarto þoru harde,
365 Grantede þe charter of þe foriste
Þoru-out Englande to be pupliste,
Yia, finalie forto be halden
In alle pointes so þe charter walden,
ffiftende parte to him to lifte
370 Of Englandes mobles for þat gifte.
Yitte kyng Edwarde in þat parlement [fol. 217 a.1]
Þoru Englandes barons assent
He gaf Edwarde his eldeste son
Alle Wales in his possession;
375 Of Wales halie he made him prince
And erel of alle Chestres prouince. —

Edward I. — Wallace and Robert Bruce.

Englandes kyng Edwarde þase stundes [fol. 217 a.2]
With strenȝ duelde within Scotelandes bundes.
In somertide þe contre rade,
380 Sege to castells in winter he made.
Godeworde castel he segede sumquile,
Siþen þe castel of Bodevile,
Sumqwil þe castel of Streuilin,
Ek oþer castelles Scotelande within.
385 He segede castells in wintres tides,
And þe contres in somer he rides.
Alle to destroie he walde noght ces
Þat walde noght cum vnto his pes.
Alle Scotelande ouer fra he bigan
390 Into his handes halelie he wan.
Alle Scotelande so he wan with swerde
In his subgeccion, laude and lerde.
Alle þe gret of Scotelandes linage
To Edwarde kyng þai made homage,
395 Homage and feute alle þai sware
To Englande kyng for euermare,
Þoru-out Scotelande enchace to mak
Þe kynges rebelles to him to tak.
A yiere wel ner þarafter ouerdriuen,
400 Tide of saint Bertholmeus-euen,
Tane was in Scotelande, so men sais,
With Scotes selfe William Walais.
Þe Scotes him tok, and faste bonden [fol. 217 b.1]
Þai broght him to þe kyng at Londen.
405 Þar qwen he was to þe kyng broght,
Suffrede domes after he hade wroght:
ffor he into Englande brint and slogh,
Þoru Londen stretes horses him drogh;
ffor he als thef rebelled and spreuede,

---

360 Þe **not in** *MS.* 370. 372 eglandes 373 eldestel eldelde *MS.* 376 elr erel *MS.* 381 G. = *Jedworth*, he **not in** *MS.* 382 B. = *Bothwell*, of dọ bod. *MS.* 383 Str.] freuelin *MS.* *(Stirling)* 400 Tidde *MS.* 403 d bonden *MS.*

410 Hangede and smiten of his heuede,
Sette fire ne brinde siþen he ne stint,
Alle his entraile in fire was brint.
And siþen his cors qwen þus was done,
In four quarters was smiten wel sone,
415 Into Scotisse contres to bring,
In four of þe beste tounes to hing.
Kyng Edwarde þus regnede suffrane
In Scotelande, na man him againe.
Alle þe lande halie in his handes
420 Paisablie til his laghes standes,
Vnto twa yier wel fullie paste;
Þan Robert Brus ras at þe laste. —
Kyng Edwarde after Wittesones-tide [fol. 217 b. 2]
North in litel bigan to ride.
425 Robert Brus harde he enchacede;
Thre of his breþer he enbracede,
Alexandre, Thomas, and Nigel;
Smate of þar hedes at Carlel.
And Robert Brus durande his daise
430 Helde him to wastins and maraise. —

Edward II. — Stirling (Bannockburn, 1314).

Kyng Edwarde þan to Scotelande rade, [fol. 219 a. 2]
Sum of his erels with him he hade;
Englandes barons northwarde þai ride,
On Scotes to fight with ful gret pride.
435 Qwen þe kyng was comen into Scotelande,
Alle þe castels abatede he fande.
Of alle þase Robert Brus doune keste,
Neuer a castel vp he redreste.
His passing to Striuelin he made.
440 Lo, Robert Brus him þar abade.
In felde sone, on Middesomeres-daie,
In harde encontre samen mette þaie.
Þe kyng of Englande loste þe felde.
Of doghtie knightes felde many a schelde.
445 Þe kyng Edwarde þar was scomfite
Alle Englandes folk to sorow and site.
Englandes knightes to grunde þai yiode.
Of Englise folk schedde mikel blode.
Kyng Edwarde and þe erel of Penbrok
450 Many oþer with þam to flight þai tok.
And þe erel of Gloucestre Gilbert
Was slane þat daie in fight wel smert;
Ek many oþer noble baron
Þat daie yiode to confusion,
455 Withouten fledde and tane and flightes.
Slane wer ma þan fife vndreȝ knightes.
Þe erel of Erforde was taken þan. [fol. 219 b. 1]
Ek so was many a doghtie man
Of Englandes knightes and barons
460 Withhalden in Scotelandes presons,
With gret tresor after þat stonde

410 *? spl.* was, heuede] hiede *MS.* 452 in fight in fight wel *MS.*

Out of þar handes wer ransonde.
Þis bataile was, so many man wiste,
On saint Iohan birth þe baptiste,
465 Þe date of Criste yiers þan sene
A thousande thre vndreȝ and fourtene.
Scotes wan þar plente of tresors,
Horsinges, vitales, and ek armors;
Of alkins pelf þai hade anogh.
470 Towardes Englande wel raȝ þai drogh.
Þai wastede alle Northumbrelande,
Sette fire in alle þai biggede fande.
Cumberlande, Westmarlande alsua,
Alle þai destroide with willes thra;
475 In þase contres wroght sorow and care,
To spreue and sla na man þai spare;
Þai sparde nane in þase contres wons;
Of sum þai tok ful gret ransons.
Yia, Englisse men þai boght and salde,
480 So bestes wer for tresor talde!
Englisse men ofte agains þam yiode,
Bot euer þe warse partie þam stode.
Þe warse þam stode in euerilke place;
Þai fore so folk loste alkins grace. —

The End of the Chronicle.

485 Þe quene and þe aliens with hir [fol. 221 a. 1]
Towardes þe kyng baldlie þai stir.
Þe kyng with his he drogh westewarde;
Aftre him þe quene enchast ful harde.
Englandes barons þan albidene
490 Þai com in helpe vnto þe quene.
Þe kyng suo into Wales þai draf,
He fande na halde þar hise to saf.
Þai him enchaste in wodes and dales.
Taken in þe contres of Wales
495 ffirste þai him broght vnto Erforde,
Siþen to castel of Keningworde.
Þar he yalde vp Englandes coron,
Vouchede it saf to Edwarde his son.
Alle þase þat was in helpe with him,
500 Iewes ful gref þai suffrede þat tim:
In Bristoln Hug Spenser þe alde,
So noble a knight hade bene and balde,
With horses draghen his domes slik,
And siþen his heide of to stik.
505 And Hug Spenser, þe yongre knight,
ffor he in lande bare him noght right,
Sum men said wrang consailed þe kyng,
Þai dampnede him to dragh and hyng
In Erforde, ek his heide of-smiten;
510 His cors quarterde, þe soth to witen,
Sent to Englandes four cites
In wondring to alle on þam ses.
Edmunde þe erel of Arundale,

469 anoght 473 ? westmerlande 479 broght 498 to] of *MS.* 507 consaille
508 and *not in MS.*

Sin saide was, he bar him noght wele,
515 His heide wel raȝ þai dide of-smite;
Of fele þinges þai gaf him þe wite.
Þe chanceler Robert Baldok,
Þat in Englande bar so gret vok,
ffor he in sum þinges hade missedone,
520 Presonde in Londen diede wel sone.
Þe bischope of Excestre Walter,
Þat was þe kynges tresorer, [fol. 221 a. 2]
In Londen at þe stret of Chepe
Þai smat of his hiede, noght els to threpe,
525 Amanges rascaile of þe cite
And oþer wele fele with him to se.
Na man þar helde þe kynges stedde.
Alle þe iustises of cite fledde;
Alle þase with kyng Edwarde helde,
530 fful sodainelie þar pride was felde.
Wel ner alle þase was slane þat times.
Of sum quarterde in four þar limes,
Sum wer hangede biches bituen,
So at Erforde, þe soȝ, was sene;
535 Ek of fele þe heide of-smiten,
Gret dole in Englande þan to witen.
Þis Edwarde als anens his lede
Was wise of worde and fole in dede.
Ek he was ful vngraciouse man
540 Wel ner in alle þinges he bigan.
He gaf him, þof it semede noȝ wele,
To alkins werkes manuele.
Durande alle his daise wel ner
Cheping of alkins corn was dere,
545 ffeldes failede, vngre was grete,
Poueraile diede for defaute of mete,
Morin of men, of bestes alsua,
Alle Englande in contek and wa,
Alle Englande in contek and strif,
550 Na pes stabliste durande his lif,
Þis kyng Edwarde in þis lande here
He regnede mar þan neghienten yiere
Montance of monethes twise thre.
Bot twa sones in sposag gate he:
555 Þe eldeste Edwarde it was his name,
Þe yongre he hight Iohan of Helthame.
Twa doghtres, þe tane Alienour,
Þe toþer was calde Iohane of Tour.
Lo, Edwarde his son, so men sais,
560 Was coronde in his fadres dais,
His fader withhalden in a castel,
Honurabelie þarin to duel,
Certes, in þe castel of Berkelaie,
With him twelf knightes night and daie.

524 þai *not in MS.* 550 Na] Ma *MS.*

174. THE LION AND THE ASS

MS.: BM., Harley 913; first quarter of the XIVth century. — *edd.*: Th. Wright, Pol. Songs, Camden Soc. VI, 1839; Brandl-Zippel, MeSLP., 1927. — BR. 414c.

The lyon lete cri, as hit was do,
For he hird lome to telle; [50]
And eke him was itold also
4 Þat þe wolf didde noȝt welle.
And þe fox, þat liþer grome,
Wiþ þe wolf iwreiid was.
Tofor har lord hi schold come,
8 To amend har trespas.

And so men didde þat seli asse,
Þat trespasid noȝt, no did no gilte,
Wiþ ham boþe iwreiid was
12 And in þe ditement was ipilt.
Þe voxe hird amang al menne,
And told þe wolf wiþ þe brode crune.
Þat on him send gees and henne,
16 Þat oþer geet and motune.

Þe seli aasse wend was saf;
For he ne eete noȝt bote grasse.
Non ȝiftes he ne ȝaf,
20 No wend þat no harm nasse.
Þo hi to har lord com to tune,
He told to ham law and skille.
Þos wikid bestis lutid adune:
24 "Lord," hi seiid, "what is þi wille?"

Þo spek the lion hem to,
To þe fox anone his wille:
"Tel me, boi, what hast ido?
28 Men beþ aboute þe to spille."
Þo spek þe fox first anone:
"Lord king, nou þi wille.
Þos men me wreiiþ of þe tune
32 And wold me gladlich for to spille.

Gees no hen nad ich noȝt,
Sire, for soþ ich þe sigge,
Bot al ich ham dere boȝt,
36 And bere ham vp myn owen rigge."
"Godis grame most hi haue,
Þat in þe curte þe so pilt!
Whan hit is so, ich vouchesaue,
40 Ich forȝiue þe þis gilte."

Þe fals wolf stode behind;
He was doggid and ek felle.
"Ich am icom of grete kind;
44 Pes þou grant me, þat miȝt ful welle!"
"What hast ido, bel amy,
Þat þou me so oxist pes?"
"Sire," he seid, "I nel noȝt lie,
48 If þou me woldist hire a res.

For ich huntid vp þe doune,
To loke, sire, mi biȝete.
Þer ich slow a motune,
52 Ȝe, sire, and fewe gete.
Ich am iwreiid, sire, to þe
For þat ilk gilt;
Sire, ichul sker me,
56 Y ne ȝef ham dint no pilt."

"For soþ I sigge þe, bel ami,
Hi nadde no gode munde,
Þai þat wreiid þe to me[rc]i,
60 Þau ne diddist noȝt bot þi kund.
Sei þou me, asse, wat hast ido?
Me þenchiþ þou cannist no gode.
Whi nadistou [do] as oþer mo?
64 Þou come of liþer stode."

"Sertis, sire, not ich noȝt.
Ich ete sage alnil gras;
More harm ne did ich noȝt
68 Þerfor iwreiid ich was."
"Bel ami, þat was misdo,
Þat was aȝe þi kund
For to et such gras so.
72 Hastilich ȝe him bind!

Al his bonis ȝe todraw,
Loke þat ȝe noȝt lete!
And þat ich ȝiue al for law,
76 Þat his fleis be al ifrette."
Also hit fariþ nou in lond,
Whose wol tak þerto hede:
Of þai þat habbiþ an hond
80 Of theuis hi takiþ mede.

Þus fariþ al þe world nuþe,
As we mai al ise,
Boþe est and west, norþ and suþe
84 God vs help and þe trinite!
Trewþ is ifaillid wiþ fremid and sibbe,
Al so wide as al þis lond
Ne mai no man þerin libbe,
88 What þroȝ coueitise and þroȝ onde.

Þoȝ lafful man wold hold is lif
In loue, in charite, and in pes,
Sone me ssul compas is lif,
92 And þat in a litil res.
Prude is maister and coueitise,
Þe þrid broþer men clippiþ ond;
Niȝt and dai he fondiþ iwisse
96 Lafful men to hab har lond.

Whan erþe haþ erþ igette
And of erþe so haþ inouȝ,
Whan he is therin istekke,
100 Wo is him þat was in wouȝ!
What is þe gode þat man ssal hab,
Vte of þis world whan he ssal go?
A sori wede, whi ssal ich gab,
104 For he broȝt wiþ him no mo. -

175. ROBERT MANNYNG OF BRUNNE, CHRONICLE

MSS.: London, Lambeth 131; m. XIV ct. [1-144: London, Inner Temple, Petyt 511; XIV ct. — *edd.:* F. J. Furnivall, RS. 87, London 1887 (A, 1-16630); Th. Hearne, Oxford 1725 (B); A. Zetsche, Anglia IX, 1886 (1-5378). — BR. 1995; We. III, 7; Ke. 4860-66; Ba. 165-166; RO. 324-325.

Introduction.

Incipit Prologus de Historia Britannie transumpta per Robertum in materna lingua.

Lordynges þat be now here,
If ȝe wille, listene and lere
All þe story of Inglande,
Als Robert Mannyng wryten it fand
5 And on Inglysch has it schewed,
Not for þe lerid bot for þe lewed,
ffor þo þat in þis lande wone
Þat þe Latyn no Frankys cone,
ffor to haf solace and gamen
10 In felawschip when þai sitt samen.
And it is wisdom for to wytten
Þe state of þe land, and haf it wryten,
What manere of folk first it wan,
And of what kynde it first began.
15 And gude it is for many thynges
For to here þe dedis of kynges,
Whilk were foles, and whilk were wyse,
And whilk of þam couthe most quantyse,
And whilk did wrong, and wilk ryght,
20 And whilk mayntened pes and fyght.
Of þare dedes sall be my sawe,
And what tyme and of what lawe
I sall yow schewe fro gre to gre
Sen þe tyme of sir Noe,
25 ffro Noe vnto Eneas,
And what betwix þam was;
And fro Eneas till Brutus tyme,
Þat kynde he telles in þis ryme;
ffro Brutus till Cadwaladres,
30 Þe last Bryton þat þis lande lees.
All þat kynde and all þe frute
Þat come of Brutus, þat is þe Brute;
And þe ryght Brute is told nomore,
Þan þe Brytons tyme wore.
35 After þe Bretons þe Inglis camen,
Þe lordschip of þis lande þai namen,
Southe and northe, west and est,
Þat calle men now þe Inglis gest.
When þai came first amang þe Bretons,
40 Þat now ere Inglis, þan were Saxons;
Saxons Inglis hight alle oliche.
Þai aryued vp at Sandwyche
In þe kynges tyme Vortogerne,
Þat þe lande walde þam not werne.
45 Þat were maysters of alle þe toþire:
Hengist he hight, and Hors his broþire.
Þes were hede, als we fynde,
Where-of is comen oure Inglis kynde.
A hundrethe and fifty ȝere þai com,
50 Or þai receyued cristendom.
So lang woned þai þis lande in,
Or þai herde out of saynt Austyn,
Amang þe Bretons with mekylle wo,
In sclaundire and threte and in thro.
55 Þes Inglis dedes ȝe may here,
As Pers telles alle þe manere.
One mayster Wace þe Frankes telles
Þe Brute, all þat þe Latyn spelles,
ffro Eneas till Cadwaladre;
60 Þis mayster Wace þer leues he.
And ryght as mayster Wace says,
I telle myn Inglis þe same ways;
ffor mayster Wace þe Latyn alle rymes
Þat Pers ouerhippis many tymes.
65 Mayster Wace þe Brute alle redes,
And Pers tellis alle þe Inglis dedes.
Þer mayster Wace of þe Brute left,
Ryght begynnes Pers eft,
And tellis forth þe Inglis story,
70 And as he says, þan say I.
Als þai haf wryten and sayd,
Haf I alle in myn Inglis layd,
In symple speche as I couthe,
Þat is lightest in mannes mouthe.
75 I mad noght for no disours,
Ne for no seggers, no harpours,
Bot for þe luf of symple men
Þat strange Inglis can not ken.
ffor many it ere þat strange Inglis
80 In ryme wate neuer what it is;
And bot þai wist what it mente,
Ellis me thoght it were alle schente.
I made it not for to be praysed,
Bot at þe lewed men were aysed.
85 If it were made in ryme couwee,
Or in strangere or enterlace,

---

7 land 20 mayntend 39 came *not in MS.*

Þat rede Inglis it ere inowe,
Þat couthe not haf coppled a kowe,
Þat outhere in couwee or in baston
90 Som suld haf ben fordon,
So þat fele men þat it herde
Suld not witte howe þat it ferde.
I see in song, in sedgeyng tale
Of Erceldoun and of Kendale:
95 Non þam says as þai þam wroght,
And in þer sayng it semes noght.
Þat may þou here in 'Sir Tristrem':
Ouer gestes it has þe steem,
Ouer alle þat is or was,
100 If men it sayd as made Thomas;
But I here it no man so say,
Þat of som copple som is away;
So þare fayre sayng here beforn
Is þare trauayle nere forlorn.
105 Þai sayd it for pride and nobleye,
Þat non were suylk as þei;
And all þat þai wild ouerwhere,
All þat ilk will now forfare.
Þai sayd in so quante Inglis
110 Þat many one wate not what it is;
Þerfore heuyed wele þe more
In strange ryme to trauayle sore;
And my witte was oure-thynne
So strange speche to trauayle in;
115 And forsoth I couthe noght
So strange Inglis as þai wroght.
And men besoght me many a tyme
To turne it bot in lighte ryme;
Þai sayd, if I in strange it turne,
120 To here it many on suld skurne;
ffor it ere names full selcouthe
Þat ere not vsed now in mouthe;
And þerfore for þe comonalte
Þat blythely wild listen to me,
125 On lighte lange I it began,
For luf of þe lewed man,
To telle þam þe chaunces bolde
Þat here before was don and tolde.
ffor þis makyng I will no mede
130 Bot gude prayere when ȝe it rede;
Þerfore, alle ȝe lordes lewed,
ffor wham I haf þis Inglis schewed,
Prayes to god, he gyf me grace;
I trauayled for ȝour solace.
135 Of Brunne I am, if any me blame,
Robert Mannyng is my name;
Blissed be he of god of heuene
Þat me, Robert, with gude wille neuene;
In þe third Edwardes tyme was I
140 When I wrote alle þis story,
In þe hous of Sixille I was a throwe;
Danz Robert of Malton, þat ȝe know,
Did it wryte for felawes sake,
When þai wild solace make.

King Arthur's Glory.

Geoffrey, Gildas, Beda.

145 Of Arthur ys seid many selcouþ
In diuerse landes northe and souþ
Þat men holdeþ now for fable, [10585]
Be þey neuere so trewe ne stable.
Al ys nought soþ, ne nought al lye,
150 Ne al wysdam, ne al folye.
Þer nys noþyng of hym seyd,
Þat hit ne may be to godnesse leyd.
More þan oþere were his dedes,
Þat men of hym so mykel redes.
155 Ne were his dedes hadde be writen,
Of hym no þyng men scholde haue wyten.
Geffrey Arthur of Monemu,
He wrot his dedes þat were of pru,
And blamed boþe Gyldas and Bede,
160 Why þey wolde nought of hym rede,
Syn he bar þe pris of alle cristen kynges,
And write so litel of his preysynges,
And more worschip of hym spoke þer was
Þan of any of þo þat spekes Gildas,
165 Or of any þat Bede wrot,
Saue holy men, þat we wot.
In alle landes wrot men of Arthur,
Hys noble dedes of honur.
In ffraunce men wrot and ȝit men wryte,
170 But herd haue we of hym but lyte.
Þerefore of hym more men fynde
In farre bokes, als ys kynde,
Þan we haue in þys lond,
Þat we haue, þer men hit fond;
175 Til domesday men schalle spelle
And of Arthures dedes talke and telle. —

The Returning Warriors.

Þe nexte April, when somer gan,
Til Ingeland wente ilka man. [11000]
When men wiste þat þey wer comen,
180 Ageyn Arthur faste þey nomen.
Þey made suche ioye, non myghte be more;
Hys longe dwellyng þem forþoughte sore.

---

111 þ. I henyed *Furnivall*, ? henþed *MS.* 115 couth 118 light 125 light 131 alle *spl. Furnivall* 156 wryten *MS.* 176 takke *MS.*, talk *Petyt*

Ladyes kyste þer lordes swete.
Modres and childre for ioye gon grete,
185 Sones welcomed þer fadres home,
And made al murthe for þer come.
Lemmans leue ilk oþer kest,
Of more þey esed hem when þem lest.
Neueus nyftes, sistres broþer,
190 Ilka frend welcomede oþer.
Þey stode in ilka strete and sty;
In grete routes men passed forby.
Þey spirde at hem how þey hadde faren,
And whi þat þey so longe waren,
195 And how þey spedde of þeyr conquest,
And what þey wonne so fer est,
And how þey ferde in al þer wo.
'We wole namore ȝe fare vs fro!'
And þen þey teld hem al þer chaunce,
200 How Arthur hadde wonne Fraunce,
And of merueilles þat þey had sen,
And in what peryl þey had ben. —

The Coronation.

Þey conseilled hym his lond to somoune
At Whitsonday, to do hym coroune
205 At Kerlyon in Glamorgan.
Dide somoune þyder ilka man.
Karlyoun was som tyme riche;
Rome and hit lykned yliche. —
Hit was no baron in al Spaigne,
210 Ne þennes intil Alemaigne [11154]
Þat he til Arthures feste ne ferde,
Þat doughti was, and þerof herde.
Somme hym seluen for to se,
And to byholde his meyne;
215 And somme to se on what wyse
Þey ordeigned þer faire seruise;
And some to se þe table rounde
Þat neuere byforn þat tyme was founde;
And somme to se his faire paleys;
220 Somme to biholde his riche harneys;
Somme þe folk to byhowe;
And somme his knyghtes for to knowe;
And somme for his geftes gode;
And somme for his noble fode;
225 And somme come for to haue bailly;
And somme to lere þere curtesy.
When Arthures court was plener,
And alle were comen, fer and ner,
Þe erþe abouen stired and quok,
230 So faste hors and man þer schok.
Þer was puttynge, þristinge, and þro
Wyþ fot-folk þat come to and fro
Innes for to teme and take;
Þat non hadde, pauilons did make.
235 Þer maistres mareschals ferde aboute,
Deliuerd innes wyþynne and wyþoute.
Bordes broughte, cordes and cables,
And made mangers to stande in stables.
Þen mighte men se þe ladies lede
240 Many fair palfray and stede
In mud, in mires, to soille and dasche,
Siþen in wayers to watre and wasche,
Syþen to wype, and to mangers teye,
Hey and prouende byfor þem leye.
245 Þenne come chaumberleyns and squiers,
Wiþ riche robes of mani maners,
To folde, to presse, and to pyke,
And somme to hange, and som to strike,
Manteles, forours of riche pris,
250 Of meneuer, stranlyng, veyr, and gris;
Oþer pelure ynowe þer were,
Þe names of þem y ne wot what are,
Lomb or boge, conyng or hare,
Y ne knowe me nought in swylk chaffare.
255 Þe morn when þe feste schuld be.
Come þe erchebischopes of þer degre,
Wyþ hym of Rome cam þe legat
And oþer bischopes of mener stat.
And right als þe story seys,
260 Dubrice corouned hym in his paleys.
A legat of Rome and he
Dide þer þat solempnete.
When he was corouned on þat wyse,
To þe kyrke þey ȝede to þer seruise. —
265 Alle were þey richely ydight. [11253]
Þer was neuere seyen swyche a sight!
I trowe þer were many doude
Þat proudly spak for noble schroude;
Ilkon oþer faste byheld,
270 And of þe faire mykel was of teld.
When þe procession was gon,
Þe messe bygan sone anon.
Þer myghte men se fair samninge
Of þo clerkes þat best couþe synge,
275 Wyþ treble, mene, and burdoun
Of mani on was ful swete soun,
Of þo þat songe heye and lowe,

And þo þat couþe organes blowe;
Inow þer was of menestralcie,
280 And of song gret melodye.
Þer myght men se folk come and go
To þe kyrkes, boþe to and fro,
Of knyghtes and of squiers bolde
To listne song, leuedis byholde,
285 ffro þat o kyrke to þe oþer þey ran;
Where was þe beste, wyste no man.
At neyþer þem þoughte þey dwelled longe,
Ne nought were ful to here þe songe.
ȝyf hit had ben at her pay,
290 Þat song had lasted al þat day.
When þe messes were boþe done,
And homward þey were al bone,
Þe kyng dide of his atir þar
Þat he vntil þe kirke bar,
295 And tok anoþer of lasse peys.
Þe quene dide þe same weys.
Þeir heuy atir þey dide of boþe,
And in lightere dide þem cloþe.
Þe kyng com vntil his paleys
300 And sat atte þe mete þat ilke weys.
Þe quene vntil anoþer ȝede,
And þe leuedis wiþ hure gan lede.
But custume was whilom in Troye,
Þat when þey made feste of ioye,
305 Men togydere schuld go to mete,
Þe ladys by þem-self schuld ete.
Þe Bretons had þe selue vsage,
Þey were of þe Troiens lynage.
Þat ilke vsage was at þer feste;
310 No womman cam among þer geste.
Þe wommen wyþoute men schuld be,
But seruiturs of here meyne.
Þe kyng was set vp at þe des,
Þer was in ful mykel pres,
315 But aboute hym þe lordynges sat,
Ilkon after his astat.
Kay was styward chosen of alle
To serue byforn þe kyng in halle.
Hys cloþyng was god and fyn.
320 And þe pelure of eremyn.
Wyþ hym serued byfore þe kyng
A þousand y þe same cloþynge.
Out of þe kechene serued sire Kay
And alle his felawes þat day.
325 Sire Beduer on þat oþer partie,
He serued of þe botelerye.
Wiþ hym was clad in eremin
A þousand þat serued of þe wyn.
Was þer non þat serue bad,
330 But he in riche pelure were clad.
Þe kynges coupe sire Beduer bar,
And ȝede byforn al þat þer war.
After hym come alle þe route
Þat serued þe lordes alle aboute.
335 Þe quene was serued ful richely,
Hure seriauntz were assigned redy
In alle offices for to serue,
And byfore þe ladys kerue.
Many a vessel was þer riche,
340 Of sere colours, nought alle yliche.
Of metes many manere seruise,
And seer drynkes of þat wyse.
Al þe nobleye couthe y nought telle,
Ne y naue no stounde þeron to dwelle,
345 Þe names to seye of þe richesse,
Ne of þe men of prowesse.
Was þer no lond in al þe werd,
Of gode knyghtes so mykel of herd.
Was þer no knyght of so hey blod,
350 Ne so mykel hadde of worldes god,
Þat þerfore scholde be holde in pris,
But he in dede were proued þrys;
Pries yproued atte þe leste,
Þen was he alosed at þe feste,
355 Þen schulde his armes þat men knew,
And his cloþyng be al on hew;
Þe same queintise his armes had,
In þat same schuld he be clad;
And his wyf clad y þe same colour,
360 ffor hure lord was man of honur.
ȝyf on were doughti, and sengle man,
Þen schuld he chese hym a lemman;
Elles schold he nought be byloued,
But he had ben in bataille proued.
365 Þo leuedys þat were holden chast,
ffor noþyng wolde do no wast,
Þo leuedis were clad al in on,
And by þeir cloþyng men knewe ilkon.
When þey had eten, and schulde rise,
370 Ilk man dight hym on þat wyse
Þat he best couþe inne playe.
Into þe feld þey tok her waye,
And parted hem in stedes sers
To pleye ilkon on þer maners:
375 Somme iusted, þat couþe and myght,
ffor to schewe þer stedes wyght;
Somme skipte, and keste þe ston,
And somme skirmed ful god won,
Dartes schoten, launces cast,
380 And þo þat couþe, wrastled fast.
Ilkon pleide þe gamen þey couþe,
Þat mest had vsed in his ȝouþe.
Þat best dide in his pleynge,

278 orgnes 283 of squiers *Petyt*] squiers *MS.* 284 to b. *Petyt* 350 wordles 356 be *spl. Furnivall*

He was brought byfore þe kynge,
385 And þe kyng gaf hym mede,
Þat he was paied er þat he ȝede.
Þe ladies vpon þe walles stey
ffor to biholde al þer pley.
Who-so hadde lemman þan in place,
390 Toward hym turned boþe eye and face.
On boþe sides ilk oþer byhelde,
Þo on þe walles, þey in þe felde.
Iogelours were þere ynowe,
Þat þer queyntise forþ drowe;
395 Many mynestrales þorow out þe toun,
Som blewe trompe and clarioun,
Harpes, pypes, and tabours,
ffyþeles, sitoles, sautreours,
Belles, chymbes, and symfan,
400 And oþere ynowe, þat nemne y ne can.
Gestours, singers, þat merye sang,
So gret murþe was, þat ouer al rang.
Dysours ynowe tolde þem fables,
And somme pleide wyþ des at tables,
405 And somme pleide at hasard fast,
And lore and wonne wiþ chaunce of cast.
Somme þat wolde nought of þe tabler,
Drowe forthe meyne for þe cheker
Wyþ draughtes queinte of knight and rok
410 And oþer sleyghtes ilk oþer byswok;
At ilka mattyng þei seide: 'Chek!'
Þat most þer loste, sat y þe blek.
Þre daies þe feste sat;
I trowe neuere non was lyke þat.—

176. O TEMPORA, O MORES

MS.: BM., Royal 12 C. XII; early XIV ct. — *edd.*: Th. Wright, Political Songs of England, Camden Soc. VI, 1839; C. Horstmann, Yorkshire Writers II, 1896. — BR. 2787; We. IV, 34; Ba. 267-273.

Quant homme deit parleir,
videat quae verba loquatur;
Sen covent aver,
ne stultior inveniatur.
5 Quando quis loquitur,
bote resoun rest þerynne,
Derisum patitur,
ant lutel so shal he wynne.
En seynt eglise
10 sunt multi saepe priores;
Summe beoþ wyse,
multi sunt inferiores. —
Ingrato benefac,
post haec a peyne te verra;
15 Pur bon vin tibi lac
non dat, nec rem tibi rendra.
Sensum custodi,
quasi mieu valt sen que ta mesoun;
Þah þou be mody,
20 robur nichil est sine resoun.
Lex lyþ doun ouer-al,
fallax fraus fallit ubique,
Ant loue nys bote smal,
quia gens se gestat inique.
25 Wo walkeþ wyde,
quoniam movet ira potentes.
Ryht con nout ryde,
quia vadit ad insipientes.
Dummodo fraus superest,
30 lex nul nout lonen y londe;
Et quia sic res est,
ryht may nout radlyche stonde.
Fals mon freynt covenaunt,
quamvis tibi dicat 'habebis'.
35 Vix dabit un veu gaunt,
lene-les mon postea flebis.
Myn ant þyn duo sunt,
qui frangunt plebis amorem;
Ce deus pur nus sunt
40 facienda saepe dolorem.
Tresoun dampnificat,
et paucis est data resoun;
Resoun certificat,
confundit et omnia tresoun.
45 Pees may nout wel be,
dum stat per nomina bina;
Lord Crist, þat þou se,
per te sit in hiis medicina!
Infirmus moritur,
50 þah lechcraft ligge bysyde;
Vivus decipitur,
nis non þat her shal abyde. —
Esto pacificus,
so myh þou welde þy wylle;
55 Also veridicus,
ant stond pro tempore stille.
Pees seit en tere,
per te, deus, alma potestas!
Defendez guere,
60 ne vos invadat egestas.
God lord almyhty,
da pacem, Christe benigne!
Þou const al dyhty,
fac ne pereamus in igne!

404 at *Petyt*] and *MS.*

177.-181. Laurence Minot, Political Poems

MS.: BM., Cotton Galba E. IX; XIV/XV century. — *ed.*: J. Hall, Oxford 1897. — BR. 3801 [Halidon Hill], 3080 [Bannockburn], 2149 [Crecy], 585 [Calais], 3117 [Neville's Cross]; We. IV, 12; Ke. 4755-59; Ba. 270; RO. 299.

177. *HALIDON HILL (19/VIII/1333).*

Lithes and I sall tell ȝow tyll
þe bataile of Halidonhyll.

Trew king, þat sittes in trone,
Vnto þe I tell my tale,
And vnto þe I bid a bone,
4 For þou ert bute of all my bale.
Als þou made midelerd and þe mone,
And bestes and fowles grete and smale,
Vnto me send þi socore sone,
8 And dresce my dedes in þis dale.

In þis dale I droupe and dare
For dern dedes, þat done me dere.
Of Ingland had my hert grete care,
12 When Edward founded first to were.
Þe Franchemen war frek to fare
Ogaines him, with scheld and spere;
Þai turned ogayn with sides sare,
16 And al þaire pomp noght worth a pere.

A pere of prise es more sumtyde
Þan al þe boste of Normondye.
Þai sent þaire schippes on ilka side,
20 With flesch and wine and whete and rye.
With hert and hand, es noght at hide,
Forto help Scotland gan þai hye.
Þai fled and durst no dede habide
24 And all þaire fare noght wurth a flye.

For all þaire fare þai durst noght fight,
For dedesdint had þai slike dout;
Of Scotland had þai neuer sight,
28 Aywhils þai war of wordes stout.
Þai wald haue mend þam at þaire might,
And besy war þai þareobout.
Now god help Edward in his right,
32 Amen, and all his redy rowt!

His redy rout mot Ihesu spede,
And saue þam both by night and day;
Þat lord of heuyn mot Edward lede
36 And maintene him, als he wele may.
Þe Scottes now all wide will sprede,
For þai haue failed of þaire pray.
Now er þai dareand all for drede,
40 Þat war bifore so stout and gay.

Gai þai war and wele þai thoght
On þe erle Morre and oþer ma;
Þai said, it suld ful dere be boght,
44 Þe land, þat þai war flemid fra;
Philip Valays wordes wroght,
And said he suld þaire enmys sla.
Bot all þaire wordes was for noght,
48 Þai mun be met if þai war ma.

Ma manasinges ȝit haue þai maked.
Mawgre mot þai haue to mede!
And many nightes als haue þai waked.
52 To dere all Ingland with þaire dede.
Bot, loued be god, þe pride es slaked
Of þam, þat war so stout on stede,
And sum of þam es leuid all naked
56 Noght fer fro Berwik opon Twede.

A litell fro þat forsaid toune,
Halydonhill þat es þe name,
Þare was crakked many a crowne
60 Of wild Scottes and alls of tame;
Þare was þaire baner born all doune;
To mak slike boste þai war to blame:
Bot neuerþeles ay er þai boune
64 To wait Ingland with sorow and schame.

Schame þai haue, als I here say;
At Donde now es done þaire daunce,
And wend þai most anoþer way,
68 Euyn thurgh Flandres into France.
On Filip Valas fast cri þai.
Þare forto dwell and him auaunce;
And nothing list þam þan of play,
72 Sen þam es tide þis sary chance.

Þis sary chaunce þam es bitid,
For þai war fals and wonder fell;
For cursed caitefes er þai kid,
76 And ful of treson, suth to tell.
Sir Ion þe Comyn had þai hid,
In haly kirk þai did him qwell;
And þarfore many a Skottis brid
80 With dole er dight, þat þai most dwell.

Þare dwelled oure king, þe suth to saine,
With his menȝe a litell while;
He gaf gude confort on þat plaine

84 To all his men, obout a myle.
All if his men war mekill of maine,
Euer þai douted þam of gile;
Þe Scottes gaudes might nothing gain,
88 For all þai stumbilde at þat stile.
Þus in þat stowre þai left þaire liue,
Þat war bifore so proud in prese.
Ihesu, for þi woundes fiue,
92 In Ingland help vs to haue pese!

178. *BANNOCKBURN AND BERWICK (1314/1333).*

Now for to tell ȝow will I turn
Of þe batayl of Banocburn.

Skottes out of Berwik and of Abirdene,
At þe Bannok-burn war ȝe to kene!
Þare slogh ȝe many sakles, als it was sene;
And now has king Edward wroken it, I wene.
It es wrokin, I wene, wele wurth þe while;
6 War ȝit with þe Skottes, for þai er ful of gile!

Whare er ȝe, Skottes of Saint Iohnes toune?
Þe boste of ȝowre baner es betin all doune.
When ȝe bosting will bede, sir Edward es boune,
For to kindel ȝow care and crak ȝowre crowne!
He has crakked ȝowre croune, wele worth þe while;
12 Schame bityde þe Skottes, for þai er full of gile!

Skottes of Striflin war steren and stout;
Of god ne of gude men had þai no dout.
Now haue þai, þe pelers, priked obout;
Bot at þe last sir Edward rifild þaire rout.
He has rifild þaire rout, wele wurth þe while!
18 For euer er þai vnder, bot gaudes and gile.

Rughfute riueling, now kindels þi care!
Berebag, with þi boste, þi biging es bare!
Fals wretche and forsworn, whider wiltou fare?
Busk þe vnto Brig and abide þare!
Þare, wretche, saltou won and wery þe while;
24 Þi dwelling in Donde es done for þi gile.

Þe Skottes gase in Burghes, and betes þe stretes.
All þise Inglis men harmes he hetes.
Fast makes he his mone to men þat he metes;
Bot fone frendes he findes þat his bale betes.
Fune betes his bale, wele wurth þe while;
30 He vses all threting with gaudes and gile.

Bot many man thretes and spekes ful ill
Þat sum tyme war better to be stane-still.
Þe Skot in his wordes has wind for to spill,
For at þe last Edward sall haue al his will!
He had his will at Berwik, wele wurth þe while,
36 Skottes broght him þe kayes bot get for þaire gile!

179. *CAEN AND CRECY (1346).*

Men may rede in romance right
Of a grete clerk þat Merlin hight.
Ful many bokes er of him wreten,
Als þir clerkes wele may witten;
And ȝit in many priue nokes
May men find of Merlin bokes.
Merlin said þus with his mowth:
8 Out of þe north into þe sowth

---

78. Tit.: of batayl *MS.* 18 For] Bot *MS.* 25 Skotte *em.* *Hall*

Suld cum a bare ouer þe se
Þat suld mak many man to fle;
And in þe se, he said ful right,
12 Suld he schew ful mekill might;
And in France he suld bigin
To mak þam wrath þat er þarein;
Vntill þe se his taile reche sale
16 All folk of France to mekill bale.
Þus haue I mater for to make,
For a nobill prince sake:
Help me, god, my wit es thin,
20 Now Laurence Minot will bigin. —

Mekill pride was þare in prese,
Both on pencell and on plate,
When þe bare rade, withouten rese,
24 Vnto Cane þe graythest gate.
Þare fand he folk bifor þe ȝate
Thretty thowsand stif on stede.
Sir Iohn of France come al to late,
28 Þe bare has gert þaire sides blede. —

More misliking was þare þen,
For fals treson alway þai wroght;
Bot, fro þai met with Inglis men,
32 All þaire bargan dere þai boght.
Inglis men with site þam soght
And hastily quit þam þaire hire;
And at þe last forgat þai noght,
36 Þe toun of Cane þai sett on fire.

Þat fire ful many folk gan fere,
When þai se brandes o-ferrum flye;
Þis haue þai wonen of þe were,
40 Þe fals folk of Normundy.
I sai ȝow lely how þai lye
Dongen doun all in a daunce;
Þaire frendes may ful faire forþi
44 Plēyn þam vntill Iohn of France.

ffranche men put þam to pine
At Cressy, when þai brak þe brig;
Þat saw Edward with both his ine,
48 Þan likid him no langer to lig.
Ilk Inglis man on oþers rig
Ouer þat water er þai went;
To batail er þai baldly big,
52 With brade ax and with bowes bent.

With bent bowes þai war ful bolde
For to fell of þe Frankisch men;
Þai gert þam lig with cares colde;
56 Ful sari was sir Philip þen.
He saw þe toun o-ferrum bren,
And folk for ferd war fast fleand;
Þe teres he lete ful rathly ren
60 Out of his eghen, I vnderstand. —

Stedes strong bileuid still
Biside Cressy opon þe grene;
Sir Philip wanted all his will,
64 Þat was wele on his sembland sene.
With spere and schelde and helmis schene
Þe bare þan durst þai noght habide.
Þe king of Beme was cant and kene,
68 Bot þare he left both play and pride.

Pride in prese ne prais I noght
Omang þir princes prowd in pall;
Princes suld be wele bithoght,
72 When kinges þam till counsail call.
If he be rightwis king, þai sall
Maintene him both night and day,
Or els to lat his frendschip fall
76 On faire manere, and fare oway.

Oway es all þi wele, iwis,
Franche man, with all þi fare;
Of murning may þou neuer mys,
80 For þou ert cumberd all in care:
With speche ne moght þou neuer spare
To speke of Ingliss men despite;
Now haue þai made þi biging bare,
84 Of all þi catell ertou quite.

Quite ertou, þat wele we knaw,
Of catell and of drewris dere;
Þarfore lies þi hert ful law,
88 Þat are was blith als brid on brere.
Inglis men sall ȝit to ȝere
Knok þi palet or þou pas,
And mak þe polled like a frere:
92 And ȝit es Ingland als it was. —

180. *THE CITIZENS OF CALAIS (14/VIII/1347).*

Lystens now, and ȝe may lere,
Als men þe suth may vnderstand:
Þe knightes þat in Calais were
4 Come to sir Edward sare wepeand,
In kirtell one and swerd in hand
And cried: 'Sir Edward, þine are!
Do now, lord, bi law of land
8 Þi will with vs for euermare!'

Þe nobill burgase and þe best
Come vnto him to haue þaire hire;
Þe comun puple war ful prest
12 Rapes to bring obout þaire swire.

29 misliling 33 inglismen 38, 57 o terrum 72 Kinges suld þam *MS.* till] toll *MS.*
79 murnig 6 þine we are *emm. Ritson, Hall*

Þai said all: 'Sir Philip oure syre,
And his sun, sir Iohn of France,
Has left vs ligand in þe mire
16 And broght vs till þis doleful dance.

Oure horses þat war faire and fat
Er etin vp ilkone bidene;
Haue we nowþer conig ne cat
20 Þat þai ne er etin and hundes kene.
All er etin vp ful clene,
Es nowther leuid biche ne whelp.
Þat es wele on oure sembland sene,
24 And þai er fled þat suld vs help.' —

Þe kaies er ȝolden him of þe ȝate,
Lat him now kepe þam if he kun;
To Calais cum þai all to late,
28 Sir Philip and sir Iohn his sun.
Al war ful ferd þat þare wâre fun;
Þaire leders may þai barely ban.
All on þis wise was Calais won;
32 God saue þam þat it so-gat wan.

181. *NEVILLE'S CROSS (17/X/1346).*

Sir Dauid had of his men grete loss
With sir Edward at þe Neuil cross.

Sir Dauid þe Bruse was at distance,
When Edward þc Baliolle rade with his lance;
Þe north end of Ingland teched him to daunce,
4 When he was met on þe more with mekill mischance.
Sir Philip þe Valayse may him noght avance;
Þe flowres þat faire war er fallen in ffraunce,
Þe floures er now fallen þat fers war and fell;
8 A bare with his bataille has done þam to dwell.

Sir Dauid þe Bruse said he suld fonde
To ride thurgh all Ingland, wald he noght wonde;
At þe Westminster hall suld his stedes stonde,
Whils oure king Edward war out of þe londe:
Bot now has sir Dauid missed of his merkes
14 And Philip þe Valays with all þaire grete clerkes.

Sir Philip þe Valais, suth for to say,
Sent vnto sir Dauid and faire gan him pray
At ride thurgh Ingland þaire fomen to flay,
And said none es at home to let hym þe way,
None letes him þe way to wende whore he will:
20 Bot with schipherd staues fand he his fill.

ffro Philip þe Valais was sir Dauid sent
All Ingland to win fro Twede vnto Trent;
He broght mani berebag with bow redy bent;
24 Þai robbed and þai reued and held þat þai hent;
It was in þe waniand þat þai furth went,
For couaitise of cataile þo schrewes war schent;
Schent war þo schrewes and ailed vnsele,
28 For at þe Neuil cros nedes bud þam knele.

At þe ersbisschop of ȝork now will I bigyn,
For he may with his right hand asoyl vs of syn;
Both Dorem and Carlele þai wald neuer blin
Þe wirschip of Ingland with wappen to win;
Mekill wirschip þai wan and wele haue þai waken,
34 For syr Dauid þe Bruse was in þat tyme taken.

When sir Dauid þe Bruse satt on his stede,
He said of all Ingland haued he no drede;
Bot hinde Iohn of Coupland, a wight man in wede,

2 Baliolfe

Talked to Dauid, and kend him his crede.
Þare was sir Dauid so dughty in his dede
40 Þe faire toure of Londen haued he to mede. —

Þe pride of sir Dauid bigon fast to slaken;
For he wakkind þe were þat held him self waken;
For Philyp þe Valaise had he his brede baken,
And in þe toure of Londen his ines er taken:
To be both in a place þaire forward þai nomen,
46 Bot Philip fayled þare and Dauid es cumen. —

182. On the Death of Edward III

MS.: Bodl. 3938, Vernon; XIV cent. (Edward III † 21/VI/1377). — *ed.:* F. J. Furnivall, EETS. 117. — BR. 5; We. IV, 14.

A, dere god, what mai þis be,
Þat alle þing weres and wasteþ awai?
ffrendschip is but a vanyte,
4 Vnneþe hit dures al a day;
Þei beo so sliper at assai,
So leof to han, and loþ to lete,
And so fikel in heore fai,
8 Þat selden iseiȝe is sone forȝete. —

Sum tyme an englisch schip we had,
Nobel hit was and heih of tour;
Þorw al cristendam hit was drad,
12 And stif wolde stande in vch a stour,
And best dorst byde a scharp schour
And oþer stormes, smale and grete:
Now is þat schip þat bar þe flour
16 Selden seȝe and sone forȝete.

Into þat schip þer longed a rooþur,
Þat steered þe schip and gouerned hit;
In al þis world nis such a-noþur,
20 As me þinkeþ in my wit.
Whyl schip and roþur togeder was knit,
Þei dredde nouþer tempest, druyȝe nor wete.
Nou be þei boþe in synder flit:
24 Þat selden seyȝe is sone forȝete. —

Þat schip hadde a ful siker mast,
And a sayl strong and large,
Þat made þe gode schip neuer agast
28 To vndertake a þing of charge;
And to þat schip þer longed a barge,
Of al ffraunce ȝaf nouȝt a clete,
To vs hit was a siker targe:
32 And now riht clene hit is forȝete.

Þis goode schip I may remene
To þe chiualrye of þis londe:
Sum tyme þei counted nouȝt a bene
36 Beo al ffraunce, ich vnderstonde,
Þei tok and slouȝ hem with heore honde,
Þe power of ffraunce, boþ smal and grete,
And brouȝt þe king hider to byde her bonde:
40 And nou riht sone hit is forȝete.

Þe roþur was nouþer ok ne elm,
Hit was Edward þe þridde, þe noble kniht;
Þe prince his sone bar vp his helm,
44 Þat neuer scoumfited was in fiht.
Þe kyng him rod and rouwed ariht,
Þe prince dredde nouþur stok nor strete.
Nou of hem we lete ful liht:
48 Þat selde is seȝe is sone forȝete.

Þe swifte barge was duk Henri,
Þat noble kniht and wel assayed,
And in his leggaunce worþili
52 He abod mony a bitter brayd;
Ȝif þat his enemys ouȝt outrayed,
To chastis hem wolde he not lete.
Nou is þat lord ful lowe ileyd:
56 Þat selde is seȝe is sone forȝete.

Þis gode comunes, bi þe rode,
I likne hem to þe schipes mast,
Þat with heore catel and heore goode
60 Meyntened þe werre boþ furst and last.
Þe wynd þat bleuȝ þe schip wiþ blast,
Hit was gode preȝers, I sei hit atrete.
Nou is deuoutnes out icast,
64 And mony gode dedes ben clen forȝete.

Þus ben þis lordes ileid ful lowe.
Þe stok is of þe same rote:
An ympe biginnes for to growe
68 And ȝit I hope schal ben vr bote,
To holde his fomen vnder fote
And as a lord be set in sete.
Crist leue þat he so mote,
72 Þat selden iseȝe be not forȝete! —

---

43 his *spl. Hall* *182* 33-40 before 25-32 *MS. and Var.* 34 chilualrye 65 þus] *? em.* þouȝ

183. THE REBELLION OF JACK STRAW

MS.: BM., Harley 7333, fol. 24b; XV century; one of the more than 165 MSS. of "The Brut". — *MS. not heretofore printed;* other MSS. ed. F. Brie, EETS. 131/136. — We. III,10.

In this same yere was a parlement holde at Westmynster, and at that parlement was ordeyned that euery man, woman, and childe þat were of the age of ·xiiij· yere and above þurhoute all the reme, porefolle and othir[1], shulde pay to the talage ·iiij·d. Wherfore come aftirward grete mischefe to all the comunalte of the reme, and in the ·iiij· yere of þe reigne of kyng Richarde the comons arisen vp in diuerse partees of the reme and dide muche harme, the which men callid the hurlynge-tyme.

And they of Kente and of Essex made hem too captens to[2] rule, and to kepe the compane of Kente and of Essex; and the ton[3] men called Jake Strawe and the toþer Wat Tyler. And thei come and assembled hem on the Blak Hethe in Kent. And on the Corpus Christi day aftir[4] they come downe into Southewerke and broken vp the prison-howse, þat is to seye the kynges benche and the marchallsy, and deliuerd oute alle the prisoners. And so the same day they come into London; and there they robbed þe peple, and slowhe alle the aliens þat they myght fynde in the cetee or abowte the cete, and dispoyled all hir goodes and made havoke.

And on the Fryday next after that was on the morow they come to the Toure of London. And the kynge being þer thei fet[5] oute of the Tour the erchebishop of Caunterbury, ser Edmond of Sudbury[6], and ser Robert Halis hospitaler, pricur and mastir of Seint Johns house, and a wheyte frere that was confessour to kyng Richarde; and browte hem to the Toure-hill and ther smet[7] of hir hedes, and than come ayen to London and slowe men of lawe and oþer worhi men in diuerse parti of the cetee. And than they went on to the Dukes place of Lancastre beyonde Seint Mary stronde that was callid the Sawye[8], and there they distroyed all the goodes that they myght fynde and bare hem aweye and brent vp the place. And than aftir they went to Seint Johns withoute Smithfelde, and devourid al þe goodes þer and brent the house. And than they went to Westmynstre and so to Seint Martens þe Graunte, and made hem to gone oute of sentwarie[9]; and than thei come onto the Temple, onto the Innes of Courte, and dispoyled hem and robbid here goodes and all to-tare here bookes of lawe. And than they come to London and broke vp the prison of Newgate, and drove oute all þe prisoners, felons and oþere, and of bothe countres, and all the peple that were within hem, and dispoyled the bookes of bothe countres; and thus they continued bothe Saturday, Sonday and[10] Monday next[11] folovyng in all her malice and wickednesse.

And on the Monday kyng Richard with all the lordes that were with him and with the meir of London, William Walworthe, and þe aldirmen and þe comons of the cete come into Smethefelde[12] to here and to know the entencioun of thes mysgoverned peple. And this Jak Straw mad an oyez[13] in the felde, þat al men[14] schulde come nere and here his crye and his will, and the lordes with the Mair and the aldermen having indignacioun of his covetouse[15] falsnesse and of his foule presumcioun; and anone William Wal-worth, þat tyme beyng meyr, drowe oute his kneyf and slowhe Jak Straw; and anon-right did smyght of his hede and sette it on a spereshafte, and so it was borne thorow London and sette vppon[16] London brigge.

And anon thes risers were clene vanisshed as it had not ben they. And than the kyng of his goodnesse[17] made knyghtes ther of men of London,

---

pore folke and rich Varr. [2] to Varr.] of *MS.* [3] ton] toun *MS.*, þat one Varr. [4] and aftir Varr. [5] sette *Brie* [6] maistir Symond Sudbury Var. [7] smytyn Var. [8] Savoy, Savey Varr. [9] of the sayntwarye alle þat were þere ynne for eny maner of gryth. Var. [10] and] vnto the Varr. [11] and next *MS.* [12] Southwerk Varr. [13] oye *MS.* [14] men] þe pepyl of accorde Varr. [15] covetise and Varr. [16] on high vpon Varr. [17] godenesse and by prayer of his lordeȝ Varr.

þat is to sey W. Walworth þat tyme being meyre of the cetee, þat slowe
50 Jak Straw; and þe seconde was Nicholas Brembir, and þe thirde John Philpot, and þe ·iiij· Nicholas Twyford, and þe ·v· was Robert Laundes, and þe ·vj· was Robert Gaytoun. And þan the kyng with his lordes and his knyghtes[18] retourned ayene onto the Tour of London, and þere restid hem till his pepill were better sesid and sette in reste and pese. And than by
55 proces of tyme as they myght gete þese rebells[19] they hing[20] hem vpon the next galovs in euery lordshipe thorowoute the rem of Englond, by ·xl· and by ·xxx· and be ·x· and by ·xij· as thei myght gete hem in euery parties. And in the ·v· yeere of kyng Richardes reigne was the grete erthequake, and that was generally ouer all the worlde the Weddenysdaye aftir Witson-
60 day in þe yere after[21] the incarnacioun of oure lorde Jhesu Criste a. m·iij·c·iiij· score ·ij·[22] wherof þe peple were sore agaste and drede þat wengeans sholde come sone.[23]

184. JACK STRAW

MS: Cambridge, Corpus Christi Coll. 369; XIV /XV century. — *ed.*: Th. Wright, Political Poems and Songs, RS. 14, 1859. — BR. 3260; We. IV, 16.

Tax has tenet vs alle,
  probat hoc mors tot validorum,
Þe kyng þerof hade smalle;
4 fuit in manibus cupidorum.
Hit hade harde honsalle,
  dans causam fine dolorum;
Revrawnce nede most falle
8 propter peccata malorum.

In Kent þis kare began,
  mox infestando potentes,
In rowte þe rybawdus ran,
12 sua pompis arma ferentes.
Folus þey dred no mon,
  regni regem neque gentes;
Churles were hor cheuetan,
16 vulgo pure dominantes.

Þus hor wayes þay wente,
  pravis pravos aemulantes,
To London fro Kent
20 sunt praedia depopulantes.
Þer was an vuel couent
  australi parte vagantes;
Syþenne þey sone were schent,
24 qui tunc fuerant superantes.

Bondus þey blwun bost,
  nolentes lege domari;
Nede þey fre be most,
28 vel nollent pacificari.
Charters were endost,
  hos libertate morari;
Þer hor fredam þay lost,
32 digni pro caede negari.

Laddus loude þay loȝe,
  clamantes voce sonora,
Þe bisschop wen þay sloȝe,
36 et corpora plura decora.
Maners down þay drowȝe
  in regno non meliora.
Harme þay dud inoȝe,
40 habuerunt libera lora.

Owre kyng hadde no rest,
  alii latuere caverna,
To ride he was ful prest,
44 recolendo gesta paterna:
Jak Straw down he kest
  Smythfeld virtute superna.
Lord, as þou may best,
48 regem defende, guberna!

[18] knygtes *MS.* [19] rebell *MS.*] rebellis and rysers *Varr.* [20] hanged *Varr.* [21] of *MS.*] after *Varr.* [22] xj *MS. and Brie* [23] *here ends the chronicle in Harley 7333.*

184. 13 þey *not in MS.*

185. A LETTER OF JOHN BALL

MS.: BM., Royal 13 E. IX; XIV cent. — ***edd.***: H. Riley in Walsinghams Historia Anglicana, RS. 28, 1863; K. Sisam, XIVth Cent. Verse and Prose, Oxford 1921. — BR. 1796.

Iohon Schep, som tyme seynte Marie prest of ȝork, and now of Colchestre, greteth wel Iohan Nameles, and Iohan þe Mullere, and Iohon Cartere, and biddeþ hem þat þei bee war of gyle in borugh, and stondeth togidre in godes name, and biddeþ Peres Plouȝman go to his werk, and
5 chastise wel Hobbe þe Robbere, and takeþ wiþ ȝow Iohan Trewman, and alle hiis felawes, and no mo, and loke schappe ȝou to on heued, and no mo.

Iohan þe Mullere haþ ygrounde smal, smal, smal;
Þe kynges sone of heuene schal paye for al.
Be war or ȝe be wo!
10 Knoweþ ȝour freend for ȝour foo;
Haueþ ynow, and seith 'Hoo';
And do wel and bettre, and fleth synne,
And sekeþ pees, and hold ȝou þerinne.

And so biddeþ Iohan Trewman and alle his felawes.

186. ON THE EARTHQUAKE OF 1382

MS.: Bodl. Library 3938, Vernon MS.; late XIV century. — *ed.*: F.J. Furnivall, EETS. 117; C. Brown, RL. XIV, 2, 1952. — BR. 4268; We. IV, 44.

Yit is god a curteis lord,
And mekeliche con schewe his miht.
ffayn he wolde bringe til acord
Monkuynde, to liue in treuþe ariht.
Allas, whi set we þat lord so liht,
And al to foule wiþ him we fare?
In world is non so wys no wiht,
Þat þei ne haue warnyng to be ware. —

Whon þe comuynes bigan to ryse,
Was non so gret lord, as I gesse,
Þat þei in herte bigon to gryse,
And leide heore jolyte in presse.
Wher was þenne heore worþinesse,
Whon þei made lordes droupe and dare?
Of alle wyse men I take witnesse,
Þis was a warnyng to be ware. —

And also whon þis eorþe qwok,
Was non so proud, he nas agast,
And al his jolite forsok,
20 And þouȝt on god whil þat hit last.
And alsone as hit was ouerpast,
Men wox as vuel as þei dude are.
Vche mon in his herte may cast,
24 Þis was a warnyng to be ware.

ffor-soþe, þis was a lord to drede,
So sodeynly mad mon agast!
Of gold and seluer þei tok non hede,
28 But out of her houses ful sone þei past.
Chaumbres, chimeneys al to-barst,
Chirches and castels foule gon fare,
Pinacles, steples to grounde hit cast:
32 And al was warnyng to be ware. —

Þe rysing of þe comuynes in londe,
Þe pestilens, and þe eorþequake,
Þeose þreo þinges, I vnderstonde,
36 Beotokenes þe grete vengaunce and wrake
Þat schulde falle for synnes sake,
As þis clerkes conne declare.
Nou may we chese to leue or take,
40 For warnyng haue we to ben ware.

187. JOHN BARBOUR. THE BRUCE

MSS.: Cambridge, St. John's Coll. 191, G. 23; 1487 (*C*, fragment, beg.: Book IV, 57). Edinburgh, Nat. Lb. 19. 2. 2; 1489 (*E*). *Orig.*: Aberdeen 1375. — *ed.*: W. W. Skeat, EETS. XI / LV. — BR. 3217; We. III, 8; Ke. 4421-27; Ba. 166-167; RO. 408-409.

Introduction.

Incipit liber compositus per magistrum Ihoannem Barber, Archidiaconum Abyrdonensem: de gestis, bellis, et virtutibus domini Roberti de Brwyss, regis Scocie illustrissimi, et de conquestu regni Scocie per eundem et de domino Iacobo de Douglas.

Storyß to rede ar delitabill [I, 1]
Suppoß þat þai be nocht bot fabill.
Þan suld storyß þat suthfast wer,
And þai war said on gud maner,
5 Hawe doubill plesance in heryng:
Þe fyrst plesance is þe carpyng,
And þe toþir þe suthfastnes,
Þat schawys þe thing rycht as it wes.
And suth thyngis þat ar likand
10 Tyll mannys heryng, ar plesand.
Þarfor I wald fayne set my will,
Giff my wyt mycht suffice þartill,
To put in wryt a suthfast story,
Þat it lest ay furth in memory,
15 Swa þat na lenth of tyme it let,
Na ger it haly be forȝet.
For aulde storys þat men redys,
Representis to þaim þe dedys
Of stalwart folk þat lywyt ar,
20 Rycht as þai þan in presence war.
And, certis, þai suld weill hawe pryß
Þat in þar tyme war wycht and wyß,
And led þar lyff in gret trawaill,
And oft in hard stour off bataill
25 Wan richt gret price off chewalry,
And war woydyt off cowardy,
As wes king Robert off Scotland,
Þat hardy wes off hart and hand,
And gud schyr Iames off Douglas,
30 Þat in his tyme sa worthy was,
Þat off hys price and hys bounte
In fer landis renownyt wes he;
Off þaim I thynk þis buk to ma.
Now god gyff grace þat I may swa
35 Tret it, and bryng it till endyng,
Þat I say nocht bot suthfast thing!
Quhen Alexander þe king wes deid,
That Scotland haid to steyr and leid,
The land ·vj· ȝer and mayr, perfay,
40 Lay desolat eftyr hys day,
Till þat þe barnage at þe last
Assemblyt þaim, and fayndyt fast
To cheyß a king þar land to ster,
Þat off awncestry cummyn wer
45 Off kingis, þat aucht þat reawte,
And mayst had rycht þair king to be.
Bot enwy, þat is sa feloune,
Maid amang þaim gret discencioun.
For sum wald haiff þe Balleoll king,
50 For he wes cummyn off þe offspryng
Off hyr þat eldest systir was.
And oþir sum nyt all þat caß,
And said, þat he þair king suld be
Þat war in als-ner degre,
55 And cummyn war of þe neist male
And in branch collaterale.
Þai said, successioun of kyngrik
Was nocht to lawer feys lik.
For þar mycht succed na female,
60 Quhill foundyn mycht be ony male
That were in lyne ewyn descendand.
Þai bar all oþir wayis on hand,
For þan þe neyst cummyn off þe seid,
Man or woman, suld succeid.
65 Be þis resoun þat part thocht hale,
Þat þe lord off Anandyrdale,
Robert þe Brwyß, erle off Carryk,
Aucht to succeid to þe **kynryk**.
Þe barownys þus war at discord,
70 Þat on na maner mycht accord,
Till at þe last þai all concordyt,
Þat all þar spek suld be recordyt
Till schyr Eduuard, off Yngland king.
And he suld swer, þat but fenȝeyng
75 He suld þat arbytre disclar,
Off þir twa þat I tauld off ar,
Quhilk suld succeid to sic a hycht,
And lat him ryng þat had þe rycht.
Þis ordynance þaim thocht þe best,
80 For at þat tyme wes peß and rest
Betwyx Scotland and Ingland bath;
And þai couth nocht persawe þe skaith
Þat towart þaim wes apperand.
For þat at þe king off Ingland
85 Held swylk freyndschip and cumpany
To þar king, þat wes swa worthy,
Þai trowyt þat he, as gud nychtbur
And as freyndsome compositur,
Wald hawe jugyt in lawte;
90 Bot oþir wayis all ȝheid þe gle!

---

15 tyme of lenth *E* (*Emm. from Varr.*, *Skeat*) 25 richt ***not in E*** 61 How þat in his ewyn d. *E*

A, blynd folk full off all foly!
Haid ȝe wmbethocht ȝow enkrely,
Quhat perell to ȝow mycht apper,
Ȝe had nocht wrocht on þat maner!
95 Haid ȝe tane keip how at þat king
Alwayis, forowtyn soiournyng,
Trawayllyt for to wyn senȝhory,
And throw his mycht till occupy
Landis þat war till him marcheand,
100 As Walis was and als Ireland! —
Walys ensample mycht have bene
To ȝow, had ȝe it forow sene.
And wyß men sayis he is happy,
Þat be oþir will him chasty.
105 For wnfayr thingis may fall, perfay,
Alß weill to-morn as ȝhisterday;
Bot ȝe traistyt in lawte,
As sympile folk, but mawyte. —
Quhen schir Edward, þe mychty king,
110 Had on þis wyß done his likyng
Off Ihone the Balleoll, þat swa sone
Was all defawtyt and wndone,
To Scotland went he þan in hy,
And all þe land gan occupy,
115 Sa hale, þat bath castell and toune
War intill his possessioune
Fra Weik anent Orknay
To Mullyrsnwk in Gallaway,
And stuffyt all with Ingliß men.
120 Schyrreffys and bailȝheys maid he þen,
And alkyn oþir officeris,
Þat for to gowern land afferis,
He maid off Inglis nation.
Þat worthyt þan sa ryht fellone,
125 And sa wykkyt and cowatouß,
And swa hawtane and dispitouß,
Þat Scottis men mycht do na thing
Þat euir mycht pleyß to þar liking.
Þar wyffis wald þai oft forly
130 And þar dochtrys dispitusly.
And gyff ony þarat war wrath,
Þai watyt hym wele with gret scaith;
For þai suld fynd sone enchesone
To put hym to destructione.
135 And gyff þat ony man þaim by
Had ony thing þat wes worthy,
As horß, or hund, or oþir thing,
Þat plesand war to þar liking,
With rycht or wrang it have wald þai.
140 And gyf ony wald þaim withsay,
Þai suld swa do, þat þai suld tyne
Oþir land or lyff, or leyff in pyne.
For þai dempt þaim eftir þar will,
Takand na kep to rycht na skill.
145 A, quhat þai dempt þaim felonly!
For gud knychtis þat war worthy,
For litill enchesoune or þan nane
Þai hangyt be þe nekbane.
Alas, þat folk, þat euir wes fre
150 And in fredome wount for to be,
Throw þar gret myschance and foly
War tretyt þan sa wykkytly,
Þat þar fays þar jugis war!
Quhat wrechitnes may man have mar?
155 A, fredome is a noble thing!
Fredome mayß man to haiff liking,
Fredome all solace to man giffis:
He levys at eß þat frely levys!
A noble hart may haiff nane eß,
160 Na ellys nocht þat may him pleß,
Gyff fredome failȝhe; for fre liking
Is ȝharnyt our all oþir thing.
Na he, þat ay haß levyt fre,
May nocht knaw weill þe propyrte,
165 Þe angyr, na þe wrechyt dome,
Þat is cowplyt to foule thyrldome.
Bot gyff he had assayit it,
Þan all perquer he suld it wyt,
And suld think fredome mar to pryß
170 Þan all þe gold in warld þat is!
Þus contrar thingis euirmar
Discoweryngis off þe toþir ar. —

Reading Firumbras on the bank of Loch Lomond.

Þe king, eftir þat he wes gane,
To Lowchlomond þe way has tane,
175 And come þar on þe thrid day.
Bot þarabout na bait fand þai,
Þat mycht þaim our þe watir ber.
Þan war þai wa on gret maner;
For it wes fer about to ga. [III, 411]
180 And þai war into dout alsua,
To meyt þar fayis þat spred war wyd.
Þarfor endlang þe louchhis syd
Sa besyly þai socht and fast,
Tyll Iamys of Dowglas, at þe last,
185 Fand a litill sonkyn bate,
And to þe land it drew fut-hate.
Bot it sa litill wes, þat it
Mycht our þe wattir bot thresum flyt.
Þai send þaroff word to þe king,
190 That wes joyfull off þat fynding,
And fyrst into þe bate is gane,
With him Dowglas; þe thrid wes ane
Þat rowyt þaim our deliuerly,
And set þaim on þe land all dry;

104/103 *E* 117 *not in E* 124 ryth *E* 131 ony of þaim þ. *E* 138 war pl. *E* 149 Alas] als *E*

195 And rowyt sa oftsyß to and fra,
Fechand ay our twa and twa,
Þat in a nycht and in a day
Cummyn owt-our þe louch ar þai.
For sum off þaim couth swome full weill,
200 And on his bak ber a fardele.
Swa with swymmyng and with rowyng
Þai brocht þaim our and all þar thing.
Þe king þe quhilis meryly
Red to þaim, þat war him by,
205 Romanys off worthi Ferambrace,
That worthily ourcummen was
Throw þe rycht douchty Olywer,
And how þe duk-peris wer
Assegyt intill Egrymor,
210 Quhar king Lawyne lay þaim befor,
With may thowsandis then I can say.
And bot ·xi· within war þai,
And a woman, and war sa stad,
Þat þai na mete þar within had,
215 Bot as þai fra þar fayis wan.
Yheyte sua contenyt þai þaim þan,
Þat þei þe tour held manlily,
Till þat Rychard off Normandy,
Magre his fayis, warnyt þe king,
220 Þat wes joyfull off þis tithing. —
Þe gud king apon þis maner
Comfortyt þaim þat war him ner,
And maid þaim gamyn and solace,
Till þat his folk all passyt was. —

The Pursuit.

225 Þan Iohn of Lorn com to þe plaß
Quhar-fra þe kyng departit was,
And in his traiß þe hund he set,
Þat þan, forouten langar let, [VI, 554]
Held evyn þe vay eftir þe kyng,
230 Richt as he had of hym knawyng. —
And quhen þe kyng has seyn þaim sua
All in a rout eftir him ta
Þe way, and follow nocht his men,
He had a gret persavyng þen,
235 Þat þai knew him. Forthi in hy
He bad his men richt hastely
Scale, and ilk man hald his way
All be hym-self, and sua did þai.
Ilk man a syndri gat is gane,
240 And þe kyng has vith him tane
His fostir-broþir, forouten ma,
And sammyn held þair gat þai twa.
Þe hund alwais followit þe kyng,
And changit nocht for na parting,
245 Bot ay followit þe kyngis traß
But vaueryng, as he passit was.
And quhen þat Iohne of Lorn saw
Þe hund so hard eftir hym draw,
And followit straucht eftir þai twa,
250 He knew þe kyng wes ane of þai.
He bad ·v· of his cumpany
Þat war richt wicht men and hardy,
And als on fute spediast ware
Of all þat in þat rout war þar:
255 'Ryn eftir hym, and him ourta,
And let hym na-viß paß ȝow fra!'
And fra þai herd had þe biddyng,
Þai held þe vay eftir þe kyng,
And followit hym so spedely,
260 Þat þai him weill soyn can ourhy.
Þe king þan saw þame cumand ner,
And wes anoyit in gret maner;
For he thoucht, gif þai war vorthy,
Þai mycht hym trawale and tary,
265 And hald hym suagat taryand,
Till þe remanand suld cum at hand.
Bot had he dred bot anerly
Þame ·v·, I trow all sekirly
He suld nocht haf full mekill dreid.—
270 Þe kyng þan stude full sturdely,
And þe ·v·, soyn, in full gret hy,
Com vith gret schoyr and mannasyng.
Thre of þame went onto þe kyng,
And till his man þe toþir twa
275 Vith swerd in hand can stoutly ga.
Þe kyng met þame þat till hym socht,
And till þe first sic rowt he rocht,
Þat ere and cheik doun in þe halß
He schare, and of þe schuldir als. —
280 Quhat strakis þai gaf I can nocht tell.
Bot to þe kyng so fair befell,
Þat þouch he trauale had and payn,
He of his famen four has slayn.
His fostir-broþir eftir soyn
285 Þe fift has out of dawis doyn.
And quhen þe kyng saw þat all fiff
War on þat viß broucht out of lif,
Till his fallow þan can he say:
'Þou has helpit richt weill, perfay.'
290 'It likis ȝow to say sua,' said he,
'Bot till gret part to ȝow tuk ȝe,
Þat slew four or I slew ane!'
Þe kyng said: 'As þe glew is gane,
Bettir þan þou I mycht it do,
295 For I had mair lasair þarto.
Þe twa fallowis þat delt vyth þe,
Quhen þai me saw assalȝeit vith thre,

232 him to ta *C* 235 him *E*] *not in C* 248 hundis *C*

Of me richt na-kyn dout þai had;
For þai wend, I wes stratly stad.
300 And forþi þat þai dred me nocht,
Noy þame fer-out þe mair I moucht.'
Vith þat þe kyng lukyt hym by,
And saw of Lorn þe cumpany
Neir vith þair sleuthhund fast cumand.
305 Þan till a vod, þat wes neir-hand,
He went with his fallow in hy.
God sauf þame for his gret mercy!
Þe kyng toward þe vod is gane,
Wery, forswat, and vill of vayn [VII, 2]
310 Intill þe wod soyn entcrit he,
And held doun toward a vale,
Quhar throu þe vod a vattir ran.
Þiddir in gret hy went he þan,
And begouth to rest hym þair,
315 And said he mycht no forþirmar.
His man said: 'Schir, þat may nocht be!
Abyde ȝhe heir, ȝe sal soyn se
V· hundreth ȝarnand ȝou to sla,
And þai ar fele aganis twa.
320 And sen we may nocht deill wyth mycht,
Help vs all þat we may vyth slycht.'
Þe kyng said: 'Sen þat þou will swa,
Ga furth, and I sall vith þe ga.
Bot I haf herd oftsiß say,
325 Þat quha endlang a vattir ay
Wald vayd a bow-draucht, he suld ger
Bath þe sleuthhund and þe ledar
Tyne þe sleuth men gert him ta.
Pruf we gif it will do now swa!
330 For war ȝon deuillis hund avay,
I roucht nocht of þe layff, perfay.'
As he deuisit, þai haf done,
And enterit in þe wattir sone,
And held on endlang it þar way,
335 And syne to þe land ȝeid þai,
And held þair way as þai did ere.
And Iohn of Lorn, with gret effere,
Com vith his rout richt to þe place
Quhar þat his ·v· men slane was.
340 He menyt þame quhen he þaim saw,
And said eftir a litill thraw,
Þat he suld wenge in hy þar blude;
Bot oþir-wayis þe gammyn ȝude.
Þair vald he mak no mair duelling,
345 Bot furth in hy followit þe king.
Richt to þe burn þai passit ar;
Bot þe sleuthhund maid stynting þar,
And vaueryt lang tyme to and fra,
Þat he na certane gat couth ga.
350 Till at þe last þan Iohne of Lorn
Persauit þe hund þe sleuth had lorn,
And said: 'We haf tynt þis trauell;
To pas forþir may nocht avale,
For þe wode is bath braid and vyde,
355 And he is weill fer be þis tyde.
Þarfor I rede we turn agane,
And vast no mair travale in vayn.'
Vith þat releyt he his menȝhe,
And his way to þe host tuk he.
360 Þus eschapit þe nobill kyng.
Bot sum men sais, þis eschaping
Apon ane oþir maner it fell
Þan throu þe vading; for þai tell,
Þat þe kyng a gud archer had,
365 And quhen he saw his lord swa stad,
Þat he wes left swa anerly,
He ran on fut alwayis hym by,
Till he intill þe wod wes gane.
Þan said he till hym-self allane,
370 Þat he arest rycht þair vald ma,
And luk gif he þe hund mycht sla.
For gif þe hund mycht lest on lif,
He vist full weill þat þai vald drif
Þe kyngis traß till þai hym ta.
375 Þan wist he weill þai vald him sla.
And for he wald his lord succour,
He put his lif in auentur,
And stud intill a busk lurkand
Quhill þat þe hund com at his hand,
380 And vith ane arrow soyn hym slew,
And throu þe vod syne hym vithdrew.
Bot quheþir his eschaping fell
As I tald first, or now I tell,
I wat it weill, without lesyng,
385 At þat burn eschapit þe king. —

Bannockburn (23./24. VI. 1314).

And quhen þe gud king can þaim se
Befor him swa assemblit be, [XII,166]
Blith and glad þat þair fayis war
Sa reboytit, as said wes ar,
390 A litill quhill he held him still;
Syne on þis wiß he said þame till:
'Lordyngis,' he said, 'we aucht to luf
Almychty god þat sittis abuf,
Þat sendis vs so fair begynnyng.
395 It is ane gret disconfortyng
Till our fais, þat on þis viß
Sa soyn reboytit has beyn twiß. —
Þarfor I trow þat gud ending
Sall follow till our begynnyng.

---

346 þai *E*] þame *C* 361 enchaping *C* 362 it *not in E* 373 drif] rif *C* 382 enchapin *C*
391 Syne *E*] And *C* 399 fallow *C*

400 Þe quheþir I say nocht þis ȝow till,
For þat ȝe suld follow my will
To ficht; for in ȝow sall all be.
For gif ȝe think spedfull þat we
Fecht, we sall ficht; and gif ȝe will
405 We leiff, ȝour liking to fulfill,
I sall consent on alkyn wiß
Till do richt as ȝhe will deuiß.
Þarfor sais on ȝour will planly.'
Þan vith ane voce all can þai cry:
410 'Gud king, forouten mair delay,
To-morn, als soyn as ȝe se day,
Ordane ȝow haill for þe battale;
For dout of ded we sall nocht fale,
Na nane payn sall refusit be
415 Till we haue maid our cuntre fre!'
Qwhen þe king herd þaim so manly
Spek to þe ficht and hardely,
In hert gret gladschip can he ta,
And said: 'Lordyngis, sen ȝe will sa,
420 Schapis þarfor in þe mornyng
Swa þat we, be þe sonne-rysing,
Haf herd mes, and be buskit weill,
Ilk man till his his awne yscheill,
Without þe palȝownys weill arayit,
425 In battale with baneris displayit. —
And menys on ȝour gret manheid,
Ȝour vorschip and ȝour douchty deid,
And of þe joy þat ȝhe abyd,
Gif þat vs fallis, as weill may tyd,
430 Hap to vencuß þe gret battale.
Intill ȝour handis, forouten faill,
Ȝe ber honour, priß, and licheß,
Fredome, welth, and gret blithneß,
Gif ȝe conteyn ȝow manfully.
435 And þe cuntre all halely
Sall faill, gif ȝhe let cowardiß
And vikkidneß ȝour hertis suppriß.
Ȝhe mycht haf lifit into thrildome;
Bot for ȝe ȝarnit till haf fredome,
440 Ȝhe ar assemblit heir with me.
Þarfor is neidfull þat ȝhe be
Worthy and wicht, but abaysyng.
I warne ȝow weill ȝeit of a thing,
Þat mair myscheif may fall vs nane
445 Þan in þair handis to be tane;
For þai suld slay vs, I wat weill,
Richt as þai did my broþir Neill.
Bot quhen I meyn of ȝhour stoutnes,
And on þe mony gret proweß
450 Þat ȝhe haue done so worthely,
I trast, and trowis sekirly,
Till haue playne victor in þis ficht.
For þouch our fais haue mekill mycht,
Þai haf þe vrang and succudry,
455 And covatiß of senȝhory
Amoviß þame fourouten mor.
Na vs thar dreid þame bot befor;
For strynth of þis place, as ȝhe se,
Sall let vs enveronyt to be. —
460 Now makis ȝow reddy til þe ficht.
God help vs, þat is mast of mycht!
I red armyt all nycht ȝhe be,
Purvait in battale sa þat we
To meit our fais ay be boune.'
465 Þan ansuerd þai all with a sowne:
'As ȝhe deuiß, sa sall be done.'
Þan till þar innys went þai soyne. —
Þe Scottis men, quhen it wes day,
Þair meß deuotly herd þai say,
470 Syne tuk a sop, and maid þame ȝar.
And quhen þai all assemblit war,
And in þair battalis all purvait,
Vith þair braid baneris all displayit,
Þai maid knychtis, as it efferis
475 To men þat oysis þai mysteris. —
Þus war þai boune on aþir syde;
And Ynglis men, with mekill prid,
Þat var intill þar awaward, [XII, 497]
Till þe batall þat schir Eduard
480 Gouernyt and led, held straucht þair vay.
Þe horß with spuris hardnyt þai,
And prikit apon þame sturdely;
And þai met þame richt hardely. —
Þer men mycht se men freschly ficht,
485 And men þat worthy war and wycht
Do mony worthy wassalage. [XIII, 137]
Þai faucht as þai war in a rage.
For quhen þe Scottis ynkirly
Saw þair fais sa sturdely
490 Stand into battale þame agane,
With all þar mycht and all þar mayne
Þai layd on, as men out of wit.
For quhar þai with full strak mycht hit,
Þair mycht no armyng stynt þar strak;
495 Þai tofruschit þame þai mycht ourtak,
And with axis sic duschis gaff,
Þat þai helmys and hedis claff.
And þair fais richt hardely
Met þame, and dang on douchtely
500 With wapnys þat war stith of steill.
Þar wes þe batell strikyn weill!
So gret dynnyng þer wes of dyntis
As wapnys apon armor styntis,

401 fallow *C* 423 till] intill *E* 524 weill *not in E* 425 þe baneris *C* 430 Happin *C* 435 contrar *E* 436 fall *E* 445 of *E*] and *C* 459 for to be *C* 460 makys *E*] mak *C* 464 ay be *E*] be reddy *C*, all be *Hart* (*Print. 1616*) 471 þai *not in C*

And of speris so gret bristing,
505 With sic thrawing and sic thristing,
Sic gyrnyng, granyng, and so gret
A noyis, as þai can oþir bet,
And cryit ensenȝeis on euerilk syd,
Gifand and takand woundis wyd,
510 Þat it wes hydwiss for till her
All four þe battelis, wicht þat wer,
Fechtand intill a front haly.
Almychty god! full douchtely
Schir Edward þe Bryß and his men
515 Amang þair fais contenyt þame þen,
Fechtand into sa gud cowyne
So hardy, worthy, and so fyne,
Þat þar awaward ruschit was,
And, magre þairis, left þe plaß,
520 And to þar gret rowt to warrand
Þai went, þat þan had apon hand
So gret not, þat þai war effrait;
For Scottis men þame hard assait,
Þat þan war in ane schiltrum all.
525 Quha hapnit in þat ficht to fall,
I trow, agane he suld nocht riß.
Þer men mycht se on mony wiß
Hardyment eschewit douchtely,
And mony þat wicht war and hardy
530 Doune under feit lyand all dede,
Quhar all þe feild of blud wes red.—
Þan mycht men heir ensenȝeis cry,
And Scottis men cry hardely:
'On þame! On þame! On þame! Þai faill!'
535 With þat so hard þai can assaill,
And slew all þat þai mycht ourta,
And þe Scottis archeris alsua
Schot emang þame so sturdely,
Ingrevand þame so gretumly,
540 Þat quhat for þame þat with þame faucht,
And swa gret rowtis to þame raucht,
And presit þame full egirly
And quhat for arrowes þat felly
Mony gret voundis can þame ma,
545 And slew fast of þair horß alsua,
Þat þai vayndist a litell we.
Þai dred so gretly þane till de
Þat þair covyne was war þan eir.
For þai þat with þame fechtand weir
550 Set hardyment and strynth and will
With hart and corage als þartill,
And all þair mayne and all þar mycht,
To put þame fouly to þe flycht.
In þis tyme þat I tell of her,
555 Þat þe battall on þis maner
Wes strikin, quhar on aþir party
Þai war fechtand richt manfully,
Ȝhemen, swanys, and poveraill,
Þat in þe parc to ȝheme vittale
560 War left, quhen þai wist but lesing,
Þat þair lordis with fell fichtyng
On þair fais assemblit war,
Ane of þem-selwyne þat wes þar
Capitane of þame all þai maid;
565 And schetis þat war sumdeill braid
Þai festnyt in steid of baneris
Apon lang treis and on speris,
And said þat þai wald se þe ficht,
And help þar lordis at þar mycht.
570 Quhen hertill all assentit war
And in a rowt assemblit ar,
XV·thousand þai war and ma.
And þan in gret hy þai can ga
With þair baneris all in a rout,
575 As þai had men beyn stith and stout.
Þai com with all þat assemble
Richt quhill þai mycht þe battale se.
Þan all at anys þai gaf ane cry:
'Apon þame! On þame, hardely!'
580 And þarwith all cumand ar þai.
Bot þai war ȝeit weill fer avay,
And Yngliß men, þat ruschit war
Throu forß of ficht, as I said air,
Quhen þai saw cum with sic a cry
585 Toward þame sic ane cumpany,
Þat þai thoucht weill als mony war
As at war fechtand with þame þar,
And þai befor had þame nocht seyne,
Þan, wit ȝhe weill, withouten weyne,
590 Þai war abasit so gretumly,
Þat þe best and þe mast hardy
Þat wes intill þe oost þat day
Wald with þar mensk haue beyn avay.
Þe king Robert be þair relyng
595 Saw þai war neir discomfyting,
And his ensenȝe can hely cry.
Þan with þame of his cumpany
His fais presit so fast, þat þai
War þan intill sa gret effray,
600 Þat þai left place ay mar and mar.
For all þe Scottis men þat war þar,
Quhen þai saw þame eschew þe ficht,
Dang on þame swa with all þar mycht,
Þat þai scalit in tropellis ser,
605 And till discumfitur war ner.
And sum of þame fled all planly.
Bot þai þat wicht war and hardy,
Þat schame letit till ta þe flicht,
At gret myschef mantemyt þe ficht,

524 childrome *C* 544 may *C* 550 and st. *E*] st. *C* 553 To *E*] And *C* 558 ȝheman *C*
566 fesnyt *C* 570 Quhar-till all assemblit *C* 571 Intill a r. and assentit *C* 574 baner *C*
596 ensenȝe *E*] ensenyle *Hart*, menȝe *C* 599 sa *E*] full *C*

610 And stithly in þe stour can stand.
And quhen þe king of Ingland
Saw his men fle in syndry place,
And saw his fais rout, þat was
Worthyn so wicht and so hardy,
615 Þat all his folk war halely
Swa stonayit, þat þai had no mycht
To stynt þair fais in þe ficht,
He was abasit so gretumly,
Þat he and all his cumpany,
620 V·hundreth armyt weill at rycht,
Intill a frusche all tuk þe flycht,
And till þe castell held þer way.
And ȝeit, as I herd, sum men say,
Þat of Wallanch schir Amer
625 Quhen he þe feld saw vencust ner,
By þe renȝe led avay þe king,
Agane his will, fra þe fichting. —
And fra schir Amer with þe king
Wes fled, wes nane þat durst abyde,
630 Bot fled, scalit on ilka syde.
And þair fais þame presit fast,
Þai war, to say suth, all agast,
And fled swa richt effrayitly,
Þat of þame a full gret party
635 Fled to þe wattir of Forth; and þar
Þe mast part of þame drownit war.
And Bannokburn, betuix þe braiß,
Of horß and men so chargit waß,
Þat apon drownit horß and men
640 Men mycht paß dry atour it þen.—

188. ANDREW OF WYNTOUN, CHRONICLE

MS: BM., Cotton Nero D. XI; XV ct. [Var.: Wemyss MS.; XV /XVI cent.] — *ed.*: F.J. Amours, STS. 50/63. — BR. 399; Ke. 4410; Ba. 43; RO. 277-278.

From the *Prologue*.

And for I will nane beire þe blame
Off my defalt, þis is my name
Be bapteme: Andro of Wyntoune,
Off sanct Androis a channoune
5 Regular, bot nocht forthy
Off þame all þe leste worthy;
Bot of þare grace and þar fawour
I wes but merit maid priour
Off þe Inche within Lochlevin,
10 Berand þarof my titill evin,
Of sanct Androis diocy,
Betuix þe Lummondis and Wynarty.
The titill of þis tretise haill
I will be callit 'Originall',
15 For þat begynnyng sall mak cleire
Be plane procese oure matere. —

The Weird-Sisters (VI, 18).

In þis tyme, as ȝhe herde me tel
Off tresson þat in Inglande fel,
In Scotlande nere þe lyk cas
20 Be Makbeth Fynlak practykyd was,
Qwhen he murtherist his awyn eme
Be hop þat he had in a dreyme,
Þat he saw qwhen he was ȝynge,
In housse duellande wiþe þe kynge,
25 Þat fayrly tretyt hym and weil
In al þat langit hym ilka deyl;
For he was his systyr son,
His ȝarnynge al he gert be don.
A nycht he thoucht in his dremynge
30 Þat sittande he was beside þe kynge,
At a set at huntynge swa,
Intil his leisch had grewhundis twa.
He thoucht, qwhil he was sa syttande,
He saw thre women by gangande,
35 And þa women þan thoucht he
Thre werd-systeris mast lyk to be.
Þe fyrst he herd say gangande by:
'Lo, ȝondyr þe thayne of Crwmbathy!'
Þe toþir woman said agayn:
40 'Off Mwrray ȝondyr I se þe thayn.'
Þe thrid þan said: 'I se þe kynge.'
Al þis he herde in his dremynge.
Son eftyr þat, in his ȝouthade,
Off þir thayndomys he thayn was made.
45 Syne next he thoucht for to be kynge.
Fra Dunkanys dayis had tane endynge.
Þe fantasy þus of þis dreyme
Mowit hym mast to sla his eme,
As he did al furthe in deide,
50 As befor ȝhe herde me rede,
And Dame Grewok, his emys wiff,
Tuk, and lede wiþe hir his lif,
And helde hir bath his wif and qweyn,
As befor þan scho had beyn
55 Till his eyme queyn liffande,
Qwhen he was kynge wiþe crowne regnande.
For litil in honour þan had he
Þe greis of affynyte.
Al þus qwhen his eyme was dede,
60 He succedit in his stede,
And sewynteyn wyntir ful regnande
As kynge he was þan in Scotlande.
All his tyme was gret plente

---

613 saw *not in C* 615 war *E*] so *C* 636 war *E*] ar *C* **188.** 1-16 *Var.*] *not in Nero*
20 practykyd *Var.*] pertrackyt *MS.* 40 I se *Var.*] is *MS.*

Habundande bathe on lande and se.
65 He was in iustice richt lauchful,
And til his legis al awfulle.
Qwhen pape was Leo þe nynt in Rome,
As pilgrayme to þe cowrt he coyme,
And in his almus he sew siluir
70 Til al pure folk þat had mystare;
In all tyme oyssit he to wyrk
Profetabilly for halikyrk. —

Macbeth's Death.

Þan withe þaim ot Northumbyrlande
Þis Malcome enteryt in Scotlande,
75 And past oure Forthe, doun straucht to Tay,
Vp þat wattyr þe hie waye
To þe Brynnane togedyr haille.
Þar þai bade and tuk consale.
Sen þai herde þat Makbethe ay
80 In fanton fretis had gret fay,
And trowit had in sic fantasy,
Be þat he trowit stedfastly
Neuir discomfyt for to be
Qwhil wiþe his eyne he sulde se
85 Þe wode be broucht of Brynnane
Til þe hil of Dunsynnane.
Off þat wode þan ilka man
Intil his hande a busk tuk þan;
Off al his ost was na man fre
90 Þan in his hande a busk bur he.
Til Dunsynnane þan alssa fast
Agaynnis þis Makbethe þai past;
For þai thoucht wiþe swylk a wylle
Þis Makbeth for to begile,
95 Swa for to cum in prewate
On hym or he sulde wyttride be.
Off þis qwhen he hade seyn þe sicht,
He was richt wa, and tuk þe flicht.
Þe flittande wode þai cal it ay
100 Þar lange tyme eftyr-hende þat day.
Our þe Mounth þai chast hym þan
Til þe wode of Lwnfannan.
Þis Makduf was þan mast fel,
And on þat chasse mast crewell,
105 Bot a knycht þat in þat chasse
Til þis Makbethe þan nerrast was.
Makbeth turnyt hym agan,
And said: 'Lurdan, þou prekis in wayn;
For þou may noucht be he, I trow,
110 Þat til dede sal sla me now.
Þat man is noucht born of wiff
Off powar to reff me my lif.'
Þe knycht said: 'I was neuir born,
Bot of my modyr wayme was schorn.
115 Now sal þi tresson here tak ende,
And til þi fadyr I sal þe sende.'
Þus Makbeth slew þai þan
Into þe wode of Lunfannan.

The Massacre of Berwick (1296).

Þe Inglis men þar slew doun
120 Al hail þe Scottis nacion [VIII, 11]
Þat withe-in þe towne þai fande,
Off al condiscion, nane sparande,
Lerit na lawit, none na freyr;
Al was slayne withe þat powere,
125 Off alkyn state, of alkyn age.
Þai sparit nouþir carl na page,
Bath aulde and ȝonge, men and wiffis,
And soukkande barnys þar tynt þar liffis.
Ȝhomen and gentilmen alsua,
130 Þe liffis al þai tuk þaim fra.
Þar slayne was done þe floure of Fiff;
Þar sawllis to sawf þai spendit þe lif,
And in þe saufte of þe towne
Befor þai had þe mast ranowne.
135 Þus þai slayne war so fast
Al þe day, qwhil at þe last
Þe kynge saw into þat tyde
A woman slayne, and of hir syde
A barne he saw fal out sprewlande,
140 Besid þat woman slayn lyande.
'Lasses! Lasses!' þan cryit he;
'Leif of! leif of!' þat worde sulde be.
Sewyn thousande and ·v· hundyr war
Bodeis reknyt, þat slayn war þar.
145 Þis don was on þe Gud Fryday.
Off eylde na kynde sparyt þai.
Twa dayis out, as deip flude,
Throwout þe towne þan ran þe blude.
Þus þat kynge of Inglande,
150 Noucht kynge, bot a fel terande,
Led þat day his dewocion.
He gert þar thoil þe passion
Off dede mony a creature
Intil graciousse state and houre,
155 Cleyne shrewyn, in gud entent,
Reddy to tak þar sacrament.
His office was þat Gud Friday
Tyl heyr innocentis de, and say:
'Allace! allace! now, lorde we cry
160 For hym þat deit þat day, mercy!'
Nane oþir serwice þat day herd he,
Bot gert sla ay on but pete.
Þe saullis þat he gert sla done þar
He sende qwhar his saulle neuir-mare
165 Was lyk to cum, þat is to blis,
Qwhar alkyn ioye ay lestande is. —

William Wallace (VIII, 13).

Intil þe towne was his lemman,
Þat was a pleyssande fayr woman,
And saw þis Wilȝame chassit swa.
170 Intil hir hart scho was richt wa.
Scho gat hym wiþe-in þe dure,
Þat son þai bruschit vp in þe flure.
Þan scho gert hym prewaly
Get out a noþir gat þar-by.
175 And wiþe hir slycht scho tareide þan
His fais, qwhil to þe wode he wan.
Þe schirawe þat tyme of þe lande,
Þe kynge of Inglandis lufftennande,
Come in Lanark, and þar he
180 Gert þis woman takyn be,
And gert hir son be put to dede.
Þat Walas saw into þat stede,
In hidlis qwhar he stude nere by;
Þarfor in hart he was hewy.
185 Þan til his freyndis alssa fast
Intil þe lande þis Walas past,
And thretty men he gat, or ma.
Þat ilk nycht he coyme wiþe þa,
Þat war manly men and stark,
190 Intil þe towne þat tyme of Lanark;
And qwhare he wist þat þe schirrawe
Oyssit his innys for til haf,
Intil a loft, qwhar þat he laye,
Eftyr mydnycht befor day
195 Vp he sturdely bruschit þe dure,
And laid it flatlyngis in þe flure.
Withe þat þe schirrawe al agast,
'Qwha is þat?' he speryt fast.
Said Wilȝam Walas: 'Here am I,
200 Wille þe Walas, þat besely
Þow has set þe for to sla.
Now togedyr mon we ga;
Þe womannys ded of ȝhistyrday
I sal now qwhit it gif I may.'
205 Alssa fast þan eftyr þat
Þe schirrawe be þe throt he gat;
At þat hee stayr he traylit him doune,
And slew hym þar withe-in þe towne.
Fra he þus þe schirrawe slew,
210 Scottis men fast til hym drew,
Þat withe þe Inglis oft tyme war
Aggrewide, and supprissit sare.
And þis Wilȝame þai made þar
Þar chiftane and þar ledar. —

Huchon (V, 13).

215 And men of gud discrecion
Sulde excuse and loyff Hucheon,
Þat cunnande was in litteratur.
He made a gret Gest of Arthure,
And þe Awntyr of Gawane,
220 Þe Pistil als of suet Susane.
He was curyousse in his stille,
Fayr of facunde and subtile,
And ay to pleyssance hade delyte,
Mad in metyr meit his dyte,
225 Litil or noucht neuir þe lesse
Wauerande fra þe suythtfastnes. —
And Huchon of þe aule reale
Intil his Gest Historyalle
Has tretyt þat mater cunnandly,
230 Mar sufficiande þan to pronowns can I.

Beginnings of Political Poetry in Scotland (VII, 10).

A thousande twa hundyr four score of ȝhere
Þe fift fra þat þe maydyn cleyr
Ihesu Crist our lord had born,
Alexander our kynge deyt at Kyngorn.
235 Scotlande menyt hym þan ful sare,
For vndir hym al his legis war
In honor, quiete and in pesse;
Forþi callyt pessabil kynge he was.
He honowrit god and halikyrk,
240 And neydful dedis he oyssit til wyrk.—
A bol of bere for ·viii· or ten
In common prysse saulde was þen;
Sexteyn penneys a bol of qwyet,
Or for ·xx· þe derthe was gret.
245 Þis failȝeide fra he deit suddanly;
Þis sange was made of hym forþi:
'Qwhen Alexander our kynge was dede,
Þat Scotlande lede in lauche and le,
Away was sons of alle and brede,
250 Off wyne and wax, of gamyn and gle.
Our golde was changit into lede.
Crist, borne in virgynyte,
Succoure Scotlande, and ramede,
Þat is stade in perplexite.'

189. PEACE TO PEACE

MS.: Cambridge Univ. Ff. I.6; XV century. — *ed.*: R.H. Robbins, Sec.Lyrics XIV-XV, 2.1955. — BR. 2742.

Pees maketh plente.
Plente maketh pryde.
Pryde maketh plee.
Plee maketh pouert.
Pouert maketh peace.

190. KING HORN

MS.: Cambridge, Univ. Gg. 4. 27, 2: XIII cent. — *edd.*: J. Hall, Oxford 1901; G. H. MacKnight, EETS. 14, 2. 1901; French - Hale, MEMR., NewYork 1930; **critical ed.**: T. Wissmann, Straßburg 1881. — BR. 166; We. I, 1; Ke. 4663-66; Ba. 147; RO. 351; Billings 3-4; Hibbard 83-84.

Introduction.

Alle beon he bliþe
Þat to my song lyþe!
A sang ihc schal ȝou singe
Of Murry, þe kinge;
5 King he was bi weste
So longe so hit laste.
Godhild het his quen;
Fairer ne miȝte non ben.
He hadde a sone þat het Horn;
10 Fairer ne miȝte non beo born,
Ne no rein vpon birine,
Ne sunne vpon bischine.
Fairer nis non þane he was:
He was briȝt so þe glas,
15 He was whit so þe flur,
Rosered was his colur.
He was fayr and eke bold,
And of fiftene winter hold.
In none kingeriche
20 Nas non his iliche. —

The Day of Dubbing.

Þe day bigan to springe, [C 495]
Horn com biuore þe kinge,
Mid his twelf yfere,
Sum hire luþere were.
25 Horn he dubbede to kniȝte,
Wiþ swerd and spures briȝte,
He sette him on a stede whit.
Þer nas no kniȝt hym ilik.
He smot him a litel wiȝt,
30 And bed him beon a god kniȝt.
Aþulf fel a-knes þar
Biuore þe king Aylmar.
'King,' he sede, 'so kene,
Grante me a bene:
35 Nu is kniȝt sire Horn
Þat in Suddenne was iboren;
Lord he is of londe
Ouer us þat bi him stonde;
Þin armes he haþ and scheld
40 To fiȝte wiþ vpon þe feld:
Let him vs alle kniȝte,
For þat is vre riȝte!'
Aylmar sede sone ywis:
'Do nu þat þi wille is.'
45 Horn adun liȝte,
And makede hem alle kniȝtes. —
Þe kniȝtes ȝeden to table, [C 587]
And Horne ȝede to stable.
Þar he tok his gode fole
50 Also blak so eny cole;
Þe fole schok þe brunie,
Þat al þe curt gan denie.
Þe fole bigan to springe,
And Horn murie to singe.
55 Horn rod in a while
More þan a myle.
He fond o shup stonde
Wiþ heþene honde.
He axede what hi soȝte
60 Oþer to londe broȝte.
An hund him gan bihelde,
Þat spac wordes belde:
'Þis lond we wulleȝ wynne,
And sle þat þer is inne.'
65 Horn gan his swerd gripe,
And on his arme wype.
Þe Sarazins he smatte,
Þat his blod hatte;
At eureche dunte
70 Þe heued of wente.
Þo gunne þe hundes gone
Abute Horn al one.
He lokede on þe ringe,
And þoȝte on Rimenilde;
75 He sloȝ þer on haste
On hundred bi þe laste.
Ne miȝte no man telle
Þat folc þat he gan quelle;
Of alle þat were aliue
80 Ne miȝte þer non þriue.
Horn tok þe maisteres heued,
Þat he hadde him bireued,
And sette hit on his swerde,
Anouen at þan orde.
85 He uerde hom into halle
Among þe kniȝtes alle.
'Kyng,' he sede, 'wel þu sitte,
And alle þine kniȝtes mitte.
To-day, after mi dubbing,
90 So I rod on mi pleing,
I fond a schup rowe,
Þo hit gan to flowe,
Al wiþ Sarazines kyn,
And none londisse men,
95 To-dai for to pine

8 Feire *MS.* 10 miste *MS.* 17-18 *Var.* (*Bodl. 1486*, Laud 108)] *not in MS. C* 24 Sume hi were luþere *MS.* 27/28 He sette him on a stede/ Red so eny glede *Var.* 51 brenye *Var.* 57 at grounde *Var.* 69 At þe furste dente *Var.* 79 ariue *Var.* 90 I] i *MS.*, *a.u.* 93 kenne *Var.*

Þe and alle þine.
Hi gonne me assaille.
Mi swerd me nolde faille;
I smot hem alle to grunde,
100 Oþer ȝaf hem diþes wunde.
Þat heued I þe bringe
Of þe maister-kinge.
Nu is þi wile iȝolde,
King, þat þu me kniȝti woldest.'

Farewell to Rymenhild.

105 A moreȝe þo þe day gan springe,
Þe king him rod an huntinge; [C 646]
At hom lefte Fikenhild,
Þat was þe wurste moder-child.
Horn ferde into bure
110 To sen auenture.
Heo saȝ Rymenild sitte,
Also he were of witte;
Heo sat on þe sunne
Wiþ tieres al birunne.
115 Horn sede: 'Lef, þin ore,
Wi wepestu so sore?'
Heo sede: 'Noȝt I ne wepe,
Bute ase I lay aslepe,
To þe se my net I caste;
120 And hit nolde noȝt ilaste.
A gret fiss at þe furste
Mi net he gan to berste.
Ihc wene þat ihc schal leose
Þe fiss þat ihc wolde cheose.'
125 'Crist and seint Steuene
Turne þine sweuene!
Ne schal I þe biswike,
Ne do þat þe mislike.
I schal me make þin owe
130 To holden and to knowe
For eurech oþere wiȝte,
And þarto mi treuþe I þe pliȝte.'—
Aylmar rod bi sture,
And Horn lai in bure.
135 Fykenhild hadde enuye,
And sede þes folye:
'Aylmar, ihc þe warne:
Horn þe wule berne!
Ihc herde whar he sede,
140 And his swerd forþ leide,
To bringe þe of lyue,
And take Rymenhild to wyue.
He liþ nou in bure
Vnder couerture
145 By Rymenhild þi doȝter,
And so he doþ wel ofte.
And þider þu go al riȝt,
Þer þu him finde miȝt.
Þu do him vt of londe,
150 Oþer he doþ þe schonde.'
Aylmar aȝen gan turne
Wel modi and wel murne.
He fond Horn in arme
On Rymenhilde barme.
155 'Awei, vt!' he sede, 'fule þeof,
Ne wurstu me neuremore leof!
Wend vt of my bure
Wiþ muchel messauenture!
Wel sone bute þu flitte,
160 Wiþ swerde ihc þe anhitte.
Wend vt of my londe,
Oþer þu schalt haue schonde!'
Horn sadelede his stede,
And his armes he gan sprede.
165 His brunie he gan lace,
So he scholde into place.
His swerd he gan fonge;
Nabod he noȝt to longe.
He ȝede forþ bliue
170 To Rymenhild his wyue.
He sede: 'Lemman derling,
Nu hauestu þi sweuening:
Þe fiss þat þi net rente,
Fram þe he me sente.
175 Rymenhild, haue wel godne day!
No leng abiden I ne may.
Into vncuþe londe,
Wel more for to fonde,
I schal wune þere
180 Fulle seue ȝere.
At seue ȝeres ende,
Ȝef I ne come ne sende,
Tak þe husebonde;
For me þu ne wonde.
185 In armes þu me fonge,
And kes me wel longe!'
He custe him wel a-stunde,
And Rymenhild feol to grunde.
Horn tok his leue;
190 Ne miȝte he no leng bileue. —
His stede he gan bistride,
And forþ he gan ride.
To þe hauene he ferde,
And a god schup he hurede,
195 Þat him scholde londe
In westene londe. —

100 deþes *Var.* 107 Wiþ him rod F. *Var.* 109 Horn ferde] heo f. ***MS***, And Horn wente *Var.* ***btw.*** 118/119 Me þuȝte on mi meting / Þat ihc rod on fissing *Var.* ***btw.*** 122/123 Þe fiss me so bicaȝte / Þat ihc noȝt ne laȝte *Var.* 125 Crist quaþ Horn and ***MS*** 143 nou *Var.*] ***not in MS*** 155-58 Awei ut quaþ Ailmar king / Horn þu fule fundling / Vt of bure flore / Fram Rymenhild þin hore *Var.* 176 For nou ich founde awey *Var.* 187 Hy custen hem *Var.* 201/2 Þat hym scholde wisse / Out of West[er]nisse *Var.*

191. HAVELOK

MS.: Bodl. 1486, Laud 108; **beg.** XIV ct. — ***edd.:*** F. Holthausen, Heidelberg 3. 1928: Skeat-Sisam, Oxford 2. 1915; French-Hale, MEMR., New-York 1930. — BR. 1114; We. I, 5; Ke. 4620-30; Ba. 148-149; RO. 354-355; Billings 15-24; Hibbard 103-114.

Introduction.

Incipit vita Hauelok quondam rex
Anglie et Denemarchie.

Herkneth to me, gode-men,
Wiues, maydnes and alle men,
Of a tale þat ich you wile telle,
Wo-so it wile here and þerto duelle!
5 Þe tale is of Hauelok imaked;
Wil he was litel, he yede ful naked.
Hauelok was a ful god gome;
He was ful god in eueri trome,
He was þe wicteste man at nede,
10 Þat þurte riden on ani stede.
Þat ye mowen nou yhere,
And þe tale ye mowen ylere.
At þe beginning of ure tale
Fil me a cuppe of ful god ale,
15 And y wile drinken, her y spelle.
Þat Crist us shilde alle fro helle!
Krist late us heuere so to do,
Þat we moten comen him to!
And with þat it mote ben so,
20 Benedicamus domino!
Here y schal biginnen a rym;
Krist us yeue wel god fyn!
Þe rym is maked of Hauelok,
A stalworþi man in a flok.
25 He was þe beste man at nede,
Þat may riden on ani stede. —

Havelok at Grimsby and at Lincoln.

Grim þoucte to late, þat he ran
Fro þat traytour, þat wicke man,
And þoucte: 'Wat shal me to rede?
30 Wite he him onliue, he wile us beþe
Heye hangen on galwe-tre. [695]
Betere us is, of londe to fle
And berwen boþen ure liues,
And mine children, and mine wiues.'
35 Grim solde sone al his corn,
Shep with wolle, neth with horn,
Hors and swin, and buck with berd,
Þe gees, þe hennes of þe yerd;
Al he solde þat ouht douhte,
40 Þat he eure selle moucte.
And al he to þe peni drou.
Hise ship he greyþede wel inow:
He dede it tere an ful wel pike,
Þat it ne doutede sond ne krike.
45 Þerinne he dide a ful god mast,
Stronge kables and ful fast,
Ores gode an ful god seyl;
Þerinne wantede nouht a nayl,
Þat euere he sholde þerinne do.
50 Hwan he hauedet greyþed so,
Hauelok þe yunge he dede þerinne,
Him and his wif, hise sones þrinne,
And hise two douhtres, þat faire wore;
And sone dede he leyn in an ore,
55 And drou him to þe heye se,
Þere he miht alþer-beste fle.
Fro londe woren he bote a mile,
Ne were it neuere but ane hwile,
Þat it ne gan a wind to rise
60 Out of þe north, men calleth bise,
And drof hem intil Engelond,
Þat al was siþen in his hond,
His, þat Hauelok was þe name.
But or he hauede michel shame,
65 Michel sorwe and michel tene,
And þeih he gat it al bidene,
Als ye shulen nou forthward lere,
Yf that ye wilen þerto here.
In Humber Grim bigan to lende,
70 In Lindeseye, riht at þe north-ende.
Þer sat is ship upon þe sond,
But Grim it drou up to þe lond.
And þere he made a litel cote
To him and ek to hise flote.
75 Bigan he, þere for to erde,
A litel hus to maken of erþe,
So þat he wel þore were
Of here herboru herborwed þere.
And for þat Grim þat place auhte,
80 Þe stede of Grim þe name lauhte,
So þat Grimesbi it calle,
Þat þeroffe speken, alle,
And so shulen men callen it ay
Bituene þis and domesday.
85 Grim was fishere swiþe god,
And mikel couþe on the flod.
Mani god fish þerinne he tok,
Boþe with neth and with hok.
He tok þe sturgiun and þe qual
90 And þe turbut and lax with-al,

---

1 Herknet 13 biginnig 15 y[1] *spl. Skeat* 19 wit, *a.u.* 28 þa wicke 29/30 roþe: boþe *Holthausen* 30 onliue *MS.*] liues *Skeat,* liue *Holth.* us] *not in MS.* 37 and buck] *not in MS.*, and geet *spl. Skeat* 39 outh douthe (*a. o.* -ht/ -th *MS.*) 45 he] *not in MS.* 53 doutres 54 sone dede leyn *Skeat*, sone he leyde *Holth.* 56 -best 58 it] *not in MS.* 59 bigan 66 þeih] þrie *MS.*, *em. Holth.* 67 forthwar here 74 ek *spl. Holth.* 75 erþe 81 it c.] calleth alle *MS.*

He tok þe sele and þe el,
He spedde ofte swiþe wel.
Keling he tok and tumberel,
Hering and þe makerel,
95 Þe butte, þe schulle, þe þornebake.
Gode paniers dede he make,
On til him, and oþer þrinne
Til hise sones, to beren fish inne,
Vp o londe to selle and change;
100 Forbar he neyþer tun ne grange,
Þat he ne to yede with his ware.
Kam he neuere hom hand-bare,
Þat he ne broucte bred and sowel
In his shirte or in his couel,
105 In his poke benes and korn:
Hise swink ne hauede he nowt forlorn.
And hwan he tok þe grete laumprei,
Ful wel he couþe þe rihte wei
To Lincolne, þe gode boru!
110 Ofte he yede it þoru and þoru,
Til he hauede al wel sold
And þerfore þe penies told.
Þanne he com þenne, he were bliþe;
For hom he brouhte fele siþe
115 Wastels, simenels with þe horn,
Hise pokes fulle of mele an korn,
Netes flesh, shepes and swines,
And hemp, to maken of gode lines
And stronge ropes to hise netes,
120 In þe se he ofte setes.
Þus-gate Grim him fayre ledde;
Him and his genge wel he fedde
Wel twelf winter oþer more.
Hauelok was war, þat Grim swank sore
125 For his mete, and he lay at hom;
Þouhte: 'Ich am nou no grom;
Ich am wel waxen and wel may eten
More þan euere Grim may geten.
Ich ete more, bi god on liue,
130 Þan Grim an hise children fiue.
It ne may nouht ben þus longe!
Goddot, y wile with hem gange,
For to leren sum god to gete.
Swinken ich wolde for mi mete.
135 It is no shame forto swinken!
Þe man þat may wel eten and drinken
Þat nouht ne haue but on swink long.
To liggen at hom it is ful strong.
God yelde him, þer I ne may,
140 Þat haueth me fed unto þis day!
Gladlike I wile þe paniers bere;
Ich woth, ne shal it me nouht dere,
Þey þer be inne a birþene gret,
Also heui als a neth.
145 Shal ich neuere lengere dwelle:
To-morwen shal ich forth pelle.'
On þe morwen, hwan it was day,
He stirt up sone, and nouht ne lay,
And cast a panier on his bac,
150 With fish giueled als a stac;
Also michel he bar him one
So he foure, bi mine mone.
Wel he it bar, and solde it wel.
Þe siluer he brouhte hom ilk del,
155 Al þat he þerfore tok;
Withheld he nouht a ferþinges nok.
So yede he forth ilke day,
Þat he neuere at home lay.
So wolde he his mester lere.
160 Bifel it so, swilk a strong dere
Bigan to rise of korn of bred,
Þat Grim ne couþe no god red,
Hw he sholde his meine fede.
Of Hauelok hauede he michel drede,
165 For he was strong and wel mouhte ete
More þanne heuere mouhte he gete.
Ne he ne mouhte on þe se take
Neyþer lenge ne þornbake
Ne non oþer fish þat douhte.
170 His meyne feden with he mouhte;
Of Hauelok he hauede kare,
Hwilkgat þat he michte fare;
Of his children was him nouht,
On Hauelok was al hise þouht,
175 And seyde: 'Hauelok, dere sone,
I wene, þat we deye mone
For hunger; þis dere is so strong,
And hure mete is uten long.
Betere is, þat þu henne gonge,
180 Þan þu here dwelle longe.
Heþen þow mayt gangen to late.
Þou canst ful wel þe richte gate
To Lincolne, þe gode borw;
Þou hauest it gon ful ofte þoru.
185 Of me ne is me nouht a slo.
Betere is, þat þu þider go;
For þer is mani god man inne.
Þer þou mayt þi mete winne.
But wo is me, þou art so naked.
190 Of mi seyl y wolde þe were maked
A cloth, þou mihtest inne gongen,

---

91 el] hwel *MS.* 99/100 fonge : gronge *MS.*, *em. Holth.* 100 neyþe 108 wel] we *MS.* 111 al] wol *eras.* 132 hem] þe *MS.* 137 þat *MS.*] þar *emm. Holth.*, *Skeat* 139 I] i *MS.*, *a.u.* 140 unto] to *MS.* 154 ilk] il *MS.* 160 swilk] *not in MS.*, a ful *Skeat*, *Holth.* 172 hwilgat

Sone, no cold þat þu ne fonge!'
He tok þe sheres of þe nayl,
And made him a couel of þe sayl,
195 And Hauelok dide it sone on.
Hauede he neyþer hosen ne shon
Ne none-kines oþer wede.
To Lincolne barfot he yede.
Hwan he kam þer, he was ful wil:
200 Ne hauede he no frend to gangen til.
Two dayes þer fastinde he yede,
Þat non for his werk wolde him fede.
Þe þridde day herde he calle:
'Bermen, bermen! Hider forth alle!'
205 Bermen for to hauen mede
Sprongen forth so sparke on glede.
Hauelok shof dune nyne or ten
Riht amideward þe fen,
And stirte forth unto þe kok.
210 Þer þe erles mete he tok
Þat he bouhte at þe brigge.
Þe bermen let he alle ligge,
And bar þe mete to þe castel,
And gat him þere a ferþing wastel.
215 Þet oþer day kepte he ok
Swiþe yerne þe erles kok,
Til þat he say him on þe brigge,
And bi him mani fishes ligge.
Þe herles mete hauede he bouht
220 Of Cornwaile, and kalde oft:
'Bermen, bermen! Hider swiþe!'
Hauelok it herde and was ful bliþe,
Þat he herde 'Bermen!' calle.
Alle he made hem dune falle
225 Þat in his gate yeden and stode,
Wel sixtene laddes gode,
Als he lep þe koke til;
He shof hem alle upon an hyl;
Astirte til him with his rippe,
230 And bigan þe fish to kippe.
He bar up wel a carte-lode
Of segges, laxes, of playces brode,
Of grete laumprees, and of eles.
Sparede he neyþer tos ne heles,
235 Til þat he to þe castel cam,
Þat men fro him his birþene nam.
Þan men haueden holpen him doun
With þe birþene of his croun,
Þe kok stod and on him low,
240 And þouhte him stalworþe man ynow,
And seyde: 'Wiltu ben with me?
Gladlike wile ich feden þe;
Wel is set þe mete þu etes,
And þe hire þat þu getes.'
245 'Goddot,' quoth he, 'leue sire,
Bidde ich you non oþer hire,
But yeueþ me inow to ete!
Fir and water y wile you fete,
Þe fir blowe an ful wele maken;
250 Stickes kan ich breken and kraken,
And kindlen ek ful wel a fyr,
And maken it to brennen shir;
Ful wel kan ich cleuen shides,
Eles to-turuen of here hides,
255 Ful wel kan ich dishes swilen,
And don al þat ye euere wilen.'
Quoth þe kok: 'Wile I no more.
Go þu yunder and sit þore,
And y shal yeue þe ful fair bred,
260 And make þe broys in þe led.
Sit now doun and et ful yerne;
Daþeit, hwo þe mete werne!'
Hauelok sette him dun anon
Also stille als a ston,
265 Til he hauede ful wel eten.
Þo hauede Hauelok fayre geten!
Hwan he hauede eten inow,
He kam to þe welle, water up-drow,
And filde þer a michel so.
270 Bad he non ageyn him go;
Bitwen his hondes he bar it in,
Al him one, to þe kichin.
Bad he non him water to fete,
Ne fro brigge to bere þe mete.
275 He bar þe turues, he bar þe star,
Þe wode fro the brigge he bar:
Al þat euere shulden he nytte,
Al he drow, and al he citte.
Wolde he neuere hauen rest
280 More þan he were a best.
Of alle men was he mest meke,
Lauhwinde ay and bliþe of speke;
Euere he was glad and bliþe,
His sorwe he couþe ful wel miþe.
285 It ne was non so litel knaue,
For to leyken ne forto plawe,
Þat he ne wolde with him pleye.
Þe children that yeden in þe weie
Of him he deden al her wille,
290 And with him leykeden here fille.
Him loueden alle, stille and bolde,
Knictes, children, yunge and holde;

193 shres 196 he] *not in MS.* 197 oþe 199 þer] þe *MS.* 205 *not in MS.*, Poure þat on fote yede *spl. Skeat, Holth.* (from Hav. 101) 207 dun 209 unto] to *MS.* 217 bigge 219 keft: eft *emm. Kern, Holth.* 220 cornwalle 224 made he dun 227 kok 240 þoute 245 he] Hauelok *em. Holth.* 251 ek *spl. Skeat* 269 þer] þe 271 But bitwen *MS.* 272 Al] A 274 bigge 287 wode 288 yden 289 her] he

Alle him loueden þat him sowen,
Boþen heye men and lowe.
295 Of him þe word ful wide sprong
Hw he was mikel, hw he was strong,
Hw fayr man god him hauede maked,
But on, þat he was almest naked;
For he ne hauede nouht to shride,
300 But a kouel ful unride,
Þat was ful and swiþe wicke;
Was it nouht worth a fir-sticke.
Þe cok bigan of him to rewe
And bouhte him cloþes, al spannewe.
305 He bouhte him boþe hosen and shon,
And sone dide him dones on.
Hwan he was cloþed, hosed, and shod,
Was non so fayr under god,
Þat euere yete in erþe were,
310 Non þat euere moder bere.
It was neuere man þat yemede
In kinneriche, þat so wel semede
King or cayser forto be,
Þan he was shrid, so semede he.
315 For þanne he weren alle samen
At Lincolne at þe gamen,
And þe erles men woren al þore,
Þan was he bi þe schuldren more
Þan þe meste þat þer kam.
320 In armes him no man ne nam
Þat he doune sone ne caste;
Hauelok stod ouer hem als a mast.—
Als he was strong, so was he softe:
Þey a man him misdede ofte,
325 Neuere more he him misseyde,
Ne hond on him with yuele leyde.
Of bodi was he mayden clene:
Neuere yete in game ne in grene
With hore ne wolde he leyke ne lye,
330 No more þan it were a strie.
In þat time al Hengelond
Þerl Godrich hauede in his hond,
And he gart komen into þe tun
Mani erl and mani barun;
335 And alle men þat liues were
In Englond, þanne were þere,
Þat þey haueden after sent,
To ben þer at þe parlement.
With hem com mani champioun,
340 Mani wiht ladde, blac and brown.
An fel it so, þat yunge men,
Wel abouten nine or ten,
Bigunnen þere for to layke.
Þider komen boþe stronge and wayke,
345 Þider komen lesse and more,
Þat in þe borw þanne weren þore;
Chaumpiouns and starke laddes,
Bondemen with here gaddes,
Als he comen fro þe plow;
350 Þere was sembling inow
For it ne was non horse-knaue
Þouh þei sholden in honde haue,
Þat he ne kam þider þe leyk to se.
Biforn here fet þanne lay a tre
355 And putten with a mikel ston,
Þe starke laddes, ful god won.
Þe ston was mikel and ek greth
And al so heui so a neth.
Grund-stalwrþe man he sholde be
360 Þat mouhte liften it to his kne.
Was þer neyþer clerc ne prest,
Þat mihte liften it to his brest.
Þerwith putten the chaumpiouns
Þat þider comen with þe barouns.
365 Hwo-so mihte putten þore
Biforn anoþer an inch or more,
Wore he yung or wore he hold,
He was for a kempe told.
Al so þei stoden and on-stadden,
370 Þe chaumpiouns and ek the ladden,
And he maden mikel strout
Abouten þe alþerbeste but.
Hauelok stod and lokede þertil,
And of puttinge he was ful wil;
375 For neuere yete ne saw he or
Putten the stone, or þanne þor.
Hise mayster bad him gon þerto,
Als he couþe þerwith do.
Þo hise mayster it him bad,
380 He was of him sore adrad.
Þerto he stirte sone anon,
And kipte up þat heui ston,
Þat he sholde putten wiþe:
He putte at þe firste siþe
385 Ouer alle þat þer wore,
Twel-fote and yete sumdel more.
Þe chaumpiouns þat þat put sowen,
Shuldreden ilc oþer and lowen,
Wolden he no more to putting gange,
390 But seyde: 'We dwellen her to longe.' —

295 ful wide þe word 296 mike 301 was *spl. Madden* 307 osed 318 he] Hauelok *MS.*, *em. Holth.* 320 noman nam 325 misdede 328 game] garner *em. Holth.*, garth *em. Cook* 329 hore] hire *MS.* he *spl. Skeat* 335 men *spl. Skeat* 336 wer 339 chambioun 343 þere] þe *MS.* 350 gret inow *spl. Holth.* 352 þouh] þo *MS.*, for al *em. Holth.* 367 or *spl. Madden* 369 Al so þe st. an ofte stareden *MS.*, and ofte (on) stadden *Sisam*, and ofstadden *Holth.* 383 puten 384 putte] ? *em.* put it 386 yete *not in MS.*, Twelf fote I wot and s. *Holth.* 387 þat *spl. Skeat* 389 gonge *Holth.*

192. Sir Tristrem

MS.: Edinburgh, Nat. Lb. 19. 2. 1, Auchinleck *MS.*; beg. XIV ct. — ***edd.***: E. Kölbing, Heilbronn 1882; G. P. MacNeill, STS. 8. — BR. 1382; We. I, 48; Ke. 4899-4901; Ba. 133-134; RO. 370-371.

Introduction; Thomas.

I was at Erceldoun, [1]
Wiþ Thomas spak y þare.
Þer herd y rede in roune
Who Tristrem gat and bare,
5 Who was king wiþ croun,
And who him forsterd ȝare,
And who was bold baroun,
As þair elders ware
Bi ȝere.
10 Tomas telles in toun
Þis auentours as þai ware.

Þis semly somers day,
In winter it is nouȝt sen;
Þis greues wexen al gray,
15 Þat in her time were grene.
So dos þis world, y say,
Ywis and nouȝt at wene,
Þe gode ben al oway
Þat our elders haue bene,
20 To abide.
Of a kniȝt is þat y mene,
His name it sprong wel wide. —

Þo Tomas asked ay [396]
Of Tristrem, trewe fere,
25 To wite þe riȝt way
Þe styes for to lere.
Of a prince proude in play
Listneþ, lordinges dere!
Who-so better can say,
30 His owhen he may here
As hende.
Of þing þat is him dere
Ich man preise at ende. —

Tristrem and Moraunt.

Þai seylden into þe wide [1013]
35 Wiþ her schippes tvo.
Moraunt bond his biside,
And Tristrem lete his go.
Moraunt seyd þat tide:
'Tristrem, whi dostow so?'
40 'Our on schal here abide,
No be þou neuer so þro,
Ywis.
Wheþer our to liue go,
He haþ anouȝ of þis.'

45 Þe yland was ful brade
Þat þai gun in fiȝt;
Þerof was Moraunt glade,
Of Tristrem he lete liȝt.
Swiche meting nas neuer non made
50 Wiþ worþli wepen wiȝt.
Aiþer to oþer rade,
And hewe on helmes briȝt
Wiþ hand.
God help Tristrem þe kniȝt!
55 He fauȝt for Ingland.

Moraunt wiþ his miȝt
Rode wiþ gret raundoun
Oȝain Tristrem þe kniȝt
And þouȝt to bere him doun.
60 Wiþ a launce vnliȝt
He smot him in þe lyoun,
And Tristrem, þat was wiȝt,
Bar him þurch þe dragoun
In þe scheld,
65 Þat Moraunt, bold and boun,
Smot him in þe feld.

Vp he stirt bidene
And lepe opon his stede;
He fauȝt, wiþouten wene,
70 So wolf þat wald wede.
Tristrem in þat tene
No spard him for no drede;
He ȝaf him a wounde ysene,
Þat his bodi gan blede.
75 Riȝt þo,
In Morauntes most nede,
His stede bak brak on to.

Vp he stirt in drede
And seyd: 'Tristrem, aliȝt;
80 For þou hast slayn mi stede.
A-fot þou schalt fiȝt.'
Quaþ Tristrem: 'So god me rede,
Þerto icham al liȝt.'
Togider þo þai ȝede
85 And hewen on helmes briȝt.
Saun-fayl,
Tristrem as a kniȝt
Fauȝt in þat batayle.

Moraunt of Yrland smot
90 Tristrem in þe scheld,
Þat half fel fram his hond
Þer adoun in þe feld.
Tristrem, ich vnderstond,
Anon þe strok him ȝeld

---

1 at Erceldoun *not MS. (dam.), but* erþeldoun *catchword at prev. page* 66 him] ? *em.* doun, feld] scheld *MS.*

95 Wiþ his gode brond;
Moraunt neiȝe he queld,
Þat kniȝt.
Marke þe batayl biheld
And wonderd of þat fiȝt.

100 Moraunt was vnfayn,
And fauȝt wiþ al his miȝt;
Þat Tristrem were yslayn,
He stird him as a kniȝt.
Tristrem smot wiþ main,
105 His swerd brak in þe fiȝt,
And in Morauntes brain
Bileued a pece briȝt
Wiþ care;
And in þe haunche riȝt
110 Tristrem was wounded sare.

A word þat pended to pride
Tristrem þo spac he:
'Folk of Yrland side,
ȝour mirour ȝe may se.
115 Mo þat hider wil ride,
Þus grayþed schul ȝe be.'
Wiþ sorwe þai drouȝ þat tide
Moraunt to þe se
And care.
120 Wiþ ioie Tristrem þe fre
To Mark, his em, gan fare. —

The Magic Potion.

No asked he lond no liþe,
Bot þat maiden briȝt; [1641]
He busked him al so swiþe.
125 Boþe squier and kniȝt.
Her moder about was bliþe
And tok a drink of miȝt,
Þat loue wald kiþe,
And tok it Brengwain þe briȝt
130 To þink:
'At er spouseing aniȝt
ȝif Mark and hir to drink.'

Ysonde briȝt of hewe
Is fer out in þe se.
135 A winde oȝain hem blewe,
Þat sail no miȝt þer be.
So rewe þe kniȝtes trewe,
Tristrem, so rewe he,
Euer as þai com newe,
140 He on oȝain hem þre,
Gret swink.
Swete Ysonde þe fre
Asked Bringwain a drink.

Þe coupe was richeli wrouȝt,
145 Of gold it was, þe pin;
In al þe warld nas nouȝt
Swiche drink, as þer was in.
Brengwain was wrong biþouȝt,
To þat drink sche gan win
150 And swete Ysonde it bitauȝt.
Sche bad Tristrem bigin,
To say.
Her loue miȝt no man tvin
Til her endingday.

155 An hounde þer was biside,
Þat was ycleped Hodain;
Þe coupe he licked þat tide,
Þo doun it sett Bringwain;
Þai loued al in lide
160 And þerof were þai fain;
Togider þai gun abide
In ioie and ek in pain
For þouȝt.
In iuel time, to sain,
165 Þe drink was ywrouȝt.

Tristrem in schip lay
Wiþ Ysonde ich niȝt;
Play miri he may
Wiþ þat worþli wiȝt
170 In boure niȝt and day.
Al bliþe was þe kniȝt,
He miȝt wiþ hir play;
Þat wist Brengwain þe briȝt
As þo.
175 Þai loued wiþ al her miȝt,
And Hodain dede also.

Tvai wikes in þe strand
No seyl þai no drewe;
Into Inglond
180 A winde to wille hem blewe.
Þe king on hunting þai fand;
A knaue þat he knewe,
He made him kniȝt wiþ hand
For his tidinges newe,
185 Gan bring.
Ysonde briȝt of hewe
Þer spoused Mark þe king. —

In the Forest.

Mark seiȝe hou it is, [2443]
What loue was hem bitvene;
190 Certes, þis þouȝt was his,
Ful wele awreken to ben:
He cleped Tristrem wiþ þis
And bitoke him þe quene,
And flemed hem boþe, ywis,
195 Out of his eiȝe sene
Away.
Bliþer, wiþouten wene,
Neuer ere nar þay.

A forest fled þai tille,
200 Tristrem and Ysonde þe schene.

No hadde þai no won to wille
Bot þe wode so grene.
Bi holtes and bi hille
Fore Tristrem and þe quene.
205 Ysonde of ioie haþ her fille
And Tristrem, wiþouten wene,
As þare.
So bliþe albidene
Nar þai neuer are.

210 Tristrem and þat may
Wer flemed for her dede;
Hodain, soþ to say,
And Peti-crowe wiþ hem ȝede.
In on erþe-hous þai lay,
215 Þo raches wiþ hem þai lede.
Tristrem hem tauȝt o day
Bestes to take at nede
An hast.
In þat forest fede
220 Tristrem Hodain gan chast.

Tristrem wiþ Hodain
A wilde best he slouȝ;
In on erþe-house þai layn,
Þer hadde þai ioie ynouȝ.
225 Etenes bi old dayn
Had wrouȝt it, wiþouten wouȝ.
Ich niȝt, soþ to sain,
Þertil þai boþe drouȝ
Wiþ miȝt.
230 Vnder wode-bouȝ
Þai knewen day and niȝt.

In winter it was hate,
In somer it was cold;
Þai hadden a dern gat,
235 Þat þai no man told.
No hadde þai no wines wat,
No ale þat was old,
No no gode mete þai at:
Þai hadden al þat þai wold
240 Wiþ wille.
For loue ich oþer bihalt,
Her non miȝt of oþer fille.

Tristrem on an hille stode,
As he biforn hadde mett;
245 He fond a wele ful gode,
Al white it was, þe grete;
Þerto Tristrem ȝode
And hende Ysonde þe swete.
Þat was al her fode,
250 And wilde flesche þai ete
And gras;
Swiche ioie hadde þai neuer ȝete
Twelmoneth þre woukes las.

Tristrem on a day
255 Tok Hodain wel erly;
A best he tok to pray
Bi a dern sty.
He diȝt it, wiþouten nay,
And hom it brouȝt an heiȝe.
260 A-slepe Ysonde lay,
Tristrem him layd hir bi,
Þe quen.
His swerd he drouȝ titly,
And laid it hem bitvene.

265 An hert Mark at ran
Opon þat ilke day.
His hunters after wan;
A paþ þo founden þai.
Tristrem seiȝen hye þan
270 And Ysonde, soþe to say.
Seiȝe þai neuer swiche man
No non so fair a may
Wiþ siȝt;
Bitven hem þer lay
275 A drawen swerd wel briȝt.

Þe huntes wenten riȝt
And teld Mark bidene.
Þe leuedi and þe kniȝt
Boþe Mark haþ sene;
280 He knewe hem wele bi siȝt,
Þe swerd lay hem bitvene;
A sonne-bem ful briȝt
Schon opon þe quen
At a bore
285 On her face so schene,
And Mark redwed þerfore.

His gloue he put þerinne
Þe sonne to were oway.
Wreþe Mark gan winne,
290 Þan seyd he: 'Wel-ay!
Ȝif þai weren in sinne,
Nouȝt so þai no lay.
Lo, hou þai liue atvinne!
Þai no hede nouȝt of swiche play,
295 Ywis.'
Þe kniȝtes seyden: 'Ay,
For trewe loue it is.'

Þo waked Tristrem þe trewe
And swete Ysonde þe schene.
300 Þe gloue oway þai drewe
And seyden hem bitvene;
For Markes þai it knewe,
Þai wist he had þer bene.
Þo was her ioie al newe,
305 Þat he hem hadde ysene
Wiþ siȝt.
Wiþ þat com kniȝtes kene
To feche þo to ful riȝt.—

193. GUY OF WARWICK

MS.: Edinburgh, Nat. Lb. 19. 2. 1, Auchinleck MS.; beg. XIV ct. — *ed.*: J. Zupitza, EETS. XLII/LIX. — BR. 3145; We. I, 6; Ke. 4614-15; Ba. 149; RO. 355-356; Billings 25-32; Hibbard 127-139.

Guy and Colbrand. (CCXLII —)

When it was ni3t to bedde þai 3ede.
Þe king for sorwe and for drede
Wiþ teres wett his lere.
4 Of al þat ni3t he slepe ri3t nou3t,
Bot euer Iesu he bisou3t,
Þat was him leue and dere,
He schuld him sende þurch his sond
8 A man to fi3t wiþ Colbrond,
3if it is wille were.
And Iesus Crist ful of mi3t
He sent him a noble kni3t,
12 As 3e may forward here.

Þer cam an angel fram heuen li3t,
And seyd to þe king ful ri3t
Þurch grace of godes sond,
16 He seyd: 'King Aþelston, slepestow?
Hider me sent þe king Iesu
To comfort þe to fond.
To-morwe go to þe norþ-3ate ful swiþe!
20 A pilgrim þou schalt se com biliue,
When þou hast a while stond.
Bid him for seynt charite,
Þat he take þe batayl for þe,
24 And he it wil nim on hond.'

Þan was þe king glad and bliþe.
A-morwe he ros vp ful swiþe,
And went to þe gate ful ri3t.
28 Tvay erls went wiþ him þo,
And tvay bischopes dede also.
Þe weder was fair and bri3t.
Opon þe day about prime
32 Þe king sei3e cum þe pilgrim.
Bi þe sclauayn he him pli3t.
'Pilgrim,' he seyd, 'y pray þe,
To court wende þou hom wiþ me,
36 And ostel þer al ni3t.'

'Be stille, sir,' seyd þe pilgrim,
'It is nou3t 3ete time to take min in,
Al so god me rede.'
40 Þe king him bisou3t þo,
And þe lordinges dede also;
To court wiþ hem he 3ede.
'Pilgrim,' quaþ þe king, 'par charite,
44 3if it be þi wil, vnderstond to me;
Y schal schewe þe al our nede:
Þe king of Danmark wiþ gret wrong
Þurch a geaunt, þat is so strong,
48 Wil strou al our þede.

And we han taken of him batayle,
On what maner, saun-fayle,
Y schal now tellen þe:
52 Þurch þe bodi of a kni3t,
O3ains þat geaunt to hold fi3t,
Schal þis lond aquite be.
And, pilgrim, for him þat dyed on rode
56 And þat for ous schadde his blod
To bigge ous alle fre,
Take þe batayle now on hond,
And saue ous þe ri3t of Inglond,
60 For seynt charite!'

'Do way, leue sir,' seyd Gij,
'Icham an old man, a feble-bodi;
Mi strengþe is fro me fare.'
64 Þe king fel on knes to grounde,
And crid him merci in þat stounde,
3if it his wille ware;
And þe barouns dede also,
68 O knes þai fellen alle þo
Wiþ sorwe and sikeing sare.
Sir Gij biheld þe lordinges alle,
And whiche sorwe hem was bifalle;
72 Sir Gij hadde of hem care.

Sir Gij tok vp þe king anon,
And bad þe lordinges euerichon,
Þat þai schuld vp stond,
76 And seyd: 'For god in trinite,
And for to make Inglond fre,
Þe batayle y nim on hond.'
Þan was þe king ful glad and bliþe,
80 And þonked Gij a þousend siþe
And Iesu Cristes sond.
To þe king of Danmark he sent þan,
And seyd he hadde founden a man
84 To fi3t for Inglond.

Þe Danismen busked hem 3are
Into batayle for to fare.
To fi3t þai war wel fawe.
88 And Gij was armed swiþe wel
In a gode hauberk of stiel,
Wrou3t of þe best lawe.
An helme he hadde of michel mi3t
92 With a cercle of gold, þat schon bri3t,
Wiþ precious stones on rawe.
In þe frunt stode a charbukel-ston,

49 whe   92 cecle

As bri3t as ani sonne it schon
96 Þat glemes vnder schawe. —

Colbrond þan wiþ michel hete
On Gyes helme he wald haue smite
Wiþ wel gret hert tene;
100 Ac he failed of his dint,
And þe swerd into þe erþe went
A fot and more, y wene,
And wiþ Colbrondes out-drau3t
104 Sir Gij wiþ ax a strok him rau3t,
A wounde þat was wele sene.
So smertliche he smot to Colbrond,
Þat his ri3t arme wiþ alle þe hond
108 He strok of quite and clene.

When Colbrond feld him so smite,
He was wel wroþ, 3e may wel wite;
He gan his swerd vp fond,
112 And in his left hond op it haf;
And Gij in þe nek a strok him 3af,
As he gan stoupe for þe brond,
Þat his heued fro þe bodi he smot,
116 And into þe erþe half a fot.
Þurch grace of godes sond
Ded he feld þe glotoun þare.
Þe Denis wiþ sorwe and care
120 Þai di3t hem out of lond.

Bliþe were þe Inglis men ichon!
Erls, barouns, and king Aþelston,
Þai toke sir Gij þat tide,
124 And ladde him to Winchester toun
Wiþ wel fair processioun
Ouer al bi ich a side.
For ioie belles þai gun ring;
128 'Te deum laudamus!' þai gun sing,
And play, and michel pride.
Sir Gij vnarmed him, and was ful bliþe,
His sclauain he axed also swiþe;
132 No lenger he nold abide. —

194. SIR ORFEO

MS.: Edinburgh, Nat. Lb. 19. 2. 1, Auchinleck-MS.; beg. XIV ct. — *edd.*: W. C. Hazlitt, Remains of the Early Popular Poetry in England, London 1864/66; O. Zielke, Breslau 1880. K. Sisam. XIVth Cent. Verse and Prose. Oxford 1921: A. J. Bliss, Oxford 1954. — BR. 3863; We. I, 89; Ke. 4894; Ba. 151-152: RO. 381; Hibbard 195-199.

Orpheus;
Hades and Winchester.

He mi3t se him bisides
Oft in hot vndertides
Þe king o fairy wiþ his rout
Com to hunt him al about,
5 Wiþ dim cri and bloweing,
And houndes also wiþ him berking.—
And on a day he sei3e him biside
Sexti leuedis on hors ride, [304]
Gentil and iolif as brid on ris;
10 Nou3t o man amonges hem þer nis.
And ich a faucoun on hond bere,
And riden on haukin bi o riuere.
Of game þai founde wel gode haunt,
Maulardes, hayroun, and cormeraunt.
15 Þe foules of þe water ariseþ,
Þe faucouns hem wele deuiseþ:
Ich faucoun his pray slou3.
Þat sei3e Orfeo, and lou3.
'Parfay,' quaþ he, 'þer is fair game,
20 Þider ichil, bi godes name!
Ich was ywon swiche werk to se.'
He aros, and þider gan te.
To a leuedi he was ycome,
Biheld, and haþ wele vndernome,
25 And seþ bi al þing þat it is
His owhen quen, dam Heurodis.
3ern he biheld hir, and sche him eke;
Ac noiþer to oþer a word no speke.
For messais þat sche on him sei3e,
30 Þat had ben so riche and so hei3e,
Þe teres fel out of her ei3e.
Þe oþer leuedis þis ysei3e,
And maked hir oway to ride;
Sche most wiþ him no lenger abide.
35 'Allas,' quaþ he, 'now me is wo!
Whi nil deþ now me slo?
Allas, wreche, þat y no mi3t
Dye now after þis si3t!
Allas, to long last mi liif,
40 When y no dar nou3t wiþ mi wiif,
No hye to me, o word speke.
Allas, whi nil min hert breke!
Parfay,' quaþ he, 'tide wat bitide,
Whider so þis leuedis ride,
45 Þe selue way ichil streche,
Of liif no deþ me no reche.'

His sclauain he dede on al so spac,
And henge his harp opon his bac,
And had wel gode wil to gon;

114 gan *not in MS.*, Ryght as he began to stoup than *Var.*
194. 37 wroche 47 al so] ? *em.* als ha, als he

50 He no spard noiþer stub no ston.
In at a roche þe leuedis rideþ,
And he after, and nouȝt abideþ.
When he was in þe roche ygo
Wele þre mile oþer mo,
55 He com into a fair cuntray,
As briȝt so sonne on somers day,
Smoþe and plain and al grene,
Hille no dale nas þer non ysene.
Amidde þe lond a castel he siȝe,
60 Riche and real, and wonder heiȝe.
Al þe vtmast wal
Was clere and schine as cristal.
An hundred tours þer were about,
Degiselich, and bataild stout.
65 Þe butras com out of þe diche,
Of rede gold y-arched riche.
Þe vousour was anowrned al
Of ich maner diuers animal.
Wiþin þer wer wide wones
70 Al of precious stones.
Þe werst piler on to biholde
Was al of burnist gold.
Al þat lond was euer liȝt;
For when it schuld be þerk and niȝt,
75 Þe riche stones liȝt gonne,
As briȝt as doþ at none þe sonne.
No man may telle no þenche in þouȝt
Þe riche werk þat þer was wrouȝt.
Bi al þing him þink þat it is
80 Þe proude court of paradis.
In þis castel þe leuedis aliȝt.
He wold in after, ȝif he miȝt.
Orfeo knokkeþ atte gate;
Þe porter was redi þerate,
85 And asked what he wold haue ydo.
'Parfay,' quaþ he, 'icham a minstrel, lo!
To solas þi lord wiþ mi gle,
ȝif his swete wille be.'
Þe porter vndede þe ȝate anon,
90 And lete him into þe castel gon.
Þan he gan bihold about al,
And seiȝe ful liggeand wiþin þe wal
Of folk þat were þider ybrouȝt,
And þouȝt dede, and nare nouȝt.
95 Sum stode wiþouten hade,
And sum non armes nade,
And sum þurch þe bodi hadde wounde,
And sum lay wode, ybounde,
And sum armed on hors sete,
100 And sum astrangled as þai ete,
And sum were in water adreynt,
And sum wiþ fire al forschreynt;
Wiues þer lay on childbedde,
Sum ded, and sum awedde;
105 And wonder fele þer lay bisides,
Riȝt as þai slepe her vndertides.
Eche was þus in þis warld ynome,
Wiþ fairi þider ycome.
Þer he seiȝe his owhen wiif,
110 Dame Heurodis, his lef liif,
Slepe vnder an ympe-tre;
Bi her cloþes he knewe þat it was he.
And when he hadde bihold þis meruails alle
He went into þe kinges halle.
115 Þan seiȝe he þer a semly siȝt:
A tabernacle blisseful and briȝt,
Þerin her maister king sete,
And her quen, fair and swete.
Her crounes, her cloþes schine so briȝt,
120 Þat vnneþe bihold he hem miȝt.
When he hadde biholden al þat þing,
He kneled adoun bifor þe king.
'O lord,' he seyd, 'ȝif it þi wille were,
Mi menstraci þou schust yhere.'
125 Þe king answerd: 'What man artow,
Þat art hider ycomen now?
Ich, no non þat is wiþ me,
No sent neuer after þe.
Seþþen þat ich here regni gan,
130 Y no fond neuer so folehardi man
Þat hider to ous durst wende,
Bot þat ichim wald ofsende.'
'Lord,' quaþ he, 'trowe ful wel,
Y nam bot a pouer menstrel.
135 And, sir, it is þe maner of ous
To seche mani a lordes hous,
Þei we nouȝt welcom no be,
ȝete we mot proferi forþ our gle.'
Bifor þe king he sat adoun,
140 And tok his harp so miri of soun,
And tempreþ his harp, as he wele can,
And blisseful notes he þer gan,
Þat al þat in þe palays were
Com to him for to here,
145 And liggeþ adoun to his fete;
Hem þenkeþ his melody so swete.
Þe king herkneþ and sitt ful stille,
To here his gle he haþ gode wille.
Gode bourde he hadde of his gle,
150 Þe riche quen also hadde he.
When he hadde stint his harping,
Þan seyd to him þe king:

67 bonsour *Zielke*, fronte, frontys *Varr.*, anowed *MS.*, amyd, amelyd *Varr.* 110 lef] liif *MS.*

'Menstrel, me likeþ wele þi gle.
Now aske of me what it be,
155 Largelich ichil þe pay.
Now speke, and tow mi3t asay!'
'Sir,' he seyd, 'ich biseche þe,
Þatow woldest 3iue me
Þat ich leuedi, bri3t on ble,
160 Þat slepeþ vnder þe ympe-tre!'
'Nay,' quaþ þe king, 'þat nou3t nere!
A sori couple of 3ou it were;
For þou art lene, rowe, and blac,
And sche is louesum, wiþouten lac.
165 A loþlich þing it were forþi
To sen hir in þi companyni.'
'O sir,' he seyd, 'gentil king,
3ete were it a wele fouler þing
To here a lesing of þi mouþe,
170 So, sir, as 3e seyd nouþe,
What ich wold aski, haue y schold,
And nedes þou most þi word hold.'
Þe king seyd: 'Seþþen it is so,
Take hir bi þe hond, and go;
175 Of hir ichil þatow be bliþe!'
He kneled adoun, and þonked him swiþe.
His wiif he tok bi þe hond,
And dede him swiþe out of þat lond,
And went him out of þat þede;
180 Ri3t as he come þe way he 3ede.
So long he haþ þe way ynome,
To Winchester he is ycome,
Þat was his owhen cite;
Ac no man knewe þat it was he.
185 No forþer þan þe tounes ende
For knoweleche he no durst wende,
Bot wiþ a begger ybilt ful narwe,
Þer he tok his herbarwe,
To him and to his owhen wiif,
190 As a minstrel of pouer liif,
And asked tidinges of þat lond,
And who þe kingdom held in hond.
Þe pouer begger in his cote
Told him euerich a grot:
195 Hou her quen was stole owy
Ten 3er gon wiþ fairy,
And hou her king enn exile 3ede,
Bot no man nist in wiche þede,
And hou þe steward þe lond gan hold,
200 And oþer mani þinges him told.
Amorwe, o3ain nonetide,
He maked his wiif þer abide.
Þe beggers cloþes he borwed anon,
And heng his harp his rigge opon,
205 And went him into þat cite,
Þat men mi3t him bihold and se.
Erls and barouns bold,
Buriays and leuedis him gun bihold.
'Lo,' þai seyd, 'swiche a man!
210 Hou long þe here hongeþ him opan!
Lo, hou his berd hongeþ to his kne!
He is yclongen also a tre!'
And as he 3ede in þe strete,
Wiþ his steward he gan mete;
215 And loude he sett on him a crie.
'Sir steward,' he seyd, 'merci!
Icham an harpour of heþenisse;
Help me now in þis destresse!'
Þe steward seyd: 'Com wiþ me, come;
220 Of þat ichaue þou schalt haue some.
Euerich gode harpour is welcom me to,
For mi lordes loue sir Orfeo.'
In þe castel þe steward sat atte mete,
And mani lording was bi him sete.
225 Þer were trompours and tabourers,
Harpours fele, and crouders.
Miche melody þai maked alle;
And Orfeo sat stille in þe halle,
And herkneþ. When þai ben al stille,
230 He toke his harp and tempred schille,
Þe blissefulest notes he harped þere
Þat euer ani man yherd wiþ ere. —
Þo al þo þat þerin sete
Þat it was king Orfeo vnder3ete;
235 And þe steward him wele knewe.
Ouer and ouer þe bord he þrewe,
And fel adoun to his fet.
So dede euerich lord þat þer sete,
And al þai seyd at o criing:
240 '3e beþ our lord, sir, and our king!'—
Now king Orfeo newe coround is,
And his quen dame Heurodis,
And liued long afterward. [595]
And seþþen was king þe steward.
245 Harpours in Bretaine after þan
Herd hou þis meruaile bigan,
And made herof a lay of gode likeing,
And nempned it after þe king;
Þat lay 'Orfeo' is yhote.
250 Gode is þe lay, swete is þe note.
Þus com sir Orfeo out of his care.
God graunt ous alle wele to fare.

---

182 Winchester] Traciens, Crassens *Varr.* (*cf. Auchinleck* 50/51 For Winchester was cleped þo/ Traciens wiþouten no, *not in Varr.*) 186 he *not in MS.* 187 ybilt] yn bilt *em. Sisam*
225 trompour 231 blifulest

95. RICHARD COER DE LYON

MS.: Cambridge, Caius College 175; 2nd half of the XIVth century. (7 MSS.) — ed.: K. Brunner, Wiener Beiträge XL 1913. — BR. 1979; We. I, 105; Ke. 4854; Ba. 150; RO. 366; Hibbard 147.

Prologue.

Lord Iesu, kyng off glorye,
Whyche grace and uyctorye [2]
Þou sente to kyng Rychard,
Þat neuer was founde coward!
5 It is ful good to here in ieste
Off his prowesse and hys conqueste.
Fele romaunses men maken newe,
Off goode kny3tes, stronge and trewe;
Off here dedys men rede romaunce
10 Boþe in Engeland and in Fraunce:
Off Rowelond, and off Olyuer,
And off euery Doseper,
Off Alisaundre, and Charlemayn,
Off kyng Arthour, and off Gawayn,
15 How þey were knyghtes goode and curteys;
Off Turpyn, and of Oger Daneys,
Off Troye men rede in ryme
What werre þer was in olde tyme,
Off Ector and off Achylles
20 What folk þey slowe in þat pres.
In Frenssche bookys þis rym is wrou3t;
Lewede men ne knowe it nou3t.
Lewede men cune ffrensch non;
Among an hundryd vnneþis on.
25 And neuerþeles wiþ glad chere
Fele of hem þat wolde here
Noble iestes, I vndyrstonde,
Off dou3ty kny3tes off Yngelonde.
Þerfore now I wole 3ow rede
30 Off a kyng dou3ty in dede:
Kyng Rychard, þe werryour beste
Þat men fynde in ony ieste.
Now alle þat here þis talkyng
God geue hem alle good endyng. —

Anti-French Nationalism.

35 Frenssche-men arn arwe and feynte,
And Sarezynys be war and queynte
And off here dedes engynous; [3851]
Þe Frenssche-men be couaytous.
Whenne þey sytte at þe tauerne
40 Þere þey be stoute and sterne
Bostful wurdes for to crake
And off here dedes 3elpyng to make.
Lytyl wurþ þey are and nyce prowde,
Fy3te þey cunne wiþ wurdes lowde,
45 And telle no man is here pere.
But whene þey comen to þe mystere
And see men begynne strokes dele,
Anon þey gynne to turne here hele,
And gynne to drawe in here hornes
50 As a snayl among þe þornes;
Slake a bore of their boost. —

A Siege.

Sere Fouke brou3te goode engynes,
Swylke knewe but fewe Sarezynes. [4324]
In euery half he leet hem arere
55 His enemyes a newe play to lere.
A mangenel he leet bende,
To þe prys-tour a ston gan sende.
Þat ston whanne it out fley3
Þe Sarezynes þat it sey3
60 "Allas," þey cryede, and hadden wondyr,
"It routes as it were a þondyr!"
On þe tour þe ston so hytte
Þat twenty feet awey it smytte.
To anoþer a ston he þrewe
65 For to make hem game newe.
Al þat on syde he smot away,
And slow3 dogges off fals fay.
Þey beet doun þe toures alle
In þe toun and on þe walle.
70 A prys-tour stood ouyr þe 3ate.
He bente hys engyne and þrew þerate
A gret ston þat harde droff,
Þat þe tour al toroff:
Þe barre, and þe hurdys,
75 Þe 3ate barst, and þe porte-colys.
Þerto he gaff anoþir strook
To breke þe bemes alle off ook,
And slow3 þe folk þat þerinne stood;
Þe oþere fledden and were ny3 wood.
80 And sayden it was þe deuelys dent.
"Allas, Mahoun! What has he ment,
Þis Ynglyssche dogge þat hy3te Fouke?
He is no man, he is a pouke,
Þat out off helle is istole.
85 An euyl deþ moot he þole,
For vs he beseges faste.
3yff he moo stones to vs caste
Al þis toun wole be doun bete,
Stondande hous wol he non lete."
90 Sere Fouke gan hym apparaylle
Wiþ his ffolk þe toun to assaylle.
Or he þe toun wiþ strengþe wan,
Þer was slayn many a man.
Þe toun-dykes on euery syde
95 Þey were depe and ful wyde,
Ful off grut, no man my3te swymme;
Þe wal stood faste vpon þe brymme
Bytwen hem my3te no man stande.
Þe archers al off þis lande
100 Schotte in wiþ arewes smale;
Þe toun-folk ne gaff no tale.
Þe Sarezynes wenten vpon þe walles
And schotte wiþ areweblast and sprynga
And wiþ quarelles þey gunne hem stony
105 Of oure folk þey slowen monye;
Enuenymyd here takyl was.
But whenne Fouke Doyly seys þat caas
Þat hys men scholde be slawe,
He bad hem to wiþdrawe,
110 "And brynges trees and many a bow3."
To don hys wylle folk come inow3.

16 Oeler C 27 iestes] 3yfftys C 29 Parfore C 43 nyce] mis C 51 their] þere C 87 he om. C

Crystenemen maden hem a targe
Off dores and off wyndowes large.
Some cauȝten a bord, and some an hach,
115 And brouȝten to tymbyr, and þach,
And grete schydes, and þe wode,
And slunge it into þe mode,
And þe þach aboue þeron,
Þat crystenemen myȝte on gon
120 To þe wal, and stonde sekyr,
And hand be hand to geue bekyr.
A sory beuerage þere was browen!
Quarellys and arewys þykke flowen.
Þe Ynglyssche slowe þat þey toke.
125 Durste no man ouer þe walles loke
Þat þe crystene hem ouyrþrew
And wylde fyr ouyr þe walles þey blewe,
Many an hous anon ryȝt
Bycome vpon a fayr lyȝt,
130 Many a lane and many a strete.
Þe Sarezynes þoo for hete
Drowȝ out godes, and faste gan flye.
"Allas!" and "Help!" loude gan þey crye.
Þe Ynglyssche-men herde þe cry;
135 Þey were stronge and wel hardy.
To wynne þe toun weel þey wende.
Þey wiþinne hem weel deffende;
Þouȝ it were soo þat on doun falle,
Anoþer styrte vpon þe walle
140 In þe stede þere he stood,
And weryd it weel wiþ herte good. —

A Battle.

Sere Fouke gan hys folk ordeyne
As þey scholde hem demeyne. [4480]
Formeste he sette hys arweblasteres,
145 And afftyr þat hys gode archeres,
And afftyr hys staff-slyngeres,
And oþere wiþ scheeldes and wiþ speres.
He deuysyd þe ferþe part
Wiþ swerd and ax, knyff and dart.
150 Þe men off armes com al þe last.
Quod Fouke: "Seres, beþ nouȝt agast,
Þouȝ þat þey ben moo þan wee."
Þey blyssyd hem, and fel on kne.
"Fadyr and sone and holy gost,"
155 Quod Fouke, "kepe þe crystene hoost!
Mary mylde, oure erande bede!
Þy chyld vs helpe at oure nede,
And kepe oure honour, we þe preye.
Prest we ben for þe to deye,
160 And for hys loue þat deyde on roode."
Þe Sarezynes wiþ egre mode
Here wepenes begunne for to grype.
Þey trumpyd anon, and gunne to pype.
To fyȝte þe crystene were ful swyfft;
165 Ylke a lord hys baner gan vp-lyfft
Off kynde armes off hys owen,
Þat his men scholde hym knowen,
And to folewe hym þat tyde
In þe bataylle where þey gan ryde.
170 Sere Archade took a gret launse,
And come prykande wiþ bobaunce.
To Fouke Doly he gan it bere,
And wiþ anoþir Fouke mette hym þere.
Ryȝt in pleyn cours in þe felde
175 He hytte hym vpon þe scheelde.
Ryȝt þorwȝout þe herte it karff;
Þe mysbeleuyd paynym starff. -
Togedere whenne þe hoostes mete,
Þe archers myȝten no more schete.
180 Men off armes þe swerdes out breyde,
Balles out off hoodes soone þei pleyde.
Swylke strokes þey hem geuen,
Þat helme and bacynet al toreuen,
Þat on þe schuldre fel þe brayn.
185 Þe crystene-men slowe hem wiþ mayn.
Þe foote-folk and sympyl knaues
In hande þey henten ful goode staues:
Þer was no Sarezyn in þat flok
But ȝiff þat he hadde had a knok
190 Wiþ a staff wel iset
On helm oþer on bacynet,
Þat he ne ȝede doun, saun fayle,
Off hys hors top ouer taylle.
Sone wiþinne a lytyl stounde
195 Þe moste party ȝede to grounde.
The lordes sayȝ hou þat þey spedde;
Anon hastyly þey fledde,
Into þe toun þey wolde agayn.
Sere Fouke and hys men þeroff were fayn
200 Þe paas to kepe and to lette,
On euery halff þey hem wiþsette,
Þat non of hem ne myȝte ascape.
Þe crystene on hem gan faste to frape.
Whenne þe foot-folk weren islawe
205 Grete lordynges doun þey drawe
Off stedes and rabytes trappyd;
Anon here hedes were of chappyd.
Þat Jhesu hem helpyd it was wel sene.
Þe Sarezynes þay slewe alle clene,
210 Stryppyd hem nakyd to þe serke.
But whene þey hadde maade al pleyn werk,
Sere Fouk þat noble man and wys
Wiþ trumpes he leet blowe þe prys.
No man wolde þo dogges berye.
215 Crystene-men resten and maden hem merye;
Off good wyn ylke man drank a drauȝt.
And whenne þat þey herte hadde cauȝte,
Colyd hem, and keuered her state,
Anon þey broke þe toun-ȝate.
220 Syre Fouk wiþ his men in-rode;
No Sarezyn þere hym abode.
Euery Sarezyn þat þey mette
Wiþ swyche wessayl þey hem grette
For þe loue off her Mahoun,
225 Þat by þe schuldre þey schooff þe croun.
Þe foote-men come behynde
And slowȝ alle þat þey myȝte fynde;
Man, wumman, al ȝede to swerde
Boþe in hous and eke in ȝerde.
230 Þe crystene-men þe fyr gan qwenche.
Þere was more good þan man myȝte þenche
Off syluyr and gold in þat cyte;
Þe crystene-men hadde gret plente. -

124 oftoke *C* 137 hem w. hem d. *C* 150 althir last *Par.* 178 meten *C* 180 breyden *C* 209 S. were islayn *C*

196. KYNG ALISAUNDER

MS.: Bodl. 1414, Laud 622; XIV /XV cent. (*Var. L*: London, Lincoln's Inn 150; XIV /XV cent.) — *edd.*: H. W. Weber, Metrical Romances, Edinburgh 1810; G. V. Smithers, EETS. 227, 237 — BR. 683; We. I, 65; Ba. 142-143; RO. 375-376.

Olympia.

Averylle is mery and langeþ þe daye:
Leuedyes dauncen and þai playe; [140]
Swaynes justneþ, kniȝttes tournay,
Syngeþ þe niȝttyngale, gradeþ þe jay;
5 Þe hote sunne clyngeþ þe clay,
As ȝee wel yseen may.
   In þis tyme, ich vnderstonde,
Philippe is in Neptenabus londe,
And haueþ ydon to þe sworde
10 Þem þat nolden myd hym acorde.
Olympyas, as I fynde on bokes,
Þe cite of Macedoyne lokes.
Kynges Philyppe quene she is;
Of lyuyng ladies she bereþ þe prijs.
15 Neptenabus in þe cite was.
Ac hereþ now a selcouþ cas:
In þis tyme faire and jolyf,
Olympyas, þat faire wijf,
Wolde make a riche fest
20 Of kniȝttes and lefdyes honest,
Of burgeys and of jugelers,
And of men of vche mesters.
ffor men seiþ, by north and south,
Wymmen beeþ euere selcouþ.
25 Mychel she desireþ to shewe hire body,
Her faire here, her face rody,
To haue loos and ek praisyng,
And al is folye, by heuen-kyng!
So dude þe dame Olympyas,
30 fforto shewe hire gentyl face.
She hete marshales and kniȝttes
Greiþe hem to ryde onon-riȝttes;
And leuedys and damoysele
Quyk hem greiþed, þousandes fele;
35 In faire atyre, in dyuers queyntise,
Many þere roode on riche wise.
A mule also whyte so mylk
Wiþ sadel of gold, sambu of sylk,
Was ybrouȝth to þe quene,
40 Myd many belle of syluer shene
Yfastned on orfreys of mounde,
Þat hengen neiȝ doune to grounde.
fforþ she ferde myd her route,
A þousande lefdyes of riche soute.
45 A speruer þat was honest
So sat on þe lefdyes fyst.
ffoure trumpes toforne hire blew.
Many man þat day hire knew;
An hundreþ þousand and ek moo,
50 Alle alouten hire vnto.
Al þe toun byhonged was
Aȝeins þe lefdy Olympyas.
Organes, chymbes, vche manere glee,
Was dryuen aȝein þat leuedy free.
55 Wiþouten þe tounes murey
Was arered vche manere pley:
Þere was kniȝttes tourneying,
Þere was maydens carolyng,
Þere was champouns shirmyng,
60 Of hem, of oþere also, wrestlyng,
Of lyons chace, of bere baityng,
A-bay of bore, of bole slatyng.
Al þe cite was byhonge
Wiþ riche samytes and pelles longe.
65 Dame Olympias amonge þis pres
Sengle rood, al mantel-les
And naked-heued, in one coroune
She rood þorouȝ-out al þe toun.
Here ȝelewe her was faire atired
70 Mid riche strenges of golde wyred,
And wriȝed here abouten al
To her gentile myddel smal.
Briȝth and shene was her face,
Euery fairehede in hir was.
75 Of þe folk lewed and lered
Ȝauen hire prijs of þe middlerd. —

Alexander in Italy.

At Venyse comeþ vp Alisaundre. [1439]
Pays men bleu and hyd sklaunder.
His lettres he sent, wiþouten assoyne,
80 Onon in-to Grace Boloyne,
In-to Paduie, in-to Moyoun,
And in-to Parme, þat riche toun,
In-to Pauye, in-to Cremun,
And to Plesaunce, of grete renoun,
85 In-to Nouarre, and in-to Dole,
In-to Verseus, a cite of scole,
And in-to Melane, þat þe maistrie
Bereþ ouere al Lumbardye.
Her conseil was sone ynome
90 To wenden to þat riche gome
And holden of hym al her londe.
Þe keyes hij token in his honde

---

9 swerde *MS.*   40 mony bellis *L*   53 Orgnes *MS.*, Orgles *L*   56 arered) reised *L*
70 wyred *MS.*] wyre *em. Smithers from L*   71 wriȝed] wryen *L*, helyd *MS.*, *em. Smithers*
83 Tremun *MS.*, Tremoun *L*   92 kaies þey toke him in h. *L*

Of her cites, of her honoure,
And maden hym her liege seignoure.
95 He had of hem al þat he wolde,
Steden, armes, siluer, and golde,
And many stronge werreyoure
Þat siþen hym dude grete honoure.
Þennes he sent in-to Tusk, in Tuskan,
100 And þennes hym com many a man,
And from Florence, and from Shene,
Many kniȝth wiþ armes clene.
ffrom Curtyne and from Rauenne
Hym com kniȝttes and mychel wynne.
105 ffrom Curtynan and from Asise
Hym com kniȝttes of grete prise.
ffrom Gobyn and from Orbenete,
ffrom Viterbe and from Arethe,
Hym com richesse and grete sonde,
110 And fele kniȝttes to his honde.
Atte last his lettres come
In-to þe cite of grete Rome. —

Florilegium.

Mery it is in June and hoot firmament.
Fair is þe karole of maydens gent,
115 Boþe in halle and ek in tente.
In justes and fiȝttes nys oþere rente
Bot bones knusshed and hard dent. —

Mery it is in sonnes risynge:
Þe rose openeþ and wile vpspringe,
120 Wayes faireþ, þe clayes clyngeþ,
Þe medes floureþ, þe foules syngeþ.
Damoysels makeþ mournyng,
Whan her leues shullen make partyng. —

Whan nutte brouneþ on heselrys,
125 Þe lefdy is of her lemman chys. —

Faire ben tales in compaignye;
Mery in chirche is melodye.
Yuel may þe slow hye,
And wers may blynde blynde siweye.
130 Who þat haþ trewe amye,
Joliflich may hym disgye;
Ich woot þe beȝt is Marye,
She vs shilde from vilenye! —

In tyme of heruest mery it is ynouȝ:
135 Peres and apples hongeþ on bouȝ,
Þe hayward bloweþ mery his horne,
In eueryche felde ripe is corne,
Þe grapes hongen on þe vyne.
Swete is trewe loue and fyne! —

140 Good it were to ben a kniȝth,
Nere tourneyment and dedly fiȝth!
Wiþ marchaundes to ben it were hende,
Neren þacountes at bordes ende!
Swete is loue of damoysele,
145 Ac it askeþ costes fele! —

Mery it is in halle to here þe harpe,
Þe mynstrales synge, þe jogelours carpe. —
Mery swiþe it is in halle,
Whan þat berdes waweþ alle! —

197. GAMELYN

MS.: BM., Harley 7334; XIV/XV century. — *edd.*: F. J. Furnivall, Chaucer Soc. 73; French-Hale, MEMR., New York 1930. — BR. 1913; We. I, 15; Ke. 4574-75; Ba. 151; RO. 359; Hibbard 156-163.

The King of Outlaws!

Tho was Gamelyn crouned kyng of outlawes, [695]
And walked a while vnder woode-schawes.
Þe fals knight, his broþer, was scherreue and sire,
And leet his broþer endite for hate and for ire.
5 Þo were his bondemen sory and noþing glade,
Whan Gamelyn, her lord, wolues-heed was cryed and made,
And sente out of his men, wher þey might him fynde,
For to seke Gamelyn vnder woode-lynde,
To telle hym tydynges how þe wynd was went,
10 And al his good reued, and his men schent.
When þey had him founde, on knees þey hem sette,

94 her liege] heore eorþliche *L* 96 Stedis *L* 101 Cene *L* 102 schene *L* 120/1 clyng: syng *L* 129 s.] gye *L* 131 Joliliche m. h. d. *L*] Joliflich he may hym in here afyȝe *corr. MS.* 136 merely *L* 137 rypyth the c. *L* 149 Whan þe burdes wawen a. *L*

And adoun wiþ here hood,   and here lord grette:
'Sire, wraþþe ȝou nought,   for þe goode roode,
For we haue brought ȝou tydynges,   but þey be nat goode.
15 Now is þy broþer scherreue,   and haþ þe baillye,
And he haþ endited þe,   and wolues-heed doþ þe crie.'
'Allas,' seyde Gamelyn,   'þat euer I was so slak,
Þat I ne hadde broke his nekke,   þo his rigge brak!
Goþ, greteþ hem wel,   myn housbondes and wyf;
20 I wol ben atte nexte schire,   haue god my lyf!'

Gamelyn came wel redy   to þe nexte schire,
And þer was his broþer   boþe lord and sire.
Gamelyn com boldelych   into þe moot-halle,
And put adoun his hood   among þe lordes alle.
25 'God saue ȝou alle, lordynges,   þat now here be,
But, brokebak scherreue,   euel mot þou þe!
Why hast þou do me   þat schame and vilonye,
For to late endite me,   and wolues-heed me crye?'
Þo þought þe fals knight   for to ben awreke,
30 And leet take Gamelyn;   most he no more speke.
Might þer be no more grace,   but Gamelyn atte last
Was cast into prisoun,   and fetered ful fast.

Gamelyn haþ a broþer,   þat highte sir Ote,
As good a knight and heende,   as mighte gon on foote.
35 Anon þer ȝede a messager   to þat goode knight,
And told him altogidere   how Gamelyn was dight.
Anon as sire Ote herde   how Gamelyn was adight,
He was wonder sory,   was he noþing light,
And leet sadle a steede,   and þe way he nam,
40 And to his tweyne breþeren   anon right he cam.
'Sire,' seyde sire Ote   to þe scherreue þo,
'We ben but thre breþeren,   schul we neuer be mo,
And þou hast yprisoned   þe best of vs alle!
Swich an oþer broþer,   yuel mot him bifalle!'
45 'Sire Ote,' seide þe fals knight,   'lat be þi curs;
By god, for þy wordes   he schal fare þe wurs!
To þe kynges prisoun   anon he is ynome,
And þer he schal abyde   til þe iustice come.'
'Par de,' seyde sir Ote,   'better it schal be:
50 I bidde him to maympris,   þat þou graunt him me
Til þe nexte sittyng   of delyueraunce,
And þanne lat Gamelyn   stande to his chaunce.'
'Broþer, in swich a forthward   I take him to the.
And by þi fader soule,   þat þe bygat and me,
55 But if he be redy   whan þe iustice sitte,
Þou schalt bere þe iuggement   for al þi grete witte!'
'I graunte wel,' seide sir Ote,   'þat it so be.
Let delyuer him anon,   and tak him to me!'

Tho was Gamelyn delyuered   to sire Ote his broþer,
60 And þat night dwellede   þat on wiþ þat oþer.
On þe morn seyde Gamelyn   to sir Ote þe heende:
'Broþer,' he seide, 'I moot,   forsothe, fro þe wende,
To loke how my ȝonge men   leden here lyf,
Whether þey lyuen in ioie   or elles in stryf.'
65 'By god,' seyde sire Ote,   'þat is a cold reed!

60 dwelleden

Now I see þat al þe cark schall fallen on myn heed;
For whan þe iustice sitte and þou be nought ifounde,
I schal anon be take and in þy stede ibounde.'
'Broþer,' sayde Gamelyn, 'dismaye þe nought;
70 For, by seint Iame in Gales þat many man haþ sought,
If þat god almighty hold my lyf and witt,
I wil be þer redy, whan þe iustice sitt.'
Þan seide sir Ote to Gamelyn: 'God schilde þe fro schame!
Com, whan þou seest tyme, and bring vs out of blame!'

75 Litheþ and lestneþ, and holdeþ ȝou stille,
And ȝe schul here how Gamelyn had al his wille!
Gamelyn went aȝein vnder woode-rys,
And fond þere pleying ȝonge men of prys.
Þo was ȝonge Gamelyn glad and bliþe ynough,
80 Whan he fond his mery men vnder woode-bough.
Gamelyn and his men talked in feere,
And þey hadde good game here maister to heere.
Þey tolden him of auentures þat þey hadde founde,
And Gamelyn hem tolde aȝein how he was fast ibounde.
85 Whil Gamelyn was outlawed, hade he no cors;
Þere was no man þat for him ferde þe wors,
But abbotes and priours, monk and chanoun;
Of hem left he noþing, whan he might hem nom.

Whil Gamelyn and his men made merþes ryue,
90 Þe fals knight, his broþer, yuel mot he þryue;
For he was fast about boþe day and oþer,
For to hyre þe quest to hangen his broþer.

Gamelyn stood on a day, and as he biheeld
Þe woodes and þe schawes in þe wilde feeld,
95 He þought on his broþer how he him beheet,
Þat he wolde be redy, whan þe iustice seet.
He þoughte wel, þat he wolde, wiþoute delay,
Come afore þe iustice to kepen his day,
And seide to his ȝonge men: 'Dighteþ ȝou ȝare;
100 For whan þe iustice sitt, we mote be þare.
For I am vnder borwe til þat I come,
And my broþer for me to prisoun schal be nome.'
'By seint Iame,' seyde his ȝonge men, 'and þou rede þerto,
Ordeyne how it schal be, and it schal be do!'

105 Whil Gamelyn was comyng þer þe iustice sat,
Þe fals knight, his broþer, forȝat he nat þat,
To huyre þe men on his quest to hangen his broþer;
Þough he hadde nought þat oon, he wolde haue þat oþer.
Þo cam Gamelyn fro vnder woode-rys,
110 And broughte wiþ him his ȝonge men of prys.
'I se wel,' seyde Gamelyn, 'þe iustice is sette.
Go aforn, Adam, and loke how it spette.'
Adam went into þe halle, and loked al aboute.
He seyh þere stonde lordes gret and stoute,
115 And sir Ote his broþer fetered wel fast.
Þo went Adam out of halle, as he were agast.
Adam said to Gamelyn and to his felawes alle:
'Sir Ote stant ifetered in þe moot-halle.'
'Ȝonge men,' seide Gamelyn, 'þis ȝe heeren alle:
120 Sir Ote stant ifetered in þe moot-halle!
If god ȝif vs grace wel for to doo,

He schal it abegge   þat broughte him þertoo.'
Þanne sayde Adam   þat lokkes hadde hore:
'Cristes curs moot he haue   þat him bond so sore!
125 And þou wilt, Gamelyn,   do after my red,
Þer is noon in þe halle   schal bere awey his heed.'
'Adam,' seyde Gamelyn,   'we wilne nought don so;
We wil slee þe giltyf,   and lat þe oþer go.
I wil into þe halle,   and wiþ þe iustice speke.
130 On hem þat ben gultyf   I wil ben awreke.
Lat non skape at þe dore,   take, ȝonge men, ȝeme;
For I wil be iustice þis day,   domes to deme.
God spede me þis day   at my newe werk!
Adam, com on wiþ me,   for þou schalt be my clerk.'
135 His men answereden him   and bad him doon his best:
'And if þou to vs haue neede,   þou schalt fynd vs prest.
We wiln stande wiþ þe,   whil þat we may dure,
And but we werke manly,   pay vs non hure!'
'Ȝonge men,' seyde Gamelyn,   'so mot I wel þe,
140 As trusty a maister   ȝe schal fynde of me!'
Right þere þe iustice   sat in þe halle,
In wente Gamelyn   amonges hem alle.

Gamelyn leet vnfetere   his broþer out of beende.
Þanne seyde sir Ote   his broþer, þat was heende;
145 'Þou haddest almost, Gamelyn,   dwelled to longe;
For þe quest is oute on me   þat I scholde honge.'
'Broþer,' seyde Gamelyn,   'so god ȝif me good rest,
Þis day þey schuln ben hanged   þat ben on þy quest,
And þe iustice boþe   þat is iugge-man,
150 And þe scherreue boþe   þurh him it bigan.'
Þan seyde Gamelyn   to þe iustise:
'Now is þy power ydon!   Þou most nedes arise.
Þow hast ȝeuen domes   þat ben yuel dight;
I wil sitten in þy sete,   and dressen hem aright.'
155 Þe iustice sat stille   and roos nought anoon.
And Gamelyn cleuede   his cheeke-boon.
Gamelyn took him in his arm,   and no more spak,
But þrew him ouer þe barre   and his arm to-brak.
Durste non to Gamelyn   seye but good,
160 Forfered of þe company   þat wiþoute stood.
Gamelyn sette him doun   in þe iustices sete,
And sire Ote his broþer by him,   and Adam at his feet. —

198. I MAY NOT SYNGE

MS.: BM., Sloane 2593; XV ct. — *edd.*: Th. Wright, Songs and Carols, 1836, & Warton Club IV, 1856; R. H. Robbins, Sec. Lyrics XIV-XV, Oxford 1952. — BR. 1417.

If I synge ȝe wyl me lakke,
And wenyn I wer out of myn wyt.
Þerfor smale notes wil I crake;
4 So wolde god I wer qwyt.

Syn me muste take þis mery toyn
To glade with al þis cumpany,
I rede or ony swych be don,
8 For godes loue, tey vp ȝour ky!

ffor-soþe, I may not synge, I say,
My voys and I arn at discord;
But we xul fonde to take a day
12 To takyn myn avys and myn acord.

---

122 him *not in MS.*

199. Sir Gawayn and the Grene Knyght

MS.: BM., Cotton Nero A. X; XIV/XV century. — *Facsimile:* EETS. 162 (I. Gollancz). — *edd.:* F. Madden, Bannatyne Club 1839; J. R. R. Tolkien - E. V. Gordon, Oxford 3. 1952; R. Morris, EETS. 4; I. Gollancz - M. Day - M. S. Serjeantson, EETS. 210. — BR. 3144; We. I, 31; Ke. 4577-91; Ba. 135-136; RO. 365-366; Billings 160.

Sir Gawain's Coming to the Castle.

Now ridez þis renk þurz þe ryalme of Logres, [691]
Sir Gauan, on godez halue, þaz hym no gomen þozt.
Oft leudlez alone he lengez on nyztez
Þer he fonde nozt hym byfore þe fare þat he lyked.
5 Hade he no fere bot his fole bi frythez and dounez,
Ne no gome bot god bi gate wyth to karp,
Til þat he nezed ful noghe into þe Norþe-Walez.
Alle þe iles of Anglesay on lyft half he haldez,
And farez ouer þe fordez by þe forlondez,
10 Ouer at þe Holy Hede, til he hade eft bonk
In þe wyldrenesse of Wyrale; wonde þer bot lyte
Þat auþer god oþer gome wyth goud hert louied.
And ay he frayned, as he ferde, at frekez þat he met,
If þay hade herde any karp of a knyzt grene,
15 In any grounde þeraboute, of þe grene chapel;
And al nykked hym wyth nay, þat neuer in her lyue
Þay seze neuer no segge þat watz of suche hwez
Of grene.
Þe knyzt tok gates straunge
20 In mony a bonk vnbene,
His cher ful oft con chaunge
Þat chapel er he myzt sene.

Mony klyf he ouerclambe in contrayez straunge,
Fer floten fro his frendez fremedly he rydez.
25 At vche warþe oþer water þer þe wyze passed
He fonde a foo hym byfore, bot ferly hit were,
And þat so foule and so felle þat fezt hym byhode.
So mony meruayl bi mount þer þe mon fyndez,
Hit were to tore for to telle of þe tenþe dole.
30 Sumwhyle wyth wormez he werrez, and with wolues als,
Sumwhyle wyth wodwos, þat woned in þe knarrez,
Boþe wyth bullez and berez, and borez oþerquyle,
And etaynez, þat hym anelede of þe heze felle;
Nade he ben duzty and dryze, and dryztyn had serued,
35 Douteles he hade ben ded and dreped ful ofte.
For werre wrathed hym not so much, þat wynter was wors,
When þe colde cler water fro þe cloudez schadde,
And fres er hit falle myzt to þe fale erþe;
Ner slayn wyth þe slete he sleped in his yrnes
40 Mo nyztez þen innoghe in naked rokkez,
Þer as claterande fro þe crest þe colde borne rennez,
And henged heze ouer his hede in hard iisse-ikkles.
Þus in peryl and payne and plytes ful harde
Bi contray cayrez þis knyzt, tyl Krystmasse euen,
45 Al one;
Þe knyzt wel þat tyde
To Mary made his mone,
Þat ho hym red to ryde
And wysse hym to sum wone.

---

7 noghe *MS.*] *em.* neghe *Tolkien-Gordon* (= *TG.*) 15 clapel 37 schadden 44 caryez

50 Bi a mounte on þe morne meryly he rydes
Into a forest ful dep, þat ferly watȝ wylde,
Hiȝe hilleȝ on vche a halue, and holtwodeȝ vnder
Of hore okeȝ ful hoge a hundreth togeder;
Þe hasel and þe haȝþorne were harled al samen,
55 With roȝe raged mosse rayled aywhere,
With mony bryddeȝ vnblyþe vpon bare twyges,
Þat pitosly þer piped for pyne of þe colde.
Þe gome vpon Gryngolet glydeȝ hem vnder,
Þurȝ mony misy and myre, mon al hym one,
60 Carande for his costes, lest he ne keuer schulde
To se þe seruyse of þat syre, þat on þat self nyȝt
Of a burde watȝ borne oure baret to quelle;
And þerfore sykyng he sayde: 'I beseche þe, lorde,
And Mary, þat is myldest moder so dere,
65 Of sum herber þer heȝly I myȝt here masse,
Ande þy matyneȝ to-morne, mekely I ask,
And þerto prestly I pray my pater and aue
And crede.'
He rode in his prayere,
And cryed for his mysdede,
He sayned hym in syþes sere,
And sayde 'Cros Kryst me spede!'

Nade he sayned hymself, segge, bot þrye,
Er he watȝ war in þe wod of a won in a mote,
75 Abof a launde, on a lawe, loken vnder boȝeȝ
Of mony borelych bole aboute bi þe diches:
A castel, þe comlokest þat euer knyȝt aȝte,
Pyched on a prayere, a park al aboute,
With a pyked palays pyned ful þik,
80 Þat vmbeteȝe mony tre mo þen two myle.
Þat holde on þat on syde þe haþel auysed,
As hit schemered and schon þurȝ þe schyre okeȝ;
Þenne hatȝ he hendly of his helme, and heȝly he þonkeȝ
Jesus and sayn Gilyan, þat gentyle ar boþe,
85 Þat cortaysly had hym kydde, and his cry herkened.
'Now bone hostel,' coþe þe burne, 'I beseche yow ȝette!'
Þenne gerdeȝ he to Gryngolet with þe gilt heleȝ,
And he ful chauncely hatȝ chosen to þe chef gate,
Þat broȝt bremly þe burne to þe bryge ende
90 In haste.
Þe bryge watȝ breme vpbrayde,
Þe ȝateȝ wer stoken faste,
Þe walleȝ were wel arayed,
Hit dut no wyndeȝ blaste.

95 Þe burne bode on bonk, þat on blonk houed,
Of þe depe double dich þat drof to þe place;
Þe walle wod in þe water wonderly depe,
Ande eft a ful huge heȝt hit haled vp on lofte
Of harde hewen ston vp to þe tableȝ,
100 Enbaned vnder þe abataylment, in þe best lawe;
And syþen garyteȝ ful gaye gered bitwene,
Wyth mony luflych loupe þat louked ful clene:
A better barbican þat burne blusched vpon neuer,

---

61 seruy 84 say 87 gedereȝ *MS.*, *em. TG.*

And innermore he behelde þat halle ful hyȝe,
105 Towres telded bytwene, trochet ful þik,
Fayre fylyoleȝ þat fyȝed, and ferlyly long,
With coruon coprounes craftyly sleȝe.
Chalkwhyt chymnees þer ches he innoȝe
Vpon bastel-roueȝ, þat blenked ful quyte;
110 So mony pynakle payntet watȝ poudred ayquere,
Among þe castel-carneleȝ, clambred so þik,
Þat pared out of papure purely hit semed.
Þe fre freke on þe fole hit fayr innoghe þoȝt,
If he myȝt keuer to com þe cloyster wythinne,
115 To herber in þat hostel whyl halyday lested,
Auinant.
He calde, and sone þer com
A porter pure plesaunt,
On þe wal his ernd he nome,
And haylsed þe knyȝt erraunt.

'Gode sir,' quoþ Gawan, 'woldeȝ þou go myn ernde
To þe heȝ lorde of þis hous, herber to craue?'
'Ȝe, Peter,' quoþ þe porter, 'and purely I trowoe
Þat ȝe be, wyȝe, welcum to won quyle yow lykeȝ.'
125 Þen ȝede þat wyȝe aȝayn swyþe,
And folke frely hym wyth, to fonge þe knyȝt.
Þay let doun þe grete draȝt and derely out ȝeden,
And kneled doun on her knes vpon þe colde erþe,
To welcum þis ilk wyȝ, as worþy hom þoȝt;
130 Þay ȝolden hym þe brode ȝate, ȝarked vp wyde,
And he hem raysed rekenly, and rod ouer þe brygge.
Sere seggeȝ hym sesed by sadel, quel he lyȝt,
And syþen stabeled his stede stif men innoȝe.
Knyȝteȝ and swyereȝ comen doun þenne,
135 For to bryng þis buurne wyth blys into halle;
Quen he hef vp his helme, þer hiȝed innoghe
For to hent hit at his honde, þe hende to seruen;
His bronde and his blasoun boþe þay token.
Þen haylsed he ful hendly þo haþeleȝ vchone,
140 And mony proud mon þer presed, þat prynce to honour.
Alle hasped in his heȝ wede to halle þay hym wonnen,
Þer fayre fyre vpon flet fersly brenned.
Þenne þe lorde of þe lede louteȝ fro his chambre
For to mete wyth menske þe mon on þe flor;
145 He sayde: 'Ȝe ar welcum to welde as yow lykeȝ:
Þat here is, al is yowre awen, to haue at yowre wylle
And welde.'
'Graunt mercy,' quoþ Gawayn,
'Þer Kryst hit yow forȝelde!'
150 As frekeȝ þat semed fayn
Ayþer oþer in armeȝ con felde.

Gawayn glyȝt on þe gome þat godly hym gret,
And þuȝt hit a bolde burne þat þe burȝ aȝte,
A hoge haþel for þe noneȝ, and of hyghe eldee;
155 Brode bryȝt watȝ his berde, and al beuer-hwed,
Sturne, stif on þe stryþþe on stalworth schonkeȝ,
Felle face as þe fyre, and fre of hys speche;

105 towre 113 innghe 123 trowee *em. TG.*

And wel hym semed, for-soþe, as þe segge þuȝt,
To lede a lortschyp in lee of leudeȝ ful gode.
160 Þe lorde hym charred to a chambre, and chefly cumaundeȝ
To delyuer hym a leude, hym loȝly to serue;
And þere were boun at his bode burneȝ innoȝe,
Þat broȝt hym to a bryȝt boure, þer beddyng watȝ noble,
Of cortynes of clene sylk, wyth cler golde hemmeȝ,
165 And couertoreȝ ful curious, with comlych paneȝ,
Of bryȝt blaunmer aboue enbrawded bisydeȝ,
Rudeleȝ rennande on ropeȝ, red golde ryngeȝ,
Tapiteȝ tyȝt to þe woȝe of tuly and tars,
And vnder fete, on þe flet, of folȝande sute.
170 Þer he watȝ dispoyled, wyth specheȝ of myerþe,
Þe burn of his bruny, and of his bryȝt wedeȝ.
Ryche robes ful rad renkkeȝ hym broȝten,
For to charge, and to chaunge, and chose of þe best.
Sone as he on hent, and happed þerinne,
175 Þat sete on hym semly, wyth saylande skyrteȝ,
Þe ver by his uisage verayly hit semed
Wel neȝ to vche haþel, alle on hwes,
Lowande and lufly alle his lymmeȝ vnder,
Þat a comloker knyȝt neuer Kryst made,
180 Hem þoȝt.
Wheþen in worlde he were,
Hit semed as he moȝt
Be prynce withouten pere
In felde þer felle men foȝt.

185 A cheyer byfore þe chemne, þer charcole brenned,
Watȝ grayþed for sir Gawan grayþely with cloþeȝ,
Whyssynes vpon queldepoyntes þat koynt wer boþe;
And þenne a mere mantyle watȝ on þat mon cast
Of a broun bleeaunt, enbrauded ful ryche,
190 And fayre furred wythinne with felleȝ of þe best,
Alle of ermyn inurnde, his hode of þe same;
And he sete in þat settel semlych ryche,
And achaufed hym chefly, and þenne his cher mended.
Sone watȝ telded vp a tabil on tresteȝ ful fayre,
195 Clad wyth a clene cloþe, þat cler quyt schewed,
Sanap, and salure, and syluerin sponeȝ.
Þe wyȝe wesche at his wylle, and went to his mete.
Seggeȝ hym serued semly innoȝe
Wyth sere sewes and sete, sesounde of þe best,
200 Double-felde, as hit falleȝ, and fele kyn fischeȝ,
Summe baken in bred, summe brad on þe gledeȝ,
Summe soþen, summe in sewe, sauered with spyces,
And ay sawes so sleȝe þat þe segge lyked.
Þe freke calde hit a fest ful frely and ofte
205 Ful hendely, quen alle þe haþeles rehayted hym at oneȝ
As hende:
'Þis penaunce now ȝe take,
And eft hit schal amende!'
Þat mon much merþe con make,
210 For wyn in his hed þat wende.

160 chefly] clesly *MS.*, *em. Madden* 172 hem 175 hyn 177 welneȝ, *a.u.* 182 myȝt 184 fyȝt 187 þat] þa *MS.* 191 inurnde] in erde *MS.*, *em. TG.* 193 cefly 194 tabil] tapit *MS.* 203 sleȝeȝ

Þenne watȝ spyed and spured vpon spare wyse
Bi preue poynteȝ of þat prynce, put to hymseluen,
Þat he beknew cortaysly of þe court þat he were,
Þat aþel Arthure þe hende haldeȝ hym one,
215 Þat is þe ryche ryal kyng of þe rounde table,
And hit watȝ Wawen hymself þat in þat won sytteȝ,
Comen to þat Krystmasse, as case hym þen lymped.
When þe lorde hade lerned þat he þe leude hade,
Loude laȝed he þerat, so lef hit hym þoȝt,
220 And alle þe men in þat mote maden much joye
To apere in his presence prestly þat tyme,
Þat alle prys and prowes and pured þewes
Apendes to hys persoun, and praysed is euer,
Byfore alle men vpon molde his mensk is þe most.
225 Vch segge ful softly sayde to his fere:
'Now schal we semlych se sleȝteȝ of þeweȝ
And þe teccheles termes of talkyng noble,
Wich spede is in speche vnspurd may we lerne,
Syn we haf fonged þat fyne fader of nurture.
230 God hatȝ geuen vus his grace godly, for-soþe,
Þat such a gest as Gawan grauntеȝ vus to haue,
When burneȝ blyþe of his burþe schal sitte
And synge.
In menyng of manereȝ mere
235 Þis burne now schal vus bryng.
I hope þat may hym here
Schal lerne of luf-talkyng.'

Fox-Hunting .

After messe a morsel he and his men token. [1690]
Miry watȝ þe mornyng, his mounture he askes.
240 Alle þe haþeles þat on horse schulde helden hym after
Were boun busked on hor blonkkeȝ bifore þe halle ȝateȝ.
Ferly fayre watȝ þe folde, for þe forst clenged.
In rede rudede vpon rak rises þe sunne,
And ful clere costeȝ þe clowdes of þe welkyn.
245 Hunteres vnhardeled bi a holt syde,
Rocheres roungen bi rys for rurde of her hornes.
Summe fel in þe fute þer þe fox bade,
Trayleȝ ofte a traueres bi traunt of her wyles.
A kenet kryes þerof, þe hunt on hym calles;
250 His felaȝes fallen hym to, þat fnasted ful þike,
Runnen forth in a rabel in his ryȝt fare,
And he fyskeȝ hem byfore. Þay founden hym sone,
And quen þay seghe hym with syȝt, þay sued hym fast,
Wreȝande hym ful weterly with a wroth noyse.
255 And he trantes and tornayeeȝ þurȝ mony tene greue,
Hauilouneȝ, and herkeneȝ bi heggeȝ ful ofte.
At þe last bi a littel dich he lepeȝ ouer a spenne,
Steleȝ out ful stilly bi a strothe rande,
Went haf wylt of þe wode with wyleȝ fro þe houndes.
260 Þenne watȝ he went, er he wyst, to a wale tryster,
Þer þre þro at a þrich þrat hym at ones,
Al graye.
He blenched aȝayn bilyue

---

238 nnorsel 241 bi forere 248 trayteres 260 to to

And stifly start on-stray,
265 With alle þe wo on lyue
To þe wod he went away.

Thenne watȝ hit lif vpon list to lyþen þe houndeȝ,
When alle þe mute hade hym met, menged togeder!
Suche a sorȝe at þat syȝt þay sette on his hede
270 As alle þe clamberande clyffes hade clatered on hepes.
Here he watȝ halawed, when haþeleȝ hym metten,
Loude he watȝ ȝayned with ȝarande speche;
Þer he watȝ þreted and ofte þef called,
And ay þe titleres at his tayl, þat tary he ne myȝt.
275 Ofte he watȝ runnen at, when he out rayked,
And ofte reled in aȝayn, so Reniarde watȝ wyle.
And ȝe, he lad hem bi lagmon, þe lorde and his meyny,
On þis maner bi þe mountes quyle myd-ouer-vnder,
Whyle þe hende knyȝt at home holsumly slepeȝ
280 Withinne þe comly cortynes, on þe colde morne. —

Gawain's Departure.

Now neȝeȝ þe nw ȝere, and þe nyȝt passeȝ, [1998]
Þe day dryueȝ to þe derk, as dryȝtyn biddeȝ.
Bot wylde wedereȝ of þe worlde wakned þeroute,
Clowdes kesten kenly þe colde to þe erþe,
285 Wyth nyȝe innoghe of þe norþe, þe naked to tene;
Þe snawe snitered ful snart, þat snayped þe wylde;
Þe werbelande wynde wapped fro þe hyȝe,
And drof vche dale ful of dryftes ful grete.
Þe leude lystened ful wel þat leȝ in his bedde,
290 Þaȝ he lowkeȝ his liddeȝ, ful lyttel he slepes;
Bi vch kok þat crue he knwe wel þe steuen.
Deliuerly he dressed vp, er þe day sprenged,
For þere watȝ lyȝt of a laumpe þat lemed in his chambre.
He called to his chamberlayn, þat cofly him swared,
295 And bede hym bryng hym his bruny and his blonk sadel.
Þat oþer ferkeȝ hym vp and feccheȝ hym his wedeȝ,
And grayþeȝ me sir Gawayn vpon a grett wyse.
Fyrst he clad hym in his cloþeȝ þe colde for to were,
And syþen his oþer harnays, þat holdely watȝ keped,
300 Boþe his paunce and his plateȝ, piked ful clene,
Þe ryngeȝ rokked of þe roust of his riche bruny.
And al watȝ fresch as vpon fyrst, and he watȝ fayn þenne
To þonk.
He hadde vpon vche pece,
305 Wypped ful wel and wlonk.
Þe gayest into Grece,
Þe burne bede bryng his blonk.

Whyle þe wlonkest wedes he warp on hymseluen,
His cote wyth þe conysaunce of þe clere werkeȝ
310 Ennurned vpon veluet, vertuus stoneȝ
Aboute beten and bounden, enbrauded semeȝ,
And fayre furred withinne wyth fayre pelures,
Ȝet laft he not þe lace, þe ladieȝ gifte,
Þat forgat not Gawayn for gode of hymseluen.
315 Bi he hade belted þe bronde vpon his balȝe hauncheȝ,

293 laupe

Þenn dressed he his drurye double hym aboute,
Swyþe sweþled vmbe his swange swetely þat knyȝt
Þe gordel of þe grene silke, þat gay wel bisemed,
Vpon þat ryol red cloþe þat ryche watȝ to schewe.
320 Bot wered not þis ilk wyȝe for wele þis gordel,
For pryde of þe pendaunteȝ, þaȝ polyst þay were,
And þaȝ þe glyterande golde glent vpon endeȝ,
Bot for to sauen hymself, when suffer hym byhoued,
To byde bale withoute dabate of bronde hym to were
325 Oþer knyffe.
Bi þat þe bolde mon boun
Wynneȝ þeroute bilyue,
Alle þe meyny of renoun
He þonkkeȝ ofte ful ryue.

330 Thenne watȝ Gryngolet grayþe, þat gret watȝ and huge,
And hade ben soiourned sauerly and in a siker wyse,
Hym lyst prik for poynt, þat proude hors þenne.
Þe wyȝe wynneȝ hym to and wyteȝ on his lyre,
And sayde soberly hymself and by his soth swereȝ:
335 'Here is a meyny in þis mote þat on menske þenkkeȝ,
Þe mon hem maynteines, ioy mot þay haue;
Þe leue lady on lyue, luf hir bityde;
Ȝif þay for charyte cherysen a gest,
And halden honour in her honde, þe haþel hem ȝelde
340 Þat haldeȝ þe heuen vpon hyȝe, and also yow alle!
And ȝif I myȝt lyf vpon londe lede any quyle,
I schuld rech yow sum rewarde redyly, if I myȝt.'
Þenn steppeȝ he into stirop and strydeȝ alofte.
His schalk schewed hym his schelde, on schulder he hit laȝt,
345 Gordeȝ to Gryngolet with his gilt heleȝ,
And he starteȝ on þe ston, stod he no lenger
To praunce.
His haþel on hors watȝ þenne,
Þat bere his spere and launce.
350 'Þis kastel to Kryst I kenne,
He gef hit ay god chaunce!'

The End of the Poem.

Wylde wayeȝ in þe worlde Wowen now rydeȝ [2479]
On Gryngolet, þat þe grace hade geten of his lyue.
Ofte he herbered in house and ofte al þeroute,
355 And mony aventure in vale, and venquyst ofte,
Þat I ne tyȝt at þis tyme in tale to remene.
Þe hurt watȝ hole þat he hade hent in his nek,
And þe blykkande belt he bere þeraboute
A-belef as a bauderyk bounden bi his syde,
360 Loken vnder his lyfte arme, þe lace with a knot,
In tokenyng he watȝ tane in tech of a faute.
And þus he commes to þe court, knyȝt al in sounde.
Þer wakned wele in þat wone when wyst þe grete
Þat gode Gawayn watȝ commen; gayn hit hym þoȝt.
365 Þe kyng kysseȝ þe knyȝt, and þe whene alce,
And syþen mony syker knyȝt þat soȝt hym to haylce,
Of his fare þat hym frayned. And ferlyly he telles,
Biknoweȝ alle þe costes of care þat he hade,
Þe chaunce of þe chapel, þe chere of þe knyȝt,

370 Þe luf of þe ladi, þe lace at þe last;
Þe nirt in þe nek he naked hem schewed
Þat he laȝt for his vnleute at þe leudes hondes
For blame.
He tened quen he schulde telle,
375 He groned for gref and grame;
Þe blod in his face con melle,
When he hit schulde schewe, for schame.

'Lo, lorde,' quoþ þe leude, and þe lace hondeled,
'Þis is þe bende of þis blame I bere in my nek!
380 Þis is þe laþe and þe losse þat I laȝt haue,
Of couardise and couetyse þat I haf caȝt þare;
Þis is þe token of vntrawþe þat I am tan inne,
And I mot nedeȝ hit were wyle I may last;
For non may hyden his harme, bot vnhap ne may hit,
385 For þer hit oneȝ is tachched twynne wil hit neuer!'
Þe kyng comforteȝ þe knyȝt, and alle þe court als
Laȝen loude þerat, and luflyly acorden
Þat lordes and ladis þat longed to þe table,
Vche burne of þe broþerhede a bauderyk schulde haue,
390 A bende a-belef hym aboute of a bryȝt grene,
And þat, for sake of þat segge, in swete to were.
For þat watȝ acorded þe renoun of þe rounde table,
And he honoured þat hit hade euermore after,
As hit is breued in þe best boke of romaunce,
395 Þus in Arthurus day þis aunter bitidde,
Þe Brutus bokeȝ þerof beres wyttenesse.
Syþen Brutus, þe bolde burne, boȝed hider fyrst,
After þe segge and þe asaute watȝ sesed at Troye,
Iwysse,
400 Mony auntereȝ here-biforne
Haf fallen suche er þis.
Now þat bere þe croun of þorne,
He bryng vus to his blysse! Amen.

HONY SOYT QUI MAL PENCE!

200. THE AWNTYRS OFF ARTHURE
AT THE TERNE WATHELYNE

MS.: *T* = Lincoln, Cath. Lb. 91, Thornton MS.; beg. XV ct. (*Var. D*: Bodl. 21898, Douce 324; XV ct. *Var. I*: Hale, Lancs., Ireland MS.; beg. XV ct.) — *edd.*: F. J. Amours, Scottish Alliterative Poems, STS. 27/38; Laing-Small-Hazlitt, Sel. Remains of the Ancient Popular Poetry of Scotland, 1822/1895; F. Madden, Syr Gawayne, Bannatyne Club 1839; (MS.I: J. Robson, Three Early English Metrical Romances, Camden Soc. 18). — BR. 1566; We. I, 36; Ba. 136; RO. 411.

The Apparition.

In þe tyme of Arthure ane awntir bytyde, [1]
By the terne Wathelyne, als the buke tellis,
Als he to Carelele was commene, that conquerour kyde,
With dukes and with ducheperes, þat with þat dere duellys,
5 For to hunnte at the herdys þat lange hase bene hyde.
And one a daye þay þam dighte to þe depe dellis,
To felle of the femmales in the foreste wele frythede,
Faire in the fermysone tyme, by frythis and fellis.

199. 379 in *spl. TG.*
200. 1 in kyng A. tyme *T* 8 fernysone *T*, firmyschamis *D*, fermesones *I*

Thus to þe wode are thay wente, the wlonkeste in wedys,
10 Bothe the kynge and the qwene,
And alle þe doghety bydene;
Syr Gawane, gayeste one grene,
Dame Gayenoure he ledis.

And thus sir Gawane þe gay dame Gayenour he ledis,
15 In a gleterande gyde, þat glemet full gaye,
With riche rebanes reuerssede, who þat righte redys,
Raylede with rubes one royalle arraye;
Hir hude was of hawe hewe, þat hir hede hedis,
Wroghte with peloure and palle, and perrye to paye.
20 Schruedede in a schorte cloke, þat the rayne schredis,
Sett ouer with safyrs, full sothely to saye.
With saffres and seladynes set by þe sides;
Hir sadille semyde of þat ilke,
Semlely sewede with sylke;
25 One a muyle als the milke
Gayely scho glydis. —

Thus with solauce þay semelede the prowdeste in palle, [66]
And sew to þe soueraygne in schaghes so schene.
Nane bot sir Gawane, the gayeste of alle,
30 Byleuys with dame Gaynour in þose greues grene.
By a lorrere scho lay, vndir a lefe-sale,
Of boxe and of barborane byggyde full bene.
Faste byfore vndrone this ferly gune falle,
And this mekille mervelle, þat I of mene.
35 Now wille I of þis mervelle men, ȝif I mote:
The daye woxe als dirke
Als it were mydnyghte myrke.
Therof sir Arther was irke,
And lyghte one his fote.

40 Thus one fote are þay faren, þose frekis vnfayne,
And fledde faste to the foreste, and to þe fawe felle.
Thay rane faste to the roches, for reddoure of þe rayne,
For þe slete and þe snawe, þat snayppede þame so snelle.
Thare come a lowe one the loughe, in lede es noghte to layne,
45 In the lyknes of Lucyfere, layetheste in helle,
And glyddis to dame Gaynoure the gatis full gayne,
Ȝollande ȝamyrly, with many lowde ȝelle.
It ȝellede, it ȝamerde, with wangis full wete,
And saide, ofte syghande full sare:
50 'I ban the body þat me bare,
Allas, now kyndyls my kare,
I gloppyne and I grete.'

Thane gloppenyde and grett dame Gaynoure the gaye,
And askede sir Gawayne whatt was his best rede.
55 'It es the clippes of the sone, I herde a clerke saye.'
And thus he comforthede þe qwene with his knyghtehede.
'Sir Cadore, sir Clegis, sir Constantine, sir Kaye,

18 hawe] haa *I*, herde *D* hede] hydys *T*, hedes *D*, hidus *I* 20 shredes *I*] schrydes *T*, shedes *D* 22 *D*] Safers and scledyms serclet on sydus *I*, And thus wondirfully was alle þe wyghtis wedys *T* 28 sch. s. sch. *D*] cleues so clene *T*, undur þe scha schene *I* 31 vnd.-sale *I*] þat lady so smalle *TD* 38 sir Gawane *T* 40 faren *D*] lyghte *T*, founde *I* 41 fellis *T* 48 ȝam.-wete] ȝamede w. vengeance f. w. *T*, ȝameres w. wymynges wete *D*, ȝamurt w. wlonkes f. w. *I* 50 I ame þe b. þat þe b. *T* 55 sone] mone *T* 57 Clegis] Caduke *T*, Const. *I*] Costarde *T*, Costardyne *D*

Thir knyghtis are vncurtayse, by crose and by crede,
That thus has lefte me allone at my dede daye,
60 With the gryselyeste gaste þat euer herde I grede.'
'At this gaste,' quod sir Gaweayne, 'greue ȝowe no more;
I salle speke with ȝone spyrete,
In ȝone wayes to wete
If I maye the bales bete
65 Of ȝone body bare.'

Bare was hir body, and blake to the bone,
All byclaggede in claye, vncomlyly cladde.
It weryit, it waimented lyke a womane,
Þat nowþer one hede, ne one hare, hillynge it hade.
70 It stottyde, it stounnede, it stode als a stane,
It marrede, it mournede, it moyssede for made.
Vnto þat grysely gaste sir Gaweayne es gane;
He raykede to it one a rase, for he was neuer rade;
For rade was he neuer, nowe who þat ryghte redis.
75 One þe chefe of þe cholle,
A pade pykit one hire polle,
Hir eghne ware holkede full holle,
Glowand als gledis.

All glowede als gledis the gaste whare scho glydis,
80 Vmbeclipped in a clowde, with clethynge vnclere,
Cerkelytt with serpentes, þat satt by hir sydes;
To telle þe tadis þer one my tonge were to tere.
The beryn brawndeche owte his brande, and the body bydis,
Therefore þat cheualrous knyghte changed no chere;
85 The hundes hyes to þe holtes, and þaire hedes hydes,
For þat grysely gaste made so gryme bere.
The grete greundes were agayste for that grym bere;
The birdis one the bowes,
Þat one that gaste gowes,
90 Þay skryke in þe skowes,
Þat haþeles may here.

Haþeles miȝt here, hendeste in haulle,
How hir cholle chatirede, hyr chaftis and hir chynne.
Than coniurede hir þat knyghte, and one Criste gune he calle:
95 'Alls Crist was crucyfyede one croyse to clanse vs fra syne,
Wys me, thou waret wyȝte, whedir þat þou salle,
And whi þat þou walkes thies wayes, thies woddes withinne!'
'I was of fegure and of flesche the fayereste of alle,
Cristenede and krysommede, with kynges in my kyne.
100 I hafe kynges in my kyne, kyde and knawene for kene.
God has sent me this grace,
To drye my paynes in this place;
I am commene in þis cace
To speke with ȝoure qwene.

---

59 thus-at] thus me has lefte in this erthe at *T*, þus oonly haue me laft one *D*, þus haue laft me allone at *I* 60 grede *D*] grete *TI* 63 to] so *T*, And of þe w. I shalle wete *D*, And of hit woe wille I wete *I* 67 cladde] clede *T* 68 waim.] wayemettede *T* 76 pade *D*] tade *T* 80 Vmb. *D*] Vmbyclede *T*, vmbyclosyt *I* 82 tadis] dedis *T* 83 braides oute *D* 84 changed *D*] thoghte it *T*, chonget *I* 85 hyes t. þ. h. *I*] are to hillys *T*, hiȝene to þe wode *D* 87 grewhundes *T* 88 bewes *T* 89 gowes] gewes *T*, glowes *D*, gous *I* 90/91 *D(I)*] Thay clyme in the clewes / That hedows whene þay here *T* 92 Haþ.-here *D*] Who þat myghte þat hedows see *T* 95 Crist] þou *TDI* (? Ihu. *of a previous MS.*), As þou was claryfiet on crosse and clanser of synne *I* 96 Wys-wyȝte *I*] Thou spirette saye me the sothe *T*, That þou sei me þe sothe *D* 100 kyne knawene kyde fulle kene *T*, k. knowene for k. *D*, kynne þat kyd were for k. *I* 103 *D*] And nowe am I c. one a pase *T*

105 Qwene was I whilome, wele bryghttere of browes
Than Beryke or Brangwayne, the byrdis so balde,
Of any gamnes or gudis, þat one the grownde growes,
Wele grettere þan Gaynour of garsomes of golde,
Of palais, of powndis, of parkes, of plewes,
110 Of townnes, of towris, of tresoures vntolde,
Of contres, of castelles, of cragges, of clewes!
And now am I cachede owte of kythe to cares so colde;
In care am I cachede, and cowchede in claye.
Loo, curtayse knyghte,
115 How delfulle dede hase me dyghte!
Nowe gyffe me anes a syghte
Of Gayenour the gaye.'

Nowe to Gayenour þe gaye sir Gaweayne es gane,
And to þat body hase he broghte that birde þene so bryghte.
120 'Welcome, Waynour,' scho says, 'þou worthye in wane!
Loo, how þat dulefulle dede hase thi dame dyghte!
I was reddere in rode þan rose in þe rane;
My lyre als the lely lauched so ly3te.
And nowe I am a grisely gaste, and grymly grane,
125 With Lucefere in a lake lawe ame I lyghte.
Thus lawe am I lyghte; takis witnes by mee:
For alle 3oure fresche fauoure,
Nowe moyse one this mirroure,
For bothe kynge and emperoure
130 Thus salle 3e bee!

Thus dede wille 3ow dyghte, thare 3ow not doute,
And there-one hertly takis hede, whils þat þou es here.
When þou es richely arrayede, and rydes in a rowte,
Hafe þane pete one þe pore, for þou arte of powere!
135 Beryns and byrdes are besye the abowte;
Whene thi body es bawmede, and broghte appone bere,
Thane wille þay leue the lyghtely, þat nowe wille the lowte.
And thane helpes the no thynge, bot halye prayere.
The prayere of þe pore may purchas þi pes,
140 Of that þou 3eues at þe 3ete,
Whan þou art set in þi sete,
With al mirthes at mete,
And dayntes on des.' —

With a grisly grete þe goost awey glides, [326]
145 And a sore gronyng with a grim bere.
The wynde and the wedyrs, þe welkene vnhides,
Thane vnclosede the clowddis, þe sone wex clere.
The kynge his bogille hase blowene, and on þe bent bydis,
His faire folke in firthes flokkes in fere.
150 All þat royalle rowte to þe qwene rydys,
And melis to hir mildely one þaire manere.
The wyes on swilke wondirs awondirde þay were.

---

109 palaies *D*, pales *T*, palas *I* 115 delfulle *DI*] **not in** *T* 122 rane] rayne *T*, rone *DI*, *em. Amours* 123 lauched so ly3te *I*] lufely to syghte *T*, louched one highte *D* 126 Thus-lyghte *I*] Thus am I lyke to Lucefere *T*, Take truly tent ti3te nowe by me *D* 127 fauoure *T*] foroure *D*, forur *I* 131 And thus *T*, thare-doute *D*] takis witnes by mee *T* 134 pete and mynd one *T* 139-143 *D*(*I*) 139 pore chasses the from helle *T* 140 Of þase þat 3ellis at thi 3ate *T*, 3ete] þete *D*, 3ate *I* 143 Some dayntes þou dele *T* 144-145 *D*] **not in** *T* 146 in hydis *T* 147 wex clere *I*] schane schene *T* (*D*)

The prynces prowdeste in palle,
Dame Gaynour and alle
155 Wente to Randolfes halle
To þaire sopere. –

Dame Gaynour garte wisely wryte into þe weste, [703]
To alle manere of relygeous, to rede and to synge.
Pristes with processyones to pray were prest,
160 With a mylione of messis to make þe mynnynge.
Boke-lered beryns and bisshops of the beste
Þorghe al Bretayne besely þe burde gared bidding.
And thus this ferlyes byfelle in Ingulwud-foreste,
Vndir an holte so hare, at an hunttynge.
165 Swylke hunttynge in holtis sulde noghte bene hyde.
Thus to þe forestes thay fure,
Steryne knyghttis and sture;
And in þe tyme of Arthure
This awntyr bytyd.

201. MORTE ARTHURE

MS.: Lincoln, Cath. Lb. 91, Thornton MS.; *1st* h. XV ct. — *edd.*: G. G. Perry - E. Brock, EETS. 8; M. M. Banks, New York 1900; E. Björkman, Heidelberg 1915. — BR. 2322; We. I, 21; Ke. 4761; Ba. 136-137; RO. 362-363; Billings 181-189.

A Battle.

Thane bowmen of Bretayne brothely there-aftyre [2095]
Bekerde with bregaunde3 on brede in tha launde3,
With flone3 fleterede þay flitt full frescly þer freke3,
Fichene with fetheris thurghe þe fyne mayle3.
5 Siche flyttynge es foule, þat so the flesche derys,
That flowe o ferrome in flawnkkes of stede3.
Dartes the Duchemen dalten a3aynes,
With derfe dyntte3 of dede dagges thurghe schelde3.
Qwarells qwayntly qwappe3 thorowe knyghte3
10 With iryn so wekyrly, that wynche they neuer.
So they scherenken fore schotte of þe scharppe arowes,
That all the scheltron schonte and schoderide at ones.
Thane riche stedes repende3 and rasches on armes.
The hale howndrethe on hye appon heyghe lygges,
15 Bott 3itte þe hathelieste on hy, haythen and oþer,
All hourscheso uer hede harmes to wyrke.
And all theis geaunte3 before, engenderide with fende3,
Ioyne3 on sir Ienitall and gentill knyghte3
With clubbe3 of clene stele clenkkede in helmes,
20 Craschede doun creste3 and craschede brayne3,
Kyllede coursers and couerde stedes,
Choppode thurghe cheualers on chalke-whytte stede3.
Was neuer stele ne stede, myghte stande them a3aynes,
Bot stonays and stryke3 doun, that in þe stale houys,

---

155 randolfe sett haulle *T* 157 *The last lines* (following the fighting between *Gawain* and *Galleroun*, 'the gretteste of Galowaye, of greves and of gyllis, / Of Carrake, of Cummake, of Conyngame, of Kile, / Of Lanrik, of Lannax, of Laudoune hillis' 418/20) 157 wis. *D*] besyly *T* 159-160 to pray - of *DI*] *not in T* 160 þe myn. *D*] hir menynge *T*, her modur mynnyng *I* 161 B.-lered mene bisshops þe b. *D*, B.-lornut byrnus b. þ. b. *I*, Dukes erles barouns and bechoppes of the b. *T* 162 þorghe - gared *D* bidding] rynge *D*, Thurghe alle Ynglande scho garte make menynge *T*, Throoute Bretan so bold these bellus con ring *I* 163 Ingulwud-foreste *I*] a foreste *T*, englond forest *D* 164 hare] bare *T*
***201.* 2** on brede] of ferre *MS.*, *em. Mennicken* (cf. 64) 9 qwappe3] swappe3 *MS.*, (*emm. Björkman*) 21 cousers

25 Till þe conquerour come with his kene knyghtteȝ.
With crewell contenaunce he cryede full lowde:
'I wende no Bretonns walde be basschede for so lyttill
And fore barelegyde boyes, þat on the bente houys!'
He clekys owtte Collbrande, full clenlyche burneschte,
30 Graythes hym to Golapas, þat greuyde moste,
Kuttes hym euen by þe knees clenly in sondyre.
'Come down,' quod the kynge, 'and karpe to thy ferys!
Thowe arte to hye by þe halfe, I hete þe in trouthe.
Thow sall be handsomere in hye, with þe helpe of my lorde!'
35 With þat stelen brande he strake ofe his hede.
Sterynly in þat stoure he strykes anoþer.
Thus he setteȝ on seuen with his sekyre knyghtteȝ.
Whyiles sexty ware seruede soo, ne sessede they neuer.
And thus at the joynynge the geaunteȝ are distroyede
40 And at þat journey forjustede with gentill lordeȝ.

Than the Romaynes and the rennkkeȝ of þe rounde table
Rewles them in arraye, rerewarde ande oþer,
With wyghte wapyneȝ of werre thay wroghten on helmes,
Ritteȝ with raunke stele full ryalle mayleȝ.
45 Bot they fitt them fayre, thes frekk byerneȝ,
Fewters in freely one feraunte stedes,
Foynes ful felly with flyschande speris,
Freten of orfrayes feste appon scheldeȝ.
So fele fay es in fyghte appon þe felde leuyde,
50 That iche a furthe in the firthe of rede blode rynnys.
By that swyftely one swarthe þe swett es byleuede,
Swerdeȝ swangen in two, sweltand knyghteȝ
Lyes wyde-opyn welterande on walopande stedeȝ;
Wondes of wale men, werkande sydys,
55 Faceȝ feteled vnfaire in filterede lakes,
All traysed fortrodyn with trappede stedeȝ,
The faireste on folde, that fygurede was euer,
Alls ferre alls a furlange fele thosandes at ones. —

Thare myghte men see chiftaynes on chalke-whitte stedeȝ
60 Choppe doun in the chaas cheualrye noble. [2268]
Romaynes þe rycheste and ryall kynges
Braste with ranke stele theire rybbys in sondyre,
Braynes forebrusten thurghe burneste helmes,
With brandeȝ forbrittenede one brede in þe laundeȝ.
65 They hewede doun haythen men with hiltide swerdeȝ
Be hole hundretheȝ on hye by þe holte-eyuyes.
Thare myghte no siluer thaym saue ne socoure theire lyues,
Sowdane, ne Saraȝene, ne senatour of Rome.
Thane releuis þe renkes of the rounde table
70 Be þe riche reuare, that rynnys so faire.
Lugegeȝ thaym luflye by þa lyghte strandeȝ,
All on lawe in þe lawnde, thas lordlyche byernes.
Thay kaire to þe karyage and kaghte whate them likes:
Kamells and cokadrisses and cofirs ful riche,
75 Hekes and hakkenays and horses of armes,
Howsynge and herbergage of heythen kyngeȝ.
They drewe owt dromondaries of dyuerse lordes,

---

30 him moste *em. Menn.* 35 heued *em. Luick* 39 joynenyge 56 craysed 58 fele thosandes] a thosand *MS.*, wel a fyve thosande *emm. Menn., Björkman* 73 kaghte] tuke *MS.* 74 sekadrisses 77 drom. of] of drom. *MS.*

Moylleȝ mylke-whitte and meruayllous besteȝ,
Olfendes and arrabys and olyfaunteȝ noble,
80 Þer are of þe oryent, with honourable kynges.
Bot sir Arthure onone ayeres þeraftyre
Ewyn to þe emperour with honourable kyngis;
Laughte hym vpe full louelyly with lordlyche knyghtteȝ
And ledde hym to þe layere, thare the kyng lygges.
85 Thane harawdeȝ heghely at heste of the lordes
Hunttes vpe the haythemen, that on heghte lygges,
The Sowdane of Surry and certayne kynges,
Sexty of þe cheefe senatours of Rome.
Thane they bussches and bawmede þaire burliche kyngis,
90 Sewed them in sendell sextifaulde aftire,
Lappede them in lede, lesse that they schulde
Chawnge or chawffe, ȝif þay myghte escheffe,
Closed them in kystys clene to carrye vnto Rome,
With theire baners abowne, theire bagis there-vndyre,
95 In whate countre þay kaire, that knyghttes myghte knawe
Iche kynge be his colours, in kyth whare he lengede.
Onone on þe secounde daye sone by þe morne
Twa senatours ther come and certayne knyghtteȝ
Hodles fro þe hethe ouer þe holte-eyues,
100 Barefote ouer þe bente with brondes so ryche,
Bowes to þe bolde kynge and biddis hym þe hiltes,
Whethire he will hang theym or hedde or halde theym on lyfe.
Knelyde before þe conquerour in kyrtills allone,
With carefull contenaunce þay karpide þese wordes:
105 'Twa senatours we are, thi subgetteȝ of Rome,
That has sauede oure lyfe by þeise salte strandys,
Hyd vs in þe heghe wode thurghe þe helpynge of Criste.
Besekes the of socoure, as soueraygne and lorde;
Grante vs lyffe and lym with leberall herte
110 For his luffe, that the lente this lordchipe in erthe!'
'I graunte,' quod the gude kynge, 'thurghe grace of my selfen,
I giffe ȝowe lyffe and lyme and leue for to passe,
So ȝee doo my message menskefully at Rome,
That ilke charge, þat I ȝow ȝiffe here before my cheeffe knyghtteȝ.'
115 'Ȝis,' sais the senatours, 'that sall we ensure,
Sekerly be oure trowthes thi sayenges to fullfille.
We sall lett for no lede, þat lyffes in erthe,
For pape, ne for potestate, ne prynce so noble,
That we ne sall lelely in lande thi letteres pronounce,
120 For duke ne fore dussepere, to dye in þe payne!'
Thane the banerretteȝ of Bretayne broghte þem to tentes.
There barbours ware bownn with basyns on lofte,
With warme watire iwys they wette them full sone;
They schouen thes schalkes schappely there-aftyre,
125 To rekken theis Romaynes recreaunt and ȝolden.
Forthy schoue they them to skewe for skomfite of Rome.
They coupylde þe kystys on kameles belyue,
On asses and arrabyes, theis honourable kynges.
The emperoure for honoure all by hym one
130 Euen appon an olyfaunte, hys egle owtt ouere.

---

79 Olfendes] Elfaydes *MS., em. Holthausen* 89 burl.] honourliche *MS.* 93 clene them to *em. Menn.* 96 he *not in MS.* 108 louerde *em. Luick* 111 the *not in MS.* 116 trowhes fullfill 119 we *not in MS.* 123 wartire 126 skewe] schewe *MS.*

Bekende them the captyfis, the kynge dide hym selfen,
And all byfore his kene men karpede thees wordes:
'Here are the kystis,' quod the kynge, 'kaire ouer þe mowntteȝ,
Mette full of monee, þat ȝe haue mekyll ȝernede,
135 The taxe and þe trebutte of tene schore wynteres,
That was tenefully tynte in tym of oure elders!
Saye to þe senatoure, þe cete þat ȝemes,
That I sende hym þe somme; assaye how hym likes!
Bott byde them neuere be so bolde, whylls my blode regnes,
140 Efte for to brawlle þem for my brode landeȝ,
Ne to aske trybut ne taxe be nakyn tytle,
Bot syche tresoure as this, whilles my tym lasteȝ!' —

The Sea-Fight.

Than the roye and þe renkes of the rownde table [3612]
All ryally in rede arrayes his chippis.
145 That daye ducheryes he delte and doubbyde knyghttes,
Dresses dromowndes and dragges and drawen vpe stonys.
The toppe-castells he stuffede with toyelys, as hym lykyde,
Bendys bowes of vys brothly þare-aftyre;
Tolowris tentyly takell they ryghtten,
150 Brasen hedys full brode buskede one flones,
Graythes for garnysons, gomes arrayes,
Gryme gaddes of stele, ghywes of iryn,
Stiȝttelys steryn one steryne with styffe men of armes.
Mony lufliche launce appon lofte stonndys,
155 Ledys one leburde, lordys and oþer,
Pyghte payvese one porte, payntede scheldes,
One hyndire hurdace one highte helmede knyghteȝ.
Thus they scheften fore schotys one thas schire strandys,
Ilke schalke in his schrowde, full scheen ware þeire wedys.
160 The bolde kynge es in a barge and abowtte rowes,
All bare-heuvede for besye with beueryn lokkes,
And a beryn with his bronde and ane helme betyn
Mengede with a mawntelet of maylis of siluer,
Compaste with a coronall and coueirde full riche,
165 Kayris to yche a cogge, to comfurthe his knyghttes.
To Clegys and to Cleremownde he cryes one lowde.
'O Gawayne, o Galyran, thies gud mens bodyes!'
To Loth and to Lyonell full louefully he melys
And to sir Lawncelot de Lake lordliche wordys:
170 'Lat vs couere þe kythe, the coste es owre owenn,
And gere them brotheliche blenke, all ȝone blod-hondes,
Bryttyn them within bourde and brynne them þare-aftyre,
Hewe down hertly ȝone heythen tykes!
Thay are harlotes halfe, I hette ȝow myn hounde!'
175 Than he coueres his cogge and caches one ankere,
Kaughte his comliche helme with þe clere maylis;
Buskes baners one brode, betyn of gowles,
With corowns of clere golde, clenliche arraiede.
Bot þare was chosen in þe chefe a chalke-whitte mayden
180 And a childe in hir arme, þat chefe es of hevyne:
Withowtten changynge in chace thies ware þe cheefe armes
Of Arthure þe auenaunt, qwhylls he in erthe lengede.

---

134 of *not in MS.* 153 stirttelys 164 couererde 167 *? em.* To G. to 168 louefly
181 chace] *?em.* chance

Thane the marynerse mellys and maysters of chippis,
Merily iche a mate menys till oþer.
185 Of theire termys they talke how þay ware tydde,
Towyn trvssel one trete, trvssen vpe sailes,
Bet bonetteȝ one brede, bettrede hatches,
Brawndeste brown stele, braggede in trompes,
Standis styffe one the stamyn, steris one aftyre,
190 Strekyn ouer þe streme, thare stryvynge begynnes,
Fro þe wagande wynde owte of þe weste rysses,
Brethly bessomes with byrre in beryns sailles.
With hir bryngges one burde burliche cogges,
Qwhylls þe bilyge and þe beme brestys in sondyre.
195 So stowttly þe forsterne one þe stam hyttis,
Þat stokkes of þe stere-burde strykkys in peces.
Be than cogge appon cogge, krayers and oþer,
Castys crepers one crosse, als to þe crafte langes.
Thane was hede-rapys hewen, þat helde vpe þe mastes.
200 Thare was conteke full kene and crachynge of chippys,
Grett cogges of kampe crassches in sondyre,
Mony kaban was clevede, cabills destroyede,
Knyghtes and kene men killide the berynes;
Kidd castells were corven with all theire kene wapen,
205 Castells full comliche, þat coloured ware faire.
Vpcydes eghelynge þay ochen þare-aftyre,
With þe swynge of þe swerde sweys þe mastys;
Ovyrefallys in þe firste frekis and othire,
Many frekke in þe forchipe fey es byleuede.
210 Than brothely they bekyre with boustouse tacle,
Bruschese boldlye on burde brynyede knyghtes,
Owt of botes one burde was buskede with stonys,
Bett down of þe beste, brystis the hetches;
Som gomys thourghegyrde with gaddys of yryn,
215 Gomys gayliche clade englaymous wapen,
Archers of Inglande full egerly schottes,
Hittis thourghe þe harde stele full hertly dynnttis.
Sone hotchen in holle the heþene knyghtes,
Hurte thourghe þe harde stele, hele they neuer.
220 Than they fall to þe fyghte, foynes with sperys,
All the frekkeste one frownte, þat to þe fyghte langes;
And ilkon frechely frayst eȝ theire strenghes,
Were to fyghte in þe flete with theire fell wapyn.
Thus they dalte þat daye, thire dubbide knyghtes,
225 Till all þe Danes ware dede and in þe depe throwen.
Than Bretons brothely with brondis they hewen,
Lepys in vpone lofte lordeliche berynes.
When ledys of owt-londys leppyn in waters,
All oure lordes one lowde laughen at ones.
230 Be thane speris ware spronngen, spalddyd in chippys,
Spanyolis spedily sprentyde ouer burdeȝ.
All þe kene men of kampe, knyghtes and oþer,
Killyd are colde dede and castyn ouer burdeȝ.
Theire swyers sweyftly has þe swete leuyde,
235 Heþen heuande on hatche in þer hawe ryses,

185 tydd 194 bilynge *MS., em. Banks* 201 crasseches 202 was *not in MS.* 203 braynes *MS., em. Bradley* 206 vpcynes *MS., em. Holth.* 209 many *not in MS.*, byleuefede 215 englaymes the wapen *em. Björkm.* 230 in *not in MS.*

Synkande in þe salte see seuen hundrethe at ones.
Thane sir Gawayne the gude, he has þe gree wonnen,
And all þe cogges grete he gafe to his knyghtes. —

The Burial of King Arthur.

He saide 'In manus' with mayne one molde whare he ligges,
240 And thus passes his speryt, and spekes he no more. [4327]
The baronage of Bretayne thane, bechopes and othire,
Graythes them to Glaschenbery with gloppynnande hertes,
To bery thare the bolde kynge and brynge to þe erthe,
With all wirchipe and welthe, þat any wy scholde.
245 Throly belles thay rynge and 'requiem' syngys,
Dosse messes and matyns with mournande notes:
Relygeous reueste in theire riche copes,
Pontyficalles and prelates in precyouse wedys,
Dukes and dussȝeperis in theire dule-cotes,
250 Cowntasses knelande and claspande theire handes,
Ladys languessande and lowrande to schewe.
All was buskede in blake, birdes and othire,
That schewede at the sepulture with sylande teris.
Was neuer so sorowfull a syghte seen in theire tyme!
255 Thus endis kyng Arthure, as auctors alegges,
That was of Ectores blude the kynge son of Troye,
And of sir Pryamous, the prynce, praysede in erthe.
Fro thethyn broghte the Bretons all his bolde eldyrs
Into Bretayne the brode, as þe Bruytte tellys.

etc. explicit. Hic jacet Arthurus, rex quondam rexque futurus.

Here endes Morte Arthure, writen by Robert of Thornton.

R. Thornton dictus qui scripsit sit benedictus, Amen!

202. THE GEST HISTORIALE OF THE DESTRUCTION OF TROY

MS.: Glasgow, Hunt. M. 188; 1st h.XVct. — *ed.*: D. Donaldson-G. A. Panton, EETS. 39/56. — BR. 2129; We. I, 72; Ke. 4913-14; Ba. 144-145; RO. 377.

Prologue.

Maistur in mageste, maker of alle, [1]
Endles and on, euer to last!
Now, god, of þi grace graunt me þi helpe,
And wysshe me with wyt þis werke for to ende
5 Off aunters ben olde of aunsetris nobill,
And slydyn vppon shlepe by slomeryng of age;
Of stithe men in stoure, strongest in armes,
And wisest in wer to wale in hor tyme,
Þat ben drepit with deth and þere day paste,
10 And most out of mynd for þere mecull age.
Sothe stories ben stoken vp and straught out of mynde
And swolowet into swym by swiftenes of yeres
For new þat ben now next at our hond,
Breuyt into bokes for boldyng of hertes,
15 On lusti to loke, with lightnes of wille,
Cheuyt throughe chaunce and chaungyng of peopull;
Sum tru for to traist, triet in þe ende,
Sum feynit o fere, and ay false vnder.

256 blude] kynne *em. Björkman*

Yche wegh as he will warys his tyme
20 And has lykyng to lerne þat hym list after;
But olde stories of stithe þat astate helde
May be solas to sum þat it segh neuer,
Be writyng of wees þat wist it in dede,
With sight for to serche of hom þat suet after,
25 To ken all the crafte how þe case felle,
By lokyng of letturs þat lefte were of olde.
Now of Troy for to telle is myn entent euyn,
Of the stoure and þe stryffe when it distroyet was.
Þof fele yeres bene faren syn þe fight endid
30 And it meuyt out of mynd, myn hit I thinke,
Alss wise men haue writen the wordes before,
Left it in Latyn for lernyng of vs.
But sum poyetis full prist þat put hom þerto
With fablis and falshed fayned þere speche,
35 And made more of þat mater þan hom maister were;
Sum lokyt ouer little, and lympit of the sothe.
Amonges þat menye, to myn hym be nome,
Homer was holden haithill of dedis
Qwiles his dayes enduret, derrist of other,
40 Þat with the Grekys was gret and of Grice comyn.
He feynet myche fals was neuer before wroght,
And turnet þe truth, trust ye non other.
Of his trifuls to telle I haue no tome nowe,
Ne of his feynit fare þat he fore with:
45 How goddes foght in the filde, folke as þai were,
And other errours vnable, þat after were knowen,
That poyetis of prise have preuyt vntrew,
Ouyd and othir þat onest were ay,
Virgill þe virtuus, verrit for nobill:
50 Thes dampnet his dedys, and for dull holdyn.
But þe truth for to tell, and þe text euyn,
Of þat fight, how it felle in a few yeres,
Þat was clanly compilet with a clerk wise,
On Gydo, a gome þat graidly hade soght
55 And wist all þe werks by weghes he hade,
That bothe were in batell while the batell last,
And euþer sawte and assembly see with þere een.
Thai wrote all þe werkes wroght at þat tyme,
In letturs of þere langage, as þai lerned hade:
60 Dares and Dytes were duly þere namys.
Dites full dere was dew to the Grekys,
A lede of þat lond, and logede hom with;
The tother was a tulke out of Troy selfe,
Dares, þat duly the dedys behelde.
65 Aither breuyt in a boke, on þere best wise,
That sithen at a site somyn were founden,
After, at Atthenes, as aunter befell;
The whiche bokes barely, bothe as þai were,
A Romayn ouerraght, and right hom hymseluyn,
70 That Cornelius was cald to his kynde name.
He translated it into Latyn, for likyng to here;
But he shope it so short þat no shalke might
Haue knowlage by course how þe case felle;
For he brought it so breff, and so bare leuyt,
75 Þat no lede might have likyng to loke þerappon,

Till þis Gydo it gate, as hym grace telle,
And declaret it more clere, and on clene wise. —
Fro this prologe I passe, and part me þerwith.
Fayne will I fer, and fraist of þere werkes,
80 Meue to my mater, and make here an ende. —

Troilus' Death.

When hit turnyt to þe tyme torfer shuld rise, [10252]
Tho mighty on mold metton to fight,
With thaire batels full breme, bret full of pepull;
And mony bold were þere britnet vpon both halues.
85 Achilles the choise kyng chargit his knightes,
Er þai busket to batell for baret on erthe,
Þat þai holly on a hepe held hom togedur,
And mynd of no mater for myschef ne othir,
Saue Troiell to take with torfer þat day;
90 Prese hym with pyne in parties aboute;
Cacche hym fro company, close hym within,
In myddes his Mirmydons þat mighty to hold;
Stuff hym with strenght þat he ne stir might,
But hym-self hym to sle sleghly with hond.
95 When he meuyt his men þis malis to wirke,
He fore to þe fight with his felle knightes.
All his Mirmydons mightely meuit hym after,
And put hym in prise his purpos to hold.
Þan Troiell full tidely turnyt into batell,
100 With a folke þat was fell, fuerse of assaute,
Hardy men of hond, hede knightes all,
And wondurfully wroght on hor wale fos.
Troiell the tru, with his triet strenght,
So britnet with his brond, and brisit the Grekes,
105 Þat þai foundyt to flight for ferd of hym one,
And lefton the lond, þof hom lothe thught.
Then the Mirmydons mightely meuit in hole,
Two thowsaund by tale, as taght hom Achilles.
His comaundement to kepe kaston hom þen,
110 And assemblit on a sop sadly togedur.
The Troiens with tene þai tirnyt to ground,
Kyld of hor knightes and comyns full mony;
Wet hom with woundis; warpit hom doune,
And myche baret on bent to þe buernes did.
115 Þan the Grekes agayne getton the feld.
Fell was the fight foynyng of speires.
Miche harme in þat hete happit to falle
On aither parte with pyne, þat put were to dethe.
The Mirmydons hade mynd of þe mayne Troiell,
120 And laited hym on the laund as the lede faght.
Thei compast the knight, closit hym within,
On yche syde vppon hepes hastely strikon;
But mony of þo Mirmydons þe mayn knight slogh,
And woundit hom wofully a wondurfull noumber.
125 Þai hurlit of his helme, hade hit to ground,
Harmyt the hode, þat was of hard maile,
Rofe hit full roidly, rent hit in peses,
Þat all bare was the buerne aboue on his crowne.

85 coise 121 Thei] The *MS.*

Yet he fendit hym fuersly, fele of hom kild,
130 And gird hom to ground, þat greuyt hom most.
Than Achilles with angur come angardly fast,
Segh the hathell all tohurlit, and his hede bare,
And no helpe of his hynd-men hastid him to.
With a fauchon felle he flange at the knight,
135 Slough him full slawthly with sleght of his hond,
And hade of his hede vndur horse-fete.
He light doun lyuely, leuit hym not so,
Festnyt hym vp fuersely by his fete euyn,
Hard by the here of his horse tayle,
140 And hurlit hym with hethyng þurgh þe hoole ost!

Thow, Omer, þat oft-tymes openly writis
Of þat buerne in þi boke, as best of his hondes,
Or wegh þat is worshipfull, and wight of his dedis,
He comendith hym kyndly as a knight noble:
145 How be reason, or right, or rewle, may þou preue
To deme hym so doghty in dedis of armys?
And nomly in þis note so noblely þou sayes,
Thurgh strenght of his strokes stroyet he hase
Two Ectors eger, and to end broght,
150 The prinse of þat prouynse, þat no pere hade,
And Troiell the triet knight, his owne tru brother,
One, the strongist in stoure, þat on stede rode.
Lelly þi lesynges þou lappis full faire,
Thurgh affection and faithe þou fest with the Grekes;
155 As þou said by þi-selfe, þurgh sibradyn first
Thou was aliet to þat lynage, as by lyne olde,
Or ellis wodenes þe wrixlet, and þi wit failet,
And no reason by rewle þat renke to comend.
Ne fell he not first with his fals trayne
160 Honerable Ector, oddist of knightes,
The strongest in stoure þat euer on stede rode?
Þat mon hade no make of might in his lyue,
Ne so worthy in world wist I neuer sithen. —
And Troiell, the tru knight, trayturly he slogh,
165 Noght þurgh stowrenes of strokes, ne with strenght one,
But a ·m· þro knightes þrong hym aboute,
Þat noyet þat noble, and naked his hede,
And shamfully a shent mon he shope to the dethe!
There he found no defens, ne fightyng agayne,
170 But as a ded mon to deme þat deiret no wight,
Neuer hond vnto hond harmyt he nother,
But as a caiteff, a coward, no knighthode at all!
Now loke if þis lede soche longyng be worthe,
As þou writis in þi wordes, or were to alow
175 Þat so worshipfull a wegh, as þe wight Troilus,
Þat was comyn of a kyng, þe clennest on lyue,
Neuer a bettur of blode borne on þis erthe,
Shuld traile as a traytor by the taile of his horse!
Hade monhode hym meuyt maynly within,
180 Or gentilnes iugget iustly his werkes,
Sum pytie hade pricket, his purpos to leue,
Þat neuer so filthy a fare hade fallyn in his hond! —

---

133 men *not in MS.* 136 his *not in MS.*

203. Le Morte Arthur

MS.: BM., Harley 2252; XV ct. — *edd.*: J. D. Bruce, EETS. LXXXVIII; S. B. Hemingway, Boston 1912. — BR. 1994; We. I, 29; Ke. 4760, 4762; Ba. 138; RO. 364; Billings 200-208.

Sythe Bretayne owte of Troy was sought
And made in Bretayne hys owne wonne,
Suche wondrys neuyr ere was wroght,
4 Neuyr yit vnder the sonne. [3379]
By evyn leuyd was there noght
That euyr steryd with blode or bone
But Arthur and ·ij· that he thedyr broghte
8 And Mordred was levyd there alone.

The tone was Lucan de Botelere,
That bled at many a balefull wound,
And hys brodyr, syr Bedwere,
12 Was sely seke and sore vnsounde.
Than spake Arthur these wordys there:
'Shall we not brynge thys theffe to ground?'
A spere he gryped with fell chere,
16 And felly they gan togedyr found.

He hytte Mordred amydde the breste
And oute at the bakkebone hym bare;
There hathe Mordred hys lyffe loste,
20 That speche spake he neuyr-mare.
But kenely vp hys arme he caste
And yaff Arthur a wound sare,
Into the hede throw the helme and creste,
24 That ·iij· tymes he swownyd thare.

Syr Lucan and syr Bedwere
Bytwene theym two the kynge vpheld.
So forthe went tho ·iij· in fere,
28 And all were slayne that lay in feld.
The doughty kynge that was hem dere,
For sore myght not hym-self weld.
To a chapelle they went in fere;
32 Off bote they saw no better beld.

All nyght thay in the chapelle laye,
Be the see-syde, as I yow newyn,
To Mary mercy cryand aye,
36 With drery herte and sorowfull stevyn.
And to hyr leue sonne gan they pray:
'Ihesu, for thy namys sevyn,
Wis hys sowle the ryght way,
40 That he lese not the blysse of heuyn.'

As syr Lucan de Boteler stode,
He sey folk vppon playnes hye;
Bold barons of bone and blode,
44 They refte theym besaunt, broche and bee
And to the kynge agayne thay yode,
46 Hym to warne with wordys slee.

49 To the kynge spake he full styll,
Rewfully as he myght than rowne:
'Sir, I haue bene at yone hylle,
52 There fele folke drawen to the downe.
I note whedyr they wyll vs good or ylle,
I rede we buske and make vs bowne,
Yiff it be your worthy wylle,
56 That we wende to som towne.'

'Now, syr Lucan, as thow radde,
Lyfte me vp, whyle that I may laste.'
Bothe hys armes on hym he sprad
60 With all hys strengh to hold hym faste.
The kynge was wondyd and forbled
And swownyng on hym hys eyne he caste.
Syr Lucan was hard bystadde;
64 He held the kynge to hys owne herte braste.

Whan the kynge had swounyd there,
By an auter vp he stode.
Syr Lucan, that was hym dere,
68 Lay dede and fomyd in the blode.
Hys bold brothyr, sir Bedwere,
Full mykell mornyd in hys mode;
For sorow he myȝte not nyghe hym nere,
72 But euyr wepyd as he were wode.

The kynge tornyd hym there he stode
To syr Bedwere with wordys kene:
'Have Excalaber, my swerde good;
76 A better brond was neuyr sene.
Go, caste it in the salt flode
And thou shalt se wonder, as I wene!
Hye the faste, for crosse on rode,
80 And telle me what thou haste ther sene!

The knyght was both hende and free,
To save that swerd he was full glad,
And thought: 'Whethyr I better bee,
84 Yif neuyr man it after had?

---

44 reste *MS.* 47-48 *not in MS.* 75 swerd *MS.*

And I it caste into the see,
Off mold was neuyr man so mad!'
The swerd he hyd vndyr a tree,
88 And sayd: 'Syr, I ded as ye me bad.'

'What saw thow there?' than sayd the kynge,
'Telle me now, yif thow can.'
'Sertes, syr,' he sayd, 'nothynge
92 But watres depe and wawes wanne.'
'A, now thou haste broke my byddynge!
Why haste thou do so, thow false man?
Another bode thou muste me brynge!'
96 Thanne carefully the knyght forthe ranne,

And thought the swerd yit he wold hyde,
And keste the scauberke in the flode.
'Yif any aventurs shall betyde,
100 Thereby shall I se tokenys good.'
Into the see he lette the scauberke glyde.
A whyle on the land hee there stode,
Than to the kynge he wente that tyde,
104 And sayd: 'Syr, it is done, by the rode'

'Saw thou any wondres more?'
'Sertys, syr, I saw nought.'
'A, false traytor,' he sayd thore,
108 'Twyse thou haste me treson wroght.
That shall thou rew sely sore;
And be thou bold, it shal be bought!'
The knyght than cryed: 'Lord, thyn ore!'
112 And to the swerd sone he sought.

Syr Bedwere saw that bote was beste,
And to the good swerd he wente.
Into the see he hyt keste;
116 Than myght he se what that it mente:
There cam an hand withouten reste
Oute of the water and feyre it hente,
And brandysshyd as it shuld braste,
120 And sythe as gleme away it glente.

To the kynge agayne wente he thare,
And sayd: 'Leve syr, I saw an hand;
Oute of the water it cam all bare,
124 And thryse brandysshyd that ryche brande.'
'Helpe me sone that I ware there!'
He lede hys lord vnto that stronde.
A ryche shyppe, with maste and ore,
128 Full of ladyes, there they fonde.

The ladyes, that were feyre and free,
Curteysly the kynge gan they fonge,
And one that bryghtest was of blee
132 Wepyd sore and handys wrange.
'Broder,' she sayd, 'wo ys me!
Fro lechyng hastow be to longe.
I wote that gretely greuyth me,
136 For thy paynes ar full stronge.'

The knyght kest a rewfull rowne,
There he stode, sore and vnsownde,
And sayde: 'Lord, whedyr ar ye bowne?
140 Allas, whedyr wyll ye fro me fownde?'
The kynge spake with a sory sowne:
'I wylle wende a lytell stownde
Into the vale of Avelovne,
144 A whyle to hele me of my wounde.'

Whan the shyppe from the land was broght,
Syr Bedwere saw of hem no more.
Throw the forest forthe he soughte,
148 On hyllys and holtys hore.
Of hys lyffe rought he ryght noght,
All nyght he went wepynge sore.
Agaynste the day he fownde ther wrought
152 A chapelle bytwene ·ij· holtes hore.

To the chapell he toke the way.
There myght he se a woundyr syght:
Than saw he where an ermyte laye
156 Byfore a tombe that new was dyghte.
And coveryd it was with marboll graye
And with ryche lettres rayled aryght;
There-on an herse, sothely to saye,
160 With an ·c· tappers lyghte.

Vnto the ermyte wente he thare
And askyd who was beryed there.
The ermyte answeryd swythe yare:
164 'There-of can I tell no more.
Abowte mydnyght were ladyes here,
In world ne wyste I what they were.
Thys body they broght vppon a bere
168 And beryed it with woundys sore.

Besavntis offred they here bryght,
I hope an ·c· povnd and more,
And bad me pray bothe day and nyght
172 For hym that is buryed in these moldys hore
Vnto ower lady bothe day and nyght,
That she hys sowle helpe sholde.'
The knyght redde the lettres aryght;
176 For sorow he fell vnto the folde.

139 sayde] say *MS.*

'Ermyte,' he sayd, 'withoute lesynge,
Here lyeth my lord that I haue lorne,
'Bold Arthur, the beste kynge
180 That euyr was in Bretayne borne!
Yif me som of thy clothynge,
For hym that bare the crowne of thorne,
And leue that I may with the lenge,
184 Whyle I may leve, and pray hym forne!'—

204. SIR FIRUMBRAS

MS.: F. I: Bodl. 25166, Ashmole 33; late XIV ct. — (*F. II* 1*-26* corresp. passage in Fillingham Redaction, *MS.*: BM., Addit. 37492, olim Fillingham; m. XV century.) — *edd.*: S. J. Herrtage, EETS. XXXIV; (F. II: M. I. O'Sullivan, EETS. 198). – BR. *23, *33; We. I, 50; Ke. 4886-89; Ba. 141; RO. 372; Billings 52-58.

F. I. The Siege.

Hure hornes þai gunne þo to blowe ful many at one blaste [2487]
Þe Sarsyns þanne þyderward drowe to assaile þe tour an haste.
Hure engyns þanne þay arayde, and stones þarwiþ þay caste,
And made a ful sterne brayde wiþ bowes and arbelaste.
5 Wel scherpe doþ þay bygynne to assayle þe grete tour;
Ac þes barons þat buþ wiþinne defendieþ hem wyþ vygour.
With stones and tres þat þay cast out oppon hure fon þat day,
Mo þan hundred of hure rout þay affulde ded on þe clay.
Of noþyng certis doþ þay drede bot of liflode one.
10 Ac now failled boþe wyn and bred; vatailles habbeþ þay none.
Þe damesels þat woren of gret honour, for hungre þai fulle ysowe,
So dude Floripe bri3t on bour, wharfor was sorwe ynowe.

F. II.

Tho bygan the grete saute sone anone, [195]
With engynys to cast many a grete stone.
Off stel and bras, quarels they let fle,
Many thousandys at onys, withoute lye.
5* Sa last that saut by day and be ny3t,
Seuen dayes and more, y dar well say aply3t,
With stokkys and stones fast thrown heye
With arblastrys an bowes fast schette they.
Thus with power and bost and with moche pride,
10* Seuene dayes last that sau3t, that euyl mote hem betyde.
Now helpe oure knyghtys Ihesu hewn kynge,
That be3t byset in the tour withoute mete and drynk.
Y ne wite nou3t these noble men, thou3 they lese my3t,
That were withoute mete seuen dayes and seuen ny3t.
15* Rowland wex ful pale, and so dud Olyuer,
And eythyr made hys mone that routhe was to huyre.
Dame Florype couthe here nothynge bemene;
She feld down to grownd and wex pale and grene.
And whanne Gye that sey, ful wo was that knyght,
20* He toke her in hys armys an dressyd her vp-ryg3t,
And gan to crye, and sayd tho ful subythe:
'Lordyngys and felows, wyl 3e to me lythe!
The Sarsyns ous assaylyth faste echon,
And mete and drynke vs faylyth, seuen dayes ben gon.
25* And thys mayde dye in oure companye,
Hyt schall tourne vs to schame and vylonye.' —

---

204. cf.. Barbour, above. - 12* be3t *not in MS.* 13* wite] wate *MS.*

Gy of Borgoyne, hure nywe spouse, confortede hir wat he maye;
For hure is herte was angwischouse, and to his felawes gan he saye:
15 'Lordes,' said he, 'ȝe wyteþ wel, þat we buþ her enclos,
Herde bysyged wyþ þe amyrel and of oþre þat buþ our fos.
And now is this þe þridde day þat oure vytails failed;
Our bred, our wyn ys al away, and harde we beþ asailed.
On myn herte me ys wo, þat þys wymmen waxeþ feynte;
20 Þey buþ so mate þay mowe noȝt go, so honger haþ hem teynte.
And if þat hy among ous here for hungre scholde dye,
For ous a gret repref it were in euery companye.
Leuere me were, bi god almiȝt, in my body be wounded sare,
Þan to sen þys burdes briȝt for hunger þus forfare.
25 Teche we þarfore in dede, þat we buþ men of myȝte,
And do we now on our wede, and araie we ous to fiȝte,
And wende we out of þis stronge tour toward þe Sarasyns,
And gete we ous vytailles with honour among our enymys.
Certis, come we hymen among, somme vytaille schulle we haue,
30 Ouþer þey schullen don ous wrong, al so god me saue.
Wat so þei ben þat letteþ ous oȝt vytailles þar to vacche,
Non of ous ne sparie him noȝt strokes þat þai ne lacche.
Teche we þar to oure fos þat vytailes gete we konne,
And cesse we neuere of our purpos, or we ha summe ywonne,
35 Werwyth þes damesels of honour hure lif þarwith mown lede,
Til we haue other socour of Charlis and is ferede.
For betere is ous forto die amonges our fos in fiȝte,
Þan herinne clynge and drie, and daye for hunger riȝte.'
Þan spak Florippe þat burde briȝt to hymyn euerechone:
40 'Ful litel ys ȝour god of myȝt, þat vytailes ne sent ȝov none.
Hadde ȝe worschiped our godes free, as ȝe ȝour han done,
Of vytailes had ȝe had plente, maugre al ȝour fone.'
Roland hure ansuerede and saide: 'Damesele, were þat soþ,
We wolde þanne do be rayde, ȝe, þoȝ þay ben ous loþ.
45 Damesele, if ȝe wolde ous lede to þe godes of wham ȝe spake,
Þanne scholde ȝee seen in dede, what worschip we wolde hem make.'
Of þat word was sche wel paid, and þe keys sone sche hente,
And with þis lordes þat buþ forsaid, to þe maumerye þo sche wente.
To þe synagoge wan sche cam, þe dore heo haueþ oundo,
50 Þan wei byfore þan sche nam, and þay come after þo.
Florippe drow a ridel þan, þat stod before þe frount:
Þan sawe þay þar sir Ternagan and eke hure god Mahount;
Iubiter also and Iouyn stode þar hymen bysyde,
And eke hure god Appolyn, araid wiþ grete pryde.
55 Þe mametes þat þai seȝen þare bifore hure aldre siȝt
Euerchone ymaked ware of gold þat schon ful briȝt,
Ypoudred wiþ stones preciouse, þat wern þeron ipiȝt.
Þay schyne þer intal þat house, so doþ þe candeliȝt.
Þan was þar at hure fete of encenȝ a fair dentee,
60 And of balme þat smylleþ swete, and spycery gret plentee.
'Ihesu lord,' quaþ Olyuere, 'fro wan comeþ al þis gold?
Now wold it god þat it were þar as me self it wold!'
Þan hym spak sir Richard, þe duke of Normaundie:
'I kepte no more to my part bot Iouyn wyþoute lye,
65 Y wolde do þarwith to werche in Rowan, my citee,
And make newe þe heȝe cherche in worschip of þe trynitee.'
Þanne sayde duk Roland: 'Þe tale to fulfille,

---

29 vytaille *not in MS.* 46 hem] he *MS.* 58 in tal

Charlis scholde haue þe remenant, miȝt it be at my wille,
Tharwiþ miȝt he þanne an haste restore Rome cytee,
70 Þat þamyral Balan waste somtyme wiþ ys meygnee,
And do make vp seynt Petris churche, þat þe Sarsynȝ han yule arayd,
And othre gode werkes werche, þat god schold ben on apayd.'
Florippe to hymen saide þen: 'Ȝe spekeþ gret folye.
If ȝe doþ as wyse men, mercy ȝe hem crye;
75 And prayeþ hem ȝerne þat hy ȝov spede, as þay buþ gode and hende,
And al þyng þanne what ȝe ha nede, to ȝow wolleþ hy sende.'
'Damesel,' saide duk Gyoun, 'my prayer ys now ido.'
'For gode,' saide erl d'Ogeroun, 'so ys myn also;
Ac þay slepeþ alle so vaste, þay mowe ous noȝt yhere.
80 Y wil þarfor teche a caste, to awakye hem alle yfere.'
Ogier Deneys adrow is brond, and smot to sire Mahound,
Þat al to pieces he to-wond, and fel doun on þe ground.
Olyuer tok vp Ternagan and casten aȝe þe wal,
Þat legges and armes brek him fram into peces smal.
85 Richard, þe duk of Normandye, adrow is swerd wel fyn,
And al to-hew þe oþre twye, Iubiter and Appolyn.
'Parfay,' þan saide duk Rolond to þat maide briȝt,
Þyne godes buþ naȝt in hond; wel litel ys hure miȝt.
For now þay buþ adoun afalle, þay mowe noȝt vp aȝene.'
90 'Þat is soþ,' saide þat briȝt in halle, 'and þat is now wel ysene.
If ich hem worschipie after þis, maugre mot y haue!
For þay mowe noȝt her ywys hemselue fram herme saue.
Ac y byseche þat god of miȝt, þat diede on þe rode,
Hwich of Marie þat mayde briȝt while tok flechs and blode,
95 Ase wisly as y lyue riȝt a dayde for mannys gode,
Þat sone sum socour to ous diȝt, and helpe ous of liflode!' —

205. THE TOURNAMENT OF TOTTENHAM

MS.: BM., Harley 5306; m. XV cr. (*Var. C*: Cambridge Univ. Ff. II. 38; XV ct.) — *edd.*: J. Ritson, Ancient Songs and Ballads, London 1829; French-Hale, MEMR., New York 1930. — BR. 2615; We. II, 22; Ba. 265; RO. 317.

Of all þes kene conquerours
to carpe it were kynde,
Of fele feȝtyng-folk
ferly we fynde:
The turnament of Totenham
haue we in mynde!
It were harme sych hardynes
were holden byhynde
5 In story as we rede,
Of Hawkyn, of Herry,
Of Tomkyn, of Terry,
Of þem þat were dughty
And stalworth in dede!

10 It befel in Totenham,
on a dere day,
Þer was mad a schurtyng
be þe hyway.
Þeder com al þe men
of þe contray,
Of Hyssyltoun, of Hygate,
and of Hakenay,
And all þe swete swynkers.
15 Þer hopped Hawkyn,
Þer davnsed Dawkyn,
Þer trumped Tomkyn;
And all were trewe drynkers,

Tyl þe day was gon,
and euyn-song past,
20 Þat þay schuld rekyn þer scot
and þer contes cast.
Perkyn þe potter
in-to þe press past,
And sayd: 'Rondol þe refe,
a doȝter þou hast,
Tyb, þe dere.
Þerfor wyt wold I
25 Whych of all þys bachelery
Were best worthy

78 erld O. 82 fel] ful *MS.* groud 85 of *not in MS.* 95 a (= he) *MS.*] and *em.* *Herrtage*
205. 8 dughyt 14 swynke 21 press] prest *MS.*

To wed hur to hys fere.'

Vp styrt þes gadelyngys
with þer long staues,
And sayd: 'Randal þe refe,
lo, þis lad raues!
30 Baldely amang us
þy duȝter he craues,
And we er rycher men þen he,
and more god haues
Of catell and corn.'
Þen sayd Perkyn:
'To Tybbe I haue hyȝt,
Þat I schal be alway redy in
my ryȝt,
35 If þat it schuld be þys day
seuenyȝt,
Or ellis ȝet to-morn.'

Þen sayd Randolfe þe refe:
'Euer be he waryed
Þat about þys carpyng
lenger wold be taryed!
I wold not my doȝter
þat scho were myscaryed,
40 But at hur most worschyp
I wold scho were maryed.
Þerfor a turnament schal begin
Þys day seuenyȝt,
With a flayl for to fyȝt;
And þat ys of most myght
45 Schall brouke hur with wynne.

Whoso berys hym best
in þe turnament,
Hym schall be granted þe gre,
be þe comon assent,
For to wynne my doȝter
with dughthe of dent,
And Coppeld, my brode-henne,
was broȝt out of Kent,
50 And my donnyd kowe.
For no spens wyl I spare,
For no catell wyl I care:
He schal haue my gray mare,
And my spottyd sowe!'

55 Þer was many bold lad
þer bodyes to bede.
Þan þay toke þayr leue,
and homward þay ȝede,
And all þe woke afterward
þay grayþed þer wede,
Tyll it come to þe day
þat þay suld do þer dede.

Þay armed ham in mattis,
60 Þay set on þer nollys,
For to kepe þer pollys,
Gode blake bollys,
For batryng of battis.

Þay sowed þam in schepe-skynnes,
for þay suld not brest;
65 Ilkon toke a blak hat
insted of a crest,
A harow brod as a fanne
aboune on þer brest,
And a flayle in þer hande,
for to fyght prest.
Furth gon þay fare!
Þer was kyd mekyl fors,
70 Who schuld best fend his cors.
He þat had no gode hors,
He gat hym a mare.

Sych anoþer gadryng
haue I not sene oft!
When all þe gret cumpany
com rydand to þe croft,
75 Tyb on a gray mare
was set upon loft,
On a sek ful of sedys,
for scho schuld syt soft,
And led hur to þe gap.
For cryeng of al þe men
Forþer wold not Tyb þen
80 Tyl sche had hur gode brode-hen
Set in hur lap.

A gay gyrdyl Tyb had on,
borwed for þe nonys,
And a garland on hur hed,
ful of rounde bonys,
And a broche on hur brest,
ful of safer-stonys,
85 With þe holy rode tokenyng
was wrotyn for þe nonys;
No catel was þer spared!
When ioly Gyb saw hure þare,
He gyrd so hys gray mare
Þat sche lete a faucon fare
90 At þe rereward. —

I wot it ys no chylder-game
whan þay togedyr met, [154]
When icha freke in þa feld
on hys felay bet,
And layd on styfly,
for noþyng wold þay let,

31 þen] þe *MS.* 36 ell 38 atryed 39 not þat my d. þat *MS.* 44 And he þat *spl. French* 47 camon 48 dughthe] dughty *MS.*, dughtynes *em. French* 51 For] F *MS.* 62 bellys 67 syght 76 sedys] senvye *C* 77 cap 85 wrethyn *em. French* 88 mere 89 þe sche 92 bet] be *MS.* 93 on] o *MS.*

And faght ferly fast,
    tyll þer horses swet,
95 And fewe wordys spoken.
Þer were flayles al to-slatred,
Þer were scheldys al to-clatred,
Bollys and dysches al to-schatred,
And many hedys brokyn!

100 Þer was clynkyng of cart-sadellys
    and clattiryng of cannes,
Of fele frekis in þe feld
    brokyn were þer fannes.
Of sum were þe hedys brokyn,
    of sum þe brayn-panes.
And yll ware it be sum
    or þay went þannes,
With swyppyng of swepyllys.
105 Þe boyes were so wery for-fught,
Þat þay myȝt not fyȝt mare oloft,
But creped þen about in þe croft
As þey were croked crepyls.

Perkyn was so wery
    þat he began to loute:
110 'Help, Hud, I am ded
    in þys ylk rowte!
A hors for ·xl· pens,
    a gode and a stoute,
Þat I may lyȝtly come
    of my noye out!
For no cost wyl I spare!'
He styrt up as a snayle,
115 And hent a capul be þe tayle,
And raȝt Dawkyn hys flayle,
And wan þer a mare.

Perkyn wan ·v·
    and Hud wan twa;
Glad and blyþe þay ware
    þat þay had don sa!
120 Þay wold haue þam to Tyb
    and present hur with þa.
Þe capull were so wery
    þat þay myȝt not ga,
But styl gon þay stand.
'Allas,' quod Hudde, 'my ioye
    I lese!
Me had leuer þen a ston of chese,
125 Þat dere Tyb had al þese
And wyst it were my sand!'

Perkyn turnyd hym about
    in þat ych thrange;
Among þes wery boyes
    he wrest and he wrang.
He threw þam doun to þe erth,
    and þrast þaim amang,
130 When he saw Tyrry
    away with Tyb fang,
And after hym ran.
Of hys hors he hym drogh,
And gaf hym of hys flayl inogh.
'We, te-he!' quod Tyb, and lugh,
135 'Ȝe er a dughty man!'

Þus þay tugged and rugged
    tyl yt was nere nyȝt.
All þe wyues of Totenham
    come to se þat syȝt,
With wyspes and kexis
    and ryschys þer lyȝt,
To fech hom þer husbandes,
    þat were þam trouth-plyȝt.
140 And sum broȝt gret harwes,
Þer husbandes hom for to fech;
Sum on dores and sum on hech,
Sum on hyrdyllys and sum on crech,
And sum on welebaraws.

145 Þay gaderyd Perkyn about,
    euerych syde,
And graunt hym þer þe gre;
    þe more was hys pride.
Tyb and he, with gret merthe
    homward con þay ryde,
And were al nyȝt togedyr,
    tyl þe morn-tyde.
And þay in fere assent.
150 So wele hys nedys he has sped,
Þat dere Tyb he has wed;
Þe pryse folk þat hur led
Were of þe turnament.

To þat ylk fest com
    many, for þe nones:
155 Some come hyp-halt,
    and sum tryppand on þe stonys,
Sum a staf in hys hand,
    and sum two at onys,
Of sum were þe hedys to-broken,
    and sum þe schulder-bonys.
With sorow com þay þedyr!
Wo was Hawkyn, wo was Herry,
160 Wo was Tomkyn, wo was Terry,
And so was al þe bachelary,
When þay met togedyr! —

96ff. flatred: flatred *MS.*, *em. French from C* 100 chaltitryng 103 it] i *MS.* þannes] þens *MS.* 107 roft 109 louter 110 rowet 115 þo 146 þe gre *spl. French* pide *MS.* 147 mothe 151 had 152 prayse

206. Syre Gawene and the Carle of Carlyle

MS.: Aberystwyth, Nat. Lb., Harlech Lb., Porkington 10; XV ct. — *edd.:* F. Madden, Bannatyne Club 1839. R. W. Ackerman, Ann Arbor 1947; A. Kurvinen, Helsinki 1951. — BR. 1888; We. I, 34; Ba. 138.

'Curtaysie'.

Then syre Gawen began to cnele.
The carle saw he myȝt knyȝt be wele,
And bad hyme stond vpe anon. [273]
4 'Lett be þi knellynge, gentyll knyȝt,
Thow logost with a carll to-nyȝt,
I swere, by sennt Johnn.
Fore here no corttessy þou schalt haue
8 But carlles corttessy, so god me saue,
Ore serttes I can none.'
He bad brynge wyn in gold so dere;
Anon hit cam in coppes clere,
12 As anny sonn hit schone.

IIII · gallons held a cop and more;
He bad brynge forthe a grettore:
'What schall þis lytyll cope doun?
16 This is to lytyll a cope fore me,
When I sytt by þe fyre onn hy
By my-self aloun.
Brynge vs a gretter bolle of wynne!
20 Let vs drenke and play sethyne,
Tyll we to sopper goun!'
The butteler brouȝt a cope of golde,
IX · gallons hit gane holde,
24 And toke hit þe carle anon.

IX · gallons hit hyld and mare!
He was not weke þat hit bare
In his wone honde.
28 The knyȝttes dronkon fast about,
And sethe arose, and went hem out,
To se here hors stonde.
Corne and hey þei had reydy,
32 A lyttyll folle stod hem bye,
With her hors fast ettand.
The besschope put þe fole away.
'Thow schalt not be fello with my palfray,
36 Whyll I am beschope in londe!'

The carll þen cam with a gret spede,
And askyde: 'Who hathe doun þis dede?'
The beschope seyd: 'Þat was I.'
40 'Therefore a bofett þou schalt haue,
I swere, so god me saue!
And hit schall be sett wytterly.'
'I ame a clarke of ordors hyȝe!'
44 'Ȝett cannyst þou noȝt of corttessye,
I swere, so mott I thryue!'
He ȝafe þe besschope a boffett þo
That to þe ground he gan goo,
48 In sonynge he gann lyȝe.

Syre Key came in þe sam cas,
To se his stede þere he was,
The foll fond he hym by.
52 Out att þe dore he drof hym out,
And on þe backe ȝafe hym a clovt,
The carle se þat with his yȝe.
The carll ȝaffe hym seche a boffett,
56 That smertly onn þe grond hym sett,
In sonynge gan he lyȝe.
'Euyll tavȝt knyȝt,' þe carl gan sey,
'I schall teche þe, ore þou wend away,
60 Sum of my corttessye!'

Then þey arose, and went to hall,
The beschope and syr Key with-all,
That worthy was iwrogȝt.
64 Syr Gawen axyd wher þey had byne.
They seyd: 'Oure horssys we haue sene;
And þat vs sore forethoght.'
Then ansswerd Gawen full curttesly:
68 'Syres, with youre leyf, þen wyll I.'
The carll knewe his thought.
Hett reynnyd and blewe stormes felle
That well was hym, be bocke and belle,
72 The herborow hade cavȝt.

Without þe stabulldore þe foll gan stond.
Gawen put hyme in agayn with his honde.
He was all wett, I wene,
76 As þe foll had stond in rayne.
Then keueryd he hym, syr Gawene,
With his manttell of grene.
'Stond vpe, fooll, and eette thy mette;
80 We spend here þat thy master dothe gett,
Whyll þat we here byne.'
The carle stode hym fast by,
And þankyd hym full curtteslye,
84 Manny sythis, I wene. —

---

2 saw] sayd *MS.* myȝt be knyȝt wylle *MS.* 9 Ore] Fore *MS.* 16 is *not in MS.* 25 hit] he *MS.* 45 thryue] tryue *MS.*, *? em.* trye 48 In] I *MS.* 58 knyȝttes *MS.* 66 þat *not in MS.* 79 G. stond *MS.*

207. THOMAS THE RHYMER

'THOMAS OF ERSSELDOUNE'. FYTTE I

MS.: *T* = Lincoln, Cath. Lb. 91, Thornton MS.; 1st h. XV ct. (*Var. C*: Cambridge Univ. Ff. 5. 48; XV ct.) — *edd.*: J. H. Murray, EETS. 61; A. Brandl, Berlin 1880. — BR. 365; We. IV, 25; Ba. 168.

Als I me wente þis endres daye,
fful faste in mynd makand my mone,
In a mery mornynge of Maye,
4 By Huntle bankkes my-selfe allone,

I herde þe jaye and þe throstell,
Þe mawes menyde hir of hir songe,
Þe wodewale beryde als a belle,
8 That alle þe wode abowte me ronge.

Allone in longynge als I laye
Vndyrenethe a semely tree,
Saghe I whare a lady gaye
12 Came ridand ouer a longe lee.

If I solde sytt to domesdaye
With my tonge to wrobbe and wrye,
Certanely þat lady gaye
16 Neuer bese scho askryede for mee.

Hir palfraye was a dapill graye,
Swylke one ne saghe I neuer none;
Als dose þe sonne on someres daye,
20 Þat faire lady hir-selfe scho schone.

Hir selle it was of roelle bone,
ffull semely was þat syghte to see;
Stefly sett with precyous stone,
24 And compaste all with crapotee.

Stones of oryente grete plente!
Hir hare abowte hir hede it hange.
Scho rade ouer þat lange lee;
28 A whylle scho blewe, anoþer scho sange.

Hir garthes of nobyll sylke þay were,
The bukylls were of berelle stone,
Hir steraps were of crystalle clere,
32 And all with perelle ouer bygone.

Hir payetrelle was of irale fyne,
Hir cropoure was of orphare;
And als clere golde hir brydills schine,
36 One aythir syde hange bellys three.

A-lesshe scho led þre grehoundes als,
And seuene raches by hir rone;
Scho bare an horne abowte hir halse,
40 And vndir hir belte full many a flone.

Thomas laye and sawe þat syghte
Vndirnethe ane semly tree.
He sayd: 'Ȝone es Marye moste of myghte,
44 Þat bare þat childe þat dyede for mee!

Bot if I speke with ȝone lady bryghte,
I hope myne herte will bryste in three.
Now sall I go with all my myghte,
48 Hir for to mete at Eldoun tree!'

Thomas rathely vpe he rase,
And rane ouer þat mountayne hye;
Gyff it be als the storye sayes,
52 He hir mette at Eldone tree.

He knelyde downe appon his knee
Vndirnethe þat grenwode spraye,
And sayd: 'Lufly ladye, rewe one mee,
56 Qwene of heuen, als þou wele maye!'

Than spake þat lady milde of thoghte:
'Thomas, late swylke wordes bee!
Qwene of heuen ne am I noghte,
60 ffor I tuke neuer so heghe degre.

Bote I ame of ane oþer countree,
If I be payrelde moste of prysse.
I ryde aftyre this wylde fee;
64 My raches rynnys at my devyse.'

'If þou be parelde moste of prysse,
And here rydis thus in thy folye,
Of lufe, lady, als þou erte wysse,
68 Þou gyffe me leue to lye the bye!'

Scho sayde: 'Þou man, þat ware folye!
I praye þe, Thomas, þou late me bee;
ffor I saye þe full sekirlye,
72 Þat synn will fordoo all my beaute.'

'Now, lufly ladye, rewe one mee,
And I will euermore with the duelle!
Here my trouthe I plyghte to the,
76 Whethir þou will in heuen or helle!'—

---

5 throstell *C*] throstyllcokke *T* 6 of] in *C* 9 thus als *T* 11 Saghe ***not in T*** **(damaged)**, Saw *C* 12 Came ridand *C*] ***not in T*** longe] louely *C* 15 þat lady gaye] al hur aray *C* 16 scho] hit *C* 21 sadill *C* 23 stones *T* 27 lange] louely *C* 30 barys ston *C* 33 irale] riall *C* 34 arafe *C* 35 hir brydill it schone *T*, Hir bridull was of golde fyne *C* 37 ***not in T*** (**no gap**), She led thre grehoundis in a leesshe / Eight rachis be hir fete ran / To speke with hir wold I not seesse / Hir lire was white as any swan / fforsoth. lordyngis as I yow tell / Thus was þis lady fayre begon / She bare a horne &c. *C* 38 hir þay rone *T* 50 And he rane *T* 55 And sayd ***not in C*** 64 rannen *C* 66 ridis here in þi balye *C* 72 Þat wolde *C*, Syn wolde *Var.* all ***not in C*** 75 I plight to þe *C*] I will the plyghte *T* 76 in] to *C*

208. A Hunting-Scene

The Parlement of the Thre Ages'

MS.: BM., Addit. 31042; XV ct. — *ed.*: I. Gollancz, Roxburghe Club 1897, & London 1915. — BR. 1556; We. IV, 49; Ba. 196.

In the monethe of Maye when mirthes bene fele [1]
And the sesone of somere when softe bene the wedres,
Als I went to the wodde my werdes to dreghe,
Into þe schawes my-selfe a schotte me to gete
5 At ane hert or ane hynde, happen as it myghte,
And as dryghtyn the day droue frome þe heuen,
Als I habade one a banke be a bryme syde,
There the gryse was grene growen with floures,
The primrose, the pervynke, and piliole þe riche,
10 The dewe appon dayses donkede full faire,
Burgons and blossoms, and braunches full swete,
And the mery mystes full myldely gane falle,
The cukkowe, the cowschote, kene were þay bothen,
And the throstills full throly threpen in the bankes,
15 And iche foule in that frythe faynere þan oþer,
That the derke was done and the daye lightenede,
Hertys and hyndes one hillys þay gonen,
The foxe and the filmarte þay fled to þe erthe,
The hare hurkles by hawes and harde thedir dryves,
20 And ferkes faste to hir fourme and fatills hir to sitt.
Als I stode in that stede, one stalkynge I thoghte;
Bothe my body and my bowe I buskede with leues,
And turnede towardes a tree, and tariede there a while.
And als I lokede to a launde a litill me besyde,
25 I seghe ane hert with ane hede ane heghe for the nones.
Alle vnburneschede was þe beme, full borely þe mydle,
With iche feetur as the fote forfrayed in the greues,
With auntlers one aythere syde egheliche longe.
The ryalls full richely raughten frome the myddes,
30 With surryals full semely appon sydes twayne;
And he assommet and sett of ·vi· and of fyve,
And þerto borely and brode and of body grete,
And a coloppe for a kynge cache hym who myghte.
Bot there sewet hym a sowre, þat seruet hym full ȝerne,
35 That woke and warned hym, when the wynde faylede,
That none so sleghe in his slepe with sleghte scholde hym dere,
And went the wayes hym byfore, when any wothe tyde.
My lyame than full lightly lete I doun falle,
And to the bole of a birche my berselett I cowchide.
40 I waitted wiesly the wynde by waggynge of leues,
Stalkede full stilly, no stikkes to breke,
And crepite to a crabtre, and couerede me thervndere.
Then I bende vp my bowe, and bownede me to schote,
Tighte vp my tylere, and taysede at the hert;
45 Bot the sowre þat hym sewet sett vp the nese,
And wayttede wittyly abowte, and wyndide full ȝerne.
Then I moste stonde als I stode, and stirre no fote ferrere;
For had I mytid or mouede or made any synys,
Alle my layke hade bene loste, þat I hade longe wayttede.

1 monethes, (*emm. Gollancz*) 14 threpden *em. Gollancz* 27 as thi fote 31 of ·v· fyve
53 hokes

50 Bot gnattes gretely me greuede, and gnewen myn eghne.
And he stotayde and stelkett and starede full brode.
Bot at the laste he loutted doun and laughte till his mete;
And I hallede to the hoke, and the hert smote,
And happenyd that I hitt hym byhynde þe lefte scholdire,
55 Þat þe blode braste owte appon bothe the sydes,
And he balkede and brayed and bruschede thurgh þe greues,
As alle had hurlede one ane hepe þat in the holte longede.
And sone the sowre, þat hym sewet, resorte to his feris,
And þay forfrayede of his fare to þe fellys þay hyen.
60 And I hyede to my hounde, and hent hym vp sone,
And louset my lyame, and lete hym vmbycaste.
The breris and the brakans were blody byronnen,
And he assentis to þat sewte, and seches hym aftire
There he was crepyde into a krage and crouschede to þe erthe.
65 Dede als a dore-nayle doun was he fallen,
And I hym hent by þe hede, and heryett hym vttire. —
Þe fete of the fourche I feste thurgh the sydis, [91]
And heuede alle into ane hole, and hidde it with ferne,
With hethe and with horemosse hilde it about,
70 Þat no fostere of the fee scholde fynde it theraftir.
Hid the hornes and the hede in ane hologhe oke,
Þat no hunte scholde it hent, ne haue it in sighte.
I foundede faste therefro for ferde to be wryghede,
And sett me oute one a syde, to see how it cheuede,
75 To wayte it frome wylde swyne, that wyse bene of nesse.
And als I satte in my sete, the sonne was so warme,
And I for slepeles was slomi and slomerde a while;
And there me dremed in that dowte a full dreghe sweuynn. —

209. WYNNERE AND WASTOURE

MS.: BM., Addit. 31042; XV ct. (fragment). — *ed.*: I. Gollancz, Oxford 1931. — BR. 3137; We. IV, 50; Ba. 196-197.

Here begynnes a tretys and god schorte refreyte bytwixe wynnere and wastoure.

Sythen that Bretayne was biggede, and Bruyttus it aughte, [1]
Thurgh the takynge of Troye with tresone withinn,
There hathe selcouthes bene sene in seere kynges tymes,
Bot neuer so many as nowe by the nynde dele.
5 For nowe alle es witt and wyle that we with delyn,
Wyli wordes and slee, and icheon wryeth othere.
And now es no frenchipe in fere bot fayntnesse of hert;
Dare neuer no westren wy, while this werlde lasteth,
Send his sone southewarde to see ne to here,
10 That he ne schall holden byhynde when he hore foreldes. —
Whylome were lordes in londe þat loued in thaire hertis
To here makers of myrthes, þat matirs couthe fynde,
Wyse wordes withinn, þat wroghte were neuer
Ne redde in no romance þat euer renke herde.
15 Bot now a childe appon chere, withowtten chyn-wedys,
Þat neuer wroghte thurgh witt three wordes togedire,
Fro he can jangle als a jaye, and japes can telle,

---

77 slome 4 nyne *(emm. Gollancz)* 5 wyles *MS.*] wylle *em. Goll.* 6 Wyse 7 *behind* 21 *MS.* 7 in] on *em. Goll.* 10 hore eldes 13 wroghte *MS.*] writen *em. Goll.* 16 three] thies *MS.* 17 can *not in MS.*

He schall be leuede and louede and lett of a while
Wele more þan þe man that makes hym-seluen.
20 Bot neuer þe lattere at the laste, when ledys bene knawen,
Werke witnesse will bere who wirche kane beste!
Bot I schall tell yow a tale þat me bytyde ones,
Als I went in the weste, wandrynge myn one,
Bi a bonke of a bourne, bryghte was the sone,
25 Vndir a worthiliche wodde, by a wale medewe.
Fele floures gan folde ther my fote steppede.
I layde myn hede one ane hill, ane hawthorne besyde.
The throstills full throly they threpen togedire,
Hipped vp heghwalles fro heselis tyll othire.
30 Bernacles with thayre billes one barkes þay roungen;
Þe jay janglede one heghe, jarmede the foles.
Þe bourne full bremly rane þe bankes bytwene;
So ruyde were þe roughe stremys, and raughten so heghe,
That it was neghande nyghte or I nappe myghte,
35 For dyn of the depe watir, and dadillyng of fewllys.
Bot as I laye at the laste, þan lowked myn eghne,
And I was swythe in a sweuen sweped belyue.
Me thoghte I was in the werlde, I ne wiste in whate ende,
One a loueliche lande þat was ylike grene,
40 Þat laye loken by a lawe the lengthe of a myle.
In aythere holte was ane here in hawberkes full brighte,
Harde hattes appon hedes and helmys with crestys,
Brayden owte thaire baners, bown for to mete,
Schowen owte of the schawes, in schiltrons þay felle,
45 And bot the lengthe of a launde thies ledes bytwene.
And als I prayed for the pese till the prynce come,
For he was worthiere in witt than any wy ells,
For to ridde and to rede and to rewlyn the wrothe
That aythere here appon hethe had vntill othere,
50 At the creste of a clyffe a caban was rerede,
Alle raylede with rede the rofe and the sydes,
With Ynglysse besantes full brighte, betyn of golde,
And ichone gayly vmbygone with garters of Inde,
And iche a gartare of golde gerede full riche.
55 Then were thies wordes in þe webbe werped of he,
Payntted of plunket, and poyntes bytwene,
Þat were fourmed full fayre appon fresche lettres,
And alle was it one sawe, appon Ynglysse tonge:
'Hethyng haue the hathell þat any harme thynkes.' —
60 Wele knowe we the kyng; he clothes vs bothe, [205]
And hase vs fosterde and fedde this fyve and twenty wyntere. —

'Late be thi worde, Wastoure,' quod Wynnere the riche, [263]
'Thou melleste of a mater, thou madiste it thi-seluen,
With thi sturte and thy stryffe thou stroyeste vp my gudes,
65 In wraxlinge and in wakynge in wyntteres nyghttis,
In owttrage, in vnthrifte, in angarte of pryde.
There es no wele in this werlde to wasschen thyn handes
That ne es gyffen and grounden are þou it getyn haue.
Thou ledis renkes in thy rowte wele rychely attyrede;

19 makes] made it *MS.* 28 threped *em. Goll.* 45 ledes] lordes *MS.* 46 als I] alle *MS.* 49 hethe] hate *MS.* 55 thies] thre *MS.* 63 tho mad. 65 wraxlinge] playinge *MS.*, *em. Kölbing* wynttres 66 of *not in MS.* 69 ryhely

70 Some hafe girdills of golde, þat more gude coste
Than alle þe faire fre londe that ȝe byfore haden.
Ȝe folowe noghte ȝoure fadirs þat fosterde ȝow alle
A kynde herueste to cache, and cornes to wynn
For þe colde wyntter and þe kene with clengande frostes,
75 Sythen dropeles drye in the dede monethe.
And thou wolle te to the tauerne, byfore þe toune-hede,
Iche beryne redy withe a bolle to blerren thyn eghne,
Hete the whatte thou haue schalte, and whatt thyn hert lykes,
Wyfe, wedowe, or wenche, þat wonnes there aboute.
80 Then es there bott 'fille in!' and 'feche forthe!', Florence to schewe,
'Wee-hee' and 'worthe vp', wordes ynewe.
Bot when this wele es awaye, the wyne moste be payede fore,
Than lympis ȝowe weddis to laye, or ȝoure londe selle!' —
'Ȝee, Wynnere,' quod Wastoure, 'thi wordes are vayne:
85 With oure festes and oure fare we feden the pore;
It es plesynge to the prynce þat paradyse wroghte.
When Cristes peple hath parte hym payes alle the better
Then here ben hodirde and hidde and happede in cofers,
That it no sonn may see thurgh seuen wyntter ones,
90 Owthir it freres feche, when thou fey worthes,
To payntten with thaire pelers, or pergett with thaire walles!' —
Bot than this wrechede Wynnere full wrothely he lukes, [324]
Sayse: 'Þis es spedles speche to speken thies wordes!
Loo, thou weryed Wastoure, that wyde-whare es knawenn:
95 Ne es nothir kaysser, ne kynge, ne knyghte þat the folowes,
Barone, ne bachelere, ne beryn that thou loueste,
Bot foure felawes, or fyve, that the fayth owes.
And þou schall dighte thaym to dyne with dayntethes so many
Þat iche a wy in this werlde may wepyn for sorowe.
100 The bores hede schall be broghte with bayes appon lofte,
Buk-tayles full brode in brothes there besyde,
Venyson with the frumentee, and fesanttes full riche,
Baken mete therby one the burde sett,
Chewettes of choppede flesche, charbiande fewlis,
105 And iche a segge þat I see has sexe mens doke.
If this were nedles note, anothir comes aftir:
Roste with the riche sewes, and the ryalle spyces,
Kiddes cleuen by þe rigge, quartered swannes,
Tartes of ten ynche, þat tenys myn hert
110 To see þe borde ouer-brade with blasande disches,
Als it were a rayled rode with rynges and stones.
The thirde mese to me were meruelle to rekken,
For alle es Martynmesse mete þat I with moste dele,
Noghte bot worttes with the flesche, withowt wilde fowle,
115 Saue ane hene to hym that the howse owethe.
And ȝe will hafe birdes bownn one a broche riche,
Barnakes and buturs and many billed snyppes,
Larkes and lyngwhittes, lapped in sogoure,
Wodcokkes and wodwales, full wellande hote,
120 Teeles and titmoyses, to take what ȝowe lykes.
Caudels of conynges, and custadis swete,
Daryols and dische-metis, þat ful dere coste,
Mawmene þat men clepen, ȝour mawes to fill,

74 clengande] gleterand *MS.* 76 te *nicht MS.* 94 thou weryed] this wrechide *MS.* 97 owthe 98 þou] he *MS.* 100 bayes] plontes *MS.* 108 quarterd 120 ȝowe] hym *MS.* 121-128 *dam., spl. Gollancz*

Twelue mese at a merke, bytwen twa men,
125 Thoghe bot brynneth for bale ȝour bowells within.
Me tenyth at ȝour trompers, þay tounen so heghe
Þat iche a gome in þe gate goullyng may here.
Þan wil þay say to þam-selfe, as þay samen ryden,
Ȝe hafe no myster of þe helpe of þe heuen kyng.
130 Þus are ȝe scorned by skyll, and scathed þeraftir,
Þat rechen for a repaste a rawnsom of siluer.
Bot ones I herd in a haule of a herdmans tong:
Better were meles many þan a mery nyghte.'
And he þat wilnes of þis werke for to wete forther,
135 Full freschely and faste, for here a fit endes.
'Ȝee, Wynnere,' quod Wastour, 'I wote well my-seluen
What sall lympe of þe lede, within a lite ȝeris. —
Woldeste þou hafe lordis to lyfe as laddes on fote?
Prelates als prestes þat þe parischen ȝemes?
140 Prowde marchandes of pris as pedders in towne?
Late lordes lyfe als þam liste, laddes as þam falles,
Þay þe bacon and beefe, þay botours and swannes,
Þay þe roughe of þe rye, þay þe rede whete,
Þay þe grewell gray, and þay þe gude sewes!
145 And þen may þe peple hafe parte in pouert þat standes,
Sum gud morsell of mete to mend with þair chere.
If fewlis flye schold forthe, and fongen be neuer,
And wild bestis in þe wodde wone al þaire lyue,
And fisches flete in þe flode, and ichone frete oþer,
150 Ane henne at ane halpeny by halfe ȝeris ende,
Schold not a ladde be in londe a lorde for to serue.
Þis wate þou full wele witterly þi-seluen,
Who-so wele schal wyn, a wastour moste he fynde,
For if it greues one gome, it gladdes anoþer.' —

210. THE HARE'S LAMENT

MS.: Brogyntyn, Harlech Lb., Porkington 10; XV ct. — *edd.*: J. O. Halliwell, Early Engl. Miscellany, Warton Club II; R. H. Robbins, Secular Lyrics XIV-XV, Oxford 1952. - BR. 559.

Bi a forrest as I gan fare,
Walkyng al myselven alone,
I hard a mornyng of an haare,
4 Rouffully schew mad here mone:

'Dereworth god, how schal I leve
And leyd my lyve in lond?
Frov dale to doune I am idrevfe;
8 I not where I may syte or stond!

I may noþer rest nor slepe
By no wallay þat is so derne,
Nor no couert may me kepe,
12 But euer I rene fro herne to herne.

Hontteris will not heyre þer mase
In hope of hunttyng for to wend.
They cowpullyȝt þer howndes more and lase,
16 And bryngyth theme to þe feldys ende. —

Anone as þey commyth me behynde,
I loke and syt ful style and love;
The furst mane þat me doth fynde
20 Anon he cryit: 'So howe! So hoowe!'-

Att wyntter in þe depe snove
Men wyl me seche for to trace,
And by my steyppes I ame iknowe,
24 And followyȝt me fro place to place. -

And yf I syt and crope þe kovle,
And þe wyfe be in þe waye,
Anone schowe wyll swere: 'By cokkes sovle,
28 There is an haare in my haye!' —

As sone as I can ren to þe laye,
Anon þe greyhondys wyl me have;
My boweles beth iþrowe awaye,
32 And I ame bore home on a stavfe.' -

132 one 134 forthe 137 a lite] fewe *MS.* 149 frete] ete *MS.* *210.* 4 mad he here 18 loke alowe and 22 sche

THE CUCKOO SONG

British Museum, Harley 978; cf. p. 463

211. PROVERBS OF ALFRED

MS.: Oxford, Jesus Coll. 29; XIII century. — *edd.*: R. Morris, EETS. 49; W. W. Skeat, Oxford 1907; E. Borgström, Lund 1908; A. Brandl - O. Zippel MeSLP., Berlin 2. 1927. — BR. 423; We. VII, 5; Ke. 4834-37; Ba. 180; RO. 347-348.

Incipiunt documenta regis Aluredi.

At Seuorde sete þeynes monye, [1 + 2]
Fele biscopes and feole bok-ilered,
Eorles prute, knyhtes egleche.
Þar wes þe eorl Alurich, of þare lawe swiþe wis,
5 And ek Ealured, Englene hurde,
Englene durlyng, on Englene londe he wes kyng.
Heom he bigon leere, so ye mawe ihure,
Hw hi heore lif lede scholden.
Alured he wes in Englene lond and king wel swiþe strong.
10 He wes king and he wes clerek; wel he luuede godes werk.
He wes wis on his word, and war on his werke.
He wes þe wysuste mon þat wes Englelonde on.
Þus queþ Alured Englene frouer:
'Wolde ye, mi leode, lusten eure louerde,
15 He ou wolde wyssye wisliche þinges,
Hw ye myhte worldes wrþsipes welde,
And ek eure saule somnen to Criste.'
Wise were þe wordes þe seyde þe king Alured.
'Mildeliche ich munye, myne leoue freond.
20 Poure and riche leode myne,
Þat ye alle adrede vre dryhten Crist,
Luuyen hine and lykyen, for he is louerd of lyf.
He is one god ouer alle godnesse,
He is one gleaw ouer alle glednesse,
25 He is one blisse ouer alle blissen,
He is one monne, mildest mayster,
He is one folkes fader and frouer.
He is one rihtwis and so riche king,
Þat him ne schal beo wone nouht of his wille,
30 Wo hine her on worlde wrþie þencheþ.'
Þus queþ Alured, Englene urouer:
'Ne may non ryhtwis king beo vnder Criste seoluen,
Bute if he beo in boke ilered,
And he his wrytes swiþe wel kunne,
35 And he cunne lettres lokie him-seolf one,
Hw he schule his lond laweliche holde.'
Þus queþ Alured:
'Þe eorl and þe eþelyng ibureþ vnder godne king
Þat lond to leden myd lawelyche deden,
40 And þe clerek and þe knyht he schulle demen euelyche riht.
Þe poure and þe ryche demen ilyche.
Hwych-so þe mon soweþ, al-swuch he schal mowe,
And eueruyches monnes dom to his owere dure churreþ.
Þan knyhte bihoueþ kenliche on to fone,
45 For to werie þat lond wiþ hunger and wiþ heriunge,
Þat þe chireche habbe gryþ, and þe cheorl beo in fryþ
His sedes to sowen, his medes to mowen,
And his plouh beo idryue to vre alre bihoue.

---

32 beo] *not in MS.*, ben *Varr.* 37 *? spl.* Englene frouer, *a.u.* (*not in MSS.*)
Btw. 43/44 þus quad Alfred *Var.*

Þis is þes knyhtes lawe. Loke he þat hit wel fare!' —
50 Þus queþ Alured:
'Mony mon weneþ, þat he wene ne þarf,
Longes lyues; ac him lyeþ þe wrench.
For þanne his lyues alre best luuede,
Þenne he schal leten lyf his owe;
55 For nys no wrt uexynde a wude ne a velde,
Þat euer muwe þas feye furþ vpholde.
Not no mon þene tyme hwanne he schal heonne turne,
Ne no mon þene ende hwenne he schal heonne wende.
Dryhten hit one wot, doweþes louerd,
60 Hwanne vre lif leten schule.' —
Þus queþ Alured:
'If þu hauest seorewe, ne seye þu hit nouht þan arewe,
Seye hit þine sadelbowe, and ryd þe singinde forþ.
Þenne wile wene þet þine wise ne con,
65 Þat þe þine wise wel lyke.
Serewe if þu hauest, and þe erewe hit wot,
Byfore he þe meneþ, byhynde he þe teleþ.
Þu hit myht segge swych mon, þat þe ful wel on,
Wyþute echere ore he on þe muchele more.
70 Byhud hit on þire heorte, þat þe eft ne smeorte,
Ne let þu hyne wite al þat þin heorte bywite.'
Þus queþ Alured:
'Ne schaltu neuere þi wif by hire wlyte cheose,
For neuer none þinge þat heo to þe bryngeþ.
75 Ac leorne hire custe, heo cuþeþ hi wel sone.
For mony mon for ayhte vuele i-auhteþ,
And ofte mon of fayre frakele icheoseþ.
Wo is him þat vuel wif bryngeþ to his cotlyf.
So him is alyue þat vuele ywyueþ,
80 For he schal vppen eorþe dreori iwurþe.
Mony mon singeþ þat wif hom bryngeþ:
Wiste he hwat he brouhte, wepen he myhte!'
Þus queþ Alured:
'Ne wurþ þu neuer so wod, ne so wyndrunke,
85 Þat euere segge þine wife alle þine wille.
For if heo iseye þe bivore þine ivo alle,
And þu hi myd worde iwreþþed heuedest,
Ne scholde heo hit lete for þing lyuyinde,
Þat heo ne scholde þe forþ vpbreyde of þine baleusyþes.
90 Wymmon is wordwod and haueþ tunge to swift;
Þeyh heo wel wolde, ne may heo hi nowiht welde.' —
Þus queþ Alured:
'Ne gabbe þu, ne schotte, ne chid þu wiþ none sotte,
Ne myd manyes cunnes tales ne chid þu wiþ nenne dwales,
95 Ne neuer þu ne bigynne to telle þine tyþinges
At nones fremannes borde; ne haue þu to vale worde.
Mid fewe worde wis mon fele biluken wel con,
And sottes bolt is sone ischote. Forþi ich holde hine for dote
Þat sayþ al his wille, þanne he scholde beon stille;
100 For ofte tunge brekeþ bon, þeyh heo seolf nabbe non. —

53 h. l.] he is lif *Var.* 60 Wenne we *Var.* 86 heo] þu *MS*, hue *Var.*

212. THE OWL AND THE NIGHTINGALE

MSS.:C = BM., Cotton Caligula A.IX; before 1250. (*Var. J* = Oxford, Jesus Coll.29; a little later than C). — *edd.:* J. E. Wells, BLS., Boston 2. 1909; W. Gadow, Palaestra 65; J.W.Atkins, Cambridge 1922; J. H. G. Grattan- G. F. H. Sykes, EETS. CXIX. — BR.1384; We. IX,8; Ke. 4794-4805; Ba. 181-182; RO. 331-332.

Ich was in one sumere dale, [1]
In one suþe diȝele hale,
Iherde ich holde grete tale
An hule and one niȝtingale.
5 Þat plait was stif and starc and strong,
Sum wile softe and lud among;
An aiþer aȝen oþer sval,
And let þat vuele mod ut al.
And eiþer seide of oþeres custe
10 Þat alre-worste þat hi wuste;
And hure and hure of oþeres songe
Hi holde plaiding suþe stronge.
Þe niȝtingale bigon þe speche,
In one hurne of one breche,
15 And sat up one vaire boȝe,
Þar were abute blosme inoȝe,
In ore vaste þicke hegge
Imeind mid spire and grene segge.
Ho was þe gladur uor þe rise,
20 And song a uele cunne wise.
Bet þuȝte þe dreim þat he were
Of harpe and pipe þan he nere,
Bet þuȝte þat he were ishote
Of harpe and pipe þan of þrote.
25 Þo stod on old stoc þar biside,
Þar þo vle song hire tide,
And was mid iui al bigrowe;
Hit was þare hule eardingstowe.
Þe niȝtingale hi iseȝ,
30 And hi bihold and ouerseȝ,
And þuȝte wel vul of þare hule,
For me hi halt lodlich and fule.
'Vnwiȝt,' ho sede, 'awei þu flo!
Me is þe wurs þat ich þe so.
35 Iwis for þine vule lete,
Wel oft ich mine song forlete;
Min horte atfliþ and falt mi tonge,
Wonne þu art to me iþrunge.
Me luste bet speten þane singe
40 Of þine fule ȝoȝelinge.'
Þos hule abod fort hit was eve,
Ho ne miȝte no leng bileue,
Vor hire horte was so gret
Þat wel neȝ hire fnast atschet,
45 And warp a word þarafter longe:
'Hu þinc þe nu bi mine songe?
Wenst þu þat ich ne cunne singe,
Þeȝ ich ne cunne of writelinge?
Ilome þu dest me grame,
50 And seist me boþe tone and schame.
Ȝif ich þe holde on mine uote,
So hit bitide þat ich mote,
And þu were vt of þinc rise,
Þu sholdest singe an oþer wise.'
55 Þe niȝtingale ȝaf answare:
'Ȝif ich me loki wit þe bare,
And me schilde wit þe blete,
Ne reche ich noȝt of þine þrete;
Ȝif ich me holde in mine hegge,
60 Ne recche ich neuer what þu segge.
Ich wot þat þu art unmilde
Wiþ hom þat ne muȝe from þe schilde;
And þu tukest wroþe and vuele,
Whar þu miȝt, over smale fuȝele.
65 Vorþi þu art loþ al fuelkunne,
And alle ho þe driueþ honne,
And þe bischricheþ and bigredet,
And wel narewe þe biledet;
And ek forþe þe sulue mose,
70 Hire þonkes, wolde þe totose.
Þu art lodlich to biholde,
And þu art loþ in monie volde;
Þi bodi is short, þi swore is smal,
Grettere is þin heued þan þu al;
75 Þin eȝene boþ colblake and brode,
Riȝt swo ho weren ipeint mid wode;
Þu starest so þu wille abiten
Al þat þu miȝt mid cliure smiten;
Þi bile is stif and scharp and hoked,
80 Riȝt so an owel þat is croked;
Þarmid þu clackest oft and longe,
And þat is on of þine songe.

The variants not specially marked are from J. *Title:* Incipit altercacio inter filomenam et bubonem. 1 wes, *a. o.* 2 swiþe, *a. o.* dyele 4 vle, *a. o.*, nyhtegale, *a.o.* 5 playd 6 hwile (*a.o.* w-/hw) 7 An] And, *a.o.* eyþer, *a.o.* ayeyn, *a.o.*; swal 8 vuele *J*] wole C 9 oþres, *a. o. J* 10 wrste þ. h. ywuste 11 oþere *C* 13 þo speke *J* 14 beche 15 bowe (*a. o.* -ȝ-/-w-) 16 þat w. a. blostme 17 waste *C* 19 He *J*, gladder 20 veole 21 Bet *J*] Het *C* þuhte *J* (*a. o.* ȝt/ht) drem 23 heo 26 þo] þe 28 erd. 29 iseyh (*a. o.* eȝ/eyh) 30 biholdeþ 31 vul] wl *C*, ful *J*, 33 heo, fleo 34 iseo 36 ofte i. my s. furl. 37 heorte (*a. o.* o/eo) atflyhþ tunge 38 Hwenne 40 howelynge 41 for 44 atset 46 þincþe *C* 47 West þu *C*] Wenestu *J* 48 þeȝ] þe 49 grome : schome 51 If, *a. o.* 54 an] on wise *J*] wse *C* 55 yaf onsw. *J* 56 wiþ 58 recche, nouht 60 hwat (*a. o.* wh-/hw-) 62 þe *J*] se *C* 64 vowele *J* 65 fowel 67 biscrycheþ a. bigredeþ : byledeþ 73 scort, swere 74 gretture, þan] ne 75 eyen 76 so hi w. 78 miȝt] mist *C* 79 sarp *J* 80 Riht as on ewel 81 clackes o. a. l. *C*] clechest euen among *J*

Ac þu þretest to mine fleshe,
Mid þine cliures woldest me meshe.
85 Þe were icundur to one frogge
Þat sit at mulne vnder cogge,
Snailes, mus, and fule wiȝte,
Boþ þine cunde and þine riȝte.
Þu sittest adai and fliȝst aniȝt,
90 Þu cuþest þat þu art on vnwiȝt.
Þu art lodlich and unclene,
Bi þine neste ich hit mene.' —
Þos word aȝaf þe niȝtingale, [139]
And after þare longe tale
95 He song so lude and so scharpe,
Riȝt so me grulde schille harpe.
Þos hule luste þiderward,
And hold hire eȝe noþerward,
And sat tosvolle and ibolwe,
100 Also ho hadde one frogge isuolȝe;
For ho wel wiste and was iwar
Þat ho song hire abisemar.
And noþeles ho ȝaf andsuare;
'Whi neltu flon into þe bare,
105 And sewi ware unker bo
Of briȝter howe, of uairur blo?'
'No, þu hauest wel scharpe clawe,
Ne kepich noȝt þat þu me clawe.
Þu hauest cliuers suþe stronge,
110 Þu tuengst þarmid so doþ a tonge.
Þu þoȝtest, so doþ þine ilike,
Mid faire worde me biswike.
Ich nolde don þat þu me raddest,
Ich wiste wel þat þu me misraddest.
115 Schamie þe for þin unrede!
Vnwroȝen is þi svikelhede!
Schild þine svikeldom vram þe liȝte,
And hud þat woȝe among þe riȝte.
Þane þu wilt þin unriȝt spene,
120 Loke þat hit ne bo isene;
Vor svikedom haueþ schome and hete,
Ȝif hit is ope and underȝete.
Ne speddestu noȝt mid þine unwrenche,
For ich am war and can wel blenche.
125 Ne helpþ noȝt þat þu bo to þriste;
Ich wolde viȝte bet mid liste
Þan þu mid al þine strengþe.
Ich habbe, on brede and eck on lengþe,
Castel god on mine rise;
130 'Wel fiȝt þat wel fliȝt,' seiþ þe wise.
Ac lete we awei þos cheste,
Vor suiche wordes boþ unwreste,
And fo we on mid riȝte dome,
Mid faire worde and mid ysome,
135 Þeȝ we ne bo at one acorde,
We maȝe bet mid fayre worde,
Witute cheste, and bute fiȝte,
Plaidi mid foȝe and mid riȝte;
And mai hure eiþer wat he wile
140 Mid riȝte segge and mid sckile.'
Þo quaþ þe hule: 'Wu schal us seme,
Þat kunne and wille riȝt us deme?'
'Ich wot wel,' quaþ þe niȝtingale,
'Ne þaref þarof bo no tale.
145 Maister Nichole of Guldeforde,
He is wis an war of worde;
He is of dome suþe gleu,
And him is loþ eurich unþeu.
He wot insiȝt in eche songe,
150 Wo singet wel, wo singet wronge.
And he can schede vrom þe riȝte
Þat woȝe, þat þuster from þe liȝte.'
Þo hule one wile hi biþoȝte,
And after þan þis word upbroȝte:
155 'Ich granti wel þat he us deme,
Vor þeȝ he were wile breme,
And lof him were niȝtingale,
And oþer wiȝte gente and smale,
Ich wot he is nu suþe acoled.
160 Nis he vor þe noȝt afoled,
Þat he, for þine olde luue,
Me adun legge and þe buue.
Ne schaltu neure so him queme,
Þat he for þe fals dom deme.
165 He is him ripe and fastrede,
Ne lust him nu to none unrede;
Nu him ne lust na more pleie,
He wile gon a riȝte weie.'
Þe niȝtingale was al ȝare,
170 Ho hadde ilorned wel aiware:
'Hule,' ho sede, 'seie me soþ,
Wi dostu þat unwiȝtis doþ?
Þu singist aniȝt and noȝt adai,
And al þi song is wailawai.
175 Þu miȝt mid þine songe afere
Alle þat ihereþ þine ibere.
Þu schrichest and ȝollest to þine fere,
Þat hit is grislich to ihere.
Hit þincheþ boþe wise and snepe
180 Noȝt þat þu singe, ac þat þu wepe.
Þu fliȝst aniȝt and noȝt adai;
Þarof ich wundri and wel mai;
Vor eurich þing þat schuniet riȝt,
Hit luueþ þuster and hatiet liȝt.

---

83 vlevsse 84 cleures, mevsse 85 icundere 86 *not in C* 93 ***From here to end only some critical readings from J are noted.*** 105 ware] þare *C*, hweþer *J* 118 amon *C* 121 haued *C* 136 muȝe *C*, mawe *J* 138 foȝe] soþe *J* 139 he *J*] hi *C* 141 Wu] þu *C*, who *J* 165 him] nu *J* 177 schirchest *C* 179 þinchest *C* 182 wndri *C*

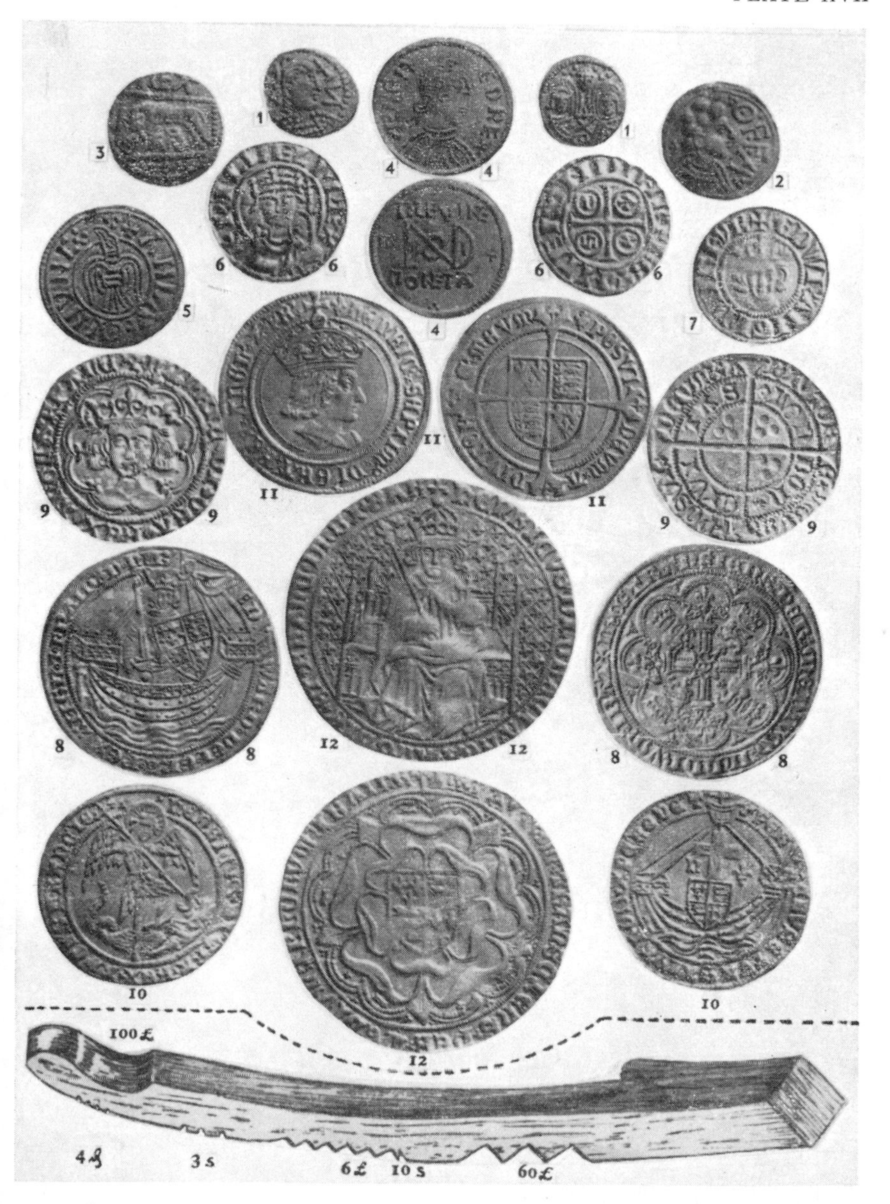

MEDIEVAL ENGLISH COINS
AND A THIRTEENTH CENTURY TALLY-STICK

COINS: 1. VIIIth century sceat — 2. Offa of Mercia — 3. Æthelberht of East Anglia — 4. Alfred of Wessex 5. Olaf Quaran — 6. William the Conqueror — 7. Edward I. (Pennies) — 8. Edward III, noble, (gold) 9. Henry VI, groat — 10. Henry VI, angel, (gold) — 11. Henry VII, shilling — 12. Henry VII, sovereign, (gold)

TALLY (reduced), the cuts representing: 100 £ = the breadth of a thumb; a score = a little finger; one pound = a swelling barleycorn, a shilling = slightly smaller; pennies = mere cuts

185 And eurich þing þat is lof misdede,
Hit luueþ þuster to his dede.
A wis word, þeȝ hit bo unclene,
Is fele manne a-muþe imene;
For Alured king hit seide and wrot:
190 'He schunet þat hine vul wot.' —
Þos hule luste suþe longe, [253]
And was oftoned suþe stronge.
Ho quaþ: 'Þu hattest niȝtingale,
Þu miȝtest bet hoten galegale,
195 Vor þu hauest to monie tale.
Lat þine tunge habbe spale!
Þu wenest þat þes dai bo þin oȝe.
Lat me nu habbe mine þroȝe;
Bo nu stille and lat me speke!
200 Ich wille bon of þe awreke.
And lust hu ich con me bitelle,
Mid riȝte soþe, witute spelle.
Þu seist þat ich me hude adai,
Þarto ne segge ich nich ne nai;
205 And lust ich telle þe wareuore,
Al wi hit is and wareuore:
Ich habbe bile stif and stronge,
And gode cliuers scharp and longe,
So hit bicumeþ to hauekes cunne,
210 Hit is min hiȝte, hit is mi wunne,
Þat ich me draȝe to mine cunde,
Ne mai me no man þareuore schende.
On me hit is wel isene,
Vor riȝte cunde ich am so kene.
215 Vorþi ich am loþ smale foȝle
Þat floþ bi grunde an bi þuuele.
Hi me bichermet and bigredeþ,
And hore flockes to me ledeþ.
Me is lof to habbe reste
220 And sitte stille in mine neste;
Vor nere ich neuer no þe betere,
Ȝif ich mid chauling and mid chatere
Hom schende and mid fule worde,
So herdes doþ oþer mid schitworde.
225 Ne lust me wit þe screwen chide;
Forþi ich wende from hom wide. —
Ȝet þu me seist of oþer þinge,
And telst þat ich ne can noȝt singe,
Ac al mi rorde is woning,
230 And to ihire grislich þing.
Þat nis noȝt soþ, ich singe efne,
Mid fulle dreme and lude stefne.
Þu wenist þat ech song bo grislich,
Þat þine pipinge nis ilich.
235 Mi stefne is bold and noȝt unorne,
Ho is ilich one grete horne,
And þin is ilich one pipe,
Of one smale wode unripe.
Ich singe bet þan þu dest.
240 Þu chaterest so doþ on Irish prost.
Ich singe an eue a riȝte time,
And soþþe won hit is bedtime,
Þe þridde siþe at middelniȝte;
And so ich mine song adiȝte
245 Wone ich iso arise vorre
Oþer dairim oþer daisterre.
Ich do god mid mine þrote,
And warni men to hore note.
Ac þu singest alle longe niȝt,
250 From eue fort hit is dailiȝt,
And eure seist þin o song
So longe so þe niȝt is long.
And eure croweþ þi wrecche crei,
Þat he ne swikeþ niȝt ne dai.
255 Mid þine pipinge þu adunest
Þas monnes earen þar þu wunest,
And makest þine song so unwurþ
Þat me ne telþ of þar noȝt wurþ.
Eurich murȝþe mai so longe ileste
260 Þat ho shal liki wel unwreste;
Vor harpe, and pipe, and fuȝeles song
Mislikeþ, ȝif hit is to long.
Ne bo þe song neuer so murie,
Þat he ne shal þinche wel unmurie
265 Ȝef he ilesteþ ouer unwille;
So þu miȝt þine song aspille.
Vor hit is soþ, Alured hit seide,
And me hit mai ine boke rede:
'Eurich þing mai losen his godhede
270 Mid unmeþe and mid ouerdede.' —
Þe niȝtingale in hire þoȝte [391]
Athold al þis, and longe þoȝte
Wat ho þarafter miȝte segge;
Vor ho ne miȝte noȝt alegge
275 Þat þe hule hadde hire ised,
Vor he spac boþe riȝt an red. —
'Hule,' ho seide, 'wi dostu so?
Þu singest a-winter wolawo.
Þu singest so doþ hen asnowe,
280 Al þat ho singeþ hit is for wowe.
A-wintere þu singest wroþe and ȝomere,
An eure þu art dumb a-sumere.
Hit is for þine fule niþe
Þat þu ne miȝt mid us bo bliþe,
285 Vor þu forbernest wel neȝ for onde
Wane ure blisse cumeþ to londe.
Þu farest so doþ þe ille,
Evrich blisse him is unwille.
Grucching and luring him boþ rade,
290 Ȝif he isoþ þat men boþ glade.
He wolde þat he iseȝe

---

204 nich] nyk *J* 210 wunne] wune *C*, ynne *J*, *emm. Stratmann*, *Atkins* 222 ȝif] þif *C*, þeyh *J*, *em. Atkins* chauling] changling *J* 243 at] ad *C*, a *J*

Teres in evrich monnes eȝe,
Ne roȝte he þeȝ flockes were
Imeind bi toppes and bi here.
295 Al so þu dost on þire side;
Vor wanne snov liþ þicke and wide,
An alle wiȝtes habbeþ sorȝe,
Þu singest from eue fort a-morȝe.
Ac ich alle blisse mid me bringe.
300 Ech wiȝt is glad for mine þinge,
And blisseþ hit wanne ich cume,
And hiȝteþ aȝen mine kume.
Þe blostme ginneþ springe and sprede,
Boþe ine tro and ek on mede.
305 Þe lilie mid hire faire wlite
Wolcumeþ me, þat þu hit wite,
Bit me mid hire faire blo
Þat ich shulle to hire flo.
Þe rose also mid hire rude,
310 Þat cumeþ ut of þe þorne wode,
Bit me þat ich shulle singe
Vor hire luue one skentinge.
And ich so do þurȝ niȝt and dai,
Þe more ich singe þe more I mai,
315 An skente hi mid mine songe,
Ac noþeles noȝt ouerlonge!
Wane ich iso þat men boþ glade,
Ich nelle þat hi bon to sade:
Þan is ido vor wan ich com,
320 Ich fare aȝen and do wisdom.
Wane mon hoȝeþ of his sheue,
An falewi cumeþ on grene leue,
Ich fare hom and nime leue;
Ne recche ich noȝt of winteres reue.
325 Wan ich iso þat cumeþ þat harde,
Ich fare hom to min erde,
An habbe boþe luue and þonc
Þat ich her com and hider swonk.
Þan min erende is ido,
330 Sholde ich bileue? Nai, warto?
Vor he nis noþer ȝep ne wis,
Þat longe abid þar him nod nis.'
Þos hule luste, and leide an hord
Al þis mot, word after word,
335 An after þoȝte hu he miȝte
Ansvere uinde best mid riȝte;
Vor he mot hine ful wel biþenche,
Þat is aferd of plaites wrenche.
'Þv aishest me,' þe hule sede,
340 'Wi ich a-winter singe and grede.
Hit is gode monne iwone,
An was from þe worlde frome,
Þat ech god man his frond icnowe,
An blisse mid hom sume þrowe
345 In his huse at his borde,
Mid faire speche and faire worde.
And hure and hure to Cristesmasse,
Wane riche and poure, more and lasse,
Singeþ condut niȝt and dai,
350 Ich hom helpe what ich mai.
And ek ich þenche of oþer þinge
Þane to pleien oþer to singe.
Ich habbe herto gode ansuare
Anon iredi and al ȝare:
355 Vor sumeres-tide is al to wlonc,
An doþ misreken monnes þonk,
Vor he ne recþ noȝt of clennesse,
Al his þoȝt is of golnesse. —
A-sumere chorles awedeþ
360 And uorcrempeþ and uorbredeþ. —
Ac wane niȝtes cumeþ longe,
And bringeþ forstes starke an stronge,
Þanne erest hit is isene
War is þe snelle, war is þe kene.
365 At þan harde me mai auinde
Wo geþ forþ, wo liþ bihinde.
Me mai ison at þare node,
Wan me shal harde wike bode;
Þanne ich am snel and pleie and singe,
370 And hiȝte me mid mi skentinge;
Of none wintere ich ne recche,
Vor ich nam non asvunde wrecche.
And ek ich frouri uele wiȝte
Þat mid hom nabbeþ none miȝtte.
375 Hi boþ hoȝfule and uel arme,
An secheþ ȝorne to þe warme;
Oft ich singe uor hom þe more
For lutli sum of hore sore.
Hu þincþ þe? Artu ȝut inume?
380 Artu mid riȝte ouercume?' —
Þe niȝtingale at þisse worde [659]
Was wel neȝ ut of rede iworþe,
An þoȝte ȝorne on hire mode
Ȝif ho oȝt elles understode,
385 Ȝif ho kuþe oȝt bute singe,
Þat miȝte helpe to oþer þinge.
Herto ho moste andswere uinde,
Oþer mid alle bon bihinde.
An hit is suþe strong to fiȝte
390 Aȝen soþ and aȝen riȝte.
He mot gon to al mid ginne,
Þan þe horte boþ on winne.
An þe man mot on oþer segge,
He mot bihemmen and bilegge,
395 Ȝif muþ wiþute mai biwro
Þat me þe horte noȝt niso;
An sone mai a word misreke,

330 hwarto *J*] þarto *C* 348 Wane] Hwenne *J*, þane *C* (*s. o.* w-/þ- *C*) 362 bingeþ *C*
372 svnde *C* 374 nabbed *C*

Þar muþ shal aȝen horte speke. —
'Hule, þu axest me,' ho seide,
400 'Ȝif ich kon eni oþer dede
Bute singen in sume tide,
An bringe blisse for and wide.
Wi axestu of craftes mine?
Betere is min on þan alle þine!
405 Betere is o song of mine muþe
Þan al þat eure þi kun kuþe,
An lust, ich telle þe wareuore:
Wostu to wan man was ibore?
To þare blisse of houene-riche,
410 Þar euer is song and murȝþe iliche.
Þider fundeþ eurich man
Þat eni þing of gode kan.
Vorþi me singþ in holi-chirche,
An clerkes ginneþ songes wirche; —
415 Clerkes, munekes, and kanunes,
Þar boþ þos gode wicke-tunes,
Ariseþ up to midelniȝte,
An singeþ of þe houene-liȝte,
An prostes upe londe singeþ,
420 Wane þe liȝt of daie springeþ.
An ich hom helpe wat I mai:
Ich singe mid hom niȝt and dai,
An ho boþ alle for me þe gladdere,
An to þe songe boþ þe raddere.
425 Ich warni men to hore gode,
Þat hi bon bliþe on hore mode,
An bidde þat hi moten iseche
Þan ilke song þat euer is eche. —
Al so ich do mid mine one songe
430 Bet þan þu al þe ȝer longe. —
Telstu bi me þe wurs for þan
Þat ich bute anne craft ne kan?
Ȝif tueie men goþ to wraslinge,
An eiþer oþer faste þringe,
435 An þe on can swenges suþe fele,
An kan his wrenches wel forhele,
An þe oþer ne can sweng but anne,
An þe is god wiþ eche manne,
An mid þon one leiþ to grunde
440 Anne after oþer a lutle stunde,
Wat þarf he recche of a mo swenge,
Þone þe on him is swo genge? —
Al so ich segge bi mi solue:
Betere is min on þan þine twelue.'
445 'Abid! Abid!' þe ule seide, [837]
'Þu gest al to mid swikelede.
Alle þine wordes þu bileist
Þat hit þincþ soþ al þat þu seist.
Alle þine wordes boþ isliked,
450 An so bisemed an biliked,
Þat alle þo þat hi auoþ,
Hi weneþ þat þu segge soþ.
Abid! Abid! Me shal þe ȝene.
Nu hit shal wurþe wel isene
455 Þat þu hauest muchel iloȝe,
Wone þi lesing boþ unwroȝe.
Þu seist þat þu singist mankunne,
And techest hom þat hi fundieþ honne
Vp to þe songe þat eure ilest;
460 Ac hit is alre wunder mest,
Þat þu darst liȝe so opeliche.
Wenest þu hi bringe so liȝtliche
To godes riche al singinde?
Nai! Nai, hi shulle wel auinde
465 Þat hi mid longe wope mote
Of hore sunnen bidde bote,
Ar hi mote euer kume þare.
Ich rede þi þat men bo ȝare,
An more wepe þane singe,
470 Þat fundeþ to þan houen-kinge.
Vor nis no man witute sunne.
Vorþi he mot, ar he wende honne,
Mid teres an mid wope bete,
Þat him bo sur þat er was swete.
475 Þarto ich helpe, god hit wot!
Ne singe ich hom no foliot;
For al mi song is of longinge,
An imend sumdel mid woninge,
Þat mon bi me hine biþenche
480 Þat he groni for his unwrenche.
Mid mine songe ich hine pulte,
Þat he groni for his gulte.
Ȝif þu gest herof to disputinge,
Ich wepe bet þane þu singe.
485 Ȝif riȝt goþ forþ, and abak wrong,
Betere is mi wop þan þi song. —
Ȝet ich þe ȝene in oþer wise: [893]
Vor þane þu sittest on þine rise,
Þu draȝst men to fleses luste,
490 Þat wulleþ þine songes luste.
Al þu forlost þe murȝþe of houene,
For þarto neuestu none steuene.
Al þat þu singst is of golnesse,
For nis on þe non holinesse,
495 Ne weneð na man for þi pipinge
Þat eni preost in chirche singe. —
Ich wisse men mid mine songe,
Þat hi ne sunegi nowiht longe.
I bidde hom þat heo iswike,
500 Þat heo heom seolue ne biswike;
For betere is þat heo wepen here,
Þan elles hwar beon deoulene fere.'
Þe niȝtingale was igramed,
An ek heo was sum-dei ofschamed,—

454 Nu] þu *C*, wrþe *CJ* 460 wnder *C*, wndre *J* 463 singinge *C* 476 ih *C* 477 mi] me *C* 495 wened *C* 500 heo *spl. Atkins* 502 to beon *C* 503 igremet: ofchamed *C*

505 An sat sum-del, and heo biþohte,
An wiste wel on hire þohte:
Þe wraþþe binimeþ monnes red;
For hit seide þe king Alfred:
'Selde endeð wel þe loþe,
510 An selde plaideð wel þe wroþe.'
For wraþþe meinþ þe horte blod
Þat hit floweþ so wilde flod,
An al þe heorte ouergeþ,
Þat heo naueþ no þing bute breþ,
515 An so forleost al hire liht,
Þat heo ni siþ soþ ne riht.
Þe niȝtingale hi understod,
An ouergan lette hire mod.
He mihte bet speken a-sele
520 Þan mid wraþþe wordes deale.
'Hule,' heo seide, 'lust nu hider:
Þu schalt falle, þe wei is slider.
Þu seist ich fleo bihinde bure.
Hit is riht, þe bur is ure;
525 Þar lauerd liggeþ and lauedi,
Ich schal heom singe and sitte bi.
Wenstu þat uise men forlete,
For fule venne, þe riȝtte strete?
Ne sunne þe later shine,
530 Þeȝ hit bo ful ine neste þine?
Sholde ich, for one hole brede,
Forlete mine riȝte stede,
Þat ich ne singe bi þe bedde,
Þar louerd haueþ his loue ibedde?
535 Hit is mi riȝt, hit is mi laȝe,
Þat to þe hexste ich me draȝe.
Ac ȝet þu ȝelpst of þine songe,
Þat þu canst ȝolle wroþe and stronge,
An seist þu uisest mankunne,
540 Þat hi biwepen hore sunne.
Solde euch mon wonie and grede
Riȝt suich hi weren unlede,
Solde hi ȝollen al so þu dest,
Hi miȝte oferen here brost.
545 Man schal bo stille and noȝt grede;
He mot biwepe his misdede;
Ac þar is Cristes heriinge,
Þar me shal grede and lude singe.
Nis noþer to lud ne to long,
550 At riȝte time, chirche-song.
Þu ȝolst and wonest, and ich singe.
Þi steuene is wop, and min skentinge.
Euer mote þu ȝolle and wepen
Þat þu þi lif mote forleten!
555 An ȝollen mote þu so heȝe
Þat ut berste bo þin eȝe.
Weþer is betere of twere twom,
Þat mon bo bliþe oþer grom?
So bo it euer in unker siþe,
560 Þat þu bo sori and ich bliþe.' —
Þe hule was wroþ, to cheste rad,
Mid þisse worde hire eȝen abrad:
'Þu seist þu witest manne bures,
Þar leues boþ and faire flores,
565 Þar two iloue in one bedde [1047]
Liggeþ biclopt and wel bihedde.
Enes þu sunge, ic wot wel ware,
Bi one bure, and woldest lere
Þe lefdi to an uuel luue,
570 An sunge boþe loȝe and buue,
An lerdest hi to don shome
An vnriȝt of hire licome.
Þe louerd þat sone underȝat,
Liim and grine and wel eiwat,
575 Sette and leide þe for to lacche.
Þu come sone to þan hacche,
Þu were inume in one grine,
Al hit aboȝte þine shine.
Þu naddest non oþer dom ne laȝe,
580 Bute mid wilde horse were todraȝe.
Vonde ȝif þu miȝt eft misrede,
Waþer þu wult, wif þe maide.
Þi song mai bo so longe genge
Þat þu shalt wippen on a sprenge.'
585 Þe niȝtingale at þisse worde,
Mid sworde an mid speres orde,
Ȝif ho mon were, wolde fiȝte.
Ac þo ho bet do ne miȝte,
Ho uaȝt mid hire wise tunge.
590 'Wel fiȝt þat wel specþ' seiþ in þe songe.
Of hire tunge ho nom red.
'Wel fiȝt þat wel specþ' seide Alured.
'Wat, seistu þis for mine shome?
Þe louerd hadde herof grame.
595 He was so gelus of his wiue,
Þat he ne miȝte for his liue
Iso þat man wiþ hire speke,
Þat his horte nolde breke.
He hire bileck in one bure,
600 Þat hire was boþe stronge and sure.
Ich hadde of hire milse an ore,
An sori was for hire sore,
An skente hi mid mine songe
Al þat ich miȝte, raþe an longe.
605 Vorþan þe kniȝt was wiþ me wroþ,
Vor riȝte niþe ich was him loþ.
He dude me his oȝene shome,
Ac al him turnde it to grome.
Þat underyat þe king Henri,

509 Selde *J*] sele *C* 521 Hule] þule *C* 536 þar, herst *C* 557 twere *C*, tweyre *J*, twene *em. Atkins* 566 biclop *C*, iclupt *J* 567 wod *C* 574 g. a.] grune a. *J*, grinew *C* 575 ledde *C*

610 Jesus his soule do merci,
He let forbonne þene kniȝt,
Þat hadde idon so muchel unriȝt
Ine so gode kinges londe,
Vor riȝte niþe and for fule onde
615 Let þane lutle fuȝel nime
An him fordeme lif an lime.
Hit was wurþsipe al mine kunne;
Forþon þe kniȝt forles his wunne,
An ȝaf for me an hundred punde;
620 An mine briddes seten isunde,
An hadde soþþe blisse and hiȝte,
An were bliþe, and wel miȝte;
Vorþon ich was so wel awreke,
Euer eft ich darr þe bet speke,
625 Vor hit bitidde ene swo,
Ich am þe bliþur euer mo.
Nu ich mai singe war ich wulle,
Ne dar me neuer eft mon agrulle.
Ac þu, ereming, þu wrecche gost!
630 Þu ne canst finde, ne þu nost,
An holȝ stok þar þu þe miȝt hude,
Þat me ne twengeþ þine hude.
Vor children, gromes, heme and hine,
Hi þencheþ alle of þire pine.
635 Ȝif hi muȝe iso þe sitte,
Stones hi doþ in hore slitte,
An þe totorueð and toheneþ.
An þine fule bon tosheneþ.
Ȝif þu art iworþe oþer ishote,
640 Þanne þu miȝt erest to note;
Vor me þe hoþ in one rodde,
An þu mid þine fule codde
An mid þine ateliche swore
Biwerest manne corn urom dore.
645 Nis noþer noȝt, þi lif ne þi blod,
Ac þu art sheueles suþe god!
Þar nowe sedes boþ isowe,
Pinnuc, golfinc, rok, ne crowe
Ne dar þar neuer cumen ihende,
650 Ȝif þi buc hongeþ at þan ende.
Þar tron shulle a-ȝere blowe
An ȝunge sedes springe and growe,
Ne dar no fuȝel þarto uonge,
Ȝif þu art þarouer ihonge.
655 Þi lif is eure luþer and qued,
Þu nart noȝt bute ded.
Nu þu miȝt wite sikerliche
Þat þine leches boþ grisliche
Þe wile þu art on lifdaȝe;
660 Vor wane þu hongest islaȝe,
Ȝut hi boþ of þe ofdradde,
Þe fuȝeles þat þe er bigradde.
Mid riȝte men boþ wiþ þe wroþe,
For þu singist euer of hore loþe;
665 Al þat þu singst raþe oþer late,
Hit is euer of manne unwate;
Wane þu hauest aniȝt igrad,
Men boþ of þe wel sore ofdrad.'—
Þe hule ne abod noȝt swiþe longe,
670 Ah ȝef ondsware starke and stronge:
'Wat!' quaþ ho, 'hartu ihoded,
Oþer þu kursest al unihoded?
For prestes wike, ich wat, þu dest;
Ich not ȝef þu were ȝaure prest,
675 Ich not ȝef þu canst masse singe,
Inoh þu canst of mansinge.
Ah hit is for þine alde niþe,
Þat þu me akursedest oðer siðe;
Ah þarto is lihtlich ondsware;
680 Drah to þe! cwaþ þe cartare.
Wi attwitestu me mine insihte
An min iwit and mine miȝte?
For ich am witi ful iwis,
An wot al þat to kumen is:
685 Ich wot of hunger, of hergonge,
Ich wot ȝef men schule libbe longe,
Ich wat ȝef wif lust hire make,
Ich wat war schal beo niþ and wrake,
Ich wot hwo schal beon anhonge
690 Oþer elles fulne deþ afonge;
Ȝef men habbeþ bataile inume,
Ich wat hwaþer schal beon ouerkume;
Ich wat ȝif cwalm scal comen on orfe,
An ȝif dor schule ligge astorue,
695 Ich wot ȝef treon schule blowe,
Ich wat ȝef cornes schule growe,
Ich wot ȝef huses schule berne,
Ich wot ȝef men schule eorne oþer erne,
Ich wot ȝef sea schal schipes drenche,
700 Ich wot ȝef snuwe schal uuele clenche.
An ȝet ich con muchel more;
Ich con inoh in bokes lore,
An eke ich can of þe goddspelle
More þan ich nulc þe telle;
705 For ich at chirche come ilome
An muche leorni of wisdome.
Ich wat al of þe tacninge
An of oþer feole þinge.
Ȝef eni mon schal rem abide,
710 Al ich hit wot ear hit itide.
Ofte for mine muchele iwitte
Wel sori-mod and wroþ ich sitte.

---

624 dart *C* 629 eremig *C* 643 spore *C* 646 shueles *C*, sheules *J* 656 nard *C* 669 abot. swiþ *C* 684 wod *C* 688 hwar *J*] þar *C* 694 schul *C* 700 snuwe] snuwes *C*, smiþes *J*, *em.* *Atkins* 712 worþ *C*

Wan ich iseo þat sum wrechede
Is manne neh, innoh ich grede,
715 Ich bidde þat men beon iwarre,
An habbe gode reades ȝarre! —
Schal he, þat þerof noþing not,
Hit wite me, for ich hit wot?
Schal he his mishap wite me,
720 For ich am wisure þane he?' —
Þe niȝtingale sat and siȝte, [1291]
And hohful was, and ful wel miȝte,
For þe hule swo ispeke hadde,
An hire speche swo iladde.
725 Heo was hohful and erede
Hwat heo þarafter hire sede;
Ah neoþeles heo hire understod.
'Wat!' heo seide, 'hule, artu wod?
Þu ȝeolpest of seolliche wisdome,
730 Þu nustest wanene he þe come! —
Ich habbe iherd, and soþ hit is,
Þe mon mot beo wel storre-wis,
Þat wite innoh of wucche þinge kume,
So þu seist þe is iwune.
735 Hwat canstu, wrecche þing, of storre,
Bute þat þu bihauest hi feorre?
Alswo deþ mani dor and man,
Þeo of swucche nawiht ne con.
On ape mai a boc biholde,
740 An leues wenden and eft folde;
Ac he ne con þe bet þaruore
Of clerkes lore top ne more!
Þah þu iseo þe steorre alswo,
Nartu þe wisure neauer þe mo.
745 Ah ȝet þu fule þing me chist,
An wel grimliche me atwist
Þat ich singe bi manne huse,
An teache wif breke spuse.
Þu liest iwis, þu fule þing!
750 Þurh me nas neauer ischend spusing,
Ah soþ hit is ich singe and grede
Þar lauedies beoþ and faire maide.
And soþ hit is of luue ich singe;
For god wif mai in spusing
755 Bet luuien hire oȝene were,
Þane awer hire copenere;
An maide mai luue cheose
Þat hire wurþschipe ne forleose,
An luuie mid rihte luue
760 Þane þe schal beon hire buue.
Swiche luue ich itache and lere,
Þerof beoþ al mine ibere. —
Ȝef maide luueþ dernliche,
Heo stumpeþ and falþ icundeliche.—
765 Ich teache heom bi mine songe [1449]
Þat swucch luue ne lest noȝt longe:
For mi song lutle hwile ilest,
An luue ne deþ noȝt bute rest
On swuch childre, and sone ageþ,
770 An falþ adun þe hote breþ.
Ich singe mid heom one þroȝe,
Biginne on heh and endi laȝe,
An lete mine songes falle
An lutle wile adun mid alle.
775 Þat maide wot, hwanne ich swike,
Þat luue is mine songes ilike;
For hit nis bute a lutel breþ,
Þat sone kumeþ, and sone geþ.
Þat child bi me hit understond,
780 An his unred to rede wend,
An iseȝþ wel bi mine songe,
Þat dusi luue ne last noȝt longe.
Ah wel ich wule þat þu hit wite:
Loþ me beoþ wiues utschute.
785 Ah wif mai of me nime ȝeme:
Ich ne singe nawt hwan ich teme.
An wif ah lete sottes lore,
Þah spusing-bendes þuncheþ sore.'—
Þe wranne for heo cuþe singe, [1717]
790 Þar com in þare moreȝeninge
To helpe þare niȝtegale;
For þah heo hadde steuene smale,
Heo hadde gode þrote and schille,
An fale manne song a wille.
795 Þe wranne was wel wis iholde,
Vor þeȝ heo nere ibred a-wolde,
Ho was itoȝen among mankenne,
An hire wisdom brohte þenne;
Heo miȝte speke hwar heo walde,
800 Touore þe king þah heo scholde.
'Lusteþ,' heo cwaþ, 'lateþ me speke!
Hwat, wulle ȝe þis pes tobreke,
An do þanne kinge swuch schame?
Ȝet nis he nouþer ded ne lame!
805 Hunke schal itide harm and schonde,
Ȝef ȝe doþ griþbruche on his londe.
Lateþ beo, and beoþ isome,
An fareþ riht to ower dome,
An lateþ dom þis plaid tobreke,
810 Al swo hit was erur bispeke.'
'Ich an wel,' cwað þe niȝtegale,
'Ah, wranne, nawt for þire tale,
Ah do for mire lahfulnesse.

---

715 iwarte : ȝarte *C* 725 houhful *J*] hoþful *C* 733 þat] an *C*, and *J*. *em. Stratmann* inoh *J*] innoþ *C* 734 þe] þat *CJ*, *em. Atkins* 736 bihauest] bihaitest *CJ*, *em. Atkins*, biwaitest *em. Stratmann* 738 hswucche *C* 739 bihalde *C* 743 alswa *C* 756 awet *C*] on oþer *J* 773 mines *C* 776 iliche *CJ* 779 *em.* -stent : went 785 wif *J*] ȝif *C* 787 sortes *C* 790 moreweninge *J*] more ȝennge *C* 793 þorte *C* 797 mankunne *J*] man enne *C* 803 kinge] *not in CJ*, *apl. Wells, Gadow, Atkins* 804 ȝet] ȝe *C* 808 eure *J*, oþer *C*

✝ ÐEOS BOC SCEAL TO WIOGORA CEASTRE :
ÆLFRED kyning hateð gretan wærferð biscep his wordum luf-
lice 7 freondlice ; 7 ðe cyðan hate ðæt me com swiðe oft on ge-
mynd hwelce wiotan iu wæron giond angel cynn ægðer ge godcundra
hada ge woruldcundra ; 7 hu gesæliglica tida ða wæron giond angel-
cynn ; 7 hu ða kyningas ðe ðone onwald hæfdon ðæs folces gode 7 his
ærendwrecum hiersumedon ; 7 hie ægðer ge hiora sibbe ge hiora
siodo ge hiora onweald innanbordes gehioldon ; 7 eac ut hiora
eðel rymdon ; 7 hu him ða speow ægðer ge mid wige ge mid wisdome ;
7 eac ða godcundan hadas hu giorne hie wæron ægðer ge ymb lare

FROM ALFRED'S PREFACE TO "CURA PASTORALIS"

Bodleian, Hatton 20; cf. p. 49

If it plese ony man spirituel or temporel to bye ony
pyes of two and thre comemoraciōs of salisburi vse
enpryntid after the forme of this presēt lettre whiche
ben wel and truly correct, late hym come to westmo-
nester in to the almonesrye at the reed pale and he shal
haue them good chepe .:.

Supplico stet cedula

WILLIAM CAXTON, A PRINTED ADVERTISEMENT

advertising his Ordinale secundum usum Sarum

Ich nolde þat unrihtfulnesse
815 Me at þen ende ouerkome;
Ich nam ofdrad of none dome.
Bihote ich habbe, soþ hit is,
Þat maister Nichole, þat is wis,
Bituxen vs deme schulle,
820 An ȝet ich wene þat he wule.
Ah war mihte we hine finde?'
Þe wranne sat in ore linde.
'Hwat, nuste ȝe,' cwaþ heo, 'his hom?
He wuneþ at Porteshom,
825 At one tune ine Dorsete,
Bi þare see in ore utlete.
Þar he demeþ manie riȝte dom,
An diht and writ mani wisdom;
An þurh his muþe and þurh his honde
830 Hit is þe betere into Scotlonde.
To seche hine is lihtlich þing:
He naueþ bute one woning.
Þat is bischopen muchel schame,
An alle þan þat of his nome
835 Habbeþ ihert, and of his dede.
Hwi nulleþ hi nimen heom to rede,
Þat he were mid heom ilome
For teche heom of his wisdome,
An ȝiue him rente auale stude,
840 Þat he miȝte heom ilome be mide?'

'Certes,' cwaþ þe hule, 'þat is soð:
Þeos riche men wel muche misdoð,
Þat leteþ þane gode mon,
Þat of so feole þinge con,
845 An ȝiueþ rente wel misliche,
An of him leteþ wel lihtliche.
Wið heore cunne heo beoþ mildre,
An ȝeueþ rente litle childre.
Swo heore wit hi demþ adwole,
850 Þat euer abid maistre Nichole.
Ah ute we þah to him fare,
For þar is unker dom al ȝare.'
'Do we,' þe niȝtegale seide,
'Ah wa schal unker speche rede,
855 An telle touore unker deme?'
'Þarof ich schal þe wel icweme,'
Cwaþ þe houle, 'for al, ende of orde,
Telle ich con, word after worde.
An ȝef þe þincþ þat ich misrempe,
860 Þu stond aȝein and do me crempe.'
Mid þisse worde forþ hi ferden,
Al bute here and bute uerde,
To Portesham þat heo bicome.
Ah hu heo spedde of heore dome,
865 Ne can ich eu namore telle:
Her nis namore of þis spelle.

[Explicit.]

213. PROVERBS OF HENDING

MSS.: Bodl. 1687, Digby 86; XIII **century.** (*Varr.*: BM., Harl. 2253; Cambridge Univ. Gg. I. 1; both XIV cent.) — *edd.*: G. Schleich, Anglia LI/LII, 1927/28; H. Varnhagen, Anglia IV, 1881 (Digby 86 & Cambridge Gg.); K. Böddeker, Berlin 1878 (Harl. 2253). — BR. 1669, 2078, 594, 2817, 4143; We. VII, 6; Ba. 183; RO. 348.

Man þat wol of wysdam heren
At wyse Hendyng he may leren,
Þat wes Marcolues sone,
Gode þonkes ant monie þewes
Forte teche fele shrewes;
6 For þat wes euer is wone.

Vuis man halt his wordes inne;
For he nelle no gle biginne,
Er he tempre his pipe.
10 Sot is sot. And þat is sene,
For he spekeþ wordes grene,
Ar þen hoe ben ripe.
'Sottes bolt is sone isoten,'
14 quad Hending.

If þou wilt fles-lust ouercome,
Flen þou most and drawe a-rome
Mid eye and eke mid herte.
18 Of fleses lust comeþ muche same;
Þey þe þinke swete þe game,
He doþ þe soule smerte.
'Wel fiȝt, þat wel fleþ,'
22 quad Hending.

Þe worldes loue, hit is wreche:
Wo hit here, me ne reche,
Þau ich speke on heie;
26 For ich se þe selue broþer,
Þat litel þenkeþ of þat oþer,
Come he out of his heye.
'Fer from eye, fer from herte,'
30 quad Hending.

Swech man haui land mi cloþ,
Þat ofte haueþ imaked me wroþ,
Er hit come aȝein.
34 Efte, þan he haue nede
And he wene wel to spede,
Hit shal ben him vnbein.
'Selden comeþ lone
38 Lauinde home,' quad Hending.

Men seþ ofte a muche file,
Þey he serue boten a wile,
Bicomen swiþe riche,
42 And anoþer no þinge fonge,
Þat haueþ serued swiþe longe;
Euere he is iliche.
'Some haueþ happe, and sum
46 hongeþ bi,' quad Hending. —

823 nuste] nuȝte *C*, mihte *J*, *em. Atkins*
833 his *C* 865 chan *C*
213. 1-6 *from H* 10 Sot is soþ *MS.* (*emm. from varr., Schleich*)
14 quoþ Hendyng *H, always* 15 fleses lust *MS.* 24 ne me *MS.* 34 hauede *MS.* 38 homward *MS.*

214. EUER ANT OO

MS., ed.: Harl. 2253, [both poems fol. 128 a]; op.cit. — BR. 1921, 1922; We. XIII, 22 & 46.
cf. C. Brown, EL. XIII (pp. 235-237).

I.

Lutel wot hit any mon
Hou derne loue may stonde,
Bote hit were a fre wymmon
4 Þat muche of loue had fonde.
Þe loue of hire ne lesteþ nowyht longe;
Heo haueþ me plyht ant wyteþ me wyþ wronge.
Euer ant oo for my leof icham in grete þohte;
8 Y þenche on hire þat y ne seo nout ofte. —

Adoun y fel to hire anon [15]
Ant crie: 'Ledy, þyn ore!
Ledy, ha mercy of þy mon!
12 Lef þou no false lore!
ȝef þou dost, hit wol me reowe sore.
Loue drecccheþ me þat y ne may lyue namore.'
Euer ant oo, &c. —

II.

Lvtel wot hit any mon
Hou loue hym haueþ ybounde
Þat for vs o þe rode ron
4 Ant bohte vs wiþ is wounde.
Þe loue of him vs haueþ ymaked sounde,
Ant ycast þe grimly gost to grounde.
Euer ant oo, nyht ant day, he haueþ vs in his þohte;
8 He nul nout leose þat he so deore bohte.

He bohte vs wiþ is holy blod.
What shulde he don vs more?
He is so meoke, milde, ant good,
12 He na gulte nout þerfore.
Þat we han ydon, y rede we reowen sore
Ant crien euer to Iesu: 'Crist, þyn ore!'
Euer ant oo, &c. —

215. PROVERBIAL WISDOM

MS.: BM., Harley 7333, fol. 121 b2; XVth century. — *Not hitherto edited.* — BR. 2290. —

Next þe derke nyght þe gray morow,
So is joye next the ende of sorow.
Yf a man be in o poynt agrevid
In a-noþer he may be releuid.
5 Gode it is a man to bere him even,
ffor al day men mete at vnset steven.
Wyne and women make men folis.
Ofte men falle betwyxt two stoles.
Be ware of hem that can no shame!
10 Womens tonges be neuer lame.
Wylde bestes men may meke,
But women answeris ben neuer to seke.
Yf a woman be fresshe arayed and gay
Sche ne wille hir howse kepe a-day;
15 Þerfore bote welle hir skynne,
And than she wolle kepe hir þerin.
A man schulde wedde aftir his estate,
ffor yought and age be ofte at debate;
ffor the fresshe month of May and Januar
20 Ofte ben at debate and greithe theym ware.
Beware the wele whan women wepe!
Þat women wot not, for counsel thei kepe:
Lo, Eve that yee have hard of telle,
Þat caused Adam to go to helle,
25 Also she made oure lorde god to dye:
Lo, suche a cast a woman can pleye.

---

215. 3—4 cf. Chaucer, Reeve's Tale 4181-82 • *cf. Chaucer Kn. T. 1524* 20 grethie *MS.*

216. MIRIE IT IS WHILE SUMER ILAST

MS.: Bodl. 14755, Rawlinson G. 22; XIII ct. — *edd.:* J. Stainer, Early Bodleian Music, Oxford 1901; C. Brown, EL. XIII, Oxford 1932. — BR. 2163; We. XIII, 4; Ba. 267-273; RO. 345-346.

Mirie it is while sumer ilast
Wið fugheles song,
Oc nu necheð windes blast
And weder strong.
Ej! ej! What þis nicht is long,
And ich wid wel michel wrong
Soregh and murne and fast.

217. FOWELES IN THE FRITH

MS.: Bodl. 21713, Douce 139; XIII ct. — *edd.:* J. Stainer, Early Bodleian Music; Oxford 1901; C. Brown, EL. XIII, Oxford 1932. — BR. 864; We. XIII, 5; Ba. 267-273; RO. 345-346.

Foweles in þe frith,
Þe fisses in þe flod,
And I mon waxe wod:
Mulch sorw I walke with
For beste of bon and blod.

218. CUCCU

MS.: BM., Harl. 978; XIII ct. — *Facsimile:* Palaeograph. Soc. III, 125. — *ed.:* C. Brown, EL. XIII, Oxford 1932; a. o. — BR. 3223; We. XIII, 6; Ba. 267-273; RO. 345-346; *cf. plate.*

Sumer is icumen in,
Lhude sing, cuccu!
Groweþ sed and bloweþ med
4 And springþ þe wde nu;
Sing cuccu!

Awe bleteþ after lomb,
Lhouþ after calue cu;
8 Bulluc sterteþ, bucke uerteþ,
Murie sing cuccu!
Cuccu, cuccu,
Wel singes þu, cuccu;
12 Ne swik þu nauer nu!
Sing cuccu nu,
Sing cuccu!
Sing cuccu,
16 Sing cuccu nu!

219. NOU SPRINKES THE SPRAI

MS.: Lincoln's Inn 135; XIII ct. — *edd.:* W. W. Skeat, MLR. V, 1910; C. Brown, EL. XIII, Oxford 1932. — BR. 360; We. XIII, 25; Ba. 267-273; RO. 345-346.

Als I me rode this endre dai
O mi pleyinge,
Seih I hwar a litel mai
Bigan to singge:
5 'The clot him clingge!
Wai es him i louue-longinge
Sal libben ai,
Nou sprinkes the sprai!
Al for loue icche am so seke
10 That slepen I ne mai.'

Son icche herde that mirie note,
Þider I drogh.
I fonde hire in an herber swot
Vnder a bogh;
15 With ioie inogh
Son I asked: 'Thou mirie mai,
Hwi sinkestou ai,
Nou sprinkes the sprai, *&c.*'

Than answerde that maiden swote
20 Midde wordes fewe:
'Mi lemman me haues bihot
Of louue trewe;
He chaunges a newe.
Ȝiif I mai, it shal him rewe
25 Bi this dai.
Nou sprinkes the sprai, *&c.*'

---

b) 4 Multh *MS.* d) 1 This e. d. als I me r. *MS.* 5 clingges *MS.* 24 þiif *MS.*

220. LENTEN YS COME

MS.: BM., Harl. 2253; early XIV ct. — *edd.*: K. Böddeker, Dichtgg. Harley 2253, Berlin 1878; G. L. Brook, The Harley Lyrics, Manchester 1948. — BR. 1861; We. XIII, 14; Ke. 4618-19; Ba. 267-273; RO. 345-346.

Lenten ys come wiþ loue to toune,
Wiþ blosmen ant wiþ briddes roune,
Þat al þis blisse bryngeþ:
4 Dayeseȝes in þis dales,
Notes suete of nyhtegales,
Vch foul song singeþ.
Þe þrestelcoc him þreteþ oo;
8 Away is huere wynter wo,
When woderoue springeþ.
Þis foules singeþ ferly fele,
Ant wlyteþ on huere wynne wele,
12 Þat al þe wode ryngeþ.

Þe rose rayleþ hire rode,
Þe leues on þe lyhte wode
Waxen al wiþ wille.
16 Þe mone mandeþ hire bleo,
Þe lilie is lossom to seo,
Þe fenyl ant þe fille;
Wowes þis wilde drakes,
20 Miles murgeþ huere makes,
Ase strem þat strikeþ stille;
Mody meneþ so doþ mo,
Ichot ycham on of þo,
24 For loue þat likes ille.

Þe mone mandeþ hire lyht,
So doþ þe semly sonne bryht,
When briddes singeþ breme;
28 Deawes donkeþ þe dounes,
Deores wiþ huere derne rounes,
Domes forte deme;
Wormes woweþ vnder cloude,
32 Wymmen waxeþ wounder proude,
So wel hit wol hem seme.
Ȝef me shal wonte wille of on,
Þis wunne weole y wole forgon,
36 Ant wyht in wode be fleme.

221. WHEN THE NYHTEGALE SINGES

MS., *ed.*: Harl. 2253, *above*. - BR. 4037; We. XIII, 20.

When þe nyhtegale singes, þe wodes waxen grene,
Lef ant gras ant blosme springes in Averyl, y wene,
Ant loue is to myn herte gon wiþ one spere so kene,
4 Nyht ant day my blod hit drynkes, myn herte deþ me tene.

Ich haue loued al þis ȝer, þat y may loue namore.
Ich haue siked moni syk, lemmon, for þin ore;
Me nis loue neuer þe ner, ant þat me reweþ sore.
8 Suete lemmon, þench on me, ich haue loued þe ȝore.

Suete lemmon, y preye þe of loue one speche;
Whil y lyue in world so wyde oþer nulle y seche.
Wiþ þy loue, my suete leof, mi blis þou mihtes eche,
12 A suete cos of þy mouþ mihte be my leche.

Suete lemmon, y preȝe þe of a loue-bene:
Ȝef þou me louest, ase men says, lemmon, as y wene,
Ant ȝef hit þi wille be, þou loke þat hit be sene;
16 So muchel y þenke vpon þe þat al y waxe grene.

Bituene Lyncolne ant Lyndeseye, Norhamptoun ant Lounde,
Ne wot y non so fayr a may, as y go fore ybounde.
Suete lemmon, y preȝe þe, þou louie me a stounde.
20 Y wole mone my song on wham þat hit ys on ylong.

---

220. 11 wynne] wynter *MS.*, *em. NED.* 22 doh *MS.*

222. ANNOT AND IOHON

MS., ed.: Harl. 2253, *above.* - BR. 1394; We. XIII, 15.

Ichot a burde in a bour ase beryl so bryht,
Ase saphyr in seluer semly on syht,
Ase iaspe þe gentil, þat lemeþ wiþ lyht,
Ase gernet in golde, ant ruby wel ryht,
5 Ase onycle he ys on yholden on hyht,
Ase diamaund þe dere in day when he is dyht;
He is coral ycud wiþ cayser ant knyht,
Ase emeraude amorewen þis may haueþ myht:
Þe myht of þe margarite haueþ þis mai mere,
10 ffor charbocle ich hire ches bi chyn ant by chere.

Hire rode is ase rose þat red is on rys,
Wiþ lilye-white leres lossum he is.
Þe primerole he passeþ, þe peruenke of pris,
Wiþ alisaundre þareto ache ant anys.
15 Coynte ase columbine such hire cunde ys,
Glad vnder gore in gro ant in grys,
He is blosme opon bleo, brihtest vnder bis,
Wiþ celydoyne ant sauge, ase þou þiself sys.
Þat syht vpon þat semly, to blis he is broht,
20 He is solsecle, to sauue ys forsoht.

He is papeiai in pyn þat beteþ me my bale;
To trewe tortle in a tour y telle þe mi tale:
He is þrustle þryuen in þro þat singeþ in sale,
Þe wilde laueroc ant wolc ant þe wodewale;
25 He is faucoun in friht, dernest in dale,
Ant wiþ eueruch a gome gladest in gale;
ffrom Weye he is wisist into Wyrhale.
Hire nome is in a note of þe nyhtegale.
In 'an-note' is hire nome; nempneþ hit non?
30 Whose ryht redeþ roune to Iohon.

Muge he is ant mondrake þourh miht of þe mone,
Trewe triacle ytold wiþ tonges in trone,
Such licoris mai leche from Lyne to Lone,
Such sucre mon secheþ þat saneþ men sone,
35 Bliþe yblessed of Crist þat bayeþ me mi bone
When derne dede is indayne, derne are done.
Ase gromyl in greue grene is þe grone,
Ase quibibe ant comyn cud is in crone,
Cud comyn in court canel in cofre,
40 Wiþ gyngyure ant sedewale ant þe gylofre.

He is medierne of miht mercie of mede
Rekene ase Regnas resoun to rede,
Trewe ase Tegeu in tour, ase Wyrwein in wede,
Baldore þen Byrne þat oft þe bor bede,
45 Ase Wylcadoun he is wys, dohty of dede,
ffeyrore þen Floyres folkes to fede,
Cud ase Cradoc in court carf þe berde,
Hendore þen Hilde þat haueþ me to hede,
He haueþ me to hede þis hendy anon,
50 Gentil ase Ionas heo ioyeþ wiþ Ion.

---

20 ? sanne *MS.* 44 oft] of *MS., em. Brown*

223. ALYSOUN

MS., ed.: Harl. 2253, *above.* — BR. 515; We. XIII, 12.

Bytuene Mersh ant Aueril
When spray biginneþ to springe,
Þe lutel foul haþ hire wyl
4 On hyre lud to synge.
Ich libbe in loue-longinge
For semlokest of alle þynge,
He may me blisse bringe,
8 Icham in hire baundoun.
An hendy hap ichabbe yhent,
Ichot from heuene it is me sent,
From alle wymmen mi loue is lent,
12 Ant lyht on Alysoun.

On heu hire her is fayr ynoh,
Hire browe broune, hire eȝe blake,
Wiþ lossum chere he on me loh;
16 Wiþ middel smal ant wel ymake.
Bote he me wolle to hire take
Forte buen hire owen make,
Longe to lyuen ichulle forsake
20 Ant feye fallen adoun.
An hendy hap, *etc.*

Nihtes when y wende ant wake,
Forþi myn wonges waxeþ won,
Leuedi, al for þine sake,
24 Longinge is ylent me on.
In world nis non so wyter mon
Þat al hire bounte telle con;
Hire swyre is whittore þen þe swon,
28 Ant feyrest may in toune.
An hendi, *etc.*

Icham for wowyng al forwake,
Wery so water in wore;
Lest eny reue me my make
32 Ychabbe yȝyrned ȝore.
Betere is þolien whyle sore
Þen mournen euermore;
Geynest vnder gore,
36 Herkne to my roun.
An hendi, *etc.*

224. LYLIELEOR

MS., ed.: Harl. 2253, *above.* — BR. 1504; We. XIII, 23.

In May hit murgeþ when hit dawes
In dounes wiþ þis dueres plawes,
Ant lef is lyht on lynde;
4 Blosmes bredeþ on þe bowes,
Al þis wylde wyhtes wowes,
So wel ych vnderfynde.
Y not non so freoli flour
8 Ase ledies þat beþ bryht in bour,
Wiþ loue who mihte hem bynde;
So worly wymmen are by west,
One of hem ich herie best
12 From Irlond in to Ynde.

Wymmen were þe beste þing
Þat shup oure heȝe heuene kyng,
Ȝef feole false nere;
16 Heo beoþ to rad vpon huere red
To loue þer me hem lastes bed,
When heo shule fenge fere.
Lut in londe are to leue,
20 Þah me hem trewe trouþe ȝeue
For tricherie to ȝere,
When trichour haþ is trouþe yplyht,
Byswyken he haþ þat suete wyht,
24 Þah he hire oþes swere.

Wymmon, war þe wiþ þe swyke
Þat feir ant freoly ys to fyke,
Ys fare is o to founde.
28 So wyde in world ys huere won,
In vch a toune vntrewe is on
From Leycestre to Lounde.
Of treuþe nis þe trichour noht,
32 Bote he habbe is wille ywroht
At steuenyng vmbe stounde.
Ah, feyre leuedis, be on-war!
To late comeþ þe ȝeynchar,
36 When loue ou haþ ybounde.

Wymmen bueþ so feyr on hewe,
Ne trowy none þat nere trewe
Ȝef trichour hem ne tahte.
40 Ah, feyre þinges, freoly bore,
When me ou woweþ, beþ war bifore
Whuch is worldes ahte.
Al to late is send aȝeyn
44 When þe ledy liht byleyn
Ant lyueþ by þat he lahte;
Ah, wolde Lylie-leor in Lyn
Yhere leuely lores myn,
48 Wiþ selþe we weren sahte.

---

46 lylie leor in lyn *MS.*

225. BLOW NORTHERNE WYND

***MS.**, **ed.**:* Harl. 2253, *above.* — BR. 1395; We. XIII, 13.

Ichot a burde in boure bryht,
Þat fully semly is on syht,
Menskful maiden of myht,
4 Feir ant fre to fonde;
In al þis wurhliche won
A burde of blod ant of bon
Neuerȝete y nuste non
8 Lussomore in londe.
Blow, northerne wynd,
Sent þou me my suetyng!
Blow, norþerne wynd,
12 Blou! blou! blou!

Wiþ lokkes lefliche ant longe,
Wiþ frount ant face feir to fonde,
Wiþ murþes monie mote heo monge,
16 Þat brid so breme in boure,
Wiþ lossom eye, grete ant gode,
Wiþ browen blysfol vnder hode.
He þat reste him on þe rode,
20 Þat leflich lyf honoure!
Blou, etc.

Hire lure lumes liht,
Ase a launterne a-nyht,
Hire bleo blykyeþ so bryht,
24 So feyr heo is ant fyn!
A suetly suyre heo haþ to holde,
Wiþ armes, shuldre, ase mon wolde,
Ant fyngres feyre forte folde;
28 God wolde hue were myn!
Blou, etc.

Middel heo haþ menskful smal.
Hire loueliche chere as cristal,
Þeȝes, legges, fet, ant al
32 Ywraht wes of þe beste.
A lussum ledy lasteles
Þat sweting is ant euer wes.
A betere burde neuer nes
36 Yheryed wiþ þe heste.
Blou, etc.

Heo is dereworþe in day,
Graciouse, stout, ant gay,
Gentil, iolyf, so þe jay,
40 Worhliche when heo wakeþ.
Maiden murgest of mouþ;
Bi est, bi west, by norþ ant souþ,
Þer ŋis fiele ne crouþ
44 Þat such murþes makeþ.
Blou, etc.

Heo is coral of godnesse,
Heo is rubie of ryhtfulnesse,
Heo is cristal of clannesse,
48 Ant baner of bealte.
Heo is lilie of largesse,
Heo is paruenke of prouesse,
Heo is solsecle of suetnesse,
52 Ant ledy of lealte.
Blou, etc.

To Loue, þat leflich is in londe,
Y tolde him, as ych vnderstonde,
Hou þis hende haþ hent in honde
56 On huerte þat myn wes;
Ant hire knyhtes me han so soht,
Sykyng, Sorewyng, ant Þoht,
Þo þre me han in bale broht,
60 Aȝeyn þe poer of Pees.
Blou, etc.

To Loue y putte pleyntes mo,
Hou Sykyng me haþ siwed so,
Ant eke Þoht me þrat to slo
64 Wiþ maistry, ȝef he myhte;
Ant Serewe sore in balful bende,
Þat he wolde, for þis hende,
Me lede to my lyues ende,
68 Vnlahfulliche in lyhte.
Blou, etc.

Loue me lustnede vch word,
Ant beh him to me ouer bord,
Ant bed me hente þat hord
72 Of myne huerte hele.
'Ant bisecheþ þat swete ant swote,
Er þen þou falle ase fen of fote,
Þat heo wiþ þe wolle of bote
76 Dereworþliche dele!'
Blou, etc.

For hire loue y carke ant care,
For hire loue y droupne ant dare,
For hire loue my blisse is bare,
80 Ant al ich waxe won;
For hire loue in slep y slake,
For hire loue al nyht ich wake,
For hire loue mournyng y make
84 More þen eny mon.
Blow, northerne wynd,
Sent þou me my suetyng!
Blow, norþerne wynd,
Blou! blou! blou!

---

43 fiþele *em. Böddeker* 69 Hire loue ***MS.***

226. NOW WOLD I FAYNE SOME MYRTHIS MAKE

MS.: Cambridge Univ. Ff. I. 6; XV c. — *edd.*: Wright-Halliwell; Rel. Ant., 1843; A. S. Cook, LMER., 1915. (*Var.*: Bodl. 6668, Ashmole 191; ed.: J. Stainer, Early Bodl. Music, Oxford 1901; R. H. Robbins, Secular Lyrics, Oxford 1952.) — BR. 2381.

Now wold I fayne some myrthis make,
All oneli for my ladys sake,
And hit wold be;
Bot now I am so ferre from hir,
5 Hit will nat be.

Thogh I be long out of your sight,
I am your man both day and night,
And so will be.
Wherfor wold god as I loue hir,
10 That she louid me!

When she is mery, than am I glad;
When she is sory, than am I sad;
And cause whi:
For he liuiþ nat that louiþ hir
15 As well as I.

She sayth that she hath seen hit wreten
That seldyn seen is soon forȝeten;
Hit is nat so:
For in good feith, saue oneli hir,
20 I loue no moo.

Wherfor I pray both night and day,
That she may cast care away,
And leue in rest;
And euer more whersoeuer she be,
25 To loue me best,

And I to hir for to be trew,
And neuer chaung her for noon new,
Vnto myne end;
And that I may in hir seruise
30 For euyr amend.

227. MY DETH Y LOUE

MS., *ed.*: Harl. 2253, *above*. — BR. 2236; We. XIII, 19.

'My deþ y loue, my lyf ich hate, for a leuedy shene,
Heo is briht so daies liht, þat is on me wel sene;
Al y falewe so doþ þe lef in somer when hit is grene;
4 ȝef mi þoht helpeþ me noht, to wham shal y me mene?

Sorewe ant syke ant drery mod byndeþ me so faste,
Þat y wene to walke wod, ȝef hit me lengore laste;
My serewe, my care, al wiþ a word he myhte awey caste;
8 Whet helpeþ þe, my suete lemmon, my lyf þus forte gaste?'

'Do wey, þou clerc, þou art a fol, wiþ þe bydde y noht chyde,
Shalt þou neuer lyue þat day mi loue þat þou shalt byde;
ȝef þou in my boure art take, shame þe may bityde.
12 Þe is bettere on fote gon, þen wycked hors to ryde.'

'Weylawei, whi seist þou so? Þou rewe on me, þy man!
Þou art euer in my þoht in londe wher ich am;
ȝef y deȝe for þi loue, hit is þe mykel sham;
16 Þou lete me lyue, ant be þi luef, ant þou my suete lemman!'

'Be stille, þou fol, y calle þe riht; cost þou neuer blynne?
Þou art wayted day ant nyht wiþ fader ant al my kynne.
Be þou in mi bour ytake, lete þey for no synne
20 Me to holde, ant þe to slon; þe deþ so þou maht wynne.'

'Suete Ledy, þou wend þi mod, sorewe þou wolt me kyþe;
Ich am al so sory mon, so ich was whylen blyþe.
In a wyndou þer we stod, we custe vs fyfty syþe.
24 Feir biheste makeþ mony mon al is serewes mythe.'

---

226. 3 when y her se *Var.* 6, 7 your] her *Var.* 9 Therfore wolde as *Var.* 25 me *Var.*] hir *MS.*
227. 2 brith *MS.* 17 riþt *MS.*

'Weylawey, whi seist þou so? Mi serewe þou makest newe.
Y louede a clerk al par amours, of loue he wes ful trewe.
He nes nout blyþe neuer a day, bote he me sone seȝe;
28 Ich louede him betere þen my lyf, whet bote is hit to leȝe?'

'Whil y wes a clerc in scole, wel muchel y couþe of lore,
Ych haue þoled for þy loue woundes fele sore,
Fer from murþe ant eke from men vnder þe wode gore,
32 Suete ledy, þou rewe of me, nou may y no more.'

'Þou semest wel to ben a clerc, for þou spekest so stille;
Shalt þou neuer for mi loue woundes þole grylle.
Fader, moder, ant al my kun ne shal me holde so stille,
36 Þat y nam þyn, ant þou art myn, to don al þi wille.'

228. DE AMICO AD AMICAM

MS.: Cambridge Univ. Gg. IV. 27; XV c. — *edd.*: A. J. Ellis, EE. Pronunciation, Chaucer Soc. 2. IV; E. K. Chambers — F. Sidgwick, EE. Lyrics, London 1911. — BR. 16; WE. XIII, 26.

A celuy que pluys eyme en mounde,
Of alle þo þat I haue found,
Carissima,
Saluz od treyé amour
With grace and joye and alle honour
6 Dulcissima.

Sachez bien, pleysant et beele,
Þat I am right in good heele,
Laus Christo!
Et moun amour donez vous ay,
And also thine owene night and day
12 In cisto.

Ma tresduce et tresamé
Night and day for loue of þee
Suspiro.
Soyez permenant et leal!
Loue me so þat I it fele,
18 Requiro. —

Tost serroy joyous et seyn,
Yif þou woldest me sertein
Amare;
Et tost serroy joious et lé;
Þere nis no þing þat schal me
24 Gravare.

A vous jeo suy tout doné;
Mine herte is full of loue to þee
Presento.
Et pour ceo jeo vous pry,
Sweting, for thin curtesy,
30 Memento.

Jeo vous pry par charité,
Þe wordes þat here wreten be,
Tenete;
And turne thy herte me toward,
O a Dieu que vous gard!
36 Valete!

229. RESPONSIO

MS., ed.: as before — BR. 19; We. XIII, 26.

A soun treschere et special
Fer and ner and oueral
In mundo,
Que soy ou saluz et gré
With mouth, word, and herte free
6 Jocundo.

Jeo vous pry sanz debat
Þat ye wolde of mine stat
Audire.
Sertefyés a vous jeo fay,
I wil in time whan I may
12 Venire.

Quant a vous venu serray,
I you swere be þis day
Pro certo;
Mes jeo fuyss en maladye,
Yif ye me loue sikerlie
18 Converto. —

Vous estes ma morte et ma vye.
I praye you for youre curteisie
Amate!
Cestes maundes, jeo vous pry,
In youre herte stedefastly
24 Notate!

---

227. 31 murþe] *not in MS.*, hom *spl. Böddeker, Brook*, bour *spl. Brown*

230. WOLDE GOD THAT HYT WERE SO

MS.: Cambridge Univ. Addit. 5943; XV ct. — *edd.:* R. L. Greene, EE. Carols, Oxford 1935; R. H. Robbins, Secular Lyrics XIV-XV, Oxford 1952. — BR. 3418.

The man that I loued altherbest
In al thys contre, est other west,
To me he ys a strange gest:
4 What wonder est thow I be woo?
Wolde god that hyt were so
As I cowde wysshe bytuyxt vs too.

When me were leuest that he schold duelle,
He wold noȝt stay but wende me fro,
He wold noȝt sey ones farewell,
10 Wen tyme was come that he most go.
(Wolde god, &c.)

In places ofte when I hym mete,
I dar noȝt speke but forth I go.
With herte and eyes I hym grete,
14 So trywe of loue I know no mo.

As he ys myn hert loue,
My dyrward dyre, iblessed he be;
I swere by god that ys aboue,
18 Non hath my loue but onely he. —

I loue hym trywely and no mo,
Wolde god that he hyt knywe!
And euer I hope hyt schal be so;
22 Then schall I chaunge for no new.

231. ALONE WALKYNG

MS.: Cambridge, Trinity 599; XV ct. — *edd.:* W. W. Skeat; Chaucer VII, 448; R. Wülcker, AeLb., Halle 1879; R. H. Robbins, Secular Lyrics XIV-XV, Oxford 1952. — BR. 267.

Alone walkyng,
In thought pleynyng,
And sore syghyng,
4 All desolate,
Me remembryng
Of my lyuyng,
My deth wyssyng
8 Bothe erly and late,

Infortunate
Ys soo my fate,
That, wote ye whate,
12 Oute of mesure
My lyfe I hate.
Thus desperate,
In suche pore estate
16 Do I endure.

Of other cure
Am I nat sure,
Thus to endure
20 Ys hard, certain!
Suche ys my vre,
I yow ensure.
What creature
24 May haue more payn?

My trouth so pleyn
Ys take in veyn,
And gret disdeyn
28 In remembraunce;
Yet I full feyne
Wold me compleyne
Me to absteyne
32 ffrom thys penaunce.

But in substaunce,
Noon allegeaunce
Of my greuaunce
36 Can I nat fynde.
Ryght so my chaunce
With displesaunce
Doth me auaunce;
40 And thus an ende.

232. TO ONPREYSE WEMEN YT WERE A SHAME

MS.: BM., Harl. 4294; XV ct. — *edd.:* Wright - Halliwell, Rel. Ant., 1843; R. H. Robbins, Sec. Lyrics XIV-XV, Oxford 1952. — BR. 3782.

I am as lyght as any roe
To preyse wemen wher that I goo.

To onpreyse wemen yt were a shame,
For a woman was thy dame;
Our blessyd lady beryth the name
4 Of all women wher that they goo.

A woman ys a worthy thyng:
They do the washe and do the wrynge,
'Lullay, lullay,' she dothe the synge,
8 And yet she hath but care and woo.

A woman ys a worthy wyght;
She seruyth a man both daye and nyght,
Therto she puttyth all her myght,
12 And yet she hathe bot care and woo.

---

*230.*8 he wold noȝt sey onys farewell *MS.* (= 9); he maketh haste fro me to go *emm. Greene, Robbins* *231.* 9 a *not in MS.* 10 nygh *MS.*

233. WITH LONGYNG Y AM LAD

MS., ed.: Harl. 2253, **above**. — BR. 4194; We. XIII, 16.

Wiþ longyng y am lad,
On molde y waxe mad,
A maide marreþ me;
Y grede, y grone vnglad,
5 For selden y am sad
Þat semly forte se.
Leuedi, þou rewe me!
To rouþe þou hauest me rad;
Be bote of þat y bad,
10 My lyf is long on þe.

Leuedy of alle londe,
Les me out of bonde,
Broht icham in wo.
Haue resting on honde,
15 Ant sent þou me þi sonde
Sone, er þou me slo;
My reste is wiþ þe ro.
Þah men to me han onde,
To loue nuly noht wonde,
20 Ne lete for non of þo.

Leuedi, wiþ al my miht
My loue is on þe liht,
To menske when y may,
Þou rew ant red me ryht;
25 To deþe þou hauest me diht,
Y deȝe longe er my day;
Þou leue vpon mi lay.
Treuþe ichaue þe plyht,
To don þat ich haue hyht,
30 Whil mi lif leste may.

Lylie-whyt hue is,
Hire rode so rose on rys,
Þat reueþ me mi rest.
Wymmon war ant wys,
35 Of prude hue bereþ þe pris,
Burde on of þe best.
Þis wommon woneþ by west,
Brihtest vnder bys;
Heuene y tolde al his
40 Þat o nyht were hire gest.

234. THE MAIDEN OF THE MOOR

MS.: Bodl. Lb. 13679, Rawlinson D. 913; XV century. - *edd.*: R.H.Robbins, Sec. Lyrics XIV/XV, 2. 1955; W. Heuser, Anglia XXX; K.Sisam, XIV Cent. Verse & Prose, Oxford 1921. - BR. 3891.

Maiden in the mor lay -
In the mor lay -
Seuenyst fulle, seuenist fulle.
4 *Maiden in the mor lay -*
In the mor lay -
Seuenistes fulle ant a day.

Welle was hire mete.
8 Wat was hire mete?
Þe primerole ant the -
Þe primerole ant the -
Welle was hire mete.
12 Wat was hire mete?
Þe primerole ant the violet.

Welle was hire dryng.
Wat was hire dryng?
16 Þe chelde water of þe -
Þe chelde water of þe -
Welle was hire dryng.
Wat was hire dryng?
20 Þe chelde water of þe welle-spring.

Welle was hire bour.
Wat was hire bour?
Þe rede rose ant te -
24 Þe rede rose ant te -
Welle was hire bour.
Wat was hire bour?
Þe rede rose ant te lilie flour.

---

234. *MS. eighteen lines only. Following* **Robbins** *and* **Sisam** *the second and third stanzas have here been expanded according to the pattern of the first stanza.* - 14/15 *MS.*: Welle wat was hire dryng. 16-19 *and* 23-26 *not in MS.*

235. ICH WOLDE ICH WERE A THRESTELCOOK
(A WAYLE WHYT ASE WHALLES BON)

MS., ed., &c.: Harley 2253, *above*. — BR. 105; We. XIII, 21; *cf.* Stuart H. L. Degginger, A Wayle Whyt etc. — Reconstructed, JEGP. LIII, Urbana 1954.

* Wose wole of loue be trewe, do lystne me!
Ich wolde ich were a þrestelcok,
A bountyng oþer a lauerok
Swete bryd!
Bituene hire curtel ant hire smok
6 *Y wolde ben hyd.*

Herkneþ me, y ou telle,
In such wondryng for wo y welle,
Nys no fur so hot in helle
Al to mon
Þat loueþ derne ant dar nout telle
12 Whet him ys on.

Ich vnne hire wel, ant heo me wo;
Ycham hire frend, ant heo my fo;
Me þuncheþ min herte wol breke atwo
For sorewe ant syke.
In godes greting mote heo go,
18 Þat wayle whyte. —

A wayle whyt ase whalles bon,
A grein in golde þat godly shon,
A tortle þat min herte is on,
In tounes trewe;
Hire gladshipe nes neuer gon,
24 Whil y may glewe.

When heo is glad,
Of al þis world namore y bad
Þen beo wiþ hire myn one bistad,
Wiþoute strif;
Þe care þat icham yn ybrad
30 Y wyte a wyf.

A wyf nis non so worly wroht;
When heo ys blyþe to bedde ybroht,
Wel were him þat wiste hire þoht,
Þat þryuen ant þro.
Wel y wot heo nul me noht:
36 Myn herte is wo.

Hou shal þat lefly syng
Þat þus is marred in mournyng?
Heo me wol to deþe bryng
Longe er my day.
Gret hire wel, þat swete þing
42 Wiþ eȝenen gray. —

Hyre heȝe haueþ wounded me ywisse,
Hire bende browon, þat bringeþ blisse;
Hire comely mouth þat mihte cusse,
In muche murthe he were:
Y wolde chaunge myn for his,
48 Þat is here fere.

Wolde hyre fere beo so freo,
Ant wurþes were þat so myhte beo:
Al for on y wolde ȝeue þreo,
Wiþoute chep.
From helle to heuene ant sonne to see
54 Nys non so ȝeep!

236. PUNCTUATION POEM

MS.: Cambridge, Pembroke Coll. 307; early XV century. - *ed.*: R.H.Robbins, Sec. Lyrics XIV-XV, Oxford 2. 1955; H.A.Person, Cambridge ME Lyrics, Seattle 1953. - BR. 3809.

Trvsty seldom to their frendys vniust
Gladd for to helpp no crysten creator
Wyllyng to greve settyng all þeir ioy and lust
Only in þe plesour of god havyng no cvre
Who is most ryche with them þey wyl be sewer
Wher nede is gevyng neyther reward ne fee
Vnresonably thus lyve prestys parde.

---

* *Sequence of the lines in MS.*: 19-54, + *an incongruous short line* Ne half so freo, 1, 7-18, 2-6 *(the burden); probably the Harley scribe copied from an unbound leaf, juxtaposing recto and verso in his transcription (Degginger).* 10 Als loue to mon *em. Holthausen* 30 Ywyte *Böddeker* 36 herte *suppl. Holthausen* 42 eȝen *em. Brook*

237. MON IN THE MONE

MS., ed.: Harl. 2253, *above.* — BR. 2066; We. XIII, 3.

Mon in þe mone stond ant strit,
On is bot-forke is burþen he bereþ;
Hit is muche wonder þat he nadoun slyt,
4 For doute leste he valle he shoddreþ ant shereþ.
When þe forst freseþ, muche chele he byd;
Þe þornes beþ kene, is hattren to-tereþ.
Nis no wyht in þe world þat wot wen he syt,
8 Ne, bote hit bue þe hegge, whet wedes he wereþ.

Whider trowe þis mon ha þe wey take?
He haþ set is o fot is oþer toforen;
ffor non hihte þat he haþ ne syht me hym ner shake,
12 He is þe sloweste mon þat euer wes yboren.
Wher he were o þe feld pycchynde stake
For hope of ys þornes to dutten is doren,
He mot myd is twybyl oþer trous make,
16 Oþer al is dayes werk þer were yloren.

Þis ilke mon vpon heh whener he were,
Wher he were y þe mone boren ant yfed,
He leneþ on is forke ase a grey frere.
20 Þis crokede caynard sore he is adred.
Hit is mony day go þat he was here.
Ichot of is ernde he naþ nout ysped,
He haþ hewe sumwher a burþen of brere;
24 Þarefore sum hayward haþ taken ys wed.

Ȝef þy wed ys ytake, bring hom þe trous,
Sete forþ þyn oþer fot, stryd ouer sty.
We shule preye þe haywart hom to vr hous
28 Ant maken hym at heyse for þe maystry,
Drynke to hym deorly of fol god bous,
Ant oure dame douse shal sitten hym by.
When þat he is dronke ase a dreynt mous,
32 Þenne we schule borewe þe wed ate bayly.

Þis mon hereþ me nout þah ich to hym crye;
Ichot þe cherl is def, þe del hym to-drawe!
Þah ich ȝeȝe vpon heh nulle nout hye,
36 Þe lostlase ladde con nout o lawe.
Hupe forþ, Hubert, hosede pye!
Ichot þart amarscled into þe mawe.
Þah me teone wiþ hym þat myn teþ mye,
40 Þe cherl nul nout adoun er þe day dawe.

238. THE LAND OF COKAYGNE

MS.: BM., Harley 913; beg. XIV ct. (Kildare). — *edd.*: F. J. Furnivall, EE. Poems, 1858-62; E. Mätzner, SP. I, 1867; W. Heuser, Bonner Beitr. XIV, 1904. — BR. 762; We. IV, 29.

Fur in see bi west Spayngne
Is a lond, ihote Cokaygne.
Þer nis lond vnder heuenriche
Of wel, of godnis hit iliche.
5 Þoȝ paradis be miri and briȝt,
Cokaygn is of fairir siȝt.
What is þer in paradis
Bot grasse and flure and grene ris?

237. 7 wyþt *MS.* 11 hiþte *MS.* syþt *MS.* 39 teh *MS.* 40 cherld *MS.*

Þoȝ þer be ioi and grete dute,
10 Þer nis mete bote frute,
Þer nis halle, bure, no benche,
Bot watir, manis þurst to quenche. —
In Cokaygne is met and drink
Wiþute care, how, and swink:
15 Þer beþ riuers gret and fine [45]
Of oile, melk, honi, and wine!
Watir seruiþ þer to no þing
Bot to siȝt and to waiissing.
Þer is mani maner frute:
20 Al is solas and dedute.
Þer is a wel fair abbei
Of white monkes and of grei.
Þer beþ bowris and halles,
Al of pasteiis beþ þe walles,
25 Of fleis, of fisse, and rich met,
Þe likfullist þat man mai et,
Fluren cakes beþ þe scingles alle
Of cherche, cloister, boure, and halle.
Þe pinnes beþ fat podinges,
30 Rich met to princez and kinges.
Man mai þerof et inoȝ
Al wiþ riȝt and noȝt wiþ woȝ:
Al is commune to ȝung and old,
To stoute and sterne, mek and bold.
35 Þer is a cloister fair and liȝt,
Brod and lang, of sembli siȝt:
Þe pilers of þat cloistre alle
Beþ iturned of cristale,
Wiþ har bas and capitale
40 Of grene jaspe and rede corale. —
Þer beþ rosis of rede ble,
And lilie likful for to se;
Þai faloweþ neuer day no niȝt.
Þis aȝt be a swete siȝt. —
45 Þer beþ briddes mani and fale:
Þrostil, þruisse, and niȝtingale,
Chalandre and wodewale,
And oþer briddes wiþout tale,
Þat stinteþ neuer by har miȝt
50 Miri to sing dai and niȝt,
Ȝite I do ȝow mo to witte:
Þe gees irostid on þe spitte
Fleeȝ to þat abbai, god hit wot,
And grediþ: 'Gees al hote, al hot!'
55 Hi bringeþ garlek gret plente,
Þe best idiȝt þat man mai se.
Þe leuerokes, þat beþ cuþ,
Liȝtiþ adun to manis muþ,
Idiȝt in stu ful swiþe wel,
60 Pudrid wiþ gilofre and canel.
Nis no spech of no drink,
Ac take inoȝ wiþute swink. —

239. THE PEOPLE OF KILDARE

MS: BM., Harley 913; beg. XIV ct. (Kildare) — *edd.*: Wright-Halliwell, Rel. Ant., 1843; W. Heuser, Bonner Beitr. XIV, 1904. — BR. 1078; We. IV, 37.

Hail, ȝe holi monkes wiþ ȝur corrin, [43]
Late and raþe ifillid of ale and wine!
Depe cun ȝe bouse, þat is al ȝure care,
Wiþ seint Benetis scurge lome ȝe disciplineþ.
Takeþ hed al to me,
6 Þat þis is sleche ȝe mow wel se.

Hail be ȝe, nonnes of seint Mari house,
Goddes bourmaidnes and his owen spouse!
Ofte mistrediþ ȝe ȝur schone, ȝur fete beþ ful tendre,
Datheit þe sotter þat tawiþ ȝure leþir!
Swiþ wel ȝe vnderstode,
12 Þat makid þis ditee so gode. —

Hail be ȝe, marchans, wiþ ȝur gret packes
Of draperie, avoir-de-peise, and ȝur wol sackes,
Gold, siluer, stones, riche markes and ek pundes!
Litil ȝiue ȝe þerof to þe wrech pouer.
Sleiȝ he was and ful of witte
18 Þat þis lore put in writte. —

Hail be ȝe, bakers, wiþ ȝur louis smale,
Of white bred and of blake, ful mani and fale,
Ȝe pincheþ on þe riȝt white aȝen goddes law:

To þe fair-pillori ich rede ȝe tak hede.
Þis vers is iwrowȝte so welle,
24 Þat no tung iwis mai telle.

Hail be ȝe, brewesters, wiþ ȝur galuns,
Potels and quarters, ouer al þe tounes!
Ȝur þowmes beriþ moch awai, schame hab þe gyle;
Beþ iwar of þe coking-stole, þe lak is dep and hori!
Sickerlich he was a clerk
30 Þat so sleilich wroȝte þis werk. —

240. SWARTE SMEKYD SMETHES

MS.: Arundel 292, f. 72b ; ? XIV / XV ct. — *ed.*: H. Lindberg, Archiv CI; R. H. Robbins, Sec. Lyrics XIV-XV, Oxford 1952. — BR. 3227 ; We. IV, 41.

Swarte smekyd smeþes, smateryd wyth smoke,
Dryue me to deth wyth den of here dyntes.
Swech noys on nyghtes ne herd men neuer:
What knauene cry, and clateryng of knockes!
5 Þe cammede kongons cryen after 'col, col!'
And blowen here bellewys þat al here brayn brestes.
'Huf, puf!' seith þat on; 'haf, paf!' þat oþer.
Þei spyttyn and spraulyn and spellyn many spelles;
Þei gnauen and gnacchen, þei gronys togydere,
10 And holdyn hem hote wyth here hard hamers.
Of a bole hyde ben here barm-fellys,
Here schankes ben schakeled for þe fere-flunderys,
Heuy hamerys þei han þat hard ben handled,
Stark strokes þei stryken on a stelyd stokke.
15 'Lus, bus! Las, das!' rowtyn be rowe.
Swech dolful a dreme þe deuyl it todryue!
Þe mayster longith a lityl, and lascheth a lesse,
Twyneth hem tweyn and towchith a treble.
'Tik, tak! Hic, hac! Tiket, taket! Tyk, tak!
20 Lus, bus! Lus, das!' swych lyf þei ledyn!
Alle cloþe-merys, Cryst hem gyue sorwe!
May no man for brenwateres on nyght han hys rest.

241. I DAR NOT

MS.: BM., Sloane 2593; XV ct. — *edd.*: Th. Wright, Songs and Carols, 1836, Warton Club IV, 1856; R. L. Greene, EE. Carols, Oxford 1935. — BR. 4279.

How, hey! It is non les:
I dar not seyȝ quan che seyȝt 'Pes!'

Ȝyng men, I warne ȝou euerychon:
Elde wywys tak ȝe non!
For I myself haue on at hom;
4 I dar not seyn quan che seyȝt 'Pes!'

Quan I cum fro þe plow at non,
In a reuen-dych myn mete is don:
I dar not askyn our dame a spon:
8 I dar not seyn quan che seyȝt 'Pes!'

If I aske our dame bred,
Che takyt a staf and brekit myn hed,
And doþ me rennyn vnder þe bed:
12 I dar not seyn quan che seyȝt 'Pes!'

---

240. ? 8 spraylyn

242. ROSE

MS.: Bodl. 13679, Rawlinson D. 913; XV c. — *edd.*: W. Heuser, Anglia XXX, 1907; R.H.Robbins, Sec. Lyrics XIV-XV, Oxford 1952. — BR. 194.

Al nist by þe rose, Rose,
Al nist bi the rose I lay.
Darf ich noust þe rose stele,
Ant ȝet ich bar þe flour away.

243. THOUT Y ON NO GYLE

MS.: Cambridge, Caius Coll. 383; XV c. — *edd.*: R. L. Greene, EE. Carols, Oxford 1935; R. H. Robbins, Sec. Lyrics XIV-XV, Oxford 1952. — BR. 1849.

Alas, ales, þe wyle,
Þout y on no gyle,
So haue y god chaunce!
Alas, ales, þe wyle,
Þat euer y cowde daunce!

Ladd y þe daunce a Myssomur-day.
Y made smale trippus, soþ fore to say.
Iak, oure haly watur clerk, com be þe way,
And he lokede me vpon, he þout þat y was gay.
5 Þout yc on no gyle.

Iak, oure haly watur clerk, þe ȝonge strippelyng,
ffor þe chesone of me he com to þe ryng.
And he trippede on my to, and made a twynkelyng;
Euer he cam ner, he sparet for no þynge.
10 Þout y on no gyle.

Iak, ic wot, priyede in my fayre face,
He þout me ful worly, so haue y god grace.
As we turndun owre daunce in a narw place,
Iak bed me þe mouþ; a cussynge þer was.
15 Þout y on no gyle.

Iak þo began to rowne in myn ere:
'Loke þat þou be priuey and grante þat þou þe bere,
A peyre wyth glouus ic ha to þyn were.'
'Gremercy, Iacke,' þat was myn answere.
20 Þoute yc on no gyle.

Sone aftur euensong Iak me mette.
'Com hom aftur þy glouus þat ic þe byhette.'
Wan ic to his chambur com, doun he me sette;
From hym mytte y nat go, wan we were mette.
25 Þout y on no gyle. —

Þe oþur day at prime y com hom, as ic wene; [36]
Meth y my dame, coppud and kene.
'Sey, þou stronge strumpeth, ware hastu bene?
Þi trippyng and þy dauncyng wel it wol be sene!'
30 Þout y on no gyle.

Euer bi on and by on my damme reched me clot.
Euer y ber it priuey, wyle þat y mouth,
Tyl my gurdul aros, my wombe wax out.
'Euel yspunne ȝern euer it wole out.'
35 Þout y on no gyle!

243, 3 clek *MS.* 5 ne 10, 15, 20, 25, 30 shortened *MS.*

244. IANKYN AND ALEYSON

MS.: BM., Sloane 2593; XV c. — *edd.*: Th. Wright, Songs and Carols, 1836, Warton Club IV, 1856; R. H. Robbins, Sec. Lyrics XIV-XV, Oxford 1952. — BR. 377.

'Kyrie' so 'Kyrie',
Iankyn syngyt merie
With 'Aleyson.'

As I went on ȝol-day in owr prosessyon,
Knew I joly Iankyn be his mery ton,
6 Kyrieleyson.

Iankyn began þe offys on þe ȝol-day,
And ȝyt me þynkyt it dos me good, so merie gan he say
'Kyrieleyson.'

Iankyn red þe pystyl ful fayr and ful wel,
And ȝyt me þinkyt is dos me good, as euere haue I sel,
12 Kyrieleyson.

Iankyn at þe sanctus crakit a merie note.
And ȝyt me þinkyt it dos me good; I payid for his cote.
Kyrieleyson.

Iankyn crakit notes an hunderid on a knot,
And ȝyt he hakkyt hem smaller þan wortes to þe pot.
18 Kyrieleyson.

Iankyn at þe angnus beryt þe pax brede;
He twynkelid, but sayd nowt, and on myn fot he trede.
Kyrieleyson.

Benedicamus domino, Cryst fro schame me schylde!
Deo gracias þerto. Alas, I go with schylde.
24 Kyrieleyson!

245. WHEN -

MS.: Bodl. 29734, Eng. poet. e. I; XV c. — *edd.*: Th. Wright, Songs and Carols, Percy Soc. XXIII, 1847; R. L. Greene, EE. Carols, Oxford 1935. — BR. 3999.

When nettuls in wynter bryng forth rosys red,
And al maner of thorn ber fyggs naturally,
And ges ber perles in euery med,
And laurell ber cherys abundantly,
5 And okes ber dates very plentuosly,
And kyskys gyfe of hony superfluens:
Þan put women in trust and confydens. —

Whan swyn be conyng in al poyntes of musyke,
And asses be docturs in euery scyens,
10 And kattes do hel men be practysyng of fysyke,
And boserds to scryptur gyfe ony credens,
And marchans by with horne insted of grotes and pens,
And pyys be mad poetes for þer eloquens:
Þan put women in trust and confydens. —

---

244. MS. kyrieleyson *abbr., exc. in* 4

246. CUIUS CONTRARIUM VERUM EST

MS.: Bodl. 29734, Eng. poet. e. I; XV c. — *edd.*: Th. Wright. Songs and Carols, Percy Soc. XXIII, 1847; R. L. Greene, EE. Carols, Oxford 1935. — BR. 1485.

Of all creatures women be best;
Cuius contrarium verum est.

In euery place ȝe ma) well se,
Þat woman be trewe as tyrtyll on tre;
Not liberall in langage, but euer in secrete,
4 And gret joye among þem is fore to be.

Þe stedfastnesse of women wil neuer be don,
So jentyll, so curtes þei be euerychon,
Meke as a lambe, styll as a stone.
8 Crockyd ne crabbyd fynd ȝe none. —

Fore, tell a woman all ȝowr cownsayle,
And she can kepe it wonder weyll;
She had leuer go qwyck to hell
12 Þan to hire neȝboure she wold it tell. —

Trow ȝe þat þey lyst to smatter,
Or ageynst þer husbondes to clatter?
Nay, þei had leuer fast bred and water,
16 Þen fore to presse suche a matter.

To þe taverne þei will not goo,
Nore to þe alehowse neuer þe moo;
Fore, god wott, þer hartes shulbe woo
20 To spend þer husbondes money soo. —

247. BRYNG VS IN GOOD ALE

MS.: Bodl. 29734, Eng. poet. e. I; XV c. — *edd.*: Th. Wright, Songs and Carols, Percy Soc. XXIII, 1847; R. H. Robbins, Sec. Lyrics XIV-XV, Oxford 1952. — BR. 549.

Bryng vs in good ale, and bryng vs in good ale!
ffore owr blyssyd lady sak, bryng vs in good ale!

Bryng vs in no browne bred, fore þat is mad of brane;
Nor bryng vs in no whyt bred, fore þerin is no game;
3 But bryng vs in good ale!

Bryng vs in no befe, for þer is many bonys;
But bryng vs in good ale, for þat goth downe at onys,
6 And bryng vs in good ale!

Bryng vs in no bacon, for þat is passyng fate;
But bryng vs in god ale, and gyfe vs inought of þat,
9 And bryng vs in good ale!

Bryng vs in no mutton, for þat is ofte lene;
Nor bryng vs in no trypys, for þei be syldom clene,
12 But bryng vs in good ale!

Bryng vs in no capons flesch, for þat is ofte der;
Nor bryng vs in no dokes flesch, for þei slober in þe mer,
15 But bryng vs in good ale!

Bryng vs in no eggys, for þer ar many schelles;
But bryng vs in good ale, and gyfe vs noþing ellys,
18 And bryng vs in good ale!

247.13-15 ***after*** 18 ***MS.***

GOOD GOSSIPE MYN

Bodl. 29734, Eng. poet. e. I; XV century. (*Var.*: Oxford, Balliol 354, Hill MS.; XVI century.) — *ed.*: Th. Wright, Percy Soc. XXIII, 1836; Var.: R. L. Greene, EE. Carols, Oxford 1935. — BR. 1362.

How, gossipe myn, gossipe myn,
When wyll we go to the wyn?

"Good gossipe myn, where haue ȝe be?
It is so long syth I ȝow see. (12)
Where is þe best wyn, tell ȝow me.
Can ȝow ovȝt tell?"
"ȝe, full wele!

I know a drawȝt off mery-go-downe,
Þe best it is in all þys towne.
But ȝet wold I not for my gowne,
My husbond it wyst."
"ȝe may me trust."

"Call forth ȝowr gossips by and by,
Elynore, Jone, and Margery,
Margaret, Alis, and Cecely!
Fore þei will come
Both all and sume.

And ech of þem wyll sumwhat bryng:
Gosse, pygge, ore capons wyng,
Pastes off pigeons, ore sum oþer thyng;
Fore a galon off wyn
Þei will not wryng.

Go befoore be tweyn and tweyn,
Wysly, þat ȝe be not seen!
Fore I must home, and come ageyn,
To witt iwys
Where my husbond is.

A strype ore ·ij· god myȝt send me,
If my husbond myȝt her me se."
"She þat is aferd, lett her fle,"
Quod Alis þan,
"I dred no man."

"Now be we in tavern sett,
A drowȝt off þe best lett hym fett,
To bryng owr husbondes ovt off dett;
Fore we will spend
Tyll god more send!"

Ech off þem brovȝt forth þer dysch;
Sum brovȝt flesh and sume fysh.
Quod Margaret mek now with a wysh:
"I wold Ane were here,
She wold mak vs chere."

"How sey ȝow, gossips, is þis wyne good?"
"Þat it is," quod Elenore, "by þe rood!
It cherisheth þe hart, and comfort þe blood.
Such jonckettes among
Shal mak vs lyv long."

"Anne, byd fill a pot of muscadell!
Fore off all wynes I loue it well.
Swete wynes kepe my body in hele;
If I had it novȝt,
I shuld tak gret thovȝt."

"How look ȝe, gossip, at þe bordes end?
Not mery, gossip? God it amend!
All shal be well, elles god it defend;
Be mery and glad,
And sitt not so sadde!"

"Wold god I had don aftur ȝowr counsell!
Fore my husbond is so fell;
He betyth me lyk þe devill off hell.
And þe more I cry,
60 Þe lesse mercy!"

Alys with a lowd voyce spak þan:
"Iwis," she seid, "lytyll good he can
Þat betyth ore strykyth ony woman,
And specially his wyff;
65 God gyve him short lyve!"

Margaret mek seid: "So mot I thryffe,
I know no man þat is alyffe,
Þat gyve me ·ij· strokes, but he shal haue fyffe.
I ame not aferd,
70 Þovȝ I haue no berd!"

On cast down her schott, and went her wey.
"Gossip," quod Elenore, "what dyd she paye?
Not but a peny? Lo, þerefore I saie,
She shal be no more
75 Off owr lore.

Such gestes we may haue inowe,
Þat will not fore þer shott alow!
With whom cum she? Gossipe, with ȝow?"
"Nay," quod Jone,
80 "I come alone."

"Now rekyn owr shott, and go we hence.
What cost it? Ich off vs but ·iij· pence?
Parde, þys is but a smale expence
Fore such a sort,
85 And all but sport!"

"Torn down þe street where ȝe cum ovt,
And we will compasse rovnd abovt."
"Gossip," quod Anne, "what nedyth þat dovt?
ȝowr husbondes be plesyd,
90 When ȝe be reisyd."

"Whatsoeuer ony man thynk:
We cum fore novȝt but fore good drynk.
Now lett vs go whom and wynk!
Fore it may be sen,
95 Where we haue ben!"

Þys is þe thovȝt þat gossips tak:
Ons in þe weke mery will þei mak,
And all small drynk þei will forsak,
But wyne off þe best
100 Shall han no rest!

Sume be at þe taverne ons in a weke,
And so be sume euery daie eke,
Ore ellis þei will gron and mak þem sek;
Fore thynges usid
105 Will not be refusyd.

How sey ȝow, women, is it not soo?
ȝes, suerly, and þat ȝe wyll know.
And þerfore lat vs drynk all a row,
And off owr syngyng
110 Mak a good endyng!

not in MS. 19/20 For we muste ete / Sum maner mett *Var.* 27 her se me *MS. and Var.* 92 Whe *MS.* Who *MS.*

249. MONOLOGUE OF A DRUNKARD

MS.: Bodl. Library 13679, Rawlinson D. 913; XV century. - *edd.*: W. Heuser, Anglia XXX; R.H.Robbins, Sec. Lyrics XIV-XV, Oxford 2. 1955. - BR. *24.

D . . . dronken
Dronken, dronken ydronken,
. . . dronken is tabart atte wyne.
Hay . . . suster, Walter, Peter,
ȝe dronke al depe,
Ant ichulle eke!
Stondet alle stille,
Stille, stille, stille,
Stondet alle stille,
Stille as any ston!
Trippe a lutel wit þi fot,
Ant let þi body go!

250. ON THE FOLLIES OF FASHION

MS., ed., &c.: BM., Harley 2253, *above*. — BR. 1974.

Lord, þat lenest vs lyf ant lokest vch-an lede,
fforte cocke wiþ knyf nast þou none nede,
Boþe wepmon ant wyf sore mowe drede,
Lest þou be sturne wiþ strif for bone þat þou bede
In wunne,
Þat monkune
7 Shulde shilde hem from sunne.

Nou haþ prude þe pris in euervche plawe,
By mony wymmon vnwis y sugge mi sawe,
For ȝef a ledy lyne is leid after lawe,
Vch a strumpet þat þer is such drahtes wl drawe;
In prude
Vch a screwe wol hire shrude
14 Þah he nabbe nout a smok hire foule ers to hude.

ffurmest in boure were boses ybroht,
Leuedis to honoure, ichot he were wroht,
Vch gigelot wol loure bote he hem habbe soht,
Such shrewe fol soure ant duere hit haþ aboht.
In helle
Wiþ deueles he shulle duelle,
21 For þe clogges þat cleueþ by here chelle.

Nou ne lackeþ hem no lyn boses in to beren;
He sitteþ ase a slat swyn þat hongeþ is eren.
Such a ioustynde gyn vch wrecche wol weren,
Al hit comeþ in declyn þis gigelotes geren.
Vp o lofte
Þe deuel may sitte softe
28 Ant holden his halymotes ofte.

ȝof þer lyþ a loket by er ouþer eȝe
Þat mot wiþ worse be wet for lac of oþer leȝe,
Þe bout ant þe barbet wyþ frountel shule feȝe.
Habbe he a fauce filet he halt hire hed heȝe
To shewe
Þat heo be kud ant knewe
35 For strompet in rybaudes rewe!

---

249 very faded in MS.

251. THE LOVER'S MOCKING REPLY

MS.: Bodl. Library 14530, Rawlinson poet. 36; XV century. — *ed.:* R. H. Robbins, Sec. Lyrics XIV-XV, Oxford 2. 1955. — BR. 2437.

To you, dere herte, variant and mutable,
Lyke to Carybdis whych is vnstable.

The Ynglysch of Chaucere was nat in youre mynd, (8)
Ne Tullyus termys wyth so gret elloquence,
But ye, as vncurtes and crabbed of kynde,
Rolled hem on a hepe, it semyth by the sentence.
And so dare I boldly withoute ony offence
Answere to your letter, as fallyth to the purpose;
7 And thus I begynne, construe ye the glose:

Cryst of hys goodnesse and of hys gret myght
fformyd many a cryator to walke on the ground.
But he that beholdyth you by day and by nyght
Shal neuer haue cause in hert to be jocound,
Rememberyng your grete hede and your forhed round,
Wyth staryng eyen, visage large and huge,
14 And eyþer of youre pappys like a water-bowge.

Youre camusyd nose, with nose-thryllys brode,
Vnto the chyrch a noble instrument
To quenche tapers brennyng afore the roode,
Ys best apropred at myne avysament;
Your leud lokyng, doble of entent,
Wyth courtly loke al of saferon hew,
21 That neuer wol fayle, þe colour is so trew!

Your babyr lyppys of colour ded and wan,
Wyth suche mouth lyke to Iacobys broþer,
And yelow tethe not lyk to the swan,
Set wyde asondyr as yche cursed oþer;
In al a lond who cowde fynde suche anoþer,
Of alle feturys so vngodly for to se,
28 With brethe as swete as ys the elder tre.

Youre body ys formyd al in proporcion,
With hangyng shuldres wauyng with euery wynde,
Smal in the bely as a wyn toune,
Wyth froward fete, and crokyd bak behynde;
He that you wold haue alway in mynde,
And for your loue wold breke on oure reste,
35 I wold he were locched with Lucifer the depeste.

And of youre atyre, shortly to devyse,
Your templers colured as þe lowcray,
With dagged hood, leyd on pancake wyse,
Your bolwerkys, pectorellys, and al your nyce aray;
Treuly me semyth ye ar a louely may!
And namely on halyday, whan ye tryp and daunce,
42 As a wylde goos kepyng your contenaunce!

Adew, dere herte, for now I make an ende
Vnto suche tyme that I haue better space.
The pyp and þe pose to you I recomend,
And god of hys mercy graunte you so mykyl grace
In paradyse onys to haue a restyng place,
Vp by the nauel, fast by the water gate,
49 To loke after passage whan it cometh late.

Youre owne loue, trusty and trewe,
You haue forsake cause of a newe.

---

9 tryator *MS.*

252. DAME SIRITH

MS.: Bodl. 1687, Digby 86; XIII century. — *ed.*: G. H. MacKnight, ME. Humerous Tales in Verse, BLS., Boston 1913. — BR. 342; We. II, 20; Ba. 161; RO. 394-395.

Ci comence le fablel et la cointise de Dame Siriz.

As I com bi an waie,
Hof on ich herde saie,
Ful modi mon and proud;
Wis he wes of lore,
And gouþlich vnder gore,
6 And cloþed in fair sroud.

To louien he bigon
On wedded wimmon,
Þerof he heuede wrong;
His herte hire wes alon,
Þat reste neuede he non,
12 Þe loue wes so strong.

Wel ȝerne he him biþoute
Hou he hire gete moute
In ani cunnes wise.
Þar befel on an day
Þe louerd wend away
18 Hon his marchaundise.

He wente him to þen inne
Þer hoe wonede inne,
Þat wes riche won;
And com into þen halle,
Þer hoe wes srud wiþ palle,
24 And þus he bigon:

'God almiȝtten be herinne!'
'Welcome, so ich euer bide wenne,'
Quod þis wif,
'His hit þi wille, com and site,
And wat is þi wille let me wite,
30 Mi leue lif.

Bi houre louerd, heuene-king,
If I mai don ani þing
Þat þe is lef,
Þou miȝtt finden me ful fre;
Fol bleþeli willi don for þe,
36 Wiþhouten gref.'

'Dame, god þe forȝelde,
Bote on þat þou me nout bimelde,
Ne make þe wroþ,
Min hernde willi to þe bede;
Bote wraþþen þe for ani dede
42 Were me loþ.'

'Nai iwis, Wilekin,
For no þing þat euer is min,
Þau þou hit ȝirne,
Houncurteis ne willi be;
Ne con I nout on vilte,
48 Ne nout I nelle lerne.

Þou mait saien al þine wille,
And I shal herknen and sitten stille,
Þat þou haue told.
And if þat þou me tellest skil,
I shal don after þi wil,
54 Þat be þou bold.

And þau þou saie me ani same,
Ne shal I þe nouiȝt blame
For þi sawe.'
'Nou ich haue wonne leue,
Ȝif þat I me shulde greue,
60 Hit were hounlawe.

Certes, dame, þou seist as hende,
And I shal setten spel on ende,
And tellen þe al,
Wat ich wolde, and wi ich com;
Ne con ich saien non falsdom,
66 Ne non I ne shal.

Ich habbe iloued þe moni ȝer,
Þau ich nabbe nout ben her
Mi loue to schowe.
Wile þi louerd is in toune,
Ne mai no mon wiþ þe holden roune
72 Wiþ no þewe.

Ȝurstendai ich herde saie,
As ich wende bi þe waie,
Of oure sire;
Me tolde me þat he was gon
To þe feire of Botolfston
78 In Lincolneschire.

And for ich weste þat he ves houte,
Þarfore ich am igon aboute
To speken wiþ þe.
Him burþ to liken wel his lif,
Þat miȝtte welde secc a vif
84 In priuite.

Dame, if hit is þi wille,
Boþ dernelike and stille,
Ich wille þe loue.'
'Þat woldi don for non þing,
Bi houre louerd, heuene-king,
90 Þat ous is boue!

Tit. *cf.* 268 Siriþ : griþ, 161 Siriz : wiz — 16 Þar] Þat *MS.* befel] he sei *Brandl-Zippel* 88 þing] þin *MS.*

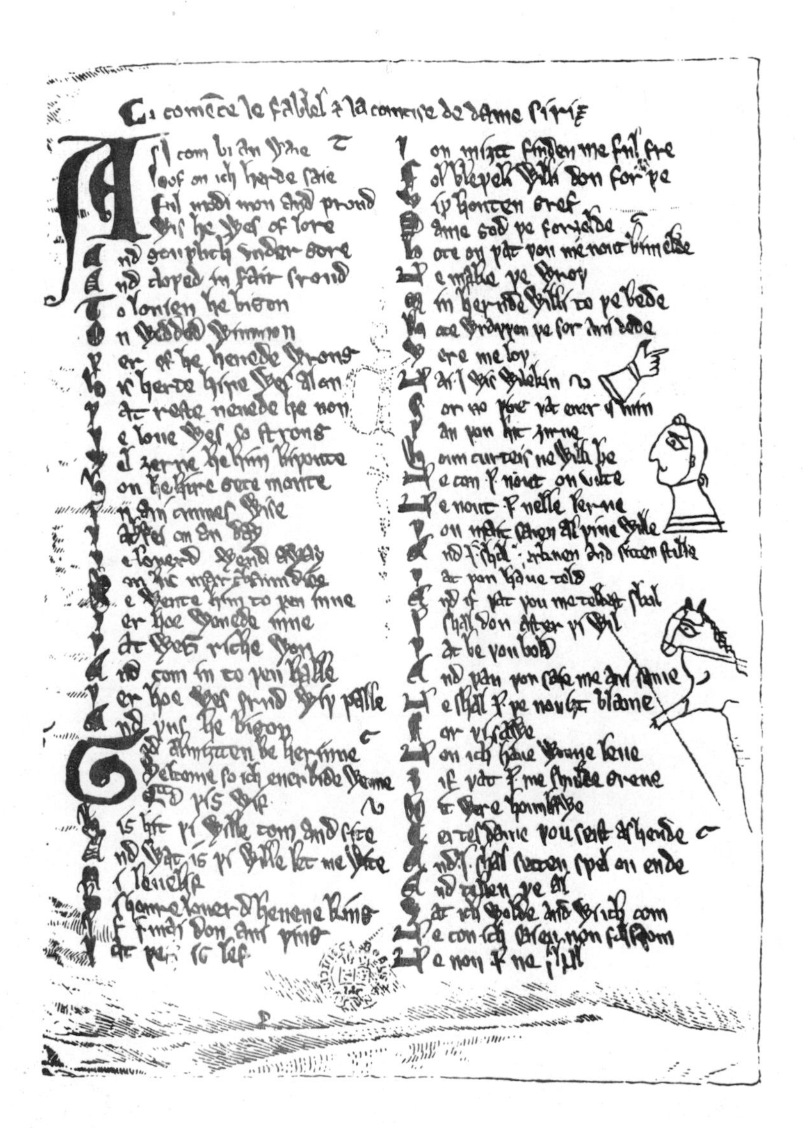

FROM DAME SIRITH

Bodleian, Digby 86, fol. 165; cf. p. 482

Ich habe mi louerd þat is mi spouse,
Þat maiden broute me to house
Mid menske inou;
He loueþ me and ich him wel,
Oure loue is also trewe as stel,
96 Wiþhouten wou.

Þau he be from hom on his hernde,
Ich were ounseli, if ich lernede
To ben on hore.
Þat ne shal neuere be,
Þat I shal don selk falsete,
102 On bedde ne on flore.

Neuer more his lifwile,
Þau he were on hondred mile
Biȝende Rome,
For no þing ne shuldi take
Mon on erþe to ben mi make,
108 Ar his homcome.'

'Dame, dame, torn þi mod!
Þi curteisi wes euer god,
And ȝet shal be;
For þe louerd þat ous haueþ wrout,
Amend þi mod, and torn þi þout,
114 And rew on me!'

'We, we! oldest þou me a fol?
So ich euer mote biden ȝol,
Þou art ounwis.
Mi þout ne shalt þou newer wende;
Mi louerd is curteis mon and hende,
120 And mon of pris;

And ich am wif boþe god and trewe;
Trewer womon ne mai no mon cnowe
Þen ich am.
Þilke time ne shal neuer bitide
Þat mon for wouing ne þoru prude
126 Shal do me scham.'

'Swete leumon, merci!
Same ne vilani
Ne bede I þe non;
Bote derne loue I þe bede,
As mon þat wolde of loue spede,
132 And finde won.'

'So bide ich euere mete oþer drinke,
Her þou lesest al þi swinke;
135 Þou miȝt gon hom, leue broþer,
For nille ich þe loue ne non oþer,
Bote mi wedde houssebonde;
To tellen hit þe ne wille ich wonde.'
'Certes, dame, þat me forþinkeþ;
140 And wo is þe mon þat muchel
swinkeþ,
And at þe laste leseþ his sped!
To maken menis his him ned.
Bi me I saie ful iwis,
Þat loue þe loue þat I shal mis.
145 And, dame, haue nou godne dai!
And þilke louerd, þat al welde mai,
Leue þat þi þout so tourne,
148 Þat ihc for þe no leng ne mourne.'

Drerimod he wente awai,
And þoute boþe niȝt and dai
Hire al for to wende.
A frend him radde for to fare,
And leuen al his muchele kare
154 To dame Siriz þe hende.

Þider he wente him anon,
So suiþe so he miȝtte gon,
No mon he ni mette.
Ful he wes of tene and treie;
Mid wordes milde and eke sleie
160 Faire he hire grette.

'God þe iblessi, dame Siriz!
Ich am icom to speken þe wiz,
For ful muchele nede.
And ich mai haue help of þe
Þou shalt haue, þat þou shalt se,
166 Ful riche mede.'

'Welcomen art þou, leue sone;
And if ich mai oþer cone
In eni wise for þe do,
170 I shal strengþen me þerto.
Forþi, leue sone, tel þou me
Wat þou woldest I dude for þe.'
'Bote, leue nelde, ful euele I fare;
174 I lede mi lif wiþ tene and kare;

Wiþ muchel hounsele ich lede
mi lif,
And þat is for on suete wif
Þat heiȝtte Margeri.
Ich haue iloued hire moni dai,
And of hire loue hoe seiz me nai;
180 Hider ich com forþi.

Bote if hoe wende hire mod,
For serewe mon ich wakese wod,
Oþer mi selue quelle.
Ich heuede iþout miself to slo;
Forþen radde a frend me go
186 To þe mi sereue telle.

He saide me, wiþhouten faille,
Þat þou me couþest helpe and uaile,
And bringen me of wo
Þoru þine crafftes and þine dedes;
And ich wile ȝeue þe riche mede,
192 Wiþ þat hit be so.'

132 fide *MS.* 136 nille] wille *MS.* 140, 145, 150 and] an *MS.* 140, 218 þat] þa *MS.*

'Benedicite be herinne!
Her hauest þou, sone, mikel senne.
195 Louerd, for his suete nome,
Lete þe þerfore hauen no shome!
Þou seruest affter godes grome,
Wen þou seist on me silk blame.
For ich am old and sek and lame;
200 Seknesse haueþ maked me ful tame.
Blesse þe, blesse þe, leue knaue!
Leste þou mesauenter haue,
For þis lesing þat is founden
Oppon me, þat am harde ibonden.
205 Ich am on holi wimon.
On wicchecrafft nout I ne con,
Bote wiþ gode men almesdede
Ilke dai mi lif I fede,
And bidde mi pater-noster and mi crede,
210 Þat goed hem helpe at hore nede,
Þat helpen me mi lif to lede,
And leue þat hem mote wel spede.
His lif and his soule worþe ishend,
Þat þe to me þis hernde haueþ send;
215 And leue me to ben iwreken
On him þis shome me haueþ speken.'

'Leue nelde, bilef al þis!
Me þinkeþ þat þou art onwis.
Þe mon þat me to þe taute,
220 He weste þat þou hous couþest saute.
Help, dame Siriþ, if þou maut,
To make me wiþ þe sueting saut,
And ich wille geue þe gift ful stark,
Moni a pound and moni a marke,
225 Warme pilche and warme shon,
Wiþ þat min hernde be wel don.
Of muchel godlec miȝt þou ȝelpe,
If hit be so þat þou me helpe.'
'Liȝ me nout, Wilekin! Bi þi leute,
230 Is hit þin hernest þou tellest me?
Louest þou wel dame Margeri?'
'Ȝe, nelde, witerli,
Ich hire loue; hit mot me spille,
Bote ich gete hire to mi wille.'
235 'Wat god, Wilekin, me reweþ þi scaþe;
Houre louerd sende þe help raþe!

Weste hic hit miȝtte ben forholen,
Me wolde þunche wel solen
Þi wille for to fullen.
Make me siker wiþ word on honde,
Þat þou wolt helen, and I wile fonde
242 If ich mai hire tellen.

For al þe world ne woldi nout
Þat ich were to chapitre ibrout
For none selke werkes.
Mi jugement were sone igiuen
To ben wiþ shome somer-driuen
248 Wiþ prestes and with clarkes.'

'Iwis, nelde, ne woldi
Þat þou heuedest uilani
Ne shame for mi goed.
Her I þe mi trouþe pliȝtte:
Ich shal helen bi mi miȝtte,
254 Bi þe holi roed!'

'Welcome, Wilekin, hiderward;
Her hauest imaked a foreward
Þat þe mai ful wel like.
Þou maiȝt blesse þilke siþ,
For þou maiȝt make þe ful bliþ;
260 Dar þou namore sike.

To goder-hele euer come þou hider;
For sone willi gange þider,
And maken hire hounderstonde.
I shal kenne hire sulke a lore,
Þat hoe shal louien þe mikel more
266 Þen ani mon in londe.'

'Al so haui godes griþ,
Wel hauest þou said, dame Siriþ,
And goder-hele shal ben þin.
Haue her twenti shiling;
Þis ich ȝeue þe to meding,
272 To buggen þe sep and swin.'

'So ich euere brouke hous oþer flet,
Neren neuer penes beter biset
Þen þes shulen ben;
For I shal don a juperti
And a ferli maistri,
278 Þat þou shalt ful wel sen.

Pepir nou shalt þou eten;
Þis mustart shal ben þi mete,
And gar þin eien to rene!
Ich shal make a lesing
Of þin heie-renning,
284 Ich wot wel wer and wenne.'

'Wat, nou const þou no god,
Me þinkeþ þat þou art wod,
Ȝeuest þo þe welpe mustard?'
'Be stille, boinard!
I shal mit þis ilke gin
290 Gar hire loue to ben al þin.
Ne shal ich neuer haue reste ne ro
Til ich haue told hou þou shalt do.

230 tekest *MacKnight*, techest *Mätzner* 279 pepis *MS.*

Abid me her til min homcome.'
'Ȝus, bi þe somer-blome,
295 Heþen nulli ben binomen,
Til þou be aȝein comen.'
Dame Siriþ bigon to go,
As a wrecche þat is wo,
Þat hoe come hire to þen inne
300 Þer þis gode wif wes inne.
Þo hoe to þe dore com,
Swiþe reuliche hoe bigon:
'Louerd,' hoe seiþ, 'wo is holde wiues
Þat in pouerte ledeþ ay liues!
305 Not no mon so muchel of pine
As poure wif þat falleþ in ansine.
Þat mai ilke mon bi me wite;
For mai I nouþer gange ne site.
Ded woldi ben ful fain.
310 Hounger and þurst me haueþ nei slain;
Ich ne mai mine limes onwold
For mikel hounger and þurst and cold.
Warto liueth selke a wrecche!
314 Wi nul goed mi soule fecche?'

'Seli wif, god þe hounbinde!
To dai wille I þe mete finde
For loue of goed.
Ich haue reuþe of þi wo,
For euele icloþed I se þe go,
320 And euele ishoed.

Com herin, ich wile þe fede.'
'Goed almiȝtten do þe mede,
And þe louerd þat wes on rode idon,
And faste fourti daus to non,
325 And heuene and erþe haueþ to welde!'
'As þilke louerd þe forȝelde.
Haue her fles and eke bred,
And make þe glad, hit is mi red;
And haue her þe coppe wiþ þe drinke.'
330 'Goed do þe mede for þi swinke!'
Þenne spac þat holde wif,
Crist awarie hire lif:
'Alas, alas, þat euer I liue!
Al þe sunne ich wolde forgiue
335 Þe mon þat smite of min heued!
Ich wolde mi lif me were bireued!'
'Seli wif, what eilleþ þe?'
'Bote eþe mai I sori be:
Ich heuede a douter feir and fre,
340 Feiror ne miȝtte no mon se.
Hoe heuede a curteis hossebonde,
Freour mon miȝtte no mon fonde.
Mi douter louede him al to wel;
Forþi maki sori del.
345 Oppon a dai he was out wend,
And þarþoru wes mi douter shend.
He hede on ernde out of toune;
And com a modi clarc wiþ croune,
To mi douter his loue beed,
350 And hoe nolde nout folewe his red.
He ne miȝtte his wille haue
For no þing he miȝtte craue.
Þenne bigon þe clerc to wiche,
And shop mi douter til a biche.
355 Þis is mi douter þat ich of speke!
For del of hire min herte breke.
Loke hou hire heien greten,
On hire cheken þe teres meten!
Forþi, dame, were hit no wonder,
360 Þau min herte burste assunder.
And wose euer is ȝong houssewif,
Ha loueþ ful luitel hire lif,
And eni clerc of loue hire bede,
Bote hoe grante and lete him spede.'
365 'A, louerd Crist, wat mai I þenne do?
Þis enderdai com a clarc me to,
And bed me loue on his manere,
And ich him nolde nout ihere.
Ich trouue he wolle me forsape.
370 Hou troustu, nelde, ich moue ascape?'
'God almiȝtten be þin help
Þat þou ne be nouþer bicche ne welp!
Leue dame, if eni clerc
Bedeþ þe þat louewerc,
375 Ich rede þat þou grante his bone,
And bicom his lefmon sone.
And if þat þou so ne dost,
378 A worse red þou ounderfost.'

'Louerd Crist! Þat me is wo,
Þat þe clarc me hede fro,
Ar he me heuede biwonne!
Me were leuere þen ani fe
Þat he heuede enes leien bi me,
384 And efftsones bigunne.

Euermore, nelde, ich wille be þin,
Wiþ þat þou feche me Willekin,
Þe clarc of wam I telle,
Giftes willi geue þe
Þat þou maiȝt euer þe betere be,
390 Bi godes houne belle!'

'Soþliche, mi swete dame,
And if I mai wiþhoute blame,
Fain ich wille fonde;
And if ich mai wiþ him mete,
Bi eni wei oþer bi strete,
396 Nout ne willi wonde.' —

---

365 mai I] I *nicht MS., spl. Mätzner, Brandl-Zippel, Cook*

253. INTERLUDIUM DE CLERICO ET PUELLA

MS.: BM., Addit. 23986 (fragment); beg. XIV c. — *edd.*: W. Heuser, Anglia XXX, 1907; G. H. MacKnight, ME. Humerous Tales in Verse, BLS., Boston 1913. — BR. 668; We. XIV,4.

Dramatis personae:
Clericus (*C.*)
Puella Malkyn (*P.*)
Mome Elwis (*M.*)

Scene I.

Hic incipit Interludium de Clerico et Puella.

Clericus ait:

C.: Damishel, reste wel!
P.: Sir, welcum, by saynt Michel!
C.: Wer esty sire, wer esty dame?
P.: By gode, es noþer her at hame.
5 *C.*: Wel wor suilc a man to life
Þat suilc a may mithe haue to wyfe!
P.: Do way, by Crist and Leonard!
No wily lufe na clerc fayllard,
Na kepi herbherg, clerc, in huse no y flore,
10 Bot his hers ly wituten dore.
Go forth þi way, god sire,
ffor her hastu losye al þi wile.
C.: Nu, nu, by Crist and by sant Jhon,
In al þis land ne wist hi none,
15 Mayden, þat hi luf mor þan þe,
Hif me micht euer þe bether be.
ffor þe hy sory nicht and day,
Y may say hay, wayleuay!
Y luf þe mar þan mi lif;
20 Þu hates me mar þan gayt dos cnif.
Þat es nouct for mysgilt;
Certhes, for þi luf ham hi spilt.
A, suythe mayden, reu of me,
Þat es ty luf hand ay sal be!
25 ffor þe luf of þe moder of efne,
Þu mend þi mode and her my steuene!
P.: By Crist of heuene and sant Jone,
Clerc of scole ne kepi non;
ffor many god wymman haf þai don scam.
30 By Crist, þu michtis haf ben at hame!
C.: Synt it noþir gat may be,
Jhesu Crist bytechy þe,
And send neulic bot þarinne,
Þat yi be lesit of al my pine.
35 *P.*: Go nu, truan, go nu, go,
ffor mikel canstu of sory and wo!

Scene II.

C.: God te blis, mome Helwis!
M.: Son, welcum, by san Dinis!
C.: Hic am comin to þe, mome;
40 Þu hel me noth, þu say me sone.
Hic am a clerc þat hauntes scole,
Y lydy my lif wyt mikel dole.
Me wor leuer to be dedh
Þan led þe lif þat hyc ledh
45 ffor a mayden with and schen,
ffayrer ho lond hawy non syen.
Ȝo hat mayden Malkyn, y wene;
Nu þu wost quam y mene.
Ȝo wonys at the tounes ende,
50 Þat suyt lif so fayr and hende.
Bot if ȝo wil hir mod amende,
Neuly Crist my ded me send!
Men send me hyder, vytuten fayle,
To haf þi help anty cunsayle.
55 Þarfor amy cummen here,
Þat þu salt be my herandbere,
To mac me and þat mayden saȝct;
And hi sal gef þe of myn aȝct,
So þat heuer al þy lyf
60 Saltu be þe better wyf.
So help me Crist, and hy may spede,
Riche saltu haf þi mede.
M.: A, son, vat saystu! Benedicite!
Lift hup þi hand and blis þe!
65 ffor it es boyt syn and scam
Þat þu on me hafs layt thys blam.
ffor hic am an ald quyne and a lam,
Y led my lyf wit godis loue.
Wit my roc y me fede;
70 Cani do non oþir dede,
Bot my pater-noster and my crede,
To say Crist for missedede,
And myn auy Mary,
ffor my scynnes hic am sory,
75 And my de profundis,
ffor al þat y sin lys;
ffor cani me non oþir þink,
Þat wot Crist, of heuene kync.
Jhesu Crist, of heuene hey,
80 Gef þat þay may heng hey,
And gef þat hy may se,
Þat þay be henge on a tre,
Þat þis ley as leyit me onne;
ffor aly wyman am I on.

---

12 wile] hire *em. Cook* 20 yayt *MS.* chnief *MS.* 25 þ mod *MS.*, *em. Heuser* 32 bytethy *MS.*, *em. Heuser.* 33 neulit *MS.*, *em. Heuser* 36 m. þu canstu *MS.* 45 a] ay *MS.* 65 ? boþt *MS.* 68 loue *MS.*] grame *em. Heuser* 80 þay] hay *MS.* 83 onne me *MS.* 84 wymam *MS.*

254. THE FOX AND THE WOLF

MS.: Bodl. 1687, Digby 86; XIII century. — *ed.*: G. H. MacKnight, ME. Humerous Tales in Verse, BLS., Boston 1913. — BR. 35; We. II, 25; Ke. 4923; Ba. 161; RO. 398.

A vox gon out of þe wode go,
Afingret so, þat him wes wo.
He nes neuere in none wise
Afingret erour half so swiþe.
5 He ne hoeld nouþer wey ne strete;
For him wes loþ men to mete.
Him were leuere meten one hen
Þen half an oundred wimmen.
He strok swiþe oueral,
10 So þat he ofsei ane wal.
Wiþinne þe walle wes on hous,
Þe wox wes þider swiþe wous;
For he þohute his hounger aquenche,
Oþer mid mete, oþer mid drunche.
15 Abouten he biheld wel ȝerne.
Þo eroust bigon þe vox to erne,
Al fort he come to one walle;
And som þerof wes afalle,
And wes þe wal oueral tobroke,
20 And on ȝat þer wes iloke.
At þe furmeste bruche þat he fond,
He lep in, and ouer he wond.
Þo he wes inne, smere he lou,
And þerof he hadde gome inou;
25 For he com in wiþouten leue
Boþen of haiward and of reue.
On hous þer wes, þe dore wes ope,
Hennen weren þerinne icrope,
Fiue, þat makeþ anne flok,
30 And mid hem sat on kok.
Þe kok him wes flowen on hey,
And two hennen him seten ney.
'Wox,' quod þe kok 'wat dest þou þare?
Go hom! Crist þe ȝeue kare!
35 Houre hennen þou dest ofte shome.'
'Be stille, ich hote, a godes nome,'
Quaþ þe wox, 'sire Chauntecler,
Þou fle adoun, and com me ner!
I nabbe don her nout bote goed;
40 I haue leten þine hennen blod.
Hy weren seke ounder þe ribe,
Þat hy ne miȝtte non lengour libe,
Bote here heddre were itake.
Þat I do for almes sake.' —
45 He wes stille, ne spak namore,
Ac he werþ aþurst wel sore.
Þe þurst him dede more wo,
Þen heuede raþer his hounger do.
Oueral he ede and sohute.
50 On auenture his wiit him brohute
To one putte, wes water inne,
Þat wes imaked mid grete ginne:
Tuo boketes þer he founde,
Þat oþer wende to þe grounde,
55 Þat wen me shulde þat on opwinde,
Þat oþer wolde adoun winde.
He ne hounderstod nout of þe ginne,
Ac nom þat boket, and lep þerinne;
For he hopede inou to drinke.
60 Þis boket biginneþ to sinke.
To late þe vox wes biþout,
Þo he wes in þe ginne ibrout.
Inou he gon him biþenche,
Ac hit ne halp mid none wrenche:
65 Adoun he moste, he wes þerinne,
Ikaut he wes mid swikele ginne. —
Þe vox wep, and reuliche bigan.
Þer com a wolf gon after þan
Out of þe depe wode bliue,
70 For he wes afingret swiþe.
Noþing he ne founde in al þe niȝte,
Wermide his honger aquenche miȝtte. -
Adoun bi þe putte he sat.
Quod þe wolf: 'Wat may ben þat
75 Þat ich in þe putte ihere?
Hertou cristine oþer mi fere?
Say me soþ, ne gabbe þou me nout,
Wo haueþ þe in þe putte ibrout?'
Þe vox hine ikneu wel for his kun,
80 And þo eroust kom wiit to him;
For he þoute mid soumme ginne
Himself houpbringe, þene wolf þerinne.
Quod þe vox: 'Wo is nou þere?
Ich wene hit is Sigrim þat ich here.'
85 'Þat is soþ,' þe wolf sede,
'Ac wat art þou, so god þe rede?'
'A,' quod þe vox, 'ich wille þe telle,
On alpi word ich lie nelle.
Ich am Reneuard, þi frend,
90 And ȝif ich þine come heuede iwend,
Ich hedde so ibede for þe,
Þat þou sholdest comen to me.'
'Mid þe?' quod þe wolf, 'Warto?
Wat shulde ich ine þe putte do?'
95 Quod þe vox: 'Þou art ounwiis;
Her is þe blisse of paradiis!
Her ich mai euere wel fare,
Wiþouten pine, wiþouten kare.
Her is mete, her is drinke,
100 Her is blisse wiþouten swinke!

---

58 Ac] He *MacKnight*

Her nis hounger neuermo,
Ne non oþer kunnes wo;
Of alle gode her is inou!'
Mid þilke wordes þe vox lou.
105 'Art þou ded, so god þe rede,
Oþer of þe worlde?' þe wolf sede.
Quod þe wolf: 'Wenne storue þou,
And wat dest þou þere nou?
Ne beþ nout ȝet þre daies ago,
110 Þat þou and þi wif also,
And þine children, smale and grete,
Alle togedere mid me hete.'
'Þat is soþ,' quod þe vox,
'Gode þonk, nou hit is þus,
115 Þat ihc am to Criste vend.
Not hit non of mine frend.
I nolde, for al þe worldes goed,
Ben ine þe worlde, þer ich hem fond.
Wat shuldich ine þe worlde go,
120 Þer nis bote kare and wo,
And liuie in fulþe and in sunne?
Ac her beþ ioies fele cunne;
Her beþ boþe shep and get!'
Þe wolf haueþ hounger swiþe gret,
125 For he nedde ȝare i-ete;
And þo he herde speken of mete,
He wolde bleþeliche ben þare.
'A,' quod þe wolf, 'gode ifere,
Moni goed mel þou hauest me binome;
130 Let me adoun to þe kome,
And al ich wole þe forȝeue.'
'Ȝe,' quod þe vox, 'were þou isriue,
And sunnen heuedest al forsake,
And to klene lif itake,
135 Ich wolde so bidde for þe,
Þat þou sholdest comen to me.'
'To wom shuldich,' þe wolfe seide,
'Ben iknowe of mine misdede?
Her nis no þing aliue,
140 Þat me kouþe her nou sriue.
Þou hauest ben ofte min ifere;
Woltou nou mi srift ihere,
And al mi liif I shal þe telle?'
'Nay,' quod þe vox, 'I nelle.'
145 'Neltou?' quod þe wolf. 'Þin ore!
Ich am afingret swiþe sore.
Ich wot to niȝt ich worþe ded,
Bote þou do me somne reed.
For Cristes loue be mi prest!'
150 Þe wolf bey adoun his brest,
And gon to siken harde and stronge.
'Woltou,' quod þe vox, 'srift ounderfonge,
Tel þine sunnen on and on,
Þat þer bileue neuer on.'
155 'Sone,' quod þe wolf, 'wel ifaie!
Ich habbe ben qued al mi lifdaie.
Ich habbe widewene kors;
Þerfore ich fare þe wors.
A þousent shep ich habbe abiten,
160 And mo, ȝef hy weren iwriten.
Ac hit me ofþinkeþ sore.
Maister, shal I tellen more?'
'Ȝe,' quod þe vox, 'al þou most sugge,
Oþer elleswer þou most abugge.'
165 'Gossip,' quod þe wolf, 'forȝef hit me,
Ich habbe ofte sehid qued bi þe.
Men seide þat þou on þine liue
Misferdest mid mine wiue.
Ich þe aperseiuede one stounde,
170 And in bedde togedere ou founde.
Ich wes ofte ou ful ney,
And in bedde togedere ou sey.
Ich wende, also oþre doþ,
Þat ich iseie were soþ;
175 And þerfore þou were me loþ.
Gode gossip, ne be þou nohut wroþ!'
'Vuolf,' quod þe vox him þo,
'Al þat þou hauest her bifore ido,
In þohut, in speche, and in dede,
180 In euche oþeres kunnes quede,
Ich þe forȝeue at þisse nede.'
'Crist þe forȝelde!' þe wolf seide.
'Nou ich am in clene liue,
Ne recche ich of childe ne of wiue.
185 Ac sei me wat I shal do,
And ou ich may comen þe to.'
'Do?' quod þe vox, 'Ich wille þe lere.
Isiist þou a boket hongi þere?
Þere is a bruche of heuene blisse,
190 Lep þerinne, mid iwisse,
And þou shalt comen to me sone.'
Quod þe wolf: 'Þat is liȝt to done.'
He lep in, and way sumdel;
Þat weste þe vox ful wel.
195 Þe wolf gon sinke, þe vox arise.
Þo gon þe wolf sore agrise.
Þo he com amidde þe putte,
Þe wolfe þene vox opward mette.
'Gossip,' quod þe wolf, 'wat nou?
200 Wat hauest þou imunt? Weder wolt þou?
'Weder ich wille?' þe vox sede.
'Ich wille oup, so god me rede!
And nou go doun wiþ þi meel,
Þi biȝete worþ wel smal.
205 Ac ich am þerof glad and bliþe,
Þat þou art nomen in clene liue.
Þi soule-cnul ich wille do ringe,
And masse for þine soule singe.'—

104 vox] volf *MS.* 117 ? *em.* geond 155 ifaie] I fare *MS.* 172 sey] ley *MS.*

255. JOHN GOWER. CONFESSIO AMANTIS

MS.: Bodl. 3883, Fairfax 3: late XIV c.; C-Version, ?1393. (49 MSS. — *Var.: Version A*, about 1390, MS. Oxford CCC. 67; XIV/XV cent.) — *ed.*: G. C. Macaulay, Oxford 1901, and EETS. LXXXI/II. — BR. 2662; We. XV, 13; Ke. 4601-12; Ba. 205-207; RO. 288-289.

Incipit Prologus:

Of hem þat writen ous tofore
The bokes duelle, and we þerfore
Ben tawht of þat was write þo;
fforþi good is þat we also
5 In oure tyme among ous hiere
Do wryte of newe som matiere,
Essampled of þese olde wyse,
So þat it myhte in such a wyse,
Whan we ben dede and elleswhere,
10 Beleue to þe worldes eere
In tyme comende after þis.
Bot for men sein, and soþ it is,
That who þat al of wisdom writ
It dulleþ ofte a mannes wit
15 To him þat schal it al dai rede,
ffor þilke cause, if þat ȝe rede,
I wolde go þe middel weie
And wryte a bok betwen þe tweie,
Somwhat of lust, somewhat of lore,
20 That of þe lasse or of þe more
Som man mai lyke of þat I wryte.
And for þat fewe men endite
In oure Englissh, I þenke make
A bok for Engelondes sake,
25 The ȝer sextenthe of kyng Richard.
What schal befalle hierafterward
God wot, for now vpon þis tyde
Men se þe world on euery syde
In sondry wyse so diuersed,
30 That it wel nyh stant al reuersed,
As forto speke of tyme ago.
The cause whi it changeþ so
It needeþ nought to specifie,
The þing so open is at ye,
35 That euery man it mai beholde.
And natheles be daies olde,
Whan þat þe bokes weren leuere,
Wrytinge was beloued euere
Of hem þat weren vertuous;
40 ffor hier in erþe amonges ous,
If no man write hou þat it stode,
The pris of hem þat weren goode
Scholde, as who seiþ, a gret partie
Be lost. So for to magnifie
45 The worþi princes þat þo were,
The bokes schewen hiere and þere,
Wherof þe world ensampled is;
And þo þat deden þanne amis
Thurgh tirannie and crualte,
50 Right as þei stoden in degre,
So was þe wrytinge of here werk.
Þus I, which am a burel clerk,
Purpose forto wryte a bok
After þe world þat whilom tok
55 Long tyme in olde daies passed.
Bot for men sein it is now lassed,
In worse plit þan it was þo,
I þenke forto touche also
The world which neweþ euery dai,
60 So as I can, so as I mai.
Þogh I seknesse haue vpon honde

Version A [for *C* 24-92]:

A bok for king Richardes sake,
25* To whom belongeth my ligeance
With al myn hertes obeissance
In al þat euere a liege-man
Vnto his king may doon or can.
So ferforþ I me recomande
30* To him which al me may comande,
Preyende vnto þe hihe regne
Which causeth euery king to regne,
That his corone longe stonde.
I thenke and haue it vnderstonde,
35* As it bifel vpon a tyde,
As þing which scholde þo betyde,
Vnder þe toun of newe Troye,
Which tok of Brut his ferste joye,
In Temse whan it was flowende
40* As I be bote cam rowende,
So as fortune hir tyme sette,
My liege-lord par chaunce I mette.
And so befel, as I cam nyh,
Out of my bot, whan he me syh,
45* He bad me come into his barge.
And whan I was wiþ him at large,
Amonges oþre þinges seid
He haþ þis charge vpon me leid,
And bad me doo my besynesse
50* That to his hihe worþinesse
Som newe þing I scholde boke,
That he himself it mihte loke
After þe forme of my writynge.
And þus vpon his comandynge
55* Myn herte is wel þe more glad
To write so as he me bad.
And eek my fere is wel þe lasse
Þat non enuye schal compasse
Withoute a resonable wite
60* To feyne and blame þat I write.
A gentil herte his tunge stilleþ
Þat it malice non distilleþ . . . .

And longe haue had, ʒit woll I fonde
To wryte and do my bisinesse,
That in som part, so as I gesse,
65 The wyse man mai ben auised.
ffor þis prologe is so assised
That it to wisdom al belongeþ:
What wys man þat it vnderfongeþ,
He schal drawe into remembrance
70 The fortune of þis worldes chance,
The which no man in his persone
Mai knowe, bot þe god al-one.
Whan þe prologe is so despended,
Þis bok schal afterward ben ended
75 Of loue, which doþ many a wonder
And many a wys man haþ put vnder.
And in þis wyse I þenke trete
Towardes hem þat now be grete,
Betwen þe vertu and þe vice
80 Which longeþ vnto þis office.
Bot for my wittes ben to smale
To tellen euery man his tale,
Þis bok, vpon amendement
To stonde at his commandement,
85 Wiþ whom myn herte is of accord,
I sende vnto myn oghne lord,
Which of Lancastre is Henri named.
The hyhe god him haþ proclamed
fful of knyhthode and alle grace.
90 So woll I now þis werk embrace
Wiþ hol trust and wiþ hol belieue;
God grante I mot it wel achieue. —

Avarice and Envy.

Of Jupiter þis finde I write,
How whilom þat he wolde wite [II,292]
95 Vpon þe pleigntes whiche he herde,
Among þe men how þat it ferde,
As of here wrong condicion
To do justificacion;
And for þat cause doun he sente
100 An angel, which aboute wente,
That he þe soþe knowe mai.
So it befell vpon a dai
This angel, which him scholde enforme,
Was cloþed in a mannes forme,
105 And ouertok, I vnderstonde,
Tuo men þat wenten ouer londe,
Thurgh whiche he þoghte to aspie
His cause, and goþ in compaignie.
This angel wiþ hise wordes wise
110 Opposeþ hem in sondri wise,
Now lowde wordes and now softe,
That mad hem to desputen ofte,
And ech of hem his reson hadde.
And þus wiþ tales he hem ladde
115 Wiþ good examinacioun,
Til he knew þe condicioun,
What men þei were boþe tuo;
And sih wel ate laste þo,
That on of hem was coueitous,
120 And his fela was envious.
And þus, whan he haþ knowlechinge,
Anon he feigneth departinge,
And seide he mot algate wende.
Bot herkne now what fell at ende:
125 ffor þanne he made hem vnderstonde
That he was þere of goddes sonde,
And seide hem, for þe kindeschipe
That þei haue don him felaschipe
He wole hem do som grace aʒein,
130 And bad þat on of hem schal sein
What þing him is lieuest to craue,
And he it schal of ʒifte haue.
And ouer þat ek forþ wiþal
He seiþ þat oþer haue schal
135 The double of þat his felaw axeþ;
And þus to hem his grace he taxeþ.
The coueitous was wonder glad,
And to þat oþer man he bad,
And seiþ þat he ferst axe scholde;
140 ffor he supposeþ þat he wolde
Make his axinge of worldes good.
ffor þanne he knew wel how it stod,
That he himself be double weyhte
Schal after take, and þus be sleyhte,
145 Because þat he wolde winne,
He bad his fela ferst beginne.
This envious, þogh it be late,
Whan þat he syh he mot algate
Make his axinge ferst, he þoghte,
150 If he worschipe or profit soghte,
It schal be doubled to his fiere:
That wolde he chese in no manere.
Bot þanne he scheweþ what he was
Toward enuie, and in þis cas
155 Vnto þis angel þus he seide
And for his ʒifte þis he preide,
To make him blind of his on yhe,
So þat his fela noþing syhe!
Þis word was noght so sone spoke,
160 That his on yhe anon was loke,
And his felawh forþwiþ also
Was blind of boþe his yhen tuo.
Tho was þat oþer glad ynowh,
That on wepte, and þat oþer lowh;
165 He sette his on yhe at no cost,
Wherof þat oþer two haþ lost! —

80 officie 154 Ennuie

Socrates and Xanthippe.

Mi sone, a man to beie him pes
Behoueþ soffre as Socrates [III, 640]
Ensample lefte, which is write;
170 And for þou schalt þe soþe wite,
Of þis ensample what I mene,
Althogh it be now litel sene
Among þe men þilke euidence,
ȝit he was vpon pacience
175 So sett, þat he himself assaie
In þing which mihte him most mispaie
Desireþ, and a wickid wif
He weddeþ, which in sorwe and strif
Aȝein his ese was contraire.
180 Bot he spak euere softe and faire,
Til it befell, as it is told,
In wynter, whan þe dai is cold,
This wif was fro þe welle come,
Wher þat a pot wiþ water nome
185 Sche haþ, and broghte it into house,
And sih how þat hire seli spouse
Was sett and loked on a bok
Nyh to þe fyr, as he which tok
His ese for a man of age.
190 And sche began þe wode rage,
And axeþ him what deuel he þoghte,
And bar on hond þat him ne roghte
What labour þat sche toke on honde,
And seiþ þat such an housebonde
195 Was to a wif noght worþ a stre!
He seide nowþer nay ne ȝe,
Bot hield him stille and let hire chyde.
And sche, which mai hirself noght hyde,
Began wiþinne forto swelle,
200 And þat sche broghte in fro þe welle,
The waterpot sche hente alofte
And bad him speke, and he al softe
Sat stille and noght a word ansuerde.
And sche was wroþ þat he so ferde,
205 And axeþ him if he be ded;
And al þe water on his hed
She pourede oute and bad: 'Awake!'
Bot he, which wolde noght forsake
His pacience, þanne spak,
210 And seide how þat he fond no lak
In noþing which sche hadde do:
ffor it was wynter time þo,
And wynter, as be weie of kinde
Which stormy is, as men it finde,
215 fferst makþ þe wyndes forto blowe,
And after þat wiþinne a þrowe
He reyneþ and þe watergates
Vndoþ. 'And þus my wif algates,
Which is wiþ reson wel besein,
220 Haþ mad me boþe wynd and rein
After þe sesoun of þe ȝer.'
And þanne he sette him nerr þe fer,
And as he mihte hise cloþes dreide,
That he no more o word ne seide;
225 Wherof he gat him somdel reste,
ffor þat him þoghte was þe beste.

Pygmalion.

I finde hov whilom þer was on,
Whos name was Pymaleon, [IV, 372]
Which was a lusti man of ȝowþe.
230 The werkes of entaile he cowþe
Aboue alle oþre men as þo.
And þurgh fortune it fell him so,
As he whom loue schal trauaile,
He made an ymage of entaile
235 Lich to a womman in semblance
Of feture and of contienance,
So fair ȝit neuere was figure.
Riht as a lyues creature
Sche semeþ, for of yuor whyt
240 He haþ hire wroght of such delit,
That sche was rody on þe cheke
And red on boþe hire lippes eke.
Wherof þat he himself beguileþ.
ffor wiþ a goodly lok sche smyleþ,
245 So þat þurgh pure impression
Of his ymaginacion
Wiþ al þe herte of his corage
His loue vpon þis faire ymage
He sette, and hire of loue preide;
250 Bot sche no word aȝeinward seide.
The longe day, what þing he dede,
This ymage in þe same stede
Was euere bi, þat ate mete
He wolde hire serue and preide hire ete,
255 And putte vnto hire mowþ þe cuppe.
And whan þe bord was taken vppe,
He haþ hire into chambre nome,
And after, whan the nyht was come,
He leide hire in his bed al nakid.
260 He was forwept, he was forwakid,
He keste hire colde lippes ofte,
And wissheþ þat þei weren softe,
And ofte he rouneþ in hire ere,
And ofte his arm now hier now þere
265 He leide, as he hir wolde embrace,
And euere among he axeþ grace,
As þogh sche wiste what he mente.

191 axex

And þus himself he gan tormente
Wiþ such desese of loues peine,
270 That no man mihte him more peine.
Bot how it were, of his penance
He made such continuance
Fro dai to nyht, and preiþ so longe,
That his preiere is vnderfonge,
275 Which Venus of hire grace herde;
Be nyhte and whan þat he worst ferde,
And it lay in his nakede arm,
The colde ymage he fieleþ warm
Of fleissh and bon and full of lif.
280 Lo, þus he wan a lusti wif,
Which obeissant was at his wille!
And if he wolde haue holde him stille
And noþing spoke, he scholde haue failed;
Bot for he haþ his word trauailed
285 And dorste speke, his loue he spedde,
And hadde al þat he wolde abedde.
ffor er þei wente þanne atwo,
A knaue-child betwen hem two
Thei gete, which was after hote
290 Paphus, of whom ȝit haþ þe note
A certein yle, which Paphos
Men clepe, and of his name it ros.

Gower's Farewell to Venus.

'Ma dame,' I seide, 'be ȝour leue,
ȝe witen wel, and so wot I,
295 That I am vnbehouely [VIII, 2884]
ȝour court fro þis day forþ to serue.
And for I may no þonk deserue,
And also for I am refused,
I preie ȝou to ben excused.
300 And natheles as for þe laste,
Whil þat my wittes wiþ me laste,
Touchende mi confession
I axe an absolucion
Of Genius, er þat I go.'
305 The prest anon was redy þo,
And seide: 'Sone, as of þi schrifte
Thou hast ful pardoun and forȝifte.
fforȝet it þou, and so wol I.'
'Min holi fader, grant mercy!'
310 Quod I to him, and to þe queene
I fell on knes vpon þe grene,
And tok my leue forto wende.
Bot sche, þat wolde make an ende,
As þerto which I was most able
315 A peire of bedes blak as sable
Sche tok and heng my necke aboute;
Vpon þe gaudes al wiþoute
Was write of gold *'por reposer'*.
'Lo,' þus sche seide, 'John Gower,
320 Now þou art ate laste cast,
This haue I for þin ese cast,
That þou no more of loue sieche.
Bot my will is þat þou besieche
And preie hierafter for þe pes,
325 And þat þou make a plein reles
To loue, which takþ litel hiede
Of olde men vpon þe nede,
Whan þat þe lustes ben aweie.
fforþi to þee nys bot o weie,
330 In which let reson be þi guide;
ffor he may sone himself misguide
That seþ noght þe peril tofore.
Mi sone, be wel war þerfore,
And kep þe sentence of my lore;
335 And tarie þou mi court no more,
Bot go þer vertu moral duelleþ,
Wher ben þi bokes, as men telleþ,
Which of long time þou hast write.
ffor þis I do þee wel to wite:
340 If þou þin hele wolt pourchace,
Thou miht noht make suite and chace,
Wher þat þe game is noht pernable;
It were a þing vnresonable,
A man to be so ouerseie.
345 fforþi tak hiede of þat I seie;
ffor in þe lawe of my comune
We be noght schape to comune
Thiself and I, neuere after þis.
Now haue y seid al þat þer is
350 Of loue as for þi final ende.
Adieu, for y mot fro þe wende!'
And wiþ þat word al sodeinly,
Enclosid in a sterred sky
Venus, which is þe qweene of loue,
355 Was take into hire place aboue.
More wist y nought wher sche becam.
And þus my leue of here y nam,
And forþ wiþ al þe same tide
Hire prest, which wolde nought abide,

Version A:

351* Adieu, for I mot fro þe wende;
And gret wel Chaucer whan ȝe mete
As mi disciple and mi poete.
ffor in þe floures of his ȝouþe
355* In sondri wise, as he wel couþe,
Of ditees and of songes glade,
The whiche he for mi sake made,
The lond fulfild is oueral;

360 Or be me lief or be me loþ,
Out of my sighte forþ he goþ;
And y was left wiþouten helpe.
So wiste I nought wher of to ȝelpe,
Bot only þat y hadde lore
365 My time, and was sori þerfore.
And þus bewhapid in my þought.
Whan al was turnyd into nought,
I stod amasid for a while,
And in my-self y gan to smyle
370 Thenkende vppon þe bedis blake,
And how þey weren me betake
ffor þat y schulde bidde and preie.
And whanne y sigh non oþre weie,
Bot only þat y was refusid,
375 Vnto þe lif which y hadde vsid
I þoughte neuere torne aȝein.
And in þis wise, soþ to seyn,
Homward a softe pas y wente,
Wher þat wiþ al myn hol entente
380 Vppon þe point þat y am schryue
I þenke bidde whil y lieue. —

The End.

And now to speke as in final,
Touchende þat y vndirtok [VIII, 3107]
In Englesch forto make a book,
385 Which stant betwene ernest and game,
I haue it maad as þilke same
Which axe forto ben excusid,
And þat my bok be nought refusid
Of lered men, whan þei it se,
390 ffor lak of curiosite.
ffor þilke scole of eloquence
Belongiþ nought to my science,
Vppon þe forme of rethoriqe
My wordis forto peinte and pike,
395 As Tullius som tyme wrot.
Bot þis y knowe and þis y wot,
That y haue do my trewe peyne
Wiþ rude wordis and wiþ pleyne,
In al þat euere y couþe and myghte,
400 This bok to write as y behighte,
So as siknesse it soffre wolde,
And also for my daies olde,
That y am feble and impotent,
I wot nought how þe world ys went.
405 So preye y to my lordis alle
Now in myn age, how so befalle,
That y mot stonden in here grace. -
Bot now vppon my laste tide
That y þis book haue maad and write,
410 My muse doþ me forto wite,
And seiþ it schal be for my beste
ffro þis day forþ to take reste,
That y no more of loue make,
Which many an herte haþ ouertake,
415 And ouerturnyd as þe blynde
ffro reson into lawe of kynde,
Wher as þe wisdom goþ aweie
And can nought se þe ryhte weie
How to gouerne his oghne estat,
420 Bot euery dai stant in debat
Wiþinne him-self, and can nought leue.
And þus forþy my final leue
I take now for euere-more,
Wiþoute makynge any more,
425 Of loue and of dedly hele,
Which no phisicien can hele.
ffor his nature is so diuers,
That it haþ euere som trauers
Or of to moche or of to lite,
430 That pleinly mai no man delite,
Bot if him faile or þat or þis.
Bot þilke loue which þat is
Wiþinne a mannes herte affermed,
And stant of charite confermed,
435 Such loue is goodly forto haue,
Such loue mai þe bodi saue,
Such loue mai þe soule amende,
The hyhe god such loue ous sende
fforþwiþ þe remenant of grace,
440 So þat aboue, in þilke place
Wher resteþ loue and alle pes,
Oure joie mai ben endeles.

Wherof to him in special
360* Aboue alle oþre I am most holde.
fforþi now in hise daies olde
Thou schalt him telle þis message,
That he vpon his latere age,
To sette an ende of alle his werk,
365* As he which is myn owne clerk,
Do make his testament of loue
As þou hast do þi schrifte aboue,
So þat mi court it mai recorde.'
'Madame, I can me wel acorde,'
370* Quod I, 'to telle as ȝe me bidde.'
And wiþ þat word it so betidde,
Out of my sihte al sodeynly.
Enclosed in a sterred sky,
Vp to þe heuene Venus straghte,
375* And I my rihte weie cawhte
Hom fro þe wode, and forþ I wente,
Wher as wiþ al myn hole entente,
Þus wiþ mi bedes vpon honde,
ffor hem þat trewe loue fonde
380* I þenke bidde whil I lyue
Vpon þe poynt which I am schryue. -

256. THE PILGRIMS AT CANTERBURY

MS.: Northumberland 55; XV century. From "The Tale of Beryn", an apocryphal addition in the Northumberland MS. of The Canterbury Tales; after the Canon's Yeoman's Tale. — *ed.:* F.J.Furnivall - W.G.Stone, Chaucer Soc. 17,24 and EETS. CV. - BR. 3926; RO. 315.

The Kny3t and al the feleshipp, and no-þing for to ly,
When they wer all iloggit, as skill wold and reson, [131]
Everich aftir his degre to chirch þen was seson
To pas and to wend, to make hir offringis,
5 Ri3te as hir devocioune was of sylvir broch and ryngis.
Then atte chirche dorr the curtesy gan to ryse,
Tyl þe kny3t of gentilnes þat knewe ri3te wele þe guyse,
Put forth þe prelatis, þe Person, and his fere.
A monk, þat toke þe spryngill with a manly chere,
10 And did as the maner is, moillid al hir patis,
Everich aftir othir, ri3te as þey wer of states.
The Frere feynyd fetously the spryngil for to hold,
To spryng oppon the remnaunt, þat for his cope he nold
Have lafft that occupacioune in þat holy plase,
15 So longid his holy conscience to se þe Nonnys fase.
The kny3te went with his compers toward þe holy shryne,
To do þat they were com fore, and aftir for to dyne.
The Pardoner and þe Miller and oþir lewde sotes
Sou3t hem selff in the chirch ri3t as lewde gotes;
20 Pyrid fast, and pourid, hi3e oppon the glase
Countirfeting gentilmen, þe armys for to blase,
Diskyueryng fast the peyntour, and for þe story mourned,
And a red it also right as wolde rammys hornyd.
"He berith a balstaff," quod the toon, "and els a rakis ende."
25 "Thow faillist," quod the Miller, "þowe hast nat wel þy mynde:
It is a spere, yf þowe canst se, with a prik tofore,
To bussh adown his enmy and þurh the sholdir bore."
"Pese!" quod the Hoost of Southwork, "let stond þe wyndow glasid!
Goith vp and doith yeur offerynge! Yee semeth half amasid.
30 Sith yee be in company of honest men and good,
Worchith somwhat aftir, and let þe kynd of brode
Pas for a tyme. I hold it for the best;
ffor who doith after company, may lyve the bet in rest."
Then passid they forth boystly, goglyng with hir hedis,
35 Knelid adown tofore the shryne, and hertilich hir bedis
They preyd to Seynt Thomas, in such wise as þey couth.
And sith the holy relikis ech man with his mowith
Kissid, as a goodly monke þe names told and tau3t.
And sith to othir placis of holynes þey rau3te,
40 And were in hir devocioun tyl service wel al doon;
And sith þey drow3 to dynerward, as it drew to noon.
Then as manere and custom is, signes þere þey bou3te,
ffor men of contre shulde know whom þey hadde ou3te.
Ech man set his sylvir in such thing as þey likid;
45 And in þe meenwhile the Miller had ipikid
His bosom ful of signys of Cauntirbury brochis.
Huch þe Pardoner and he, pryuely in hir pouchis
Þey put hem aftirward, þat noon of hem it wist,
Save þe Sompnour seih somwhat, and seyde to ham: "List!
50 Halff part!" quod he pryuely rownyng on hir ere.
"Husssht, pees!" quod þe Miller, "seist þowe nat the Frere,

---

4 passen maken *em. Furnivall*; 6 chirch *MS.* 10 did right *F.* 19 selffen *F.* lewd *MS.*
23 it, wolde] *suppl. F.* 35 hertlich *MS.* 43 shuld, had *MS.* 49 seid *MS.*

Howe he lowrith vndir his hood with a doggissh ey?
Hit shuld be a pryuy thing that he coude nat aspy;
Of euery crafft he can somwhat, our lady gyve hym sorowe!"
55 "Amen!" tho quod the Sompnour, "on eve and eke on morowe!
So cursid a tale he told of me, the devil of hell hym spede!
And me, but yf I pay hym wele and quyte wele his mede,
Yf it hap homward þat ech man tell his tale
As wee did hidirward, þouȝe wee shuld set at sale,
60 Al the shrewdnes that I can I wol hym nothing spare,
That I nol touch his taberd somwhat of his care!"
They set hir signes oppon hir hedis, and som oppon hir cappe,
And sith to the dynerward they gan for to stappe.
Euery man in his degre wissh and toke his sete
65 As they were wont to doon at soper and at mete;
And wer in scilence for a tyme, till girdill gon arise.
But then as nature axith, as these old wise
Knowen wele, when veynys been somwhat replete,
The spiritis wol stere, and also metis swete
70 Causen offt myrthis for to be imevid,
And eke it was no tyme tho for to be igrevid:
Euery man in his wise made hertly chere,
Talyng his felowe of sportis and of chere
And of othir myrthis þat fyllyn by the wey,
75 As custom is of pilgryms and hath been many a day. -
The Knyȝt arose ther-with-al, and cast on a fressher gown,
And his sone anothir, to walke in the town;
And so did al the remnaunt þat were of þat aray:
That had hir chaungis with hem, they made hem fressh and gay,
80 Sortid hem togidir, riȝte as hir lustis lay,
As þey were more vsid traveling by the wey.
The Knyȝt with his meyne went to se the wall,
And þe wardes of the town, as to a knyȝt befall;
Devising ententiflich þe strengthis al about,
85 And apoyntid to his sone þe perell and þe dout,
ffor shot of arblast and of bowe, and eke for shot of gonne,
Vnto þe wardis of the town, and howe it myȝt be wone;
And al defence ther ageyn, aftir his entent
He declarid compendiously. And al that evir he ment,
90 His sone perseyvid every poynt, as he was ful abill
To armes and to travaill, and persone covenabill
He was of al factur aftir fourm of kynde;
And for to deme his governaunce, it semed þat his mynde
Was much in his lady þat he lovid best,
95 That made hym offt to wake, when he shuld have his rest. -
The monke toke the person þen and þe greye Frer,
And preyd hem ful curteysly for to go in fere.
"I have ther a queyntaunce, þat al this yeris thre
Hath preyd me by his lettris þat I hym wolde se;
100 And he ys my brothir in habit and in possessioune.
And now þat I am her, me thinkith it is to doon,
To preve it in dede, what cher he wold me make,
And to ȝewe, my frende, also for my sake."
They went forth togidir, talking of holy matere;

58 happene *F*. 73 Talyng to *em*. *F*. 77 walk *MS*. 81 the more *em*. *F*. 90 His] He *MS*., *em*. *F*. 94 Was set *em*. *F*. 96 grey *MS*. 97 ful] for *MS*. 99 me] hym *MS*. 100 he ys] yee *MS*. *and ed*. 101 þat *suppl*. *F*.

105 But woot ye wele, in certeyn, they had no mynd on water
To drynke at that tyme, when they wer met in fere;
ffor of the best þat myȝt be found, and þer-with mery cher
They had, it is no doute; for spycys and eke wyne
Went round aboute, þe Gascoyn and eke the Ruyne.
110 The Wyff of Bath was so wery, she had no will to walk;
She toke the Priores by the hond: "Madam, wol ye stalk
Pryuely into þe garden, to se the herbis growe,
And aftir, with our hostis wyff in hir parlour rowe?
I woll gyve ȝewe the wyne, and yee shull me also;
115 ffor tyll wee go to soper wee have nauȝt ellis to do."
The Priores, as vomman tauȝt of gentil blood, and hend,
Assentid to hir counsell; and forth gon they wend,
Passyng forth sofftly into the herbery,
ffor many a herbe grewe for sew and surgery:
120 And al the aleyis feir iparid, iraylid, and imakid,
The sauge and the isope ifrethid and istakid,
And othir beddis by and by fressh idight
ffor comers to the hoost, riȝte a sportful sight.
The Marchaunt and þe Mancipill, þe Miller and þe Rêve,
125 And the Clerk of Oxinforth, to townward gon they meve,
And al the othir meyne; and lafft noon at home,
Save the Pardoner, þat pryvelich, when al they wer goon,
Stalkid into the tapstry. -

257. A VOYAGE

OF PILGRIMS TO SAINT JAMES OF COMPOSTELLA

MS.: Cambridge, Trinity 599; m. XVth century. - *ed.*: F.J.Furnivall, EETS. 25. - BR. 2148.

Men may leue all gamys
That saylen to Seynt Jamys;
ffor many a man hit gramys,
4 When they begyn to sayle.
ffor when they haue take the see
At Sandwyche or at Wynchylsee,
At Brystow, or where that hit bee,
8 Theyr hertes begyn to fayle.

Anone the mastyr commaundeth fast
To hys shypmen in all the hast
To dresse hem sone about the mast,
12 Theyr takelyng to make.
With "Howe! Hissa!" then they cry.
"What, howe, mate, thow stondyst to ny,
Thy felow may nat hale the by",
16 Thus they begyn to crake.

A boy or tweyn anone upstyen
And ouerthwart the sayle-yerde lyen.
"Y-how, taylia!" the remenaunt cryen,
20 And pull with all theyr myght.
"Bestowe the boote, boteswayne, anon,
That our pylgryms may pley theron;
For som ar lyke to cowgh and grone
24 Or hit be full mydnyght."

"Hale the bowelyne! Now, vere the shete!
Cooke, make redy anoon our mete.
Our pylgryms haue no lust to ete;
28 I pray god yeue hem rest.
Go to the helm! What, howe! No nere!
Steward, felow, a pot of bere!"
Ye shall haue, sir, with good chere
32 Anon all of the best."

"Y-howe, trussa! Hale in the brayles!
Thow halyst nat, be god, thow fayles!
O, se howe well owre good shyp sayles!"
36 And thus they say among.
"Hale in the wartake!" "Hit shal be done."
"Steward, couer the boorde anone,
And set bred and salt therone,
40 And tary nat to long!"

Then cometh oone and seyth: "Be mery,
Ye shall haue a storme or a pery."
"Holde thow thy pese! Thow canst no whery,
44 Thow medlyst wondyr sore."
Thys menewhyle the pylgryms ly,
And haue theyr bowlys fast theym by,
And cry aftyr hote malvesy
48 To helpe for to restore.

And som wold haue a saltyd tost,
ffor they myght ete neyther sode ne rost.
A man myght sone pay for theyr cost
52 As for oo day or twayne.
Som layde theyr bookys on theyr kne
And rad so long they myght nat se.
"Allas, myne hede woll cleue on thre,"
56 Thus seyth another certayne.

Then commeth owre owner lyke a lorde,
And speketh many a royall worde,
And dresseth hym to the hygh borde
60 To see all thyng be well.
Anone he calleth a carpentere,
And byddyth hym bryng with hym hys gere
And make the cabans here and there
64 With many a febyll cell.

A sak of strawe were there ryght good,
ffor som must lyg theym in theyr hood.
I had as lefe be in the wood
68 Withoute mete or drynk.
For when that we shall go to bedde,
The pumpe was nygh oure beddes hede;
A man were as good to be dede
72 As smell therof the stynk.

Explicit.

---

48 Thow helpe *MS. & Edd.*

258. THOMAS HOCCLEVE, THREE PASSAGES
FROM 'THE REGEMENT OF PRINCES'

MS.: BM., Harley 4866; XV century. (44 MSS.) — *ed.*: F.J. Furnivall, EETS. LXXII. — BR. 2229; Ke. 4633-35; Ba. 252-253; RO. 293-294; TB. 111-113.

'Mi Maister Chaucer!'

O, maister deere, and fadir reuerent, [1961]
Mi maister Chaucer, flour of eloquence,
Mirour of fructuous entendement,
O, vniuersel fadir in science!
5 Allas, þat þou thyn excellent prudence
In þi bed mortel mightist naght byqwethe!
What eiled deth, allas, whi wolde he sle the?

O Deth, þou didest naht harme singuleer
In slaghtere of him, but al þis land it smertith!
10 But nathelees yit hast þou no power
His name sle; his hy vertu astertith
Vnslayn fro þe, which ay vs lyfly hertyth
With bookes of his ornat endytyng,
That is to al þis land enlumynyng. —

15 Simple is my goost, and scars my letterure, [2073]
Vnto your excellence for to write
Myn inward loue; and yit in auenture
Wyle I me putte, thogh I can but lyte.
Mi dere maistir, god his soule quyte,
20 And fadir, Chaucer, fayn wolde han me taght,
But I was dul and lerned lite or naght.

Allas, my worthi maister honorable,
This landes verray tresor and richesse!
Deth by thi deth hath harme irreparable
25 Vnto vs doon. Hir vengeable duresse
Despoiled hath þis land of þe swetnesse
Of rethorik; for vnto Tullius
Was neuer man so lyk amonges vs.

Also, who was hier in philosophie
30 To Aristotle in our tonge but thow?
The steppes of Virgile in poesie
Thow filwedist eeke, men wot wel ynow.
That combre world, þat þe, my maistir, slow,
Wold I slayn were! Deth was so hastyf
35 To renne on þe and reue the thi lyf!

Deth hath but smal consideracioun
Vnto þe vertuous, I haue espied,
No more, as shewith þe probacioun,
Than to a vicious maistir losel tried.
40 Among an heep euery man is maistried;
With hire as wel þe porre is as þe riche,
Lered and lewde eeke standen al yliche.

She myghte han taried hir vengeance a while,
Til that sum man had egal to the be.
45 Nay, lat be þat! Sche knew wel þat þis yle
May neuer man forth brynge lyk to the!
And hir office needes do mot she;
God bad hir so, I truste as for thi beste.
O maister, maister, god þi soule reste!

---

41 p. as is þe r. *MS.* 42 lerd

Autobiographical Lines: The medieval scribe.

50 Seruyse, I wot wel, is non heritage;
Whan I am out of court an oþer day,
As I mot, whan vpon me hastiþ age,
And þat no lengere I laboure may,
Vnto my pore cote, it is no nay,
55 I mote me drawe, and my fortune abyde,
And suffre storm after þe mery tyde.

Many men, fadir, wenen þat writynge
No trauaile is; þei hold it but a game:
Aart hath no foo but swich folk vnkonynge.
60 But who so list disport hym in þat same,
Let hym continue, and he schal fynd it grame.
It is wel gretter labour þan it seemeth;
Þe blynde man of coloures al wrong deemeth.

A writer mot thre thynges to hym knytte,
65 And in tho may be no disseuerance:
Mynde, ee, and hand, non may fro othir flitte,
But in hem mot be ioynt continuance.
The mynde al hoole withouten variance
On þe ee and hand awayte moot alway,
70 And þei two eek on hym; it is no nay.

Who so schal wryte may nat holde a tale
With hym and hym, ne synge this ne that;
But al his wittes hoole, grete and smale,
Ther must appere, and halden hem therat;
75 And syn he speke may ne synge nat,
But bothe two he nedes moot forbere,
Hir labour to hym is þe alengere.

This artificers se I day be day
In þe hotteste of al hir bysynesse
80 Talken and syng, and make game and play,
And forth hir labour passith with gladnesse;
But we labour in trauaillous stilnesse:
We stowpe and stare vpon þe shepes skyn,
And keepe muste our song and wordes in.

85 Wrytyng also doth grete annoyes thre,
Of which ful fewe folkes taken heede
Sauf we oure self, and thise, lo, þei be:
Stomak is on, whom stowpyng out of dreede
Annoyeth soore; and to our bakkes neede
90 Mot it be greuous; and þe thrid, our yen
Vpon þe whyte mochel sorwe dryen.

What man þat ·xxiij· yeere and more
In wryting hath continued, as haue I,
I dar wel seyn it smerteth hym ful sore
95 In euere veyne and place of his body;
And yen moost it greeueth trewely
Of any crafte þat man can ymagyne:
ffadir, in feth, it spilt hath wel ny myne.

53 laboure *Var.*] labour *MS.* 72 *and* 74 syng *MS.* 75 both *MS.* 81 forth *Var.*] for *MS.* 90 be *om. MS.* 91 sorwe *Var.*] for to *MS.* 94 smerth *MS.* 96 yen *Var.*] than *MS.*

Fashionable Fops.

In dayes olde, whan smal apparaille
100 Suffisid vnto hy estat or mene,
Was gret houshold wel stuffid of victaille;
But now housholdes ben ful sclender and lene,
ffor al þe good þat men may repe or glene,
Wasted is in outrageous array,
105 So that housholdes men nat holde may.

Who now moost may bere on his bak at ones
Of cloth and furrour, hath a fressch renoun;
He is a lusty man clept for þe nones.
But drapers and eek skynners in þe toun
110 ffor swich folk han a special orisoun
That troppid is with curses heere and there,
And ay schal, til þei paid be for hir gere.

But þis me þinkiþ an abusioun,
To se on walke in gownes of scarlet,
115 XII ȝerdes wyd, wit pendant sleues downe
On þe grounde, and þe furrour þerin set
Amountyng vnto ·xx· pound or bet.
And if he for it payde haue, he no good
Haþ lefte him wherewit for to bye an hood.

120 Also ther is another newe get,
A foul wast of cloth and an excessyf;
Ther goth no lesse in a mannes tipet
Than of brood cloth a yerde, by my lif;
Me thynkyth this a verray inductif
125 Vnto stelthe: ware hem of hempen lane!
ffor stelthe is medid with a chekelew bane.

Som tyme, afer men myghten lordes knowe
By there array from oþer folke; but now
A man schal stody and musen a long throwe
130 Whiche is whiche: o lordes, it sit to yowe
Amende þis, for it is for youre prowe;
If twixt yow and youre men no difference
Be in array, lesse in youre reuerence.

What is a lord withouten his meynee?
135 I putte cas, þat his foos hym assaille
Sodenly in þe stret: What help schal he,
Wos sleeues encombrous so syde traille,
Do to his lord? He may hym nat auaille.
In swych a cas he nys but a womman;
140 He may nat stand hym in steed of a man.

Now hath þis lord but litil neede of broomes
To swepe away þe filthe out of þe street,
Syn syde sleues of penylees gromes
Wile it vp likke, be it drye or weet.
145 O Engelond! stande vpryght on thy feet!
So foul a wast in so symple degree
Bannysshe, or sore it schal repente the!

110 orsoun *MS.*

259. JOHN LYDGATE, THE FALL OF PRINCES

MS.: Bodl. 263; XV ct. (31 MSS.) — *ed.*: H. Bergen, Washington 1923/27, & EETS. CXXI-CXXIV. — BR. 1168; Ke. 4728-43; Ba. 250-252; RO. 294-297; TB. 116-125; W.F. Schirmer, John Lydgate, Tübingen 1952.

'Gentilesse'.

Worldli poweer, oppressioun, tirannye, [VI, 1289]
Erthli tresour, gold, stonis nor richesse
Be no menys vnto genterie,
But yif vertu reule ther hih prowesse;
5 For wher vices haue any interesse
In hihe berthe, mene, or louh kynreede,
Deeme no man gentil, but onli bi his deede.

In roial paleisis of ston and metal wrouht,
With galleries or statli cloistres rounde,
10 Gentilesse or noblesse is nat souht,
Nor in cileris nor in voutis rounde,
But onli ther wher vertu doth haboundel
Corious clothes nor gret pocessiouns
Maketh nat men gentil but condiciouns.

15 Philisophres conclude in ther entent
And alle thes worthi famous old auctours,
No man may quethe in his testament
Gentilesse vnto his successours.
Of wikked weede come non holsum flours.
20 Concludyng thus, of goode-men and shrewes
Calle ech man gentil aftir his goode thewes! —

Caesar.

First in Libie, Spaigne, and in Itaille [VI, 2822]
Thexperience of his roial puissaunce,
In Germanye bi many strong bataille,
25 His poweer preved, in Lumbardie and in Fraunce.
Brouhte alle thes kyngdames vndir thobeissaunce
Of the Romeyns, peised al this thyng, and seyn
Touchyng his guerdoun, his labour was in veyn.

Toward Roome makyng his repair,
30 Of hym appesed cyuyl discencIouns,
Of throne imperial clymbyng on the stair;
For the conquest of threttene regiouns,
Of the tryumphe requered the guerdouns,
Which to recure his force he hath applied,
35 Al-be the senat his request hath denied.

And his name mor to magnefie,
To shewe the glorie of his hih noblesse,
To the capitoile faste he gan hym hie,
As emperour his doomys ther to dresse.

1-21 cf. *Gower's paraphrase of* 'Whan Adam dalf and Eue span, Who was þan þe gentilman?' *in Confessio Amantis* IV, 2222: 'And forto loke on oþer side / Hou þat a gentilman is bore / Adam which alle was tofore / Wiþ Eve his wif as of hem tuo / Al was aliche gentil þo / So þat of generacion / To make declaracion / Ther mai no gentilesce be / For to þe reson if we se / Of mannes berþe þe mesure / It is so comun to nature / That it ȝifþ every man aliche / Als wel to povere as to þe riche.' — 1 Wordli *& o. MS.* 3 gentrie 6 hih 14 condicouns 15 concluden 19 weed 20 good 21 good 22 and eek in 27 the *not in MS.* 34 he *not in MS.* 37 gloire

40 That day began with ioie and gret gladnesse,
The eue accordyng nothyng with the morwe:
The entre glad, the eende trouble and sorwe!

Calipurnia, which that was his wiff,
Hadde a drem the same niht afforn,
45 Toknis shewed of the funeral striff,
How that hir lord was likli to be lorn
Be conspiracy compassed and isworn,
Yiff he that day, withoute auisement,
In the capitoile sat in iugement.

50 She drempte, alas, as she lay and sleepte,
That hir lord, thoruhgirt with many a wounde,
Lay in hir lappe, and she the bodi kepte
Of womanheed, lik as she was bounde.
But, o, alas, to soth hir drem was founde!
55 The nexte morwe, no lenger maad delay,
Of his parodie was the fatal day.

A poore man callid Tongilius,
Which secreli the tresoun dede espie,
Leet write a lettre, took it Iulius,
60 The caas declaryng of the conspiracie,
Which to reede Cesar list nat applie.
But o, alas, ambicious necligence
Caused his mordre bi vnwar violence.

Cesar sittyng myd the consistorie,
65 In his estate most imperiall,
Aftir many conquest and victorie,
Fortune awaityng to yiuen hym a fall,
With boidekenys, percyng as an all,
He moordred was, with many mortal wounde.
70 Loo, how fals trust in worldli pompe is founde!

Lenvoye

Thoruh al this booke rad ech tragedie,
Afforn rehersid and put in remembrance,
Is non mor woful to my fantasie
Than is the fall of Cesar in substaunce,
75 Which in his hiest imperial puissaunce
Was, whil he wende haue be most glorious,
Moordred at Roome of Brutus Cassius.

This marcial prince ridyng thoruh Lumbardie,
Ech contre yolde and brouht to obeissaunce,
80 Passyng the Alpies rood thoruh Germanye,
To subieccioun brouht the rewm of Fraunce,
Gat Brutis Albioun bi long contynuaunce:
To lustris passed this manli Iulius
Moordred at Roome bi Brutus Cassius.

85 Among the senat was the conspiracye
Alle of assent and of oon accordaunce,
Whos tryumphe thei proudli gan denye;

---

41 nothyng accordyng *Varr.* 50 sleep 65 estat 71 book

But maugre them was kept thobseruaunce,
His chaar of gold with steedis of plesaunce
90 Conveied thoruh Roome, this prince most pompous,
The moordre folwyng bi Brutus Cassius.

Rekne his conquest, rekne up his cheualrie
With a countirpeis of worldli variaunce:
Fortunys chaungis for his purpartie,
95 Weie al togidre, cast hem in ballaunce
Set to of Cesar the myscheeuable chaunce,
With his parodie sodeyn and envious,
Moordred at Roome bi Brutus Cassius.

Bookis alle and cronicles specefie,
100 Bi influence of heuenli purueiaunce,
Mars and Iubiter ther fauour did applie
With glade aspectis his noblesse tenhaunce:
Mars gaf hym knihthod, Iubiter gouernaunce,
Among princis hold oon the moste famous,
105 Moordred at Roome bi Brutus Cassius.

Behold of Alisaundre the grete monarchie,
Which al the world had vndir obeissaunce,
Prowesse of Ector medlid with gentrie,
Of Achilles malencolik vengaunce,
110 Rekne of echon the quaueryng assuraunce,
Among remembring the fyn of Iulius,
Moordred at Roome bi Brutus Cassius.

Princis considreth, in marcial policie
Is nouther truste, feith nor assuraunce:
115 Al stant in chaung with twynclyng of an eye.
Vp toward heuene set your attendaunce,
The world vnseur and al worldli plesaunce,
Lordship abit nat, record on Iulius
Moordred at Roome bi Brutus Cassius! —

On Women.

120 Myn auctour Bochas reioished in his lyue, [I, 6511]
I dar nat seyn, wher it was comendable,
Off these women the malice to descryue
Generali, and writ, it is no fable,
Off ther nature how thei be variable,
125 And how ther malice best be euidence
Is knowe to hem that haue experience.

Thei can afforce hem, alday men may see,
Be synguler fredam and dominacioun
Ouer men to hauen souereynte,
130 And keepe hem lowe vnder subieccioun,
And sore laboure in ther opynyoun,
Bi sotil crafft that thyng to recure,
Which is to hem denyed off nature.

Bochas affermeth, and halt it for no tale,
135 Yiff thei wante fresshnesse off colour,
And han ther face iawne, swart and pale,
Anon thei doon ther dilligent labour

90 most *not in MS.* 102 to enhaunce *em. Bergen* 114 trust 129 han 131 And] Ful *Varr.*

In such a neede to helpe and do socour,
Ther reuelid skyn abrod to drawe and streyne,
140 Froward frounces to make hem smothe and pleyne.

Yiff no rednesse in ther chekis be,
Nor no lelies delectable and white,'
Than thei take, tencrece ther beute,
Such oynementis as may most delite.
145 Wher kynde faileth the surplusage tacquite,
Thei can be crafft so for hemsilff dispose,
Shewe rednesse thouh ther be no rose. —

Thei han strictories to make ther skyn to shyne,
Wrouht subtili off gommes and off glaire;
150 Craffti lies to die ther her citryne,
Distillid watres, to make hem seeme faire,
Fumygaciouns to rectefie the aiere,
Stomachers and fressh confecciouns
To represse fals exallaciouns.

155 Off alle these thynges Bochas hath most despiht,
Whan these vekkes, ferre ironne in age,
Withynne hemsilff han veynglori and deliht
For to farce and poppe ther visage,
Lich a peyntour on an old ymage
160 Leith his coloures, riche and fressh off hewe,
Wermfrete stokkes to make hem seeme newe. —

But treueli it doth my witt appall
Off this mateer to make rehersaile:
It is no resoun tatwiten women all,
165 Thouh on or too whilom dede faile.
It sittith nat, nor it may nat auaile,
Hem to rebuke that parfit been and goode,
Ferr out off ioynt thouh sum other stoode. —

The white lelie nor the holsum rose,
170 Nor violettis spred on bankis thikke,
Ther suetenesse, which outward thei onclose,
Is nat appeired with no weedis wikke;
And thouh that breris and many crokid stykke
Growe in gardyns among the floures faire,
175 Thei may the vertu off herbis nat appaire. —

Lydgate. Biographical Notes.

Frut of writyng set in cronicles olde, [IV, 1]
Most delectable of fresshnesse in tastyng,
And most goodli and glorious to beholde,
In cold and heete lengest abidyng,
180 Chaung of cesouns may doon it non hyndryng;
And wher-so be that men dyne or faste,
The mor men taste, the lenger it wil laste.

It doth corages renewe ageyn and glade,
Which may be callid frut of the tre of lyff,
185 So parmanable that it wil neuer fade,
To the fyue wittis grettest restoratiff,
And to ther plesance most cheef confortatiff;

159 a peyntour *Varr.*] as peyntours *MS.* 162 But] And 171 suetnesse

For of nature whan thei be quik and goode,
Thei of this frut tak ther natural foode. —

190 Lik to a tre which euery yeer berth frut, [IV, 50]
Shewyng his beute with blosmys and with flours,
Riht so the foode of our inward reffut
Be dilligence of these olde doctours
And daili frut of ther feithful labours
195 Han our corages fostred and pasturid
Be writyng onli, which hath so longe endurid. —

I folwyng aftir, fordullid with rudnesse, [VIII, 190]
Mor than thre score yeeris set my date,
Lust of youthe passid with his fresshnesse,
200 Colours of rethorik to helpe me translate
Wer fadid awey: I was born in Lidgate,
Wher Bachus licour doth ful scarsli fleete,
My drie soule for to dewe and weete.

Thouh pallid age hath fordullid me,
205 Tremblyng ioyntes let myn hand to write,
And fro me take al the subtilite
Of corious makyng in Inglissh to endite,
Yit in this labour treuli me taquite
I shal proceede, as it is to me dewe,
210 In thes too bookis Bochas for to sewe. —

For a story which is nat pleynli told, [I, 92]
But constreynyd vndir woordes fewe
For lak off trouthe, wher thei be newe or old,
Men bi report kan nat the mater shewe:
215 These ookis grete be nat doun ihewe
First at a stroke, but bi long processe,
Nor longe stories a woord may not expresse. —

Ryght reuerent prynce, with support of your grace,
By your comaundement as I vndirtook [IX, 3304]
220 With dredful herte, pale of cheer and face,
I haue acomplysshed translacioun of your book;
In which labour myn hand ful offte quook,
My penne also troublyd with ygnoraunce
Lyst myn empryse wer nat to your plesaunce.

225 Off ryght considred, of trouthe and equite,
I nat expert nor stuffyd with language,
Seyn howh that Ynglyssh in ryme hath skarsete,
How I also was ronne ferre in age,
Nat quyk, but rude and dul of my corage,
230 Off no presumpcioun, but atwix hope and drede
To obeye your byddyng took on me to procede. —

To alle thoo that shal this book beholde, [IX, 3394]
I them beseke to haue compassyoun,
And ther-withal I prey hem that they wolde
235 Favoure the metre and do correccyoun.
Off gold nor asewr I hadde no foysoun,
Nor othir colours this processe tenlvmyne,
Sauff whyte and blak; and they but dully shyne.

216 strok 218-280 *MS.* Harley 1766, XV*ct.* 231 on] vpon *MS.*

I nevir was aqueynted with Virgyle,
240 Nor with the sugryd dytees of Omer,
Nor Dares Frygius with his goldene style,
Nor with Ovyde, in poetrye moost entieer,
Nor with the souereyn balladys of Chauceer,
Which among alle that euere wer rad or songe,
245 Excellyd al othir in our Englyssh tounge.

I can nat been a iuge in this mateer,
As I conceyve folwyng my fantasye,
In moral mateer ful notable was Goweer,
And so was Stroode in his philosophye,
250 In parfyt lyvyng, which passith poysye,
Richard hermyte, contemplatyff of sentence,
Drowh in Ynglyssh the Prykke of Conscience.

As the gold-tressyd bryghte somyr sonne
Passith othir sterrys with his beemys clere,
255 And as Lvcyna chaseth skyes donne,
The frosty nyghtes whan Esperus doth appere,
Ryght so my mayster hadde nevir pere,
I mene Chauceer, in stooryes that he tolde;
And he also wrot tragedyes olde.

260 The Fal of Prynces gan pitously compleyne,
As Petrark did and also Iohn Bochas,
Laureat Fraunceys, poetys bothe tweyne,
Toold how prynces for ther greet trespace
Wer ovirthrowe, rehersyng al the caas,
265 As Chauceer dide in the Monkys Tale.
But I that stonde lowe doun in the vale,

So greet a book in Ynglyssh to translate,
Did it be constreynt and no presumpcioun.
Born in a vyllage which callyd is Lydgate,
270 Be olde tyme a famous castel-toun;
In Danys tyme it was bete doun,
Tyme whan seynt Edmond, martir, mayde and kyng,
Was slayn at Oxne, be recoord of wrytyng.

I me excuse, now this book is idoo,
275 How I was nevir yit at Cytheroun,
Nor on the mounteyn callyd Pernaso,
Wheer nyne musys haue ther mansyoun.
But to conclude myn entencioun,
I wyl procede forth with whyte and blak;
280 And where I faylle let Lydgate ber the lak. —

260. JOHN LYDGATE, A BALADE

IN COMMENDATION OF OUR LADY

MS.: BM., Sloane 1212; XV ct. Print: Thynne, Chaucer, 1532. — *edd.:* H. N. MacCracken, EETS. CVII; W. W. Skeat, Chaucer VII, Oxford 1897. — BR. 99.

Of al christen protectrice and tutele, [57]
Retour of exyled, put in prescripcioun
To hem that erre in the pathe of hir sequele,
To wery wandrid tent and pavilioun,

240 the *not in MS* 243 Chauuceer (& 258, 265) 250 parfight 253 bryght 257 Rygtht had 265 did 270 old 278 to] two *MS.*

5 The feynte to fresshe, and the pausacioun,
Vnto unresty bothe reste and remedye,
Fruteful to al tho that in her affye.

To hem that rennen thou art itinerarie,
O blisful bravie to knightes of thy werre!
10 To wery werkmen thou art diourn denarie,
Mede vnto mariners that haue sayled ferre.
Laureat crowne, streming as a sterre
To hem that putte hem in palestre for thy sake,
Cours of her conquest, thou whyte as any lake! —

15 O trusty turtle, trewest of al trewe,
O curteyse columbe, replete of al mekenesse,
O nightingale with thy notes newe,
O popinjay, plumed with al clennesse,
O laverok of loue, singing with swetnesse,
20 Phebus awayting til in thy brest he lighte,
Vnder thy winge at domesday us dighte! —

261. JOHN LYDGATE. DIETARIUM

MS.: BM., Sloane 3534; m. XV ct. (46 MSS.) — *ed.*: M. Förster, Anglia 42, 1918 (w. varr.); cf. H. N. MacCracken, EETS. 192; R. H. Robbins, Secular Lyrics XIV-XV, Oxford 1952. — BR. 824.

For helth of body kover from cold thyne hede; [1]
Ete no rawe mete, take gode hede therto;
Drynk holsom wyne, fede þe on lyghte brede;
Wyth an appetite ryse from thy mete also;
5 With women aged fleschely haue not a-do;
Vppon thy slepe drynke not of the kuppe;
Gladde toward bedde, at morow bothe two;
And vse neuer late for to suppe.

And yff so be, that leches don the faile,
10 Than take hede to vse thynges thre:
Temperat diet, temperat trauayle,
Not malicious, for non aduersite;
Meke in troubull, gladde in poverte,
Ryche with lityll, content with suffisaunce,
15 Neuer grucchyng, myry like thy degre!
Yff phisik lakke, make þis þi gouernaunce.

To euery tale sone gyff not credence;
Be not to hasty nor sodenly vengeable;
To pore folke do no violence;
20 Curteys of langage, of fedyng mesurable;
On sundry metys not gredy at the table;
In fedyng jentyl, prudent in daliaunce;
Cloos of tung, of word not deceyvable;
To sey the best sette all-wey þi plesaunce. —

---

19 larke *MS.*, laverok *Th.*
1 from] for *Varr.* 4 an] thyne *MS.* mete] dyner *MS.* 7 bothe two] b. to, also *Varr.* 9 And not in *MS.* 10 t. gode h. *Varr.* 11 temperat] moderat *MS.* (twice) 12 malincolius *Varr.* 17 sone (mox) *MS.*] soyne *Var.*, sonn *Var.* gyff þou n. *MS.* 21 the] thy *MS.*

262. JOHN LYDGATE, THE FOUR SEASONS

'SECREES OF OLDE PHILISOFFRES'

MS.: BM., Sloane 2464; m. XV ct. — *ed.*: R. Steele, EETS. LXVI. — BR. 935; above.

Springtime.

What tyme the sesoun is comyng of the yeer, [1296]
The hevenly bawme ascendyng from the roote,
The ffresh sesoun of lusty grene veer,
Which quyketh corages and doth hertys boote,
5 Whan rounde buddys appere on braunchys soote,
The growyng tyme and the yong sonne:
I mene the sesoun, whan veer is begonne. —

Summer.

Been at mydsoomyr bryng hoony to ther hyvys, [1366]
The lyllyes whyte abrood ther levys sprede,
10 Beestys pasture, and shade hem vndir levys,
Ageyn the sonne, gras deyeth in the mede,
Chapelettys be maad of roosys whyte and rede,
And euery thyng drawith to his rypyng,
As it faryth be man in his age growyng.

15 Strawberyes, cheryes in gardeynes men may se,
Benys rype and pesecoddys grene,
Ageyn heetys whan men distempryd be,
Folkys gadre purslane and letuse that be clene.
This sesoun Flora, that is of flours quene,
20 Hire fressh motlees she tournyth now citryne,
The vertu of herbys doth doun ageyn declyne. —

Autumn.

This tyme of custom set folkys in besynesse. [1394]
Ech tydy man yevith him to travaylle,
To repe and mowe and exclude ydelnesse,
25 No man sparyd, and husbondys wyl not faylle
To ryse vp erly and calle vp the poraylle,
Blowe ther hornys, or the larke synge,
And stuff ther grangys with corn þat they hom brynge. —

Winter.

The dayes shorte, the nyghtes wondir longe; [1443]
30 Coold and moyst of flewme nutrytiff,
Contrary to estas the frostys been so stronge.
In rootys restith the vertu vegetatyff,
Grene herbys and braunchys lost ther lyff.
The sonne this sesoun beeyng in Aquarye,
35 Beestys to the bynne for stormys dar not tarye. —

Off this forseyd take the morallite, [1485]
Settith asyde alle materys spooke in veyn:
The foure sesouns shewe in ther degre,
First veer and estas, next autumpne with his greyn,
40 Constreynt of wyntir with frostys ovir-leyn,
To our foure ages the sesouns wel applyed:
Deth al consumyth, which may nat be denyed!

Here deyed this translator and nobil poete,
and the yonge folowere gan his prologe on this wyse. —

263. A PESTE SUCCURRE NOBIS

MS.: BM., Sloane 1584, fol. 14b; XV century. — *Not heretofore printed.* — BR. 2444.

O glorius lady and virgyn imaculatt,
Succur hus, thy seruantes, in our tribulacion.
To be salue for all sors of Crist þou was predestinat;
Thus al creturs create to þe þei make clamacyoun.
5 Therfor of deuty we arust geve þe laudacion
Saynge, o gloriosa stella maris,
Of hevyn to be quen þou hast thy coronacyoun:
A peste succurre nobis!

O cristall most clerest, chosyne for þi chastite,
10 Mediatrix most mekest betwixt god and mane,
The childryn of Israel war payned petyusly:
Kyng Davith seid peccaui and þe plag sesyd than.
Prey þi child, swet lady, redemar of mane,
As þou art crownyd with þat kyng in blysse,
15 To have equall laudacioun no man ne cane:
A peste succurre nobis!

O puryfyd perle and princes eternall!
In the olde lawe, swet lady, þou was prefiguratt,
As by Judith and Estar þe storys be memoryall,
20 Thus in þe old law and þe new þou was magnificat;
And with awngelles in hevyne þou art gloryfycat
Abowe þe stars exaltyd as resone ys.
Without thy helpe, swet lady, we be all disperat:
A peste succurre nobis!

25 O dyamond dyngne replet full off grace,
The well of mercy in thy body do sprynge!
In trone with þe trenyte preparyd is thy place
Abowe awngelles and arkeangelles truly transendyng
The jararchis joyfull to the do syng.
30 O gloriosa stella maris,
We pray to the both old and ȝyng:
A peste succurre nobis!

O star of hevyne whiche lemyst full lyght,
Spred þi bems of mercy and behold our tribulacioun!
35 Thow art succur for euery cryste wyght,
Callyd mother of mercy for all vexacioun.
Cryst dyd þe chose at thy fyrst creacyon
To be his mother. O virgo singularis,
Accept owr prayer and haue on hus compassion:
40 *A preste succurre nobis!*

O radyall rube and lady most exellent,
Behold our prear and preserue hus from payne!
Saue hus from syknes and syn þat we be not shent;
Who trust not in þe he labures all in veyne.
45 Who sarueth þe sothely he may be suer to opteyn
Remyssyn of hus syns wher he hath done amys.
Thus we pray to the, lady, with all our myght and meyn:
A peste succurre nobis!

---

2 tribulacon *a. o. MS.* 12 then *MS.* 13 Prey] ples *MS.* 15 have] hyve *MS.* ne] he *MS.*
28 transedyng *MS.* 29 jeyfull *MS.* 31 yong *MS.* 47 This *MS.* meyn] men *MS.*

O ffragant flower þat bare þe frute of felycyte,
50 In þe syght of þi sone most mekelyst tronate,
Both body and soul in trone with the trenyte
In hevyne to be quen most meklyest cronate,
Prey for hus to þi son, swet rose intemerate!
Saue hus frome sorow, and bryng hus to þe blys!
55 And thus I conclude, o mother imaculate:
A peste succurre nobis!

264. VITA ET SPES NOSTRA SALVE

MS.: BM., Sloane 1584, fol. 15b; XV century. — *Not heretofore printed.* — BR.2446.

O glorius mothar and mayd off pety,
The swerd off sorow persyd thy hart.
Lamentabull song, more mornyng dety!
Thy sone to suffyr all this smart,
5 Tossyd and wondyd in euery parte!
In all owr trobull we call to the:
Vita et spes nostra salue!

Wrappyd and lappyd vpone thy kne
That blessyd babe, thy innocent chylde.
10 Kyng starke ded paynfull to see;
To tame a synnar that ys so wylde.
Thow pure virgyne undefylde,
Euere callyng for grace most glorius to se:
Vita et spes nostra salue!

15 O, thy chylde beholde, þat was so tendyr,
Strechyd and wrestyd tyll he was ded!
Sorowe he sufferd in euery membyr,
That blessyd babe one the was ffede.
When into Egypt thow, mothar, hym led,
20 Nothyng off this was told to the.
Vita et spes nostra salue!

Butt sorow incressyd to se hyme pressyd
On crose thow stondyng hyme bye;
The Iewys hyme bobyd and sorow hym dressyd
25 Wrongfully to se thy chylde thus dye
With voys crying vpone þe mownt of Caluare.
Thy careful hart wold not start nor flee;
Vita et spes nostra salue!

Preserue and keype, thow quen off blysse,
30 Thorow the helpe of thy only chylde
The monystorys in Inglond þat dedicat ys
In þe honore of thy sone so mylde,
That they may nevyr be defyld
By no enmys thorow the help of the.
35 *Vita et spes nostra salue!*

Tho other be troddyne vndyr ffot
And tempulles mad graungys gret pety to here,
Wheroff I thynke ther ys no bote,
Butt stabulls shall stond wher was þe quere,
40 Therfore, good lady and pryncys ffull dere,
To cherych the chyrch we pray to the:
Vita et spes nostra salue!

49 felystyte *MS.* 50 tronyate *MS.* 51 soll *MS.* 52 to be] of the *MS.* cronyat *MS.*
55 this *MS.* 27 flye *MS.*

265. A COSMOLOGY

FROM 'SAINT MICHAEL', SOUTHERN LEGENDARY

MS.: Bodl. 1486, Laud 108; late XIII c. — *ed.*: C. Horstmann, EETS. 87. — BR. 3029; We. V, 19; Ke. 4695-4717; Ba. 174-175.

Þe ri3te put of helle is amidde þe eorþe withinne, [391]
Þar ore louerd it made iwis, þat quoynte was of ginne.
Heouene and eorþe he made furst, and seothe alle þing þat is.
Þe eorþe nis bote a luytel hurst a3ein þe ri3te heouene, iwis.
5 Heouene geth al aboute þe eorþe, euene it mot wey3e;
Amidde ri3t heouene þe eorþe is ase þe streon amidde þe ey3e.
Muche is þat on more þane þat oþur; for þe leste steorre is
In heouene, ase þe bok us telleþ, more þane al þe eorþe, iwis.
For hoso were an hei3 bi ane steorre, 3if it so mi3te beo,
10 So luyte wolde þe eorþe þinche, þat vnneþe he scholde it ou3t iseo.
Þe heouene geth ene aboute þoru3 dai3e and þoru3 ny3t;
Þe mone and þe steorrene with him heo berth, and þe sonne þat is so bri3t;
For þat is euene aboue þin heued ri3t at þe nones stounde,
Ounder þine fet euene it is at midni3t onder þe grounde,
15 And cometh up 3wane þe sonne arist, and ouer þe is at none.
Heo makeþ euene þus hire cours and comeþ aboute wel sone.
Ase an appel þe eorþe is round, so þat euere-mo
Half þe eorþe þe sonne bischineth hovso it euere go.
And noon it is binethen us, 3wane it is here midni3t,
20 Ase man may þe soþe iseo, hoso haueþ guod insi3t,
Ase 3if þov heolde ane clere candele biside an appel ri3t,
Euene half þe appel heo wolde 3iuen hire li3t. —
Muche is bitwene heouene and eorþe; for þe man þat mi3t go
Euereche daye fourty mile and 3eot sumdel mo, [490]
25 He ne scholde nou3t to þe hexte heouene, þat 3e alday iseoth,
Comen in ei3te þousende 3er þere ase þe steorrene beoth.
And þei Adam, ore furste fader, hadde bigonne anon
Þo þat he was furst imad and toward þe heouene igon
And hadde eche daie fourti mile euene op ri3t igo,
30 He ne hadde nou3t 3eot to heouene icome bi a þousende mile and mo!
Sikere 3e beon, I segge 3eov soth, ileue hoso ileue!
Hov schulle we þat comieþ so late after Adam and Eue?
Ake 3wane a man is on eorþe ded, and is soule beo guod,
Heo nath with hire non heuinesse of flesche ne of blod.
35 3if heo is þanne withoute sunne, heo hath aungles cuynde,
And mai beo nouþe here and þer, ase quik ase mannes muynde. —
Man hath of eorþe al is bodi, and of watere he haueþ wete, [668]
Of þe eyr he hath breth and wind, of fuyr he hath hete.
Ech quic þing hath of alle þeos foure, of some more and lasse.
40 Hoso hath of þe eorþe mest, he is slou3 ase þe asse,
Of fade colur, of hard huyde, boistous fourme and ded strong,
Of muche þou3t, of luyte speche, stille groyninde and wrath long,
Of slou3 wreche and aru3 mouth, fast and loth to gyue guod,
Sone old and nou3t willesfol, stable and studefast of mod. —
45 Hoso hath of fuyre mest, he is smal and red,
Oþur he is blac with cripse here, lene and sumdel qued,
Hinderful and of bost inov3, hardi and ofte lie,
Sweriare and of manie word, and fol of lecherie,
Proud and wemod, and drinkare, and in wrathþe almest wod,
50 Hardi and li3t and stalewarde, and wakiare wel guod. —

---

2 þar] þat *MS.* 7 on þanne *MS.* 8 telleþ *MS.* (*a.u.*) more *not in MS.*
15 ouer] uer 37 imake 43 aru3 mouth *MS.*] ferblet *Var.*

266. JOHN MANDEVILLE. TRAVELS

MS.: BM.. Cotton Titus C. 16: early XV ct. (Numerous MSS., cf. Wells and Bateson.) — *edd.*: P. Hamelius, EETS. 153/154; [*Par.* Egerton 1982, ed. G. F. Warner, Roxburghe Cl.1889.] — We. X, 31; Ke. 4749-50; Ba. 191; RO. 298-299.

The Pyramids (VII).

Now I schall speke of another thing þat is beȝonde Babyloyne aboue the flode of Nile toward the desert betwene Affrik and Egypt, þat is to seyne of the gerneres of Joseph, þat he leet make for to kepe the greynes for the perile of the dere ȝeres. And þei ben made of ston full wel made 5 of masounes craft; of the whiche ·ij· ben merueylouse grete and hye, and the toþere ne ben not so grete. And euery gerner hath a ȝate for to entre withinne, a lytill hygh from the erthe; for the lond is wasted and fallen sithe the gerneres were made. And withinne þei ben all full of serpentes; and abouen the gerneres withouten ben many scriptures of dyuerse langages. 10 And sum men seyn þat þei ben sepultures of grete lordes, þat weren som tyme; but þat is not trewe. —

Lamary (XXI).

A ·lij· iorneyes fro this lond, þat I haue spoken of, þere is another lond, þat is full gret, þat men clepen Lamary. In þat lond is full gret hete, and the custom þere is such þat men and wommen gon all naked. And þei 15 scornen, whan thei seen ony strange folk goynge clothed. And þei seyn, þat god made Adam and Eue all naked and þat no man scholde schame him to schewen him such as god made him; for no thing is foul þat is of kyndely nature. — And þei wedden þere no wyfes; for all the wommen þere ben comoun, and þei forsake no man; and þei seyn, þei synnen ȝif þei 20 refusen ony man, and so god commanded to Adam and Eue and to all þat comen of him, whan he seyde: Crescite et multiplicamini et replete terram. And þerfore may no man in þat contree seyn: 'This is my wyf.' Ne no womman may seye: 'This is myn husbonde.' —

And also all the lond is comoun; for all þat a man holdeth o ȝeer, 25 another man hath it anoþer ȝeer, and euery man taketh what part þat him lyketh. And also all the godes of the lond ben comoun, cornes and all oþer þinges; for no þing þere is kept in clos, ne no þing þere is vndur lok, and euery man þere taketh what he wole, withouten ony contradiccioun. And als riche is o man þere as is another.

30 But in þat contree þere is a cursed custom; for þei eten more gladly mannes flesch þan ony oþer flesch. And ȝit is þat contree habundant of flesch, of fissch, of cornes, of gold and syluer, and of all oþer godes. Þider gon marchauntes and bryngen with hem children, to selle to hem of the contree; and þei byȝen hem. And ȝif þei ben fatte, þei eten hem anon; and 35 ȝif þei ben lene, þei feden hem till þei ben fatte, and þanne þei eten hem. And þei seyn, þat it is the best flesch and the swettest of all the world.

The Globe (XXI).

In þat lond, ne in many othere beȝonde þat, no man may see the sterre Transmontane, þat is clept the sterre of the see, þat is vnmevable and þat is toward the north; þat we clepen the lodesterre. But men seen 40 anoþer sterre the contrarie to him, þat is toward the south; þat is clept Antartyk. And right as the schipmen taken here avys here, and gouerne hem be the lodesterre, right so don schipmen beȝonde þo parties be the sterre of the south, the whiche sterre appereth not to vs. And this sterre þat is toward the north, þat we clepen the lodesterre, ne appereth not to hem. For whiche cause men may wel parceyue, þat the lond and the see 45 ben of rownde schapp and forme. For the partie of the firmament scheweth in o contree þat scheweth not in another contree. And men may wel preuen be experience and sotyle compassement of wytt, þat ȝif a man fond passages be schippes þat wolde go to serchen the world, men myghte go be schippe all aboute the world, and abouen and benethen. The whiche thing I proue 50 þus after þat I haue seyn. For I haue ben toward the partes of Braban and beholden be[1] the astrolabre, þat the sterre þat is clept the Transmontayne is ·liij· degrees high. And more forþere in Almayne and Bewme it hath ·lviij· degrees; and more forth toward the parties septemtrioneles it is ·lxij· degrees of heghte and certeyn mynutes; for I self haue mesured it be the 55 astrolabre. — After this I haue gon toward the parties meridionales, þat is toward the south. And I haue founden, þat in Lybye men seen first the sterre Antartyk. And so fer I haue gon more forth in þo contrees, þat I haue founde þat sterre more high, so þat toward the High Lybye it is ·xviij· degrees of heghte and certeyn mynutes, of the whiche ·lx· mynutes maken 60 a degree. After goynge be see and be londe toward this contree of þat I haue spoke and to oþer yles and londes beȝonde þat contree, I haue founden the sterre Antartyk of ·xxxiij· degrees of heghte and mo mynutes. And ȝif I hadde had companye and schippynge for to go more beȝonde, I trowe wel in certeyn, þat wee scholde haue com all the roundness of the firmament all 65 aboute. For as I haue seyd ȝou beforn, the half of the firmament is betwene þo ·ij· sterres, the whiche halfondell I haue seyn. —

Be the whiche I seye ȝou certeynly, þat men may envirowne all the erthe of all þe world, as wel vnder as abouen, and turnen aȝen to his contre, þat hadde companye and schippynge and conduyt. And allweys he scholde 70 fynde men, londes, and yles as wel as in this contree. For ȝee wyten well, þat þei þat ben toward the Antartyk þei ben streght feet aȝen feet of hem þat dwellen vnder the Transmontane, also wel as wee and þei þat dwellyn vnder vs ben feet aȝenst feet. For all the parties of see and of lond han here appositees habitables or trepassables, and þei of þis half and beȝond half. 75 And wyteth wel þat after þat þat I may parceyue and comprehende, the londes of prestre Iohn, emperour of Ynde, ben vnder vs. For in goynge from Scotlond or from Englond toward Ierusalem men gon vpward alweys; for oure lond is in the lowe partie of the erthe toward the west; and the lond of prestre Iohn is the lowe partie of the erthe toward the est, and han 80 there the day, whan wee haue the nyght; and also high to the contrarie þei han the nyght, whan wee han the day. For the erthe and the see ben of round forme and schapp, as I haue seyd beforn; and þat þat men gon vpward to o cost, men gon dounward to another cost. Also ȝee haue herd me seye þat Ierusalem is in the myddes of the world, and þat may men preuen 85 and schewen þere be a spere þat is right into the erthe vpon the hour of mydday whan it is equenoxium: þat scheweth no schadwe on no syde. —

And þerfore hath it me[2] befallen many tymes of o þing, þat I haue herd cownted, whan I was ȝong, how a worthi man departed som tyme from oure contrees for to go serche the world; and so he passed Ynde and the 90 yles beȝonde Ynde, where ben mo þan ·v· m· yles. And so longe he wente be see and lond, and so enviround the world be many seisons, þat he fond an yle where he herde speke his owne langage, callynge on oxen in the plowgh suche wordes as men speken to bestes in his owne contree; whereof he hadde gret meruayle, for he knew not how it myghte be. But I seye, 95 þat he had gon so longe be londe and be see, þat he had envyround all the erthe, þat he was comen aȝen envirounynge, þat is to seye goynge aboute vnto his owne marches. And ȝif he wolde haue passed forth,[3] he had founden

---

[1] by *E*] *not in C*, in *spl. Hamelius* [2] me] *not in MS.* I hafe ofttymes thoght *E* [3] forth til he *MS.*

his contre and his owne knouleche. But he turned aȝen from þens fro whens
100 he was come fro, and so he loste moche peynefull labour, as himself seyde
a gret while after þat he was comen hom. For it befell after þat he wente
into Norweye, and þere a tempest of the see toke him and he arryued in
an yle. And whan he was in þat yle, he knew wel, þat it was the yle
where he had herd speke his owne langage before and the callynge of oxen
105 at the plowgh; and þat was possible þinge, but how[1] it semeth to symple
men vnlerned, þat men ne mowe not go vnder the erthe, and also þat men
scholde falle toward the heuene from vnder. But þat may not be vpon less
þan wee mowe falle toward heuene fro the erthe where wee ben. For fro
what partie of the erthe þat man duell, ouþer abouen or benethen, it semeth
110 alweys to hem þat duellen, þat þei gon more right þan ony oþer folk; and
right as it semeth to vs þat þei ben vnder vs, right so it semeth hem þat
wee ben vnder hem. — XXXI ·m· and ·dc· myles, euery of ·viij· fur-
longes, after myles of oure contree, so moche hath the erthe in roundness
and of heghte enviroun after myn opynyoun and myn vndirstondynge. —

Wonders of the East (*XXII/XXIV*).

115 And many oþer yles ben þere aboute where þere ben many of dyuerse
folk, of the whiche it were to longe to speke of all. But fast besyde þat
yle for to passe be see is a gret yle and a gret contree, þat men clepen
Iaua; and it is nygh ·ij· m· myle in circuyt. And the kyng of þat contree
is a full gret lord and a riche and a myghty, and hath vnder him ·vij· oþer
120 kynges of ·vij· oþer yles abouten hym. This yle is full wel enhabyted and
full wel manned. Þere growen all maner of spicerie more plentyouslich[2]
þan in ony oþer contree, as of gyngeuere, clowegylofres, canell, zedewall, note-
muges, and maces. — And the kyng of þat contre hath a paleys full noble
and full merueyllous and more riche þan ony in the world. For all the
125 degreȝ to gon vp into halles and chambres ben on of gold, anoþer of syluer;
and also the paumentes of halles and chambres ben all square, on of gold
and anoþer of syluer, and alle the walles withinne ben couered with gold
and syluer in fyn plates. And in þo plates ben stories and batayles of
knyghtes enleved, and the crounes and the cercles abouten here hedes ben
130 made of precious stones and riche perles and grete. —

After þat yle in goynge be see men fynden another yle gode and
gret; þat men clepen Pathen. Þat is a gret kyngdom full of faire cytees and
full of townes. In þat lond growen trees þat beren mele wherof men maken
gode bred and white and of gode sauour. And it semeth as it were of
135 whete, but it is not allynges of such sauour. And þere ben oþer trees þat
beren hony gode and swete, and oþer trees þat beren venym aȝenst the
whiche þere is no medicyne but on[3]; and þat is to taken here propre leves and
stampe hem and tempere hem with water and þan drynke it. And elles[4]
he schall dye; for triacle wil not avaylle ne non oþer medicyne. Of this
140 venym the Iewes had let sechen of on of here frendes, for to enpoysone
all cristiantee, as I haue herd hem seye in here confessioun before here
dyenge. But, thanked be all-myghty god, þei fayleden of hire purpos; but
allweys þei maken gret mortalitee of poeple. And oþer trees þer ben also
þat beren wyn of noble sentement. And ȝif ȝou lyke to here how the mele
145 cometh out of the trees, I schall seye ȝou: Men hewen the trees with an
hachet all aboute the fote of the tree till þat the bark be perced in many
parties, and þan cometh out þerof a thikke lykour, the whiche þei resceyuen
in vesseles, and dryen it at the hete of the sonne. And þan þei han it to
a mylle to grynde, and it becometh faire mele and white. —

150 Þere ben also in þat contree a kynde of snayles þat ben so grete,
þat many persones may loggen hem in hire schelles, as men wolde don in

[1] but how] þof *E* [2] plentyfouslich *MS.* [3] on *not in MS.* [4] ell *MS.*

a lityll hous. — Men of þat contree whan here frendes ben seke, þei hangen hem vpon trees and seyn þat it is better þat briddes, þat ben angeles of god, eten hem þan the foule wormes of the erthe. — And witeth wel, þat in þat contree and in oþer yles þere abouten the see is so high þat it semeth 155 as þough it henge at the clowdes and þat it wolde coueren all the world. And þat is gret meruaylle þat it myghte be so. saf only the will of god, þat the eyr susteyneth it. —

And beȝonde the lond and the yles and the desertes of prestre Iohnes lordschipe in goynge streight towardes the est, men fynde no þing but mon- 160 taynes and roches full grete. And þere is the derke regyoun, where no man may see nouþer be day ne be nyghte as þei of the contree seyn. And þat desert and þat place of derknesse duren fro this cost vnto paradys terrestre, where þat Adam, oure formest fader, and Eue weren putt, þat dwelleden þere but lytyll while. — Of paradys ne can I not speken propurly, for I was 165 not þere; it is fer beȝonde, and þat forthinketh me. — And ȝee schull vnderstonde, þat no man þat is mortell ne may not approchen to þat paradys. For be londe no man may go for wylde bestes, þat ben in the desertes, and for the high mountaynes and grete huge roches, þat no man may passe by, for the derke places þat ben þere and þat manye. And be the ryueres may no 170 man go, for the water renneth so rudely and so scharply because þat it cometh doun so outrageously from the high places abouen, þat it renneth in so grete wawes, þat no schipp may not rowe ne seyle aȝenes it. And the water roreth so and maketh so huge noyse and so gret tempest, þat no man may here oþer in the schipp, þough he cryede with all the craft þat he cowde 175 in the hieste voys þat he myghte. Many grete lordes han assayed with gret wille many tymes for to passen be þo ryueres toward paradys with full grete companyes; but þei myghte not speden in hire viage. — And þerfore I schall holde me stille, and retornen to þat þat I haue seen. —

Epilogue.

Þere ben manye oþer dyuerse contrees and manye oþer merueyles 180 beȝonde, þat I haue not seen, wherfore of hem I can not speke propurly. to tell ȝou the manere of hem. And also in the contrees where I haue ben, ben manye mo dyuersitees of many wondirfull thinges þanne I make mencioun of; for it were to longe thing to deuyse ȝou the manere. — Men seyn allweys, þat newe thinges and newe tydynges ben plesant to here. Wherfore 185 I wole holde me stille, withouten ony more rehercyng of dyuersiteeȝ or of meruaylles þat ben beȝonde, to þat entent and ende þat whoso wil gon into þo contrees, he schall fynde ynowe to speke of, þat I haue not touched of in no wyse. —

And I Iohn Maundevyll knyght aboueseyd, all-þough I be vnworthi, 190 þat departed from oure contrees and passed the see the ȝeer of grace ·m·ccc·xxij· þat haue passed many londes and manye yles and contrees, and cerched manye full strange places, and haue ben in many a full gode honourable companye, and at many a faire dede of armes, all be it þat I dide none myself for myn vnable insuffisance, and now I am comen hom, 195 mawgree myself, to reste for gowtes artetykes þat me distreynen, þat diffynen the ende of my labour aȝenst my will, god knoweth, and þus takynge solace in my wrechched reste, recordynge the tyme passed, I haue fulfilled þeise thinges and putte hem wryten in this boke, as it wolde come into my mynde, the ȝeer of grace ·m·ccc·lvj· in the foure and þrittyþe ȝeer þat I departede 200 from oure contrees. Wherfore I preye to all the rederes and hereres of this boke, ȝif it plese hem, þat þei wolde preyen to god for me; and I shall preye for hem. —

267. JOHN OF TREVISA, HIGDEN'S POLYCHRONICON

MS: BM., Cotton Tiberius D. 7; XIV /XV cent. — *edd.*: C. Babington- J. R. Lumby, RS. 1865/1886, Var. Cambridge St. John's Coll. H. 1, XV ct. - Selections: Mätzner, Wülcker, Morris-Skeat, Kluge, Emerson, Sisam & others. — We. III, 9; Ke. 4911-12; Ba. 167; RO. 326-327.

A Survey of England (I, 41).

Þis ylond ys best to brynge forþ tren, and fruyt, and roþeron, and oþere bestes; and wyn groweþ þerynne in som places. Þe lond haþ plente of foules and of bestes of dyuers manere kunde, þe lond ys plentuos and þe se also. Þe lond ys noble, copious, and ryche of noble welles, and of 5 noble ryuers wiþ plente of fysch. Þar ys gret plente of smal fysch and of eeles, so þat cherles in som place feedeþ sowes wiþ fysch. — Þar buþ scheep þat bereþ good wolle; þar buþ meny hertes and wyld bestes, and few wolues, þerfore scheep buþ þe more sykerlych wiþoute kepyng yleft in þe foold. Yn þis ylond also buþ meny cites and tounes, faire, noble, and ryche, 10 meny gret ryuers and streemes wiþ gret plente of fysch, meny fayr wodes and gret wiþ wel meny bestes, tame and wylde. Þe eorþe of þat lond ys copious of metayl oor and of salt welles, of quareres of marbel, of dyuers manere stones, of reed, of whyt, of nasche, of hard, of chalk, and of whyt lym. Þar ys also whyt cley and reed, for to make of crokkes aud steenes 15 and oþer vessel, and barnd tyyl to hele wiþ hous and churches, as hyt were in þe oþer Samia, þat hatte Samos also.

Flaundres loueþ þe wolle of þis lond, and Normandy þe skynnes and þe fellys, Gaskuyn þe yre and þe leed, Irlond þe oor and þe salt; al Europa loueþ and desyreþ þe whyt metayl of þis lond. Brytayn haþ ynow of al 20 matyr þat neodeþ bugge and sylle, oþer ys neodfol to mannes vse; þar lakkeþ neuere salt and yre. Þarfore a vercefyour in hys metre preyseþ þis lond in þis manere :

Engelond ys good lond, fruytfol of þe wolle, bot a kornere. Engelond fol of pley, freo men wel worþy to pleye. Freo men, freo tonges, hert 25 freo! Freo buþ alle þe leden! Here hond ys more freo, more betre þan here tonge. Also Engelond hyȝt of lond 'flour of londes al aboute'. Þat lond ys fol payd wiþ fruyt and good of hys oune. Straange men þat neodeþ þat lond wel ofte releueþ. Whan hongur greueþ, þat lond al such men feedeþ. Þat lond ys good ynow! Wondur moche fruyt bereþ and corn. 30 Þat lond ys wel at eese, as longe as men lyueþ in peese. Est and west al lond knoweþ haunes ryȝt wel of Engelond. Here schypes foondes and ofte helpeþ meny londes. Þar mete, þar monay men habbeþ more comyn alway; for heer þat creftes men wol gladlych ȝeue ȝyftes. Yn lond and yn strond wel wyde men spekeþ of Engelond! Lond, hony, mylk, chyse: Þis 35 ylond schal bere þe pryse! As al[1] londes ryȝt þis ylond haþ neode to noone; al londes mot seech help neodes of þis alone. Of lykyng þer woon, wondrye myȝt Salomon! Rychesse þat þar ys an, ȝern wold Octauian. —

The English Language (I, 59).

As hyt ys yknowe houȝ meny maner people buþ in þis ylond, þer buþ also of so meny people longages and tonges. Noþeles Walschmen and 40 Scottes, þat buþ noȝt ymelled wiþ oþer nacions, holdeþ wel nyȝ here furste longage and speche, bote ȝef Scottes, þat were som tyme confederat and wonede wiþ þe Pictes, drawe somwhat after here speche. Bote þe Flemmynges, þat woneþ in þe west syde of Wales, habbeþ yleft here strange speche, and spekeþ Saxonlych ynow. Also Englysch men, þeyȝ hy hadde 45 fram þe bygynnyng þre maner speche, souþeron, norþeron, and myddel

[1] as of al *em. Skeat*, Of alle londes richess *Var.*

speche in þe myddel of þe lond, as hy come of þre maner people of Germania, noþeles by commyxstion and mellyng, furst wiþ Danes and afterward wiþ Normans, in menye þe contray longage ys apeyred; and som vseþ strange wlaffyng, chyteryng, harryng, and garryng grisbittyng. Þis apeyryng of þe burþtonge ys bycause of twey þinges: On ys for chyldern in scole, 50 aȝenes þe vsage and manere of al oþer nacions, buþ compelled for to leue here oune longage and for to construe here lessons and here þinges a Freynsch, and habbeþ suþthe þe Normans come furst into Engelond. Also gentil-men children buþ ytauȝt for to speke Freynsch fram tyme þat a buþ yrokked in here cradel and conneþ speke and playe wiþ a child hys brouch; 55 and oplondysch men wol lykne hamsylf to gentil-men, and fondeþ wiþ gret bysynes for to speke Freynsch, for to be more ytold of.

[1] Þys manere was moche y-vsed tofore þe furste moreyn, and ys seþthe somdel ychaunged. For Iohan Cornwal, a mayster of gramere, chayngede þe lore in gramer-scole and construccion of Freynsch into Englysch; 60 and Richard Pencrych lurnede þat manere techyng of hym, and oþer men of Pencrych, so þat now, þe ȝer of oure lord a þousond þre hondred foure score and fyue, of þe secunde kyng Richard after þe conquest nyne, in al þe gramer-scoles of Engelond childern leueþ Frensch, and construeþ and lurneþ an Englysch, and habbeþ þerby avauntage in on syde and desavaun- 65 tage yn anoþer: Here avauntage ys, þat a lurneþ here gramer yn lasse tyme þan childern wer ywoned to do; disavauntage ys, þat now childern of gramer-scole conneþ no more Frensch þan can here lift heele, and þat ys harm for ham and a scholle passe þe se and trauayle in strange londes, and in meny caas also. Also gentil-men habbeþ now moche yleft for to teche 70 here childern Frensch.[2]

Hyt semeþ a gret wondur houȝ Englysch, þat ys þe burþtonge of Englysch men and here oune longage and tonge, ys so dyuers of soun[3] in þis ylond, and þe longage of Normandy ys comlyng of anoþer lond and haþ on maner soun[3] among al men þat spekeþ hyt aryȝt in Engelond. [1]Noþeles 75 þer ys as meny dyuers maner Frensch yn þe rem of Fraunce as ys dyuers manere Englysch in þe rem of Engelond.[2]

Also of þe forseyde Saxon tonge, þat ys deled a þre and ys abyde scarslych wiþ feaw vplondysch men, ys[4] gret wondur; for men of þe est wiþ men of þe west, as hyt were vndur þe same party of heuene, acordeþ more 80 in sounyng of speche þan men of þe norþ wiþ men of þe souþ. Þerfore hyt ys þat Mercii, þat buþ men of myddel Engelond, as hyt were parteners of þe endes, vndurstondeþ betre þe syde longages, norþeron and souþeron, þan norþeron and souþeron vndurstondeþ eyþer oþer.

Al þe longage of þe Norþhumbres, and specialych at Ȝork, ys so 85 scharp, slyttyng, and frotyng, and vnschape, þat we souþeron men may þat longage vnneþe vndurstonde. Y trowe þat þat ys bycause þat a buþ nyȝ to strange men and aliens, þat spekeþ strangelych, and also bycause þat þe kynges of Engelond woneþ alwey fer fram þat contray; for a buþ more yturnd to þe souþ contray, and ȝef a goþ to þe norþ contray, a goþ wiþ 90 gret help and strengthe. Þe cause why a buþ more in þe souþ contray þan in þe norþ may be betre cornlond, more people, more noble cytes, and more profytable hauenes. —

[1-2] *added by Trevisa* [3]soun *Var.*] soon *MS.* [4] and ys *MS.*] and *not in Var.*

268. THE BOOK OF THE KNIGHT OF LA TOUR-LANDRY

MS.: BM., Harley 1764; m. XV century. (French orig.: 1371/72.) — *ed.:* Th. Wright, EETS. 33. — Ba. 264; We. p. 12.

Advice to Young Ladies.

[1]Y rede you be curteys and humble to gret and smale, and to do curtesie and reuerence, and speke to hem faire, and to be meke in ansuere to the pore, and thei wol praise you, and bere forthe of you good worde and good fame more than woll the grete that ye make curtesie to; for to grete ye make curtesie of right, the whiche is dew to hem, but the curtesie that is made to poure gentilmen, or to other of lasse degre, it comithe of fre and gentill curteys and humble hert. And the small peple that the curtesye and humblesse is done to, holdith hem worshipped therby, and thanne, ouer all there thei comithe, thei praisithe and spekithe good of hym that dothe hem reuerence and curtesie.

And of the pore that curtesie is done to, comithe gret loos and good name fro tyme to tyme, and gettithe loue of the peple, as it happed as y was not longe sethe with a companie of knyhtes and ladies, a gret ladi dede of her hode and bowed her ayenst a taillour. And one of the knyghtes saide: 'Madame, ye haue done of youre hode to a taillour.' And she saide that she was gladder that she had do it of to hym thanne to a lorde. And thei all sawe her mekenesse and wisdom, and helde her wyse and the knight leuid that tolde her of the tailour.

[2]Hit is good to holde the mene astate of the good women, and of the comune astate of the rewme, that is to saie the state of the most partie that good women usithe, and in especiall suche astate as thei that werithe it may meintaine. Forto take array of straunge contrey hathe not be used and leue that of his owne, that causithe mani to be mocked and scorned. And wetithe who so takithe furst a nouelte of array on hym, thei ben moche spoken of; but now a dayes, and a woman here of a newe gette, she will neuer be in pees till she haue the same.

And the wiues saien to her husbondes euery day: 'Sir, suche a wyff and suche hathe suche goodly arraye that besemithe her well, and y praie you y may haue the same.' And yef her husbonde saie: 'Wiff, yef suche haue suche arraie, suche that are wiser thanne thei haue it not,' she wil saie: 'No force it is, for thei canne not were it! And yef y haue it, ye shul see how well it will become me, for y can were it.' And thus with her wordes her husbonde must nedis ordeine her that she desirithe, other he shall neuer haue pees with her, for thei wol finde so mani resones that thei will not be werned.

But the women that dothe and saithe thus, be not most wisest nor canne not best her good, but thei haue more her herte to the plesaunce of the worlde thanne to her husbondes profit.

And there is a maner now amonge seruyng women of lowe astate, the whiche is comen, for thei furre her colers, that hangin doune into the middil of the backe, and thei furre her heles, the whiche is doubed with filthe, and it is sengill about her brest; the whiche arraie y praise not in winter nor somer. For hem were beter take the furre that hangithe about her helis in the winter and sette it about her stomakes, for that had more nede of hete thanne her helys; and in somer it were beter awey, for flees [3]hidethe hem therinne. And therfor y praise not the arraye nor that nouelte in a pore man. —

[4]Faire doughtres, holde it in youre herte that ye putte no thinge to poppe, painte, and fayre your uisages, the whiche is made after goddes ymage, other wise thanne your creatoure and nature hathe ordeined; and that ye plucke no browes, nother temples, nor forhed. And also that ye

---

[1] *Chapter X* [2] *Ch. XXI* [3] flees] flies *MS. for* puces of the *French orig.* [4] *Ch. LIII*

wasshe not the here of youre hede in none other thinge but in lye and water. For ye shall finde of miracles that hathe be done in the chirche of oure lady of Rochmadame, diuerse tresses of ladies and gentill women that had be wasshe in wyne and in other thinges forto make the here of coloure 55 other wise thanne god made it, the whiche ladies and gentil women that aught the tresses were comynge thedirward on pilgrimage, but they may neuer haue pouere to come withinne the chirche dore unto the tyme that thei hadde cutte of the tresses of her here, the whiche is hanged there afore the ymage of oure lady. And this is trewe and thinge proued, as diuerse 60 that haue ben there sayen. And therfor, doughtres, takithe here youre myrrour and ensaumple to leue all suche lewde folyes and counterfeting, poppinge, and peintinge. —

[5]Thereupon it is also saide, now a dayes, or these faire yonge ladies mow arise, or they haue kemed her hede and iurred or avised hem selff in 65 a mirrour and atyred hem selff with thaire riche and fresshe atyre, the procession is past, and all the masses and seruice is songe and doo. —

The Plucked Magpie.

[6]Ther was a woman that had a pie in a cage, that spake and wolde tell talys that she saw do. And so it happed that her husbonde made kepe a gret ele in a litell ponde in his gardin, to that entent to yeue it sum of 70 his frendes that wolde come to see hym. But the wyff, whanne her husbond was oute, saide to her maide: 'Late us ete the gret ele; and y will saie to my husbond that the otour hathe eten hym.' And so it was done.

And whan the good man was come, the pye began to tell hym how her maistresse had eten the ele. And he yode to the ponde, and fonde not 75 the ele. And he asked his wiff wher the ele was become. And she wende to haue excused her; but he saide her: 'Excuse you not; for y wote well ye haue eten yt, for the pye hathe told me.' And so ther was gret noyse betwene the man and hys wiff for etinge of the ele.

But whanne the good man was gone, the maistresse and the maide 80 come to the pie, and plucked of all the fedres on the pyes hede, saieng: 'Thou hast discouered us of the ele.' And thus was the pore pye plucked. But euer after, whanne the pie sawe a balled or a pilled man, or a woman with an highe forhede, the pie saide to hem: 'Ye spake of the ele.' —

The Obedient Wife.

[7]Hit happed onis there were ·iij· marchauntes that yede homwarde 85 from a faiere, and as thei fell in talkinge, ridyng on the waye, one of hem saide: 'It is a noble thinge a man to haue a good wiff that obeiethe and dothe his biddinge atte all tymes.' 'Be my trouthe', saide that other, 'my wiff obeiethe me truly.' 'Be god,' saide that other, 'y trowe myn obeiethe best to her husbonde.' Thanne he that beganne furst to speke saide: 'Lete 90 leye a wager of a dener; and whos wiff that obeiethe worst, lete her husbonde paie for the dener.' And thus the wager was leyde. And thei ordeined amonges hem how thei shulde saie her wyfes, for thei ordeined that eueri man shulde bidde his wyff lepe into a basin that thei shulde sette afore her, and they were suoren that none shulde late his wiff haue weting 95 of her wager, saue only thei shulde saye: 'Lokithe, wiff, that y comaunde be done.'

How-euer it be, after one of hem bade his wiff lepe into the basin that he had sette afore her on the grounde, and she ansuerd and axed: 'Wherto?' And he saide: 'For it is myn luste, and y will ye do it.' 'Be 100 god,' quod she, 'y will furst wete wherto ye will haue me lepe into the basin.' And for no thinge her husbond coude do she wolde not do it. So her husbonde up with his fust, and gaue her ·ij· or ·iij· gret strokes.

[5] *Ch. CVIII* [6] *Ch. XVI* [7] *Ch. XIX*

And thanne yede thei to the secounde marchauntys hous. And he
105 comaunded that what-euer he bade do it shulde be do; but it was not longe
after but he bade his wiff lepe into the basin that was afore her on the
flore; and she asked wherto. And she saide she wolde not for hym. And
thanne he toke a staffe, and al tobete her.

And thanne thei yode to the thridde marchauntes hous. And there
110 thei fonde the mete on the borde. And he rowned in one of his felawes
heres and saide: 'After dyner y will assaie my wiff, and bidde her lepe
into the basin.' And so thei sette hem to her dyner. And whan thei were
sette, the good man saide to his wiff: 'Whateuer y bidde, loke it be done,
how-euer it be.'

115 And she that loued hym, and dredde hym, herde what he saide, and
toke hede to that worde; but she wost not what he ment. But it happed
that thei had atte her dyner rere eggis; and there lacked salt on the borde,
and the good man saide: 'Wiff, sele sus table!' And the wiff understode
that her husbonde had saide 'Seyle sus table', the whiche is in Frenshe
120 'Lepe on the borde'. And she, that was aferde to disobeie, lepte upon the
borde and threw downe mete and drinke, and brake the verres, and spilt
all that there was on the borde.

'What,' saide the good man thanne, 'canne ye none other plaie, wiff?
Be ye wode?' 'Sir,' she saide, 'y haue do youre biddinge, as ye bade me to
125 my power, notwithstondinge it is youre harme and myn. But y had leuer
ye had harme and y bothe thanne y disobeied youre biddinge. For ye
saide: Seyle sus table!' 'Nay,' quod he, 'y saide "Sele sus table" that is to
saie, 'Salt on the borde.' 'Bi my trouthe,' she saide, 'y understode that ye
bade me lepe on the borde.'

130 And there was moche mirthe and laughinge. And the other two mar-
chauntes saide it was no nede to bidde her lepe into the basin, for she
obeied ynough; wherthorugh thei consented that her husbond had wonne
the wager, and thei had lost bothe. —

269. DRESS-LAWS AND FASHIONS

From "The Brut". MS.: Cambridge, Corpus Christi Coll. 174; early XV century. — *ed.:* F. Brie, EETS. 131/136. — We. III,10.

A.D. 1337: In that same ȝere hit was ordeynede in þat same parle-
ment, þat no man shulde were no cloþe þat was woruȝt oute of Engelond,
as cloþe of gold, of silk, damaske, vellewet, saton, baudekyn, ne non suche
oþere; ne non wyldware in furrenre of beȝonde see, but suche as myȝte
5 spende an ·c· li· of rente erliche. But þis ordeynaunce and statute was of
litel effecte, for hit was noþing holde. —

A.D. 1346: In þis tyme Englisshe men so muche hauntted and
cleuyd to þe wodnes and foley of þe strangers, þat fro þe tyme of þe comyng
of þe Henauderns, ·xviij· ȝere passid, þey ordeyned and chaungyd ham
10 euery ȝere diuers schappis of disgysyngeȝ[1] of cloþing, of long large and wyde
cloþis, destitu and desert fram al old honeste and good vsage; and anoþer
tyme schorte cloþis and stret-wasted, dagged and ket, and on euery side
desslatered and boned, wiþ sleues and tapets of sircotys, and hodeȝ ouere-
longe and large, and ouermuche hangynde, þat if y soþ schal say, þey were
15 more liche to turmentours and deuels in hire cloþing and schewyng and
oþer arraye þen comen. And þe wemmen more myseli ȝet pasted þe men
in array and cureslicher; for þey were so strete cloþed þat þey lete hange
fox tailes sawyd beneþe wiþinforþ hire cloþis forto hele and heyde hire ars;
þe whiche disgysengeȝ and pride perauenture afterward brouȝte forþe and
20 encausid many myshappis and mischeuys in þe reame of Engelond.

[1] disgyngeȝ *MS.*

270. MEDICAL ARTS

1) *SOME RECIPES.*

a) MS.: BM., Sloane 1313; XIVth century. — ***Not heretofore printed.***

(fol. 106a.) For tothache: Whanne the cheke is swolne, take terpentine that is olde and fyne and bete it in a dishe. Thanne after put therto oyle of roses and medle them togedir till it bẹ thynne. Thanne wete therein a cloth and ley to the pacyent. In like wise do with the same medicine for a brussing. 5

(ib.) Item for the tothache: Take the seede of hennebane and mynse a quantite of fyne gingir and medle them togedir. Thanne cast all vpon brennyng colis and let the pacyent holde ouyr his hed gaping. And the flewme shall he avoyde in a basyn with watir; and out of the hollow toth shall comme wormys. 10

(fol. 124a) ffor the tothe age (!): Take daysey and bruse hem in ȝour hond and take triacle and medle it togedir and lei to the toth; and he schall be hole.

(fol. 123a) ffor bledyng ate nose: Take mastyk and cromes of bred and chewe hit and swollue hit; and hit woll stange. 15

b) MS.: BM., Sloane 1584, fol. 26a; XVth century. — ***Not heretofore printed.***

Forto auoyde and destroy fleme: Take perselly rotes, fenell rotes, perytory and isope; and sethe them in good alle with lycores and a quantyte of claryfyed honnye. And vse to drynke yt, and thou shall be hole by þe grace of god.

c) From the 'Phillipps Recipes'. *MS.:* 335, olim J.O. Halliwell-Phillipps; XIVth century. — *ed.:* Wright-Halliwell, Rel. Ant., 1843. — We. X, 9.

For do a man have the fevers, and sone do tham away: Tak a neder 20 alle qwik, and horned wormys that men calles the nutres neghen and seth tham in a newe pote with water, and gider the homur that es abowen, and the grees thu fyndes in the potte, and do hit in a clene lome. And than sal thu, qwham that thu wille haf the fevers, enoynt his handes within and his fete underneth and his thunwanges; and he sal tremble and qwake als sone. 25 And qwen thu will do hit away, do hym in a fatte ful of hate water upp to the chynne; and sal be deliverd al sone.

For hym þat is in þe jaunes: Tak wermot and seth hit lange in water, and wasch þe seke man wiþ þat water þrys ryȝt wele, and gyf him to drynk yuore schauyn smal in wyne. — 30

For þe stane: Tak þe blode of a gayte-buke, and do hit in a glasse when þe mone is wanande. And þe ·ix· day in þat ilk mone tak þe skyn of an hare al blody, and dry hit at þe fire to þu may make pouder þerof, and pouder of seede of lanett a spon-full, and of loue-ache a spon-full, and of percell ·ij· spon-ful, of þe pouder of þe skyn a spon-ful, and ·ij· spon- 35 ful of saffronn, and of buk-blode ·ij· spon-ful; temper al togider, and gyf hym drynke in leuke wyne, and in a baþe. And if þu wil proue þat hit es soþe, do þerin qwat stane þat þu will, and þu sal fynde hit broken on þe þirde day. —

For to make a woman say þe what þu askes hir: Tak a stane þat es 40 called a gagate, and lay hit vnder hir left pappe, when scho slepes, þat scho wit noȝt; and yf þe stane be gude, al þat þu askes hir scho sal say þe what scho has done. —

For hym þat es gorwoundede: Tak a har of a hare skyn, and wynde hit rownde als a appel, and swelgh hit done; and he salle be sauf. — 45

2) THE SURGEON.

a) From Lanfranc's "Science of Cirurgie" in ME translation. *MS.*: Bodl. 7598, Ashmole 1396; late XIVth century. — *ed.*: R.v.Fleischhacker, EETS. 102. — We. X, 5.

Nedeful it is, þat a surgian be of a complexcioun weel proporciound, and þat his complexcioun be temperat. Races seiþ: 'Whoso is nouȝt semelich, is ympossible to haue good maners.' And Auicenne: 'Euyle maners but folowen þe lijknes of an yuele complexioun.' A surgian muste haue
50 handis weel schape, longe smale fyngris, and his body not quakynge, and al must ben of sutil witt; for al þing þat longiþ to siurgie may not wiþ lettris ben writen. He muste studie in alle þe parties of philosofie and in logik, þat he mowe vndirstonde scripturis; in gramer, þat he speke congruliche; in arte, þat techiþ him to proue his proporciouns wiþ good resoun; in retorik,
55 þat techiþ him to speke semelich. Be he no glotoun, ne noon enuyous, ne a negard! Be he trewe, vnbeliche, and plesyngliche bere he himsilf to hise pacientis! Speke he noon ribawdrie in þe sike mannis hous. ȝeue he no counseil, but if he be axid. Ne speke he wiþ no womman in folie in þe sik mannes hous, ne chide not wiþ þe sike man ne wiþ noon of hise meyne;
60 but curteisli speke to þe sijk man, and in al maner sijknes bihote him heele, þouȝ þou be of him dispeirid! But neuer-þe-lattere seie to hise freendis þe caas as it stant.

Loue he noon harde curis, and entermete he nouȝt of þo þat ben in dispeir. Pore men helpe he bi his myȝt, and of þe riche men axe he good
65 reward. Preise he nouȝt himsilf wiþ his owne mouþ, ne blame he nouȝt scharpliche oþere lechis. Loue he alle lechis and clerkis, and bi his myȝt make he no leche his enemye. So cloþe he him wiþ vertues, þat of him mai arise good fame and name; and þis techiþ etik. So lerne he fisik, þat he mowe wiþ good rulis his surgerie defende, and þat techiþ fisik. Neþeles
70 it is nessessarie a surgian to knowe alle þe parties and ech sengle partie of a medicyn; for if a surgian ne knewe nouȝt þe science of elementis, whiche þat ben firstmoost force of natural þingis and of dyuers lymes, he mai not knowe science of coniouncions, þat is to seie medlyngis and complexiouns, þat ben nessessarie to his craft. —

b) From John Arderne's "Treatises on Surgery" in ME translation. *MS.*: BM., Sloane 6; early XVth century. — *ed.*: D'Arcy Power, EETS. 139.

75 First it bihoueth hym that wil profite in this crafte that he sette god afore euermore in all his werkis, and euermore calle mekely with hert and mouth his help; and som tyme visite of his wynnyngis poure men aftir his myȝt, that thai by thair prayers may gete hym grace of the holy goste. And that he be noȝt yfounden temerarie or bosteful in his seyingis or in his
80 dedes. And abstene he hym fro moche speche, and most among grete men; and answere he sleiȝly to thingis y-asked, that he be noȝt ytake in his wordes.

Also be a leche noȝt mich laughyng ne mich playing. And als moche as he may withoute harme fle he þe felawshippe of knafes and of vnueste[2]
85 persones. And be he euermore occupied in thingis that biholdith to his crafte, outhir rede he, or studie he, or write or pray he; for the exercyse of bokes worshippeþ a leche, for why he shal boþ byholden and he shal be more wise. And aboue al þise it profiteth to hym that he be founden euermore sobre; for dronkenneȝ destroyeth al vertu and bringith it to not.
90 Be he content in strange places of metes and drinkes þer yfounden, vsyng mesure in al thingis.

When seke men, forsoth, or any of tham bysyde comeþ to the leche to aske help or counsel of hym, be he noȝt to tham ouer-felle ne ouerhomely, but mene in beryng aftir the askyngis of the personeȝ: to som reuerently, to som comonly. ȝif he will fauoure to any mannes askyng, make he couenant for his trauaile and take it byforehandeȝ. But avise þe leche hym

[1] vnbeliche *MS.* [2] vnuneste *em. Power*

self wele that he giffe no certayn answer in any cause, but he se first þe sikenes and the maner of it. And ȝif he se þe pacient persewe bisily the cure, þan after that þe state of þe pacient askeþ aske he boldly more or lesse. But euer be he warre of scarse askyngis; for ouerscarse askyngis 100 setteþ at not both þe markette and the thing. Therfore for the cure of fistula in ano, when it is curable, aske he competently, of a worthi man and a gret an hundred marke or fourty pounde wiþ robeȝ and feeȝ of an hundred shillyng terme of lyfe by ȝere. Of lesse men fourty pounde or fourty marke aske he without feeȝ; and take he noȝt lesse þan an hundred shillyng for 105 cure of that sekenes.

And ȝif the pacientes or thair frendeȝ or seruauntȝ aske by how moche tyme he hopeth to hele it, euermore lat the leche byhete þe double þat he supposeth to spede by half; for it is better that the terme be lengthed þan the cure. For prolongacion of the cure giffeþ cause of dispairyng to the 110 pacienteȝ when triste to the leche is moste hope of helthe. And ȝif the pacient considere or wondre or aske why that he putte hym so long a tyme of curyng, siþe þat he heled hym by the half, answere he that it was for that the pacient was strong-herted and suffrid wele sharp þingis, and that he was of gode complexion and hadde able flesshe to hele. And feyne he 115 othir causes pleseable to the pacient; for pacienteȝ of syche wordeȝ are proude and delited.

Also dispose a leche hym that in clothes and othir apparalyngis be he honeste, noȝt likkenyng hymself in apparalyng or berying to mynistralleȝ; but in clothing and beryng shew he the maner of clerkes, for why it semeth 120 any discrete man ycladde with clerkis clothing for to occupie gentil menneȝ bordeȝ.

Special Order for a Surgeon.

From "The Book of the Knight of La Tour-Landry" (above), LXII.

The good man thought that his wiff went ofte to the priori, and she had not to do there; and he defended her in payne of her lyff she shulde no more come there, for it was not his will that she yode thedir for no thinge. And so on a tyme, to saye what she wulde do, her husbonde saide 125 he wolde gone oute of towne, and he hidde hym priuely to loke what she wolde do. And she that was full of synne and tempted with the deuell, yede anone with the prioure. And her husbonde saw, and yode after her and brought her ageyn, and saide: "Here, dame, thou hast broke myn comaundement." And thanne he yode into the towne, and made comenaunt with 130 a surgeon to hele two broken legges; and whanne he had done, he come home and toke a pestell and brake bothe his wyfes ys leggys, and saide to her: "Atte the hardest for a while thou wilt not goo ferre and breke myn comaundement, nother y fynde the contrarye." And thanne he brought her 135 a-bedde.

271. A BURLESQUE PRESCRIPTION

MS.: Bodl. 29734, Eng. poet. e. I; XV century. — *edd.:* Th. Wrigt, Songs and Carols, Percy Soc. XXIII, 1847; R.H.Robbins, Sec. Lyrics XIV-XV, Oxford 2. 1955. — BR. 813.

For a man þat is almost blynd:
Lat hym go barhed all day ageyn
Tyll þe soȝne be sette; [þe wynd
At evyn wrap hym in a cloke,
And put hym in a hows full of smoke,
6 And loke þat euery hol be well shett.

And whan hys eyen begyne to rope,
Fyll hem full of brynston and sope,
And hyll hym well and warme:
And yf he se not by þe next mone
As well at mydnyȝt as at none
12 I schal lese my ryȝt arme.

272. JOHN METHAM, PHYSIOGNOMY

MS.: Princeton Univ. Library, Garrett Collection; m. XVth century. — *ed.:* H. Craig, EETS. 132. - Ba. 286-.

Iff þer come a persone to ȝow, be yt man, be yt woman, to speke with ȝow for ony cause, þus schal ye knowe qwydyr þei loue off hert and drede ȝow, or yff þei hate owgth ȝow and dyspyse ȝow in her conseyt:

Iff þer come a persone to ȝow þe qwyche ys a straunger in ony matere
5 þus haue a consyderacion to hys chere, þat he perseyue ȝow noȝt. Yff swyche a persone behold ȝowre fase stedfastly and ȝe in ȝowre talkyng loke vpon hym, yff þat persone be aschamyd off ȝowre loke and cast doune hys eyn to þe ground and syghe causeles, yff also þer appere watyr in hys eyn as thow he wold wepe: þat persone, qwatsumeuer he be, he louyth ȝow,
10 feryth ȝow, and dred ȝow, and louyth ȝowre prosperite and welfare. And yff yt be so þat he behold ȝow boldely, and loke sternly in ȝowre face, and spekyth boystusly, and lokyth fast aboute, and lokyth vpon ȝowre arayment with louryng chere: þat persone hatyth ȝow, and hath enuye at ȝowre welfare, and hath in maner scorn off ȝow. Þis ys þe fyrste euydent tokyn as owte-
15 ward.

Now I pase þe causys of natural werkyng, qwy þe dysposycion of man schuld be knowyn as be þise tokynnys owteward, for þe proces ys to longe. But þei þat lyst to yse þe causys, þei may fynde hem in þe tretyse off doctor Carnus, þe qwyche compylyth togydyr þe physnemye off Arystotyl þe
20 phylysophyr, off Loxy þe physyon, and off Palemon þe delamatur. But afftyr þe secunde Arystotyl I procede noȝt to þe causys but to þe tokynnys, and fyrst off herys off þe hed with þe sygnyficacion .

Styff herys and blak off coloure or ellys dunne þei sygnyffye sturdynes off hert and selfwyllydnes. Herys þat be sofft and þinne in growyng, rede
25 of coloure, þei sygnyffye femenyne dysposycion, skarsnes off blod and dysseyuabylnes. Crysp here, þe qwyche be namyd ȝelw, betokyn hastynes, couetyse, scarpnes, fereffulnes, and dysceyuabylnes. Herys þat be a-born turnyng myche to ȝelw, þei betokyn hard wyttys and wyldenes off brayn. Herys þe qwyche be off auburne coloure declynyng to blacnes, sofft and
30 smale, betokyn godenes off condycionnys. And in alle colourys sotelnes off here ys comendabyl. -

The hed þat ys gret, as in qwantyte pasyng þe commun syse, yt ekyth gretly to þe wyttys and betokynnyth vertu and magnyfycens. A scort scapyn hed ys withowte wytt and wysdam be sygnyfycacion. A long schape hed
35 sygnyfyith impudens on schamfastnes. A flat hed betokynnyth indysposycion to vertu and insolent. A ryght hed þat ys pleyn in þe croune, off a mene gretenes, betokynnyth wysdam, and manhed, and stronghartydnes. -

A forehed þat ys narwgh before betokynnyth bestyalte and ontaughtnes, forhardenes off wytt and onclennes in lyuyng. A brod forehed, þe
40 qwyche ys rounde and fayre and smothe, betokynnyth plente off wytt. -

Eyn the qwyche be clene, as þe drop off water schynyng, þei sygnyfye lyberalte and kendnes off hert, yff so be þat odyr sygnys in þe face acorde in godenes. Qwan the ballys off the eyn be smale, þei sygnyffye dysceyuabylnes and sotelte off wytt, þe qwyche be lykynnyd to appys and foxys.
45 Eyn þe qwyche be fast meuyng yff þe lyddys meue noȝt but qwan and qwan, þei betokyn sturdynes and boldnes off spyryte. Quan þe ye-lyddys meue faste in a manys or a womennys talkyng and þe eyl selff meue noȝt, yt sygnyffyith ferffulnes and faylyng off wyttys. Eyn stondyng alluey with moystur, smale in qwantyte, with a pleyn forhed, with meuyng eyelyddys,
50 þei sygnyffye a gode wyt and a retentyff, and wele dysposyd to lernyng. — Eyn þe qwyche twynkyl and in maner lawgh with þe chere yff þe eye off þe self be drye, þei sygnyffye gret malyce. And I þat translate þis boke adde þis off uery knowyng off personys lyuyng in my days: Among alle Englysch men I fynd many Northffolk men þe qwyche haue þis maner off
55 laughyng, that I know be dysseyuabyl and fals off here behestys, passyng enuyus and fulle off malyce and euer onstedffaste, ontrw, and ful off lesyngerys. —

273. MAUMENYE RYALLE

AND OTHER RECIPES FROM A MEDIEVAL COOKERY-BOOK

MS.: BM., Harley 279; 1st h. XV ct. — *ed.*: Th. Austin, EETS. 91.

Maumenye ryalle: Take vernage, oþer strong wyne of þe beste þat a man may fynde, and putte it on a potte; and caste þerto a gode quantyte of pouder-canelle, and sette it on þe fyre, and ȝif it an hete. And þanne wrynge it soft þorw a straynoure, þat þe draf go nowt owte, and put on a fayre potte, and pyke fayre newe pynys, and wasshe hem clene in wyn, and 5 caste a gode quantyte þerto, and take whyte sugre þerto, as moche as þe lycoure is, and caste þerto. And draw a few sawnderys wyth strong wyne þorwe a straynoure, and caste þerto, and put alle in[1] on potte, and caste þerto clowys a gode quantyte, and sette it on þe fyre, and ȝif it a boyle. Þen take almaundys, and draw hem with myhty wyne; and at þe firste boyle 10 ly it vppe with ale, and ȝif it a boyle; and sette it on þe fyre, and caste þerto tesyd brawn, in[2] defaute of pertriche or capoun, a gode quantyte, of tryid gyngere par use[3], and sesyn it vppe with pouder-gyngere and salt and safroun. And ȝif it is to stondyng, a-ly it with vernage or swete wyne, and dresse it flat with þe backe of a sawcere in þe vernage or myȝthty wyne, 15 and loke þat þou haue sugre ynowe; and serue forth hote.

Lamprays bake: Take and make fayre round cofyns of fyne past, and take freyssche lampreys, and late hem blode ·iij· fyngerys within þe tayle, and lat hem blede in a vesselle, and late hym deye in þe same vesselle in þe same blode. Þan take broun brede, and kyt it, and stepe it in þe venegre, 20 and draw þorw a straynoure. Þan take þe same blode, and pouder of canel, and cast þerto tyl it be broune. Þan caste þerto pouder-pepir, salt, and wyne a lytelle, þat it be noȝt to strong of venegre. And skald þe lampray, and pare hem clene, and couche hym round on þe cofyn, tyl he be helyd. Þan kyuere hym fayre with a lede, saue a lytel hole in þe myddelle; and at þat 25 hool blow in þe cofynne with þin mowþe a gode blast of wynde. And sodenly stoppe þe hole, þat þe wynd abyde withynne, to reyse vppe þe cofynne, þat he falle nowt adowune. And whan he is a lytel y-hardid in þe ouen, pryke þe cofyn with a pynne ystekyd on a roddys ende for brekyng of þe cofynne; and þan lat bake, and serue forth colde. And when þe lam- 30 prey is take owt of þe cofynne and etyn, take þe syrippe in þe cofynne, and put on a chargere, and caste wyne þerto and pouder-gyngere, and lat boyle in þe fyre. Than take fayre paynemayn ywette in wyne, and ley þe soppis in þe cofynne of þe lamprey, and ley þe syrippe aboue, and ete it so hot; for it is gode lordys mete. 35

Tartes de chare: Take freyssche porke, and hew it; and grynd it in a mortere, and take it vppe into a fayre vesselle. And take þe whyte of eyroun and þe ȝolke, ytryid þorw a straynoure, and temper þin porke þer-with. And þan take pyneȝ and raysonys of Coraunce, and frye hem in freyssche grece, and caste þerto pouder-pepir, and gyngere, canel, sugre, 40 safroun, salt, and caste þerto. And do it on a cofynne, and plante þe cofynne aboue with pruneȝ and with datys and gret roysonys of Coraunce, and smal byrdys or ellys harde ȝolkys of eyroun; and yf þow take[4] byrdys, frye hem in grece or þou putte hem in þe cofyn. And þan keuere þin cofynne. And þan endore it with ȝolkys of eyroun and with safroune, and 45 late yt bake tyll it be ynow; and þan serue forth.

Rys: Take a porcyoun of rys, and pyke hem clene, and sethe hem welle, and late hem kele. Þen take gode mylke of almaundys and do þerto, and seþe and stere hem wyl; and do þerto sugre and hony, and serue forth.

---

[1] on *MS.* [2] of *MS.* [3] perase *Austin* [4] tage *MS.*

274. STONOR PAPERS

MSS.: London, Public Record Office, Ancient Correspondence etc.; XV century. — *ed.*: C.L. Kingsford, Camden Soc., 3rd ser. XXIX-XXX, London 1919. — Ba. 116.

Inventory of Furniture etc. at Horton (about 1425).

Memorandum quod ista billa indentata facit mensionem de certis parcellis subscriptis post egressum Johannis Hamme, nuper firmarii de Hortone, remanentibus Thome Stonore, Armigero, ac domino ibidem.

In primis in le Parlour ·j· longa tabula cum ·j· pari trestell. It., alia 5 parva tabula cum ·j· pari de trestell. It., ·ij· formill. It., ·j· plate de ferro pro candel. It., ·j· dosere cum ·j· banker, semble de colore rubeo et nigro. It., in pantria ·j· giste pertinens pro cervisia. It., ·j· hangyngbord. It., ·ij· alii bordis. It., ·j· pype kokyr pro panetria. It., in boteria ·j· gyste pertinens pro cervisia. Itm., in principali Camera ·j· lectum de colore albo et 10 nigro cum ·j· seler, ·j· coverlyt, ·iij· curtynys, ·j· canevas, ·j· materas, ·ij· blankettes, ·j· pare linthiam., ·j· linthiam pro capite. Itm., ·j· longa tabula cum ·j· pare de trestell, ·iiij· plate de ferro. It., ·j· scala in camera predicta. It., ·j· plate de ferro in alia camera. It., ·j· candelebrum de ferro. It., ·vij· lecti ibordyd in diversis cameris. It., ·j· scala pro pullayle. 15 It., ·j· longa tabula de beche, cum ·j· long formill in le tresauns juxta coquinam. It., ·j· longa tabula cum ·j· pare trestell in le chesehous.

It., in le Bakhous ·j· buntyntunne, ·ij· knedyng trowes, ·j· muldyngbord cum covertore ad idem, ·j· plumbum, ·j· cacabus in le wallys. It., ·ij· ȝeeltonnys, ·ij· mashfattes, ·iij· kemelyns, ·ij· tubbys, ·v· barell pro 20 cervisia, ·j· heryngbarel, ·ij· verjuis barell. Itm. ·j· tonne pro dreye malt. Itm., in le larderhous, ·j· saltyngtrowe, ·j· magna cista pro carne. It., alie ·ij· magne ciste. Itm., in coquina ·ij· dressyngbord, ·j· gret morter cum ·j· pestel. It., ·j· magna olla de eneo continens ·viij· lagenas. It., alia olla continens ·ij· lagenas et di. It., alia olla enea continens ·ij· lagenas. 25 It., ·ij· pannys de eneo feble. It., ·j· broad basyn. It., in le chesehous, ·j· plumbum in le wallys, ·ij· stoppys platys. It., ·ij· plates de plumbo. It., in diversis stabulis ·v· mangeris cum ·iiij· rackys. It., ·iij· rynggebordes pro le Molle Whel. It., ·vij· bordys de Elme in le Schepens.

From a Memorandum for the Funeral of Thomas Stonor (1474).

In Pirton Churche: First ·vj· auters. Item, the hie autre with blakke 30 ornamentes therto. Item, candelstikkes, sensers, basens, silver therto. Item, rectores chore seutes of vestmentes blakke and white &c. Item, ornamentes for the herse and for the beriell, blakke cloth to the ground with a white cloth of gold. Item, a crosse with a fote on the herse, silver and gilt. Item, ·iiij· tapers aboute the herse. Item, ·ij· tapers aboute the beriell. 35 Item, blakke hangyng aboute the chauncell and chirche. Item, lightis for the hie auter and odir auters beside. Item, syngyng wyne, syngyng brede.

At the dyner on the morow: For pouer men, item, vmbils to potage, sode beeff, rosted wele in a dische to-geder, and rosted porkke. The first course for prestes &c.: First to potage, browes of capons &c., capons, 40 motons, ges, custard. The second course: The second potage, jussell, capons, lambe, pigge, vele, peiouns rosted, baken rabettes, fesauntis, venison, gelie &c. Item, vovtys.

Item spisis: Furst a pound of saunders, a unce of saferon, ·iij· li. pepir, half a pound clowes, half a pound masis, a loff sugre, ·iij· li. resons 45 corauns, ·iij· li. datys, half a pound gynger, ·j· pound synamon; item, in turnsole ·iiij·d.; item, in greynys ·j· li.; item, in almondis ·iiij· li.

Item, treen vessell for pouer men. Item, sittyng plasis for the pouer men. Item, peuter vessell for gentilmen. Item, a rome for them acordyng. Item, sponys of silver, salt selers of silver for the most worshipfull men &c. 50 Item, borde clothis for gentilmen and pouermen. Item, salt &c. Item, a convenient rome for the ·ij· botries for gentilmen and pouermen. Item, a convenient place for the kechyn. Item, cokis; item, botilers; item, a man to

overse the sadde purveiaunce of the chirche; item, a porter; item, odir servauntes to serve &c. Item, vessell for ale; item, cuppis and bollis and pottis; item, spitis, caundrens, pottes, rakkis, and odir necessaries for cokis. 55
Item, wode and colis.

Invoice from Thomas Bradbury, a London mercer, 15 October, 1479.

To my right worshipful Dame Elizabeth Stonore be this delivered.

Jhesus. After due fourme I recommaunde me unto your ladyship: lyke it you to wytte that I have R(eceived) a letter fro you by Master Makeney, and accordyng to your letter I send you, þat is: 60

·vj· elles holland at ·ij·s. an ell,	*Summa ·xij·s.*
Itm. ·ij· elles holland at ·ij·s. viij·d.,	*Summa ·v·s. iiij·d.*
Itm. ·xij· elles holland at ·xvj·d.	*Summa ·xvj·s.*
Itm. ·xxxviij· yerdes grene sarcenet at ·v·s. the yerd.	*Summa ·ix·li. x· s.* 65
Itm. ·j·p. greene bokame to lyne it with,	*pris ·vj·s. viij·d.*
	Totalis: ·xj·li. ·x·s.

Madame, the sarcenet is verry fyne. I thynke most profytable and most worshipfull for you, and shall last[1] you your lyff and your chyldes after you, wher as harlatry of ·xl·d. or ·xliiij·d. a yerd wold nat indure too 70
sesons with you: Therfor for a lytill more cost, me thinketh most wysdom to take of þe best. In certen I have bought the most part of þe sarcenet, for I had nat inow to perfourme yt. I wynne never a peny in þat &c. I shall see your ladyship hastly by Goddes grace, who preserve you to his plesour &c. Wret at London the ·xv· daye of Octobr., anno lxxix. 75

Be your servaunt, Thomas Bradbury.

From the Account Book of Elizabeth Stonor (1478/79).

Item, payd to a man for cleft wode ·iij· days and a halfe day, ·v·d. It., payd to Serle for ·iij· wekys wages, ·xviij·d. It., payd to Gardener the ·iiij· day of Decembe for ·vij· day makyng of candell, ·ij·s.iiij·d. It., payd the same day for a dosen of candell weke, ·iij·s. It., payd to the smythe 80
of Henley for a loke for the porche chamber, ·vj·d.

Beyt rememberet þat Christoffor Holland, serffaunde to my master Syr Welleam Stonnor, Rec. of Rechart Leston the fermor of Hourton, ·v·li. It., Rec. of the melner of Hourton, vj·li.xv·s.

The expences for Crestemuds: Ferst bout the Thourys-day afor Creste- 85
muds ·xviij· gesse, ·vj·s. ix·d. It., the same day a dosen caponys ·iiij·s. iij·d. It., the same day ·vj· dosen larkys, ·xij·d. It., ·ij· dosen settes and gret berdys, ·xij·d. It., ·vj· plofferys, ·vj·d. It., ·vj· woddekokys ·xv·d. It., payd to Couffentre on the more for ·iiij· gesse and ·ij· caponys, ·ij·s. It., payd the same day to John Yongys weffe and to Blake of Wattelengton 90
for egges, ·ij·s. iiij·d. It., paid the Wednysday foloyng for ·ij· dosen chekynys, ·ij·s. It., for ·iiij· caponys, ·xvj·d. It., payd the Thourys-day foloyng for di. a porke, ·xxij·d. It., on the ·xij· day for porke, ·xij·d. It., the Fryday after the ·xij· day for ·ij·c· oyster and a gornarde, ·ij·s.

It., payd at London the ·iiij· day of Februari: for ·ij· barell herreng, 95
·xxij·s.; for ·iij· cayde herreng, ·xij·s.; for di. c· aberdynne, ·xxvj·s. viij·d.; for sourt of frout, ·viij·s. iiij·d.; for a sake for the same frout, xiij·d.; for ·viij· bonches of garleke, ·ij·s.; to ·ij· porterys for the careage of the same stoffe to the barge, ·xij·d. It., for warffeage, ·j·d.; for ·ij·li. and di. of suger, ·ij·s. iij·d.; for di. li. genger, ·xij·d. 100

It., payd for a peype of wette wenne bout at Reydynd, ·xxxvj·s. x·d. It., for a peype of reyde wenne, ·xlvj·s. ·viij·d. It., for the careage of reyde wenne fro London, ·iij·s. iiij·d.

[1] last *not in MS.*

275. HOW THE GOOD WIJF TAUGHTE HIR DOUGHTIR

MS.: Lambeth 853; about 1430 A.D. — *ed.*: F. J. Furnivall, EETS. 32. — BR. 671.

That man þat schal þe wedde bifor god wiþ a ryng,
Loue þou him and honoure moost of erþeli þing! (40)
Meekely þou him answere, and not as an attirling;
And so maist þou slake his mood, and ben his dere derlynge:
A fair worde and a meeke
6 Dooþ wraþþe slake, Mi leue child.

Be of semeli semblaunt, wijs, and oþer good maner,
Chaunge not þi contynaunce for nouȝt þat þou may heere.
Fare not as a gigge, for nouȝt þat may bitide;
Lauȝe þou not to loude, ne ȝane þou not to wide.
But lauȝe þou softe and myelde,
12 And be not of cheer to wielde, Mi leue child.

And whan þou goist in þe way, go þou not to faste;
Braundische not with þin heed, þi schuldris þou ne caste.
Haue þou not to manye wordis; to swere be þou not leefe,
For alle such maners comen to an yuel preef.
For he þat cacchiþ to him an yuel name,
18 It is to him a foule fame, Mi leue child.

Go þou not into þe toun as it were a gase
From oon hous to anoþer for to seke þe mase.
Ne wende þou not to þe market þi borel for to selle,
And þanne to þe tauerne þi worschip to felle;
For þei þat tauernes haunten,
24 Her þrifte þei adaunten, My leue child.

And if þou be in place where good ale is on lofte,
Wheþer þat þou serue þerof, or þat þou sitte softe,
Mesurabli þou take þerof þat þou falle in no blame.
For if þou be ofte drunke, it falle þee to schame;
For þo þat ben ofte drunke,
30 Þrift is from hem sunke, Mi leue child.

Go not to þe wrastelinge, ne to schotynge at cok,
As it were a strumpet or a giggelot!
Wone at hom, douȝtir, and loue þi werk myche,
And so þou schalt, my leue child, wexe soone riche.
It is euermore a myrie þing,
36 A man to be serued of his owne þing, Mi leue child.

Doughtir, loke þat þou be waare, whatsumeuere þee bitide,
Make not þin husbonde poore with spendinge ne with pride.
A man must spende as he may þat haþ but easy good;
For aftir þe wrenne haþ veynes, men must lete hir blood.
His þrifte wexiþ þinne
42 Þat spendiþ or he wynne, Mi leue child.

And if þi children been rebel, and wole not hem lowe,
If ony of hem mysdooþ, nouþer banne hem ne blowe,
But take a smert rodde, and bete hem on a rowe
Til þei crie mercy and be of her gilt aknowe.
Leue child byhoueþ loore,
48 And euere leuer þe more, Mi leue child. —

276. THE BOKE OF CURTASYE

MS.: BM., Sloane 1986; 1st h. XV c. — *ed.:* J. O. Halliwell, Percy Soc. XIII; F. J. Furnivall, EETS. 32. — BR. 4152; Ba. 264.

Qwoso wylle of curtasy lere,
In this boke he may hit here.
Yf thow be gentylmon, ȝomon, or knaue,
The nedis nurture for to haue. —
5 Byt not on thy brede and lay hit doun,
That is no curteyse to vse in town;
But breke as myche as þou wyll ete,
The remelant to pore þou shall lete.
In peese þou ete, and euer eschewe
10 To flyte at borde; þat may þe rewe.
Yf þou make mawes on any wyse,
A velany þou kacches or euer þou rise.
Let neuer þy cheke be made to grete
With morsell of brede þat þou shall etc;
15 An apys mow men sayne he makes,
Þat brede and flesshe in hys cheke bakes.
Yf any man speke þat tyme to the,
And þou schall onsware, hit will not be
But waloande, and abyde þou most;
20 Þat is a schame for alle the host!
On bothe halfe þy mouthe, yf þat þou ete,
Mony a skorne shall þou gete.
Þou shall not lauȝhe ne speke no þyng
Whille þi mouthe be full of mete or drynke.
25 Ne suppe not with grete sowndyng
Noþer potage ne oþer þyng. —
Drye þy mouthe ay wele and fyne,
When þou schall drynke oþer ale or wyne.
Ne calle þou noȝt a dysche aȝayne,
30 Þat ys take fro þe borde in playne.
Ȝif þou spit ouer þe borde or elles opon,
You schall be holden an vncurtayse mon.
Yf þy nown dogge þou scrape or clawe,
Þat is holden a vyse emong men knawe.
35 Yf þy nose þou clense, as may befalle,
Loke þy honde þou clense as wythalle,
Priuely with skyrt do hit away,
Oþer ellis thurgh thi tepet þat is so gay.
Clense not thi tethe at mete sittande
40 With knyfe ne stre, styk ne wande. —
My chylde, yf þou stonde at þo masse,
At vndurstondis bothe more and lasse,
Yf þo prest rede not at þy wylle,
Repreue hym noȝt, but holde þe stylle. —
45 Bekenyng, fynguryng, non þou vse,
And pryue rownyng loke þou refuse. —
In bedde yf þou falle herberet to be,
With felawe, maystur, or her degre,
Þou schalt enquere be curtasye
50 In what part of þe bedde he wylle lye.
Be honest and lye þou fer hym fro;

---

27 fynde 50 par

Þou art not wyse but þou do so.
With woso men, boþe fer and negh,
The falle to go, loke þou be slegh
55 To aske his nome, and ʒweche he be,
Whidur he wille: kepe welle þes thre! —
Also yf þou haue a lorde
And stondes byfore hym at þe borde,
While þat þou speke, kepe well þy honde,
60 Thy fete also in pece let stonde. —
Gase not on walles with þyn eghe,
Fyr ne negh, logh ne heghe.
Let not þe post becum þy staf,
Lest þou be callet a dotet daf.
65 Ne delf þou neuer nose thyrle
With thombe ne fyngur as ʒong gyrle,
Rob not þy arme ne noʒt hit claw,
Ne bogh not doun þy hede to law.
Whil any man spekes with grete besenes,
70 Herken his wordis withouten distresse. —

277. A MARKET-SCENE

FROM A FRENCH-ENGLISH MANUAL

Print: William Caxton; c 1483. — *ed.*: H. Bradley, EETS. LXXIX. —

Se vous voules bergaignier
Draps ou aultres marchandisses,
Sy alles a le halle
Qui est ou marchiet.
5 Sy montes les degretz.
La trouueres les draps:
Draps mesles,
Rouge drap ou vert,
Bleu asuret,
10 Gaune, vermeil,
Entrepers, moret,
Royet, esquiekeliet,
Saye blanche et bleu,
Escarlate en grain.
15 Sy poes commencer:
'Dame, que faittes vous laulne
De ces draps,
Ou que vault le drap entier?'
'Sire, rayson;
20 Je vous en feray rayson.
Vous layres au bon marchie.'
'Voir, pour cattel,
Dame, il conuient gaignier;
Gardes que ien paiera.'
25 'Quatre soulz de laulne,
Sil vous plaist.'
'Ce ne seroit mie sens!
Pour tant vouldroie je auoir
Bonne escarlate.'
30 'Vous aues droit,

Yf ye wyll bergayne
Wullen cloth or othir marchandise,
So goo to the halle
Whiche is in the market.
5 So goo vpon the steyres.
There shall ye fynde the clothes:
Clothes medleyed,
Red cloth or grene,
Blyew y-asured,
10 Yelow, reed,
Sad blew, morreey,
Raye, chekeryd,
Saye white and blew,
Scarlet in grayne.
15 So may ye begynne:
'Dame, what hold ye the elle
Of this cloth,
Or what is worth the cloth hole?'
'Syre resone;
20 I shall doo to you resone.
Ye shall haue it good cheep.'
'Ye, truly, for catell,
Dame, me must wynne.
Take hede what I shall paye.'
25 'Four shelynges for the elle,
Yf it you plese you.'
'Hit ne were no wysedom!
For so moche wold I haue
Good scarlete.'
30 'Ye haue right

61 þy neghe

Se vous puisses.
Mais iay encore tel
Qui nest mie du meillour,
Que ie ne donroye point
35 Pour sept souldz.'
'Je vous en croys bien;
Mais ce nest mye drap
De tant dargent,
Ce scaues vous bien!
40 Ce que vous en laires
Le sera vendre.'
'Sire, que vault il?'
'Dame, il me vauldroit
Bien trois souls.'
45 'Cest mal offert,
Ou trop demande.
Encores ameroie mieulx
Quil fust dor in vostre escrin.'
'Damoyselle, vous ne perderes
50 Ja croix;
Mais dittes acertes
Comment je lauray
Sauns riens laissier.'
'Je le vous donray a vng mot:
55 Certes, se vous le aues,
Vous en paieres chinq souls
De tant daulnes
Que vous en prenderes;
Car ie nen lairay riens.'
60 'Dame, que vaudroit dont
Longues parolles?
Tailles pour moy une pair de robes.'
'Combien en tailleray ie?'
'Tant que vous quidies
65 Que mestier mest
Pour vng sourcote,
Pour vng cotte,
Pour vne heucque,
Pour vne paire de chausses.'
70 'Sire, il vous en fauldra
Bien quinse aulnes.'
'De par dieu, tailles les!
De quelle largesse est il?'
'De deulx aulnes et demye.'
75 'Cest bonne largesse.
Tailles a lautre deboute.'
'Cest tout ung, par mon alme!
Mais ie le feroy volentiers.'
'Dame, messures bien!'
80 'Sire, ie ne men confesseray ia
De ce que ie vous detenray.'
'Dame, ce scay ie bien;
Si ie ne vous creusse
Jeuis appelle le messureur.'
85 'Sire, sil vous plaist,
On lappellera.'

Yf ye maye.
But I haue yet somme
Whiche is not of the beste,
Whiche I wold not yeue
35 For seuen shelynges.'
'I you bileue well;
But þis is no suche cloth
Of so moche money,
That knowe ye well!
40 This that ye shall leue
Shall be solde.'
'Syre, what is it worth?'
'Dame, it were worth to me
Well thre shellyngs.'
45 'That is euyll boden,
Or to moche axed.
Yet had I leuer
That it were gold in your cheste.'
'Damoyselle, ye shold not lese
50 Neuer a crosse; [theron
But saye certainly
How shall I haue it
Withoute thyng to leue.'
'I shall gyue it you at one worde:
55 Certaynly, if ye haue it,
Ye shall paye fyue shellyngs
For so many elles
Whiche ye shall take;
For I wyll abate nothyng.'
60 'Dame, what shall auaylle thenne
Longe wordes?
Cutte for me a pair of gounes.'
'How moche shall I cutte?'
'Also moche as ye wene
65 As me shall nede
For a surcote,
For a cote,
For an hewke,
For a pair hosen.'
70 'Sir, it you behoueth
Well fiften elles.'
'In goddes name, cutte them!
Of what brede is it?'
'Of two ellis and an half.'
75 'That is good brede.
Cutte at that othir ende.'
'Hit is all one, by my soule!
But I shall doo it gladly.'
'Dame, mete well!'
80 'Sire, I shall never shriue me therof
Of that I shall with-holde yow.'
'Dame, that knowe I well;
If I had not trusted you
I had called the metar.'
85 'Sire, yf it plese you,
He shall be called.'

'Nennil voir, dame,
Je me tieng bien
Content de vous;
90 Car il me semble
Que vous maues bien fait.
Ployes le, de par dieu.'
'Non feray, sauue le vostre grace,
Je veul que vous messures.'
95 'Dame, puis que ie me tieng
Plainement content,
Et puis que bien me souffist,
Il nest besoin de le remesurer.
Tien, valton, si le porte,
100 Tu auras vng mayll.
Or, dame, combien monte
Ce que iay de vous?'
'Sire, se vous me baillies
Disenoof souls,
105 Vous me paieries bien;
Tant me debues vous.'
'Damoyselle, tenez, comptez.'
'Quelle monnoye
Me donnez vous?'
110 'Bonne monnoye:
Ce sont gros dAngletere,
Tels y a de Flaundres,
Patards et demi patards,
Les vieulx gros dAngletere
115 Qui valent chincque deniers,
Les noueaulx valent ·iiij· deniers.
Vous le debues bien scavoir,
Qui tant dargent recepues.'
'Vous dittes voir, sire.'
120 'Mais vous ameries mieulx
Florins du Rin,
Escutz du roy,
Royaulx nobles dAngletere,
Salutz door Lyons,
125 Viez estrelins deniers.'
'Cest tout bonne monneye.' —
Seigneurs, qui vouldroit,
Ce liure ne fineroit iamais,
Car on ne pourroit tant escripre
130 Quon ne trouueroit toudis plus.
Le parchemin est debonnaire;
Il seuffre sour luy escripre
Quancques on veult. —
Cy fine ceste doctrine,
135 A Westmestre les Loundres
En formes impressee,
En le quelle vng chescun
Pourra briefment aprendre
Fransois et Engloys.

'Nay truly, dame,
I holde me well
Content with you;
90 For me semeth
That ye haue to me well done.
Folde it up in goddes name.'
'I shall not, sauf your grace,
I wyll that ye mete it.'
95 'Dame, syth that I me holde
Playnly content,
And sith it well me suffyseth,
It is no nede to mete it agayn.
Holde thou, boye, and bere it;
100 Thou shalt haue an halfpeny.
Now, dame, how moche cometh it to,
This that I haue of you?'
'Syre, yf ye gyue to me
XIX· shellyngs,
105 Ye shall paye me well;
So moche ye owe me.'
'Damoyselle, holde, telle.'
'What moneye
Gyue ye to me?'
110 'Good moneye:
Thise ben grotes of Englond,
Suche ther be of Flaundres,
Plackes and half plackes,
The olde grotes of Englond
115 Which be worth ·v· pens,
The newe be worth foure pens.
Ye ought well to knowe,
That so moche moneye receyue.'
'Ye saye trouthe, sire.'
120 'But ye had leuer
Rynysh guldrens,
Scutes of the kyng,
Ryallis nobles of Englond,
Salews of gold lyons,
125 Olde sterlingis pens.'
'This is all good moneye.' —
Lordes, who wolde,
This boke shold neuer be ended,
For men may not so moche write
130 Me shold fynde alway more.
The parchemen is so meke;
Hit suffreth on hit to write
What-someuer men wylle. —
Here endeth this doctrine,
135 At Westmestre, by London,
In fourmes enprinted,
In the whiche one euerich
May shortly lerne
Frenssh and Englissh.

278. 'COUEYTISE' BEHIND THE COUNTER

From "Piers Plowman", above.

And þanne cam Coueytise, can I hym nouȝte descryue, (B V, 188)
So hungriliche and holwe sire Heruy hym loked.
He was bitelbrowed and baberlipped also,
With two blered eyghen as a blynde hagge;
5 And as a letheren purs lolled his chekes,
Wel sydder þan his chyn þei chiueled for elde;
And as a bondman of his bacoun his berde was bidraueled.
With an hode on his hed a lousi hatte aboue,
And in a tauny tabarde of twelue wynter age,
10 Al totorne and baudy and ful of lys crepynge;
But if þat a lous couthe haue lopen þe bettre,
She sholde nouȝte haue walked on þat welche, so was it thredebare.
"I haue ben coueytouse," quod þis caityue, "I biknowe it here.
For some tyme I serued Symme atte Stile,
15 And was his prentis ypliȝte, his profit to wayte.
First I lerned to lye a leef other tweyne,
Wikkedlich to weye was my furst lessoun.
To Wy and to Wynchestre I went to þe faire,
With many manere marchandise, as my maistre me hiȝte.
20 Ne had þe grace of gyle ygo amonge my ware,
It had be vnsolde þis seuene ȝere, so me god helpe!
Thanne drowe I me amonges draperes my donet to lerne,
To drawe þe lyser alonge þe lenger it semed;
Amonge þe riche rayes I rendred a lessoun,
25 To broche hem with a pak-nedle, and plaited hem togyderes,
And put hem in a presse, and pynned hem þerinne,
Tyl ten ȝerdes or twelue hadde tolled out threttene.
My wyf was a webbe and wollen cloth made.
She spak to spynnesteres to spynnen it oute;
30 Ac þe pounde þat she payed by poised a quarteroun more
Than myne owne auncere, whoso weyȝed treuthe.
I bouȝte hir barly malte, she brewe it to selle,
Peny ale and podyng ale she poured togideres
For laboreres and for low folke; þat lay by hymselue.
35 The best ale lay in my boure or in my bedchambre,
And whoso bummed þerof bouȝte it þerafter,
A galoun for a grote, god wote, na lesse;
And ȝit it cam in cupmel. Þis crafte my wyf vsed.
Rose þe regratere was hir riȝte name;
40 She hath holden hokkerye al hire lyf tyme.
Ac I swere now, so the ik, þat synne wil I lete,
And neuere wikkedliche weye, ne wikke chaffare vse,
But wenden to Walsyngham, and my wyf als,
And bidde þe Rode of Bromeholme brynge me oute of dette."
45 "Repentestow þe euere," quod Repentance, "ne restitucioun madest?"
"Ȝus, ones I was herberwed," quod he, "with an hep of chapmen,
I roos whan þei were arest, and yrifled here males."
"That was no restitucioun," quod Repentance, "but a robberes thefte.
Þow haddest be better worthy be hanged þerfore
50 Þan for al þat þat þow hast here shewed."
"I wende ryflynge were restitucioun," quod he, "for I lerned neuere rede on boke,
And I can no Frenche, in feith, but of þe ferthest ende of Norfolke." -

2 Heruy *Varr.*] Henri *L* 25 pak- *Varr.*] bat- *L* 26 pyned *L* 27 hadde *om.* *L* 45 Repentedestow *Var.* 49 be b. *Var.*] be *not in* *L*

279. THE RULE OF ST. BENET

MS.: BM., Cotton Vespasian A XXV; early XV century. - *ed.:* E.A.Kock, EETS. 120. BR. 218; Ke. 4429-34; We. VI, 41.

Property.

In relegion, als it es knawn,
Sal þai haf no thing of þer awn,
Ne no þing clame be propirte,
Bot al þing sal in comun be.
5 No giftes sal þai gif ne take
Bot anly for þeir souerayn sake,
Ne no þing sal þai clayme ne craue
Bot als þer souerayn wouches saue.-
And if þe priores at hir wil
10 Gif þo giftes anoder vntil,
Scho vnto wham þe giftes whor sent,
Sal not be greuyd in hir entent,
If hir presand be so puruayd,
Bot in hert sal scho hold hir payde.
15 For what þer souerayn dose ilk dele
Aw þam to think worthi and wele. -

Punctuality at Service.

Als son als þai here þe beles
To mes, matyns, or oght els,
Þan sal þai hast þam on al wise
20 Sone to com to godes seruyse.
Wheder so euer þai sit or stand,
Al thyng sone sal þai lef of hand
And wightly to þe kirk at win;
Bot neuer-þe-les þai sal not ryn.
25 And who es not redy grayd,
When gloria efter þe first saulm es said,
In order þen þai sal not be,
Bot stand in þe lawest degre,
Þat þai be of þer souerayn sene
30 And of þair sisters al-be-dene. -

The Dormitory.

All samyn o nyghtes lig þai sall,
If a hows wil herber þam all,
And ilkon serly in a bede,
And ilkon in a kirtil clede
35 And girdid obown on al wise,
Þat þai may be redy to rise.
In þe hows whar þai lig o nyght,
Candel or laumpe sal euer be lyght.
And kniues to bed þai sal non bere,
40 For dred þat þai myght do þam dere.
Vntil þeir beddyng sal þai haue
At suffise þam fro cauld to saue.
And oftsithes sall þer bed be sene,
Þat no tresure be þam betwene,
45 Ne no gude þat to þam may gayne;
Who so it hase, sall soffer payne. -

Daily Work.

All þat wons in religioun
Aw to haue sum ocupacioun,
Ouþer in kirk of hali bedes
50 Or stodying in oder stedes;
For ydilnes, os sais Sant Paul,
Es grete enmy vnto þe saul.
And þerfor es ordand þat þai
Sum gude warkes sal wirk alway,
55 And sum certane times of þe ȝer
To wirk with hand, os men may her.
Fro Pase thurgh al cristyndome
Til þe kalandes of October cum,
Vnto prime sone sal þai rise,
And sine ilkon wirk on þer wise
What so es most nedeful labore,
Vntil þe tyme of þe third oure.
And lessons sal þai rede þan next
Fro þe third our vnto þe sext.
65 And efterward thurgh wirchep skete
Fro oures and mes wend vnto mete.
And efter mete þen sal þai slepe
And silence al samen sal þai kepe,
So þat none do oþer disese,
70 Bot ilkon paid oþer to plese.
Sone efterward, when þis es done,
And þai haf said þe our of none,
Vntil þeir werk þen sal þai gang,
Vnto þe tyme of euynsang,
75 To scher or bind, if it be nede,
Or dike, or els do oþer dede,
For vnto trauel wor we born,
And al our elders vs beforn.
Bot trauel aw mesurd to be
80 Til ilkon efter þer degre,
To men or women, old or ȝing,
Ilkon to do diuers þing.
Fro October, os I are sayd,
Vnto Lentyn es þus purveyd:
85 In orisons and in þer oures
And lessons sal be þer laboures. -

Weekly Kitchen-service.

In þe kechin sal serue oboute,
Ilkon þer wouke withoutyn doute,
And serues sal non refuse,
90 Bot if skilwis caus þam excuse,
Þat þai til oþer thinges takes tent
Mor profetabil to þe couent.
And euer þam aw to tak rewarde
At euer þe eldest most be sparde.
95 And when on hase endid hir wouke,
Besily hir aw to luke,
Þat al be clene þat to hir fell,
Both howses, clothes, and wessell,
To liuer os clene os scho kan
100 Vnto hir þat sal serue þan,
So þat, if oght wantand be,
In whom defaut es, may men se. -

Reading at Meals.

The couent, when þai set at mete,
For to rede sal þai not forgete.
105 On þe Sunnday sal on begin,

65 skete *not in MS.*

And al þat wouke scho sal not blin.
Vnto hir felos sal scho say,
Besekand þat þai for hir pray.
Hir souerain sal blis hir gud spede,
110 And so scho sal begin to rede.
Þan of al nose þai salbe stil
And grathly tak entent hir til.
If any of þam nede oght to haue,
Softly with signes þai sal it craue.
115 And scho þat redes sal sithen ete
With þam þat serues at þe mete.
And in order þai sal not rede,
Bot who so best can do þat dede,
And most likandly tels and leres
120 Vnto þam þat þe lesson heres.

Receiving of Guests.

A Priores aw to be prest
Forto resaue ilka gude gest
And at hir myght þam mere make
Soueraynly for godes sake,
125 Namely þam þat er pilgrams knawn,
And pouer þat hase not of þer awn.
For who so resaues þe pure man
In Crist name, resaues Crist þan.
A souerayn sal ger gestes kepe
130 With honour and with gret wirchepe
Or rede to þam, or ger be rede,
How hali men þer liues lede,
So þat her be to þam puplist,
How þai sal lif be þe law of Crist.

280. WRATH IN THE CONVENT

From "Piers Plowman", above.

Now awaketh Wratthe with two whyte eyen, (B V, 134)
And nyuelynge with þe nose and his nekke hangynge.
"I am Wrath," quod he, "I was sum tyme a frere,
And þe couentes gardyner for to graffe ympes;
5 On limitoures and listres lesynges I ymped,
Tyl þei bere leues of low speche, lordes to plese,
And sithen þei blosmed obrode in boure to here shriftes.
And now is fallen þerof a frute, þat folke han wel leuere
Schewen her schriftes to hem þan shryue hem to her persones. -
10 I haue an aunte to nonne, and an abbesse bothe,
Hir were leuere swowe or swelte þan soeffre any peyne.
I haue be cook in hir kichyne, and þe couent serued
Many monthes with hem, and with monkes bothe.
I was þe prioureses potagere and other poure ladyes,
15 And made hem ioutes of iangelynge, þat dame Iohanne was a bastard,
And dame Clarice a kniȝtes douȝter, ac a kokewolde was hire syre,
And dame Peronelle a prestes file, priouresse worth she neuere,
For she had childe in chirityme, al owre chapitere it wiste.
Of wykked wordes I, Wrath, here wortes I made,
20 Til "Þow lixte!" and "Þow lixte!" lopen oute at ones,
And eyther hitte other vnder þe cheke.
Hadde þei had knyues, bi Cryst, her eyther had killed other!
Seynt Gregorie was a gode pope, and had a gode forwit.
Þat no priouresse were prest, for þat he ordeigned.
25 Þei had þanne ben infamis þe firste day, þei can so yuel hele conseille.
Amonge monkes I miȝte be, ac many tyme I shonye;
For þere ben many felle frekis my feres to aspye,
Bothe prioure an supprioure, and owre pater abbas.
And if I telle any tales, þei taken hem togyderes,
30 And do me faste Frydayes to bred and to water,
And am chalanged in þe chapitelhous, as I a childe were,
And baleised on þe bare ers, and no breche bitwene.
Forþi haue I no lykyng with þo leodes to wonye;
I ete there vnthende fisshe and fieble ale drynke.
35 Ac other while, whan wyn cometh, whan I drynke wyn at eue,
I haue a fluxe of a foule mouthe wel fyue dayes after:
Al þe wikkednesse þat I wote bi any of owre bretheren,
I couth it in owre cloistre, þat al owre couent wote it."

---

133 her] he *MS.*

Further passages from Piers Plowman cf. pp. 533, 305, 569

281. RICHARD KYNGESTON TO HENRY IV

(3/IX/1403). — *MS.*: BM., Cotton Cleopatra F. III. — *ed.*: F. C. Hingeston, Royal and Historical Letters, &c., RS. 18, 1860.

Mon tressouveraigne et tresredoute Seignour,

Please a vostre tresgraciouse Seignourie entendre que a-jourduy apres noone . . . . q'ils furent venuz deinz nostre countie pluis de ·cccc· des les rebelz de Owyne, Glyn, Talgard, et pluseours autres rebelz des voz marches
5 de Galys, et ount prisez et robbez deinz vostre countie de Hereford pluseours gentz, et bestaille a graunte nombre, nient contre esteant la nostre trewe. —

Mon tressoveraigne et tresredoute Seignour, vous please de vostre graciouse Seignourie et pur le salvatioun de vostre dicte countee et tout
10 la March moi envoire en yceste noet, ou demeyn bien matyn a pluis tarde, mon treshonoure mestre Beauford ou ascune autre vaillaunt personne, que veot et peot laborer, ove ·c· launcez et ·dc· archiers, tanque a vostre tresgraciouse venue en salvatioun dez nous trestoutz. Qar autrement, mon tresredoute Seignour, en bone foy jeo tigne tout nostre paiis destruez, qar les
15 coers des toutz vous foialx lieges de nostre pays ove le comyns outrement sount perduz, et pur ceo que ils oiont que vous ne vendrez illeoqes en vostre propre persone, que dieux deffende! Qar, mon tresredoute Seigneur, vous trouverez pour certein que si vous ne venez en vostre propre persone pour attendre apres voz rebelz en Galys, vous ne trouverez un gentil que veot
20 attendre deinz vostre dit countee. Warfore, for goddesake, þinketh on ȝour beste frende, god, and þanke hym as he haþ deserued to ȝowe! And leueth nought þat ȝe ne come for no man þat may counsaille ȝowe þe contrarie; for, by þe trouthe þat I schal be to ȝowe ȝet, þis day þe Walshmen supposen and trusten, þat ȝe schulle nought come þere, and þerefore, for goddesloue, make
25 þem fals men! And þat hit plese ȝowe of ȝour hegh lordeship for to haue me excused of my comynge to ȝowe; for, yn god fey, I haue nought ylafte with me ouer two men, þat þey beon sende oute with sherref and other gentils of oure schire, for to with-stande þe malice of þe rebelles þis day.

Tresexcellent, trespuissant, et tresredoute Seignour, autrement say a
30 present nieez. Jeo prie a la benoit trinite que vous ottroie bone vie ove tresentier sauntee a treslonge durre, and sende ȝowe sone to ows in help and prosperitee; for in god fey, I hope to almighty god þat, ȝef ȝe come ȝoure owne persone, ȝe schulle haue þe victorie of alle ȝoure enemyes.

And for salvation of ȝoure schire and marches al aboute, treste ȝe
35 nought to no leutenaunt. Escript a Hereford, en tresgraunte haste, a trois de la clocke apres noone, le tierce jour de Septembre.

Vostre humble creatoure et continuelle oratour

Richard Kyngeston, deane de Wyndesore.

282. CLASSICAL AND MODERN LANGUAGES

FROM A FIFTEENTH CENTURY SCHOOL BOOK

cf. Vulgaria, below.

A. Iff ye knew, childe, what conseittes wer in Latyn tonge, what fettes, what knakkes, truly your stomake wolde be choraggyde with a new desir or affeccyon to lurne. Trust ye me, all langage well nygh is but rude beside Latyne tonge. In this is property, in this is shyfte, in this all swetnes.

B. Iff the bookys of olde auctours were not corrupt and sum of them fals, I wolde not doubte þat men now in this tyme sholde ouerpasse them or els be equall with them; for mennys wyttes be as goode now as they were then.

281.20 cf. The Earl of March A.D. 1400 (Letter Nr. X, Hingeston, op. cit.): 'And, noble prince, meruaille yhe nocht þat I write my lettres in Englishe, fore þat ys mare clere to myne vnderstandyng þan Latyne or Fraunche.'

283. "I KNOW THEE NOT, OLD MAN."

MS.: London, Lambeth 84; XV century; from the Lambeth redaction of "The Brut"; not in other MSS. — *ed.:* F. Brie, EETS. 136. — We. III, 10.

Aftyr the dethe of kyng Herry the Fourthe regnyd his sone Herry of Monmothe, whiche was born at Monmothe in Walyes, whiche was Herry the Fyfte aftyr þe conquest. And he began to regne on þe xxj. day of Marche in þe yer of our lorde ·m.cccc.xij; and in þe same yer he was crownyd kyng of Englond at Westmenster on the nynthe day of Aprill. And he was a worthy kyng and a gracious man and a worthy conquerour. 5

And before he was kyng, what tyme he regnyd prince of Walyes, he fylle and yntendyd gretly to ryot and drew to wylde company. And dyuers jentylmen and jentylwommen folwyd his wylle and his desire at his commaundment. And lykewyse all his meyne of his housolde was attendyng and plesyed with his gouernaunce, outsept ·iij· men of his howsolde, whiche were ful hevy and sory of his gouernaunce; and they counseylyd hym euer contrary, and fayne woolde an had hym to doon wele and forsake ryot. And þerfor he hatyd them ·iij· most of al men in his house vnto þe tyme þat his fadyr was dede. 10 15

And thanne he beganne to regne for kyng; and he remembryd þe gret charge and wourship þat he shulde take vpon hym. And anon he comaundyd al his peple þat were attendaunt to his mysgouernaunce afore tyme, and al his housolde, to come before hym. And whan they herde þat, they were ful glad; for they subposyd þat he woolde a promotyd them into gret offices, and þat they shulde a stonde in gret favyr and truste with hym and neerest of counsel, as they were afore tyme. And trustyng here-vpon, they were þe homlyer and bolder vnto hym and nothyng dred hym ynsomoche þat whan they were come before hym, some of them wynkyd on hym, and some smylyd, and thus they made nyse semblaunte vnto hym meny one of them. 20 25

But for al þat þe prynce kept his countynaunce ful sadly vnto them, and sayde to them: "Syrys, ye are þe peple þat I haue cherysyd and mayntynyd in ryot and wylde gouernaunce. And here I geue yow all in commaundment and charge yow, þat from this day forward þat ye forsake al mysgouernaunce and lyve aftyr þe lawys of almyhety god and aftyr þe lawys of oure londe. And who þat doyth contrarye, I make feythful promys to god, þat he shal be trewly ponisid accordyng to þe lawe, withoute eny favour or grace." And chargyd them [on] payn of deth, þat they shulde neuer geve hym comforte nor counsel to falle to ryot no more; for he had takyn a charge on hym, þat alle his wittis and power were to lytyl withoute þe helpe of god and good gouernaunce. And so he rewardyd them richely with gold and syluer and othyr juelys, and chargyd them alle to voyde his housolde, and lyve as good men, and neuermore to come in his presence, because he woold haue noon occasioun nor remembraunce wherby he shulde falle to ryot ayen. 30 35 40

And thus he voydyd al his housolde, savyng tho ·iij· personys þat he [had] hatyd most, whiche were ful sory of his gouernaunce. And them he lovyd afterward best for þere good counsayle and good gouernaunce, and made them aftyrward gret lordys. And thus was lefte in his housolde nomo but tho ·iij· men. And menyone of them þat were eydyng and consentyng to his wyldnes fyl aftyrward to gret myschefe and sorw. 45

Than kyng Herry sent to dame Kateryn Swynfor, countesse of Herforde, whiche was tho a wel gouerned woman and kept þe most worshipful housolde and þe best rewlyd þat was within þe londe; and to her he sent for men þat were of good disposicyoun. And she sent hym ·xij· jentylmen of sad gouernaunce; and so this gracious kyng forsoke al wyldnes and toke hym to good gouernaunce, and kept streytly his lawys with ryghtwisnes and justise. 50

284. SIR JOHN OLDCASTLE

From "Gregory's Chronicle", below.

5 (*A.D. 1415*) On the Twelfe the nyght were arestyd certayne personys, called Lollers, atte the sygne of the Ax, whithe-owte Byschoppe ys gate, the whyche Lollers hadde caste to haue made a mommynge at Eltham, and vndyr coloure of the mommynge to haue dystryte the kyng and Holy Chyrche. And they hadde ordaynyde to haue hadde the fylde besyde Syn Gylys. But, thonkyd be god almyghty, owre kyng hadde warnyng thereof; and he come vnto London and toke the felde besyde Syn Jonys in Clerkynwelle. And as they come, the kyng toke them and many othyr. And there was a knyght take that was namyd Syr Roger of Acton, and he was drawe and
10 hanggyd besyde Syn Gyly, for the kynge let to be made ·iiij· payre of galowys, the whiche that were icallyd the Lollers galowys. Al-so a preste that hyght Syr John Bevyrlay, and a squyer that hyght John Browne of Oldecastellys, they were hanggyd. And many moo were hanggyd and brent, to the nomber of ·xxxviij· personys and moo.

15 (*A.D. 1417*) The same yere Syr Johnne Oldecastelle was take in the Marche of Walys and brought vnto Westemyster in a chare; and there he was juggyde to the dethe. And thys was hys juggement, that he shulde be ladde thorowe London in the same chare vnto Towre Hylle, and there to be layde on a hyrdylle and drawe to Syn Gylys galowys, and there to be
20 hanggyd and brent. And so he was hanggyd by a stronge chayne; for there was the Duke of Bedforde, the Duke of Excester, and alle the lordys of thys londe that were þat tyme abowte London, tylle that they hadde sene hys juggement.

285. A LONDON RECEPTION (A.D. 1432)

FOR HENRY VI AFTER HIS CORONATION AT PARIS

MS.: Cambridge, Trinity Coll. O. 9. 1; 1st half XV century; from "The Brut". - *ed.*: F. Brie, EETS. 136. - We. III,10; Ba. 115.*

In this same yere the ·xxj· day of Februare, Kyng Henry the ·vj· come from his maner of Eltham toward the cite of London. And the maire and aldermen, with the comynalte of London, roode ayenst the kyng on horsbak, in the best aray þat they myght, in the reuerence of the kyng and
5 in worship and gladnesse of the worthy name of the cite of London, thurgh-out the world in worthynesse commended and praysed. For the maire hym-self was clothed in rede crymsyn velwett, and a grete velwet hatte furred royally, and a girdell of gold aboute his mydell, and a bawdrik of gold aboute his neck, trillyng doun behynde hym; and his ·iij· hensmen on ·iij·
10 grete coursoures foloyng hym, in oon sute of a good aray, in rede, all spangled in siluer; and then all the aldermen in gownes of scarlet, with sangwyn cappes. And all the communialte of the cite were clothed in white, bot euery crafte with dyuers devices enbrowded vpon the white gownes, þat euery craft myght be knowen, oon from another, with scarlet
15 hodes or cappes. And all they hoved still on horsbak on the Blak Heth in Kent, on both sides, as a strete, vnto the kynges comyng.

And when they sawe the kyng come, the maire with the aldermen rode to the kyng, and welcomed hym with all reuerence, honour and obey-saunce. And the kyng thanked hem, and he come ridyng thurgh all the
20 peple; and they obeyed and seid: "Welcom, oure liege and kyng, welcom! And thanked be god in all his giftes, þat we se you in good quart"!

And so the kyng rode streight the high wey to London. And when the kyng had riden thurgh Suthwerk, and come to the stulpes without London Brigge, þere stode a gyaunt in a toure, with his swerd drawe in his hande,
25 shewed with countenaunce, doth manace all foreyn enemys to the death without mercy, þat seith or doth ayenst the kynges right. "And y, the kynges champyon, in full myght and power."[1]

---

* *cf.* John Lydgate's Ordenaunces for the Kyng &c., (BR. 3799) EETS.192.

[1] = "Inimicos ejus induam confusione." *Gregory's Chronicle*

And then the kyng come to London Brigge; and there was made a roiall hevenly toure. And therin was shewed ·iij· ladyes as emperice, worthely apparaylled in theire aray, which were called by name Nature, Grace, and Fortune. And theire girdelles were blewe, shynyng like to sapheres, which shewed to the kyng in his comyng all goodnesse and gladnesse in vertuous lyvyng; and with oþer ·vij· virgynes celestial, in tresses of gold, and with coronalles on theire hedes, all clothed in white, as virgines, with sonnys of golde on theire garmentes, shewyng as hevenly creatures, mekely salewyng the kyng, and gaf hym ·vij· giftes, þat were toknes of oure lord god of heven, þat were white dowves, betokenyng the giftes of the holy gost, a spirite of intelligence, a spirite of sapience, and a spirite of strenght and of connyng, and of conseyle, pite, drede, and lowlynesse. And on the lifte side of these ·iij· emperesses were ·vij· oþer virgyns, clothed all in white, with sterres of gold on theire garmentes, with coronalles on theire hedes, which presented the kyng with royall giftes: first they endewed the kyng with the crowne of glorye, and with the septre of mekenesse and of pite; a swerd of myght and victorie, a mantell of prudence, a shelde of feith, a helme of helth, a girdell of love and of parfite peas. And all these ladyes and virgines welcomed the kyng with all honoure and reuerence.

And then the kyng procedyng forth to the Condyte in Cornhill. And þere was made in serkelwyse a trone; and in the myddes sittyng a yonge child arayed as a kyng, whom to gouerne were ·iij· ladyes: Mercy, Trouthe and the lady Clennesse; and ·ij· juges of lawe and ·viij· sergeauntes, to shewe the kyngdom lawe and right. And then the kyng rode forth, and entred into Chepe, and come to the Grete Conduit, þat ranne plente of good wyne, bothe white and rede, to all peple þat wold drynk. And aboue ouer the Condite was a royall toure likned to Paradyse, with many dyuers trees beryng eueryche dyuers frutes. And in this same gardeyn was dyuers welles of dyuers wynes, with bokettes. And ·iij· glorious virgines wounde vp the wyne, proferyng the kyng there full habundaunce, fulsomnesse, and high plente. And the names of these virgines been Mercy, Grace, and Pite. And in the ende of this gardeyn þere appered to the kyng ·ij· olde men, þat oon Enok and þat oþer Ely, þat shewed the kyng chere and grete preysing ministryng his gouernance.

And the kyng passed forth, and come to the Crosse in Chepe. And there was made a castell roiall; and on the Est syde stode ·ij· grene treeȝ, which bare the armes of England and of Fraunce, the libardes and the flouredelice, which been the kinges right and trewe armes be lyne. And vpon this castell, toward Seint Paules, there was the tree of Iesse, with all the braunches, shewyng the kynrede of oure lorde Ihesu and of our lady Seint Marye, to the comfort of the kyng and for the grete solempnite of þe worthy cite of London.

And then they passed forth from þe castell and come toward Seint Paules at the Litell Conduit. And þere was made an heven indivisible of the Trinite; and a trone compassed his roiall see with a grete multitude of angellys hym aboute, with dyuers melodyes and songe, to hertly ioye and comfortyng of the kyng and all his peple. And whan he was come to Seint Paules, there he alight doun of his hors. And þere come þe Archebisshop of Caunterbury, and the Archebisshop of York, and þe Bisshop of Lincoln, and the Bisshopes of Bathe, Salesbury, Norwich, Ely, and Rochestre, and the Dene of Paules with his couent, in procession in theire best araye of holy chirche, and met with hym, and did hym obseruaunce as bylongeth to hym, and censed hym at his comyng in; and so brought the kyng to the high autere, with roiall songe. And there the kyng offred. And then he come oute ageyn, and toke his hors, and come to Westminster; and thider brought hym the Maire, Aldermen, and all the communialte of the Cite of London.

286. THE SIEGE OF ROUEN (A.D. 1418/1419)

MS.: BM., Egerton 1995; XV century. - *ed.:* J. Gairdner, Camden Soc., N.S. 17, 1876. - BR. 979; Ba. 116.

Nota of the hunger in that cytte.

Mete and drynke and othyr vytayle (467)
In that cytte began to fayle,
Save clene watyr they hadde inowe,
And vyneger to put there twoe;
5 Hyr brede was fulle ny gone
And flesche save hors hadde they non.
They etete doggys, they ete cattys,
They ete mysse, horse and rattys.
For an hors quarter, lene or fatte,
10 At ·c·s. hyt was atte;
A horsse hedde for halfe a pound;
A dogge for þe same mony round;
For ·xxx·d. went a ratte;
For ·ij· noblys went a catte;
15 For ·vj·d. went a mous;
They lefte but fewe in any house.
For brede as brode as my hond
Was worthe a franke, I undyrstond.
Hyt was febyll that they myght fynd;
20 For hyt was made in syche a kynde,
Ne of melle, ne of otys,
Bot of branne, god it wotys.
Oynonnys, lykys, bothe in fere
Was to hem a mete fulle dere;
25 There-of was a pece at a schelynge.
Welle was hym that myght gete a pyllynge.
A negge at ·ix·d., a nappylle at ·x·
Suche a market was amonge thes men.
Thenne to dye they dyd begynne
30 Alle that ryche citte withyn.
They dyde faster every day
Thenn men myght them in erthe lay.
There as was pryde in ray before,
Thenn was hyt put in sorowe fulle soore.
35 There as was mete, drynke and songe,
Thenn was sorowe and hunger stronge.
Yf the chylde schulde be dede,
The modyr wolde not gyf hyt bredde,
Ne nought wolde parte hyt a scheve
40 Thoughe sche wyste to save hys lyve;
Ne the chylde the modyr gyffe.
Every on caste hym for to leve
As longe as they myght laste.
Love and kyndenys bothe were paste.
45 Alle kyndenys love was besyde
That the chylde schulde fro the modyr hyde,
To ete mete that shulde hyt not see,
And ete hyt alle in prevyte.
But hunger passyd kynde and love,
50 By that pepylle welle ye may prove. -

---

27 a napylle at ·x·d. *MS.*

287. THE LIBELLE OF ENGLYSHE POLYCYE

MS.: Oxford, Bodl., Laud 704; XVth century. (Orig. c.1435-36; 15 MSS.) — *ed.*: G. Warner, Oxford 1926. — BR. 3491; RO. 317.

The trewe processe of Englysh polycye,
Of utterwarde to kepe thys regne in rest,
Of oure England that no man may denye
Ner say of soth but it is one the best,
5 Is thys as who seith southe, northe, est, and west:
Cheryshe marchandyse, kepe thamyralte,
That we bee maysteres of the narowe see!

For Sigesmonde the grete emperoure
Whyche yet regneth, whan he was in this londe
10 Wyth kynge Herry the fifte, prince of honoure,
Here moche glorye, as hym thought, he fonde:
A myghty londe, whyche hadde take on honde
To werre in Fraunce and make mortalite,
And ever well kept rounde aboute the see.

15 And to the kynge thus he seyde: "My brothere,"
Whan he perceyved too townes, Calys and Dovere,
"Of alle youre townes to chese of one and other,
To kepe the see and sone for to come overe
To werre oughtwardes, and youre regne to recovere,
20 Kepe these too townes sure to youre mageste
As youre tweyne eyne, to kepe the narowe see."

For if this see be kepte in tyme of werre,
Who cane here passe withought daunger and woo?
Who may eschape, who may myschef dyffere?
25 What marchandy may forby be agoo?
For nedes hem muste take truse every foo,
Flaundres and Spayne and othere, trust to me,
Or ellis hyndered alle for thys narowe see.

Therfore I caste me, by a lytele wrytinge
30 To shewe att eye thys conclusione
For concyens and for myne acquytynge
Ayenst god, and ageyne abusyon
And cowardyse, and to oure enmyes confusione.
For ·iiij· thynges our noble sheueth to me:
35 Kyng, shype, and swerde, and pouer of the see.

Where bene oure shippes, where bene oure swerdes become?
Owre enmyes bid for the shippe sette a shepe.
Allas, oure reule halteth, hit is benome.
Who dare weel say that lordeshype shulde take kepe?
40 I wolle asaye, thoughe myne herte gynne to wepe,
To do thys werke, yf we wole ever the,
For verry shame, to kepe aboute the see.

Shall any prynce, what so be hys name,
Wheche hathe nobles moche lyche to oures,
45 Be lorde of see, and Flemynges to oure blame
Stoppe us, take us, and so make fade the floures
Of Englysshe state, and disteyne oure honnoures?
For cowardyse, allas, hit shulde so be;
Therfore I gynne to wryte now of the see.

---

5 seith] saileth, sayllen *Varr.* 11 founde *MS.* 14 kepe *Varr.* 20 sure] sire *Var.* 44 to *Varr.*] *om. MS.*

50 Knowe welle all men that profites in certayne,
Commodytes called, commynge out of Spayne,
And marchandy, who so wyll wete what that is,
Bene fygues, raysyns, wyne, bastarde and dates;
And lycorys, Syvyle oyle, and also grayne,
55 Whyte Castell sope, and wax, is not in vayne,
Iren, wolle, wadmole, gotefel, kydefel also,
For poyntmakers full nedefull be the ·ij·,
Saffron, quiksilver, wheche Spaynes marchandy,
Is into Flaundres shypped full craftylye
60 Unto Bruges as to here staple fayre.
The haven of Sluse they havene for here repayre,
Wheche is cleped Swyne, thro shyppes gydynge,
Where many wessel and fayre arne abydynge.
But these merchandes wyth there shyppes greet,
65 And suche chaffare as they bye and gette
By the weyes most nede take one honde
By the costes to passe of oure Englonde
Betwyxt Dover and Calys, thys is no doute;
Who can weell ellis suche matere bringe aboute?
70 And whenne these seyde marchauntz discharged be
Of marchaundy in Flaundres neere the see,
Than they be charged agayn wyth marchaundy
That to Flaundres longeth full rychelye:
Fyne clothe of Ipre, that named is better than oures,
75 Cloothe of Curtryke, fyne cloothe of alle colours,
Moche fustyane and also lynen cloothe.
But, ye Flemmynges, yf ye be not wrothe,
The grete substaunce of youre cloothe at the fulle
Ye wot ye make hit of oure Englissh wolle.
80 Thanne may hit not synke in mannes brayne,
But that hit most, this marchaundy of Spayne,
Bothe oute and inne by oure coostes passe?
He that seyth nay in wytte is lyche an asse.
Thus if thys see werre kepte, I dare well sayne,
85 Wee shulde have pease with tho growndes tweyne;
For Spayne and Flaundres is as yche othere brothere,
And nethere may well lyve wythowghten othere,
They may not lyven to mayntene there degrees
Wythoughten oure Englysshe commodytes,
90 Wolle and tynne, for the wolle of Englonde
Susteyneth the comons Flemmynges I understonde.
Thane, yf Englonde wolde hys wolle restreyne
From Flaundres, thys foloweth in certayne,
Flaundres of nede muste wyth us have pease
95 Or ellis he is distroyde wythowghten lees.
Also, yef Flaundres thus distroyed bee,
Some marchaundy of Spayne wolle nevere ithe.
For distroyed hit is, and as in cheffe
The wolle of Spayne hit cometh not to preffe
100 But if it be tosed and menged well
Amonges Englysshe wolle the gretter delle;
For Spayneshe wolle in Flaundres draped is
And evere hath be that mene have mynde of this.
And yet woll is one the cheffe marchaundy

54 also *Varr.*] *om. MS.* 58 *Var.*] wheche arne Sp. *MS.* 62 the *Varr.*] *om. MS.* thro *MS.*] theire *Var.* 74 oures *Varr.*] oure is *MS.* 83 seyth *Varr.*] seyde *MS.* is *Varr.*] was *MS.* 84 I *om. MS.* 85 tho *Varr.*] the *MS.* 104 *Varr.*] one of the ch. *MS.*

105 That longeth to Spayne, who so woll aspye;
Hit is of lytell valeue, trust unto me,
Wyth Englysshe woll but if it menged be.
Thus, if the see be kepte then, herkene hedere,
Yf these ·ij· londes comene not togedere,
110 So that the flete of Flaundres passe nought,
That in the narowe see he be not brought
Into the Rochell to feche the fumose wyne,
Nere into Britounse bay for salt so fyne,
What is than Spayne, what is Flaundres also?
115 As who seyth, nought; there thryfte is alle ago.
For the lytell londe of Flaundres is
But a staple to other londes iwys,
And all that groweth in Flaundres, greyn and sede,
May not a moneth fynde hem mete of brede.
120 What hath thenne Flaundres, be Flemmynges leffe or lothe,
But a lytell madere and Flemmyshe cloothe?
By draperinge of oure wolle in substaunce
Lyvene here comons, this is here governaunce,
Wythoughten whyche they may not leve at ease;
125 Thus moste hem sterve or wyth us have pease. —
Moreover of Scotlonde the commoditees (246)
Ar felles, hydes and of wolle the fleese;
And alle these muste passe bye us aweye
Into Flaundres by Englonde, sothe to saye.
130 And all here woll was draped for to sell
In the townes of Poperynge and of Bell,
Whyche my lorde of Glowcestre wyth ire
For here falshede dyd sett upon a fyre.
And yett they of Bell and Poperynge
135 Cowde never draper her woll for any thynge
But if they hadde Englysshe woll wythall,
Oure godely woll that is so generall
Nedeful to hem in Spayne and Scotlande als
And othere costis; this sentence is not fals.
140 Ye worthi marchauntes, I do it upon yow,
I have this lerned, ye wott well where and howe.
Ye wotte the staple of that marchaundye
Of this Scotlonde is Flaundres sekerlye.
And the Scottes bene chargede, knowene at the eye,
145 Out of Flaundres wyth lytyll mercerye
And grete plente of haburdasshers ware;
And halfe here shippes wyth carte-whelys bare
And wyth barowes ar laden as in substaunce.
Thus moste rude ware be in here chevesaunce;
150 So they may not forbere thys Flemysh londe.
Therefor if we wolde manly take on honde
To kepe thys see fro Flaundres and fro Spayne
And fro Scotelonde lych as fro Pety Bretayne,
Wee schulde ryght sone have pease for alle here bostes;
155 For they muste nede passe by oure Englysshe costes. —

The Janueys comyne in sondre wyses
Into this londe wyth dyuerse marchaundyses.
In grete karrekes, arrayde wythouten lake
Wyth clothes of golde, silke and pepir blake
160 They bringe wyth hem and of wood grete plente,
Woole-oyle, wood-aschen, by wessel in the see,

111 he *MS.*] it *Varr.* 115 seyde *MS.* there *Varr.*] the *MS.* alle *Varr.*] *om. MS.* 161 wesshelle *MS.*

Coton, roche-alum, and gode golde of Jene.
And they be charged wyth wolle ageyne, I wene,
And wollene clothe of owres of colours alle.
165 And they aventure, as ofte it dothe byfalle,
Into Flaundres wyth suche thynge as they bye,
That is here cheffe staple sykerlye.
And if they wolde be oure full ennemyse,
They shulde not passe our stremez with merchaundyse. —
170 Now than, for love of Cryste and of his joye, (1064)
Brynge yit Englande out of troble and noye!
Take herte and witte and set a governaunce,
Set many wittes wythouten variaunce
To one acorde and unanimite
175 Put to gode wylle for to kepe the see,
Furste for worshyp and for profite also
And to rebuke of eche evyl-wylled foo! —
Kepe than the see abought in speciall,
Whiche of Englande is the rounde wall,
180 As thoughe England were lykened to a cite
And the wall environ were the see.
Kepe than the see, that is the wall of Englond,
And than is Englond kepte by goddes sonde!

288. PIRATES ON THE NORFOLK COAST

Agnes and Margaret Paston to John Paston, probably 1450, March 11/12. — *MS., ed., &c. cf. Paston Letters, below.*

Son, I grete yow, and send yow godds blyssyng and myn; and as for my doughtyr your wyfe, che faryt well, blyssyd be god, as a woman in hyr plyte may do, and all your sonys and doughtrys.

And for as meche as ye will send me no tydyngs, I send yow seche 5 as ben in thys contre: Rychard Lynsted cam thys day fro Paston, and letyt me wete that on Saturday last past Dravale, halfe brother to Waryn Harman, was takyn with enemyis, walkyn be the se syde, and have hym forthe with hem. And they tokyn ·ij· pylgremys, a man and a woman, and they robbyd the woman, and lete hyr gon, and ledde the man to the see; and whan they 10 knew he was a pylgreme, they geffe hym monei, and sett hym ageyn on the lond. And they have thys weke takyn ·iiij· vesselys of Wyntyrton, and Happysborough and Ecles. Men ben sore aferd for takyn of mo, for ther ben ·x· grete vesselys of the enemyis. God yeue grace that the see may be better kepte than it is now, or ellys it chall ben a perlyous dwellyng 15 be the se cost.

I pray yow grete well your brethyrne, and sey hem that I send hem goddis blyssyn and myn. And sey William that if Jenett Lauton be not payd for the krymson cort wheche Alson Crane wrote to hyr for in hyr owyn name, that than he pay hyr, and see Alson Cranys name strekyn owt of hyr 20 boke; for che seithe che wyll aske no man the money butt Alson Crane. -

Wretyn att Norwyche, the Wedenesday next before Sent Gregory.

Augnes Paston.

Rytȝ worchipful hosbond, I recomawnd me to yow, desyring hertyly to her of ȝour wellfar, &c. . . . Ther ben many enemys aȝens Yermowth 25 and Crowmer, and have don moche harm, and taken many Englysch men, and put hem in grett distresse, and grettely rawnsommyd hem. And the seyd enmys been so bold that they kom up to the lond, and pleyn hem on Caster Sonds, and in other plases, as homely as they were Englysch men. Folks ben rytȝ sore afred that they wel don moche harm this somer, but if 30 ther be made rytȝ grett purvyans aȝens hem.

Other tydyngs know I non at this tym. The blysseful Trinyte have ȝow in his kepyng. Wryten at Norwyche, on Seynt Gregorys day. Yowrs,

M. P.

289. WILLIAM GREGORY, CHRONICLE

MS.: BM., Egerton 1995; 2nd half XV century. - *ed.:* J. Gairdner, Camden Soc., N.S, 17, 1876. - Ba. 116. (W. Gregory, skinner, Mayor of London 1450/51, died A.D. 1467.)

Fifteenth Century Pictorial (A.D. 1443).

In that same yere there was a pynner hyngge hym-sylfe on a Palme Sondaye. And he was alle nakyd saue hys breche; and then he was caryd in a carte owte of the cytte.

And that same yere was a woman of Westemyster brentt at Toure-hylle for kyllynge of hyr hosbond. 5

And that same yere there was founde in a walle in the Gylhalle a certayne sum of mony, and alle in pense, and euery peny weyde ·j· d. ob., and sum a goode dele more, and sum more. And hyt was of many dyuers cunys, for sum were made yn London, and sum in Cheschyre, and sum in Lancaster, and in many othyr dyuers placys of the londe; but alle was the 10 kyngys owne kune.

And on the same yere, the ·viij· day of Septembyr, there was donc a grete vyage yn Fraunce by the Duke of Somesette and his retynowe; and at the same viage were slayne and takyn to the nombyr of ·iij·m. vij·c·, whereof were ·ix· lordys and a squyer, whyche that was a grete captayne. 15

Menu for a Banquet (at the Coronation of Henry V's Queen, A.D. 1421).

The servyse of the fyrste cours: Braune with mustarde, elys in burneus, furmenty with bakyn, pyke, lampray powderyd whythe elys, pouderyde trought, coddelyng, plays with merlyng fryde, grette crabbys, lesche lumbarde, a bake mete in paste, tartys; and a sotylte icallyd pellycane, etc.

The secunde cours in the halle: Jely, blandesoure, bremme, congur, 20 solys with myllot, chevyn, barbylle, roche, samon fresche, halybutte, gurnarde rostyd, roget boylyde, smelte fryde, lopstere, cranys, lesche Damaske, lampray in paste, flampayne. A sotelte: a panter and a mayde before hym, &c.

The servyse of [the] ·iij· cours in the halle: Datys in composte, creyme motley, and poudrid welkys, porpys rostyd, meneuse fryde, crevys 25 of douce, datys, pranys, rede schry[m]ppys, grette elys and lamprays rostyd, a lesche callyd whythe leysche, a bake mete in paste with ·iiij· angelys. A sotelte: a tygyr and Syntt Gorge ledyng hyt.

Wyclif (A.D. 1428/9).

That same yere the bonys of Mayster John Wykclyffe were take vppe and brentte at Lutterworthe in Layceter-schyre, there that he was buryde. 30 And thys was done by the commaundement of þe pope and alle hys clargye. And the ·xij· even aftyr was ibroughte vnto London, and hadde hys masse at Poulys, and hys bonys buryde at Birsham.

Scenes from the Report of Jack Cade's Rebellion (A.D. 1450).

Aftyr that the comyns of Kent arosse with certayne othyr schyrys, and they chesse hem a captayne, the whyche captayne compellyd alle the 35 gentellys to arysse whythe hem. Ande at the ende of the parlyment they come whythe a grete myght and a stronge oste vnto the Blacke Hethe besyde Grenewyche, the nomber of ·xlvj·m·, and there they made a fylde, dykyd and stakyde welle abowt, as hyt ben in the londe of warre, saue only they kepte ordyr among them; for als goode was Jacke Robyn as John at the 40 Noke, for alle were as hyghe as pygysfete vnto the tyme that they shulde comyn and speke with suche statys and massyngerys as were sende vnto hem; thenne they put alle hyr pouer vnto the man that namyd hym captayne of alle hyr oste. And there they abode certayne days too the comyng of the kynge fro the parlymentte at Leycester. — 45

And aftyr that, vppon the fyrste day of Juylle, the same captayne come agayne, as the Kenttysche men sayde, but hyt was anothyr that namyd hymselfe the captayne, and he come to the Blacke-hethe. And vppon the morowe he come whythe a grette hoste yn to Sowtheworke, and at the Whythe
50 Herte he toke his loggynge. And apon the morowe, that was the Fryday, a-gayn euyn, they smote a-sondyr the ropys of the draught-brygge and faught sore amanly, and many a man was mortheryde and kylde in that conflycte, I wot not what name hyt for the multytude of ryffe-raffe. And thenne they enteryde into the cytte of London as men that hadde ben halfe
55 besyde hyr wytte; and in that furynys they wente, as they sayde, for the comyn wele of the realme of Ingelonde euyn strayght vnto a marchaunte ys place inamyd Phylyppe Malpas of London. Yf hyt were trewe as they surmysyd aftyr ther doyng I remytte me to ynke and pauper; *deus scit et ego non*. But welle I wote that euery ylle begynnynge moste comynly hathe
60 an ylle endyng, and euery goode begynnyng hathe the wery goode endyng. *Proverbium: Felix principium finem facit esse beatum*. And that Phylyppe Malpas was aldyrman, and they spoylyd hym ande bare away moche goode of hys, and in specyalle moche mony, bothe of syluyr and golde, the valowe of a notabylle som, and in specyalle of marchaundys, as of tynne, woode,
65 madyr, and alym, whythe grette quantyte of wollyn clothe and many ryche jewellys, whythe othyr notabylle stuffe of fedyr-beddys, beddyng, napery, and many a ryche clothe of Arys to the valewe of a notabylle sum, *nescio set deus omnia scit*.

And in the euenynge they went whythe hyr sympylle captayne to hys
70 loggynge; botte a certayne of hys sympylle and rude mayny abode there alle the nyght, wenynge[1] to them that they hadde wytte and wysdome for to haue gydyde or put in gydyng alle Ingelonde. also sone as[2] they hadde gote the cytte of London by a mysse-happe of cuttynge of ·ij· sory cordys, that nowe be alteryde and made ·ij· stronge schynys of yryn vnto the draught-
75 brygge of London. But they hadde othyr men with hem as welle of London as of there owne party. And by hem of on parte and of that othyr parte they lefte noo thyng unsoffethe; and they serchyd alle that nyght.

Ande in the morne he come yn agayne, that sory and sympylle and rebellyus captayne whythe hys mayny; that was Satyrday. — And at the
80 comyng of the camptayne ynto Sowtheworke he lete smyte of the hedde of a strong theff that was namyd Haywardyn. And uppon the morowe the Sonday at hyghe-mas-tyme a lette to be heddyd a man of Hampton, a squyer, the whyche was namyd Thomas Mayne.

And that same euyn London dyd arysse and cam owte uppon hem at
85 ·x· of[3] the belle, beyng that tyme hyr captaynys the goode olde lorde Schalys and Mathewe Goughe. Ande from that tyme vnto the morowe ·viij· of belle they were euer fyghtynge vppon London Brygge, and many a man was slayne and caste in Temys, harnys, body, and alle; and monge the presse was slayne Mathewe Goughe and John Sutton aldyrman. And the same nyght
90 anon aftyr mydnyght the captayne of Kentte dyde fyre the draught-brygge of London; and before that tyme he breke bothe Kyngys Bynche and the Marchelsy, and lete owte alle the presoners that were yn them. —

And vppon the ·xij· day of Juylle, the yere afore-sayde, the sayde camptayne was cryde and proclaymyd traytoure by the name of John Cade
95 in dyuers placys of London and also in Sowtheworke whythe many moo, that what man myght or wolde bryng the sayde John Cade to the kyng, qwyke or dede, shulde haue of the kynge a thousande marke. Also whosom-euyr myght brynge or wolde brynge any of hys chyffe counsellourys, or of afynyte, that kepte any state or rewle or gouernansse vndyr the sayd fals
100 captayne John Cade, he schulde haue to hys rewarde of the kynge ·v·c· marke. And that day was that fals traytoure the captayne of Kentte itake and slayne in the Welde in the countre of Sowsex, and vppon the morowe

[1] wenyge *MS.* [2] at *MS.* [3] of] *not in MS.*

he was brought in a carre alle nakyd; and at the Herte in Sowetheworke there the carre was made stonde stylle, the wyffe of the howse myght se hym yf hyt were the same man or no that was namyd the captayne of Kente, 105 for he was loggyd whythe-yn hyr howse in hys pevys tyme of hys mys-rewylle and rysynge. And thenne he was hadde into the Kyngys Bynche, and there he lay from Monday at euyn vnto the Thursseday nexte folowynge at euyn. And whythe-yn the Kynges Benche the sayde captayne was beheddyde and quarteryde, and the same day idrawe[1] apon a hyrdylle in pecys whythe the 110 hedde bytwyne hys breste from the Kyngys Benche thoroughe-owte Sowthewerke, and thenne ouyr London Brygge, and thenne thoroughe London vnto Newegate, and thenne hys hedde was takyn and sette vppon London Brygge.

A Trial by Combat (A.D. 1456).

Also that yere a thyffe, one Thomas Whytehorne, was take in the Neweforeste besyde Beuley and put yn preson at Wynchester. And when 115 the day of delyuerans com he appelyd many trewe men; and by that mene he kepte hys lyffe in preson. And thoo men that he appelyd were take and put yn stronge preson and sufferde many grete paynys, and was that they sholde confesse and acorde vnto hys fals pelyng. And sum were hongyd that hadde noo frendeshyppe and goode, and thoo that hadde goode gate 120 hyr charters of pardon. And that fals and vntrewe peler hadde of the kynge euery day ·j·d· ob. And thys he contynuyd al-moste ·iij· yere, and dystryde many men that were sum tym in hys company.

And at the laste he appelyd on that outerly sayde that he was fals in hys appelynge, and sayde that he[2] wolde preue hyt with hys hondys, and 125 spende hys lyfe and blode apone hys fals body. And thys mater was fulle dyscretely take and hyrde of bo, the[3] pelerrys parte and of the defendente ys parte also. And a notabylle man and the moste petefullyste juge of al thys londe in syttyng apon lyffe and dethe toke thys sympylle man that offeryd to fyght with the peler, ande fulle curtesly informyd hym of alle the 130 condyscyons of the fyghtyng and duelle of repreffe, that shulde be bytwyne a peler of the kyngys, fals or trewe, in that one party, and bytwyne the defendent, trewe or false, in that othyr party. For in cas that the peler prevaylyd in that fyght he shulde be put in preson ayen, but he shulde fare more better than he dyd before tyme of fyghtynge, and be ilowe of the kyng 135 ·ij· d. euery day[4] as longe as hit plesyd the kyng that he shulde lyf. For in prosses the kynge may by the lawe put hym to dethe as for a man-sleer, bycause that hys pelyng, fals or trewe, hathe causyd many mannys dethys; for a very trewe man schulde withyn ·xxiiij· howrys make opyn to be knowe alle suche fals hyd thyngys of felony or treson, yf he be nott consentynge 140 vnto the same felowschyppe, vndyr payn of dethe; and thys peler ys in the same cas, wherefore he moste nedys dy by very reson. Thys ys for the pelers party.

The defendaunte ys party ys, as that nobylle man, mayster Myhelle Skyllyng, sayde ande informyde the defender, that he and the peler moste be 145 clothyd alle in whyte schepys leter, bothe body, hedde, leggys, fete, face, handys, and alle. Ande that they schulde haue in hyr hondys ·ij· stauys of grene hasche, the barke beyng apon, of ·iij· fote in lenghthe, and at the ende a bat of the same gouyn owte as longe as the more geuythe any gretenys. And in that othyr ende a horne of yryn, imade lyke vnto a rammys 150 horne, as scharpe at the smalle ende as hit myght be made. And therewhyþe they schulde make hyr foule batayle apone the moste sory and wrecchyd grene that myght be founde abowte the towne, hauyng nothyr mete ne drynke whythe, bot both moste be fastynge. And yf hyr frowarde wepyn ben ibroke they moste fyght with hyr hondys, fystys, naylys, tethe, 155

[1] Idawe *MS.* [2] he *not in MS.* [3] bothe *MS. and ed.* [4] day *om. MS.*

fete, and leggys. Hyt ys to schamfulle to reherse alle the condyscyons of thys foule conflycte; and yf they nede any drynke, they moste take hyr owne pysse. And yf the defendent sle þat peler[1] fals or trewe, the defendent shalle be hangyde bycause of man-sleynge, by soo moche that he hathe islayne
160 the kyngys prover; for by hys meny the kynge hadde mony of suche as were appelyd, and that mony þat rosse of hyr stuffe or goodys þat they hadde was put to þe kynge almys, and hys amener dystrybutyd hit vnto the pore pepylle. But the kyng may by hys grace pardon the defendent yf he wylle, yf[2] the defendent be welle namyd and of competent gouernaunce in the toune
165 or citte there-at hys abydyng ys; but thys fulle seldon sene bycause of the vyle and unmanerly fyghtynge. And by reson they shulde not ben beryd in noo holy sepulture of crystyn mannys beryng, but caste owte as a man þat wylfully sleythe hym selfe. "Nowe remembyr thys foule batayle, whether[3] ye wylle doo hyt or noo."

170 And bothe partys consentyde to fyght, with alle the condyscyons that long there-too. And the fendent desyryd that the juge wolde sende vnto Mylbroke there that he dwellyde, to inquere of hys gydynge and of hys[4] conversacyon. And alle the men in that toune sayde that he was the trewyste laborer in alle that contre and the moste gentellyste there-with; for he was
175 a fyscher and tayler of crafte. And the peler desyryd the same, but he was not abydynge in no place passynge a monythe. And in euery place thereas inquesyscyon was made men sayde: "Hange vppe Thome Whythorne, for he ys to stronge to fyght with Jamys Fyscher the trewe man whythe an yryn rammys horne!" And thys causyd the juge to haue pytte apon the
180 defendent.

The maner of fyughtynge of thes ·ij· poore wrecchys bysyde Wynchester: The peler in hys arayment ande parelle whythe hys wepyn come owte of the este syde, and the defendent owte of the sowthe-weste syde in hys aparayle, with hys wepyn, fulle sore wepynge, and a payre of bedys in hys hond; and
185 he knelyd downe apone the erthe towarde the este and cryde god marcy and alle the worlde, and prayde euery man of forgeuenys, and euery man there beyng present prayde for hym.

And the fals peler callyde and sayd: "Þou fals trayter, why arte þou soo longe in fals bytter beleue?" And thenne the defendent rosse vpe-on
190 hym[5] and sayde: "My quarelle ys as faythefulle and alle soo trewe as my bylyue, and in that quarelle I wylle fyght," and with the same worde smote at the peler that hys wepyn breke. And thenne the peler smote a stroke to the defendent; but the offycers were redy that he shulde smyte no more, and they toke away hys wepyn fro hym. And thenn they fought togederys with
195 hyr fystys long tyme and restyd hem, ande fought agayne and thenn restyd agayne. And thenn they wente togedyr by the neckys. And then they bote[6] with hyr tethe, that the lethyr of clothyng and flesche was alle to-rente in many placys of hyr bodys. And thenn the fals peler caste that meke innocent downe to the grownde and bote hym by the membrys, that the sely
200 innocent cryde owt. And by happe more thenne strengythe that innocent recoueryd vp on hys kneys and toke that fals peler by the nose with hys tethe and put hys thombe in hys yee, that the peler cryde owte and prayde hym of marcy, for he was fals vnto god and vnto hym. And thenn þe juge commaundyd hem to cesse and hyr bothe hyr talys; and the peler sayde
205 that he hadde accusyd hym wrongefully and ·xviij· men, and besought god of marcy and of forgeuenys. And thenn he was confessyd ande hanggyd, of whos soule god haue marcy. Amen.

As for the defendent was pardonyd of hys lyfe, leme, and goodys, and went home. And he become an hermyte and with schorte tyme dyde.

---

[1] pelers *MS.* [2] ys *MS.* [3] whethey *MS.* [4] hys *not in MS.* [5] vpe and hym and *MS. and ed.* [6] bote] bothe *MS. and ed.*

Military Art and Engines; Cavalry and Infantry. (A.D. 1461)

The lordys in kyng Harrys party pycchyd a fylde and fortefyd hyt fulle stronge, and lyke unwyse men brake hyr raye and fyld and toke anothyr, and or that they were alle sette a-buskyd to batayle, the quenys parte was at hond whythe hem in towne of Synt Albonys; and then alle þyng was to seke and owte of ordyr, for hyr pryckyers come not home to bryng no tydyng howe ny that the quene was, saue one come and sayd that she was ·ix· myle of. And ar the goners and borgeners couthe leuylle hyr gonnys they were besely fyghtyng, and many a gynne of wer was ordaynyd that stode in lytylle avayle or nought; for the burgeners hadde suche instrumentys that wolde schute bothe pellettys of ledde and arowys of an elle of lenghthe with ·vj· fetherys, ·iij· in myddys and ·iij· at the othyr ende, with a grete myghty hedde of yryn at the othyr ende, and wylde fyre with alle. Alle thes ·iij· thyngys they myght schute welle and esely at onys, but in tyme of nede they couthe not schut not one of thes, but the fyre turnyd backe apon them that wold schute thys ·iij· thyngys. Also they hadde nettys made of grete cordys of ·iiij· fethem of lengthe and of ·iiij· fote brode, lyke vnto an haye, and at euery ·ij· knott there was an nayl stondyng vppe-ryght, that there couthe no man passe ouyr hyt by lyckelyhode but he shulde be hurte. Alle so they hadde pavysse bore as a dore imade with a staffe foldynge vppe and downe to sette the pavys where the lykyd, and loupys with schyttyng wyndowys to schute owte at, they stondyng byhynde þe pavys, and the pavys as fulle of ·iij· d. nayle aftyr ordyr as they myght stonde. And whenn hyr schotte was spende and done they caste the pavysse byfore hem, thenn there myght noo man come vnto them ouyr the pavysse for the naylys that stode vpryghte, but yf he wolde myschyffe hym sylfe. Alle so they hadde a thynge made lyke vnto a latysse fulle of naylys as the net was, but hit wolde be meuyd as a man wolde: a man myght bryse hyt togedyr that the lengythe wolde be more then ·ij· yerdys long, and yf he wolde he myght hale hyt a-brode, thenn hit wolde be ·iiij· square. And that seruyd to lye at gappys there-at horsemen wolde entyr yn, and many a caltrappe. And as the substaunce of men of worschyppe that wylle not glose nor cory-fauyl for no parcyallyte, they cowthe not vndyrstond that alle thys ordenaunce dyd any goode or harme but yf hyt were a-mong us in owre parte with kyng Harry. There-fore hyt ys moche lefte, and men take hem to mallys of ledde, bowys, swyrdys, gleyuys, and axys. As for speremen they ben good to ryde before the foote-men and ete and drynke vppe hyr vetayle, and many moo suche prety thyngys they doo, holde me excusyd thoughe I say the beste, for in the fote-men ys alle the tryste.

The Burning of a Heretic (A.D. 1467).

Alle soo thys yere there was an herryke ibrende at the Towre Hylle, for he dyspysyd the sacrament of the auter. Hys name was Wylliam Balowe, and he dwellyd at Walden. And he and hys wyffe were abjuryd longe tyme before. And my Lorde of London kepte hym in preson longe tyme, and he wolde not make noo confessyon vnto noo pryste, but oonly vnto god, and sayde that no pryste had noo more pouer to hyre confessyon thenn Jacke Hare. And he had no consyence to ete flesche aftyr Estyr, as welle as thoo that were bothe schryffe and houselyd.

At the tyme of hys brennynge a docter, mayster Hewe Damelet, person of Syn Petrys in the Cornehylle, laboryd hym to beleue in the hooly sacrament of the auter. And thys was the herytyke ys sayyng: "Bawe, bawe, bawe! What menythe thys pryste? Thys I wotte welle, that on Goode Fryday ye make many goddys to be putte in the sepukyr, but at Ester-day they can not aryse them selfe, but that ye moste lyfte them vppe and bere them forthe, or ellys they wylle ly stylle yn hyr grauys." Thys was that tyme of hys departyng from that worschipfulle docter.

Coins (A.D. 1465).

265 Thys yere was hyt ordaynyd that the noubylle of ·vj·s.viij·d. shulde goo for ·viiij·s.iiij·d. And a newe cune was made: Fyrste they made an Angylle and hit went for ·vj·s.viij·d., and halfe an angyl for ·xl·d.; but they made non farthyngys of that gold. And thenne they made a gretter cune, and namyd hyt a ryalle, and that wentte for ·x·s., and halfe the ryalle 270 for ·v·s., and the farthynge for ·ij·s.vj·d. And they made newe grotys not soo goode as the olde, but they were worthe ·iiij·d. And then sylvyr rosse to a grytter pryce, for an unce of sylvyr was sette at ·iij·s., and better of sum sylvyr. But at the begynnynge of thys mony men grogyd passynge sore, for they couthe not rekyn that gold not so quyckely as they dyd the olde 275 golde. And men myght goo thoroughe-owte a strete or thoroughe a hoole parysche or that he myght chonge hit. And sum men sayd that the newe golde was not soo good as the olde golde was, for it was alayyd.

290. GO, PENI, GO!

MS.: Cambridge, Caius Coll. 261; XV century. - *ed.:* R. H. Robbins, Sec. Lyrics XIV-XV, Oxford 2. 1955. - BR. 3209.

Spende, and god schal sende;
Spare, and ermor care:
Non peni, non ware,
Non catel, non care:
Go, peni, go!

291. I HAD MY GOOD AND MY FREND

MS.: BM., Harley 116; XV century. — *ed.:* R.H. Robbins, Sec.Lyrics XIV-XV, 2. 1955.—BR. 1297.

I had my good and my ffrend;
I lent my good to my ffrend;
I askyd my good of my ffrend;
I lost my good and my ffrend.
I made of my ffrend my ffoo:
I will be war I do no more soo.

292. SIR PENY

MS.: BM., Sloane 2593; XV century. — *edd.:* Th. Wright, Songs and Carols, 1836; R. H. Robbins, Sec. Lyrics XIV-XV, Oxford 1952. — BR. 2747; [We, IV, 47].

Go bet, Peny, go bet, go;
For þou mot makyn boþe frynd and fo.

Peny is an hardy knyȝt,
Peny is mekyl of myȝt,
Peny of wrong he makyt ryȝt
4 In euery cuntre qwer he goo.

Þow I haue a man islawe
And forfetyd þe kynges lawe,
I xal fyndyn a man of lawe
8 Wyl takyn myn peny and let me goo.

And if I haue to don fer or ner,
And Peny be myn massanger,
Þan am I non þing in dwer:
12 My cause xal be wel idoo.

And if I haue pens boþe good and fyn,
Men wyl byddyn me to þe wyn.
'Þat I haue xal be þin,'
16 Sekyrly þei wil seyn so.

And quan I haue non in myn purs,
Peny bet ne peny wers,
Of me þei holdyn but lytil fors:
20 'He was a man, let hym goo.'

292.*Refr.* mat *MS.*

293. PASTON LETTERS

MS.: BM., Paston MSS.; XV century. - *edd.*: J. Gairdner, 6 vols., London 1904, from which the following extracts are taken; J. Fenn, 1787-1823. Ed. for the EETS. in preparation. Modern selections: A. D. Greenwood, London 1920; A. H.R.Ball, London 1949. - Ke. 4809-11; Ba. 116; RO. 262; H.S.Bennett, The Pastons and their England, Cambridge 1922/31.*

***Fortifying a House.** (Margaret Paston to John Paston, probably 1449).*

Ryt wurchipful hwsbond, I recomawnd me to ȝu, and prey ȝw to gete som crosse-bowis, and wyndacs to bynd them with, and quarrels; for ȝour hwsis her ben so low that ther may non man schet owt with no long bowe, thow we hadde never so moche nede. I sopose ȝe xuld have seche thyngs of Ser Jon Fastolf, if ȝe wold send to hym; and also I wold ȝe xuld gete 5 ·ij· or ·iij· schort pelleaxis to kepe with doris, and als many jakkys, and ye may.

Partryche and his felaschep arn sor aferyd that ȝe wold entren aȝen up-on them, and they have made grete ordynawnce with-inne the hwse, as it is told me. They have made barris to barre the dorys crosse-weyse, and 10 they have made wykets on every quarter of the hwse to schote owte atte, bothe with bowys and with hand-gunnys; and the holys that ben made forr hand-gunnys they ben scarse kne-hey fro the plawncher, and of soche holis ben made fyve. There can non man schete owt at them with no hand-bowys. 15

Purry felle in felaschepe with Willyum Hasard at Querles, and told hym that he wold com and drynk with Partryche and with hym, and he seyd he xuld ben welcome; and after none he went thedder for to aspye qhat they dedyn and qhat felachep they hadde with them; and qhan he com thedder, the dors were fast sperid and there wer non folks with hem but Maryoth, 20 and Capron and hys wyf, and Querles wyf, and another man in a blac ȝede sum-qhate haltyng, I sopose be his words that it was Norfolk of Gemyngham; and the seyd Purry aspyde alle this forseyd thyngs. And Marioth and his felaschep had meche grette langage that xall ben told ȝw qhen ȝe kom hom.

I pray ȝw that ȝe wyl vowche-save to don bye for me ·j·li. of almands 25 and ·j·li. of sugyr, and that ȝe wille do byen sume frese to maken of ȝour child is gwnys; ȝe xall have best chepe and best choyse of Hayis wyf, as it is told me. And that ȝe wyld bye a ȝerd of brode clothe of blac for an hode fore me of ·xliiij·d. or ·iiij·s. a ȝerd, for ther is nether gode cloth ner god fryse in this twn. As for the child is gwnys, and I have them, I wel 30 do hem maken.

The trynyte have ȝw in his keping and send ȝw gode spede in alle ȝour materis.

***The Death of Suffolk** (A.D.1450, May 5; William Lomner to John Paston).*

To my ryght worchipfull John Paston, at Norwich.

Ryght worchipfull sir, I recomaunde me to yow, and am right sory of 35 that I shalle sey, and have soo wesshe this litel bille with sorwfulle terys, that on-ethes ye shalle reede it.

As on Monday nexte after May-day there come tydyngs to London, that on Thorsday before the Duke of Suffolk come unto the costes of Kent full nere Dower with his ·ij· shepes and a litel spynner; the qweche spynner 40 he sente with certeyn letters to certeyn of his trustid men unto Caleys warde, to knowe howe he shuld be resceyvyd. And with hym mette a shippe callyd Nicolas of the Towre, with other shippis waytyng on hym; and by hem that were in the spyner, the maister of the Nicolas hadde knowlich of the dukes comyng. And whanne he espyed the dukes shepis, he sent forthe his bote 45 to wete what they were, and the duke hym selfe spakke to hem, and seyd, he was be the kyngs comaundement sent to Caleys ward, &c.; and they seyd he most speke with here master. And soo he, with ·ij· or ·iij· of his men, wente forth with hem yn here bote to the Nicolas. And whanne he come, the master badde hym "Welcome, traitor", as men sey. And forther 50

* cf. N. Davis, The Language of the Pastons, London 1954.

the maister desyryd to wete yf the shepmen woldde holde with the duke, and they sent word they wold not yn noo wyse. And soo he was on the Nicolas tyl Saturday next folwyng.

Soom sey he wrotte moche thenke to be delyverd to the kynge, but 55 thet is not verily knowe. He hadde hes confessor with hym, &c. And some sey he was arreyned yn the sheppe on here maner upon the appechementes and fonde gylty, &c.

Also he asked the name of the sheppe; and whanne he knew it, he remembred Stacy that seid, if he myght eschape the daunger of the Towr, 60 he should be saffe. And thanne his herte faylyd hym, for he thowghte he was desseyvyd.

And yn the syght of all his men he was drawyn ought of the grete shippe yn-to the bote. And there was an exe, and a stoke, and oon of the lewdeste of the shippe badde hym ley down his hedde, and he should be 65 fair ferd wyth, and dye on a swerd; and toke a rusty swerd, and smotte of his hedde withyn halfe a doseyn strokes, and toke awey his gown of russet, and his dobelette of velvet mayled, and leyde his body on the sonds of Dover. And some sey his hedde was sette oon a pole by it, and hes men sette on the londe be grette circumstaunce and preye.

70 And the shreve of Kent doth weche the body, and sent his undershreve to the juges to wete what to doo, and also to the kenge whatte shal be doo. Forther I wotte nott, but this fer is that yf the proces be erroneous, lete his concell reverse it, &c. -

I prey yow lete my mastras your moder knowe these tydyngis, and 75 god have yow all yn his kepyn. I prey yow this bille may recomaunde me to my mastrases your moder and wyf, &c. - Wretyn yn gret hast at London, the ·v· day of May, &c. By yowr wyfe.[1] W.L.

Account of Jack Cade's Rebellion (A.D. 1450; letter actually written in 1465).

To my ryght honurabyll maister, John Paston.

Ryght honurabyll and my ryght enterly bylovyd maister, I recomaunde 80 me un-to yow with al maner of due reverence in the moste louly wyse as we ought to do, evermor desyryng to here of your worshipfull state, prosperite, and welfar; the which I beseke god of his aboundant grace encrece and mayntene to his moste plesaunce and to your hartis desyre.

Pleasyth it your gode and gracios maistershipp tendyrly to consedir 85 the grete losses and hurts that your por peticioner haeth, and haeth ihad evyr seth the comons of Kent come to the Blakheth, and that is at ·xv· yer passed, whereas my maister Syr John Fastolf, knyght, that is your testator, commandyt your besecher to take a man and ·ij· of the beste orsse that wer in his stabyll with hym to ryde to the comens of Kent, to gete the 90 articles that they come for. And so I dyd. And al so sone as I come to the Blakheth, the capteyn made the comens to take me. And for the savacion of my maisters horse I made my fellowe to ryde a-wey with the ·ij· horses; and I was brought forth-with befor the capteyn of Kent.

And the capteyn demaundit me what was my cause of comyng thedyr, and 95 why that I made my fellowe to stele a-wey with the horse. And I seyd that I come thedyr to chere with my wyves brethren and other that were my alys and gossippes of myn that were present there. And than was there oone there, and seid to the capteyn that I was one of Syr John Fastolfes men, and the ·ij· horse were Syr John Fastolfes. And then the capteyn lete cry 100 treson upon me thorought all the felde, and brought me at ·iiij· partes of the feld with a harrawd of the Duke of Exetter before me in the dukes cote

[1] *W. Lomner had been in the habit of acting as Margaret Paston's secretary in writing to her husband; perhaps his emotion is revealed by this singular subscription even more than by his lines.*

of armes, makyng ·iiij· oyes at ·iiij· partes of the feld, proclaymyng opynly by the seid harrawd that I was sent thedyr for to espy theyre pusaunce and theyre abyllyments of werr, fro the grettyst traytor that was in Yngelond or in Fraunce, as the seyd capteyn made proclaymacion at that tyme, fro oone 105 Syr John Fastolf, knyght, the whech mynnysshed all the garrisons of Normaundy, and Manns, and Mayn, the whech was the cause of the lesyng of all the kyngs tytyll and ryght of an herytaunce that he had by-yonde see. And morovyr he seid that the seid Sir John Fastolf had furnysshyd his plase with the olde sawdyors of Normaundy and abyllyments of werr to destroy 110 the comens of Kent whan that they come to Southewerk. And therfor he seyd playnly that I shulde lese my hede.

And so furthewith I was taken, and led to the capteyns tent; and ·j· ax and ·j· blok was brought forth to have smetyn of myn hede. And than my maister Ponyngs, your brodyr, with other of my frendes, come and lettyd 115 the capteyn, and seyd pleynly that there shulde dye a ·c· or ·ij· that in case be that I dyed; and so by that meane my lyf was savyd at that tyme.

And than I was sworen to the capteyn and to the comens, that I shulde go to Southewerk, and aray me in the best wyse that I coude, and come ageyn to hem to helpe hem. And so I gote tharticles and brought 120 hem to my maister; and that cost me more emongs the comens that day than ·xxvij·s.

Wherupon I come to my maister Fastolf, and brought hym tharticles, and enformed hym of all the mater, and counseyled hym to put a-wey all his abyllyments of werr and the olde sawdiors. And so he dyd, and went 125 hymself to the Tour, and all his meyny with hym but Betts and ·j· Mathew Brayn. And had not I ben, the comens wolde have brennyd his plase and all his tennuryes, wher-thorough it cost me of my noune propr godes at that tyme more than ·vj· merks in mate and drynke. And nought-withstondyng the capteyn that same tyme lete take me atte Whyte Harte in Suthe- 130 werk, and there comandyt Lovelase to dispoyle me oute of myn aray; and so he dyd. And there he toke a fyn gowne of Muster-dewyllers furryd with fyn bevers, and ·j· peyr of bregandyrns kevert with blew fellewet and gylt naile, with leg-harneyse, the vallew of the gown and the bregardyns ·viij·li. 135

Item, the capteyn sent certeyn of his meyny to my chamber in your rents, and there breke up my chest, and toke awey ·j· obligacion of myn that was due unto me of ·xxxvj·li. by a prest of Poules, and ·j· nother obligacion of ·j· knyght of ·x·li., and my purse with ·v· ryngs of golde, and ·xvij·s. ·vj·d. of golde and sylver; and ·j· herneyse complete of the 140 touche of Milleyn; and ·j· gowne of fyn Perse blewe furryd with martens; and ·ij· gounes, one furryd with bogey and ·j· nother lyned with fryse; and ther wolde have smetyn of myn hede, whan that they had dyspoyled me atte White Hart. And there my maister Ponyngs and my frends savyd me, and so I was put up tyll at nyght that the batayle was at London Brygge. And 145 than atte nyght the capteyn put me oute into the batayle atte brygge, and there I was woundyt and hurt nere-hand to deth; and there I was ·vj· oures in the batayle, and myght nevyr come oute therof. And ·iiij· tymes before that tyme I was caryd abought thorought Kent and Sousex, and ther they wolde have smetyn of my hede. 150

And in Kent there as my wyfe dwellyd, they toke awey all oure godes mevabyll that we had, and there wolde have hongyd my wyfe and ·v· of my chyldren, and lefte her no more gode but her kyrtyll and her smook. And a-none aftyr that hurlyng, the bysshop Roffe apechyd me to the quene, and so I was arestyd by the quenes commaundment in-to the Marchalsy, and 155 there was in rygt grete durasse and fere of myn lyf, and was thretenyd to have ben hongyd, drawen, and quarteryd; and so wold have made me to

have pechyd my maister Fastolf of treson. And by-cause that I wolde not, they had me up to Westminster, and there wolde have sent me to the gole-
160 house at Wyndsor; but my wyves and ·j· coseyn of myn noune that were yomen of the croune, they went to the kyng, and got grase and ·j· chartyr of pardon. Per le vostre J. Payn.

A Night Piece. (A.D. 1455, Oct. 28; James Gresham to John Paston.)
To my right worshipfull maister, John Paston, at Norwiche, be this delyvred.

. . . There is gret varyance bytwene the Erll of Devenshire and the Lord Bonvyle, as hath be many day, and meche debat is like to growe ther-
165 by; for on Thursday at nyght last passed, the Erll of Denshyres sone and heir come with ·lx· men of armes to Radfords place in Devenshire, whiche was of counseil with my lord Bonvyle; and they sette an hous on fyer at Radfords gate, and cryed and mad an noyse as though they had be sory for the fyer. And by that cause Radfords men set opyn the gats and yede owt
170 to se the fyer; and for-with therll sone forseid entred into the place and intreted Radford to come doun of his chambre to speke with them, promyttyng hym that he shuld no bodyly harm have; up-on whiche promysse he come doun and spak with the seid erll sone.

In the mene-tyme his menye robbe his chambre, and ryfled his huches,
175 and trussed suyche as they coude gete to-gydder, and caryed it awey on his own hors. Thanne therll sone seid: "Radford, thou must come to my lord my fadir." He seid he wold, and bad oon of his men make redy his hors to ride with hem, whiche answerd hym that alle his hors wern take awey. Thanne he seid to therll sone: "Sir, your men have robbed my
180 chambre, and thei have myn hors, that I may not ride with you to my lord your fadir, wherfor, I pray you, lete me ride; for I am old and may not go." It was answerid hym ageyn, that he shuld walke forth with them on his feete.[1] - And whanne thei were thus departed . . . come ·ix· men ageyn up on hym, and smot hym in the hed, and fellid (hym doun and oon) of
185 them kyt his throte. -

A Schoolboy and his Mother (A.D. 1458, Jan. 28).
Erands to London of Augnes Paston, the ·xxviij· day of Jenure, the yer of kyng Henry the Sext, xxxvj.

To prey Grenefeld to send me feythfully word, by wrytyn, who Clement Paston hath do his dever in lernyng. And if he hathe nought do well, nor wyll nought amend, prey hym that he wyll trewly belassch hym, tyl he wyll amend; and so ded the last maystr, and the best that ever he had, att
190 Caumbrege. And sey Grenefeld that if he wyll take up-on hym to brynge hym in-to good rewyll and lernyng, that I may verily know he doth hys dever, I wyll geve hym ·x· marcs for hys labor, for I had lever he wer fayr beryed than lost for defaute.

Item, to se who many gownys Clement hathe; and the that be bar,
195 late hem be reysyd. He hathe achort grene gowne, and achort Musterdevelers gowne, wer never reysyd; and achort blew gowne that was reysyd, and mad of a syde gowne, whan I was last at London; and asyde russet gowne, furryd with bevyr, was mad this tyme ·ij· yer; and asyde murry gowne was mad this tyme twelmonth.

200 Item, to do make me ·vj· sponys of ·viij· ounce of troy wyght well facyond and dubbyl gylt.

And sey Elyzabet Paston that she must use hyr selfe to werke redyly, as other jentylwomen done, and sumwhat to helpe hyr selfe ther-with.

Item, to pay the lady Pole ·xxvj·s. viij· d. for hyr bord.

205 And if Grenefeld have do wel hys dever to Clement, or wyll do hys dever, geffe hym the nobyll. Agnes Paston.

[1] *MS. in the latter part decayed.*

John Paston's Books (about 1474/83).

The Inventory off Englysshe Boks off John (Paston)[1], made the ·v· daye of Novembre, anno regni regis E. iiij· . . . .

1. A boke had off myn ostesse at the George . . . off the Dethe off Arthr begynyng at Cassab(elaun, Guy Earl of) Warwyk, Kyng Ri. Cur de Lyon, a Cronicle . . . to Edwarde the ·iij; prec. - 210

2. Item, a boke of Troylus whyche William Bra . . . hath hadde neer ·x· yer, and lent it to Dame . . . Wyngfelde, and ibi ego vidi; valet -

3. Item, a blak boke with the Legende off Lad(ies, La Belle Dame) saunce Mercye, the Parlement off Byrdes, (the Temple off) Glasse, Palatyse and Scitacus, ... the Greene Kryght; valet - 215

4. Item, a boke in preente off the Pleye off the (Chess).

5. Item, a boke lent Midelton, and therin is Bele Da(me saunce) Mercy, the Parlement of Byrds, Balade . . . . . off Guy and Colbronde, off the Goos . . . , the Dysputson bytwyen Hope and Dyspeyr, . . . Marchaunts, the Lyffe of Seynt Cry(stofer). 220

6. A reede boke that Percyvall Robsart gaff me . . . . off the Medis off the Masse, the Lamentacion . . . . off Chylde Ypotis, a Preyer to the Vernyclr . . . . . callyd the Abbeye off the Holy Goost, . . .

7. Item, in quayers: Tully, de Senectute, in diverse . . . wheroff ther is no mor cleer wretyn . . . 225

8. Item, in quayers: Tully or Cypio, de Ami(citia,) leffte with William Worcester; valet -

9. Item, in qwayers: a boke of the Polecye of In(glond) . . .

10. Item, in qwayers: a boke de Sapiencia . . . wherin the ·ij· parson is liknyd to Sapi(ence) . . . 230

11. Item, a boke De Othea, text and glose; valet - in quayers.

Memorandum: myn olde Boke off Blasonyngs off A(rmys.) Item, the nywe Boke portrayed and blasoned. Item, a copy off blasonyngs off armys and the . . . names to be fownde by letter. Item, a boke with armys portrayed in paper . . . 235

Memorandum: my Boke of Knyghthod, and the maner off makyng off Knyghts, off Justs, off Tor(neaments,) ffyghtyng in lystys, paces holden by so(ldiers) . . . and chalenges, statuts off weer, and De Regim(ine Principum); valet - Item, a Boke off nyw Statuts ffrom Edward the iiij[2]. 240

A Young Lady's Letter to her Valentine. (A.D. 1477, February; Margery Brews to John Paston.)

To my ryght welebelovd cosyn, John Paston, Swyer,
be this letter delyveryd, &c.

Ryght wurschypfull and welebelovyd Volentyne, in my moste umble wyse I recommande me un-to yowe. &c. And hertely I thanke yowe for the lettur whech that ye sende me be John Bekarton, wherby I undyrstonde and knowe, that ye be purposyd to come to Topcroft in schorte tyme, and withowte any erand or mater, but only to hafe a conclusyon of the mater betwyx my fader and yowe. I wolde be most glad of any creatur on lyve, so that the mater myght growe to effect. And ther as ye say, and ye come and fynde the mater no more towards you then ye dyd afortyme, ye wold no more put my fader and my lady my moder to no cost ner besenesse for that cause a good wyle aftur, wech causyth myne herte to be full hevy; and 245 250

[1] *MS. considerably decayed.* [2] *The memoranda seem to have been added at a later period.*

yf that ye come, and the mater take to none effecte, then schuld I be meche mor sory and full of hevynesse.

And as for my selfe I hafe done and undyrstond in the mater that I can or may, as god knowyth; and I let yowe pleynly undyrstond, that my 255 fader wyll no mor money parte with all in that behalfe but an ·c·li. and ·l· marke, whech is ryght far fro the acomplyshment of yowr desyre.

Wherfore, yf that ye cowde be content with that good and my por persone, I wold be the meryest mayden on grounde; and yf ye thynke not yowr selffe so satysfyed or that ye myght hafe mech mor good as I hafe 260 undyrstonde be yowe afor, good, trewe, and lovyng Volentyne, that ye take no such labur uppon yowe as to come more for that mater, but let is[1] passe, and never more to be spokyn of, as I may be yowr trewe lover and bedewoman duryng my lyfe.

No more un-to yowe at thys tyme, but Almyghty Jesus preserve yowe, 265 bothe body and sowle, &c.

Be your Voluntyne, Margery Brews.

A Young Woman's Letter to her Husband (A.D. 1477, December; Margery Brews-Paston to John Paston).

To myryth reverent and worscheful husbond, Jon Paston.

Ryth reverent and worscheful husbond, I recomaunde me to yow, desyryng hertyly to here of yowr wylfare, thankyng yow for the tokyn that ye sent me be Edmunde Perys, preyng yow to wete that my modyr sent to my 270 fadyr to London for a goune cloth of Mustyrddevyllers to make of a goune for me; and he tolde my modyr and me wanne he was comme home, that he cargeyt yow to beyit, aftyr that he were come oute of London.

I pre yow, yf it be not bowt, that ye wyl wechesaf to byit, and sendyt home as sone as ye may; for I have no goune to weyre this wyntyr 275 but my blake and my grene a-lyer, and that is so comerus that I ham wery to weryt.

As for the gyrdyl that my fadyr be-hestyt me, I spake to hym ther-of a lytyl before he ȝede to London last, and he seyde to me that the faute was in yow, that ȝe wolde not thynk ther-uppe-on to do makyt. But I 280 sopose that ys not so; he seydyt but for a skwsacion. I pre yow, yf ye dor takyt uppe-on yow, that ye wyl weche-safe to do makyt a-yens ye come home, for I hadde never more nede ther-of than I have now, for I ham waxse so fetys that I may not be gyrte in no barre of no gyrdyl that I have but of one. Elisabet Peverel hath leye sek ·xv· or ·xvj· wekys of the seyetyka; 285 but sche sent my modyr word be Kate, that sche xuld come hedyr wanne god sent tyme, thoow sche xuld be crod in a barwe.

Jon of Damm was here, and my modyr dyskevwyrd me to hym, and he seyed be hys trouth that he was not gladder of no thyng that he harde thys towlmonyth, than he was ther-of.

290 I may no lenger leve be my crafte; I am dysscevwyrd of alle men that se me.

Of alle odyr thyngys that ye deseyreyd that I xuld sende yow word of I have sent yow word of in a letter that I dede wryte on Ouwyr Ladyis Day laste was. The holy trenyte have yow in hese kepyng. Wretyn at 295 Oxnede, in ryth gret hast, on the Thrusday next be-fore Seynt Tomas Day.

I pre yow that ye wyl were the reyng with the emage of Seynt Margrete, that I sent yow for a rememraunse, tyl ye come home; ye have lefte me sweche a rememraunse, that makyth me to thynke uppe-on yow bothe day and nyth wanne I wold sclepe.

300 Your ys, M.P.

[1] ? *em.* it, *or* let what is

294. THOMAS BETSON TO KATHERINE RYCHE (1476)

From the Stonor Letters and Papers, above. — Katherine Ryche, William Stonor's step-daughter, born about 1462; Thomas Betson, Stonor's partner in the wool-trade, married Katherine in 1478.

To my feiȝthefful and hartely belovid Cossen Kateryn Rvche at Stonor this letter be delyvered in hast. Jhesus. Anno xvj.

My nowne hartely belovid Cossen Kateryn, I recomande me unto yow withe all the inwardnesse of myn hart. And now lately ye shall understond þat I resseyvid a token from you, the which was and is to me right hartely welcom, and with glad will I resseyvid it; and over that I had a letter from Holake, youre gentyll sqwyer, by the which I understond right well þat ye be in good helth off body, and mery at hart. And I pray God hartely to his plesour to contenew the same: ffor it is to me veray grete comfforth þat ye so be, so helpe me Jhesu. And yff ye wold be a good etter off your mete allwaye, that ye myght waxe and grow fast to be a woman, ye shuld make me the gladdest man off the world, be my trouth: ffor whanne I remembre your favour and your sadde loffynge delynge to me wardes, for south ye make me evene veray glade and joyus in my hart: and on the toþersyde agayn whanne I remembre your yonge youthe, and seeth well that ye be none eteter off youre mete, the which shuld helpe you greately in waxynge, for south þan ye make me veray hevy agayn. And therffore I praye you, myn nown swete Cossen, evene as you loffe me to be mery and to eate your mete lyke a woman. And yff ye so will do for my loveff, looke what ye will desyre off me, whatsomever it be, and be my trouth I promesse you by the helpe of our Lord to perfforme it to my power. I can no more say now, but at my comyng home I will tell you mych more betwene you and me and God beffore.

I pray you grete well my horsse, and praye hym to gyffe yow iiij off his yeres to helpe you with all: and I will at my comynge home gyff hym iiij off my yeres and iiij horsse lofes till amendes. Tell hym þat I prayed hym so. And, Cossen Kateryn, I þannke you for hym, and my wiff shall þanke you for hym hereafter; for ye do grete cost apon hym as it is told me. Myn nown swete Cossen, it was told me but late þat ye were at Cales to seeke me, but ye cowde not se me nor fynde me: ffor south ye myght have comen to my counter, and þer ye shuld bothe fynde me and see me, and not have fawtid off me. But ye sought me in a wronge Cales, and þat ye shuld well know yff ye were here and saw this Cales, as wold God ye were and som off them with you þat were with you at your gentill Cales. I praye you, gentill Cossen, comaunde me to the cloke, and pray hym to amend his unthryffte maners: ffor he strykes ever in undew tyme, and he will be ever affore, and that is a shrewde condiscion. Tell hym with-owte he amend his condiscion that he will cause strangers to advoide and come no more there. I trust to you that he shall amend agaynest myn commynge, the which shalbe shortely with all hanndes and all feete with Godes grace.

My veray feiȝthefful Cossen, I trust to you þat thowe all I have not remembred my right worshipfull maystres your modyr affore in this letter þat ye will off your gentilnesse recomaunde me to her maystresshipe as many tymes as it shall ples you; and ye may say, yff it plese you, that in Wytson Weke next I intend to þe marte ward. And I trust you will praye for me; for I shall praye for you, and, so it may be, none so well. And Almyghty Jhesu make you a good woman, and send you many good yeres and longe to lyveffe in helth and vertu to his plesour.

At greate Cales on this syd on the see, the fyrst day off June, whanne every man was gone to his dener, and the cloke smote noynne, and all our howsold cryed after me and badde me come down, "Come down to dener at ones!" And what answer I gaveffe hem ye know it off old.

Be your feiȝtheffull Cossen and loffer Thomas Betson.

I sent you this rynge for a token.

295. VULGARIA

VERNACULAR PASSAGES FOR TRANSLATION INTO LATIN FROM A FIFTEENTH CENTURY SCHOOL BOOK

MS.: BM., Arundel 249; late XV century. — *ed.*: W. Nelson, A Fifteenth Century School Book, Oxford 1956.

Two Aspects of Education.

The worlde waxeth worse euery day, and all is turnede vpside down, contrary to tholde guyse*. For all þat was to me a pleasure when I was a childe from ·iij· yere olde to ·x· — for now I go vpon the ·xij· yere — while I was vndre my father and mothers kepyng, be tornyde now to tor-
5 mentes and payne. For than I was wont to lye styll abedde tyll it was forth dais, delitynge myselfe in slepe and ease. The sone sent in his beamys at the wyndowes þat gave me lyght instede of a candle. O, what a sporte it was euery mornynge when the son was vpe to take my lusty pleasur betwixte the shetes, to beholde the rofe, the beamys, and the rafters
10 of my chambre, and loke on the clothes þat the chambre was hangede withl Ther durste no mann, but he were made, awake me oute of my slepe vpon his owne hede while me list to slepe. At my wyll I arose with intreatese, and whan thappetite of rest went his way by his owne accorde, than I awoke and callede whom me list to lay my gere redy to me. My breke-
15 faste was brought to my beddys side as ofte as me liste to call therfor, and so many tymes I was first fedde or I were cledde. So I hade many pleasurs mo besides thes, wherof sum be forgoten, sum I do remembre well, but I haue no leysure to reherce them nowe.

But nowe the worlde rennyth vpon another whele: For nowe at fyue
20 of the clocke by the monelyght I most go to my booke and lete slepe and slouthe alon. And yff oure maister hape to awake vs, he bryngeth a rode stede of a candle. Now I leue pleasurs þat I hade sumtyme; here is nought els preferryde but monyshynge and strypys. Brekfastes þat were sumtyme brought at my biddynge is dryuen oute of contrey and neuer shall cum
25 agayne. I wolde tell more of my mysfortunes, but thoughe I haue leysure to say, yet I haue no pleasure, for the reherse of them makyth my mynde more heuy. I sech all the ways I can to lyue ons at myn ease, þat I myght rise and go to bede when me liste oute of the fere of betynge. —

All the richest menys childrenn euerywher be loste nowadais in ther
30 youghe at home, and þat with ther fathers and mothers, and þat is great pite, playn. The mothers must haue them to play withall stede of puppetes, as childrenn were borne to japes and tryfullys. Thei bolde them both in worde and dede to do what thei liste, and with wantonnes and sufferance shamfully they renne on the hede. Forthermore, yf thei hape to call the
35 dame "hoore" or the father "cockolde", as it lockyth sumtyme, thei laffe theratt and take it for a sport, saynge it is kynde for children to be wanton in ther youghe. Thei holde it but foly to put them to scole, trowynge it goode enoughe whatsoeuer thei haue lurnede at hom. They may not furthe them bett, all the worlde to wyne; for and thei sholde se them wepe, thei
40 wen thei were utterly loste.

I wyll make youe an example by a cosyn of myne þat (was sent) to his absey hereby at the next dore; and if he come wepynge after his maister hath charede away the flees from his skynne, anone his mother loketh onn his buttockys yf the stryppys be a-sen. And the stryppys
45 appere, she wepyth and waileth and fareth as she were made. Then she complayneth of the cruelte of techers, saynge she hade leuer se hire

---

* *Specimen of the Latin text:* Mundus ipse deteriorescit in dies, omniaque sunt ordine mutato inuersa, quicquid enim paruo mihi post trimatum ad decennium quantisper sub tutela parentum fui — nunc vero annum ago duodecimum — voluptati fuerat, tandem exiit in tormenta et supplicium. In illo namque tempore assidue in vultum diei in strato cubabam quotidie somno indulgens et segnicie. Phebus immisit radios ad fenestras lucerne loco splendorem ministrans . . .

childe wer fair buriede than so to be intretide. These wordes thei speke and suche other infinite, and other while for the childrenys sake ther begynneth afray betwixte the goode mann and his wyffe, for what he commaundeth, she forbyddeth. And thus in processe of tyme, when thei cum 50 to age, thei waxe bolde to do all myschevousnes, settynge litell to do the greatest shame þat can be. And at the laste, after ther merites, sum be hangede, sum be hedyde; on goth to nought on way, another another way. And whan thei cum to þat ende, then thei curse the fathers and mothers and other þat hade rule of them in ther youghe. 55

Analects.

The last feir my vnkle on my fathers syde gave me a pennare and an ynkehorne, and my vnkle of my mothers syd gave me a penn knyf. Now, and I hade a payre of tabullys I lakkyde nothynge.

They þat be sumwhat dull of wytt ought to recompence their ydylnes with diligence and labor. For manys wytt is like a felde, þat the better he 60 is dressyde and tyllyde, the lustyer he bryngeth forth. Therfor no mann may excuse hym by dulnesse.

All the yonge folkes almoste of this towne dyde rune yesterday to the castell to se a bere batyde with fers dogges within the wallys. It was greatly to be wondrede; for he dyde defende hymselfe so with hys craftynes 65 and his wyllynes from the cruell doggys methought he sett not a whitt be their woodenes nor by their fersnes.

I remembre not þat euer I sawe a play þat more delityde me than yesterdays, and allbeit chefe prayse be to the doer therof, yete ar none of the players to be disapoyntede of ther praise, for euery mann plaide so his 70 partes þat, except hym þat plaide kynge Salomonn, it is harde to say whom a mann may praise before other.

Yesterdaye, I departyde asyde prively oute of the feldys from my felows and went be myselfe into a manys orcherde wher I dyde not only ete rype apples my bely full but I toke away as many as I coulde bere. 75

296. I WOLD FAYN BE A CLARKE

MS.: Oxford, Balliol Coll. 354; early XVI century. — *ed.*: F.J.Furnivall, EETS. 32. - BR.1399.

I wold ffayn be a clarke,
But yet hit is a strange werke:
The byrchyn twyggis be so sharpe,
Hit makith me haue a faynt harte.
5 What avaylith it me thowgh I say nay!

On Monday in þe mornyng whan I shall rise
At ·vj· of þe clok, hyt is þe gise
To go to skole withowt avise
I had lever go ·xx· myle twyse!
10 What avaylith it me thowgh I say nay!

My master lokith as he were madde:
"Wher hast thou be, thou sory ladde?"
"Milked dukkis, my moder badde."
Hit was no mervayle, thow I were sadde.
15 What avaylith it me thowgh I say nay! —

I wold my master were an hare,
And all his bokis howndis were,
And I my self a joly hontere!
To blowe my horn I wold not spare!
20 ffor if he were ded I wold not care.
What vaylith me thowgh I say nay!

297. SPORTS

FROM "A TREATYS OF FYSSHYNGE WYTH AN ANGLE" ATTRIBUTED TO DAME JULIANA BARNES

Denison Manuscript; early XV century. — *ed.:* T.Satchell, English Dialect Soc., 1883.

Huntyng as to myne entent is to gret labur. The hunter must all day renne and folow hys howndes travelyng and swetyng ful soyr. He blowythe tyl hys lyppys blyster, and wen he wenyt hyt be a hare fuloften hit ys a heyghoge. Thus he chaset, and wen he cummet home at even, reyn beton,
5 seyr prykud with thornes and hys clothes tornes wet schot fulwy sum of hys howndes (be) lost, som surbatted. Suche grevys and meny oþer to the hunter hapeth wiche for displesous of hem þat louyth hyt I dare not report all. Trewly me semyt þat þis ys not the best disport and game.

Hawkynge: Thys disporte and game of hawkyng is laborous and ryght
10 noyous also, as me semyth, and it is very trowthe. The fawkner oftentymes leseth hys hawkes (as) the hunter hys houndes, þen all hys disporte ben gon and don. Full often he cryethe and wysteleth[1] tyl he be sor athryst. Hys hawke taket a bowe, and list not onys to hym reward wen he he wolde haue her for to fle; the wyl sche baythe with mysfedyng, þen
15 schall sche haue the frounce, þe rey, þe cray, and mony oþer seknes þat brynget hur to þe souce. Theise me semyth be good profect, but the be not þe best gamys.

Fowlyng: The disporte and game of fowlyng me semyth most symplvest, for yn the season of somer þe fowler spedyt not. But yn þe most herde
20 and colde wedyre he is soyr greved; for (wen) he wolde go to hys gynnes he may not for colde. Many a gyn and many a snayr he maket, and mony he leset; yn þe mernyng he walket yn the dew, he goyth also wetschode and soyr acolde to dyner and sum tyme to bed or he haue wyl sowpud for any thynge þat he may geyt by fowlyng. Meny other syche a can rehers,
25 but my magyf or angre maket me to leyf. Thys me semyth þat huntyng, haukyng, and fowlyng be so laborous and greuous þat non of them may performe to enduce a man to a mery spryȝt.

Fyschynge: Dowtles then folowyth it þat it must nedys be þe disporte and game of fyschyng with an angul rode; for all oþer maner of fyschyng
30 is also ryght labure and grevous, often causyng men to be ryght weyth and colde, wyche mony tymes hathe be seyn the cheyf cause of infyrmyte and sum tyme deythe. But the angleer may haue no colde ne no disese ne angur but he be causer hymselfe. For he may not gretly lose but a lyne or an hoke, of wyche he may hayf plente of hys owyne makyng or of oþer
35 mens, as thys sympul tretes schall teche hym; so then hys loste ys no grevous. And oþer grevous may he haue non, but yf any fysche breke awey from hym wen he is vpon hys hoke in londyng of the same fych or els þat ys to sey þat he cache not þe wich be no greyt grevous. For yf he fayl of on, he may not faylle of a noþer yf he do as thys tretes folowys schall
40 ynforme hym, but yf þer ben non yn þe watur wer he schall angul; and ȝet at þe leste he schall haue hys holsom walke and mery at hys own ease, and also meny a sweyt eayr of dyuers erbis and flowres þat schall make hym[2] ryght hongre. And well disposud in hys body he schall heyr þe melodyes melodious of the ermony of bryde. He schall se also þe ȝong
45 swannys and signetes folowyng þer eyrours, duckes, cootes, herons, and many oþer fowlys with þer brodys, wyche me semyt better þen all þe noyse of houndes and blastes of hornes and oþer gamys þat fawkners and hunters can make or els þe games þat fowlers can make. And yf þe angler take þe fysche, hardly þen ys þer no man meryer þen he is in hys sprites! —

---

[1] wystel *MS.* [2] hym] hyt *MS.*

298. THOMAS MALORY, THE MORTE ARTHUR

MS.: Winchester Coll. Lb., fol. 479-482; 2nd h.XV ct. — *ed.:* E. Vinaver, The Works of Thomas Malory, Oxford 1947. — Ke. 4745-48; Ba. 263; RO. 297-298; TB. 125-128.

And thus they fought all the longe day, and neuer stynted tylle þe noble kny3tes were layde to the colde erthe. And euer they fought stylle tylle hit was nere ny3t, and by than was þere an hondred thousand leyde dede vppon the erthe. Than was kynge Arthure wode wrothe oute of mesure, whan he saw hys people so slayne frome hym. And so he loked aboute 5 hym and cowde se no mo of all hys oste and good kny3tes leffte, no mo on lyve but two kny3tes: the tone was sir Lucan de Buttler and hys brother sir Bedwere; and yette they were full sore wounded.

'Jesu mercy!' seyde the kynge, 'where ar all my noble kny3tes becom? Alas, that euer I shulde se thys doleful day; for now,' seyde kynge Arthur, 10 'I am com to myne ende. But wolde to god,' seyde he, 'that I wyste now where were that traytoure sir Mordred that hath caused all thys myschyff.'

Than kynge Arthur loked aboute and was ware where stood sir Mordred leanyng vppon hys swerde amonge a grete hepe of dede men.

'Now gyff me my speare,' seyde kynge Arthure vnto sir Lucan, 'for 15 yondir I haue aspyed þe traytoure that all thys woo hath wrought.' 'Sir, latte hym be,' seyde sir Lucan, 'for he ys vnhappy. And yf ye passe this vnhappy day, ye shall be ry3t well revenged. And, good lord, remembre ye of your ny3tes dreme and what the spyryte of sir Gawayne tolde you tony3t, and yet god of hys grete goodnes hath preserved you hyddirto. And 20 for goddes sake, my lorde, leve of thys; for, blyssed be god, ye haue won the fylde. For yet we ben here three on lyve, and with sir Mordred ys nat one on[1] lyve. And therefore if ye leve of now, thys wycked day of desteny ys paste.'

'Now tyde me dethe, tyde me lyff,' seyde the kyng, 'now I se hym 25 yondir alone, he shall neuer ascape myne hondes! For at a bettir avayle shall I neuer haue hym.' 'God spyede you well!' seyde sir Bedyvere.

Than the kynge gate his speare in bothe hys hondis, and ran towarde sir Mordred, cryyng and saying: 'Traytoure, now ys thy dethe-day com!' And whan sir Mordred saw kynge Arthur, he ran vntyll hym with hys swerde 30 drawyn in his honde, and þere kyng Arthur smote sir Mordred vndir the shylde with a foyne of hys speare, thorowoute the body more than a fadom. And whan sir Mordred felte that he had hys dethys wounde, he threste hymselff with the my3t that he had vpp to the burre of kyng Arthurs speare, and ry3t so he smote hys fadir, kynge Arthure, with hys swerde holdynge 35 in both hys hondys, vppon the syde of the hede, that the swerde perced the helmet and the tay of the brayne. And þerewith Mordred daysshed downe starke dede to the erthe.

And noble kynge Arthure felle in a swoughe to the erthe, and þere he sowned oftyntymys; and sir Lucan and sir Bedwere offtetymys hove hym vp. 40 And so waykly betwyxte them they lad hym to a lytyll chapell nat farre frome the see; and whan the kyng was there, hym thought hym resonabely eased. Than harde they people crye in the fylde. 'Now go thou, sir Lucan,' seyde the kyng, 'and do me to wyte what betokyns that noyse in the fylde.' So sir Lucan departed; for he was grevously wounded in many placis; and 45 so as he yode he saw and harkened by þe moonely3t how that pyllours and robbers were com into the fylde to pylle and to robbe many a full noble kny3t of brochys and bees and of many a good rynge and many a ryche juell. And who that were nat dede all oute, þere they slew them for their harneys and their ryches. 50

• *For Caxton's* print *see* v. *II.* [1] on *Cx.*] of *MS.*

Whan sir Lucan vndirstood thys warke, he cam to the kynge as sone as he myȝt, and tolde hym all what he had harde and seyne. 'Þerefore be my rede,' seyde sir Lucan, 'hit ys beste that we brynge you to som towne.' 'I wolde hit were so,' seyde the kynge, 'but I may nat stonde; my hede
55 worchys so. A, sir Launcelot,' seyde kynge Arthure, 'thys day haue I sore myssed the! And alas, that euer I was ayenste the! For now haue I my dethe, where-of sir Gawayne me warned in my dreame.'

Than sir Lucan toke vp the kynge the tone party and sir Bedwere the othir parte, and in the lyfftyng vp the kynge sowned, and in the lyfftynge
60 sir Lucan felle in a sowne, that parte of hys guttis felle oute of hys bodye, and þerewith þe noble knyȝt hys harte braste. And whan the kynge awoke, he behylde sir Lucan, how he lay fomyng at the mowth and parte of his guttes lay at hys fyete.

'Alas,' seyde the kynge, 'thys ys to me a fulle hevy syȝt, to se thys
65 noble deuke so dye for my sake; for he wold haue holpyn me that had more nede of helpe than I! Alas, that he wolde nat complayne hym, for hys harte was so sette to helpe me. Now Jesu haue mercy vppon hys soule!' Than sir Bedwere wepte for the deth of hys brothir. 'Now leve thys mournynge and wepyng, jantyll knyȝt,' seyde the kyng, 'for all thys woll
70 nat avayle me. For wyte thou well, and I myȝt lyve myselff, þe dethe of sir Lucan wolde greve me euermore. But my tyme passyth on faste,' seyde the kynge. 'Þerefore,' seyde kynge Arthur vnto sir Bedwere, 'take thou here Excaliber, my good swerde, and go wyth hit to yondir watirs syde; and whan thou commyste þere, I charge the throw my swerde in þat water,
75 and com agayne and telle me what thou syeste þere.' 'My lorde,' seyde sir Bedwere, 'youre commaundement shall be done, and lyȝtly I[1] brynge you worde agayne.'

So sir Bedwere departed. And by the way he behylde that noble swerde, and the pomell and the hauffte was all precious stonys. And than
80 he seyde to hymsellf: 'If I throw thys ryche swerde in the water, þereof shall neuer com good, but harme and losse.' And than sir Bedwere hyd Excalyber vndir a tre, and so as sone as he myȝt he cam agayne vnto the kynge and seyde he had bene at the watir and had throwen the swerde into the watir.

85 'What sawe thou þere?' seyde the kynge. 'Sir,' he seyde, 'I[2] saw nothyng but wawis and wyndys.' 'That ys vntruly seyde of the,' seyde the kynge. 'And þerefore go thou lyȝtly agayne, and do my commaundemente! As thou arte to me lyff and dere, spare nat, but throw hit in!'

Than sir Bedwere returned agayne, and toke the swerde in hys honde;
90 and yet hym thought synne and shame to throw away that noble swerde. And so effte he hyd the swerde and returned agayne and tolde the kynge that he had bene at the watir and done hys commaundement.

'What sawist thou þere?' seyde the kynge. 'Sir,' he seyde, 'I sy nothynge but watirs wap and wawys wanne.' 'A, traytour vnto me and
95 vntrew,' seyde kyng Arthure, 'now hast thou betrayed me twyse! Who wolde wene that thou that hast bene to me so leve and dere, and also named so noble a knyȝt, that thou wolde betray me for þe ryches of thys swerde? But now go agayn lyȝtly; for thy longe taryynge puttith me in grete jouperte of my lyff, for I haue takyn colde. And but if thou do now as I bydde the,
100 if euer I may se the, I shall sle the myne owne hondis, for thou woldist for my rych swerde se me dede.'

Than sir Bedwere departed and wente to the swerde and lyȝtly toke hit vp; and so he wente vnto the watirs syde. And þere he bounde þe gyrdyll aboute the hyltis, and threw the swerde as farre into the watir as
105 he myȝt. And þere cam an arme and an honde aboue the watir, and toke

---

[1] I *not in MS.* [2] I *Cx.*] he *MS.*

hit, and cley3t hit, and shoke hit thryse and braundysshed, and than vanysshed with the swerde into the watir.

So sir Bedyvere cam agayne to the kynge and tolde hym what he saw. 'Alas,' seyde the kynge, 'helpe me hens; for I drede me I haue taryed ouer longe.' Than sir Bedwere toke the kynge vppon hys bak and so wente with 110 hym to the watirs syde. And whan they were þere, evyn faste by the banke hoved a lytyll barge wyth many fayre ladyes in hit; and amonge hem all was a quene. And all they had blak hoodis; and all they wepte and shryked, whan they saw kynge Arthur.

'Now put me into that barge,' seyde the kynge. And so he ded sofftely; 115 and þere resceyved hym three ladyes with grete mournyng. And so they sette hem downe, and in one of their lappis kyng Arthure layde hys hede. And than the quene sayde: 'A, my dere brothir! Why haue ye taryed so longe frome me? Alas, thys wounde on youre hede hath caught ouermuch coulde!' And anone they rowed fromward the londe. 120

And sir Bedyvere behylde all tho ladyes go frowarde hym. Than sir Bedwere cryed and seyde: 'A, my lorde Arthur, what shall becom of me, now ye go frome me and leve me here alone amonge myne enemyes?' 'Comforte thyselff,' seyde the kynge, 'and do as well as thou mayste; for in me ys no truste for to truste in. For I muste into the vale of Avylyon to 125 hele me of my grevous wounde. And if thou here neuermore of me, pray for my soule!'

But euer the quene and ladyes wepte and shryked, that hit was pite to hyre. And as sone as sir Bedwere had loste the sy3t of þe barge, he wepte and wayled; and so toke the foreste, and wente all that ny3t. And 130 in the mornyng he was ware betwyxte two holtis hore of a chapell and an ermytage. Than was sir Bedwere fayne, and thyder he wente; and whan he cam into the chapell, he saw where lay an ermyte grovelynge on all four, faste þereby a tumbe was newe gravyn.

Whan the ermyte saw sir Bedyvere, he knewe hym well, for he was 135 but lytyll tofore bysshop of Caunturbery that sir Mordred fleamed. 'Sir,' seyde sir Bedyvere, 'what man ys þere here entyred, that ye pray so faste fore?' 'Fayre sunne,' seyde the ermyte, 'I wote nat veryly but by demynge. But thys same ny3t at mydny3t here cam a numbir of ladyes and brought here a dede corse, and prayde me to entyre hym. And here they offird an 140 hondred tapers, and they gaff me a thousande besauntes.' 'Alas,' seyde sir Bedyvere, 'that was my lorde kynge Arthur, whych lyethe here gravyn in thys chapell!'

Than sir Bedwere sowned; and whan he awooke, he prayde the ermyte that he my3t abyde with hym stylle, þere to lyve with fastynge and prayers. 145 'For from hens woll I neuer go,' seyde sir Bedyvere, 'be my wyll, but all the dayes of my lyff here to pray for my lorde Arthur.' —

Sir Thomas Malory, Knight-Prisoner.

MS. fol. 70: This was drawyn by a knyght-presoner sir Thomas Malleorre. That god sende hym good recouer! Amen. — *MS. fol. 449:* And here on the othir syde folowyth the moste pyteuous tale of the 'Morte Arthure Saunz 150 Gwerdon' par le shyvalere sir Thomas Malleorre, knyght. Jesu, ayede ly par voutre bone mercy! Amen. —

The End in Caxton's Edition[1]*:* I praye you all, jentyl men and jentyl wymmen, that redeth this book of Arthur and his knyghtes from the begynnyng to the endyng, praye for me whyle I am on 155 lyue, that god sende me good delyueraunce, and whan I am deed I praye you all praye for my soule. For this book was ended the ·ix· yere of the reygne of kyng Edward the fourth by syr Thomas Maleore, knyght, as Ihesu helpe hym for hys grete myght, as he is the seruant of Ihesu bothe day and nyght. 160

---

[1] *not in the MS.*

299. WILLIAM CAXTON, PROLOGUES AND EPILOGUES

Caxton Prints; *ed.* W. J. B. Crotch, EETS. 176. — Ke. 4444-49; Ba. 261-263; RO. 429-433; TB. 102-107.

The Recuyell of the Historyes of Troye (1475).

Whan I remembred[1] that euery man is bounden by the comandement and counceyll of the wyse man to eschewe slouthe and ydlenes, whyche is moder and nourysshar of vyces, and ought to put my-self vnto vertuous ocupacion and besynesse, than I, hauynge no grete charge of ocupacion and[2] folowynge the sayd counceyll, toke a Frenche booke and redde therin many strange and meruayllous historyes where-in I had grete pleasyr and delyte as well for the nouelte of the same as for the fayr langage of Frenshe, whyche was in prose so well and compendiously sette and wreton, whiche me thought I vnderstood the sentence and substance of euery mater. And for so moche as this booke was newe and late maad and drawen in-to Frenshe and I neuer had seen hit in oure Englissh tonge, I thought in my-self, hit shold be a good besynes to translate hyt in-to oure Englissh, to thende that hyt myght be had as well in the royame of Englond as in other landes and also for to passe therwyth the tyme; and thus concluded in my-self to begynne this sayd werke, and forthwith toke penne and ynke, and began boldly to renne forth as blynde Bayard in thys presente werke whyche is named 'The Recuyell of the Troian Historyes'.

And afterward whan I remembryd my-self of my symplenes and vnperfightnes that I had in bothe langages, that is to wete in Frenshe and in Englissh, for in France was I neuer and was born and lerned myn Englissh in Kente in the Weeld where I doubte not is spoken as brode and rude Englissh as is in ony place of Englond and haue contynued by the space of ·xxx· yere for the most parte in the contres of Braband, Flandres, Holand, and Zeland, and thus whan alle thyse thynges cam to-fore me aftyr that y had made and wreten a fyue or six quayers, y fyll in dispayr of thys werke and purposid nomore to haue contynuyd therin; and tho quayers leyd a-part, and in two yere aftyr laboured nomore in thys werke, and was fully in wyll to haue lefte hyt, tyll on a tyme hit fortuned, that the ryght hyghe excellent and ryght vertuous prynces my ryght redoughted lady mylady Margarete, by the grace of god suster vnto þe[3] kynge of Englond and of France, my souerayn lord duchesse of Bourgoine, of Lotryk, of Brabant, of Lymburgh, and of Luxenburgh, countes of fflandres, of Artoys, and of Bourgoine Palatynee, of Heynawd, of Holand, of Zeland, and of Namur, marquesse of þe holy Empire, lady of ffryse, of Salius, and of Mechlyn, sente for me to speke wyth her good grace of dyuerce maters, among þe whyche y lete her hyenes haue knowleche of þe forsayd begynnyng of thys werke; which anone comanded me to shewe the sayd ·v· or ·vi· quayers to her sayd grace.

And whan she had seen hem, anone she fonde a defaute in myn Englissh, whiche sche comanded me to amende; and more-ouer comanded me straytli to contynue and make an ende of the resydue than not translated. Whos dredefull comandement y durste in no wyse disobey, because y am a seruant vnto her sayde grace and resseiue of her yerly ffee and other many goode and great benefetes and also hope many moo to resseyue[4] of her hyenes, but forthwyth wente and labouryde in the sayde translacion aftyr my symple and pour connyng, also nigh as y can folouyng myn auctor, mekeli beseching the bounteuous hyenes[5] of my said lady that of her benyuolence liste to accepte and take in gree this symple and rude werke here folowyng. And yf ther be ony thyng wreton or sayd to her playsir, I shall thynke my labour well employed; and whereas ther is defawte, þat she arette hyt to þe symplenes of my connyng, whiche is full small in this

---

[1] remembre [2] and *spl.* [3] þ = y *letter, a.o.* [4] resseyne [5] hynenes

behalue, and requyre and praye alle them that shall rede this sayd werke, to correcte hyt and to hold me excusid of the rude and symple translacion; — which werke was begonne in Brugis, and contynued in Gaunt, and finysshid in Coleyn. —

And for as moche as in the wrytyng of the same my penne is worn, 55 myn hande wery and not stedfast, myn eyen dimmed with ouermoche lokyng on the whit paper, and my corage not so prone and redy to laboure as hit hath ben, and that age crepeth on me dayly and febleth all the bodye, and also because I haue promysid to dyuerce gentilmen and to my frendes to adresse to hem as hastely as I myght this sayd book, therfore I haue prac- 60 tysed and lerned at my grete charge and dispense, to ordeyne this said book in prynte after the maner and forme as ye may here see; and is not wreton with penne and ynke as other bokes ben, to thende that euery man may haue them attones. —

The Order of Chyualry (*c. 1484*).

Here endeth the book of thordre of chyualry, whiche book is trans- 65 lated oute of Frensshe in-to Englysshe at a requeste of a gentyl and noble esquyer by me, William Caxton, dwellynge in Westmynstre besyde London, in the most best wyse that god hath suffred me, and accordynge to the copye that the sayd squyer delyuerd to me; whiche book is not requysyte to euery comyn man to haue, but to noble gentylmen, that by their vertu entende to 70 come and entre in-to the noble ordre of chyualry, the whiche in these late dayes hath ben vsed accordyng to this booke here to-fore wreton but forgeten, and thexcersytees of chyualry not vsed, honoured, ne excercysed, as hit hath ben in auncyent tyme, at whiche tyme the noble actes of the knyghtes of Englond that vsed chyualry were renomed thurgh the vnyuersal world, 75 as for to speke to-fore thyncarnacion of Jhesu Cryste, where were there euer ony lyke to Brenius and Belynus, that from the grete Brytayne, now called Englond, vnto Rome and ferre beyonde conquered many royammes and londes, whos noble actes remayne in thold hystoryes of the Romayns; and syth the incarnacion of oure lord byhold that noble kyng of Brytayne, 80 kyng Arthur, with al the noble knyȝtes of the round table, whos noble actes and noble chyualry of his knyghtes occupye soo many large volumes, that is a world or as thyng incredyble to byleue.

O, ye knyghtes of Englond, where is the custome and vsage of noble chyualry that was vsed in the dayes? What do ye now but go to the baynes 85 and playe atte dyse? And some not wel aduysed vse not honest and good rule ageyn alle ordre of knyghthode. Leue this! Leue it, and rede the noble volumes of Saynt Graal, of Lancelot, of Galaad, of Trystram, of Perseforest, of Percyual, of Gawayn, and many mo! Ther shalle ye see manhode, curtosye, and gentylnesse. And loke in latter dayes of the noble actes 90 syth the conquest, as in kyng Rychard dayes Cuer-du-lyon, Edward the fyrste, and the thyrd, and his noble sones, syre Robert Knolles, syr Johan Hawkwode, syr Johan Chaundos, and syre Gaultier Manuy! Rede Froissart, and also behold that vyctoryous and noble kynge Harry the fyfthe, and the capytayns vnder hym, his noble bretheren, therle of Salysbury Montagu, and 95 many other, whoos names shyne gloryously by their vertuous noblesse and actes that they did in thonour of thordre of chyualry!

Allas, what doo ye, but slepe and take ease, and ar al disordred fro chyualry! I wold demaunde a question, yf I shold not displease, how many knyghtes ben ther now in Englond that haue thuse and thexcercyse of a 100 knyghte; that is to wete that he knoweth his hors, and his hors hym, that is to saye he beynge redy at a poynt to haue al thyng that longeth to a knyght: an hors that is accordyng and broken after his hand, his armures and harnoys mete and syttyng, and so forth et cetera. I suppose, and a due serche shold be made, ther shold be many founden that lacke, the more 105

pyte is. I wold it pleasyd oure souerayne lord, that twyes or thryes in a yere, or at the lest ones, he wold do crye justes of pees, to thende that euery knyght shold haue hors and harneys, and also the vse and craft of a knyght, and also to tornoye one ageynste one, or ·ij· ageynst ·ij; and the
110 best to haue a prys, a dyamond or jewel, suche as shold please the prynce. This shold cause gentylmen to resorte to thauncyent custommes of chyualry, to grete fame and renommee, and also to be alwey redy to serue theyr prynce, whan he shalle calle them or haue nede.

Thenne late euery man, that is come of noble blood and entendeth to
115 come to the noble ordre of chyualry, rede this lytyl book and doo therafter in kepyng the lore and commaundements therin comprysed; and thenne I doubte not he shall atteyne to thordre of chyualry. —

Chaucer's Canterbury Tales (2. 1484).

Grete thankes, laude, and honour ought to be gyuen vnto the clerkes, poetes, and historiographs, that haue wreton many noble bokes of wysedom
120 of the lyues, passions, and myracles of holy sayntes, of hystoryes, of noble and famous actes and faittes, and of the cronycles sith the begynnyng of the creacion of the world vnto thys present tyme, by whyche we ben dayly enformed and have knowleche of many thynges, of whom we shold not haue knowen, yf they had not left to vs theyr monumentis wreton. Emong whom
125 and inespecial to-fore alle other we ought to gyue a synguler laude vnto that noble and grete philosopher Gefferey Chaucer, the whiche for his ornate wrytyng in our tongue may wel haue the name of a laureate poete.

For to-fore that he by hys labour enbelysshyd, ornated, and made faire our Englisshe, in thys royame was had rude speche and incongrue, as
130 yet it appiereth by olde bookes, whyche at thys day ought not to haue place ne be compared emong ne to hys beauteuous volumes and aournate writynges, of whom he made many bokes and treatyces of many a noble historye as wel in metre as in ryme and prose, and them so craftyly made, that he comprehended hys maters in short, quyck, and hye sentences,
135 eschewyng prolyxyte, castyng away the chaf of superfluyte, and shewyng the pyked grayn of sentence, vtteryd by crafty and sugred eloquence, of whom emonge all other of hys bokes I purpose temprynte by the grace of god the book of the Tales of Cauntyrburye, in whiche I fynde many a noble hystorye of euery astate and degre. Fyrst rehercyng the condicions and
140 tharraye of eche of them as properly as possyble is to be sayd, and after theyr tales whyche ben of noblesse, wysedom, gentylesse, myrthe, and also of veray holynesse and vertue, wherin he fynysshyth thys sayd booke; whyche book I haue dylygently ouersen and duly examyned, to thende that it be made acordyng vnto his owen makyng.

145 For I fynde many of the sayd bookes, whyche wryters haue abrydgyd it and many thynges left out; and in somme place haue sette certayn versys, that he neuer made ne sette in hys booke. Of whyche bookes so incorrecte was one brought to me ·vj· yere passyd, whyche I supposed had ben veray true and correcte. And accordyng to the same I dyde do enprynte a certayn
150 nombre of them, whyche anon were sold to many and dyuerse gentyl-men, of whome one gentylman cam to me, and said, that this book was not accordyng in many places vnto the book that Gefferey Chaucer had made. To whom I answerd, that I had made it accordyng to my copye, and by me was nothyng added ne mynusshyd.

155 Thenne he sayd he knewe a book whyche hys fader had and moche louyd, that was very trewe and accordyng vnto hys owen first book by hym made, and sayd more, yf I wold enprynte it agayn, he wold gete me the same book for a copye, how be it he wyst wel that hys fader wold not gladly departe fro it. To whom I said, in caas that he coude gete me suche
160 a book trewe and correcte, yet I wold ones endeuoyre me to enprynte it

agayn, for to satysfye thauctour where-as to-fore by ygnouraunce I erryd in hurtyng and dyffamyng his book in dyuerce places in settyng in somme thynges, that he neuer sayd ne made, and leuyng out many thynges, that he made whyche ben requysite to be sette in it. And thus we fyll at accord.

And he ful gentylly gate of hys fader the said book, and delyuerd it 165 to me, by whiche I haue corrected my book as here-after alle alonge by thayde of almyghty god shal folowe, whom I humbly beseche to gyue me grace and ayde to achyeue and accomplysshe to hys laude, honour, and glorye, and that alle ye that shal in thys book rede or heere, wyll of your charyte emong your dedes of mercy remembre the sowle of the sayd Gefferey 170 Chaucer first auctour and maker of thys book; and also that alle we, that shal see and rede therin, may so take and vnderstonde the good and vertuous tales, that it may so prouffyte vnto the helthe of our sowles, that after thys short and transitorye lyf we may come to euerlastyng lyf in heuen. Amen.

By Wylliam Caxton. 175

Eneydos (1490).

After dyuerse werkes made, translated, and achieved, hauyng noo werke in hande, I, sittyng in my studye where-as laye many dyuerse paunflettis and bookys, happened that to my hande came a lytyl booke in Frenshe, whiche late was translated oute of Latyn by some noble clerke of Fraunce, whiche booke is named 'Eneydos'. — 180

And whan I had aduysed me in this sayd boke, I delybered and concluded to translate it in-to Englysshe; and forthwyth toke a penne and ynke, and wrote a leef or tweyne, whyche I ouersawe agayn to corecte it. And whan I sawe the fayr and straunge termes therin, I doubted that it sholde not please some gentylmen, whiche late blamed me, sayeng þat in my 185 translacyons I had ouer-curyous termes, whiche coude not be vnderstande of comyn peple, and desired me to vse olde and homely termes in my translacyons. And fayn wolde I satysfye euery man, and so to doo toke an olde boke and redde therin; and certaynly the Englysshe was so rude and brood, that I coude not wele vnderstande it. And also my lorde abbot of West- 190 mynster ded do shewe to me late certayn euydences wryton in olde Englysshe for to reduce it in-to our Englysshe now vsid; and certaynly it was wreton in suche wyse, that it was more lyke to Dutche than Englysshe: I coude not reduce ne brynge it to be vnderstonden.

And certaynly our langage now vsed varyeth ferre from that whiche 195 was vsed and spoken whan I was borne; for we Englysshe men ben borne vnder the domynacyon of the mone, whiche is neuer stedfaste, but euer wauerynge, wexynge one season, and waneth and dyscreaseth another season. And that comyn Englysshe that is spoken in one shyre varyeth from a-nother in so moche, that in my dayes happened that certayn marchauntes were in 200 a shippe in Tamyse, for to haue sayled ouer the see into Zelande; and for lacke of wynde thei taryed atte forlond, and wente to lande for to refreshe them. And one of theym, named Sheffelde, a mercer, cam in-to an hows, and axed for mete; and specyally he axed after eggys. And the goode wyf answerde, that she coude speke no Frenshe. And the marchaunt was angry, 205 for he also coude speke no Frenshe, but wolde haue hadde egges; and she vnderstode hym not. And thenne at laste a-nother sayd, that he wolde haue eyren. Then the good wyf sayd, that she vnderstod hym wel! Loo, what sholde a man in thyse dayes now wryte, egges or eyren?

Certaynly it is harde to playse euery man by cause of dyuersite and 210 chaunge of langage; for in these dayes euery man that is in ony reputacyon in his countre wyll vtter his comynycacyon and maters in suche maners and termes, that fewe men shall vnderstonde theym. And som honest and grete clerkes haue ben wyth me, and desired me to wryte the moste curyous

215 termes that I coude fynde. And thus bytwene playn, rude, and curyous I
stande abasshed. But in my judgemente the comyn termes, that be dayli
vsed, ben lyghter to be vnderstonde than the olde and auncyent Englysshe.
And for as moche as this present booke is not for a rude vplondyssh man to
laboure therin ne rede it, but onely for a clerke and a noble gentylman,
220 that feleth and vnderstondeth in faytes of armes, in loue, and in noble
chyualrye, therfor in a meane bytwene bothe I haue reduced and translated
this sayd booke in-to our Englysshe, not ouer-rude ne curyous, but in suche
termes as shall be vnderstanden, by goddys grace, accordynge to my copye.

300. THE FIRST PETITION TO PARLIAMENT IN ENGLISH (1386)

MS.: London, Publ. Rec. Off., Petitiones in Parl. — *edd.*: Rotuli Parliamentorum III, 225, London 1783; L. Morsbach, Über den Ursprung der ne. Schriftsprache, Heilbronn 1888. — We. X, 59; Ba. 116.

To[1] the moost noble and worthiest lordes, moost ryghtful and wysest
conseille to owre lige-lorde the kyng, compleynen, if it lyke to yow, the
folk of the mercerye of London as[2] a membre of the same citee of many
wronges subtiles and also open oppressions, ydo to hem by longe tyme
5 herebifore passed. Of which oon was: Where the eleccion of mairaltee is to
be to the fremen of the citee bi gode and paisible auys of the wysest and
trewest at o day in the yere frelich, there noughtwithstondyng the same
fredam or fraunchise Nicholas[3] Brembre wyth his vpberers purposed hym the
yere next after John Northampton mair of the same citee with stronge honde
10 as it is ful knowen, and thourgh debate and strenger partye ayeins the pees
bifore purueyde was chosen mair in destruccion of many ryght. For in the
same yere the forsaid Nicholas with-outen nede ayein the pees made dyuerse
enarmynges bi day and eke bi nyght, and destruyd the kynges trewe lyges,
som with open slaughtre, some bi false emprisonementz, and some fledde
15 the citee for feere, as it is openlich knowen.

And so ferthermore for to susteyne thise wronges and many othere,
the next yere after the same Nicholas ayeins the forsaide fredam and trewe
comunes did crye openlich that no man sholde come to chese her mair but
such as were sompned; and tho that were sompned were of his ordynaunce
20 and after his auys. And in the nyght next after folwynge he did carye grete
quantitee of armure to the guyldehalle, with which as wel straungers of the
contree as othere of with-inne were armed on the morwe ayeins his owne
proclamacion, that was such that no man shulde be armed. And certein
busshmentz were laide that, when free-men of the citee come to chese her
25 mair, breken vp armed, cryinge with loude voice 'Sle! Sle!' folwyng hem;
wherthourgh the peple for feere fledde to houses and other hidynges[4], as in
londe of werre adradde to be ded in comune. And thus yet hiderward hath
the mairaltee ben holden as it were of conquest or maistrye! —

And yif in general his falsenesse were ayeinsaide, as of vs togydre
30 of the mercerye or othere craftes, or ony conseille wolde haue taken to
ayeinstande it, or, as tyme[2] out of mynde hath be vsed, wolden companye
togydre how lawful so it were for owre nede or profite, we[2] were anon
apeched for arrysers ayeins the pees, and falsly many of vs that yet stonden
endited; and we ben openlich disclaundred, holden vntrewe and traitours to
35 owre kyng. —

Wherfore for grettest nede as to yow, moost worthy, moost ryghtful
and wysest lordes and conseille to owre lige-lorde the kyng, we biseche
mekelich of yowre grace[5] coreccion of alle the wronges bifore-sayde and that
it lyke to yowre lordeship to be gracious menes to owre lyge-lorde the kyng,
40 that suche wronges be knowen to hym and that we mowe shewe vs and
sith ben holden suche trewe to hym as we ben and owe to ben. —

[1] To *dam.* [2] *not in MS.* [3] Nichol *MS.* with a flourish, *a.u.* [4] nges [5] graci

301. LO, HERE A CHARTRE!

From "Piers Plowman", above.

Alle þe riche retenauns, þat regneth with þe false
Were boden to þe bridale, on bothe two sydes,
Of alle maner of men, þe mene and þe riche.
To marie þis maydene was many man assembled.
5 Thanne lepe Lyer forth, and seide: "Lo, here, a chartre, (B II, 57)
That Gyle with his gret othes gaf hem togidere!"
And preide Cyuile to se, and Symonye to rede it.
Thanne Symonye and Cyuile stonden forth bothe,
And vnfoldeth þe feffement, þat Fals hath ymaked,
10 And þus bigynneth þes gomes to greden ful heiȝ:
"Sciant presentes et futuri, etc.
Witeth and witnesseth, þat wonieth vpon þis erthe,
Þat Mede is ymaried, more for here goodis
Þan for ani vertue or fairnesse or any free kynde.
Falsenesse is faine of hire, for he wote hire riche,
15 And Fauel with his Fikel-speche feffeth bi þis chartre
To be prynces in Pride, and pouerte to dispise,
To bakbite, and to bosten, and bere fals witnnese,
To scorne and to scolde, and sclaundere to make,
Vnboxome and bolde to breke þe ten hestes;
20 And þe erldome of Eneuye and Wratthe togideres,
With þe Chastelet of Chest and Chateryng-oute-of resoun,
Þe counte of Coueitise and alles þe costes aboute.
That is, Vsure and Auarice, alle I hem graunte,
In Bargaines and in Brokages with al þe borghe of Theft.
25 And al þe lordeship of Lecherye, in lenthe and in brede,
As in werkes and in wordes and waitynges with eies,
And in wedes and in wisshynges, and with ydel thouȝtes,
There as wille wolde, and werkmanship failleth."
Glotonye he gaf hem eke, and Grete Othes togydere,
30 And alday to drynke at dyuerse tauernes,
And there to iangle and to iape, and iugge here euene-cristene,
And in fastyng-dayes to frete, ar ful tyme were;
And þanne to sitten and soupen, til slepe hem assaille,
And bredun as burgh-swyn, and bedden hem esily,
35 Tyl sleuth and slepe slyken his sides;
And þanne wanhope to awake hym so with no wille to amende,
For he leueth be lost þis is here last ende.
And þei to haue and to holde; and here eyres after,
A dwellyng with þe deuel, and dampned be for eure,
40 Wiþ al þe purtenaunces of purgatorie, into þe pyne of helle.
Ȝeldyng for þis þinge, at one ȝeres ende,
Here soules to Sathan, to suffre with hym peynes,
And with him to wonye with wo, whil god is in heuene.
In witnesse of which þing Wronge was þe first,
45 And Pieres þe pardonere, of Paulynes doctrine,
Bette þe bedel of Bokyngham-shire,
Rainalde þe reue of Rotland sokene,
Munde þe mellere and many moo other.
"In þe date of þe deuel þis dede I assele,
50 Bi siȝte of Sire Symonye, and Cyuyles leue." —

---

24 borghte *L* 28 wermanship *L* *Further passages from Piers Plowman cf. pp.* **533, 535,** 305

302. THE STEEPLE OF WALBERSWICK (SUFFOLK)

MS.: BM., Additional Charter 17634. PNN. (Walberswick, Dunwich, Blythburgh, Dunstall Green, Halesworth): Suffolk. *Date* (of the covenant): Febr. 24th, 1426. - *ed.*: L. Morsbach, Me. Originalurkunden etc., Heidelberg 1923. *cf.* H.M. Flasdieck, Forschungen zur Frühzeit der neuenglischen Schriftsprache, Halle 1922.

This bille endentyd witnessith that on the Tewesday next after the feste of Seynt Mathie apostle, the fourte ȝeere of Kyng Henry the sexte, a comenaunt was maked bytwyn Thomas Bangot, Thomas Wolfard, William Ambrynghale, and Thomas Pellyng, of the town of Walbureswyk, on the one
5 partye, and Richard Russel of Donewich and Adam Powle of Blythtburgh, masons, on the othere partye, that is to seyne: that the fornseid Richard and Adam schal make, or do make a stepel, joyned to the cherche of Walbureswyk fornseid, with foure botraas, and one vice, and tqwelfe foote wyde and sexe foote thikke the walles, the wallyng, the tabellyng and the
10 orbyng sewtly after the stepil of Dunstale, well and trewely and competently; a dore in the West, also good as the dore in the stepel of Halesworth; and a wyndowe of foure dayes aboue the dore, sewtly after the wyndowe of thre dayes of Halesworth; and thre wyndowes atte nethire solere, and eche wyndowe of two dayes; and foure wyndowes atte ouerere solere, the wyndowe
15 of thre dayes, sewtly after Halesworth. The fornseid Richard and Adam shal werke, or doo werke on the stepel fornseid two termes in the ȝeere, saf the ferste ȝeere, ȝeerly in the tyme of werkyng, of setting and leying, that is to say bitwixen the festes of the annuncyacioun of oure lady and Seynt Mychel archaungel, but if it be othere manere consentyd on bothe partyes.
20 And the fornsaid Thomas Bangot, Thomas, William, and Thomas schal fynde alle manere of mattere to the stepel fornsaid, that is to say: free stoon, lyme and calyoun, water and soond, and alle manere thyngge that nedith to stagyng and wyndyng; and schouellis and alle maner vessel that is nedeful to the[1] stepel fornseid; and an hows to werke jnne, to ete and drynke and
25 to lygge jnne, and to make mete jnne, and that be hadde by the place of werkyng. The fornsaid Richard and Adam schal take of the fornsaid Thomas Bangot, Thomas, William, and Thomas for the yarde-werkyng ·xl· scheelynges of laughfull money of Inglond, and a cade of full-heryng eche ȝeer in tyme of werkyng, and eche of hem a gowne of leuere ones in the
30 tyme of werkyng, so that they scholden be gode men and trewe to the werk fornsaid.

303. FROM THE WILL OF JOHN PYNCHEON, 1392.

The will of John Pyncheon, citizen and jeweller of London, is in French, with an English insertion concerning charitable gifts. — *edd.*: F.J. Furnivall, EETS. 78; Chambers-Daunt, A Book of London English. Oxford 1931.

. . . . . Ieo volle que la moneye soit despendu, cestassauoir, to þe pore men þat han ben men before of 'god conuersacion, som man ·xx· s' ant som ·ij· marc, and som ·xl· s' aftyr þat here stat hat ben before, and þat þey be of þe same parche and of Petris and Cristoforys or of oþere next þer-by. And where me
5 may wetyn eny powre lame ore powre blynde, in any plache in þe towne, þat þey han cloþys to hele hem fro colde, and schetys to þam þat han nede. And to þe presonis of Newgate a serteyn by þe weke duryng on ȝere. And to þe powre mesellis a certeyn a weke duryng on ȝere. And þat þe hows be ysold, and þe almes yido in þe worst ȝere. And where men may aspye eny powre man of reli-
10 gion, monke, chanon, or frere, þat þay han of my god þe gode, and ben powre, eche man ·vi· s' ·viij· d' þat ben prestys. —

[1] the] *not in MS.*

PLATE XIX

WALBERSWICK, ST. ANDREW'S CHURCH

cf. p. 570

304. THE WILL OF JOHN CHELMYSWYK, ESQ. (A.D. 1418)

MS.: London, Court of Prob. — *ed.:* F.J. Furnivall, EETS. 78. — Ba. 115-.

In the name of god, amen, the ·iiij· day of the monthe of Aprill, the ȝere of god a·m·cccc·xviij· and the ȝere of the regne of kyng Henry the ·v· after the conquest ·vj· I Iohn Chelmyswyk, squier of Shropshire, hole of mynde and in my gode memorie beyng, ordeyne and make my present testament of my last wille in this manere: 5

First I recommende my saule to almyghty god, to oure lady seint Marie virgine hys moder, and to alle the seintes in heuene, and my body for to be beryed where god of his mercy for me wolle dispose. Also I bequethe to the werkis of the body of the parysshchirche of Seint Marie Magdaleyn of Quatford, in Shropshire, and to ordeyne vestmentis and orna- 10 mentis in the same chirche nedefull, after the discrecioun of my executours, so that my soule be recommended in goddys seruice there ·c·s. Item I bequethe to the freres Menours of Bryggenorth to do singe for my soule, and for the soules of my fader and moder, Thomas my sone, Elyanore late my wyf, Ionet Chelmeswyk my graundame, and alle my god fryndys soules and for 15 alle cristene soules the hole Seint Gregories Trentall, and to praye deuotely for my soule and the soules aforsayde ·xl·s. —

Item I bequethe to fynde twey honestes prestes to singe goddys seruice for my soule, and for the soules aforsaid, in the chaunterie of the chirche of Seint Leonarde in Briggenorth be ·vij· ȝere next folwyng after 20 my desese ·lxx·li. of sterlinges, that ys to wete euery preste takyng for hys salarie be ȝere ·c·s. Item I bequethe to the mendyng of the feble and foule weye beside Portmannes Crosse fast by Briggenorth ·xl·s. Item I bequethe to eueryche of the ·iiij· ordres of freres in þe citee of London, that ys to wethe Prechours, Mencurs, Austyns, and Carmes ·xl·s., so that 25 eueryche of þe forsaide ·iiij· ordres do singe for my soule and for the soules aforsaide the hole Seint Gregories Trentall, and pray for my soule and for the soules aforsaide. Item I bequethe ·viij·s. iiij·d. to do singe for me soule and for de soules aforsaide ·c· masses in oo day.

Item I bequethe to the prisoners of Ludgate in London to pray for 30 my soule and for de soules aforsaide ·xx·s. Item I bequethe vp þe same condicioun, to þe prisoners of Newgate in London ·xl·s. Item I bequethe, vp þe same condicioun, to the prisoners of the Marschalsie ·xx·s. Item I bequethe to þe pore hospitales, that is to say, Seint Marie spitell withoute Bisshoppesgate, Bedlem, Seint Thomas in Southwerk, Seint Antonies Elsyng 35 spitell, Seint Bartilmewes in Smythfeld in London,* Seint Gyles beside

---

* ***As to the social character and the practical importance of some of these foundations cf. the special descriptions in MS. Egerton 1995, foll. 82-86, B.M.:***

Bartholomewe ys Spetylle: Hyt ys a place of grete comforte to pore men as for hyr loggyng, and yn specyalle vnto yong wymmen that haue mysse-done that ben whythe chylde. There they ben delyueryde, and vnto the tyme of puryfycacyon they haue mete and drynke of the placys coste, and fulle honostely gydyd and kepte. And in ys moche as the place maye they kepe hyr conselle and hyr worschyppe. God graunte that they doo so hyr owne worschippe that haue afendyde. Amen.

A chyrche of Owre Lady that ys namyde Bedlem. And yn that place ben founde many men that ben fallyn owte of hyr wytte. And fulle honestely they ben kepte in that place; and sum ben restoryde vnto hyr wytte and helthe agayne; and sum ben abydyng there-yn for euyr, for they ben falle soo moche owte of hem selfe that hyt ys vncurerabylle vnto man. And vnto that place ys grauntyde moche pardon; more thenne they of the place knowe.

Seynt Marye Spetylle: A poore pryery, and a parysche chyrche in the same. And that pryory kepythe ospytalyte for pore men; and sum susters yn the same place to kepe the beddys for pore men that come to that place.

Thomas Spetylle (Southwark): And that same place ys an ospytalyte for pore men and wymmen. And that nobyl marchaunt Rycharde Whytyngdon made a newe chambyr with ·viij· beddys for yong wemen that hadde done amysse in truste of a good mendement. And he commaundyd that alle the thyngys that ben don in that chambyr shulde be kepte secrete with-owte-forthe, yn payne of lesynge of hyr levynge; for he wolde not shame no yonge women in noo wyse, for hyt myght be cause of hyr lettyng of hyr maryage, &c.

Holbourne, that is to wete to eueryche hospitall to parte amonge pore folk there ·xx·s. to pray for my soule and de soules aforsaide. -

Item I bequethe to Ionet my wyfe in the name of here dowerye and 40 of here parte belonging to here of al my godes mobles ·xl·li. of sterlinges, and all my beddynge and naperie, and alle myne arraye and necessaries in my chambre, and alle othere meuable godes therin beyng, and alle manere apparaillement and necessaries longynge to the body of the same Ionet, outake golde and syluer and myne owne werynge clothes, ·ij· peire of my 45 best shetes and ·vj· disshes and ·vj· sawcers of seluer. The wyche shetes I bequeth, that is to say a peire to sire William Lochard, and the tother peire to maister Ion Marchall, Dene of Briggenorth. Item I bequethe the forsaide ·vj· sawcers to do make thereof twey chalices to serue the forsaide twey prestes in þe forsaide chaunterie duryng the forsaide ·vij· ȝere. And 50 after the ·vij· ȝere be fulfellet, I wolle that the same twey chalices shull abyde in the same chaunterie to the worshipe of god for euere more.

Item I bequethe to the same Ionet my wyf my maner of Staverton with the appurtenaunces in the shire of Gloucestre to haue and to holde terme of here lyfe, doynge to the chief lordes of þat fee the seruice therof 55 due and of ryght[1] custume, vp condicioun that the same Ionet suffre Emot, here moder, to reioise peisibly and to haue and to holde terme of the lyf of the same Emot the maner of Aspleye with the appurtenaunces; and also vp condicioun that þe same Ionet saue and kepe harmeles myn heirs and executours aȝens Iohn Roe that hath wedded the forsaide Emot, of a obli- 60 gacioun[2] of ·cccc·li. that I am bounde to hym vp condicioun that the same Emot shal holde and occupie peisible terme of her lyfe the forsaide maner with the appurtenaunces withoute distourbaunce of me or of Ionet my wyf, oure heires or assynes. -

Item I bequethe to the same Ionet my fure of Calabre, my best cheyne 65 of gold, a doseyn spones of siluer and a pece of siluer. Item I bequethe to Iohn Yate, myn vncle, vp condicioun that he be one of myn executours and take ministracioun of thys testament ·vj· dysshes of siluer and my best girdill of siluer. Item I bequethe, vp the same condicion, to Iohn Page of Oxenbolde ·x·li. of sterlinges. Item I bequethe, vp the same condicioun, 70 to Iohn Lemman, citezein and skynner of London ·x·li. of sterlinges and my Worstede goune with þe furre and my baselard harneysed with siluer. Item I bequethe, vp the same condicioun, to Iohn Baldok, citezein and wax-chaundeler of London ·x· marc and my furre of Fycheux. Item I bequethe to the wyf of þe forsaide Iohn Lemman my litill cheyne of gold that serueth 75 for myne arms. Item I bequethe to Symond Wrenchin, skynner, my bastard swerd.

The residue of alle my godes and my catallys mebles, where euere that they be, after my dettis payde and my questes fulfilled and my sepulcure made, I bequethe to myn executours to dispose hit for my soule and for the 80 soules aforsaid in werkes of charite and in masses to be songe, as they se most plesaunce to god, and hele to my soule and to the soules aforsaide. Of this testament I make and ordeyne myn executours, that is to sey the forsaide Iohn Yate, Iohn Page, Iohn Lemman, and Iohn Baldok, that they trewly fulfille my last wille as I trust in hem. In wetenesse of wheche 85 thing to thys testament I haue put my sele, the date is the day and the ȝere aforsaide. -

---

[1] rygh *MS.* [2] olligacioun *MS.*

305. The Statutes of a Guild (1389)

MS.: London, Publ. Rec. Off. CCCX. — *ed.*: T. und L. T. Smith, EETS. 40. — We. X, 63; Ba. 116.

This ys þe statuȝ of þe gylde of þe holy apostyl sente Peter, bygunnyn in þe toune of Lenne in þe wrchepe of god and of oure lauedi sente Marie and of þe holy apostyl sente Peter in þe yere of oure lord ·m·ccc·xx· nono. And þis gyld schal haue foure morne-spechis in þe yer: þe first schal bene after þe drynkyng; þe secund schal ben þe Sonday nest before Mielmes-day; 5 þe thyrd schal be þe Sonday nest before Candelmes-day; þe ferd schal be þe Sonday nest before sent Austenis day in May. And at euery morne-speche eueriche broþer and syster þat longythe to þis gyld schal pey an halpeny to meynteyn[1] withal a lyhte[2] brennynge in þe chyrche of sent Jame afore þe ymage of sent Peter, þe quile þat deuine seruise is seyd in festiual 10 dayys. And quo-so be somund to any morne-speche, and he be in toune and wyl not come ne make non aturne for hym, he schal peyyn[3] a peny to þe lyhte. —

And if any broþer or syster of þe gyld be ded, þe den schal do comen þe candelis to þe dyrige and somon al þe cumpanye for to gone with þe 15 corse to chirche and offeryn. And if he ne wil come and he be in hele and in toune, he schal peyyn at nest morne-spech to þe almes for is soule ·ij· pens. And eueriche broþer and syster þat is ded of þe gyld he schal haue for is soule ·xx· messis. —

And þe alderman schal hauen eueriche day þe qwile þe general 20 drynkkynge lestyt ·ij· galonis hale for is fees, eueriche skreueyne[4] ·j· galon, and þe den ·j· potel, and þe clerke ·j· potel. And quo-so enter into þis gyld, he schal makyn feythe to þe alderman for holdyn of þeyse statutis, and sythen peyyn þe ryhtys[5] of þe house, þat is to for wetyn: to þe alder-man ·j· peny, þe clerk ·j· peny, etc. — 25

And also ordeynid it is, þat qwat broþer or syster bere oþer ani falsed or ani wronge on hande, and it may be prouyd be men of þe self gyld, he schal payyn to þe reparacion of þe lyhte *di. li.* wax. And qwat broþer or syster falle in pouerte and may nout helpe hym-self, þanne schullyn þe breþeryn and þe systeryn helpyn hym of here almesse. — 30

306. Some Records concerning Plays

T. Sharp, A Dissertation on the Coventry Mysteries, Coventry 1825; L. T. Smith, York Plays, Oxford 1885; A. W. Pollard, English Miracle Plays etc., Oxford 1890; E. K. Chambers, The Medieval Stage, Oxford 1903.

YORK 1397. Expensa in festo de corpore Christi:
Item pro steyning de ·iiij· pannos ad opus paginae ·iiij·s.
Et pro pictura paginae ·ij·s.
Et pro vexillo novo cum apparatu ·xij·s., ij·d.
Et ·viij· portitoribus ducentibus et moventibus paginam ·v·s., iiij·d. 5
Et ianitori Sanctae Trinitatis pro pagina hospitanda ·iiij·d.
Et ludentibus ·iiij·d. —

LONDON 1411. This ȝerę beganne a gret pley from þe begynnyng of þe worlde at þe Skynnerswelle, þat lastyd ·vij· dayes contynually; and þere ware þe moste parte of þe lordes and gentylles of Ynglond. 10

YORK 1415. Proclamacio ludi corporis Christi facienda in vigilia corporis Christi:

Oieȝ! We comand of þe kynges behalue and þe mair and þe shirefs of þis citee, þat no mann go armed in þis citee with swerdes ne with Carlill-axes, ne none othir defences in distorbaunce of þe kingis pees and 15

[1] meyteyn [2] lythe *a.u.* [3] *not in MS.* [4] skeueyne [5] rythys

þe play, or hynderyng of þe processioun of corpore Christi, and þat þai leue þare hernas in þare ines, saufand knyghtes and sqwyers of wirship þat awe haue swerdes borne eftir þame, on[1] payne of forfaiture of þaire wapen and inprisonment of þaire bodys. And þat men þat brynges furth pacentes þat
20 þai play at the places þat is assigned þerfore and nowere elles, on[1] þe payne of forfaiture to be raysed þat is ordayned þerfore, þat is to say ·xl·s. And þat menn of craftes and all othir menn þat fyndes torches, þat þai come furth in array, and in þe manere as it has been vsed and customed before þis time, noght haueyng wapen, careynge tapers of þe pagentȝ. And officers
25 þat ar keepers of the pees on[1] payne of forfaiture of þaire fraunchis and þaire bodyes to prison: And all maner of craftmen þat bringeth furthe ther pageanteȝ in order and course by good players, well arayed and openly spekyng, vpon payn of lesyng of ·c· s. to be paide to the chambre without any pardon. And that euery player, that shall play, be redy in his pagiaunt at convenyant
30 tyme, that is to say, at the myd howre betwix fourth and fifth of the cloke in the mornynge, and then all oþer pageantȝ fast followyng ilk one after oþer as þer course is, without tarieng; sub pena facienda camere ·vj· s., ·viij· d.

YORK 1476. That yerely in the tyme of lentyn there shall be called afore the maire for the tyme beyng ·iiij· of the moste connyng, discrete,
35 and able players within this citie, to serche, here, and examen all the plaiers and plaies and pagentes thrughoute all the artificers belonging to corpus Christi plaie. And all such as thay shall fynde sufficiant in personne and connyng to the honour of the citie and worship of the saide craftes for to admitte and able; and all other insufficiant personnes, either in connyng,
40 voice, or personne, to discharge, ammove, and avoide. And that no plaier that shall plaie in the saide corpus Christi plaie be conducte and reteyned to plaie but twise on the day of the saide playe; and that he or thay so plaing plaie not overe twise the saide day, vpon payne of ·xl· s. to forfet vnto the chaumbre as often tymes as he or thay shall be founden defautie
45 in the same.

COVENTRY 1490. This is the expens of the furste reherse of our players in Ester weke:

Imprimis in brede ·iiij· d.; item in ale ·viij· d.; item in kechyn ·xiij·d.; item in vynegre ·j· d.

50 Item payd at the second reherse in Whyttson weke: In brede, ale, and kechyn ·ij· s., iiij· d.

Item for drynkynge at the pagent in having forth in wyne and ale ·vij· d. Item in the mornynge at diner and at sopper in costs in brede ·vij· d.; item for ·ix· galons of ale ·xviij· d.; item for a rybbe of befe and
55 ·j· gose ·vj· d.; item for kechyn to dener and sopp ·ij· s., ·ij· d.; item for à quarte of wyne ·ij· d.; item for another quarte for heyrynge of procula is gowne ·ij· d.

Item for gloves ·ij· s., ·vj· d.; item spent at the repellynge of the pagantte and the expenses of hauinge it in and furthe ·xiiij· d.; item in
60 paper ob.

Md payd to the players for corpus Christi daye: Imprimis to God ·ij· s.; item to Cayphas ·iij· s., iiij· d.; item to Heroude ·iij·s., iiij· d.; item to Pilatt is wyffe ·ij· s.; item to the bedull ·iiij· d.; item to one of the knights ·ij· s.; item to the devyll and to Judas ·xviij· d.; item to Petur and Malchus
65 ·xvj· d.; item to Anna ·ij· s., ij· d.; item to Pilatte ·iiij· s.; item to Pilatte is sonne ·iiij· d.; item to another knighte ·ij· s.; item to the mynstrell ·xiiij· d.

[1] of *MS.*

NORWICH 1565. Inventory of þe particulars appartaynyng to þe company of þe grocers:

A pageant, þat is to saye a howse of waynscott paynted and buylded on a carte with fowre whelys; a square topp to sett over þe sayde howse; a gryffon gylte, with a fane, to sette on þe sayde toppe; a bygger iron fane to sett on þe ende of þe pageante; iiiixx·iij· small fanes belongyng to þe same pageante; a rybbe colleryd red. 70

A cote and hosen with a bagg and capp for Dolour, steyned; two cotes and a payre hosen for Eve, stayned; a cote and hosen for Adam, steyned; a cote with hosen and tayle for þe serpente, steyned, with a whit heare; a cote of yellow buckram with þe grocers arms for þe pendon-bearer; an angells cote and over-hoses of apis skynns; three paynted clothes to hang abowte þe pageant; a face and heare for þe father; two hearys for Adam and Eve. 75 80

Fowr head stallis of brode inkle with knopps and tassels; six horsse-clothes, stayned, with knopps and tassells; item weights, etc.

307. FAREWELL

MS.: Bodl. 3938, Vernon; XIV century. — *edd.:* H. Varnhagen, Anglia VII; F. J. Furnivall, EETS. 117; C. Brown, RL. XIV. — BR. 2302; We. XIII, 71.

Nou bernes, buirdus, bolde and blyþe,
To blessen ow her nou am I bounde;
I þonke ȝou alle a þousend siþe,
4 And prei god saue ȝou hol and sounde.
Wher-euer ȝe go, on gras or grounde,
He ow gouerne wiþ-outen greue;
For frendschipe þat I here haue founde,
8 Aȝeyn my wille I take mi leue. —

Nou haueþ good dai, gode men alle!
Haueþ good dai, ȝonge and olde!
Haueþ good day, boþe grete and smalle,
12 And graunt-merci a þousend folde!
ȝif euere I miȝte, ful fayn I wolde
Don ouȝt þat weore vnto ȝow leue!
Crist kepe ow out of cares colde;
16 For nou is tyme to take my leue.

I must lay down my pen. If you have read so far, and I have written as I intended, you may share my conviction that what we call the past is a reality, without which what we call the present would be but a dream. It is a part of us, and we belong to it as the acorn belongs to the oak; and in striving to understand it we begin to learn to understand ourselves.

Arnold Fellows, The Wayfarer's Companion; Oxford 6. 1954

ABREVIATIONS

USED IN THE BIBLIOGRAPHICAL NOTES

ASPR. — *KRAPP-DOBBIE, Anglo-Saxon Poetic Records I-VI; London 1931 - .*

Ba. — *F.W. BATESON, Cambridge Bibliography of English Literature (CBEL), vol. I, Cambridge 1940; (Supplement: vol. V, Cambridge 1957).*

BAP. — *GREIN-WÜLCKER, Bibliothek der ags. Poesie; Kassel 1881 - .*

BAPR. — *GREIN-WÜLCKER-HECHT, Bibliothek der ags. Prosa; Kassel, Leipzig, Hamburg 1872 - .*

BENNET — *H.S. BENNET, England from Chaucer to Caxton; London 2. 1952.*

BEOWULF MANUSCRIPT: *Facsimile (Autotypes) ed. J.Zupitza, EETS.77, 1882; cf.Ker 216.*

BILLINGS — *A.H. BILLINGS, A Guide to the ME Romances dealing with English and Germanic Legends and with the Cycles of Charlemagne and of Arthur; New York 1901.*

BR. — *C.BROWN-R.H.ROBBINS, The Index of ME Verse; New York 1943.*

BRANDL-Z. — *BRANDL-ZIPPEL, Mittelenglische Sprach- und Literaturproben; Bln. 2.1927.*

CAROLS — *R.L. GREENE, Early English Carols, Oxford 1935.*

COOK — *A.S. COOK, A Middle English Literary Reader; Boston 1915.*

EE. LYR. — *CHAMBERS-SIDGWICK, Early English Lyrics, London 1911.*

EETS. — *Publications of the Early English Text Society: 1, 2. 3, ff. = Orig. Series; I, II, III, ff. = Extra Series; London 1864 - .*

EL. XIII — *C. BROWN, English Lyrics of the XIIIth Century; Oxford 1932.*

EME. R. — *DICKINS-WILSON, An Early Middle English Reader; Cambridge 1951.*

EXETER BOOK: *Facsimile (R.W. Chambers, M. Förster, R. Flower), London 1933; cf. Ker 116.*

GEDDIE — *W. GEDDIE, A Bibliography of Middle Scots Poetry; STS. 61, 1912.*

HALL — *J. HALL, Selections from Early Middle English; Oxford 2. 1951.*

HB. — *HEUSINKVELD-BASHE, A Bibliographical Guide to Old English, etc; Iowa 1931.*

HIBBARD — *L.A. HIBBARD, Medieval Romance in England, a study of the sources and analogues of the non-cyclical metrical romances; Oxford 1924.*

HICKES — *G. HICKES, Linguarum Veterum Septentrionalium THESAURUS, etc.; Oxford 1705.*

JUNIUS MANUSCRIPT: *Facsimile (I. Gollancz), Oxford 1927; cf. Ker 334.*

Ke. — *A.G. KENNEDY, A Bibliography of Writings on the English Language, etc.; Cambridge/Mass., 1927.*

KER — *N.R. KER, Catalogue of Manuscripts containing Anglo-Saxon; Oxford 1957.*

MÄTZNER — *E. MÄTZNER, Altenglische Sprachproben, Berlin 1867.*

MEMR. — *FRENCH-HALE, Middle English Metrical Romances; New York 1930.*

MOSSÉ — *F. MOSSÉ, Manuel de l'anglais du moyen âge; Paris 1945-49.*

PERCY — *Publications of the Percy Society; London 1840-52.*

PPS. — *Th. WRIGHT, Political Poems and Songs; RS., London 1859/61.*

REL. ANT. — *WRIGHT-HALLIWELL, Reliquiae Antiquae; London 1841/43.*

RL. XIV — *C. BROWN, Religious Lyrics of the XIVth Century; Oxford 2. 1952.*

RL. XV — *C. BROWN, Religious Lyrics of the XVth Century; Oxford 1939.*

RO. — *RENWICK-ORTON, The Beginnings of English Literature to Skelton; Lo. 1952.*

RS. — *Rolls Series, London.*

SCHÜCKING — *L.L. SCHÜCKING, Kleines angelsächsisches Dichterbuch; Cöthen 1919.*

SEC. L. XIV/XV — *R.H. ROBBINS, Secular Lyrics of the XVth Century; Oxford 2. 1955.*

SLEH. — *C. GROSS, The Sources and Literature of English History from the Earliest Times to about 1485; London 2. 1915.*

SPEC. EE. — *MORRIS-SKEAT, Specimens of Early English, Oxford 1898.*

STS. — *Publications of the Scottish Text Society, Edinburgh, 1884 - .*

TB. — *TUCKER-BENHAM, A Bibliography of XVth Century Literature, etc.; Washington 1928.*

VERCELLI BOOK: *Facsimile (R. Wülcker), Leipzig 1894; cf. Ker 394.*

We. — *J.E. WELLS, A Manual of Writings in Middle English, 1050-1400; New Haven 1916 - . (9 Supplements, 1921- 1951.)*

ZUPITZA Ü. — *ZUPITZA-SCHIPPER-EICHLER, Alt- und mittelenglisches Übungsbuch; Leipzig 14. 1931.*

ADDITIONAL PLATE XIXa

THE HOUSE OF LEARNING

(TYPUS GRAMMATICAE)

from Gregor Reisch, Margarita Philosophica, 1503.

INDEX

OF TITLES, FIRST LINES, AND SOME SUBJECTS

A

B

C

D

E

F

G

H

I

J

K

L

M

N

O

P

Q

R

S

T

U

V

W

Y

Ȝ

(PLATE XX)

On the last plate — mainly adopted from the editor's "Middle English Word-Geography" (Palaestra 205) — the counties of England, Scotland and Wales are entered under the following numbers:

1. Ross & Cromarty
2. Inverness
3. Nairn
4. Elgin
5. Banff
6. Aberdeen
7. Argyll
8. Perth
9. Forfar
10. Kincardine
11. Dumbarton
12. Stirling
13. Clackmannan
14. Kinross
15. Fife
16. Renfrew
17. Lanark
18. Linlithgow
19. Edinburgh
20. Haddington
21. Bute
22. Ayr
23. Peebles
24. Berwick
25. Selkirk
26. Wigtown
27. Kirkcudbright
28. Dumfries
29. Roxburgh
30. Isle of Man
31. Northumberland
32. Cumberland
33. Durham
34. Westmorland
35. Lancashire
36. Yorkshire
37. Anglesey
38. Carnavon
39. Denbigh
40. Flint
41. Cheshire
42. Derby
43. Nottingham
44. Lincoln
45. Merioneth
46. Montgomery
47. Shropshire
48. Stafford
49. Cardigan
50. Radnor
51. Hereford
52. Worcester
53. Warwick
54. Leicester
55. Rutland
56. Northampton
57. Huntingdon
58. Cambridge
59. Norfolk
60. Suffolk
61. Pembroke
62. Carmarthen
63. Brecknock
64. Glamorgan
65. Monmouth
66. Gloucester
67. Oxford
68. Buckingham
69. Bedford
70. Hertford
71. Middlesex
72. Essex
73. Cornwall
74. Devon
75. Somerset
76. Dorset
77. Wiltshire
78. Berkshire
79. Hampshire
80. Surrey
81. Sussex
82. Kent

THE LOCAL DISTRIBUTION OF
MIDDLE ENGLISH LITERATURE

cf. p. 592